DU MÊME AUTEUR

Aux Éditions Gallimard

JOURNAL POUR ANNE, 1964-1970.

LETTRES À ANNE

FRANÇOIS MITTERRAND

LETTRES À ANNE

1962-1995

GALLIMARD

NOTE DE L'ÉDITEUR

La transcription des *Lettres* est restée au plus près de l'écriture de François Mitterrand, dont la ponctuation a été respectée.

Cependant, les usages typographiques ont été rétablis pour l'italique des titres d'œuvres, les nombres, les heures, les majuscules des institutions, etc.

Ont été corrigés quelques noms et noms propres, à l'exception des surnoms pour lesquels la variété des graphies a été gardée.

Ces lettres ont parfois été entrecoupées [entre crochets] de remarques de la destinataire apportant quelques précisions.

Ces interventions sont dans une police différente afin que le lecteur en soit toujours informé.

Quelques lettres de tiers ont été introduites dans le même souci d'éclairage et toujours dans une police différente.

Qui me demanderait la première partie en l'amour, je répondrais que c'est savoir prendre le temps ; la seconde de même & encore la tierce : c'est un point qui peut tout.

MONTAIGNE,
Essais, livre III, chapitre v

1962

1.

En-tête du Sénat, à Mademoiselle Anne Pingeot,
L'Abbaye-aux-Bois, 11 rue de la Chaise, Paris VIᵉ.

Le 19 octobre 1962

Voici, chère Anne, le *Socrate* évoqué un soir à Hossegor. Édité en
Suisse je n'ai pu encore me procurer l'exemplaire promis. Je vous
envoie donc le mien, qui m'a souvent accompagné dans mes voyages
et qui est pour moi comme un vieil ami. Dès que j'aurai le volume
que j'ai commandé chez Mermod je le ferai déposer rue de la Chaise,
à moins que je n'aie l'occasion de vous le remettre moi-même. Ce petit
livre sera le messager qui vous dira le souvenir fidèle que je garde de
quelques heures d'un bel été

<u>François Mitterrand</u>
Sén. de la Nièvre,
palais du Luxembourg, <u>Paris VIᵉ</u>

2.

En-tête du Sénat, à Mademoiselle Anne Pingeot,
L'Abbaye-aux-Bois, 11 rue de la Chaise, Paris VIe.

Le 10 novembre 1962

Chère Anne, est-ce la sorte d'exil où je vis depuis quinze jours, errant par les chemins du Morvan, assailli par les soucis d'une bataille électorale où je dois faire face à une rude coalition, qui m'invite à répondre à votre charmante lettre ? ou n'est-ce pas plutôt, tout simplement, le plaisir que j'éprouve à ne pas rompre notre dialogue ?

Vous n'aviez pas à me remercier d'une promesse tenue. Au surplus j'ai négligé ces derniers temps, de relancer mes Suisses ! Et puis j'aime assez que ce livre bleu, par sa présence auprès de vous, fixe, pour qu'elles ne soient pas tout à fait dissipées, les « impressions légères » dont vous me parlez.

Dans un instant j'irai à nouveau vers le maquis de landes et de forêts – d'intrigues et de passions – qui sert de paysage au combat que je livre. Je rentrerai ensuite à Paris, le 19, ma tâche (provisoirement) achevée. Vous y verrai-je un jour ?

Ne soyez pas surprise, chère Anne, si j'ai désiré m'arrêter un moment pour vous écrire ces lignes. Sans doute le souhaitais-je

François Mitterrand

Hôtel du Vieux Morvan, Château-Chinon, <u>Nièvre</u>

3.

En-tête ~~Assemblée nationale~~ Palais-Bourbon,
à Mademoiselle Anne Pingeot,
L'Abbaye-aux-Bois, 11 rue de la Chaise, Paris VIe.

Palais-Bourbon, 21 décembre 1962

Chère Anne,

Socrate a tant de succès depuis plus de deux mille ans que l'édition suisse que j'espérais vous envoyer est épuisée. Je ne puis plus compter que sur la vigilance des bouquinistes pour saisir un exemplaire au vol… et vous l'adresser. Peut-être, à la lecture du livre bleu, avez-vous trouvé le philosophe assez barbon ! Je m'en tiens cependant à la promesse d'un soir d'été et je continuerai ma scrupuleuse quête – sans trop miser sur mes chances d'aboutir.

Compenserai-je pour l'instant la magie des mots et des idées par celle des images ? Aux lieu et place de Socrate voici Florence et la Toscane. Elles aussi, je le souhaite, vaincront l'hiver et les murs gris. Je crois que vous aimez déjà leur langage

François Mitterrand

1963

1er juillet 1963 : Adieu à L'Abbaye-aux-Bois, foyer de jeunes filles où je logeais depuis mon arrivée à Paris en 1960.

15 août 1963 : Hossegor, premier rendez-vous à la mer sauvage.

26 août 1963 : Représentation chez les Portmann (plage Blanche d'Hossegor) des *Justes* de Camus où je jouais la grande-duchesse.

5 octobre 1963 : Installation à Paris, 39 rue du Cherche-Midi.
Appartement acheté par Régine de Jouennes, amie de L'Abbaye-aux-Bois.
Je partageais la chambre sur cour avec Martine, ma sœur aînée.
Les trois chambres sur la rue étaient occupées par Régine,
Kitou, sa plus jeune sœur, et des amies françaises et étrangères.

4.

En-tête Assemblée nationale, à Mademoiselle Anne Pingeot,
39 rue du Cherche-Midi, Paris VIᵉ.

30 septembre 1963

J'ai pensé, chère grande Duchesse, que vous aimeriez ranger parmi vos livres un exemplaire de l'original d'une œuvre que vous connaissez bien. Pardonnez-moi s'il vous rappelle la fin tragique de ce pauvre grand Duc qui se plaisait tant à dormir dans un fauteuil, les pieds sur une chaise, la sale petite gueule de cette nièce épargnée malgré son mauvais cœur et l'entêtement de ce Kaliayev, qui n'a voulu ni de la grâce des hommes ni de la grâce de Dieu. À moi il rappelle surtout une belle nuit aux franges de l'orage, l'odeur de la terre mouillée et le plaisir que j'ai eu à vous voir ce soir-là.

Mais je n'ai pas besoin de Camus, chère Anne, pour me souvenir, après trois semaines chargées de travail et de voyages du projet ébauché d'une balade dans nos vieux quartiers – en votre compagnie ! comment faire cependant pour savoir ce qui vous convient, ignorant que je suis de votre emploi du temps ? Me le direz-vous ?

Je me jette à l'eau en vous proposant une heure (à votre choix) de mercredi ou jeudi ou vendredi après-midi. Vous pouvez m'adresser un mot soit à l'Assemblée nationale, soit chez moi, 4 rue Guynemer. Et, à tout hasard, comme je dois me rendre demain soir mardi, à 19 heures à la librairie du Divan (angle de la rue Bonaparte et de la rue de l'Abbaye – place Saint-Germain-des-Prés) je vous y attendrai.

Ainsi nous fixerions l'heure et l'itinéraire de cette « présentation de Paris ».

Dois-je vous répéter, comme à Hossegor, que « je compte sur vous » ? C'est pourtant diablement vrai

François Mitterrand

5.

Carton de l'Assemblée nationale, à Mademoiselle Anne Pingeot,
École des Métiers d'art, 5 rue de Thorigny, Paris IIIe *(sans timbre)*
(actuel musée Picasso).

Palais-Bourbon (VIIe), le 1er octobre 1963

Chère Anne,

Je vous ai envoyé hier une lettre – pour vous dire que je serais heureux de vous voir – et une édition des *Justes* qui, je l'espère, vous plaira. Or le messager qui a déposé le livre au 39 de la rue du Cherche-Midi s'est heurté à l'ignorance de la concierge qui ne connaissait pas

– la pauvre ! – Anne Pingeot. De ce fait, missive et bouquin sont en instance (je devrais écrire <u>en souffrance</u>) à ce fichu 39 que vous m'aviez, je crois, indiqué.

Ce petit mot a pour dessein de vous informer de leur mésaventure. Et de vous confier, une fois encore, le plaisir que j'aurais, après le goudron de la plage et les ajoncs de la forêt, à retrouver en votre compagnie mes chers itinéraires parisiens

<u>François Mitterrand</u>

6.

En-tête Assemblée nationale, à Mademoiselle Anne Pingeot, 39 rue du Cherche-Midi, Paris VIᵉ.

10 octobre 1963

Vraiment, chère Anne, votre lettre m'a fait grand plaisir. Si j'avais obéi à mon premier mouvement je vous aurais aussitôt demandé de m'accorder un moment cette semaine. Mais je me suis souvenu du mot de Talleyrand : « Méfiez-vous du premier mouvement, c'est le bon. » Aujourd'hui cependant je regrette de ne pas vous avoir retrouvée par cette splendeur d'automne dont la lumière est à la fois si belle et si fragile. Ce Paris-là, parmi d'autres, vous va sûrement très bien et c'est toujours un peu bête de laisser le temps donner de l'épaisseur à l'absence.

Vous avez bien voulu me dire que vous faisiez relâche le jeudi après-midi. Puis-je vous espérer jeudi prochain, 17 octobre ? Je vous attendrai à 15 h 30 à la librairie La Hune, boulevard Saint-Germain, près du café des Deux Magots. Si le ciel nous sourit, tout en nous promenant nous irons visiter quelques bons bouquinistes. Pour le cas où ce jeudi serait consacré à Clignancourt je serai vendredi à 17 heures au même endroit.

Demain je pars pour la Nièvre et y resterai lundi et mardi après un saut à Lyon. Je ne reviendrai à Paris que mercredi matin. Telles sont les obligations d'un député de province ! La rentrée parlementaire m'a plongé dans l'étude aride du budget et je prépare pour la mi-novembre une intervention sur l'Aménagement du Territoire, question apparemment sévère et réellement passionnante (il s'agit de dessiner et modeler le visage physique et économique de la France de l'An 2000. De quoi enchanter Martine, la géographe). Cela ne m'empêche pas de vivre selon mon goût et pour l'instant je puise mille émotions du cœur et de l'esprit à la lecture des *Mémoires d'outre-tombe* qui ne cesse de m'émerveiller.

Mais ce matin Cocteau est mort. Personnage divers, multiple et incomplet il a marqué les débats de ma jeunesse. Je ne puis me retenir de transcrire ces vers de *Plain-Chant*, son chef-d'œuvre, tant j'ai la faiblesse d'espérer que vous aimerez ce que j'aime :

Rien ne m'effraye plus que la fausse accalmie
d'un visage qui dort
Ton rêve est une Égypte et toi c'est la momie
avec son masque d'or.

Où ton regard va-t-il sous cette riche empreinte
d'une reine qui meurt
Lorsque la nuit d'amour t'a défaite et repeinte
comme un noir embaumeur

Abandonne ô ma reine ô mon canard sauvage
les siècles et les mers
Reviens flotter dessus, regagne ton visage
qui s'enfonce à l'envers...

Cher Cocteau dont le visage, à son tour, s'enfonce – mais à l'endroit – comme il convient à la mort et non plus à l'amour.

Mais je m'arrête. Pourquoi, Anne, cette envie de communiquer avec vous ? Vous qui m'avez surtout donné votre silence lors de nos fugaces rencontres ?

Alors à jeudi ? Inutile de me le confirmer si vous venez. Je me réjouis à la pensée de vous revoir

François Mitterrand

P.-S. Tant pis si pour votre commodité, je dois jumeler les patronymes – étrange accouplement – du maître d'un Empire (céleste de surcroît) et d'une larve de lépidoptère !

Figurez-vous que le jour même où vous m'écriviez était la fête de

saint François, eh oui ! de François d'Assise dont je crois bien que
je porte le nom.

Jeudi 10 octobre 1963, je dînais avec V. B. Ces vieux messieurs me courtisaient,
cela m'amusait ; je me croyais invulnérable.

7.

En-tête Assemblée nationale (sans enveloppe).

19 octobre 1963

Pardonnez-moi, chère Anne, si entre « me perdre pour toujours »
ou bien « jusqu'à la semaine prochaine », j'opte pour la semaine prochaine et si j'espère, très vivement, vous revoir – enfin.

Je serai donc vendredi 25 octobre à 15 h 30 à La Hune – À moins
qu'une autre heure de ce même jour ne vous convienne mieux. Dans
ce cas dites-le-moi : je me rendrai libre à votre gré.

Je vous ai regrettée hier
Ciao

François Mitterrand

8.

En-tête Assemblée nationale, à Mademoiselle Anne Pingeot,
39 rue du Cherche-Midi, Paris VIᵉ.

4 novembre 1963

Sur la route du retour qui va d'Hossegor à Paris je jetterai cette
lettre. Ce matin je suis allé jusqu'à Lohia [villa de mes parents]. J'ai posé
un regard amical sur un géranium épanoui et frais, sur les œillets
d'Inde et sur l'incroyable masse de mimosas qui semble avoir résisté
victorieusement – insolemment – à la rage destructrice de votre mère.
Quel temps ! Bleu, lavé, parcouru de voiles légères, avec l'accompagnement d'une mer magnifique, gonflée d'une colère méthodique,
massive et finalement si sage, incapable qu'elle est au zénith de sa

fureur de dépasser ses propres limites, aux franges de la forêt. Pourquoi vous écrire ? Je le désire depuis l'autre soir. J'aime vous parler, ou parler seul, à moi-même, tandis que vous êtes là, témoin, témoin critique, témoin ami aussi, je le crois. Vous m'avez accordé mardi une vraie joie. Je la prends comme elle est. Ne me la refusez pas seulement parce qu'il vous arrive de penser qu'il faudrait me la refuser. Ce serait merveilleux, enrichissant, et d'un prix si rare que de réussir ce que je m'efforçais l'autre soir de vous expliquer.

Quant au musée de Chantilly il est fermé au public jusqu'en mars à partir… d'aujourd'hui, 4 novembre ! Mais, très heureusement, le conservateur me propose de l'ouvrir, à notre intention seulement, au début de l'après-midi de vendredi, le 8 novembre, et de nous le faire visiter lui-même. Ne soyez pas terrorisée, chère Anne : à ma connaissance, cet honorable gentilhomme, non plus que ses ancêtres jusqu'à la septième génération, n'a jamais mis les pieds à Clermont-Ferrand dont il ignore certainement les pompes, les œuvres et le reste ; il n'a pas la moindre idée sur l'altitude exacte du noble Puy-de-Dôme ; sa voiture n'est pas chaussée de pneus Michelin : la mauvaise réputation que me fait et que bichonne la famille Pingeot n'est pas parvenue jusqu'à lui ; enfin, aucun indice n'apparaît d'une collusion secrète entre lui et l'une ou l'autre des pensionnaires aussi vigilantes que belles du 39 de la rue du Cherche-Midi.

Si, cependant, vous étiez empêchée de me donner ce jour-là les quelques heures nécessaires à cette expédition (au minimum : une heure pour l'aller, une heure et demie pour votre rendez-vous avec le duc de Berry et pour le mien avec Simonetta, une heure pour le retour) prévenez-moi par retour du courrier afin de me permettre d'informer aussitôt l'obligeant conservateur, qui dans ce cas nous recevrait le 15. Inutile de vous dire que je préfère de beaucoup le 8 au 15, à cause de vous que j'ai envie de voir, à cause de l'automne qui s'éloigne des jours dorés pour s'enfoncer dans les jours gris, à cause de Simonetta, d'une nature impatiente, à cause de moi qui suis peu apte à donner une allure de bonne petite relation mondaine à cet « attrait indéfinissable » dont parle notre copain Chateaubriand.

Si tout va bien, je serai à 14 heures vendredi à l'angle de la rue de Sèvres et de la rue Saint-Placide, d'où je vous prendrai, direction le château des Condé.

Vous aurez cette lettre dans votre boîte demain mardi. Allez dès l'après-midi chez Ploix, disquaire n° 48 rue Saint-Placide (un des meilleurs de Paris). Vous y trouverez un disque que j'ai retenu pour vous, à votre nom, qui s'appelle *Trouvères, troubadours et grégorien* éditions Studio S.M. Le septième morceau « Alléluia pour la fête de Saint-Joseph » m'a tant ravi, tandis que je l'entendais à travers une terre brûlée de soleil, que je n'ai pu résister au plaisir de vous le destiner. Je n'ai pas voulu le déposer chez vous pour n'intriguer personne. Quand vous l'aurez, écoutez aussitôt, je vous en prie, cet « Alléluia ». Je crois que vous aimerez.

Au revoir, Anne. Je ne sais pourquoi je mets dans cette lettre, avec un œillet Dinde de Lohia et un œillet des dunes, un peu du parfum de notre première balade aux « Trois-Poteaux ».

À vendredi ?

François Mitterrand

9.

En-tête Assemblée nationale, à Mademoiselle Anne Pingeot, 39 rue du Cherche-Midi, Paris VIᵉ.

7 novembre 1963

Chère Anne,

Simonetta fera comme moi : elle attendra. Entendu donc pour vendredi 15 novembre. Afin de profiter des couleurs du jour et visiter à notre aise le musée il serait bon de partir tout au début de l'après-midi. Aussi passerai-je vous prendre à 14 heures rue de Sèvres (au croisement de la rue Saint-Placide). Si toutefois c'est trop tôt pour vous dites-moi l'heure qui vous convient.

Puisque mon après-midi de demain se trouve subitement vidé d'emploi du temps j'ai décidé d'avancer mon envol pour Rome où j'arriverai en fin de matinée. Là, je participerai à une conférence internationale du Mouvement européen, à laquelle les circonstances prêtent une grande importance. Ce qui ne m'empêchera pas de penser à vous que j'ai aimé connaître, que j'ai cru reconnaître, un soir qu'à Hossegor – pour la première fois – nous parlions de notre amie commune, l'Italie.

Quant au disque, je suis navré qu'il vous mette dans l'embarras. S'il m'arrive (bien rarement) de vous offrir un objet c'est toujours parce qu'il exprime un symbole, une idée, une image, un chant qui m'ont ému. Acceptez-le comme l'interprète d'un moment de beauté, d'amitié, de paix – et de cette inexprimable communication que les êtres perçoivent parfois par la grâce des choses. Ceci dit, si cela vous ennuie d'aller chez Ploix j'irai moi-même. J'avoue cependant que j'aimerais assez vous convaincre que l'« Alléluia » qui vous attend ne demande rien à votre gratitude et tout à votre joie de l'entendre.

Vous, avec un Romain, et moi à Rome cela justifierait un nouveau ciao !

Mais je fais vœu désormais d'employer un langage châtié ! Je vous dis donc, chère Anne, que la perspective de vous voir vaut bien tous les souvenirs que, déjà, je vous dois

François Mitterrand

Vendredi 15 novembre, Chantilly.

10.

En-tête Assemblée nationale, à Mademoiselle Anne Pingeot, 39 rue du Cherche-Midi, Paris VIe *(sans timbre).*

16 nov. 1963

Voici un *Lucien Leuwen*, le premier Stendhal que j'ai possédé. J'avais vingt ans. Je l'ai lu sur la plage de Royan. Peu après, c'était la guerre.

Les autres éditions dont je dispose sont en deux gros volumes, ou trois petits, ou quatre ! Je pense que cet exemplaire-là en deux tomes pas trop encombrants sera pratique pour vous. Et je suis heureux qu'après m'avoir révélé tant de richesses il soit entre vos mains. Gardez-le tant qu'il vous sera utile.

Quant à hier, 15 novembre, ce ciel noir n'avait pas pour moi la couleur de l'hiver. J'en ressens tout le privilège.

F.

Vendredi 22 novembre 1963, Beauvais.

11.

En-tête Assemblée nationale, à Mademoiselle Anne Pingeot,
39 rue du Cherche-Midi, Paris VIe.

23 novembre 1963

Chère Anne, en arrivant à L'Aigle, cette petite ville de l'Orne où se tenait hier soir la réunion politique dont je vous ai parlé, j'ai appris l'assassinat de Kennedy. Comme tant d'hommes et de femmes à travers le monde, cette nouvelle m'a bouleversé. Ce n'est pas la mort qui m'étonne, qui m'enrage : on la rencontre à tous les carrefours ; mais la haine.

Et la sottise. Et j'éprouve une sorte d'angoisse à les voir triompher, une fois de plus.

Je suis rentré à Paris, tard dans la nuit puisqu'il était 4 heures du matin, par une route que rendaient difficile de violentes averses et des zones de méchant brouillard.

À vrai dire, le ciel n'était guère plus aimable pendant notre expédition à Beauvais !

Mais lumière, chaleur et joie ne viennent d'aucun autre soleil que de celui qui nous habite. Et j'aime être avec vous. Tandis que je n'ai qu'un goût modéré pour ces échanges avec le public, toujours inconnu, qu'il faut convaincre avec des discours et des idées, tâche absurde quand on sait que seuls l'amour, les actes et l'exemple ont une force conquérante.

Aujourd'hui, Orly, l'avion, Bordeaux, le train, Dax, Michel Destouesse et Hossegor où j'ai débarqué vers 16 heures. Et quel Hossegor ! La lumière la plus délicate, les ors les plus caressants, le ciel le plus limpide.

J'ai veillé à la plantation de quelque quarante pins et quinze cupressus dorés et le jour a tôt basculé. Maintenant je suis dans ma maison, seul, et je vous écris cette lettre du lundi (car j'espère bien qu'elle vous parviendra sans retard) pour deux raisons ; l'une, de circonstance : le souhait que je forme de vous voir cette semaine ; l'autre, plus intemporelle : j'ai, oui, il faut le dire, un vrai besoin de poursuivre avec vous, d'une manière ou d'une autre (ces lettres, un œillet des dunes, un livre, votre écriture, parfois, l'émotion que fait naître en vous la beauté d'un arbre, d'un tableau, d'un style), ces échanges que vous avez bien voulu me permettre.

Sur le premier point je comprends votre hésitation et, moi-même, il m'arrive de craindre que vous ne trouviez que j'exagère en mobilisant, comme je l'ai fait, ces deux derniers vendredis, vos heures de liberté. Mais quinze jours sans vous apercevoir c'est plus long que ma patience. Pardonnez-moi donc si j'insiste plus qu'il ne convient et si je vous demande ou bien de faire avec moi le circuit Port-Royal vendredi, ce qui suppose que j'irai vous chercher aux Blancs-Manteaux à 11 h 45 ou bien, pour le moins, de me garder un moment dans la soirée, par exemple pour dîner dans le sous-bistrot de vos rêves.

Je demande trop ? Alors, pardonnez-moi encore.

Vous qui me dites ne jamais savoir ce que je pense, eh bien, vous saurez que vous rencontrer compte pour moi.

D'ailleurs, c'est mon affaire et cela ne vous regarde pas – dans la mesure, évidemment, où je n'encombre pas outrageusement votre existence parisienne !

Sur le second point je serai plus bref parce qu'il y aurait trop à écrire. Je veux simplement, chère Anne, vous répéter que j'irai dire bonjour de votre part, demain, aux dunes, à la mer, à la forêt (pas au golf, objet de vos quolibets).

Je rentre mardi matin. L'après-midi j'interviens à l'Assemblée nationale. Un peu grâce à vous, sans que vous vous en doutiez, et parce que vous m'avez apporté une présence et une vérité, j'aborde avec une sorte d'allégresse les travaux et les jours.

À bientôt, Anne – et si, décidément, vendredi ne colle pas (voilà, je le suppose, un mot qui va rejoindre ciao et copain !) vous me feriez grand plaisir en me rappelant, par un petit mot, que je puis compter sur vous, un jour ou l'autre

François M.

Vendredi 29 novembre, Port-Royal.

12.

En-tête Assemblée nationale, à Mademoiselle Anne Pingeot,
39 rue du Cherche-Midi, Paris VIe.

30 novembre 1963

Parce que j'éprouve le besoin de prolonger les belles heures d'hier je vous écris, Anne, ces quelques lignes. Dans un moment je partirai pour la Nièvre mais cette lettre, déposée à Paris et en route vers vous, réduira l'espace et le temps tout en leur resti-tuant (dans mon esprit) la densité qu'ils avaient, me semble-t-il, de Port-Royal à Montfort-l'Amaury et sur le chemin – si bref, si long – du retour.

Lors de notre première promenade d'Hossegor, sur la plage, je vous ai raconté les silences que j'aimais (les silences de la rue de Vaugirard !), ce lent franchissement des frontières qui séparent les êtres. Eh bien, c'est un silence de cette sorte, plein et fort, que j'ai cru reconnaître et qui a donné à notre vendredi sa marque singulière.

Je vous ai quittée (rappelez-vous ce vers de Paul Fort « le plus court chemin d'un point à un autre c'est le bonheur d'une journée ») pour tomber sur trois étudiants de Sciences Po (deux filles, un garçon) qui m'avaient demandé rendez-vous afin de s'informer sur « les motiva-tions de mes choix politiques » (Ah ! ce langage !) et qui m'avaient héroïquement attendu. Je les ai gardés tard dans la soirée, puis j'ai lu. Et j'ai pensé, avec joie et paix, à vous.

Cette énième lettre du lundi sera brève : vous croiriez peut-être à une manie !

J'ai cédé, en vous l'adressant, à l'envie de couper la semaine qui s'achèvera à Saint-Sulpice (je serai à la grande porte, à gauche) – et surtout au désir que j'ai de recréer votre présence.

<u>François M.</u>

P.-S. J'ai répondu aujourd'hui à Tristan de la Broise en lui fixant rendez-vous vers le 15.

Je joins à ma lettre, un papier qui vous amusera, message d'injures typique : j'en reçois presque chaque jour de cette encre. Inutile, je suppose de préciser que je n'ai jamais parlé d'« *abattre le général de Gaulle* » !!!

Vendredi 6 décembre, Saint-Cloud.

13.

En-tête Assemblée nationale, à Mademoiselle Anne Pingeot,
39 rue du Cherche-Midi, Paris VIe *(sans timbre).*

8 décembre 1963

Eh bien ! Non, ce lundi ne sera pas celui du silence. Je ne vois pas pourquoi je le traiterais autrement que les autres pour la seule et mauvaise raison que son destin l'a logé entre un dimanche de joie et un mardi d'espoir !

Et surtout comment faire, comment faire pour ne pas poursuivre en moi-même la musique interrompue – et pour ne pas écrire ma partition avant de la déposer du côté de chez Anne ? Comment résister à la force heureuse de ces trois jours que je viens de vivre et qui n'étaient pas de folie mais de grâce ? À moins que la folie ne soit cette grâce suprême qui prête à chaque geste, à chaque mot, à chaque heure partagée cette résonance qui va si profondément en moi – et y demeure.

Après vous avoir quittée j'ai fait un tour très bref au colloque socialiste. On y discutait procédure ce qui rendait ma présence moins nécessaire. J'avais, au demeurant, envie de solitude, ou plutôt de cette nouvelle solitude que je vous dois, que j'aime et qui est pour moi une façon subtile de vous retrouver. Car lorsque j'avance mon livre en panne d'une page, lorsque je classe ou ressors d'anciens papiers, lorsque je réfléchis à mes prochains actes politiques, lorsque je médite un argument, lorsque j'ouvre un livre, lorsque je me cale dans un fauteuil pour laisser la pensée filer à sa guise il me semble que je vous retrouve.

Si j'analysais les motifs de la séduction (involontaire) que vous exercez sur moi, vous seriez fort surprise. Sans doute suis-je sensible à la forme d'un visage, à l'éclat d'un regard, à la lumière d'un sourire, à la gravité d'un silence, quand ce visage, ce regard, ce sourire, ce silence appartiennent – c'est comme ça même si ça tombe mal ! – à mon impossible – et chère – Anne.

Mais ce ne serait pas suffisant. Votre amour du travail, l'intérêt que vous portez aux débats les moins proches de votre âge et de vos habitudes (et qui sont ceux qui occupent ma vie), l'intensité qui vous condamne à tout aimer ou à tout haïr, à tout ressentir jusqu'à l'ivresse ou la blessure ont fait de vous pour moi – comment dire ? – et c'est le plus étrange, comme un compagnon par la vertu duquel renaissent en moi une liberté, une volonté, je ne sais quel accord intérieur depuis longtemps oubliés.

Je vous entends répondre « Est-ce vrai ? Et n'est-ce pas excessif, ou interpréter à l'excès des moments et des impressions qui ne nous ont pas empêchés de retourner, vous à votre portemanteau, et moi à mon amant (en titre) de passage ? ».

Je n'interprète et ne demande rien. Simplement, Anne, je raconte et je me raconte l'histoire qui n'a pas de nom et dont nous sommes les acteurs.

Ce soir, de cette histoire, je tire à moi tout le bonheur des choses qu'on n'accroche pas au portemanteau, qu'on ne met pas non plus sur la commode Louis XV mais qu'on garde en son cœur – quoi qu'il advienne.

Tel est le résultat d'un drôle de week-end, arraché au temps contraire ! Fallait-il le taire ?

François M.

Vendredi 13 décembre, les étangs de Hollande.

14.

En-tête Assemblée nationale, à Mademoiselle Anne Pingeot, 39 rue du Cherche-Midi, Paris VIᵉ.

13 décembre 1963

Il est près de minuit. Assis à ma table de travail je vous écris tandis que s'éteignent les dernières notes de notre « Alléluia ». Souvent j'écoute ce chant. Il me parle de vous, Anne. Je pense qu'il vous ressemble, ou du moins, à une certaine Anne, la plus secrète, la plus vraie, la plus exigeante (et d'abord pour elle-même).

J'aime que cette Anne-là existe. Pour l'atteindre il faut du silence et de la force, la force de chercher et de comprendre. Ce n'est pas commode.

Mais passionnant.

Après dîner j'ai récupéré ma solitude avec joie. J'en étais impatient. Je l'attendais comme on attend un rendez-vous longuement espéré. Maintenant, bien que vous soyez en cette minute même soit à Hébertot soit ~~dans~~ sur le chemin du retour, il me semble que votre pensée me rejoint et que rien ne s'est passé depuis que nous nous sommes quittés (je n'en avais guère envie). Il m'arrive d'être surpris par l'intensité de votre regard. Ce soir, en partant, ce regard vous me l'avez donné. Je n'essaierai pas de vous dire comment je l'ai reçu et comment je le garde. Ce serait aussi difficile que de vous raconter ce qui m'habitait lors de notre halte en forêt, ô ma si chère nuque tournée.

Je fais déjà un bilan. Deux mois, nos deux premiers mois. Et pas un déphasage, pas un recul (enfin… de mon côté !). Chaque semaine m'a apporté davantage. J'ose à peine croire à cette étonnante nouvelle : ce qui me conduit vers vous ne s'appelle ni curiosité ni désir. Et si, bien sûr, ces deux turbulents compagnons sont du voyage, ils ne le commandent ni ne le guident.

Alors qui mène l'équipage ? Moi, je le sais. Il porte un beau nom. Mais il aime les pseudonymes.

Demain, la route, ma route coutumière. Je ne me sens pas très emballé par cette perspective. Vous, vous aurez le cadre familier de votre chambre, vos objets, vos points de repère et, peut-être, le magnifique farniente des paresseux dimanches. Je rentrerai lundi après-midi. Je m'inquiéterai aussitôt de l'heure pour mercredi et vous déposerai un mot à cette intention. Plus je vous garderai plus je m'en réjouirai. Mais je ne voudrais pas que ce passe-temps judiciaire vous paraisse, à certains moments, trop sévère ! Quant à vendredi je ne m'empêche pas d'y penser avec un peu d'anxiété. Si tout va bien j'irai vous chercher à 11 h 45, comme l'autre fois, aux Blancs-Manteaux. Si tout va mal j'espère (très fort) que vous disposerez, jeudi ou vendredi matin, de la liberté de me dire au revoir.

À la fin de mes lettres j'éprouve à tout coup une sorte de scrupule : n'ai-je pas abusé de ce privilège – vous écrire ; n'ai-je pas écrit ce qu'il faudrait taire ? Je déteste les abus. Mais ne serait-ce pas aussi manquer à ce merveilleux équilibre de liberté et de retenue auquel nous sommes parvenus (vraiment, Anne, quelle chance !) que de laisser courir l'esprit à sa guise – et jamais le cœur ?

François M.

Samedi matin

Bonjour Anne. Je vous imagine tôt levée et appliquée sur votre Saint-Martin. J'avais envie de commencer ce 14 décembre avec vous. C'est fait. Mais j'avoue que j'aimais mieux notre dernier samedi !

F

15.

En-tête Assemblée nationale, à Mademoiselle Anne Pingeot,
39 rue du Cherche-Midi, Paris VIe.

16 décembre 1963

J'arrive de la Nièvre, la nuit tombée et plutôt fourbu. Samedi soir un tournant verglacé m'a expédié dans le décor. 300 mètres de lutte. En vain. Et l'arrière précédant l'avant, la DS, sautant le fossé, s'est encastrée dans la futaie ! Cela par – 12 degrés et dans un secteur désolé.

Au bout d'une heure des paysans qui revenaient de la ville m'ont obligeamment aidé à récupérer la voiture. Avec une bosse et un creux dans l'aile droite arrière j'ai continué mon circuit nivernais. Et me voici.

Pour apprendre quoi ? Que vous êtes malade. Mais ne soyons pas ingrats : merci à l'angine, merci au torticolis qui m'ont valu votre lettre, premier objet qui m'attendait sur mon bureau et qui m'a procuré un fichu plaisir. Ceci dit vous devez avoir mal. Pour le torticolis je puis vous aider. Je connais une kinésithérapeute formidable qui me délivre des miens – ou bien un médecin (femme) qui habite rue de Seine, donc pas loin de chez vous, et qui par l'acuponcture fait des miracles. Une heure après les soins le torticolis aura pratiquement disparu. Si donc ça ne va pas mieux demain, un mot que je recevrais mercredi matin me permettrait d'alerter l'une ou l'autre, qui vous mettrait d'aplomb pour midi. Car c'est à 13 heures (pas plus tard que 13 h 05 !) que je dois aller vous chercher à l'angle Saint-Placide – Cherche-Midi. L'audience commence à 13 h 30 et nous sera entièrement consacrée. Quant à l'angine, vous usez sûrement des remèdes classiques : je n'ai aucune compétence !

Mais je fais des vœux et des vœux pour que vous soyez rétablie. Non par désir d'être entendu de vous (je redoute plutôt l'esprit critique d'Hannah) mais pour la joie de vous voir et de vous garder quelques heures.

Si même les microbes ont cédé je serai très heureux de ne pas vous ramener aussitôt au bercail, l'audience terminée (vers 19 heures sans doute, mais s'il y a suspension, cela peut durer davantage). Est-ce possible ? Au moins pour vous faire prendre bouillon chaud et grog explosif ? Songez que je ne vous aurai pratiquement pas parlé, pas réellement rencontrée : il faudra bien que je m'occupe de Laclos ! Et je pense que c'est le comble de l'injustice : vous avoir là et être cependant privé de vous.

Anne, suis-je sage de nourrir des projets alors que vous avez peut-être une méchante fièvre ? À vrai dire je n'aime pas vous savoir souffrante. Je préfère que vous vous soigniez sérieusement, au risque de vous manquer. Au moins nous restera-t-il vendredi. Pouvez-vous m'écrire un mot, un simple mot, demain pour m'informer de votre état ? Si vous êtes contrainte de rester alitée ou chez vous je vous écrirai à mon tour pour vous tenir compagnie (dans l'hypothèse où cette pluie de lettres n'alerterait pas vos infirmières !). D'ailleurs j'ai en réserve les bouts de lettres que, pour mieux vous retrouver, je vous ai écrits depuis quelques jours. Bien qu'il ne soit peut-être pas utile que vous les lisiez ! Est-ce raisonnable en effet ? Je m'y exprime à ma guise et sans précautions. Bref, le type même de ce qu'il vaut mieux garder pour soi.

Dans le cas où je ne reçois rien de vous demain ou mercredi je serai à l'endroit fixé à 13 heures mercredi. Évidemment, mon vendredi vous appartient, comme vous le savez. Et si vous êtes trop mal en point ne venez pas mais ne m'oubliez pas cependant. Je serais vraiment triste de ne pouvoir vous rencontrer avant Noël, de ne pouvoir vous remettre les petits signes qui vous diront ma pensée fidèle, de ne pouvoir vivre à nouveau les beaux moments que je vous dois.

Vous excuserez sûrement ces lignes tracées à la hâte pour attraper le courrier. Elles sont pleines des souhaits que je forme pour vous, pour nous, et lourdes du sentiment d'aimer ce qui me vient de vous

François M.

P.-S. Le Palais de Justice est chauffé !

Vendredi 20 décembre, Versailles.

16.

En-tête Assemblée nationale, à Mademoiselle Anne Pingeot,
10 rue de l'Oratoire, Clermont-Ferrand, Puy-de-Dôme
(*écriture modifiée pour ne pas être reconnue*).

Paris, le 23 décembre 1963, 2 h 30

Anne, merci.

Je viens de trouver et d'ouvrir votre beau cadeau [vitrail fait par moi].

Je suis revenu cette nuit à Paris exprès pour lui, exprès pour vous.

Mais je vous remercie surtout, du fond du cœur, pour le bien que
vous me faites en cet instant.

Après deux jours déchirés, je me sens un peu pardonné
et j'en ai tant besoin.

Il me semble aussi qu'enfin vous me croirez si je dis
qu'en moi le miracle demeure –
que depuis la première minute d'Hossegor
jusqu'à cette minute où je trace ces mots,
seul et loin de vous,
pas un moment
(même à contresens)
je n'ai désiré créer avec vous autre chose
que

> lumière
> > et
> beauté.
> Anne,

votre vitrail veillera pour toujours là où vivant,
heureux, triste, tourmenté, pacifié, mort
je dormirai.

<u>F</u>

23 décembre 1963

> Avant d'aller poster
> > le
> message nocturne
> par un soleil clair d'hiver,
> > un soleil de vitrail.

Bon Noël, Anne, dans votre belle église, bon Noël sur la route froide, après la messe de minuit (mais le cœur est si chaud et l'esprit si pur)
Bon Noël avec les vôtres
et dans le secret de vous-même.

F

P.-S. Avant de partir pour Hossegor où je serai du 26 au 3 je vous écrirai la lettre promise. Ces deux petits bouts de lettre sont en plus (ou en trop).

17.

En-tête Assemblée nationale, à Mademoiselle Anne Pingeot,
10 rue de l'Oratoire, Clermont-Ferrand, Puy-de-Dôme
(écriture modifiée).

25 décembre 1963

C'est Noël, le matin. Pas un bruit dans la rue. Un soleil admirable domine le Paris assoupi des lendemains de fête. J'écoute la *Septième Symphonie* dont je ne puis entendre les deux premiers mouvements sans une indicible émotion. Je goûte la joie de vous retrouver par cette lettre. J'ai vécu les jours qui ont suivi notre séparation dans un profond désespoir. En vous quittant rue Saint-Placide j'ai senti qu'il me serait impossible cette nuit-là de prendre un repos. Aussi, à peine rentré rue Guynemer, ai-je décidé soudain de partir. Et j'ai roulé, roulé jusqu'au point où la fatigue anesthésie. Je me fuyais ; je me cherchais. Quand je me suis arrêté j'étais parvenu à plus de 300 kilomètres de Paris exactement à Chagny, sur la route de Lyon, et il était 4 heures.

Au réveil j'ai annulé mes rendez-vous du samedi à Château-Chinon et les ai reportés au dimanche. J'avais perdu courage. Puis j'ai repris mon voyage sans but, animé seulement par les difficultés que le verglas et le brouillard me proposaient.

Par le Jura et le Bugey j'ai enfin atteint le Morvan. Mais j'avais l'impression de n'être nulle part. Comme si je soulevais un poids trop lourd pour moi, je portais au prix d'un effort épuisant les heures qui passaient. À Château-Chinon, dans la salle où je vous écrivais l'autre dimanche je me rappelais la force d'expansion, de création qui m'habitait alors.

Pourquoi cette conduite qui vous paraîtra absurde ou romanesque, ce qui revient à peu près au même ? Parce que je ne pouvais admettre d'avoir semblé blesser ou trahir ce que j'aime – votre main tendue, ouverte, votre regard, votre disponibilité. Je ne me reprochais pas l'élan qui m'attire vers vous mais d'y avoir cédé au risque de manquer à un certain comportement que j'ai délibérément choisi – et d'altérer votre confiance. Qu'exige-t-on de la lumière du jour sinon d'être ce qu'elle est ?

Or je dois au climat de notre singulière histoire une joie si pleine que s'il se dissipait j'en souffrirais comme d'une injustice. Et pourtant, de cette injustice, qui serait responsable, sinon moi ? Voilà ce que je me suis répété jusqu'à l'obsession, ce que je me répète encore.

Heureusement, le vitrail…

Je devais rester à Château-Chinon dimanche soir en raison d'un conseil municipal tardif. Mais quand la séance fut terminée je n'ai pu résister. J'avais trop envie de voir ce cadeau annoncé et de lui découvrir une signification (qu'il n'avait peut-être pas) qui briserait le rythme oppressant de l'angoisse. J'ai donc filé sur Paris, vers 23 heures.

Arrivé chez moi, le premier objet qui s'offrit à ma vue, plat et rouge, sur la table de l'entrée : Françon changeur [inscription figurant sur le vitrail médiéval copié]. Alors, tout a changé. Je n'étais plus pressé. J'ai lu mon courrier. Je me suis lavé les mains. J'ai fait durer l'attente. Non sans inquiétude. Y aurait-il un mot de vous ? Que serait-il ? Ou le silence ? Et que ferais-je de ce silence ?

Écrirai-je à nouveau la gratitude qui m'a envahi devant le vitrail et la lettre qui l'accompagnait ? L'état de grâce, le fameux état de grâce, que j'avais piétiné, voilà que je le retrouvais, intact, comme un printemps vainqueur des trois autres saisons, celles « qui pourrissent et durcissent » le cœur de l'homme.

Votre changeur maintenant s'incorpore à ma vie personnelle. Certes rien n'explique clairement notre insolite entente. Pas même mon appétit (supposé) de loup-garou (hypothétique) pour vos vingt ans (réels) ! (N'était-ce pas votre explication initiale ?) Mais c'est un vrai bonheur que d'avoir là l'œuvre de vos mains.

Quelle merveilleuse présence ! Je ne me défends pas contre vous. Lutte-t-on contre la soif en approchant de l'oasis ? Françon est donc à

sa place, dans ma chambre-bibliothèque, parmi quelques chers compagnons : une tête grecque d'Alexandrie aux pommettes asiatiques, avec
l'esquisse d'un sourire (en marbre), un couvercle de canope égyptien
(en albâtre), une petite vierge tahitienne d'un seul morceau de nacre,
deux portraits de Jules II, jeune cardinal et Pape belliqueux, une
miniature byzantine représentant saint Denys l'Aréopagite, la repro-
duction d'un fragment de la fresque de Benozzo Gozzoli (Cosme et
Pierre de Médicis avec – croit-on – un Sforza), un diable aztèque,
une photographie de Tolstoï et, sur tous les rayons, des coquillages
exotiques (l'autre, le délaissé, le bafoué est dans ma poche !) et des
petits animaux en bois rapportés du Kenya, du Tanganyika, de Chine,
de Géorgie et du Middle West – enfin l'effigie en bronze de Pie XII
qu'il m'a lui-même donnée.

Et de temps à autre, je vais lui dire bonjour à ce bonhomme (Françon, pas Pie XII !) un peu bougon – et bonjour à Anne, notre amie
à tous deux.

Anne, avez-vous deviné, hier à l'heure des bergers et des rois
mages, que ma pensée vous visitait ? « Pensée sacrilège ~~dont~~ que je
repousse » me direz-vous aimablement – comme vous savez si bien
être odieuse. Mais oui, je vous ai imaginée, chargée de la poésie qui
vient du fond de votre enfance, à genoux dans votre église d'Auvergne, le cœur heureux d'être parmi ceux que vous aimez, heureux
de sa ferveur à l'abri des tumultes. Aussi loin que vous me croyiez j'ai
pris un raccourci et je suis venu à vous. La ferveur n'est pas en moi.
Je me méfie d'elle et des déserts et des abîmes qu'elle laisse derrière
elle. Je ne veux plus du mensonge des émotions spirituelles à fleur de
peau, du guet-apens que dressent la peur et la mort.

Mais je ne puis me défaire d'un mouvement qui me pousse à redécouvrir un jardin perdu, perdu pour moi, et dont l'itinéraire passe
par vous.

Ici, cette nuit, le ciel a voulu ressembler à ce qu'on attend de lui
pour un rendez-vous deux fois millénaire. De mon balcon je l'ai scruté.
Qu'annonçaient la lumière, la paix froide des étoiles ? Sans doute que
le monde jusqu'à la fin des temps s'enchantera d'une espérance et
que, jusqu'à la fin des temps l'homme, sans jamais l'atteindre ni la
connaître, avancera à sa rencontre. Je m'interrogeais sur moi-même.

Étais-je heureux ou angoissé, libre ou prisonnier, enivré de béatitude ou mûr pour la souffrance ?

Ce vaste ciel que je contemplais, étais-je ou non de son univers ?
J'avais quitté tôt le dîner fraternel. Pas par ennui. Par une sorte d'obli-

gation intérieure. Je pouvais, comme tant d'autres, fêter la renaissance qui écarte l'ombre de la mort, la blancheur de l'hiver tout juste installées et déjà vaincues. Mais je ne peux pas fêter cette mystique n'importe comment. Alors ? Revenir au silence plein et riche d'autrefois, au recueillement de l'âme, à l'émerveillement qui naît d'un chant pur, d'une lampe sainte qui se balance et scintille, d'un retour à la maison tandis que la méditation se prolonge et que l'on sent s'accomplir la communion des vivants ?

Bah ! Je pose toutes ces questions et n'y réponds pas.

Et il faut finir cette lettre, qui s'étale à l'excès.

Ce soir je serai à Hossegor. J'y resterai jusqu'au 3. Aurai-je un mot, un signe de vous ? Je l'espère. Dix-sept jours de vacance, de congé d'Anne c'est un peu long.

L'autre vendredi ces dix-sept jours étaient devant moi comme un trou béant – lancez-moi une passerelle ! Je vous écrirai à nouveau mais à destination de la rue du Cherche-Midi à moins qu'il ne vous paraisse possible d'en recevoir encore une à Clermont.

Me donnez-vous votre main, Anne ?

D'avoir aperçu le danger m'a fait éprouver davantage le privilège (difficile comme tous les privilèges) d'être la vingt-neuvième (plus bête encore que ça). [Référence à un petit livre offert : *27 bêtes pas si bêtes*, suite sur Japon, de Germaine de Coster présenté par Marcel Aymé, avec cet envoi : « En l'honneur de la vingt-huitième de la part de la vingt-neuvième, Noël 1963, F. M. »]

François M.

P.-S. Et puis j'ai un tas de curiosités à satisfaire ! Quelle sera la couleur de votre robe le 1er janvier, par exemple ? Ah ! j'oubliais : Bonne Année !!

Au douzième coup de minuit j'irai troubler (en pensée) votre béatitude mondaine.

Deux coupures de presse sans référence :

« Les héritiers Mallet accueilleront à Jérusalem Paul VI...
qui serait un des leurs », annoté :

« C'est encore mon amie jarnacaise ! »

Dessin de J. Sennep, annoté :

« J'avais cette tête-là après la rue Saint-Placide. Brrr !! »

1964

18.

En-tête Assemblée nationale, à Mademoiselle Anne Pingeot,
39 rue du Cherche-Midi, Paris VIe *(sans timbre).*

2 et 6 janvier 1964

J'ai reçu hier votre lettre avec d'autant plus de joie que j'en étais fort impatient. Elle a mis trois jours pour venir de Clermont !

Depuis Noël j'avais envie de crier « À moi, Auvergne » car j'étais aux prises avec cet ennemi : l'ennui de vous. Aussitôt reçue, aussitôt lue. Son coloris bigarré m'a dit tout de suite que c'était une lettre d'Anne-Chantilly, malgré le « j'arrive presque à vous oublier ».

Tout en lisant j'ai pris un itinéraire aimé : le chemin des Trois-Poteaux. Sur la dune, plus trace de nos jolis œillets ! Mais je n'ai pas eu besoin de la trace de nos pas pour retrouver, intact, le souvenir de notre première promenade.

La plage, lisse, était intégralement déserte jusqu'aux limites extrêmes de l'horizon. Le ciel, immobile et bleu, avait encore un peu de la pâleur de l'aube. La mer, admirable dans sa violence sereine, répondait au vent du nord (celui qui porte si loin ses grondements, la nuit) par une clameur puissante. Je me suis surpris à vous imaginer là. Vous connaissez ma théorie et j'en répète les termes : les êtres n'ont pas de moyens directs d'échange. Il faut qu'ils passent par un intermédiaire : la beauté, le malheur, l'angoisse, le plaisir… Dieu parfois. Le langage est déjà moins sûr. Il colle trop aux personnages.

Un paysage, un tableau, un chant – ou bien l'espérance, le désir, ou bien la plénitude sensuelle de l'amour sont l'instrument du musicien sans lequel il n'y a pas de musique. Mais s'il n'y a pas de musicien, à quoi sert l'instrument ? Vous, dans votre campagne au bel hiver, moi, aux marges de la mer et de la forêt, il me semble que cette fin d'année nous a fourni le décor d'un dialogue. J'aurais préféré cependant partager l'allégresse de vos échappées sur le flanc des volcans, de vos rencontres avec les chèvres noires, de vos randonnées sur la neige, au-dessus des lacs de brume, de vos retours dans le froid qui lèche le visage – ou vous faire partager la splendeur de décembre dans la forêt landaise que nous avons (trop peu) parcourue en été : on dirait que les pins ont grandi car le sous-bois est brûlé par le gel et d'immenses jonchées de fougères gardent la couleur de l'incendie.

Alors nous nous serions peut-être reconnus dans l'image réfléchie du miroir que renvoie la beauté à ceux qui l'aiment. Ah ! cette image ! c'est à cause d'elle sans doute que je vous parle souvent de la Toscane (où vous n'avez pas été heureuse) et de la Grèce (sans parler du télégramme idéal m'enjoignant ~~de vous rejoindre~~ d'arriver à Ravenne !).

J'éprouve un grand désir de voir avec vous les lieux qui ont procuré à ma vie et le choc que Stendhal nomme « sublime » et le regret de ne leur avoir rendu que l'écho de la solitude (c'est un mot que j'emploie à dessein parce que l'autre soir, vous l'avez contesté – or, et j'en suis le premier surpris, l'un des attraits que je découvre à nos rencontres est l'extrême facilité avec laquelle nous dépassons le seuil des conversations convenues pour atteindre une sorte de vérité intérieure, qui est précisément le contraire de la solitude. C'est, croyez-moi, un rivage où l'on aborde rarement).

Mais revenons à Hossegor. Comme vous l'avez deviné, chère Sibylle, j'ai joué au golf quotidiennement, consciencieusement – et malgré un gain total de 23 balles, ni les birdies ni les eagles n'ont confirmé votre couronne de vœux.

J'ai également fort avancé les retouches de mon livre. Je m'aperçois que, vraiment, les transitions d'une idée à l'autre, d'un fait à l'autre, d'un chapitre à l'autre sont ce qu'il y a de plus difficile à composer. Je touche quand même le but. Fin janvier j'espère apaiser l'anxiété de mon éditeur !

Et maintenant j'attends votre retour à Paris. La veille de votre départ ces dix-sept jours me faisaient l'effet d'une punition plutôt que de vacances (je pense que cette impression à fond de tristesse a aiguisé mon besoin de vous sentir plus proche encore – que je me reproche depuis lors. Nous avions vécu des heures délicieuses. Vous quitter c'était quitter un univers étrange, simple, heureux. Quand une émotion, un sentiment vous agrippent allez donc mesurer la durée de l'absence : dix-sept jours ou cent c'était pour moi, ce soir-là, la même chose).

Vous avez fait, me dites-vous, des efforts pour m'oublier. Eh bien ! moi, les efforts de cette espèce, je les ai économisés ! Me voilà bien mal préparé à la patience ! Laissez-moi rêver : ce serait merveilleux si nous réussissions le chef-d'œuvre de garder semblable à elle-même et sans cesse renouvelée la joie que nous avons (que j'ai) possédée ces deux derniers mois. (J'écris « sans cesse » avec précaution. « Sans cesse », par exemple, … jusqu'au jour où un « amant en titre » vous confisquera pour de bon ; ou « sans cesse »… jusqu'au jour où, tout simplement, vous aurez perdu le goût de nos explorations.)

Cet espoir de vous retrouver je l'analyse honnêtement. Je ne suis pas un homme qui ferme les yeux devant ce qu'il craint. Mais ce qui domine en moi, Anne comprenez-le, c'est le sentiment qu'il existe entre nous un monde de relations subtiles et délicates – et c'est la certitude que je tiens plus, beaucoup plus à ce sentiment-là qu'aux recherches – même celles du cœur – qui risqueraient de blesser, aussi peu que ce soit, ce que j'aime en vous.

Tant de choses passionnantes nous sollicitent. Van Gogh à Auvers, la reine Christine à Ablon, le vieux Provins, les rues de Paris, Rousseau à Ermenonville, les parcs somptueux de Saint-Cloud, de Marly, Fouquet à Vaux, Anet – et tel concert, et tel tableau… Qu'une pareille énumération ne vous effraie pas ! Je ne veux pas vous mobiliser ! Mais vous voyez qu'évitant de nous occuper de nous-mêmes plus qu'il ne convient, il nous reste, donné par l'extérieur, un vaste champ de belles heures.

Évidemment, j'aurais scrupule à abuser de vos rares loisirs. De vous, j'apprends, et cela m'enchante, une certaine façon d'être, une certaine approche, grave et rieuse, de la vie. De moi qu'apprenez-vous ? Des faits, certes. Mais au-delà des faits ? J'aimerais vous conduire jusqu'à la signification profonde de mes choix, à l'idée que j'ai de la justice, de la souffrance, de l'indifférence des hommes devant leur destin…

Mais je m'aperçois que je vous écris une lettre fort sérieuse alors que vous revenez d'un Clermont ruisselant de chocolat, de soirées mondaines, de danses, de souhaits tendres – je cultive le manque d'à-propos !

Que me reste-t-il (pour aujourd'hui. J'achève d'ailleurs cette page à Paris, et tout à l'heure je déposerai cette missive fleuve rue du Cherche-Midi) à vous écrire ? que je m'étais mis dans la tête que ce serait formidable d'aller vous chercher mardi soir au lycée italien.

Et crac ! Je reçois une convocation pour mardi à Nevers où siégera le conseil général ! que si, par hasard, et pour remplacer, je vous apercevais demain lundi, je m'en contenterais ! Je m'offrirai donc le luxe d'aller à la librairie du Divan (c'est un endroit pour rendez-vous manqués), place Saint-Germain, à 19 heures... et, on ne sait jamais, d'espérer (je puis vous y attendre en regardant les bouquins).

Mais je n'y compte pas beaucoup : vous aurez ce mot trop tard, ou vous êtes déjà prise, ou ça ne vous dit rien etc. Ce ne serait pourtant pas mal de refaire, en sens inverse, le chemin du mercredi des *Liaisons dangereuses*.

Je rentrerai de Nevers ou mercredi soir ou jeudi matin. Alors vendredi ? Je serai libre à l'heure de votre préférence (s'il y en a une). 11 h 45 aurait l'avantage 1) du cloître 2) d'un déjeuner paisible qui rend le bavardage commode 3) d'avoir ma préférence à moi. Mais 14 h 30 serait, aussi, bien sympathique... Si rien ne marche pour vous ces jours-là je vous indique que samedi je resterai à Paris (mais j'irai dimanche à Château-Chinon). Pourquoi dès demain, lundi ? Vous me jugerez trop pressé ! Eh bien, c'est simple : j'ai envie de vous voir.

Faut-il inventer une formule plus diplomatique pour vous exprimer cette modeste évidence ?

Anne, j'arrête : au cinquième feuillet, la politesse exige ! Parler avec vous me plaît, cela se voit. Quant à mon trait-baromètre je ne vous dirai pas de quel côté il penche ! Bonsoir. Si vous venez demain je vous remettrai le texte italien. Sinon je le ferai déposer chez vous.

Pardonnez-moi de ne pas vous avoir oubliée, Anne 1964

François M.

Voici : du romarin (de chez moi) et du mimosa (de Lohia).

19.

En-tête Assemblée nationale, à Mademoiselle Anne Pingeot,
39 rue du Cherche-Midi, Paris VIe *(sans timbre, lettres majuscules).*

7 janvier 1964

Anne, vous trouverez le texte utile page 66. Mais j'ai essentiellement besoin de la partie qui va de la page 78 à la page 89.

N'est-ce pas un trop gros pensum ?

D'avoir remis le nez dans mes fiches et mes notes m'a rendu l'envie d'avancer ce *Laurent de Médicis*. Dès que j'aurai achevé l'autre bouquin je m'y attacherai assidûment.

Vous verrez qu'il y a des personnages passionnants. J'aimerais vous parler d'eux ! Merci de bien vouloir m'aider.

Maintenant (il est 7 heures) je pars pour la gare de Lyon, direction Nevers. Je rentrerai mercredi soir.

Vous savez avec quel espoir

<u>F</u>

20.

En-tête Assemblée nationale (enveloppe blanche).

Journée du mardi 7 janvier

Pour votre édification, Mademoiselle des Métiers d'art, voici la journée d'un député-conseiller général de la Nièvre. (Je vous signale à cet égard que le Nivernais fut la dernière province rattachée à la Couronne de France. Preuve d'entêtement dont on tire ici une grande vanité.)

À 6 h 30 du matin ce député sort avec peine d'un rêve confus. Il se lève, se frotte, achève, sous le rasoir, de se réveiller. Dans le sale petit jour, muni d'une vieille valise et d'un porte-documents, il saute dans un taxi qui, appelé par téléphone, attend devant la porte de l'immeuble.

Mais s'égare-t-il ? Au lieu de filer directement sur la gare de Lyon, le taxi tourne à droite, prend la rue de Fleurus et… la rue Saint-Placide. À l'angle de la rue du Cherche-Midi, il s'arrête. Son passager descend, et va droit au 39 de ladite rue. Pourquoi ? On se le demande encore. Il dépose un pli plus long que large, et qui semble porter des suscriptions en langue étrangère, dans la boîte aux lettres de ce qui doit être une famille nombreuse (la boîte porte en exergue une série de prénoms charmants. Notons le dernier : Anne). Que fait en ce moment même le ou la destinataire de ce pli ? Qui le saura jamais ? On imaginera, pour le plaisir, que le ou la dort d'un sommeil troublé par la mauvaise conscience d'avoir abandonné à son sort, la veille au soir, devant une librairie du quartier Saint-Germain l'une de ses vagues relations. On corrigera cette supposition en ajoutant que si le ou la s'était rendu(e) au rendez-vous il ou elle aurait également mauvaise conscience mais pour la raison diamétralement inverse.

Retourné à son taxi le député met un quart d'heure plus tard le pied sur le quai du « Bourbonnais », autorail qu'on appelle aussi micheline (gloire à la dynastie !) et qui, dans une intention dont vous apprécierez la finesse, relie Nevers à Clermont-Ferrand. Pendant le voyage, notre homme lit deux journaux. Fouille dans sa serviette. Parcourt vaguement une grammaire grecque. Visiblement, n'a envie de se fixer sur rien. Il somnole, ouvre l'œil de temps à autre, s'enfonce dans une songerie plus morose qu'heureuse. Bénéficiaire de ses confidences j'ai su par la suite qu'il avait ressassé dans son esprit (lapsus, sans doute, il a dit « dans son cœur ») le regret d'être privé (« depuis dix-sept jours » a-t-il précisé sans compter sur ses doigts) d'une ombre chère « cousine de Vercingétorix » (!?).

« Comment, ai-je observé, avec un soupçon d'ironie, vous ? et pour une ombre ? et pour une ombre auvergnate ? D'Auvergne ont émigré, à travers les siècles, les marchands ambulants de blouses, de parapluies, de marrons, de charbon mais Laure, Béatrice, Ophélie, Juliette, Marguerite, ça non ! » Il m'a alors jeté un regard si noir que je n'ai pas cru devoir insister. J'essaierai, une autre fois, de compléter mes informations sur ce point, si cela vous amuse.

Quelques minutes, surtout en Citroën ce qui fut le cas ce matin-ci, séparent la gare de Nevers de la préfecture – et à la préfecture siège le conseil général. Le conseil général (vous pouvez l'ignorer sans honte) est une assemblée sérieuse, confite dans ses adductions d'eau, son électricité, ses routes, ses hôpitaux et qui gère un budget de 4 milliards pour les 260 000 habitants de ce département. Il est composé de 25 personnes, chacune élue par un canton. Le député qui nous occupe est conseiller général d'un canton montagneux, taillé dans le granit, recouvert d'une lourde forêt de hêtres que parsèment sapins et bouleaux. Ce canton s'appelle Montsauche. Landes, lacs, brouillards font un paysage d'Écosse, moins le golf et la grouse. On le dit populaire parmi ses demi-sauvages que George Sand décrivait sèchement « gens du Morvan, mauvaises gens ». Cette popularité, heureusement pour l'ordre moral et social, ne va pas beaucoup plus loin que le dernier sommet qui borde l'Yonne, à l'endroit où cette gracieuse rivière quitte la truite pour le goujon.

Que font 3 Français (ou 25) dès qu'ils sont réunis ? Des discours. Le préfet et le président ont donc prononcé de méandreux et filandreux discours que notre député a écoutés distraitement. Il a applaudi le président en tapant le tapis vert d'une main, et deux secondes, et pas du tout le préfet. Après quoi la commission des finances l'a absorbé – mais je n'en jurerais pas : on l'a vu griffonner des papiers sans rapport apparent avec les questions traitées – jusqu'à l'heure du déjeuner. Nevers a présente la caractéristique de n'offrir que peu de débouchés aux palais délicats. C'est au Terminus, restaurant décoré d'un flot de fleurs artificielles grimpantes, rampantes, retombantes et de poissons en celluloïd que s'est attablé un petit groupe de conseillers généraux, parmi lesquels celui dont je vous narre les menus faits et gestes, en m'excusant du soin que j'y mets. Ce que se sont dit ces honorables messieurs était certainement très intéressant. Mais la rumeur n'en est pas venue jusqu'à moi. Je supposerai que, selon la coutume, ce fut un mélange de considérations sentencieuses et de gauloiseries. Peu importe, au demeurant. La face du monde n'en sera pas changée.

Le café ingurgité, le député est parti seul, à pied. Il aime la marche et par un après-midi grognon et gris il a remonté la ville. Au passage il a peu admiré l'architecture alentour, typée sur ces affreuses cités du centre de la France que le Moyen Âge avait cependant adornées de monuments estimables. Des magasins prétentieux ; le terrifiant crépi couleur ciment étalé à l'envi (je ne connais rien d'aussi répugnant, sinon la pierre meulière d'Île-de-France) ; des enseignes et des vitrines, phares du mauvais goût ; des maisons qui sentent le style notaire. Quelle peine d'avoir à vivre en retenant le souffle de peur de respirer la contagion de la petitesse, de l'avarice, de la jalousie, du cœur sec ! Nevers a une belle façade du côté du pont de Loire. C'est tout, archi-tout. Au-dedans, les viscères l'emportent sur les organes nobles. La laideur de Boulogne-Billancourt offense moins, puisqu'elle se sait laide.

Et l'après-midi s'écoule. Le conseil général continue sa session. Les heures s'égrènent lentement. De temps à autre, le conseiller de Montsauche interrompt ses réflexions intimes par quelques remarques à haute voix, plus ou moins pertinentes (sur le comité d'expansion régionale ; sur l'achat des produits artistiques de la gent nivernaise ; sur des subventions diverses, etc.)

Moi qui le connais je le devine préoccupé. La cousine auvergnate, peut-être ? Mais je m'aperçois que j'emmêle tout : l'ombre, Vercingétorix, la micheline, Laure, les parapluies, les dix-sept jours… Le vague à l'âme de mon ami le député commence à déteindre sur moi.

Fin de la séance. Notre héros (expression littéraire) flâne dans l'artère commerciale, stoppe devant une boutique, exactement une confiserie [Lyron], dédaigne chocolats et babas (l'insensé !) et bavarde tout bonnement avec l'honnête tenancier qui a la réputation d'être l'un de ses fidèles. Puis tous deux déambulent de concert, rencontrent de-ci de-là des personnages de Peynet, de Dubout, de Chaval avec lesquels ils discutent. Mais tout cela les ramène assez vite à un hôtel de mine plate. Ils se saluent. L'un part, l'autre entre.

La nuit est tombée. Rêvons. Qui racontera ces voyages au bout du rêve ? Peut-être Anne, savez-vous traduire le langage des pensées où l'absurde et la vérité composent un chant secret ?

Alors je vous laisse ce soin. Bonsoir.

Je n'ai pas besoin d'autre chose que du climat que j'ai respiré en novembre et décembre pour éprouver – comment dire ? – un bonheur. Pardonnez, Anne, l'emploi de ce mot. Je n'en abuserai pas. Il faut quand même l'écrire car il vous expliquera pourquoi je serais très malheureux d'être séparé de vous et pourquoi je crois possible, de toute ma volonté, de rester sur la route où nous sommes sans en dévier et en amassant les richesses du cœur et de l'esprit qui sont à notre portée. Ne serait-ce pas une construction passionnante ? J'aimerais y appliquer ce que je sens en moi de meilleur – de plus fort.

Mercredi 8 janvier

La pierre qu'on lance dans le gouffre n'est que silence tant qu'elle s'identifie au chemin et le gouffre se tait. Mais écoutez-la frapper la paroi, toucher le fond. Plus longue est sa course plus sonore est l'onde de choc qui monte vers vous.

Ainsi nos paroles, nos lettres n'ont certainement par elles-mêmes rien qui soit extraordinaire. L'extraordinaire apparaît dès que les mots tombent en nous, abîmes l'un pour l'autre. Au sens des mots s'ajoute alors leur résonance qui frappe, émeut, ébranle.

Et les gestes, de même. D'expérience je croyais les connaître, tous, et leur degré de force, d'intensité, de durée, de délicatesse, de retenue, de volupté. Depuis le trait du visage qui, imperceptiblement, s'éclaire, le regard voilé par son propre éclat, l'offrande de la main, la houle qui unit le corps et l'âme dans le don de soi et la paix violente d'aimer. Et souvent aussi la banalité, le mécanisme des habitudes.

Ô Anne le moindre geste accordé par vous à notre entente a été la pierre qui frappe et tombe au fond de moi.

Et ce que je vous dis là doit vous aider à me comprendre, <u>sans contre-sens</u>. Vous sur la plage du premier jour, votre visage au soleil tandis que je vous lisais Aragon, votre regard du soir des *Justes*, votre confiante liberté de notre seul dimanche le long du Palais-Royal, dans le petit café, votre profil grave, votre main ouverte ou demeurant à mi-chemin, comme suspendue à son élan, ont projeté en moi une telle résonance que la joie que j'en reçois est sans prix. Que de gestes accomplis naguère alors que je n'étais pas entré dans le cercle de grâce où vous m'aviez (sans le vouloir) admis et qui avaient apparemment une signification d'harmonie plus réelle ! Au regard de ces gestes qui exprimaient, vraie ou fausse, la possession, que le tissu qui nous lie semble léger ! Et cependant, je le sais désormais et n'en puis douter, ce que j'ai de vous compte pour moi <u>tellement plus</u>, <u>par la résonance</u>, que ce n'est pas être privé de vous que de détenir seulement (merveilleux <u>seulement</u>) ce qui m'est déjà donné.

21.

En-tête Assemblée nationale, à Mademoiselle Anne Pingeot,
39 rue du Cherche-Midi, Paris VIe *(sans timbre).*

Lundi 6 janvier

Si je me laissais aller je vous écrirais chaque jour car chaque jour j'ai quelque chose à vous dire. Et cela me paraît si normal que c'est peut-être très anormal !

Je ne manque pourtant ni d'amis ni de travail. Je n'ai besoin ni de meubler une oisiveté ni d'élargir mes échanges. Au surplus – le croiriez-vous ? – je n'ai jamais eu la patience de noter quotidienne-ment, à l'usage de qui que ce soit, mes observations et mes sentiments. Pas même pour moi, ce qu'il m'arrive de regretter quand je songe aux événements, parfois historiques, que j'ai vécus ou approchés. Ai-je donc changé ? Et pourquoi à votre propos ? Je ne suis pas pressé de répondre à ces questions. Il n'est pas nécessaire d'y répondre du tout. Seulement (quelle eau fraîche !), parler à qui a la passion de connaître, de comprendre, à qui devine d'instinct ce langage, à qui cherche la rectitude de sa vie sans rien lui enlever de sa plénitude, voilà mon bien, mon bien précieux, mon bien qui vient de vous.

Je sais ou crois savoir à peu près toutes vos perplexités. Homme et femme – la chimie ne propose pas de détonant plus explosif ! Et quel homme, et quelle femme – attentifs l'un à l'autre, mais aux antipodes (ou presque) de l'horizon qui les enferme ! et vous, et moi – dont le destin contient tant de signes contraires !

Cela fait bien des raisons pour se garder d'accomplir un pas de plus l'un vers l'autre !

Je puis manquer de bon sens, jamais de lucidité.

Pas une seconde, ces raisons, je ne les oublie ni ne les dédaigne.

Mais le problème serait simple, posé en ces termes. C'est une loi du monde, Anne : dans chaque chose il y a tout – et son contraire. La cellule qui donne la vie est porteuse de la mort. La mort libère mille vies nouvelles. Aimer perd ou gagne, perd et gagne, éternels point et contrepoint. Créer l'art avec la matière suppose une incroyable présence d'âme. Laisser l'âme hors de la matière entrouvre l'infini du désespoir, et pourtant le renoncement à son tour féconde la possession… À notre mesure plus modeste je comprends que la pensée vous visite – et peut-être triomphe – de prendre un temps de réflexion pour savoir s'il convient de poursuivre en commun l'entreprise. Les dangers, je les vois (et je suis si triste d'avoir montré si peu de force à les détourner de nous, si triste de vous avoir laissée croire que je n'étais pas déjà profondément heureux de votre chère présence puisque je semblais chercher au-delà).

Mais il n'y a pas que des dangers (et la leçon a porté ! je déteste vous blesser). Il y a que j'ai acquis le besoin de vous sur le plan le plus intérieur de mon action et de mon comportement. Vous avez à mes yeux une disponibilité, une sensibilité, une pureté devant la vie et les êtres qui me donnent un nouvel élan, qui suscitent en moi un appel vers je ne sais quel approfondissement. Je n'essaie pas de vous gagner à moi. Je m'émerveille d'être gagné par vous et de retrouver ainsi, par votre jeunesse et votre clarté, ce que je n'ai pas moi-même oublié au creux de moi. Mon idéal était de vivre comme on doit mourir et de justifier ma vie par ma mort.

J'écris « était ». Il l'est toujours. Mais je ne savais plus très exactement à quel point fixer ma boussole. J'aime votre intransigeance si proche de la tendresse. J'aime l'épée souple qui peut trancher. J'aime surtout cette entente étroite entre deux êtres si dissemblables (nous), qui peuvent aussi bien se faire mal et du mal que s'aider à faire toujours mieux au service de la beauté (beauté des formes, beauté des sentiments, beauté des actes, beauté des perspectives). La marche vers une perfection est également contenue dans ce qui nous unit : observez combien, de semaine en semaine, nous avons avancé dans la connaissance de nous-mêmes par des chemins d'allégresse. Moi je ne retire rien (si, quelques instants que je ne renie pas, qui sont désormais de ma vie mais qui n'étaient pas nécessaires, qui étaient source d'inquiétude) de ce que je vous dois Anne. Et ce que je vous dois est beaucoup plus que vous ne pensez. Beaucoup plus même que vous ne m'avez donné, par une sorte de démultiplication spirituelle. Ne doutez pas. Je vous parle gravement.

Vous disparaîtriez (par votre volonté) de mes jours et de mes espoirs que cela ne changerait pas cette tranquille vérité : l'évolution que je sens en moi, le réveil de forces endormies, le besoin irrésistible de dépasser mes propres forces dans tous les domaines de la pensée et de l'action ont coïncidé avec votre présence soudaine, imprévisible, avec le beau début de cette histoire qui (à l'image de « Françon le changeur » installé parmi mes objets préférés) m'accompagnera jusqu'à mon dernier souffle. Oui je traverse une crise qui me bouleverse. Vous m'aidez parce que vous êtes là, parce que vous êtes un point de repère, parce que vous jalonnez mon existence quotidienne de moments lumineux. Vous m'aidez à accepter de me battre et de souffrir – et, par un obscur pressentiment, vous m'aidez à servir l'idée que je me fais du monde et des hommes, vous m'aidez à refuser un destin ordinaire (ce qui ne veut pas dire : atteindre une ambition, mais accomplir une tâche).

J'ai pensé à tout cela, vous le devinez, pendant ce long congé de vous. Mais je voudrais surtout que ce que j'écris là ne pèse pas sur vous ! que cela ne représente pour vous aucune obligation psychologique ou morale ! Je ne renverse pas les rôles ! Je ~~tenais~~ tiens seulement à vous faire comprendre un certain moi si difficile à exprimer (quand vous êtes avec moi je ne sais quelle pudeur intervient, ou une ironie (nécessaire au langage) qui déforme, qui biseaute).

D'ailleurs le besoin que j'ai de vous (et qui me rend insistant plus que je ne voudrais) ne se fonde pas uniquement sur ce qui a été, pendant ces deux derniers mois. Il se fonde aussi sur ce que je pressens.

Imaginez Anne que pendant… (quoi ? un an ? quelques années ? le temps que vous prépariez votre propre vie !)… que pendant un merveilleux délai de grâce en tout cas vous vouliez bien me consentir cet accord : imaginez que vous connaissiez les heures exaltantes, les heures épuisantes, les batailles, les haltes – et les curiosités de l'esprit – et les joies simples d'une jolie chose vue, lue, touchée, aimée – qui font le tissu de mon existence. Et plus encore imaginez que, parlant tout haut, je dise devant vous et à vous seule l'angoisse de l'esprit, sa recherche – seriez-vous si vite lasse ? Je ne suis pas un acteur et vous n'êtes pas mon spectateur ! Je n'évoque ici pas ce que, le plus souvent sans rien dire, vous m'apportez. Mais vous êtes (étrange rencontre où le malheur tient les places fortes – où le bonheur pourtant n'a pas perdu la partie) mon compagnon, mon compagnon de choix.

C'est stupide ? Eh bien, moi, je suis sûr que vous ne trouvez pas cela stupide – je suis sûr que cette maturité-là vous l'avez. Ce monologue désordonné que je vous livre, je suis sûr que vous ne le lisez pas comme une étrangère, comme une ennemie, mais avec cette douceur qui (rarement mais si nettement) d'un coup balaie vos colères et vos refus – pour vous rendre si totalement amie.

Et j'écris ces lignes à une jeune fille de vingt ans ! Serais-je insensé ? Non, encore non.

Vous qui avez vécu si peu d'aspects d'une vie, vous en savez, d'instinct (et peut-être aussi d'apprentissage intérieur), tout, dès qu'il s'agit de ce domaine admirable et redoutable à la fois : le débat intense du choix.

Quelqu'un d'autre me lirait, que penserait-il ? Que je vous envoie une lettre d'amour ? À un certain degré (le plus haut) il ne se tromperait pas. Au degré où, vraisemblablement, il se placerait, il ferait je le crains une grossière confusion. Car aimer c'est servir la vie de qui l'on aime. Et moi, c'est de cette manière-là que je comprends ma place dans votre vie à vous. Non sans regret, dans la mesure où je dois avoir les yeux grands ouverts et la volonté ferme. Mais c'est déjà d'une qualité si rare, ce que j'ai, que le regret de ce que je ne puis avoir compte moins que la joie et l'espoir. Je suis honnête avec vous si j'allongeais les « si », si j'inventais une situation imaginaire qui, précisément, ne serait pas la nôtre, alors ! Il n'y aurait ni regret ni volonté ni prudence.

Mais voilà… Seulement, je le répète, cela c'est mon affaire, pas la vôtre. Accordez-moi je vous en prie, Anne, votre présence, votre joie, votre (vais-je le dire ?) votre préférence (quelques mardis, quelques vendredis ! et beaucoup si le ciel est clair !). Je veillerai à demeurer fidèle à l'idée que je me fais de moi, à travers vous

F.

Jeudi soir, 9 *janvier*

Je suis victime d'une mortelle maladie : l'espoir. Je vous ai espérée ce matin ; je pensais que le courrier m'apporterait une lettre de vous. Je vous ai espérée cet après-midi : peut-être me disais-je serais-je plus heureux au courrier de 16 heures… Mais rien.

Votre silence me ronge. Je fais le tour des circonstances possibles : 1) Vous êtes malade à Clermont et vous n'avez pas reçu mes lettres. 2) Vous êtes en bonne forme à Paris mais pour une raison inconnue ces mêmes lettres ne vous sont pas parvenues. 3) Vous êtes bien en possession de mon courrier mais vous n'êtes pas disposée à y répondre. Là, intervient, dans ma mathématique mentale crispée, une subdivision : 1) Vous avez choisi de ne pas me pardonner ce vendredi 20 décembre qui m'est à la fois si cher et si douloureux. 2) Vous avez pardonné mais vous redoutez que les mêmes causes puissent produire les mêmes effets. 3) Vous avez pris le parti de la prudence en profitant de la césure 1963/1964. 4) Vous ne goûtez plus aucun charme à nos rencontres. 5) Vous avez eu dans la seconde partie de vos vacances une révélation… sentimentale qui absorbe votre pensée et peut-être votre temps. 6) Vous êtes exactement la même Anne que celle de nos plus belles heures. Ce qui justement vous conduit à vous garder et de vous et de moi. 7) Vous seriez heureuse de continuer notre dialogue mais vous êtes sensible aux conseils contraires qu'il vous arrive d'entendre. 8) Vous m'aimez (un peu). 9) Vous me détestez (beaucoup). 10) Vous ne vous êtes pas pressée de m'écrire, comme ça, pour rien, et j'aurai un mot demain matin. 11) Vous ne savez pas quoi me dire : Vendredi ? Samedi ? parce qu'il vous faut échapper à d'autres obligations. 12) Vous n'avez pas d'autres obligations mais vous ne voulez pas, en acceptant de me voir, céder à mon insistance. 13) Vous avez décidé d'interrompre nos chères habitudes. 14) Vous n'avez rien décidé du tout.

Vendredi, 23 heures

Anne, je n'ai pas ajouté un mot à cette lettre que j'avais refusé de vous remettre ce soir mais que rien ne m'empêche maintenant d'envoyer. Je suis triste, profondément – mais je vous aime. Je vous attends. J'espère.

Je serai le vendredi 24 janvier à 11 h 45 rue Vieille-du-Temple-Blancs-Manteaux. Dieu que c'est loin.

Vendredi 10 janvier, château d'Anet.

22.

En-tête Assemblée nationale, à Anne Pingeot
(écriture modifiée, pas d'adresse).

Lundi 13 janvier 1964

J'aime ces *Promenades dans Rome.* J'y ai aiguisé mon goût des flâneries, des rêveries heureuses, de la disponibilité d'esprit. Je m'y reporte
souvent.

Vous les offrir ne me fait pas simplement plaisir, comme tout ce
qui me relie à vous. J'y ajoute une valeur de symbole. Car la joie que
je tiens de vous, Anne, et de nos promenades dans notre Rome à
nous, a une profonde parenté avec les plus rares moments de ma vie.

Quant à ce qui n'est pas la joie (que cette semaine sera longue !
qu'il est difficile d'arracher de soi-même la meilleure part !) je m'y
débats plutôt mal que bien. Mais je n'en dirai rien aujourd'hui.

Pouvais-je laisser passer ce <u>lundi</u> sans venir jusqu'à vous ?

F

23.

En-tête Assemblée nationale, à Mademoiselle Anne Pingeot,
39 rue du Cherche-Midi, Paris VIᵉ.

Genève, le 16 janvier 1964

J'ai reçu votre lettre (et la traduction jointe), c'est le cas de le dire,
au vol. En effet, je partais pour Orly, avec un peu de retard, quand,
dans l'escalier, la concierge m'a donné le courrier.

Le violent plaisir ressenti à la vue d'un long paquet bleu m'a montré que l'indifférence pour Anne n'avait pas progressé d'un pouce.
Vous ne ménagez pourtant pas votre peine : après votre refus de
m'accorder un moment cette semaine (en un mois, du 20 décembre
au 24 janvier, nous nous serons rencontrés <u>une</u> fois. Je tiens mes
comptes ! Et il paraît que c'est excessif !), après vos admonestations,
vos : « tout est faux », vos : « il ne faut plus », vos : « ma lettre du
premier de l'An ? un sublimé d'ennui et de whisky ! », vos : « quatre

jours à Paris et je commençais à vous oublier », vos : « j'avais l'intuition de votre accident. Si vous étiez mort, ça ne m'aurait rien fait » – et j'arrête là la litanie de mes brillants succès auprès de vous – voici cet insidieux dessin dont tous les symboles m'ont révulsé (sauf peut-être les trois gentils iris qui annoncent une résurrection – mais c'est moi qui y ai pensé, pas vous !).

Cette vingt-huitième si vivante en moi, et qui gît au bout de son rail cassé (au-dessous) sa ligne de vie tordue, je ne la reconnais pas, je conteste son identité. Moi, je la vois penchée sur des belles images médiévales de Chantilly, sur les austères portraits de Port-Royal, je la vois avalant de bon appétit la cuisine du Beauvaisis, lisant avec amitié mes élucubrations sur ma liberté reconquise, arrivant par un dimanche ouaté cheveux bas et polo emprunté à Martine, écoutant assise toute droite et huit heures d'affilée les gens de robe disserter du « droit moral » de Laclos – confiante, proche, silencieuse et parlant cependant le Morse des vérités que toute traduction trahirait. Je la vois spontanée, heureuse de vivre, composant un vitrail qui sera le don clair et simple d'une âme encore joyeuse. Certes, je vois aussi les prémices d'un ciel obscurci. Mais si je me sens responsable de l'éclair qui subitement déchire l'horizon (ah ! le maladroit Jupiter qui crée la tempête quand il rêve d'une longue plage, immense bordure de deux mondes, sous un éclaboussement de soleil – et de l'ivresse d'avoir découvert un autre être, si différent de soi et tellement pareil, à qui tout oppose, de qui tout rapproche – et de deux traces sur le sable qui s'éloignent, se croisent, se réunissent) là s'arrête mon remords (hum ! un remords ? ce serait plutôt le regret d'avoir provoqué une série de contresens en chaîne). Pour le reste, je vois avec vous tant de beautés possibles, la saine excitation de l'esprit (qu'il faut toujours secouer si l'on ne veut pas qu'il dorme ou qu'il meure), la qualité d'une entente (la nôtre, dont je sais l'insolite), cette merveille qu'est l'accord d'un homme et d'une femme (quelle que soit sa nature ; qu'il y ait échange de l'être dans l'accomplissement de l'amour ou qu'il y ait pacte de préférence intellectuelle, spirituelle ou qu'il y ait encore et seulement amitié sensible c'est merveilleux que de savoir que cet accord dominera les accidents de la vie, qu'il y aura toujours à travers le monde un cœur secourable, une main fidèle), je vois tant de choses à apprendre, à connaître – et tant de force disponible pour surmonter tristesse et malheur que si je possédais le moindre don pour dessiner je me placerais, moi, sur le rail brisé, sachant ce qui m'attend au kilomètre fatal – mais heureux, heureux, heureux d'avoir tout le long du voyage accompagné Anne, ses livres bleus, ses iris blancs, sa tasse ocre et ~~noire~~ violette (je crois !), ses vingt ans (et ceux qui viendront), et ses yeux qui ont la couleur que je leur donne, et son visage couleur de ce que j'aime.

Merci quand même pour votre lettre. Elle m'a procuré une joie si vraie que les cinq mauvais jours qui viennent de s'écouler, qui m'ont, plus que vous ne supposez, griffé au-dedans, s'estompent (un peu).

Je vous raconterais bien ma journée genevoise, mais je n'y relève rien de notable. J'ai du goût pour cette ville solidement plantée entre les montagnes aiguës des Alpes et les monts rectilignes du Jura, d'une belle courbe autour de son lac, marquée par la Réforme et cependant moderne, active, parfois douce avec ses grands jardins et ses mouettes. Je vous écris de l'aérodrome, en attente de l'avion du retour. Mais je mettrai cette lettre à Paris car je souhaite qu'elle vous parvienne demain, vendredi. Façon de me venger de cet après-midi vide de sens que vous m'avez laissé (je serai mal dans mes chers souvenirs à 11 h 45, à 14 h 30 et, la nuit tombée, à l'heure du lent déroulement de la route sous nos roues quand il faut s'arracher à cet étrange climat heureux et nostalgique qui nous étreint). Et vous ne voudriez pas que je m'insère, par effraction, dans le certainement merveilleux, le certainement formidable après-midi qu'en mes lieu et place vous avez sûrement mis sur pied pour votre agrément personnel ?

Mais revenons à Genève. Ou plutôt à Orly où je tombe en m'embarquant sur l'un de mes amis, charmant désœuvré, hôte infatigable des palaces internationaux, de Capri à Rio. Nous avons bavardé. Moi j'étais distrait. Votre lettre dans ma poche, j'avais envie de la relire, d'en soupeser les mots, de me laisser aller à cette première détente de mon esprit et de mon cœur depuis vendredi dernier. À 1 000 mètres, la crasse franchie, nous survolions, par un soleil sidéral, ce qui semblait un infini de neige strié de sentiers et de pistes pour dieux en week-end. À l'arrivée mon ami était attendu : sa femme, son chauffeur, sa Mercedes. Sa femme est une Américaine prototype, exubérante, cordiale, tachée de rousseur, qui a été belle et s'est dépêchée de l'être moins, qui entretient une écurie de chevaux de course et qui respire les milliards. Avant lui elle a déjà épousé, épuisé trois maris.

D'eux elle parle souvent, gentiment. Comme, à peine monté dans la Mercedes, je lui disais : « Bonjour, madame » elle a rectifié : « Il faut m'appeler Constance. » Depuis des années nos conversations commencent ainsi. Mais je n'arrive pas à me décider. Car son nom est Constance. Ô charmante ironie des mots ! Ça n'a pas raté. Entre l'aérodrome et les Bergues elle a eu le temps de me raconter que le premier mari, Pierre de Jumilhac, avait coutume, adolescent, de louer au printemps et avec Gabriele D'Annunzio, un palais sur le Grand Canal, à Venise. « Mais, précise Constance, c'était trop drôle. Pierre qui était si beau, si beau, attirait toutes les femmes. Or dès que D'Annunzio parlait, une à une, elles le quittaient. Car les femmes préfèrent un langage à un visage. » Hé ! la formule est bien trouvée ! Là-dessus j'ai pris congé et elle m'a dit au revoir d'une manière si invitante… que si vous continuez à me maltraiter, de me préférer tous vos amis et « amants de passage » (celui du service militaire, celui du *Feu follet*, celui du commerce, celui de l'agriculture, celui de l'industrie, ceux des cent soirées dansantes – et je n'en sais que le quart !), de me donner 10 % de douceur pour 90 % de rigueur, de ne comprendre rien à rien dès qu'il s'agit de moi, je vous préviens que je passerai du côté de Constance ! Méchante Auvergne. Ah ! Vive le Nebraska !

Hors cela les quelques rendez-vous de travail ont avalé ce bref séjour et je suis là, parmi les équipages de la tour de Babel, qui rédige ces pages trop nombreuses pour la patience d'Anne, avant de m'envoler à 10 000 mètres d'altitude.

Mais savez-vous que je persiste à poursuivre ma correspondance fictive avec vous, celle que j'écris tous les jours, que je ne vous envoie pas, que je vous remets parfois, à laquelle vous ne répondez pas ? (Peut-être vous en donnerai-je la liasse, le 24, bien que je trouve injuste d'être ainsi à découvert alors que vous vous gardez si bien.) J'y insiste : ne croyez pas à la manie d'écrire – qui me serait venue sur le tard : c'est la première fois que je m'abandonne à l'envie quotidienne de jeter une bouteille à la mer. De surcroît cela correspond pour moi à quelque chose qui me tient à cœur : la certitude où je suis qu'en moi rien ne change depuis qu'Anne l'inattendue a croisé mon chemin (comme dit une de mes amies « c'est impossible. C'est sensationnel. C'est horrible »).

Petites nouvelles :
– hier l'avocat général a prononcé son réquisitoire dans l'affaire des *Liaisons*. Il a conclu dans notre sens ! L'arrêt sera prononcé le 12 février.
– Je lis un bouquin chef-d'œuvre – de Jean-Paul Sartre : *Les Mots*.
– J'avance (toujours péniblement) mon livre [Le Coup d'État permanent] pas chef-d'œuvre et je termine deux articles, l'un pour *Combat*, l'autre pour *La Revue de politique étrangère*.

– Votre traduction de Giustiniani me plaît beaucoup. La langue est
très précise. La critique que vous vous adressez à vous-même est
calomnieuse.

– Je vous apporterai le 24 une traduction du récit de la mort de Laurent
de Médicis par Politien. Vous verrez comme c'est passionnant. Or
je me suis mis à écrire à mon tour cette mort. Quand j'aurai fini
j'aimerais vous le montrer.

– Que de choses passionnantes à faire : cette semaine j'avais à donner
une interview à la télévision belge – j'aurais aimé vous initier à
cette technique. Il me semble que vous vous intéressez à tout. Mais
voilà ! Est-ce une perspective si désolante que vivre intensément,
pleinement, avec qui on aime avancer ? Moi j'aime être avec vous.
Je ne le cèle pas. Dois-je être puni de cela ? N'ai-je pas essayé de
donner à ce goût profond que j'ai de vous une dimension qui
dépasse le petit jeu du désir et du marivaudage ? Ou bien n'y ai-je
pas réussi ?

– Je me distrais à relire quelques poèmes (pas de moi) que vous aimez
et j'y rafraîchis ma mémoire. L'autre jour je ne voulais pas vous le
dire de peur de manquer au texte. Maintenant les mots sont revenus
à leur place. C'est vrai : la poésie, incomparable appel d'évasion.

– Sixième feuillet ! Anne ne m'en veuillez pas. C'est la Suisse, sans
doute, qui m'inspire et c'est sûrement un miracle car elle n'a jamais
inspiré personne (Rainer Maria Rilke, quand même). Pourquoi ?
Sa beauté trop statique peut-être ?

– Et maintenant, attendre. J'évite de vous parler tristesse. Demain
je devrai faire effort sur moi-même. Tout aurait été clair et rare
comme tout ce que j'ai de vous. Comment appeler ce mal de vous
que j'ai ?

– Vendredi 24 à 11 h 45 je serai aux Blancs-Manteaux.

– Au bout de cette lettre je n'ai pas plus envie de vous quitter que
tant de fois rue Saint-Placide : Hannah a beau écraser les mouches
sur mon nez avec un marteau-pilon je garde fidèlement dans la
mienne la main d'Anne

F.

24.

En-tête Assemblée nationale, à Anne.
Lettres de décembre 1963 données en janvier 1964.

D'une semaine à l'autre avec Anne.

Mardi 10

Je ne remplis pas une gageure en vous écrivant chaque jour ces lignes qui ne passeront pas par la poste et qui, peut-être, n'iront jamais jusqu'à vous. Je ne vous écris pas non plus par goût immodéré des exercices de style. J'épuise trop souvent mes journées à rédiger discours, rapports, articles, notes politiques ou juridiques pour ne pas connaître une certaine phobie du papier blanc ! Non. Vous écrire est pour moi une manière de préserver l'étonnante unité du cœur et de l'esprit, sans laquelle une vie se perd – et qu'il me semble posséder depuis que (et de quelle hésitante démarche !) vous êtes venue jusqu'à moi, depuis que je vous dois non seulement les heures heureuses de nos rencontres mais encore cette densité nouvelle de mes actes, de mes pensées et de mes sentiments.

De jour en jour je répète en moi-même la question que je vous posais dans ma dernière lettre : faut-il taire ce qu'il est redoutable et dangereux de dire ? Oui sans doute. Et pourtant j'aime ce dialogue ininterrompu, j'aime croire que votre silence même me répond, je ne puis étouffer ce cri, cette force. Au surplus qui saura la solitude intérieure des êtres ? MA solitude à moi est comme un domaine dont vous auriez franchi les frontières, comme un langage dont vous auriez perçu la signification, comme une écriture oubliée dont vous auriez déchiffré les caractères. Vous ne connaissez rien de moi, dites-vous, rien de plus en tout cas qu'avant ce mois d'octobre ? Est-ce si vrai ?

N'y a-t-il pas eu, de Chantilly à Port-Royal et le long des jardins glacés du Régent un long et profond échange ? J'ai tenu votre main davantage pour fermer un cercle, celui de notre paix, que pour ouvrir une route sur un Nouveau Monde – et cependant octobre, novembre et maintenant décembre 1963 me laisseront toujours le souvenir d'un grand voyage, d'une saison inventée pour nous, d'une renaissance.

Ni vous ni moi n'exprimerons ces instants qui, rejoignant la plus banale et la plus rare histoire, donnent à chaque séparation une part de détresse, à chaque retour une part d'allégresse. Mais, dans le secret du cœur, j'écoute en moi les subtiles résonances qu'éveillent le moindre mouvement de votre visage, le moindre changement de votre voix.

Si ce que j'écris là n'a pas de sens pour vous, effacez-le, oubliez-le. Et si, au-travers de cette lettre qui a bien un commencement mais qui n'a pas de fin, qui n'obéit à aucun plan, sinon celui, tout simple, qui consiste à rester près de vous, à vous parler comme je le fais dans notre inconfortable palais ambulant, face à la nuit et nos deux profils parallèles, je reviens à ce thème – qui m'est cher – pardonnez-moi.

Mercredi 11

Aujourd'hui je suis las d'avoir plaidé, discuté, dépouillé le Code civil et ceci deux heures durant dans une audience de cinq heures. À midi j'étais dans le train d'Orléans. Pas de déjeuner. Âpre débat devant la cour d'appel solennellement emmitouflée dans sa robe rouge et son hermine. Retour par une Beauce noire et mouillée. Et ce soir j'ai dîné rue de Bellechasse avec dix députés de mon groupe. Hier déjà (vous l'avez aperçu) je me sentais fatigué et agacé. Ce déjeuner avec les messieurs, les maîtres de l'argent, sûrs et gonflés de leur pouvoir, m'avait fait l'effet d'un acide et tout le jour j'avais dispersé mon attention et mon travail sur trop de tâches incomplètes. Mais que j'étais content de vous retrouver dans cette petite rue soudain vivante, amie ! Avec vous c'est la liberté d'être soi-même qui vient à moi, comme une eau fraîche. Notre séance des *Liaisons dangereuses* m'a permis de mieux analyser les raisons de l'échec d'un film dont les mérites sont réels. Et surtout la principale : les auteurs (Vaillant et Vadim) ont parfaitement compris et transposé le Laclos rapide, cursif, artiste et psychologue ; mais ils sont restés plusieurs crans au-dessous du Laclos qui tout en traitant le drame avec cynisme l'explore à sa vraie dimension. Et cette pauvre Mme de Tourvel, cette bécasse qui ne se pose pas de questions sur le baiser non équivoque du premier de l'An, en pleine Esquinade, en (fausse) folie de plaisir (faux), qui se choque du tour de Valmont (la chambre 19) au lieu de tirer le verrou et de dormir sereinement, qui joue à la petite fille follette, qui se donne petitement, qui bafouille ses roses et son clebs ! La Tourvel de Laclos c'est autre chose, d'abord parce qu'elle est une <u>vraie</u> femme habitée par un <u>vrai</u> amour, dont la passion et le plaisir sont tellement complémentaires que son plaisir d'appartenir à qui elle aime est une passion où son âme bascule, que sa passion est un plaisir – jusqu'au moment où le mensonge fondamental corrompra et tuera. Ajoutons la pitoyable Annette Stroyberg qui réussit à n'être plus même jolie, résignée à n'offrir à son rôle que ce qu'elle peut : ses points de beauté, ma foi, fort appréciables et abondamment répartis ! Quant à Cécile, malgré sa voix, je l'apprécie plutôt. Elle est de la même espèce que Merteuil et Valmont.

On peut augurer de sa carrière ! Le film ne trahit pas le livre dans l'interprétation de ce personnage mi-fauve, mi-poupée et qui traversera le monde et la vie comme devant les sunlights, avec un sourire cruel et vide.

Dimanche 15

J'ai arrêté cette lettre depuis jeudi. J'avais tellement mieux à faire vendredi ! Anne, nos cinq heures partagées, comme on rompt le pain, m'ont laissé un goût plus vif encore de vous et de ce que vous m'apportez. Vous étiez si gaie, si détendue – et dans votre soudaine gravité, si simple. Appeler bonheur la joie que j'ai de vous voir vivre ainsi, de vous sentir proche, vous paraîtra forcé. Et certes, le paradoxe de cette harmonie ne m'échappe pas ; au point que je préfère ne pas pousser l'analyse plus loin. Mais puisque je vous écris au fil de la plume et surtout pour obéir à une impulsion intérieure que je ne veux pas trop canaliser pour qu'elle demeure véridique, tant pis, j'emploie les mots comme ils viennent.

Quand je vous ai déposée devant le théâtre [*Noces de sang* de García Lorca] une petite morsure au creux de la poitrine m'a averti du danger : le temps qui change d'allure, qui va trop vite, vous présente, et pas assez, absente – mauvais signe !

Samedi ma journée a fini aussi curieusement qu'elle avait <u>commencé</u> : par un festival de l'automobile ! Jugez-en. Première scène : partant pour la Nièvre je croise deux voitures stoppées au milieu de la rue. Je regarde. Dans l'une d'elles se déroulait une lutte sauvage entre deux hommes.

Exaspéré par je ne sais quelle dispute l'un des chauffeurs s'était précipité sur l'autre qui coincé par son volant ne pouvait se défendre, et lui martelait le visage avec une telle fureur que le malheureux quand je suis intervenu était tombé, presque inanimé, nez, bouche et front déchirés, sur le siège. Je m'arrête, abandonnant la DS et complétant l'embouteillage, j'empoigne l'agresseur à la ceinture et le tire hors de là. Les yeux fous, d'une pâleur mortelle, il n'essaie pas de lutter, ne reporte pas sa rage sur moi et s'effondre par terre en pleurant. Attroupement. Agents de police. Soins au blessé. Arrestation de la brute. Et moi j'ai continué ma route avec une pitié qui me poignait et qui allait ~~davantage~~ surtout au pauvre type qui venait de découvrir qu'il était capable de tuer, tout simplement parce que la ville-monstre ronge ses nerfs et le dresse à haïr. En tout cas j'ai dû, dans un café, me laver les mains : des taches de sang les avaient maculées et j'ai dû changer de veste pour un nettoyage imprévu !

Deuxième scène. Après avoir présidé à Montsauche (où je suis conseiller général – village niché en plein Morvan) deux réunions de syndicats (routes et électricité) j'ai voulu rejoindre la commune proche de Saint-Pierre-le-Moûtier où l'on m'attendait pour dîner. Distance, 110 kilomètres dont la moitié par des lacets étroits, couverts de verglas, avec une petite neige balayée par le blizzard. Et c'est ainsi que pour la première fois depuis que je conduis je me suis retrouvé après un dérapage de 300 mètres, projeté d'un bord à l'autre de la route, dans une futaie, voiture couchée et la direction inversée ! Le bon taillis nivernais m'a rendu un fier service. Un platane ou un mur l'auraient sans doute mis hors d'usage quelque temps ! Des paysans passant par là, une heure après (par – 12 degrés) ont dégagé la triste mais vaillante DS. Son exploit lui a valu d'être cabossée. Ça ne nous a pas coupé l'appétit ; elle a fort bien repris le cap et moi j'ai dîné, en retard mais solidement, chez mes amis. Et comme il s'agissait d'une grrrrande soirée – réception où la gentry de Nevers et autres lieux sablait le champagne en l'honneur du Taureau charolais, le bœuf Apis local, je n'ai gagné mon lit qu'à 3 heures du matin ! À vrai dire ce genre de raouts ne me ravit pas. Et l'on ne m'y voit guère. Mais là il s'agissait d'un rendez-vous annuel et traditionnel chez de fidèles partisans (et ils ont du mérite à l'être ces gentlemen-farmers !). Quelques jolies filles (on en trouve dans la vallée de la Loire, alors que le Morvan en est chiche), des hommes discoureurs, des danses (je suis allé jusqu'à deux ; l'une avec la maîtresse de maison, l'autre avec une charmante amie qui se meurt d'ennui au milieu de ses hectares bourbonnais), des cigares (moi, je ne fume pas), des tentatives pour engager la conversation dans le dédale politique (je n'ai pas répondu à l'invite), une oreille complaisante (et distraite) pour les cours de la viande sur pied et à la Villette, et j'ai dit au revoir à mon personnage.

Avant de dormir j'ai pensé à cette joie secrète, profonde – aussi inquiétante qu'un ciel d'un bleu trop pur sur la Méditerranée : Anne existe.

Mardi 17

Depuis mardi dernier je n'ai manqué au rendez-vous, à ce rendez-vous épistolaire que jeudi. Vendredi : les étangs de Hollande,

Pontchartrain, et samedi : une lettre qui, elle, est partie vers vous, cela valait mieux que ce monologue ! Et hier, notre correspondance angineuse, ô honte, m'a rempli de joie.

Dimanche je vous ai écrit de la salle de café de l'hôtel où j'habite à Château-Chinon Le Vieux Morvan. La télévision donnait France-Roumanie (au rugby). J'y jetais parfois un regard quand les cris de la foule m'attiraient.

Autour de moi ouvriers et paysans, dans une odeur d'alcool et de tabac, suivaient la partie ou jouaient à la belote. Gentiment certains venaient m'entreprendre sur l'emplacement des futures douches, sur l'achat d'un camion ultramoderne pour les pompiers ou sur leurs propres difficultés. Ce n'était pas désagréable d'être ainsi dérangé. J'avais un peu l'impression que vous partagiez avec moi ces tâches humbles, que vous en compreniez la vraie importance, que vous vous associiez à ma vie de travail. Un peu, aussi, de mélancolie me gagnait à l'idée que je ne connaîtrais pas cette force merveilleuse qui naît précisément de la communion des actes. L'énergie contenue dans la plus simple action quotidienne est comme celle qui dort au sein du règne minéral, au creux de la matière du plus ordinaire caillou qu'on pousse du pied sur le chemin pour le sortir de l'inertie. Qu'on libère cette énergie et le monde sautera !

Mardi 17 soir

Ma leçon de grec du mardi matin a stoppé mon élan ! À midi une conférence des avocats des *Liaisons* s'est tenue chez moi. Le déjeuner a été rapide et j'ai aussitôt filé à l'Assemblée nationale où mon groupe se réunissait. En séance, discussion du collectif (document financier). De retour rue Guynemer j'ai supporté ~~la~~ une demande d'interview du journal *Le XXᵉ Siècle* sur mes conceptions européennes, et je me suis, enfin, après dîner, consacré à ma plaidoirie de demain, étude que j'arrête (avant de la reprendre à la première heure), pour revenir vers vous... ouf !

Allez-vous mieux ? Que vous soyez malade m'ennuie beaucoup pour vous : je n'aime pas que vous ayez mal – et un torticolis, plus une angine, c'est rudement éprouvant. Mais cela (ô égoïsme !) m'ennuie aussi pour moi : rien ne me plaît plus que de vous retrouver. Vous m'écrivez (que cette lettre m'a été agréable !) : « vilain oiseau de malheur »... Mais je ne crois pas aux signes romains ! je me demande si vous n'avez pas été plutôt châtiée pour avoir bloqué votre nuque du côté qui ne convenait pas, au lieu de me faire un joli sourire, vendredi, aux alentours de 18 heures…

Trêve d'astuces : je serais très, très déçu de vous manquer demain, et plus encore vendredi prochain. Force de l'habitude ? Si l'habitude consiste à conquérir à jour fixe une joie chaque fois plus profonde, alors, je veux bien.

Mercredi 18

Je viens de vous quitter. Maintenant je tombe de fatigue et de sommeil. Pourtant une clarté veille en moi. Notre traversée d'un quartier de Paris, par cette belle nuit juste assez froide, et justement ce quartier-là, m'a laissé l'impression d'un moment rare d'une communication simple et terriblement forte avec vous. Étrange et douce saveur. Votre main, et votre profil barré d'une mèche noire, tel était mon bonheur d'aujourd'hui. Un sentiment inconnu, oublié depuis quand ? me pénètre, celui d'une entente plus sûre que les mots, que les gestes, que les actes.

Ce que seront ceux-ci, je ne sais. À mesure que nous avancerons sur la route qui est la nôtre je sais seulement qu'ils ne précéderont jamais la vérité de l'accord qui nous lie, car nous n'avons besoin du secours d'aucune expression pour traduire le langage secret du cœur.

Peut-être ~~les~~ suivront-ils. Ils ne seront alors que la forme, l'apparence de la réalité, qui, ce soir, m'occupe tout entier : il y a quelques instants, je vous quittais et déjà je m'en plains.

Que cette lettre interminable ne vous effraie pas, Anne.

Je me parle à moi-même en vous parlant. Même si je ne vous confiais rien de tout cela, vous le devineriez. Et il serait vain de biaiser avec cette évidence : les heures qui filent, sable fin, dès que nous sommes réunis abandonnent au moins sur le rivage où nous restons le souvenir irremplaçable d'un temps ardemment, intensément vécu. C'est, en tout cas, ce que moi je vis.

Je n'ai pas envie d'épiloguer sur le procès qui a mobilisé notre après-midi. Ce qui est dit est dit et doit être jeté par-dessus l'épaule.

Je n'avais pas espéré si belle journée grâce à vous comblée.

Je l'aime, oui, ce mercredi tombé du ciel comme je vous aime, avant de vous souhaiter bonsoir et bonne nuit : sans adverbe.

Aimer un mercredi, est-ce mal ? Autant que vous, est-ce trop ? Vous aimer autant que le mercredi 18 décembre, de 20 à 23 heures, est-ce mal ? Autant que lui est-ce trop ? ou trop peu ? Je m'y perds.

Il est tard. Je m'endors. Je vous emmène avec moi. Non. Je reste avec vous.

Jeudi 19

Demain je crois que je vous remettrai ces notes – qui ne méritent que ce nom car j'ai voulu précisément inscrire les faits quotidiens, presque à la volée, en les éclairant de l'intérieur, c'est-à-dire, en leur donnant la signification que leur prête votre présence dans ma vie, que vous soyez vous-même proche ou lointaine.

J'ai voulu savoir si vraiment je serais capable de reporter vers un autre être mes pensées et mes actes, non par accès, sous le coup de l'émotion, du désir ou de la surprise, mais dans le climat de ce qu'Huxley appelle « la paix des profondeurs », si difficile à préserver à longueur de temps.

Et voilà que j'y ai trouvé par surcroît l'attrait d'un rendez-vous sans rendez-vous, d'une rencontre continue, d'un échange insensible aux sautes d'humeur, d'un accord supérieur aux clins d'œil du monde, de ce monde que je connais si je puis dire par cœur (!) et qui restera toujours extérieur à ce que j'attends d'Anne, à ce que j'aime en Anne.

Bref j'ai passé ces jours à vous prendre la main, à la porter à mes lèvres, à goûter son parfum. Votre main ? Mais vous n'étiez pas là ! Écrirais-je une sottise romanesque ?

Qu'y a-t-il de plus vrai, de plus envoûtant qu'un symbole ? Anne qui va, qui vient, qui sourit, qui fronce le nez, qui tourne la tête, qui ne répond pas, qui fredonne n'importe quoi et n'importe comment, qui se donne aux arbres, aux ciels, aux livres, aux formes, aux signes, qui se querelle avec elle-même, Anne du Vendredi, vous avez su demeurer deux mois durant Anne-symbole, telle qu'au premier jour j'ai souhaité me faire devin, pareille, exactement pareille à l'espérance que je n'osais pas espérer.

C'est pourquoi, oui, c'est vrai, votre main fraîche, lisse, vivante, parfois nouée, liée à la mienne il me semble l'avoir gardée – comme un message, comme une clef. Et il faudrait qu'on me coupe le poignet, pour la perdre

<u>François.</u>

Vendredi 24 janvier, Gaillon.

25.

S. d. En-tête Assemblée nationale (sans enveloppe).

Anne
Je vous souhaite une soirée
Pareille
À celle dont je rêvais
Hier, ce matin,
Pareille à celle
Dont je rêve maintenant – simple et heureuse.
Je n'ai pas d'autre preuve
Que ce que je ne dirai pas.
Mais pour ce que j'ai
Merci

F

26.

En-tête Assemblée nationale, à Mademoiselle Anne Pingeot,
39 rue du Cherche-Midi, Paris VIᵉ *(sans timbre).*

Dimanche 26 janvier 1964

Vendredi soir, pour la première fois depuis tant de jours, j'étais possédé par la joie. Et cette joie était, comme une taille de diamant, si parfaite qu'elle ne ressemblait à aucune autre.

Je vous avais retrouvée, Anne, et avec vous votre cortège d'heures plus fortes que le temps, plus fraîches que l'eau vive, plus denses que les raisonnements. Je me sentais étonnamment proche de vous en vous quittant, ou plutôt je ne vous quittais pas. J'aimais tout ce qui, après moi, devait remplir la fin de votre journée : le théâtre où je vous conduisais, la rue où je vous déposais, la pièce que vous alliez voir, vos amis qui vous faisaient pourtant veiller tard, le métro qui vous ramenait, la chambre qui vous attendait avec cinq jonquilles un peu fatiguées et trois livres bleus pleins de secrets légers. Oui, je crois que ce que j'éprouvais vendredi, c'est ce qui s'appelle être heureux.

Vous imaginez bien que ces quinze jours sans vous – et ce qui était pire, sans rien savoir du chemin que prenaient vos pensées – n'ont pas été faciles à supporter. L'absence, sœur de la souffrance, n'est jamais égale à elle-même : ou bien elle enrichit ou bien elle ruine ; ou bien elle vivifie ou bien elle tue. Mais je vous ai reconnue Anne amie, Anne songeuse, Anne de beaux jours (et même Anne mondaine du bois de Boulogne !) comme je n'avais pas osé l'espérer : n'est-ce pas une audace folle, un défi, que d'espérer un miracle qui ne soit pas d'un seul instant, un miracle qui dure et s'incorpore à votre vie ? Simplement, j'avais l'impression d'une note un peu plus grave, et d'une certaine manière, d'un accord encore plus vrai. En même temps, je sentais en moi un plus sûr équilibre entre le goût extrême que j'ai de vous et le désir calme et fort que j'ai de réussir avec vous – et pour vous dont j'aime l'exigence – et pour moi qui vous le dois – une entente d'une qualité rare.

Du coup mon week-end nivernais, bien que fort chargé, s'est écoulé sans se traîner ! Parti hier à midi par le train j'ai visité trois cantons où se présentent des amis politiques pour les élections au conseil général du 8 mars. Puis j'ai présidé le comité directeur des maires de la Nièvre. Rentré à Château-Chinon bien après minuit j'ai travaillé ce matin à ma mairie et je suis allé déjeuner à Lormes, petite ville située à 30 kilomètres au nord, en direction d'Avallon. Vers 4 heures je me suis arrêté à la Saint-Vincent de Tannay, l'un des rares vignobles de la Nièvre (saint Vincent est le patron des vignerons). J'ai horreur de ces beuveries, de la fausse poésie qui chante les bons crus, de la gaîté collective qui s'exprime gras, de ces bourgeois qui jouent au paysan, de ces paysans qui forcent leur nature. Autant dire que je n'étais pas à mon aise (il y a quelques années, ministre de je ne sais quoi j'ai été invité aux fameux dîners du Tastevin au château de Clos-Vougeot. Là on m'a fait « grand-officier » de l'ordre en question, avec un ambassadeur, deux ou trois maîtres de forge et Robert Lacoste, qui fut gouverneur de l'Algérie. Je me vois décoré, louangé par ces trognes. Le vin coulait. Une noblesse de mauvais aloi emplissait les discours. Ça a duré jusqu'à 4 heures du matin avec des plats incroyables – je me souviens de porcelets glacés ! Eh bien ! Je rougis encore de m'être prêté à cette comédie et depuis lors, bien que parlementaire de Bourgogne je n'y ai jamais remis les pieds. Pardonnez-moi mon Anne gourmande).

Enfin un ami complaisant m'a conduit à Laroche-Migennes où j'ai repris un train qui m'a ramené à Paris, à 10 heures.

Ce que j'aime bien m'entendre avec vous !

Ce soir j'aborde cette nouvelle semaine avec une sérénité et un besoin de créer, de travailler qui tiennent, j'en suis sûr, à la simple joie que donne l'harmonie retrouvée avec un être cher comme avec soi-même. Demain je mettrai à la poste cette lettre du lundi qui voudrait tellement vous traduire la paix que j'éprouve et la gratitude qui me porte vers vous, qui avez su m'aider, exactement comme il le fallait, à vivre une belle journée, et beaucoup plus qu'une belle journée, la part (merveilleuse) du temps que vous voulez bien m'accorder.

J'irai vous chercher mercredi à 18 h 30 à l'angle des Blancs-Manteaux. Je me suis demandé si je n'avais pas abusé de votre gentillesse en vous prenant cette promenade de retour. Peut-être pensez-vous que j'aurais dû et pu attendre vendredi. Pourquoi ai-je désiré vous revoir plus tôt ? Parce qu'un vendredi c'est autre chose. Paris, la vie quotidienne, les alentours de cette vie disparaissent, s'évanouissent dès que commence notre périple. Tandis que faire avec vous une traversée de nos vieux quartiers par votre itinéraire habituel, c'est partager (un peu, bien peu) votre existence de chaque jour… et j'en ai envie ! Si vous n'êtes pas pressée nous pourrons passer par chez mon bouquiniste où j'ai des indications à noter. Sinon, ne vous en inquiétez pas, j'irai une autre fois !

J'ai gardé libre vendredi à partir des fatidiques 11 h 45 ! Mais là aussi je ne veux pas être du moindre embarras pour vous. Si cela vous convient mieux je ne vous retrouverai, tout en le regrettant, qu'à 14 h 30 à Saint-Placide. Je préférerais de beaucoup vous avoir dès 11 h 45 car je songe que le vendredi suivant vous serez peut-être sur la route de Clermont. Alors !…

Lundi matin

Aujourd'hui est consacré à la Chine. Tout à l'heure le protocole franco-chinois est devenu officiel. D'où avalanche : l'AFP (l'agence de presse des grands journaux) me harcèle pour une déclaration. La radio-télé suisse vient « m'interviewer » à 16 h 30. Et ce soir, à 18 h 30, comme prévu, je participe à un débat pour Radio-Luxembourg avec trois ou quatre contradicteurs dont Simone de Beauvoir (qui a écrit sur ce pays un remarquable bouquin, il y a dix ans).

Je ne suis pourtant pas un spécialiste et cela m'agace d'être considéré comme tel. Il faut tant d'années d'études et de recherches pour savoir le commencement de quelque chose sur quoi que ce soit !

Mais il faut que j'achève cette lettre si je veux qu'elle soit dans vos mains ce soir. J'ai peut-être trop tendance à vous raconter les menus faits qui me concernent et qui n'ont pas tellement d'intérêt ! Que voulez-vous : je ne sais pas vous dire au revoir…

À mercredi donc. Vive Anne. Je serais si heureux que, vous aussi, vous ayez aimé notre vendredi

F

En souvenir de la halte de Gisors je vous joins ces trois « papiers ». Si vous en voulez d'autres je vous les apporterai.

27.

En-tête Assemblée nationale, à Mademoiselle Anne Pingeot, 39 rue du Cherche-Midi, Paris VIᵉ.

Mercredi 29 janvier 1964

Je devrais vous envoyer cette page toute blanche : cela signifierait l'inutilité des signes de l'écriture, l'impuissance des mots, la pauvreté de l'expression quand par un jour béni, la vie se fait douceur, splendeur, facilité, confiance et allégresse.

Nous nous sommes rencontrés ce soir, Anne, vraiment – simplement – totalement, je ne sais plus qui j'étais à vos côtés, par ce bel itinéraire imprévu, sinon un compagnon heureux, qui, en lui-même, arrêtait le temps pour vous garder toujours semblable à la richesse de cet instant.

Ah ! certes je sais mal vous quitter, je n'arrive pas à franchir la lame du couteau : présence, absence, vous êtes là et c'est fini.

Je m'y écorche. Il faut me pardonner cette tendresse qui voudrait par un dernier geste retenir ce qui n'est déjà plus.

Faut-il apprendre l'indifférence ? Hum ! ce sera plus dur que le grec. Mais je suis bon élève !

Vous avoir ramenée à 10 heures, sans dîner et avec, en perspective, la tutelle martinienne n'est pas très raisonnable de ma part. Mais qu'est-ce qui est raisonnable ? mon bonheur de ce soir ? J'en doute. Et plus déraisonnable encore de vous le dire. Et pourtant j'aime aujourd'hui que vous le sachiez, je n'ai pas la moindre envie de le dissimuler : tout ce qui me vient de vous me ravit. Au point que... au point qu'il faut demander à Stendhal son diagnostic...

Cette lettre sera dans vos mains, demain jeudi – ce qui me fait grand plaisir : ainsi j'aurai l'impression qu'une seconde fois nous aurons vécu trois jours de suite proches l'un de l'autre. À 14 h 30 je serai à Saint-Placide.

Je vous apporterai mon petit fourniment de photos, de textes et d'images grecques. Vous, n'oubliez pas le livre bleu. Ça me plaît plutôt (et beaucoup !) de figurer au-dessous de mon ☺nne hilare, lié à elle par ce petit signe supplémentaire. Je crois que nous aimons Rome, les promenades, Stendhal, les caractères d'imprimerie, les jolies notes en bas de page, les lettrines – de la même manière ; je crois que nous aimons beaucoup de choses ensemble.

Mauvais apprentissage pour l'indifférence, n'est-ce pas ?

Merci Anne pour la rue Vieille-du-Temple, merci pour le cloître, merci pour Saint-Gervais, merci pour le chevet de Notre-Dame, merci pour la passerelle de l'île Saint-Louis, merci pour Polytechnique, merci pour la rue du Pot-de-Fer, merci pour Claude-Bernard, merci pour les Gobelins, merci pour O 20 100 O.

Merci pour la piteuse fauvette, merci pour la caserne Port-Royal, merci pour le boulevard Montparnasse, merci pour Vaugirard, merci pour l'Abbé-Grégoire, merci pour mes pas heureux d'un soir heureux dans ce Paris heureux, merci de m'avoir rendu avec votre présence, la présence du goût de vivre, d'aimer, de rire, de chercher, de comprendre, merci pour le chat au regard vide, merci pour le gant sans la main, merci pour la main sans gant, merci pour l'éclat d'un visage, merci pour la petite déesse intérieure, merci pour l'au revoir.

Voilà, j'ai quand même raconté la vie qui se fait douceur, splendeur, facilité, confiance, allégresse un jour béni.

Et j'ai décidé de joindre à ces deux feuillets ceux que je vous ai écrits la deuxième semaine de séparation. Je ne les ai pas triés. J'ai retiré ceux de la première semaine, qui étaient tristes et où je vous parlais trop – poussé par cette tristesse – de ce qui m'attache à vous. Pendant ces quinze jours chaque lettre vous dit <u>qu'en moi rien ne change</u>. J'ai écrit cela non pour me rassurer sur moi-même mais comme on se chante un refrain.

Surtout, si vous me trouvez un peu bête de noircir si souvent le papier, de montrer si souvent mon envie d'être avec vous, soyez indulgente. Quand vous aimerez une autre Contrescarpe vous verrez qu'il n'est pas si commode d'être intelligent et qu'il est si agréable, si formidable de ne pas l'être !

Je n'oublie pas pour finir de vous confier combien j'aime davantage mon vitrail de savoir qu'il a été commencé... avant – et combien j'aime déjà l'éventualité de la route vers Clermont, via le Morvan – non seulement parce que cela me vient de vous mais avant tout parce que rien ne m'émeut plus que la pudeur des sentiments : je sens soudain le peu de force de cette liasse de messages qui va de moi à vous auprès de la force merveilleuse contenue dans les simples gestes qui vont de vous vers moi. Faut-il poursuivre la litanie ?

Merci Anne d'être vous.

Mais j'arrête

F

Voici ce courrier d'une semaine vécue avec Anne plus ombre que jamais !!

Vendredi 17 janvier 1964

Par ce beau soleil, que j'ai pensé à vous ! Mais j'aurais pensé à vous de la même façon si la pluie ou le brouillard s'étaient emparés de l'Île-de-France. Ce vendredi cruel s'achève.

Je rêvais d'un autre déroulement, d'une belle suite d'heures. Allons, il faut remiser les rêves.

Ce soir je suis allé à la générale de *Macbeth*, au Théâtre Montansier, à Versailles. Je vous dirai une autre fois ce que j'ai éprouvé. Dieu que ce texte est beau. Shakespeare est le plus grand génie. Mais je tombe de fatigue et je pars à 7 heures demain pour la Nièvre. Je voulais vous dire bonsoir. Rien ne change en moi, Anne, dès qu'il s'agit de vous. Une semaine encore à gravir. Vous me manquez

F

Château-Chinon, le samedi 18 janvier 1964

Kilomètres, kilomètres voici mes compagnons du samedi. J'en ai ce soir, comme on dit en boxe, pour le compte. À Clamecy une réunion a mobilisé tout mon après-midi. Discussions. Il est tard. Je vais me reposer. Je suis dans ma petite chambre de l'Hôtel du Vieux Morvan puisque je n'ai pas de maison ici et n'en veux pas avoir. Et je vous écris là.

Pauvre Château-Chinon ! J'entends votre rire sarcastique quand j'ai dit « j'aimerais vous y mener un jour ». Pourtant je pensais à la joie que j'aurais à vous raconter l'histoire de la route : Sens, la Bourgogne, Auxerre et Saint-Germain et ses tapisseries, Vézelay, Théodore de Bèze, Romain Rolland, le rude Morvan des Éduens, premiers alliés de César contre… Vercingétorix. Surtout je pensais à l'histoire de <u>ma</u> route, géographie personnelle qu'il fait bon découvrir à qui l'on aime ouvrir ses trésors et sa pauvreté.

Anne peu m'importe le paradoxe, que ce soit vous, que ce soit moi. J'ai envie de vivre les tâches quotidiennes, la volonté appliquée aux choses humbles et le cœur prêt à les aimer. Mais quel effort ! Savoir qu'existe un être (ou du moins l'imaginer !) capable d'aimer et de comprendre la signification profonde de mes actes m'aide infiniment. Oui, je le crois, tout est transfiguré par le sourire intérieur de la tendresse, or en moi rien ne change.

Mais je rêve avant de dormir ! Bonsoir

<u>F</u>

Château-Chinon, le dimanche 19 janvier

Ces dimanches après-midi d'où, mon travail fait, je m'échappe par le cœur et l'esprit ressemblent à ceux de mon enfance lorsqu'au collège où j'étais interne nous traînions notre ennui sur les coteaux qui environnent Angoulême et rentrions les jambes lasses la tête pleine de rêves confus, l'espérance poignante d'on ne sait quoi qui s'appellerait liberté, amour, voyage, action et qui meurtrissait l'enfant qu'attendaient de hauts murs gris. Les murs sont toujours dressés : l'élan qui me porte vers vous s'y heurte et s'y blesse. Vous êtes de l'autre côté. Pour vous rejoindre il faudrait la complicité du ciel et de la terre, et que surgissent la liberté, l'amour et tous leurs compagnons, troupe dressée à défoncer les portes des prisons, à délivrer les prisonniers.

Ah ! vous tendre la main ou voir la vôtre jeter le salut des marins à l'escale, et d'océan en océan, leur vie laisse dans chaque port le souvenir accroché aux remparts, brillant, délaissé, déchiré pareil aux traces des troupeaux le long des chemins creux, laine mêlée aux ronces des haies.

Un mois sans vous ou presque, Anne, quand je m'étais habitué au plus surprenant miracle, rendez-vous avec le plus subtil bonheur, ce n'est pas commode non ce n'est pas commode.

L'attrait d'une intelligence sensible et d'un cœur exigeant, l'attrait d'une recherche de chaque instant, d'un épanouissement, d'une découverte mutuelle où se confondaient l'amour de la vie et la plénitude intérieure, voilà de quoi remplir tous les dimanches et tous les jours et tout le temps. Ou bien il faudrait changer, durcir, faire la pierre et le bois mort, mais en moi rien ne change et tout me mène à vous

<u>F</u>

Lundi 20 janvier

Quelle nuit ! Brouillard et verglas m'ont fait cortège sans me lâcher un instant. Je n'avais pas envie de ramper à 20 kilomètres-heure. J'ai donc foncé. Et, près de Moret, j'ai arraché quelques poteaux de signalisation. Résultat : la « pantoufle » [la DS] est encore à l'hôpital. Deux fois en un mois, c'est un peu trop !

Aujourd'hui je suis transformé en forçat de la plume. J'ai promis imprudemment un article à *L'Express* pour demain matin à propos de la reconnaissance diplomatique de la Chine par la France. Une pile de papiers encombre ma table et ma correspondance privée (avec Anne) doit s'estomper. Je le regrette : quand je vous retrouve ainsi, vous qui n'êtes pas au rendez-vous, je puis vous parler à mon gré, et vous livrer intacte ma joie de retenir pour moi un instant de votre vie (de votre vie imaginaire).

Quelle chose étonnante ! Depuis que j'ai l'âge d'homme aimer avait un sens lié à la possession, sans laquelle il me semblait que tout était faux. Votre présence en moi me ramène à ce que j'attendais quand je pressentais l'amour sans le connaître. Je n'ai rien de vous. Et tout ce qui est vous, je le désire et je l'accepte. Et j'aime sans savoir qui vous êtes. Imprudence ? sottise ? folie ? Peut-être. À moins que le cœur n'ait la divination plus sûre que les sens.

Ne souriez pas Anne : tout cela se passe loin de vous qui avez vos amis, vos soucis, vos plaisirs – étrangers à cette feuille où je trace mes signes. Je ne l'ignore pas. Soyez remerciée pourtant de m'avoir permis de rêver et de rejoindre un pays intérieur dont j'avais perdu le chemin. À quoi mesurer l'importance d'un être ?

Vous ne saurez jamais combien vous comptez dans ma remise en ordre personnelle.

Et puis j'aime écrire votre nom,

Anne,

Rien ne change en moi depuis que je le sais par cœur

F

Mardi 21 janvier 1964

Ah ! je n'aime pas ces mardis soir quand je sais qu'il me suffirait d'un quart d'heure pour vous retrouver au lycée italien. Je me suis accroché à la parole donnée d'attendre vendredi – et pour m'aider à tenir bon je me suis plongé dans la rédaction d'un passage de mon livre dont je n'ai pu venir à bout jusqu'ici. Malgré cela je peine ! Un mois tout juste a passé depuis votre départ pour Clermont. Je célèbre tristement ce triste anniversaire qui m'accable un peu plus, croyez-moi, que l'anniversaire de la mort de Louis XVI.

Toute ma matinée a été absorbée par l'article pour *L'Express* que je devais achever sans désemparer. J'ai abrégé mon cours de grec et je suis parvenu à écrire huit pages dactylographiées dans le délai convenu. Je souffle mais me sens embrumé !

Comme en pension ou en prison je compte les jours : trois encore me séparent de vous. Une émotion paralysante m'envahit. Puissé-je m'en défaire d'ici là. Rien de tel pour n'être que maladroit quand le cœur presse de ne pas l'être. Pourquoi ? Je reprends une histoire inachevée à l'endroit même où le récit fut interrompu. Et à cette histoire-là j'attache une extrême importance. N'est-elle pas essentielle cette question ? est-il ou non possible de vivre l'accord sans bornes auquel mon être incline ? Ce que j'écris ici est pour mon usage. Faut-il que vous le lisiez ? ou bien vous demeurerez très proche de moi et à quoi bon ajouter à ce que vous savez déjà ? (ces lettres ne sont évidemment pas autre chose qu'un mouvement de mon cœur) ou bien vous vous éloignerez et à quoi bon me livrer ainsi ?

Mais je vous parle mon langage. Tant pis. Vivre dans la même ville que vous m'est insupportable tant que nous sommes séparés. Ma pensée revient inlassablement sur le même métier et tisse la même trame : comment peut-on aimer une femme qui ne l'est qu'à moitié, dont on ne connaît que l'image, derrière le miroir des mots ou des silences, avec qui on n'a rien partagé, ni le feu qui brûle le corps, ni le feu qui brûle l'âme. Précisément l'âme, ne serait-ce pas cette prescience d'une violence admirable et parfaite où l'être s'abolit quand il se donne et se confond, d'une source où ceux qui s'aiment vont s'abreuver, pareille au philtre de Tristan – et désormais pureté, volupté, plaisir et rigueur, désir et tendresse, ne sont plus que les moyens de la connaissance, les instruments de la recherche qui feront de l'amour une dignité, une force, une conquête supérieures ?

Étrange chose. Je m'entends mieux avec vous, il y a plus de <u>réalité</u> entre nous (devrais-je écrire : il y avait ?) que jamais et contre toute apparence – ah ! la résonance de votre pas en moi, chère étrangère, chère ennemie. Comment comprendre ? Bah ! il suffit de croire et d'espérer. En moi rien ne change n'est-ce pas déjà mon propre contraire ? Et vous, vous êtes Anne que j'attends

F

Mercredi 22 janvier 1964

Ce soir, alors qu'il ne reste que deux jours à supporter, je souffre de votre absence. Pourquoi m'avez-vous infligé cette peine ? Je sais, je sais ce que vous répondez. Mais avez-vous pensé que moi aussi j'étais capable d'avoir mal ? Vous m'avez donné la réalité d'un rêve. Vous rencontrer à mi-chemin des choses dites et des sentiments tus, dans la joie du cœur et l'intérêt passionné de l'esprit, voilà ce que j'avais. J'ai traîné ces douze jours comme un fardeau trop lourd. J'ai détesté mes tâches quotidiennes privées de la lumière et de l'espoir. J'aimais la fraîcheur et la force qui émanent de vous. Oui, pourquoi m'avez-vous puni de vous ? Vendredi, j'irai vers vous comme à un premier rendez-vous.

Vous n'arrivez pas à croire que tout cela s'adresse à vous ? Moi je n'arrive pas à croire à l'éblouissement dans lequel je me meus – et donc au mal inconnu qui m'atteint puisque vous m'avez condamné à l'absence.

L'étonnement, la stupeur sont des signes qui ne trompent pas : ils annoncent une mutation, un bouleversement de la vie. Comme on part pour un long voyage, le cœur se serre, heureux et triste à la fois, devant ce monde nouveau qui s'ouvre, s'offre ou se refuse tant il est sûr d'être, quoi qu'il advienne, séparé à jamais du monde antérieur.

Anne, en moi rien ne change ; par vous, cher talisman, je suis là, pierre immobile au milieu du chemin. Ah ! j'aime votre visage qui écoute, qui se penche, qui traduit les mouvements de l'âme

F.

Jeudi 23 janvier 1964

Bien qu'en moi rien ne change, l'approche de demain produit en moi deux phénomènes bizarres. D'abord, moi qui attends ou espère vaguement, chaque jour, un signe, un mot de vous, moi dont l'œil cherche instinctivement votre écriture dans mon courrier et qui ne puis m'empêcher, tout au fond, d'éprouver une (naïve) déception quotidienne, et même biquotidienne – je vis dans la crainte d'une lettre qui m'annoncerait un empêchement (volontaire ou non), je redoute d'entendre parler de vous, je désire vivre hors de vous totalement et déboucher soudain sur ce merveilleux carrefour de la rue des Blancs-Manteaux !

Ensuite, alors que ces treize jours écoulés depuis notre séparation ont été atrocement languissants, plus proches d'un profond regret que d'un espoir, j'ai l'impression que d'ici demain je n'aurai le temps ni de préparer mon esprit, ni de garantir mon cœur, ni plus simplement encore d'organiser notre randonnée (ma voiture est en réparation ; où déjeuner ? quoi visiter ? etc.) toutes questions que je ne m'étais jusqu'ici jamais posées et qui prennent soudain une incroyable importance ! J'observe ces variations et ces méandres psychologiques comme Jean Rostand ses grenouilles – mais je parviens moins bien que lui à m'isoler de mon sujet d'observation ! quel accordéon, le temps ! Et comme il chante ses ritournelles ! et comme il se moque de moi !

Mais à l'heure où je vous écris, près d'achever la dernière journée d'une longue, longue, longue attente, une gravité nouvelle m'étreint. Demain Anne je vous verrai. D'abord je ne vous dirai rien ; que ce que l'on dit quand on ne dit rien. Parviendrai-je plus tard, les heures passant et refaisant ce que vous avez voulu défaire, à vous raconter ma vérité ? Peut-être. Peut-être pas. Si les mots s'arrêtent, sachez alors, très simplement, sans que je le crie plus haut ni plus fort, sans autre conséquence pour vous que celles que vous déciderez, sans changement de ton, que l'histoire que j'ai vécue auprès de vous, est pour moi une histoire merveilleuse, une histoire douloureuse, à laquelle ma vie se mêle si profondément qu'elle est devenue mon histoire.

Anne, je vous remercie

d'exister

François

Vendredi 24 janvier, Les Andelys, Gisors.

Vendredi 24 janvier 1964,
après vous avoir quittée

Je ne vous écrirai que quelques mots tant la joie qui me possède est grave et profonde.

Je garde en moi où rien ne change l'histoire d'une journée dont la plénitude ne peut être dite.

Ô Anne sentez-vous ce soir, tandis qu'un beau spectacle s'offre à vous [théâtre de l'Atelier, Tourgueniev, *Un mois à la campagne*], sentez-vous que c'est bon de vivre

avec cette joie

avec cette paix ?

F

Vendredi 31 janvier, Saint-Cloud.

28.

En-tête Assemblée nationale, à Mademoiselle Anne Pingeot, 39 rue du Cherche-Midi, Paris VIᵉ *(sans timbre).*

Dimanche 2 février 1964

Pour vous exprimer ce que je dois à notre journée de vendredi il me faudrait recourir à l'apologue ou à la parabole et je comprends pourquoi les Orientaux préfèrent le symbole et l'image au style direct. En racontant la joie (ou la peine) du monde et des choses, ils se racontent.

Moi, je n'évoquerai que la présence aimée d'un visage et la confiance d'un regard clos, et je me tairai. À ce qui s'inscrit dans le cœur, qu'ajouter ?

Mais je vous relaterai, comme j'aime à le faire, les deux jours qui viennent de s'écouler.

Dira-t-on jamais l'importance des menus faits quotidiens, cette bonne et nombreuse petite troupe sans laquelle les plus grands sentiments ne gagnent pas de batailles ? De savoir (un peu) vos occupations de ce week-end m'a aidé (beaucoup) à assurer les miennes. Tôt, samedi matin, alors que vous partiez pour votre travail un journaliste du *Monde* m'a réveillé pour me demander une déclaration sur la conférence de presse de la veille. Je me suis exécuté, l'esprit lent (je joins le résultat de cet effort à ma lettre !).

Après quoi j'ai exploré deux dossiers à plaider cette semaine et cela m'a mené au moment où il m'a fallu sauter dans le train qui partait pour la Nièvre en fin de matinée. Un brouillard épais m'attendait dans le Morvan où l'on circulait en tâtonnant. Là j'ai reçu quelques quémandeurs, présidé le syndicat d'initiative, la commission hospitalière et la commission des travaux. Et après avoir dîné seul malgré d'amicales sollicitations (j'avais tellement besoin d'être seul pour mieux vous retrouver) j'ai travaillé à la mairie, ce qui m'a conduit à me coucher fort tard. Ce matin j'ai parcouru la ville pour inspecter ~~qu~~ les constructions d'un lotissement, un terrain à exproprier, une école à réparer. Et à 1 heure des amis m'ont reçu pour déjeuner dans une belle demeure campagnarde où l'on fêtait la Chandeleur, à mi-chemin de Nevers. Crêpes tournées tandis que la main qui les fait sauter tient un louis d'or, crêpe sur une armoire depuis l'an dernier et qu'on fait solennellement brûler, tout un petit cérémonial s'est ainsi déroulé au dessert ! J'ai plaisanté mes amis sur ces superstitions, mais une vieille dame très sérieuse (et pourtant très évoluée) m'a sermonné : elle m'a précisé que chaque vendredi saint elle ~~mettait~~ met un œuf pondu le jour même dans un placard et que cet œuf-là ne pourrit pas mais sèche — qu'elle accomplit ce rite depuis quarante ans et qu'il n'y a jamais eu d'erreur du Destin — tandis qu'évidemment tout autre œuf serait nauséabond. Vous voyez que mes Celtes n'ont pas oublié leurs traditions druidiques (auxquelles ils ont mêlé la tradition chrétienne) !

Dans le train de retour (un express pas pressé !) j'ai lu et surtout j'ai aimé penser à vous et à ces derniers jours. J'avais en moi une profonde joie en même temps que le sentiment d'une sorte de devoir : veiller à ce que tout ce qui nous réunit soit comme un levain de force et de beauté, comprendre que ce que j'ai est déjà merveilleux et mérite de le rester — et, s'il doit y avoir choix, vous préférer à moi.

Pourtant n'est-ce pas un affreux égoïsme que de vous avoir fait rentrer si tard, que de vous avoir empêchée de corriger votre maquette, que de vous avoir condamnée à bâiller sur vos œuvres… alors que moi j'ai emporté grâce à vous une telle réserve de bonheur de vivre que les tâches ingrates m'ont paru, cette fois-ci, faciles à accomplir ? (Je vous ai dit au début de cette lettre que je ne vous en parlerai pas tant chaque instant de notre soirée s'est incorporé à mes plus profonds et plus chers souvenirs – mais, Anne, d'où venait cette grâce qui ne nous a plus quittés dès que nous sommes entrés à La Camargue ?)

Demain soir à 20 h 45 je vous attendrai rue Saint-Placide. Je crois qu'*Un roi sans divertissement* vous intéressera.

Quant à samedi je suis prêt à vous recueillir épuisée d'avoir dansé jusqu'au petit jour, et à vous rapprocher de ce phare de la civilisation qu'est votre Puy-de-Dôme ! Nous partirons de bonne heure (enfin, vers 9 heures). Je pense que nous pourrons saluer au passage la maison d'enfance de Colette et celle de Jules Renard, le village de Romain Rolland, les belles vallées de la Cure et du Cousin avant d'aborder le Morvan. Peut-être aussi le village de Giraudoux et d'Alain-Fournier. Ne craignez rien : c'est dans un périmètre raisonnable et vous arriverez à l'heure convenue, en bon état !

Vous montrer ces chemins que je connais me procurera un très vif plaisir. Puissé-je vous le rendre.

Maintenant, je vais dormir. Je dirai « bonsoir » à mon ami Françon
et tout bas aussi
« bonsoir Anne »
bonsoir vous qui dormez et qui ne savez pas que quelqu'un veille
près de vous

<u>F</u>

Annotation sur une coupure tronquée du *Monde* :

« Vous seule, Anne, saurez comment les hommes politiques méditent les paroles des grands hommes ! Rien ne vaut je crois une 404 sans essuie-glaces. »

29.

En-tête Assemblée nationale, à Mademoiselle Anne Pingeot,
39 rue du Cherche-Midi, Paris VIᵉ.

4 février 1964

En vous quittant hier soir il m'a paru soudain impossible d'attendre vendredi pour vous dire l'approfondissement de la joie qui m'habite,

pour vous dire que ma pensée vous rejoindra souvent durant ces trois longs jours,

pour vous dire que si je m'évanouissais dans le ciel bleu d'aujourd'hui ce n'est pas une ombre que j'aurais aimée mais vous, Anne

pour vous dire enfin que je ne m'évanouirai pas car vivre et vivre en vous espérant est une merveilleuse promesse

F̲

Samedi 8 février : Sens, Clamecy, Vézelay, Avallon, Château-Chinon, Moulins-sur-Allier.

30.

En-tête Assemblée nationale, à Mademoiselle Anne Pingeot,
10 rue de l'Oratoire, Clermont-Ferrand, Puy-de-Dôme
(écriture modifiée).

9 février 1964

Je crois pouvoir honnêtement écrire que depuis Moulins je ne me suis pas éloigné de vous. Il est maintenant près de 3 heures de l'aprèsmidi. Je déjeune chez Lipp, seul. Une solitude comme celle-là, quelle richesse ! Je ne l'échangerais contre rien – sauf contre vous, évidemment, telle qu'hier. Aussi la fais-je durer autant qu'il est possible.

Me suis-je trompé ? Jusqu'à votre départ j'ai attendu, anxieux de vous apercevoir encore. L'arrivée du Lyon-Nantes m'a gêné. Pourtant j'ai vu dans votre train qui roulait un manteau rouge tout droit contre la vitre d'un wagon, et je lui ai dit un tendre au revoir. Et si cette image (illusoire ou non) m'a accompagné, m'accompagne : elle me murmure que pour vous aussi notre voyage ne s'est pas achevé cette nuit à Moulins, qu'il continue, qu'il se poursuivra longtemps.

Revenant vers Paris, je me suis arrêté, comme vous le désiriez, à Nevers. Non par fatigue mais pour ne pas vous disputer à la route. J'avais besoin de vous, sans partage. Je ne voulais pas que mon attention se dispersât, que mon regard s'absorbât dans le rayon lumineux des phares, que tout en moi s'organisât autour d'une ligne jaune, d'un croisement, de la vitesse. C'est au calme, logé au vieil Hôtel de France, que j'ai accueilli le moment où vous êtes arrivée à Clermont, le moment où vous avez croqué la pâtisserie familiale, le moment où vous vous êtes endormie avec je le suppose, ces deux pensées alternées : l'une que vous m'exprimiez au terminus banal et sympathique « Rendez-vous compte ! Nous sommes à Moulins, et ensemble ! » (ça, c'était la surprise mêlée d'un peu d'effroi) ; l'autre, toute contenue dans votre visage de la dernière minute, dans votre petit geste de la main sur le quai (et c'était comme une signature au bas d'une lettre, comme une tête sur l'épaule, comme un baiser sur la main : l'accord, l'acquiescement, l'harmonie).

16 h 30

Maintenant je suis dans une salle (comme toujours, enfumée) proche de la rue des Martyrs. Les groupes d'inspiration socialiste y siègent en colloque, pour la seconde fois, pour discuter de leur éventuel rassemblement. Vous ne pouvez imaginer le verbalisme ésotérique de cette espèce politique profondément marquée par le souvenir des luttes ouvrières d'il y a trente et cinquante ans et qui se reconnaît beaucoup plus dans une certaine terminologie marxiste que dans la doctrine du même nom. Si vous n'employez pas avec eux et au moment voulu des formules comme celles-ci : pôles de domination économique, dimension européenne, planification socialiste, nouveaux centres de décision, mutation des pouvoirs, notion de contre-plan, appareil bureaucratique…, la « famille » socialiste fronce le sourcil et vous considère soit avec méfiance soit avec dédain ! Quand j'étais étudiant je me laissais impressionner par ce langage qui me paraissait hermétique et cuirassé comme une marine de guerre ! Ce n'est plus le cas aujourd'hui. Je discerne le défaut de l'armure et je me désole de tant d'élans sincères vers la justice rongés par l'acide du sectarisme verbal. Si j'appartenais à un milieu politique de Droite j'aurais sans doute des réactions aussi rétractiles. Je l'ai connu autrefois et je n'étais qu'exaspéré par ses faux-semblants, par ses alibis. Tout le monde de ce côté-là s'affirmait

« social » pour mieux dissimuler sous les mots la volonté forcenée de sauvegarder des privilèges. Est-ce à dire que tout est faux ? Non, assurément non. Simplement cela montre que nous ne vivons pas en une époque d'affrontement catégorique, révolutionnaire. Le collectivisme a remporté sa première grande victoire en 1917, en Russie. Et puis, il a vieilli. Pas autant que le capitalisme, certes. Mais à force de se frotter l'un l'autre ils ont usé leur énergie et s'accommodent de leur coexistence. Il n'y a donc plus que des solutions d'aménagement, de transition, d'adaptation, de gestion. Les théoriciens s'habituent mal à cela et se réfugient dans la discussion interminable de la thèse et de l'antithèse. Et comme ils ne sont pas en mesure d'imposer leurs principes périmés ils finissent par bâtir un monde à eux où les formules dévorent peu à peu la substance – à la manière de ces diététiciens qui se préparent à nourrir l'humanité avec des pilules comprimées plutôt qu'avec des pommes (ah ! les bonnes tartes sucrées !) et des truites farcies.

19 heures

Mais Anne je dois vous ennuyer avec mes dissertations (non, je crois que je ne vous ennuie pas – que vous aimez bien autre chose que les traînes de tulle…). L'heure avance vers mon train qui m'emmène à Hossegor et je veux que cette lettre parte de Paris pour qu'elle vous parvienne demain ou mardi. J'ai tellement, tellement envie de vous rejoindre. Il s'est passé tant d'événements entre nous. Mais ne dites plus « j'aimais mieux avant ». Moi j'aimais avant. Et j'aime maintenant. Et d'une certaine manière j'aime davantage maintenant parce que maintenant contient avant et lui ajoute la vérité de deux êtres – et non celle de deux ombres, fussent-elles heureuses comme l'est la lumière.

Tout ce qui était avant, Anne, vit en moi avec la même intensité. Je n'ai renié, oublié rien de cette pureté intérieure de novembre. Elle me transfigure. Ne l'avez-vous pas reconnue hier ? Elle m'occupait tout entier. Je m'émerveille d'avoir franchi ce seuil en emportant avec moi les bagages d'un bonheur immatériel et fort, sans rien abandonner derrière moi de ce qui faisait sa qualité. Je m'émerveille ?

J'écrirai plutôt : je rends grâce à celle qui a permis cela, sans qui rien n'eût été possible. Anne, il faut que je le répète sans relâche : je vous dois tant.

Bonnes vacances. Je vous récrirai mardi, d'Hossegor. J'attends déjà ce qui me viendra de vous. Je garde en moi un trésor de souvenirs.

Pourquoi ne m'avez-vous pas donné une photo ? Non, il n'y a pas de collection, vilaine Anne qui ne comprend rien à rien. Notre histoire est si difficile qu'elle a bien le droit d'être unique !

Et elle l'est pour moi, Anne, pour moi qui vous remercie du fond du silence heureux et grave qui m'emplit

F̲

31.

En-tête Assemblée nationale, à Mademoiselle Anne Pingeot,
10 rue de l'Oratoire, Clermont-Ferrand, Puy-de-Dôme
(écriture modifiée).

Mardi et mercredi 12-13 février 1964
Mardi, 23 heures

Seul dans ma maison vidée depuis ce soir des deux amis qui m'avaient précédé à Hossegor et qui ont regagné Paris, assis à ma table de travail où j'ai écrit, trois heures durant, quelques pages du livre, l'oreille partagée entre le grand tumulte de la mer et le ronronnement de la chaudière à mazout, le regard vague parmi mes papiers étalés en désordre – mais en réalité profondément attentif au mouvement qui, venu de moi-même, me porte vers vous, Anne, je vous retrouve enfin. Trois jours ont passé. Ah ! ce samedi si proche et lointain. Dans cette gare inconnue j'avais le cœur embarrassé de tout ce que j'avais à vous dire encore – et pourtant qu'ajouter ? Vous partiez. Un jour de ma vie, l'un de ceux qu'on voudrait ne voir jamais cesser, finissait. Vous emportiez avec vous je ne sais quelle grâce de vivre et d'aimer dont je me sentais soudainement privé. Mais je gardais de si beaux souvenirs que j'avais tout de même envie de remercier la peine née d'un si vrai bonheur.

Nous avons souvent évoqué les dangers que comporte notre chère, délicieuse et paradoxale entente.

Moi, je paie déjà une partie de ma rançon. Une semaine sans vous me pèse. Il me paraît si naturel d'aller et de venir avec vous, de respirer votre air, de m'intéresser à ce qui vous concerne que je me sens comme inemployé dès que le temps et l'espace s'élargissent entre nous. Ce que je possède de vous m'émeut et me ravit – et voilà qu'au lieu de m'en contenter, comme si l'on pouvait échapper aux lois de la souffrance et de l'absence, je vous recherche davantage. J'appelle injustice ce qui nous sépare et paix ce qui nous réunit. La Sagesse est-ce refuser de vivre ? Il me semble alors n'avoir pas commencé le chemin qui conduit à elle.

Mercredi matin

Couché tard je me suis levé ce matin tandis que le soleil franchissait le toit de la maison. J'ai dit bonjour au camélia dont la fleur ouverte, légèrement brunie par le gel au bord de la corolle, ose cette prodigieuse fantaisie d'éclore en plein hiver. Un couple de rouges-gorges (à moins que ce ne soient des bouvreuils !) picorait l'engrais tout juste mis au pied des chèvrefeuilles et des lauriers-roses. Mon arrivée dans le patio les a effrayés. Pas longtemps. Ils me regardent curieusement au travers de la vitre. Je viens de recevoir votre lettre. Je l'ai lue comme j'aime à le faire, en marchant, à petits coups. Vu du pont le lac était d'une incroyable douceur avec la mer qui se mêlait aux vagues de sable. Je n'étais qu'à la moitié de ma lecture. La nature se soumettait à ma joie et prenait ses couleurs et s'accordait à moi en donnant aux choses une dimension nouvelle. C'est la première vraie lettre que vous m'écrivez. Les autres, Dieu sait si je les ai désirées, accueillies avec empressement et précieusement conservées*. Mais elles ne vous expliquaient que par bribes, sautaient par-dessus les difficultés, ou au contraire (témoin, le dessin) butaient sur l'obstacle, comme pour me punir. Vous pensez, assurément que « détester l'arrêt avant Moulins », « détester les paroles », les mots, les sons « de coquillage » me fera réagir. Et vous ne vous trompez pas. Mais je vous aime mieux de me l'avoir dit. Et de me l'avoir dit parmi tant d'autres impressions d'un voyage heureux.

Contre « le coquillage » je ne puis rien. C'est à vous qu'il appartient de déceler si mes paroles ne sont que l'écho d'un vivant pétrifié. Y a-t-il un tel décalage entre ce que j'éprouve et ce que j'exprime, au détriment de mes sentiments ? Le croyez-vous vraiment ? Quand je vous presse d'entrer à Sainte-Madeleine de Vézelay, quand je vous prends par les épaules pour vous placer dans l'axe du narthex et vous perdre dans l'unique beauté d'un des hauts lieux du monde, est-ce que ce geste ment ? Est-ce qu'il ne signifie plus rien pour moi ? Non, évidemment. Ce sont donc mes paroles qui sont suspectes d'affleurer le vide. Faut-il me taire ? Il est vrai que les mots n'ont pas le même sens pour qui n'a pas encore aimé et pour qui n'a plus à apprendre ce langage. Mais pourquoi leur contester une égale densité ? Anne, je vous prie de m'entendre : quand nous avons abordé la première rampe du Morvan, près de ce château fermé dans sa forêt, nous nous sommes arrêtés aussi. Là ce que j'ai bu en vous c'était comme l'eau qui arrache la terre et qui danse au soleil. Ce n'était pas l'illusion du mirage immobile et plat. Je sais de quoi je parle : j'ai bu à cette eau, j'ai couru après ce mirage. Et mon plus grand merci, Anne, va vers vous qui m'avez rendu ma vérité en me restituant un amour. Mais là-dessus « le coquillage » ne dira plus rien. On l'accuserait encore d'être vide !

* « Quand même », elles m'ont aussi aidé, merveilleusement, à vous attendre. Surtout celle qui me disait « J'en souris dans la rue... ».

Mercredi, fin d'après-midi

J'ai été interrompu par des joueurs de golf qui sont venus me chercher pour déjeuner et... entamer une partie. J'ai remarqué que golf + Anne me sont contraires. J'ai perdu. Mais j'accepte de perdre chaque fois que vous m'écrivez, chaque fois que je vous verrai (mesurez mon héroïsme !) : vos lettres me procurent une telle joie. Revenu chez moi, permettez-moi de rêver : je vous imagine ici. Il me semble que j'abattrais un énorme travail tandis que vous regarderiez le ciel, la forêt ou que vous plongeriez dans votre chère peinture à l'huile. Nous ne dirions pas grand-chose (on en a assez dit !). Le temps coulerait et cependant chaque jour serait comme les rives d'un fleuve d'où l'on observe la vie passer. Je n'ai pas besoin d'en savoir davantage sur vous : je n'ai jamais connu pareille harmonie. Tout, d'instinct, nous accorde. Ce sont des mots que j'écris là ? Ils résonnent vide ? Ne vous ai-je pas confié que j'avais aimé ? n'ai-je pas appris à respecter ceux que j'aime ? Savez-vous comment je parle à ceux que je n'aime pas ? Savez-vous même si je leur parle ? Oui, je vous imagine ici, je vous écoute marcher sur l'humus épais, d'un pas souple, je vous écoute, silencieuse et immobile, respirer. Je ne vous sépare pas de la beauté alentour (bien que, peu m'importe à moi si une enseigne de bougnat, dans une rue banale, nous sert de témoin : la beauté transfigure... quand elle habite le cœur).

Écrire mon *Laurent*, sur une colline de Toscane – et vous là à qui je lirais les pages rédigées, et les promenades par les sentiers étroits qui tombent sur l'Arno : peut-être serais-je alors capable de créer une œuvre meilleure que moi. Être auprès de vous pour un accomplissement important, voilà ma découverte, mon allégresse, mon espérance. Il faudrait être en même temps extraordinairement vigilant pour que jamais vous n'ayez envie de dire « je déteste », pour que le seuil que nous avons franchi reste celui que nous avons choisi, pour éviter les contresens. J'aurais une telle crainte d'abîmer ce qui est et j'ai un tel besoin de parfaire et d'approfondir l'entreprise commencée avec vous. Est-ce contradictoire ? Non – c'est aussi difficile et merveilleux qu'un voyage de Paris à Moulins, avec des églises, des arbres, un poème, une truite – et deux arrêts où soudain les compagnons de vie découvrent qu'il est fou, splendide, angoissant, bienheureux de boire à la même source.

Anne, il faut décidément que j'arrête d'écrire au bas de cette page, ou cette lettre ne partira pas ! J'ai laissé ma plume filer au gré de mes pensées sans beaucoup de retenue. Tant pis. Vous avez affaire à un coquillage bavard. C'est la pire espèce. Je me demande parfois si je ne devrais pas vous parler moins de moi, moins de vous. Ce sujet me passionne !

Quel dommage que celle à qui je m'adresse me fasse si peu crédit. Vous me donneriez les qualités que je n'ai pas si j'en avais besoin pour vous plaire !

Et maintenant je pense à Paris où je serai vendredi matin. ~~Je~~ Vous trouverez une lettre, lundi, cela va de soi !

Je vous pose une question simple, que vous seule pouvez résoudre : est-il possible, concevable d'attendre vendredi pour vous voir, comme deux fonctionnaires de la joie ? Après ces huit jours devrai-je en compter cinq autres alors que nous serons dans la même ville ? Mais je le répète cela dépend de vous. Voilà donc mon emploi du temps : <u>rien du tout à partir de 18 h 30 chaque jour.</u> J'ai tout bloqué sur les matinées et déjeuners. Si vous me fixez une rencontre avant vendredi (en me gardant ce vendredi quand même) vous saurez que j'en serai très, très heureux. Je vais maintenant guetter (à nouveau) le courrier. Ah ! je voudrais tant que vous m'aimiez assez pour me laisser aller vers vous

<u>F</u>

32.

À Mademoiselle Anne Pingeot, 10 rue de l'Oratoire,
Clermont-Ferrand, Puy-de-Dôme *(écriture modifiée)*.

Petit poème en prose sur un thème connu

La complainte du coquillage

I

À quoi sert un coquillage ?
À simuler, s'il est important et compliqué, le bruit de la mer quand
   on l'approche de l'oreille ?
À dormir sur la plage, à côté du bois mort, s'il est petit et oublié ?
À donner des idées de platitude au peintre, d'indifférence au philo-
   sophe, de néant aux jeunes filles ?
À voler toutes les couleurs de l'océan Indien pour s'en faire un
   manteau de nacre ?
À se vider de substance pour le plaisir du pêcheur de perles ou
   pour l'utilité du marchand de pétrole ?
Oui, à quoi sert un coquillage ?

II

Je ne vous ai pas dit mon secret :
Je ressemble à un coquillage de façon si troublante
Qu'on me prend pour un coquillage.
On me pousse du pied.
On me jette à la mer.
On me garde dans la poche.
On m'ajoute au décor, sur un rayon de livres.
Bref, on me traite en objet inutile.
Il arrive pourtant qu'un enfant me ramasse, me regarde et m'aime.
Et quand on m'aime,
Apprenez-le à tout hasard,

C'est comme si tous les océans du monde, tous les ciels, tous les
    continents se donnaient rendez-vous.
Rendez-vous
Où ?
J'allais écrire : dans mon cœur. Dans mon cœur ?

III

Un coquillage n'a pas de cœur.
Ni tête, ni tripes, ni peau, ni jambes, ni rien du tout.
D'ailleurs, qu'est-ce qu'un coquillage sinon la moitié de quelqu'un,
    la moitié de l'enveloppe de quelqu'un ?
Pauvre moi dissocié,
Âme perdue,
Chair dissoute,
Voyageur immobile qui descend à rebours l'échelle des espèces.
Animal, et puis
Végétal et puis
Minéral et,
Plus bas encore :
Coquillage

IV

À quoi sert un coquillage,
Dur et sec,
Poli comme un galet par les fonds où il a traîné,
Lisse comme un bec d'oiseau de proie –
Et vide
Comme une parole dite au bord du chemin ?
Je me le demande, je vous le demande.
Un coquillage ne sert à rien.

V

Je vais cependant vous dire un secret :
Je ressemble à un coquillage de si troublante façon qu'on me prend
    pour un coquillage.
L'autre jour pour s'amuser ou pour voir ce que ça faisait
Quelqu'un

Qui était, qui n'était pas, qui peut-être était,
Qui peut-être n'était pas
L'âme perdue et retrouvée,
Quelqu'un pour s'amuser ou pour voir ce que ça faisait
M'a griffé.
Pour une vierge napolitaine ce serait tout à fait normal,
Mais pour un coquillage
N'est-ce pas ?
C'est bizarre :
Une goutte de sang a perlé.

13/2/1964

33.

En-tête Assemblée nationale, à Mademoiselle Anne Pingeot,
39 rue du Cherche-Midi, Paris VIe.

Dimanche 16 février 1964

Hier a été pour moi une curieuse journée. Soit sur la route (Sens, Auxerre, Clamecy...), soit à Château-Chinon, mon esprit s'est constamment reporté à l'autre samedi, le nôtre. C'en était obsédant. Et comme je ne voulais pas échapper à l'attraction du souvenir, j'ai d'heure en heure revécu notre voyage. À vrai dire cette surimpression me faisait mal car elle signifiait le temps qui passe (comme les images pâlies de *L'Année dernière à Marienbad*) mais je la recherchais, à la manière d'un fumeur d'opium qui acquiert le besoin d'abolir la conscience du présent. De plus, bien que j'aie reçu votre lettre mercredi matin et qu'après tout quatre jours ce n'est pas le bout du monde... pour un coquillage, je ne sais pourquoi je m'ennuie beaucoup, beaucoup de vous.

Peut-être cet ennui, ce sens aigu de l'absence sont-ils dus à l'intensité des instants partagés la semaine dernière, à la retombée dans l'ordinaire après la possession d'une joie exceptionnelle. Mais, et cela vous paraîtra sans doute absurde et en tout cas déraisonnable, je ne m'habitue pas à ces plongées soudaines dans le silence, dans l'inconnu alors que nous sortons d'une vie intense et même si vous en discutez certains aspects, même si vous vous en inquiétez, passionnante. Ah ! si vous saviez comme est rare l'harmonie naturelle entre les êtres, comme est rare l'accord qui existe entre nous (ne me croyez pas présomptueux. Je note ce que j'éprouve, tout simplement) vous comprendriez pourquoi j'attache un prix extrême à n'employer jamais ces phrases dont vous me dites qu'« elles ne signifient plus rien pour moi sinon parfois l'écho plus ou moins tendre d'un souvenir », pourquoi je me mépriserais si je n'étais pas capable de percevoir l'importance de notre rencontre, importance déjà acquise, quoi qu'il advienne. Importance pour vous : vous avez bien voulu, quelques minutes avant l'heure de votre train, au restaurant de Moulins, me confier la résonance qu'aurait en vous le sentiment de vous être trompée sur moi (cette confidence est le plus beau cadeau que vous m'ayez fait. Elle est allée si profondément en moi que j'ai fait comme si je ne l'avais pas entendue, pour que rien ne vienne troubler sa merveilleuse pudeur). Importance pour moi : c'est précisément parce que j'ai aimé que je sais, moi, où j'en suis avec vous. Je respecte trop certains souvenirs pour les trahir en tentant « d'en retrouver l'écho ». Je vous respecte trop, pour bafouer l'histoire que nous vivons, pour altérer la valeur, la signification unique de ce qui m'attache à vous. Dites-vous bien ceci – Anne : quand bien même il n'y aurait rien d'autre, rien de plus entre nous, ce que vous m'avez donné, d'Hossegor à Avallon, occupe dans la hiérarchie de ma vie personnelle, passée et présente, un rang qui vous surprendrait. Qui me surprend aussi car (même « page blanche » vous devinez beaucoup de choses) je ne pensais pas qu'une telle entente fût possible sans le sceau de la possession absolue.

Mais revenons aux menus faits quotidiens !

Rentré d'Hossegor vendredi matin le courant des obligations de travail m'a aussitôt absorbé – le soir j'ai dîné chez des gens aimables et mondains, catégorie Présidents de grandes sociétés et Ingénieurs de haut vol ! Une dame d'âge mûr, maniaque de la politique, m'a confisqué un bon moment, après dîner, mais comme son plaisir était de montrer qu'elle savait tout j'ai pu me réfugier dans une approbation quasi muette et complaisante. La fille aînée de la maîtresse de maison, très jolie avec des yeux et un sourire éclatants, m'a tiré de là : c'était quand même plus agréable ! Cela n'a pas duré longtemps : le cercle des présidents s'est refermé sur moi – ouf !

Je me suis évadé le premier, peu avant minuit, me sentant extraordinairement étranger à ces rites (auxquels je cède par exception. Là, l'exception était représentée par l'une de mes sœurs mariée avec le directeur général des charbonnages de Lorraine – théoriquement représentée puisqu'en se mettant à table on m'apprenait que cette maudite sœur téléphonait... de Metz qu'elle ne viendrait pas ! De telle sorte que j'étais le plus bêtement du monde pris au piège et pour rien !). Poussé par les goûts d'Anne j'ai accompli une longue marche dans Paris et par un itinéraire connu : l'île Saint-Louis, les quais, etc. J'avais l'impression de me laver (non d'un passe-temps sordide : ces gens étaient honnêtement sérieux – mais d'une forme de vie, d'un style d'échanges humains d'où sont bannis les <u>vrais</u> raffinements et en tout cas l'authenticité des préférences, des admirations, des choix). J'ai pensé à vous, chère compagne absente, et j'ai aimé cette pensée.

Aujourd'hui je suis rentré un peu plus tôt que d'habitude, en fin d'après-midi, par la route 7 c'est-à-dire par celle que vous avez sans doute empruntée. Je suis arrivé porte d'Orléans vers 7 heures. Un peu affecté. Aurai-je bientôt de vos nouvelles ? Chaque fois que vous me quittez pour huit jours vous m'annoncez représailles et cataclysmes ! Comment voulez-vous que je sois tranquille ? Vous êtes souvent intérieurement si proche – et puis pfttt !! plus rien et c'est moi le coquillage malin, dénué de sentiments profonds, blasé, superficiel, amateur de rosières auvergnates, collectionneur, qui écrit des lettres et, qui plus est, des lettres de six à huit pages au risque de vous en fatiguer ! oui c'est moi l'infidèle qui suis cent fois plus fidèle que vous... à « l'écho ± tendre du souvenir » qui nous unit !

J'ai quelques projets à vous communiquer pour les balades futures. Dieu, dès que tout intéresse, qu'il y a de belles choses à voir ! Je serai curieux de vos impressions sur Gobineau. Moi je suis sûr que c'est un chef-d'œuvre. Je n'ai pratiquement pas lu durant cette semaine puisqu'il a fallu soigner le bouquin, le mien ! Évidemment je serais malheureux de voir passer les jours sans vous retrouver. Mais vous le savez. Inutile de le répéter. Si vous me faites signe pour <u>avant</u> vendredi, je vous l'ai dit dans ma lettre de Clermont, fixez-moi le jour et l'heure, à partir de 18 h 30. Si vous ne pouvez pas avant vendredi, je souhaite que vous me donniez, ce jour-là ou votre déjeuner ou votre dîner (j'ai été si comblé par le vendredi de La Camargue que rien ne me ferait plus plaisir que vous prendre au début de l'après-midi pour ne vous ramener... qu'à l'heure décente du sommeil). Si par un contretemps postal

je n'avais rien de vous j'irais à 14 h 30, le 21, rue Saint-Placide.
Mais après cette semaine d'absence cela me semblerait bien loin,
bien long. À vous de juger. (J'ai l'air de disposer de votre temps
avec désinvolture. Mais vous ne vous méprendrez pas : cela signifie
seulement ma hâte. Je n'oublie pas que vous avez du travail et des
amis et ne veux pas paraître indélicat. Je vous espère profondément.
Voilà tout !)

F

P.-S. Samedi et dimanche soir récital de <u>Thelonious Monk</u> – l'auteur
de la musique des *Liaisons* – pianiste noir de premier ordre (musique
moderne). Je vous le recommande. Si par hasard vous étiez libre (mais
un dimanche je n'ignore pas que ce doit être difficile) je pourrais vous
y mener <u>dimanche</u>. De toute manière, même sans moi, si cela vous
intéresse je puis vous faire retenir des places.

Vendredi 21 février 1964, Auvers-sur-Oise.

34.

Mademoiselle Anne Pingeot,
39 rue du Cherche-Midi, Paris VIe *(lettre agrafée)*.

Chacune de ces fleurs porte un nom. L'une s'appelle octobre, l'autre
novembre, la troisième décembre et les deux dernières, vous l'avez
deviné, janvier et février. Ce sont des fleurs-calendrier.
Cherchez maintenant laquelle est décembre, laquelle est février et
ainsi de suite. Vous ne trouverez pas. Vous ne pouvez pas trouver.
Elles sont si semblables au milieu de leurs différences que je vous
les envoie justement pour qu'elles vous disent cela : ce sont les fleurs
d'un même bouquet.
Une journée de douceur intense parce que le temps s'est fait ami,
quelques minutes d'âpre au revoir parce que le temps soudain s'en va
et nous fait violence ont pour moi, Anne, le même parfum.
Essayez de comprendre que les fleurs, comme les heures qui nous

réunissent, expriment les mêmes sentiments. Leur couleur peut changer. Leur vérité reste la même. Et la vérité qui m'habite n'est pas
celle que vous craignez mais celle que vous aimez. Pardonnez mes
différences et acceptez mon unité.

Je vous donne ces fleurs ; je vous dois leur beauté.

F

22/2/1964

35.

En-tête Assemblée nationale, à Mademoiselle Anne Pingeot,
39 rue du Cherche-Midi, Paris VIe *(sans timbre).*

Dimanche 23 février 1964

Je voulais vous écrire hier soir, de Château-Chinon. Je ne l'ai pas
pu. Dès mon arrivée, au début de l'après-midi, j'ai été happé par mes
« partisans » qui ne m'ont plus lâché (il y a des élections cantonales le
8 mars). Avec eux j'ai visité trois communes du plein Morvan, un peu
plus à l'est que la région que nous avons traversée, et donc enfoncée
dans le haut massif. Une de ces communes s'appelle Glux-en-Glenne
(la Glenne est une forêt qui couvre le Beuvray, le Prénelay, le Bois-
du-Roi, nos sommets).

J'y ai retenu là, en principe, une grange abandonnée, à 800
mètres d'altitude, qu'on ne peut atteindre qu'au bout de 3 kilomètres quasi impraticables, éloignée de tout hameau et en surplomb
d'une profonde vallée qui va vers la Bourgogne. Sans doute n'en
ferai-je jamais rien. J'aime songer qu'en l'aménageant j'y vivrais
une vraie solitude au soir de mes samedis harassants, que parfois
j'y recevrais ceux qui, rares, sont ma vie même avec la musique et
les formes et les livres. Tous mes chemins mènent à vous : dans ce
décor ample et rude j'ai pensé (il faudrait écrire j'ai rêvé) que je
vous y attendrais…

Nous avons dîné tard, évidemment, dans une auberge qui me plaît
beaucoup, elle aussi perdue sur un flanc de colline, avec une seule
pièce et la table d'hôte et la cuisinière.

L'aubergiste, une femme épaisse et gentille, avait préparé un repas
typique : jambon décroché du plafond, omelette au lard, poulet,

fromage blanc tout frais et la tarte inévitable. Cela nous a conduits jusqu'à minuit. Après quoi, cahoté par les tournants d'une route bordée d'arbres qui agitaient confusément dans mon esprit ensommeillé mille souvenirs embrouillés, je suis rentré.

J'avais sur moi votre dernière lettre, qui m'est très chère. Je l'ai relue, présence amie. J'avais beaucoup de choses à vous dire. Elles m'ont accompagné jusqu'au rivage du sommeil.

Ce matin, même désir : vous retrouver. Ah ! quelle faim, Anne, puissante, constante. Mais on me guettait encore et je n'ai pu délivrer un moment pour vous tracer trois lignes ! De village en village j'ai continué mon périple. Vous ne pouvez imaginer la valeur qu'a prise en moi notre voyage vers Moulins : en passant devant le poste à essence où nous nous sommes arrêtés (peut-être vous rappelez-vous) je lui ai jeté un petit salut : ce témoin d'un jour heureux me guérissait un peu de l'absence.

Et me voilà à Paris où j'ai débarqué à 9 heures. Douce force de la pensée, de la tendresse, de la paix intérieure : maintenant je suis près de vous.

Peut-être vous paraîtra-t-il étrange que, cessant de vous raconter mes occupations pour aborder ce qui nous concerne, je commence par ces mots « paix intérieure » alors que cette journée de vendredi qui a été pour moi si intense, si importante – d'une importance que je ne prévoyais pas en allant vous chercher rue Saint-Placide – n'a pas fini de m'émouvoir. Eh bien ! la paix – cette paix dont je vous parle si souvent parce qu'elle est le signe qui ne trompe pas – je la possède. Et je veux vous dire pourquoi sans rien laisser dans l'ombre.

L'importance de ce vendredi c'est d'abord que nous avons vécu tout ce jour dans une sorte d'immobilité qui n'a eu besoin d'aucun secours extérieur (Auvers, son église, ses champs, Van Gogh, certes étaient là, mais ils nous renvoyaient à nous-mêmes) pour nous faire sentir et comprendre la plénitude (oui, vraiment l'admirable plénitude) de ce qui nous unit.

Ne souriez pas de ce que j'exprime : il ne fait aucun doute pour moi que nous avons vaincu le temps et que désormais, autant que cette grâce demeurera, il n'y aura pas de terme à la joie, la simple joie d'être ensemble. Et ceci quel que soit l'avenir. Je vous l'ai écrit dans une récente lettre et je veux le répéter sans cesse : quand bien même je n'aurais rien d'autre de vous, je bénirais votre venue dans ma vie comme un événement aux conséquences irréversibles. Vous serez toujours synonyme de confiance, d'élan, de pureté (n'est-ce pas la pureté, cette primauté du cœur ? N'est-il pas pur l'amour qui préserve sa lumière jusqu'à l'accomplissement ?), d'attachement à la beauté.

Vous étiez, quand nous nous sommes quittés, bouleversée, peut-être mécontente de vous. Anne, je vous parle simplement : ce grave et merveilleux secret de deux êtres qui se rejoignent, cet échange qui a été le nôtre je les ai reçus et je les garde comme un don sans prix. J'aime ce que j'ai de vous parce que je vous aime. Pas le contraire. N'oubliez jamais cela. Un homme comme moi ne fait pas de contresens → : ça arrive mais pas avec vous. En grec et en <u>calcul</u> par exemple !

Et n'aime que ce qu'il respecte et ne respecte que ce qu'il aime. Et ma paix intérieure c'est cela : pour la seconde fois dans ma vie je connais cet accord indicible entre les sentiments et les actes. Que serait un sentiment sans acte ? Une mystique, assurément, mais cela signifie une autre forme d'engagement au bout duquel l'acte réapparaît : le sacrifice, le renoncement, la mort. En suis-je incapable ?

Ce n'est pas en tout cas la vocation de l'amour humain. Et dans ce domaine je déteste (moi aussi, vous le voyez, il m'arrive de « détester » !) l'impuissance distinguée des pâles sentiments qui ont peur de leur ombre. Voilà pourquoi je vous disais l'autre jour que j'étais heureux, terriblement heureux, du seuil franchi.

Comme cette lettre est écrite pour cela, je continue. Il est un autre seuil. Vous le savez. Or, celui-là, même si je le désire, ma pensée ne le dépasse jamais. Pas par vertu. Je me moque de cette vertu-là. Alors pourquoi ? j'ai décliné plusieurs fois aujourd'hui le verbe aimer et j'en suis agacé car je n'ai pas de goût pour l'exhibitionnisme.

Mais pourquoi taire ce que vous savez surtout si cela m'aide à être compris de vous ? J'aurais souffert de n'avoir rien de vous. Votre main, déjà, c'était un échange. Une journée comme celle d'avant-hier <u>du commencement à la fin</u> m'a rempli d'une joie sans égale. Je vous aimais davantage d'être ainsi. La recherche de l'esprit entreprise avec vous me passionne. Accompagné de votre tendresse je me sens privilégié à un tel point que je ne désire que demeurer digne de votre confiance. Vous aider à pénétrer la beauté, la vérité des choses me suffit dès lors que je vous devine proche (d'ailleurs, vous allez vers elles par inclination, vous n'avez pas besoin de moi pour les atteindre, sinon pour perdre moins de temps et les toucher plus vite). L'important c'est de réussir et réussir c'est la joie de vivre en harmonie avec soi-même : je le ressens si profondément que j'éprouve d'abord un sentiment de gratitude pour tout ce qui est advenu par vous.

Cette lettre vous est adressée et je m'aperçois que je la réduis peu à peu à un monologue !

À Auvers, tout l'après-midi, je me disais en vous regardant « ai-je jamais rencontré accord plus vrai, plus belle amitié ? » et c'était curieux ce mot qui montait de mon cœur alors que ce n'est pas exactement de l'amitié qui m'unit à vous. Seulement, j'avais envie d'employer une expression qui signifie légèreté, douceur, finesse des sentiments et c'était encore celle-là qui me trahissait le moins. De même à Paris, près de votre visage, le croiriez-vous ? ces mêmes mots surgissaient, m'envahissaient, « ai-je jamais rencontré… », et c'était cependant la passion qui m'habitait : là encore j'avais besoin d'exprimer la joie du cœur, non la violence inconsciente.

J'achève, Anne, ce long message qui dit très improprement ce que j'éprouve et veux traduire. Mais je ne voulais pas, je ne pouvais pas laisser passer les instants de vendredi sans me pencher à nouveau vers vous et vous répéter la tendresse hors de laquelle il n'est ni source ni lumière

F̲

P.-S.

1) Je serai aux Blancs-Manteaux demain lundi à 17 h 30. Nous irons voir le livre de l'île de Ré.

2) Ci-joint les coupures de journaux annoncées.

3) Je vous mets dans ce pli une carte comique de la Nièvre et, sous le regard admiratif de deux bovins, vous pourrez suivre notre itinéraire morvandiau. La ligne de gauche est la frontière de ma circonscription électorale. La ligne droite qui s'évanouit pour rejoindre Avallon et revient un peu plus loin donne le tracé de notre parcours.

Article de Jean Dutourd sur *Les Justes* au Conservatoire.

Carte postale où François Mitterrand s'attribue le médaillon de Saint-Just !

36.

En-tête Assemblée nationale, à Mademoiselle Anne Pingeot,
39 rue du Cherche-Midi, Paris VIe *(sans timbre).*

Le jeudi 27 février 1964

Depuis lundi j'ai accompli un travail épuisant. J'ai avancé, avancé autant que je l'ai pu et j'ai écorné mes nuits. Je me suis obligé à ne pas vous écrire : une lettre pour vous, cela signifie un monde où je m'abîme, une joie qui m'absorbe, une pensée donnée. Voilà pourquoi ces quelques lignes que je vous laisserai ce soir, message qui fera le trait d'union entre un beau jeudi soir et un vendredi espéré, sont écrites à la volée ! elles contiennent ce que nos dernières rencontres m'ont apporté de plus doux, de plus vrai, de plus fort. Elles vous remercient d'une certaine qualité des choses et des jours. Elles vous disent aussi à demain, vendredi.

Je n'aborde jamais un matin sans aimer le temps qui signifie la fin d'une absence, sans aimer les heures qui m'approchent de vous

F

Jeudi 27 février, 18 heures

Voici le petit mot que je comptais vous remettre ce soir en vous quittant, si j'en avais eu le loisir, puis que j'allais déposer chez vous.

Je déteste être importun. Je vous l'envoie quand même : il vous dit tout ce qui est en moi. Et en moi rien ne change

F

Je serai demain à 14 h 30 rue Saint-Placide

Vendredi 28 février 1964, Milly-la-Forêt, Barbizon.

37.

En-tête Assemblée nationale, à Mademoiselle Anne Pingeot,
39 rue du Cherche-Midi, Paris VIᵉ *(sans timbre).*

Samedi 29 février 1964

J'avais veillé tard, jeudi, angoissé. J'ai veillé tard, hier soir, mais heureux. Une heure après vous avoir quittée j'étais encore debout à réfléchir et à rêver. J'avais le sentiment d'avoir vécu une journée importante, grave.

Je vous avais retrouvée, vraiment, et avec vous la merveilleuse harmonie, et avec vous la joie exaltante et profonde qui, depuis nos premières rencontres, n'ont pas cessé de me combler.

Il est maintenant 11 h 40. Dans quelques minutes ce sera notre rendez-vous. Y penserez-vous ? Je le crois. Sans doute dansez-vous en cet instant – et bien que ce soit avec Alain ou Jean-Baptiste, bien que je sois à 300 kilomètres, bien que votre après-midi ait été consacré à une méditation qui, peut-être, vous a éloignée de moi, je vous sens proche. Illusion ? Ah ! ce bonheur d'hier, cette certitude, cette tendresse étonnée, cette confiance mutuelle – et la beauté de votre visage offert, et votre regard désormais écrit en moi comme je voudrais les préserver, les garder, rester digne de les posséder ! Ce que je devine de vous me fait aimer plus encore ce que vous m'avez donné de vous. La pudeur, la fierté d'un être confondues soudain avec l'indicible douceur d'un accomplissement me bouleversent. J'y distingue non une contradiction mais l'unité, je n'y cherche pas un abandon mais un élan, je n'y découvre pas l'aveu d'une faiblesse mais la douceur étrangement forte d'une noblesse. Est-ce bête ce que j'écris là ? Je vous aime davantage de m'avoir admis dans votre domaine intérieur où je sais que tout est désir de beauté et de vérité – et j'éprouve comme une obligation nouvelle de n'apporter là que le meilleur de moi-même.

23 h 45 – j'ai arrêté ma plume sur ce papier – j'ai fermé les yeux. J'ai regardé cet endroit inconnu où vous êtes, ces gens inconnus qui vous entourent, cette robe inconnue que vous portez et j'ai vu votre visage un peu penché, sérieux, éclairé du dedans et je vous ai parlé (qu'ai-je dit ? Bonsoir Anne – ou merci Anne – ou je n'ai peut-être rien dit, sûr que mon silence vous raconterait mieux que des mots mes pensées de 11 h 45, à la minute exacte d'un rendez-vous par-dessus l'espace).

Je vais dormir. J'en ai besoin ! Quatre réunions, une pluie follement violente qui m'écarquillait les yeux sur les routes glissantes, des cen-

taines d'interlocuteurs qui épuisent mes réserves d'énergie, les rudes
tâches de demain – et surtout cette tension qui vibre en moi, qui
m'émeut et qui me vient de vous, voilà de bonnes raisons d'achever
ce 29 février qui s'en va pour quatre ans. Oui, bonsoir, Anne.

Dimanche matin

À 8 heures le téléphone a retenti pour le réveil. J'ai aussitôt ouvert
les rideaux (je ne sais pourquoi il n'y a pas de volets !) et le brouillard
était collé sur les vitres, collé sur le premier pignon à 3 mètres devant,
collé sur le pays entier, ne laissant le souvenir d'aucune trace d'hier :
couleur d'un toit, vol d'un oiseau, géométrie de la forêt, damier des
champs tout s'est englouti, effacé, tu.

Alors revenait ma joie avec ce jour déjà fini, qui n'a pas commencé,
qui n'est ni jour ni nuit : dans ce déluge suspendu, immobile, qui s'est
fait vapeur et oubli, je suis sur l'arche, je suis sauvé, j'emporte hier vers
demain, lourd et léger de mon simple trésor qui ne comporte qu'un
joyau, qui fait tout mon bagage, qui tient dans le creux de la main et
qui occupe tout mon être : l'instant de votre vie que vous m'avez donné.

Une bonne eau froide sur le museau (je n'aime que l'eau froide), vite
frotté et habillé, mon premier acte conscient a été… de reprendre cette
lettre. En ce même moment, je le suppose, Hannah dort lourdement,
ayant arrêté de démêler l'inextricable écheveau de ses trente-six dernières heures. Hannah cuve. Qui décrira le chantier de sa chambre, un
dimanche matin, entre des danses du diable et une retraite spirituelle ?

J'imagine une robe jetée, un livre entrouvert, des souliers de bal
dispersés, une figure enfouie dans l'oreiller, un bras replié, des cheveux
délivrés, bref l'image du désordre. Mais je ne m'inquiète pas pour elle.
L'ordre veille ! Tout à l'heure il ne restera rien de l'explosion de fin du
monde. L'univers sera remis en place : le sourire sur la photo d'identité,
la photo sur le piano, le piano parmi les meubles Louis XV (ou XVI),
et en fond de décor, un peuplier planté au bord d'un ruisseau de Corot.

Dois-je vous dévoiler les horreurs de mon âme ?

Hannah me plaît. Je pourrais la dessiner d'un trait, moi qui ne
sais pas dessiner. Voici la scène : elle entre, les yeux absents, la main
absente, l'esprit absent et par une méchanceté dont elle a le secret
c'est justement ce jour-là qu'elle n'a jamais paru si belle. Absente oui
– et affreusement présente, chevelure noire tombante, bouche rouge
et regard vide pour celui qui l'attend. Mais pour celui-là seulement.
Voyez-la qui sourit. Et son regard soudain s'éclaire, que dis-je ? s'il-

lumine, resplendit, incendie, jette des paillettes dorées, moirées, fait de superbes politesses. À qui ? À la sculpture de Haute-Guinée, à l'Art en général (pourtant ce livre biscornu où l'on vous a traînée est bien embêtant) et à ce gentil petit monsieur, en particulier, qui a le génie de se trouver là pour donner des explications et surtout, surtout pour symboliser le contraire de l'autre. Ah ! le charme d'Hannah à ces mignons petits poussins qu'on fera rôtir, un peu plus tard, devenus poulets de grain, pour le délicat palais de cette chère Anne, qui en a tant besoin !

Oui, j'aime Hannah dans ses œuvres. Et cependant elle me déchire, et je crains de souffrir, et qu'est Hannah pour moi sinon la visite de la souffrance ?

Heureusement, je suis infidèle. Aimer deux femmes à la fois, rien de mieux pour l'émulation du cœur.

Et tandis qu'Hannah dort je puis m'occuper d'Anne.

Car Anne, je la comprends (pas toujours, presque toujours) jusque dans les recoins de son âme sensible. Anne, qu'une ombre obscurcit, qu'une flamme transfigure, qu'un cri transperce, qu'une laideur épouvante, qu'un ongle strie, qu'un mot verrouille, qu'une tendresse dévaste, qu'un amour arrache(rait) d'elle-même, je la devine, plante fragile et forte à la fois, vivante, vivace, à 100 000 lieues de l'herbier, amie des arbres qui protègent, du silence qui purifie, des espaces qui sentent le vent, le sel, le ciel, de la présence de Dieu en ses choses — amie aussi du promeneur solitaire qui ne pose pas le pied n'importe où, et qui caresse de la main les splendeurs secrètes

d'une herbe, d'une fleur, d'un fût de hêtre

et d'une plante qui s'appelle, comme tout ce qu'on aime en cette minute sauvée du temps, qui s'appelle

Anne.

Lundi midi

J'aurais bien continué de vous écrire hier, mais ma course n'a pas connu de halte. À minuit j'étais encore dans la Nièvre. J'ai quand même foncé sur Paris. Mais un sale brouillard traînant m'a lassé. À 2 heures j'ai abandonné et logé à Montargis. Je commençais à confondre les côtés de la route avec d'énormes murs hostiles.

Je relis ce que j'ai rédigé en me levant hier matin.

Hum ! le passage sur Hannah fait partie de mes mauvaises astuces dont vous n'appréciez guère le sel ! Tant pis. Je le laisse. D'ailleurs si vous le lisez bien vous verrez que c'est plutôt un passage tendre.

Depuis vendredi soir je ne puis penser à vous sans fondre d'allégresse, et j'ai envie de vous sourire, très doucement.

Ainsi, votre dimanche à vous a été celui de la méditation. Ma pensée vous rejoignait souvent tandis que d'un village à l'autre je parcourais mon Morvan. Vous étonnerai-je ? Cette recherche spirituelle vers quoi vous portent et votre éducation et la tendance profonde de votre esprit je ne la sens pas contradictoire avec notre entente. Ce qui divise l'être procède d'une identique aspiration pour qui ne peut vivre qu'en accomplissant de grandes actions, ~~ou~~ qu'en poursuivant de vastes entreprises – dont la première demeure la perfection de soi-même. Vendredi soir, par exemple, croyez-vous que je me sois trompé sur la signification de votre tendresse ? Le respect d'un homme pour une femme ne naît pas du refus mais d'une indéfinissable pureté qui domine et commande chaque geste, chaque acte. Un homme peut vaincre le refus. La simple gravité d'un regard, une main qui se pose le long du visage, la confiance d'un élan lui apprennent l'importance infinie de la vie intérieure : la découverte d'un être le vainc toujours.

Je songe évidemment à notre promenade en forêt de Fontainebleau, à notre chemin perdu, à la pluie commençante, à votre gaieté revenue. J'ai l'impression d'avoir voyagé avec vous dans un monde sans trace et sans itinéraire. Le village où nous avons dîné n'a pas de nom. La route ne finissait nulle part. La pluie, maintenant, drue, tombait d'un ciel obscur, créé seulement pour abriter notre lente marche en avant. Et, Anne, le goût de vous dont je ne pourrai plus me séparer, c'était comme un rivage jamais visité, de l'autre côté d'un fleuve sans mémoire, premier pas émerveillé vers une cité nombreuse qu'on aperçoit à l'horizon d'un soir ou d'un matin : l'heure aussi, et le jour ont perdu leur identité.

Aujourd'hui lundi, nous voici rentrés dans notre carapace ordinaire, au moins apparemment. Que faites-vous ? J'irai mettre cette lettre rue du Cherche-Midi pour que vous la trouviez en revenant des Métiers d'art. J'attendrai vendredi. C'est dommage. ~~La vie~~ Constamment j'aimerais vous associer à ce qui m'intéresse. Je vous aurais emmenée ce soir avec un tel plaisir à la projection d'un film sur les conditions de l'élection de Kennedy, que donnent mes amis de *L'Express* ! Nous serons une trentaine, désireux de nous informer sur la technique américaine d'une élection présidentielle. Je sais que tout vous passionne et je vous cite ceci en exemple de ce que peuvent contenir les jours qui ne s'appellent pas vendredi ! De même pourquoi n'aurais-je pas à nouveau (ce ne serait que la seconde fois après tout !) la joie de vous raccompagner un soir, à travers Paris ? Il n'y a pas que le circuit des Gobelins pour les amateurs de balades ! Je n'arrive pas à me mettre dans la tête que six jours de séparation sont la juste compensation, presque la punition d'un jour heureux. N'en avez-vous pas envie ? Remarquez que pour cette semaine mon propos est désintéressé puisqu'il est décidé que nous ne nous verrons pas avant... avant quand ? vendredi 14 h 30, Saint-Placide, ou vendredi 11 h 45, Blancs-Manteaux ? Si vous ne restez pas dîner ou déjeuner songez que les heures vont filer à une allure atroce (pour moi).

Je prendrai mon mal en patience mais c'est un mal et de la patience, je vous le jure !

Anne, au revoir. Je vais me replonger dans le livre (ce matin j'ai eu une ultime entrevue avec l'éditeur. Tout sera fini le 10 mars pour parution le 5 mai). Dehors le soleil dore le Luxembourg. Nous sommes l'un et l'autre au milieu de cette vie, de cette ville. J'accueille mars, ce mois nouveau, le sixième de mon Hannabase (oh !) avec

Le cœur plein d'une saison
inventée pour moi
par la grâce
d'un soleil qui n'est d'hiver, ni de
printemps, ni d'été, ni d'automne
mais de tous les instants

F

38.

En-tête Assemblée nationale, à Mademoiselle Anne Pingeot,
39 rue du Cherche-Midi, Paris VIᵉ.

Mercredi 4 mars 1964

Étrange phénomène de dédoublement du temps : vendredi dernier me paraît à la fois si proche et si loin. Proche comment ne le serait-il pas ?

J'ai vécu ces quatre derniers jours dans son climat, occupé par mon travail, mais l'esprit et le cœur semblables. Loin parce que je ne parviens pas à assimiler cette rupture de ton qui veut qu'aux moments de joie succède ce long silence, comme une coupure, comme un abîme entre deux mondes. Samedi et dimanche ont été nivernais – et particulièrement absorbants. Lundi j'ai repris ma besogne d'artisan autour de ce livre qu'il s'agit plus maintenant de construire que d'écrire. Le soir je suis allé voir le film dont je vous ai parlé dans ma lettre. L'ascension de J. F. Kennedy vers le pouvoir y était raconté avec force et les méthodes employées à cette fin, saisissantes.

J'aurais aimé que vous fussiez là comme j'aimerais très souvent vous associer à certaines réflexions, à certains débats : je suis extrêmement sensible à votre faculté d'attention, à votre goût de connaître. Se trouvaient là des journalistes de *L'Express* et quelques hauts personnages de la publicité et du barreau et de la politique. Moins de cinquante. Le film était prêté par l'auteur, un Américain, Ted White, pour un seul jour et devait être ramené le lendemain matin à New York car quatre copies seulement existent et les trois premières ~~étaient~~ sont dans les mains de Johnson, de Robert Kennedy (le frère, ministre de la Justice) et de Jackie Kennedy. C'était donc un document qui piquait la curiosité. Après quoi nous sommes allés chez Jean-Jacques Servan-Schreiber, le directeur de *L'Express* pour une sorte de dîner froid et je suis rentré tôt.

Hier, même (ou à peu près) scénario : journée de travail et dîner à l'extérieur. Le dîner avait lieu chez un professeur de droit, dans une surprenante et belle demeure du bois de Boulogne décorée à la manière italienne du xviie (sans oublier les jets d'eau de la salle à manger !).

Sa femme (la seule présente), nonchalamment étendue sur des peaux de bêtes, présidait si je puis ainsi dire, la conversation – très jolie et le regard appuyé, d'un bleu sombre, qui se voulait troublant et qui, ma foi, l'était. Les convives : un haut fonctionnaire des Finances, un amiral, major de la marine, deux ou trois journalistes, un autre professeur. On a parlé institutions. À minuit, j'étais chez moi. Avec l'envie de vous écrire, de vous parler, de vous retrouver. Heureusement j'ai le vitrail dont le langage m'est si cher et votre écriture sur les lettres, témoins de notre itinéraire.

Ne pas avoir encore un mot de vous me crispe les poignets (vous savez, c'est ma façon de ressentir une émotion !). Il est vrai que, pour vous, samedi et dimanche ont été voués à des réflexions et à un emploi du temps qui ne laissaient pas de loisir et que la conclusion de ces deux jours n'a peut-être pas contribué à vous rapprocher de moi !

Mais il ne s'agit pas de logique : vous me manquez, je m'ennuie de vous, je n'y puis rien et je vous le dis. Au demeurant, j'éprouve surtout depuis vendredi, et cela vous paraîtra paradoxal, un réel besoin de me sentir en accord avec votre vie intérieure. Par un curieux échange, si ces derniers mois ont été le signe d'une lente marche de vous vers moi jusqu'à ce visage penché sur mon épaule, que j'aime si simplement – ils ont été plus encore une marche de moi vers vous dans le domaine secret où l'âme se cherche ou cherche une vérité. Et c'est sans doute à l'exact point de rencontre de ces deux démarches que se situe le bonheur, l'équilibre unique de l'être.

L'importance qu'a pour moi votre présence dans ma vie vous surprendrait. Ou plutôt, la signification de cette présence. Grâce à vous, Anne, mes yeux s'ouvrent à des chemins de splendeur oubliée.

Mais je termine cette lettre que je voulais brève… et qui s'allonge. J'espère que ce soir ou demain le courrier me réconfortera. Au cas où je n'aurais rien je serai à 14 h 30, vendredi à Saint-Placide (mais je continue de souhaiter 11 h 45 aux Blancs-Manteaux si vous devez assumer vos devoirs de maîtresse de maison, le soir). Vous revoir, quelle joie !

F

P.-S. Votre journal favori s'intéresse à moi – voyez le résultat !

Dessin de J. Sennep, *Le Figaro*, 3 mars 1964 :

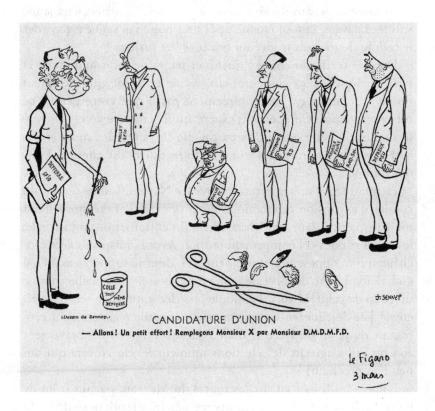

Vendredi 6 mars 1964, Avon, Mallarmé, Chailly-en-Bière.

39.

En-tête Assemblée nationale, à Mademoiselle Anne Pingeot,
39 rue du Cherche-Midi, Paris VIe *(sans timbre).*

Dimanche 8 mars 1964

Anne, votre au revoir m'a été si doux que je n'en dirai pas davantage. Mais je ne pouvais pas commencer cette lettre sans d'abord vous l'écrire : Vous m'aidez à mieux comprendre, à mieux aimer ce qui m'entoure, ce petit monde d'ici qui compte sur moi, à l'égard duquel j'assume un devoir. Vous m'aidez à mieux vous comprendre et à mieux vous aimer. Merci pour tout cela. Ce qui me vient de vous est force et grâce.

Je suis parti très tôt le matin pour attraper mon autorail. Incident nocturne : le réveil que j'avais mis soigneusement à 6 h 30, de mauvaise humeur et sans doute a sonné à 3 heures. Consciencieux je me suis levé, lavé… et tout étonné de la nuit noire j'ai songé à regarder le cadran. Je me suis trouvé un peu bête ! et furieux !

Dans le train j'ai corrigé quelques pages de mon manuscrit et noté quelques idées pour un petit poème en prose qui me venait du cœur, comme ça, tout simplement parce que votre pensée ne me quittait pas. Ce poème (j'espère qu'il sera achevé ce soir), je le joindrai à cette lettre. Mieux qu'elle (mystère des mots et des rythmes) il vous racontera une histoire qui m'est chère : Anne dans ma vie.

La matinée d'hier a été consacrée, à Nevers, à une séance du comité d'expansion économique de la Nièvre. J'ai été studieux et me suis plongé dans les débats sur la décentralisation industrielle, les zones rurales et l'équipement routier. Avec l'indispensable accrochage qui m'oppose nécessairement à G. dont je supporte mal l'œil globuleux, la tête de larve, le crâne nu et bosselé, la bouche comme un coup de canif, la voix d'eunuque, les décorations, la servilité etc. etc. !! J'ai déjeuné en compagnie d'un conseiller général, du professeur de philo du lycée et d'un assureur. Nous avons bravement conspiré (il s'agissait des élections municipales de Nevers qui ont lieu l'an prochain) !

L'après-midi m'a vu sur les routes du Morvan, par un froid de loup. Le long des fossés l'eau libérée par les premiers souffles du printemps, l'autre semaine prise par la glace, restait suspendue dans sa course. Retour de même style que samedi dernier, le sommeil disputé aux mauvais tournants. Avant de me coucher je vous ai écrit un début de lettre et bien que le rendez-vous n'eût pas été fixé (j'ai craint de vous paraître trop accaparant !) j'ai fait comme si... et, à minuit moins le quart je vous ai dit très tendrement un bonsoir tendre.

Pauvre coquillage ramolli ! Mais ce début de lettre ne partira pas vers vous. Je l'ai déchiré. Je crois bien que je vous écrivais une vraie lettre d'amour. « Vous vous rendez compte ! » (cf. Moulins). Et puis il m'a semblé vous entendre « Ce n'est pas vrai. D'ailleurs ça n'a pas d'importance ». Refroidi du dehors (ma chambre était glaciale) et du dedans j'ai gagné le pays des songes sous un colossal édredon que la compatissante hôtelière avait placé sur mon lit en guise de radiateur.

Peut-être dansiez-vous à cette heure-là ?

Ce matin un beau soleil m'a réveillé. Je suis allé à la mairie. L'architecte du stade m'y attendait. J'ai visité deux chantiers et pris des dispositions pour la réorganisation de la bibliothèque municipale. Les gens votent. Ils sont sur la place comme à une sortie de messe. Pas une trace de brume au ciel.

De ma fenêtre je vois une fontaine qui sculpte des formes de glace.

Anne je pense à vous qui pensez si peu à moi. Je pense à vous, à notre lent retour de vendredi, à cette source, comme la vie, profonde et claire où je bois et qui m'émeut et m'émerveille.

Un homme boit la vie de la femme qu'il aime. Il boit son corps (est-ce la mer qui possède le nageur, ce visiteur qu'elle emporte à jamais – ou rejette ? est-ce le nageur qui prend possession de la mer ?). Il boit son âme comme s'il passait son temps, jusqu'à la mort, à chercher une autre naissance. Rien n'est plus beau que le mythe de Tristan : les amants boivent le philtre et qu'est le philtre ? La connaissance fondamentale qui n'est entière que partagée. C'est l'amour, union suprême, c'est la mort, rupture extrême, que préfigure le geste sans nom de ceux qui s'appartiennent.

Demain je vous reverrai. Enfin le temps n'est plus mon ennemi ! Évidemment je garde aussi mon vendredi, avec d'autant plus de soin que Pâques se profile à l'horizon, synonyme de séparation. Je m'inquiète cependant de votre réflexion « c'est trop toujours pareil ». Peut-être aurais-je dû veiller à modifier le rythme de nos itinéraires. Peut-être ai-je tort d'être sensible aux rites, qu'il ne faut pas confondre avec les habitudes : je trouve un goût délicieux à des symboles, lettre du lundi, Saint-Placide, les Blancs-Manteaux, le vendredi d'Île-de-France, l'écharpe noire aux pois rouges (je devrais écrire : j'aime les faits et les choses quand ils prennent valeur de symbole)... Et le symbole, en l'occurrence, ne souriez pas, c'est une fidélité passionnée à une certaine façon d'être, qu'imprime en moi et dans mes actes votre présence inattendue au plus profond de ma vie.

Mais je veux que nos rencontres soient aussi un renouvellement. Attention, je le répète, à ne pas vous créer le complexe du jour de sortie de la pensionnaire de province !

En tout cas, moi, ce que je sais, c'est que je vous attends toujours avec joie et que je vous quitte toujours avec peine.

Lundi matin

Anne, je vous dis « à ce soir ». J'ai terminé le poème. Il est très éso... J'y ai mélangé les impressions de nos promenades, sans chronologie, sans autre ordre que la composition qui s'impose à la mémoire du cœur. Vous retrouverez sans doute les pistes... J'y vois bien des imperfections mais mieux vaut ne pas le fignoler.

Anne vous étiez samedi matin mon courage, vous êtes maintenant ma joie de vivre un beau lundi, et chaque jour

<u>F</u>

P.-S. vous voyez que je ne vous parle pas des résultats électoraux ! Ils sont bons pour mes amis nivernais. Et moi je suis rentré cette nuit à 3 h 30 ! mission accomplie !

Coupure de presse de *France-Soir*, 8-9 mars 1964,
« Bain de pieds à l'Opéra ». Annoté :

« Je vois par la grâce de ce document comment on attrape froid à l'Opéra. »

40.

En-tête Assemblée nationale (sans enveloppe).

L'Île-de-France en quatre verbes

I. ALLER

Routes jointes
Tu as cherché
Tu as trouvé
Sans toi j'étais vraiment perdu.
Arbres, villes, multitudes
On se cherche on se perd on s'évade on se trouve.
Quand la nuit tombe
Comment faire
Si tu me laisses par ici ?
Toi qui as l'air de ne rien voir,
Ne rien savoir ne rien vouloir
Toi qui ignores mon prénom
Où as-tu appris celui du chemin
Qui te ramène
À toi ?
Mais maintenant je tourne en rond
Autour de toi
Ô carrefour
Des jours de peine des jours d'espoir
Carrefour des douleurs, beau milieu de ma joie
Sans toi vraiment j'étais perdu

II. ATTENDRE

Pierres jointes
L'église et le tombeau ont la couleur du temps.
Le passé ressemble à ce mur. Il est HORIZONTAL
Et coupe en deux le ciel des morts.
Celui-ci a parlé un langage secret où les mots essayaient de fixer
    l'éternel

L'autre a mêlé son sang aux soleils qui tournoient pour embraser la
    terre et brûler la raison.
Toi, tu respires le parfum du sanctuaire
L'odeur des après-midi de l'enfance.
Tout est silence.
Dehors, blé vert, matin des choses
Le présent se lève à son tour.
J'aime ton visage clos.

III. COMPRENDRE

Voûtes jointes
Le ciel et la forêt ont fermé le passage par où s'en vont les rêves
    ordinaires.
Qu'ai-je besoin du faux infini de l'espace ?
Ce soir le monde est une cathédrale que la nuit emplit lentement de
    ses ombres.
J'avance, seul vivant
Vers toi,
Seule vivante
Flamme immobile et droite dans l'axe de la nef.
J'appelle. De mes paroles j'entends l'écho.
Je marche et du plat de la main je caresse la pierre.
Mes actes ne sont plus ces oiseaux enfuis pareils aux souvenirs perdus
    qui ont effrayé le bruit d'un pas.
J'avance.
Tu es là.

IV. AIMER

Mains jointes
Étoffe de Damas et dague de Cordoue
Nil blanc qui prend source au désert
Nil bleu qui prend couleur au ciel
Bague d'or incrustée de jade
Iris et source
Presqu'île
Je noue mon être au tien.

Sur ta robe cardinale il faudrait un oiseau de feu
Ou plutôt sur l'épaule nue :
Si personne ne sait au sommet de quel arbre
De quelle forêt de quel pays de quelle Asie
Il attend qu'on vienne de ta part
Le saisir
Pour ton seul plaisir
Et d'un seul soir
Tu sais, toi
Que j'irai.

Mains jointes
Feuille d'acanthe au ciseau du sculpteur
Bouche mordue visage offert
Paix conquise au prix du combat
Danse et lumière sous le ciel bas
Que ton regard a déchiré
J'écoute en moi l'approche de la grâce
Et je comprends
Qu'aimer
C'est aller vers toi
Et comprendre.

F.
8-9 mars 64

41.

En-tête Assemblée nationale, à Mademoiselle Anne Pingeot,
39 rue du Cherche-Midi, Paris VIᵉ.

Mardi 10 mars 1964
Mardi matin

C'était peu de chose, hier ? Non, c'était merveilleux ! Et je ne peux pas attendre pour vous le dire. Nos vendredis me comblent, vous le savez et je suis un peu triste de la répression qui s'abat sur eux. Mais ils sont comme une évasion hors du monde où nous sommes. Vous rejoindre rue de Fleurus, vous conduire rue Levert, vous ramener à

11 heures cela s'identifie à la vie quotidienne et j'en tire une sorte de joie, simple, envahissante.

Transfigurer la vie quotidienne c'est quand même un problème plus calé, même pour un génial calculateur, que vêtir de poésie et de lumière la vie hors les murs. Ce matin (il est 9 h 30, vous voyez que je n'ai pas beaucoup tardé à retrouver mon Anne préférée – et j'ai du mérite si l'on songe que cela risque de me faire négliger Elizabeth et Claude, Anne-Marie, Patricia, Caroline, Sylvie, Zoé et un tas de sibylles !! Ô Anne stupide qui ne se rend pas compte de cet étonnant baptême que m'apporte sa venue en moi, qui ne se rend compte de rien, ou qui se rend compte de tout et qui joue, ou encore – dernière explication – qui se rend compte de tout et tente de fermer sa porte, ses mains, son sourire, ses lèvres, son temps, sa vie) ce matin, donc, je n'éprouve que douceur et gratitude pour vous qui étiez si fatiguée mais si charmante, si profondément proche – sans que l'on puisse en imputer l'origine uniquement à la demi-douzaine de grogs avalés dans la soirée.

J'arrive de plus en plus mal à résister à cette force qui m'habite et qui me pousse à vous aimer aujourd'hui plus qu'hier et moins que demain. Rien que d'écrire votre nom, ANNE, est un bonheur. Je repasse dans mon esprit chaque minute de nos trois petits quarts d'heure du retour vers le Cherche-Midi. Et chaque minute m'émeut. C'est une incroyable fête du cœur que cet instant où, les mots envoyés au diable et les raisons mises de côté, votre visage m'appartient, que cet instant d'après, où, comme hier je vois en lui s'inscrire et demeurer la beauté d'un sourire.

L'après-midi

Je pourrais vous écrire tous les jours. Quel journal cela ferait et quel coffre serait nécessaire – une malle ! J'aimerais vous confier tous les aspects de ma vie. Plus que cela, je vivrais avec vous qu'il me paraîtrait encore très doux de vous tracer de courts billets pour vous raconter les heures sans vous. Je vous en prie, dites-moi que c'est idiot pour essayer de m'en guérir si vous pensez que cela devient maladie dangereuse.

Je reprends cette lettre après avoir déjeuné… à la Villette qui n'est point, vous le supposez, mon quartier général habituel ! Invité par les dirigeants : des « Cuirs et Peaux » (puissance économique !), mélange de commerçants nantis et d'inspecteurs des Finances passés du côté des intérêts privés, j'ai eu avec eux une discussion mi-politique mi-technique. Je suis curieux de ces milieux dans la mesure où je ne les fréquente qu'une ou deux fois l'an. J'y apprends aussi un certain comportement français auquel je suis très étranger mais qu'il me faut bien connaître. Avec un de mes amis, invité également, je me suis fait déposer près de Saint-Michel et je suis rentré chez moi à pied. Quel soleil délicieux ! J'avais l'esprit tout occupé de vous. J'aurais voulu vous envoyer les plus beaux livres, les plus belles fleurs, les plus belles lettres, les plus beaux poèmes. Votre regard heureux est pour moi comme une possession du monde – du monde tel que je voudrais aider à le construire. Et lui, ce regard, déjà, m'aide à vouloir être digne de cette ambition. Anne, dont je sais si peu, qui ne me dites rien, ou presque, comprenez-vous cela ? Comprenez-vous cette allégresse et cette volonté qui naissent de notre accord ?

Mardi la nuit

En fin d'après-midi je suis allé chez Plon. Là j'ai vu Thierry de Clermont-Tonnerre, le directeur général, et ses collaborateurs du secteur littéraire. Nous avons mis d'aplomb le format, la collection, le caractère, la qualité de papier – mais pas encore le titre. Je donnerai les pages qui manquent au milieu du livre, lundi.

Quant à la conclusion, 20 à 25 pages, je la remettrai en cours de confection, huit à dix jours après. L'édition sera finie mi-avril. La parution avant le 5 mai. Au total j'aurai écrit 285 pages dactylographiées à 26 lignes ce qui fera, à peu près, 250 pages de texte imprimé.

Finalement on n'a pas retenu l'édition type livre de poche. Le prix restera quand même à moins de 1 000 anciens francs. Évidemment cela réduira l'audience. Mais il faut bien choisir et il semble à Plon que cela convient mieux au genre du bouquin et qu'on pourra toujours en faire un livre de poche, si le succès répond. Clermont-Tonnerre trouve certains passages un peu durs (il est vrai que Plon est également l'éditeur des *Mémoires* de De Gaulle et des livres de Debré ! La maison est éclectique !) et craint la saisie – ce qui ferait d'ailleurs un drôle de scandale (que je ne recherche pas). Je veux bien polir les passages incriminés mais pas modifier leur sens.

Au dîner j'ai rejoint mon ami Bayens, le nouvel ambassadeur de France en Grèce qui, partant mercredi, recevait ses amis proches au restaurant italien Pierre, rue des Petits-Champs.

Moi je n'ai pas partagé le repas, au grand dam des quatorze autres invités, ce qui m'a permis de m'éclipser plus tôt. J'ai bavardé avec eux une bonne heure et suis parti.

Un coup de téléphone de la Nièvre m'a appris qu'on vivait là-bas une petite révolution. Si mes candidats emportent un seul siège supplémentaire au second tour de scrutin, dimanche prochain, la majorité du conseil général sera changée.

Prévoyant cela la Fédération socialiste avec laquelle je me suis pourtant beaucoup disputé, a fait paraître un communiqué dans la presse locale annonçant qu'elle me proposait la présidence de ce conseil général, au lieu et place de l'actuel, brave modéré soumis au Pouvoir.

Du coup, alerte formidable à la préfecture. Les sous-préfets sont sur les routes. Le ministère de l'Intérieur leur annonce des sanctions s'ils ne me barrent pas ~~la route~~ le passage (que je ne désire pas tellement ouvrir !). Le préfet n'arrête pas de recevoir des notables en les poussant à se présenter contre mes amis afin de brouiller les cartes (la clôture des candidatures est à minuit). Ils y ont assez réussi. Une décoction de nouveaux candidats pleut sur nos pauvres cantons ! Néanmoins je crois que je les ferai souffrir. On verra bien.

Voilà, Anne, les informations du jour. Maintenant je vais dormir après cette longue journée avec vous. Hier était si bon à vivre. Avez-vous deviné combien je vous aimais tandis que mes deux mains contenaient votre visage ?

Mercredi matin

Ma journée a commencé par la lecture de la presse. Je me suis ensuite attardé à feuilleter *De l'Esprit des lois*. Le soleil caresse mon bureau. Il faut que j'écrive cinq pages aujourd'hui, pensum quotidien ! Que ferez-vous ? Vous jouerez au tennis, sans doute. Et ce soir c'est la réception Barbot. Comme j'aimerais vous voir, chère cuisinière, dans l'exercice de ces fonctions sacrées ! Quand m'inviterez-vous ? Je ne plaisante pas. J'en aurais un <u>très</u> grand plaisir (Martine peut-être moins – Martine me hait-elle ?). Ce mercredi sera long : je pourrais vous voir chaque jour et me plaindre de ne pas vous voir assez. Pauvres Elizabeth, Claude, Anne-Marie et la suite ! Et quand je pense que de votre côté Alain et Jean-Baptiste et tous les autres sont à la fête, appellent au bigophone, sont reçus bras ouverts, vous emmènent danser, sont CONSIDÉRÉS, vous gardent jusqu'à 5 heures du matin, bref, font d'Anne TOUT CE QU'ILS VEULENT ! Je n'ai plus qu'une ressource : être aimé de vous. Mais comment être aimé d'un monstre mi-caillou mi-bonne sœur ? Heureusement, cet adorable visage des heures bénies répond parfois à mes questions, à votre place.

Anne, savez-vous que c'est très triste pour moi votre intention d'arrêter notre prochain vendredi en son milieu ? (Eh oui ! pardonnez ce calcul supplémentaire : quand 8 heures sonnent à Auvers ou à Fontainebleau nous ne faisons que commencer la seconde partie de nos journées. Ça paraît extraordinaire tant cette partie-là s'engouffre vers l'absence à une folle allure.) Et là où vous êtes horrible c'est que vous avez inventé la seule raison qui m'impressionne : votre travail (et que je respecte – mais je respecte aussi une certaine Anne tendre, si tendre, à 200 000 lieues du travail rue Levert, pendant que j'écarte doucement ses cheveux emmêlés).

Allez-vous mieux ? Je l'espère tant. Vous n'êtes pas très prudente de n'en pas tenir compte, de ces microbes ! Je vous attendrai rue Saint-Placide à 14 h 30 vendredi. Phrase rituelle que je changerais bien par : je vous attendrai rue des Blancs-Manteaux à 11 h 45. Que je changerais encore pour : je vous attendrai cet après-midi à la sortie de vos cours, que je changerais aussi pour : je vous attendrai demain jeudi (oh ! jeudi !) où vous me direz, quand vous me direz... Anne, c'est clair : je m'ennuie de vous. La preuve : il y a, en bout de semaine, un formidable samedi... qui n'attend, comme moi, que vous !

Malgré tout je crains de vous paraître bien exigeant ! Mais aime-t-on si l'on n'a pas en soi une terrible exigence ?

Voici une bien longue lettre. N'est-ce qu'un monologue ? Chaque signe qui me vient de vous est si claire si profonde source de joie

F

Vendredi 13 mars 1964, Provins.

42.

En-tête Assemblée nationale, à Mademoiselle Anne Pingeot, 39 rue du Cherche-Midi, Paris VIe *(sans timbre).*

16 mars 1964
Matin

Il y a une petite phrase qui me trotte dans la tête depuis samedi soir, qui n'a pas cessé de me chantonner son refrain tout le long de ce dimanche battu de pluies, nourri de kilomètres, agité de fièvres électorales, et qui s'impose à moi, ce matin, comme un cri, dès le début de cette lettre :

Je veux que la semaine d'Anne soit, pour ce qui dépend de moi, une semaine heureuse.

Et je réfléchis : où est le bonheur d'Anne ?

Reviennent à mon esprit les événements de ces deux derniers mois, depuis que le 24 janvier nous nous sommes revus après quinze jours d'une séparation probatoire dont j'ai tiré au moins la leçon qu'il s'était produit quelque chose d'important dans ma vie. Vous souvenez-vous de notre promenade (un peu errante) dans l'Eure, de notre arrêt à Gisors, du retour silencieux et grave ? Mais vous, vous me donniez sans un mot, sans un geste, un témoignage de douceur si vraie, si sensible, une présence intérieure si intense que lorsque je vous ai déposée au bas de la rue Dancourt un sentiment merveilleux de gratitude, de tendresse et de paix m'occupait tout entier. J'ai retrouvé maintes fois cette impression (à Auvers, notamment).

Rarement cependant comme samedi. D'abord parce que vous m'avez fait confiance. Ensuite parce que ce que j'ai peu à peu appris de vous a créé en moi à la fois le besoin de mériter cette confiance et la force de l'acquérir. Vous me dites souvent que ma venue dans votre vie personnelle a (malgré bien des inconvénients !) des aspects positifs. Ah ! si vous saviez Anne ce que moi je vous dois ! Croyez-vous que je ne devine pas les délicatesses du cœur ?

Veiller à vous rendre heureuse cette semaine (et après !) c'est veiller à ne pas vous mettre en porte-à-faux avec vous-même, à préserver cet accord entre vous et les idées, les formes, les sentiments que vous aimez – accord que je pressentais le premier jour alors que je vous regardais qui marchiez au bord de la mer, visage tendu au vent, aux embruns, à l'espace.

J'aime votre joie, Anne. Je vous aimais sur la route qui nous ramenait de Houdan, comme il convient (je le crois) d'aimer un être dont les élans mêmes sont l'expression d'un amour de vivre – puissant et pur. S'il m'arrive de provoquer en vous une blessure je voudrais poser mes lèvres comme sur votre main : vous sauriez tout de suite que je déteste vous faire mal.

J'ai pensé à tout cela pendant ma journée nivernaise. Non comme à la nécessité d'inventer entre nous un climat janséniste [en marge : et je serais sûrement un mauvais apprenti] de refus, de repli sur soi-même, d'éloignement des couleurs, des parfums, des bonheurs simples et

vrais mais comme à la nécessité de réussir une entreprise magnifi-
quement difficile – et passionnante.

Je vous écris un peu vite ces pages. Je suis rentré ce matin, n'ayant
pu quitter Clamecy qu'à 1 h 30. Avant Sens je croyais que les arbres
de la route étaient des maisons noires et blanches !

Plutôt que d'aller vérifier mes originales impressions avec le
moteur de la pantoufle j'ai pris chambre à l'hôtel – j'avais il faut
l'avouer passé une dimanche écrasant. 450 kilomètres à mon volant,
sous la tempête, avec brouillard au-dessus de 300 mètres d'altitude.
Et partout des gens excités par le turf politique. Mes amis ont gagné
deux sièges. Le président du conseil général est battu. Nous avons la
majorité absolue.

J'irai donc à Nevers mercredi dans les conditions que vous connaissez. Mais la session ne durera sans doute qu'un seul jour en raison
de l'impréparation des dossiers et des importants changements politiques. Cela m'évitera d'y retourner jeudi. Le soir j'arriverai peut-être
en retard mais raisonnablement, à la conférence Olivaint.

Après-midi

Je viens de reprendre cette lettre. Il est près de 5 heures et je vais
hâtivement vous la remettre. À déjeuner j'avais J.-J. Servan-Schreiber
et Sabine.

Ce soir [en marge] : Je dois les rendre d'ici demain soir pour décision
définitive] on m'apporte les projets-maquettes de la couverture de
mon livre. J'aimerais tellement avoir votre avis ! Du coup je regrette
de ne pas vous avoir demandé dix minutes aujourd'hui. Je n'y ai pas
songé avant-hier.

À tout hasard, j'irai à 10 heures rue Levert, ce soir, au même
endroit. N'en concevez aucune obligation. Je ne regarderai même
pas si vous êtes ou n'êtes pas là à votre cours ! Si vous êtes là et si vous
grimpez l'escalier vous me trouverez. Si vous partez de l'autre côté,
ayant autre chose à faire, je ne le saurai pas et partirai vers 10 h 15.

Mais si vous venez je serai simplement très content de vous montrer la figure future du bouquin. Et qui sait, vos critiques ne seront
peut-être pas inutiles ! Il va de soi que dans cette hypothèse vous serez
de retour chez vous avant 11 heures.

Pardonnez Anne cette lettre bâclée.

Je vous écrirai à nouveau mercredi.

Aurai-je quelque chose de vous ? Je ne m'empêche pas de l'espérer. Vu du côté rue Guynemer, c'est long une semaine !

Quant à vendredi vous devinez mon espérance. Mais vous ne pouvez pas en comprendre l'entière signification. Je serai à 14 h 30 rue Saint-Placide. À moins que vous ne me fixiez une autre heure, un autre endroit.

F

43.

En-tête Assemblée nationale, à Mademoiselle Anne Pingeot,
39 rue du Cherche-Midi, Paris VIᵉ *(sans timbre).*

Jeudi 19 mars 1964

Notre brève rencontre de lundi m'a laissé une impression profonde. Je vis encore sur elle en commençant cette lettre, malgré le déroulement de deux jours agités. Rien ne m'émeut plus que la qualité de l'entente qui nous unit.

J'ai donc donné mon accord pour la maquette rouge et blanche. Nos suggestions ont été retenues. Le chiffre disparaît, le dos est modifié, la collection s'appellera « Les Débats » et non « Débats » etc. Petits problèmes ! mais rien n'est insignifiant. L'impression est en cours. Je termine cinq pages intercalaires qui seront remises demain matin. Après quoi, à partir de lundi je m'attaquerai à la conclusion (20 pages) que je terminerai le vendredi suivant. Quant au titre il sera finalement *Le Coup d'État permanent.* J'avais une faiblesse pour *Un coup d'État de tous les jours* mais je reconnais qu'il est un peu long et manque de frappe.

Mardi j'ai écrit et le soir j'ai dîné comme je vous l'avais dit chez mes cousins. J'ai longuement bavardé avec cette vieille tante de quatre-vingt-six ans qui fait de la tapisserie et lit tous les journaux et qui, ce que j'aime bien, me raconte les histoires d'un temps lointain où voyagent des personnages que j'ai à peine connus ou pas du tout et que les récits de l'enfance ont rendus légendaires à mon imagination. À 11 h 30 j'ai pris le volant et en route pour Montargis ! Là j'ai passé une nuit écourtée et j'étais à 7 heures sur pied.

Le matin a été consacré à l'élection du bureau et des commissions du conseil général. J'ai été élu président (19 voix contre 5) après des péripéties conduites par les socialistes dont le goût de l'intrigue (et de l'intrigue inutile, donc bête) atteint les sommets. Je vous raconterai cela. Déjeuner énorme avec mes conseillers généraux amis. Et l'après-midi j'ai poussé sans désemparer à l'examen des quelques rapports fixés à l'ordre du jour. À 7 heures enfin j'ai pu lever la séance et a commencé une course infernale pour rattraper la conférence Olivaint, informée de mon retard, mais qui m'attendait rue de Sèvres. J'y suis arrivé au bout d'un voyage horriblement difficile avec des paquets de pluie qui n'arrêtaient pas de gifler le pare-brise. Près de Nogent-sur-Vernisson une voiture du Puy-de-Dôme qui était devant moi s'est brusquement retournée. L'une des deux femmes qui l'occupaient a été éjectée sur la chaussée et est restée là le visage et le corps en sang, râlant. J'ai eu beaucoup de peine à freiner à temps pour ne pas l'achever. Au bout d'un quart d'heure un médecin de passage l'a transportée à Nogent et j'ai pu poursuivre mon chemin.

J'ai trouvé une assistance sympathique à la Conférence, qu'un de mes amis et collaborateurs que j'avais pressenti à cet effet avait fait patienter en évoquant certains aspects de la politique française en Afrique. Pendant trois heures environ des questions ont été posées. Vous en aurez peut-être l'écho. Bref vous voyez que ce mercredi ne m'a pas lâché de miettes de temps ! Il ne m'a pas empêché cependant de reporter (souvent) ma pensée vers vous, Anne, cher compagnon, chère espérance.

Aujourd'hui sera consacré à la finition de mes pages en panne. J'irai porter ce mot au Cherche-Midi. Ce sera ma seule promenade. Je dîne avec deux amis, mais vite, pour travailler ensuite. Demain si je n'ai rien de vous je serai à 14 h 30, Saint-Placide. Cela signifiera (je le souhaite !) que je n'aurai pas à vous ramener trop trop tôt ! Sinon dites-le-moi et si vous pouvez vous rendre libre pour déjeuner je serai à 11 h 45 aux Blancs-Manteaux. Je m'en réjouis infiniment tout en songeant qu'après notre samedi qui nous réservera (si vous êtes toujours disponible) une belle et heureuse journée ce seront les longs jours de l'absence. Mais vous m'avez déjà tant donné que j'aurais mauvaise grâce à me plaindre.

Tout ce qui m'est venu de vous a été merveilleux.

À demain donc, Anne (que j'aime écrire votre nom !)

Anne de lundi soir (et je n'aime pas que votre nom !)

Anne de mes fidèles pensées

F

Deux coupures de presse :
« Après les élections cantonales. Les conseils généraux ont réélu (ou élu) leurs présidents », « M. François Mitterrand, député-maire de Château-Chinon, a été élu, hier, président du conseil général de la Nièvre [...]. Cette désignation consacre le succès de la tactique de l'union des gauches, concertée dans la Nièvre entre tous les partis républicains », *Libération*, 19 mars 1964.

« Dans la Nièvre, M. François Mitterrand enlève la présidence à M. Geny (indép.) » (sans référence).

Vendredi 20 mars 1964, Meaux, Ermenonville, L'Ermitage.
Samedi 21 mars, Père Auto, Ville-d'Avray, Versailles, Étangs de Hollande.

44.

En-tête Assemblée nationale, à Mademoiselle Anne Pingeot,
39 rue du Cherche-Midi, Paris VIe *(sans timbre).*

> *Dimanche 22 mars 1964*

Chère Anne [accompagné d'iris]

Sur la page, j'écris :
« Dimanche des Rameaux.
Je tremble toute la journée.
De la joie si profonde
C'est la première fois qu'un sentiment pareil. Ce n'est peut-être que superficiel.
Quelles zones de doutes. Quelles plaques d'indifférence, d'ennui, de moquerie.
Mais hier c'était le miel.
C'est une folie... Mais vivre sans risques – je m'englue dans une littérature paravent. »

45.

En-tête Assemblée nationale, à Mademoiselle Anne Pingeot,
39 rue du Cherche-Midi, Paris VIe, *envoyée de Bayonne.*

> *Lundi 23 mars 1964*

Je ne vous écrirai pas cette fois-ci le journal quotidien annoncé mais une lettre d'un seul bloc. En effet jusqu'à ce matin je n'ai pas disposé d'un moment pour décapuchonner mon stylo ! Dimanche, nous sommes partis, Saint-Périer et moi, avec un peu de retard. J'avais à emporter les notes utiles à la rédaction de ma conclusion, à mettre mes fiches en ordre, à boucler ma valise, à n'oublier aucun accessoire de golf. Quand je suis allé déposer les iris rue du Cherche-Midi il était plus de 11 heures et vous étiez sans doute à Saint-Eustache. J'aime penser que maintenant ces fleurs sur une table ou une étagère de votre chambre seront vos amies pour trois jours – et qu'elles vous disent en secret ce que je ne saurai jamais dire.

Au lieu de prendre la route de Chartres nous avons pris celle d'Orléans. Nous avions décidé de flâner. Je ne connaissais pas Chambord et Cheverny : nous y sommes allés, nous avons visité, et, à Chambord, nous avons fort bien déjeuné. Puis, par un itinéraire paresseux nous avons rejoint la RN 10 à Angoulême (Contres, Le Blanc, Montmorillon, Confolens). La pluie nous a rattrapés seulement aux franges du Poitou pour nous lâcher dans les Landes. Le long du chemin j'ai rêvé. J'avais les nerfs brisés. M'éloignant de Paris, et de cette semaine si diversement épuisante, j'abandonnais d'un coup la tension intérieure qui m'avait soutenu. La nuit tombée nous avons fait un détour en Saintonge pour dîner chez l'un de mes frères qui vit parmi les vignes sur les bords de la Charente, dans une typique propriété : hauts murs qui ferment la vie de chacun aux regards du monde extérieur, grand portail en plein cintre, au bois clouté, maison tournée vers le fleuve endormi. À 10 heures nous sommes repartis. Quelques étoiles dans le ciel hésitant, un vent annonciateur de tempête, la nuit mouillée, et c'est engoncé dans le fauteuil bleu de la Ferrari que je me suis trouvé au rendez-vous d'Anne, tandis que la voiture s'éloignait de la vallée de mon enfance, de ses brumes moites, des peupliers, des saules et des aulnes dont je perçois encore le bruissement quand se lève, à l'ouest, la colère de l'océan.

À ce rendez-vous les mots sont restés dans mon cœur. Peut-être, pourtant, les avez-vous entendus.

Ce n'est donc qu'à 1 heure du matin que nous sommes arrivés devant la maison. J'ai évidemment inspecté mes dernières plantations et malgré l'obscurité j'ai aussitôt constaté la disparition d'un lagerstroemia (ces arbres qui lorsqu'ils fleurissent en août ne sont qu'un bouquet rouge ou rose). Après avoir ainsi traînassé je me suis couché vers 2 h 30 non sans avoir adressé une action de grâces à la femme de ménage qui avait songé à préparer mon lit comme j'adore : des draps de lin écru – mon luxe. Un sommeil épais a eu raison de tout.

Faut-il vous écrire que durant ce voyage je n'ai guère cessé de vous imaginer ? C'est peut-être bête mais c'est comme ça. Un poème me tracasse. Je crois que je le composerai pendant ces cinq jours : chaque fois qu'une image me sollicitait je la rapportais à vous, plantée dans le soleil et parmi les bouleaux de notre joie de samedi. Un genêt fleuri (ils sont en retard) ; un coin de ciel clair, tendre, heureux sur une draperie d'angoisse fantastique ; l'arc roman d'une abbaye ruinée dans un tout petit village au nom étrange : Villesalem ; une noble forêt brune déjà sortie de l'hiver mais sans concessions au printemps ; un Clouet de Chambord ; une terre nue à perte de vue aux confins de la Brenne – oui, ces miracles où je distinguais la beauté, la pureté surprises sauvées, la fraîcheur de l'âme mais aussi la présence suprême de la vie, son élan, sa force, ou, ces miracles d'harmonie, d'une harmonie toute-puissante, c'était vous, Anne, le visage baigné de lumière comme en certains moments de bonheur que je sais – qui m'empêchent de vous parler, de vous toucher – qui me commandent d'aimer mieux encore – qui me font pénétrer dans un monde, où vous êtes, où j'avance à pas lents.

À Hossegor la maison est propre et les alentours correctement taillés, fumés, soignés pour la grande éclosion de la saison nouvelle (les alentours mais pas au-delà. Je veux que mon bout de forêt reste forêt et ne devienne pas singerie de jardin). Je serais vraiment heureux que vous veniez m'y voir quand nous y serons l'un et l'autre : je voudrais vous présenter chaque plant par son nom, vous raconter sa forme future, sa couleur d'épanouissement, vous dire pourquoi je l'ai choisi. Au moins, si vous ne le pouvez pas avec moi, passez pendant mon absence : il suffit de pousser le portillon vert. Je les aimerai davantage de vous savoir amis.

Ne sont actuellement fleuris que les mahonias (espèce de houx) et les forsythias (comme à Meaux) avec quelques genêts : tout est jaune et or. Les fusains sont d'une incroyable douceur au toucher avec leurs feuilles pressées à peine déroulées. Les prunus et le pommier du Japon essaient bien d'imposer leur rouge catégorique mais, les pauvres, n'en sont qu'à un charmant duvet, pas même esquisse d'insolence, et font plutôt rire leurs voisins. Le camélia (il est dans le patio) continue, lui, d'offrir à qui l'aime une fleur. Je vous la montrerai. Je vous la donnerai. Je l'appelle d'ailleurs comme vous. Elle est à vous. Même refrain : si vous ne pouvez pas visiter mon camélia avec moi, passez. Et je vous en prie, prenez la fleur qui sera ouverte ce jour-là.

Emportez-la. Je sais que vous laissez les violettes en paix et que vous préférez qu'elles restent libres, là où elles sont. Mais ce n'est pas la même chose : la liberté d'un camélia que j'aime c'est d'aller avec vous.

Êtes-vous rentrée tard cette nuit ? (Je ne vous pose pas cette question par indiscrète curiosité mais parce qu'en faisant le tour des « avenues » qui bordent ma maison j'avais pour vous – à 2 heures du matin – une tendresse indicible). N'oubliez pas que si jamais [en marge : le télégraphe existe], l'idée vous venait de me convier à une somptueuse promenade par le Berry, mercredi, j'en serais, simplement, très heureux. Sinon, soyez prudente sur la route. C'est un homme d'expérience qui vous donne ce conseil ! Évidemment je serai vendredi à 7 heures aux Trois-Poteaux. Si vous venez nous marcherons. Je tiendrai votre main (parfois). Et je vous laisserai, comme je le désire du plus profond de l'être (si je n'y parviens pas toujours vous savez que j'approche de notre vérité – ce n'est pas tellement commode mais c'est merveilleux) pour une semaine où tout ce qui vous viendra de moi cherchera, croyez-le, la joie <u>véritable</u> de votre cœur.

Je partirai pour la Nièvre, tôt samedi. Aurai-je avant une ligne de vous ? Peu importe après tout (non, pas tant que ça !) – ce que j'ai, Anne, m'occupe déjà tout entier

F

P.-S. Je commencerai demain une lettre-journal (!) que je vous remettrai vendredi ou que je mettrai à la poste samedi en partant, à Bordeaux.

46.

En-tête Assemblée nationale, à Mademoiselle Anne Pingeot, Ametsa, avenue du Tour-du-Lac, Hossegor, Landes.

Mardi 24 mars 1964, le matin

Je reviens de la mer. Elle est comme elle doit être, à l'équinoxe. Brutale, méchante. Elle étreint la plage, par à-coups, jusqu'au pied des dunes. Ça sent la tempête. Au sud, les monts d'Espagne coupent l'horizon avec une étonnante netteté. J'ai marché. Je me suis étourdi de vent. J'avais besoin de cette rudesse. Mon équilibre ne se fait pas au niveau du temps plat. La paix intérieure n'est pas l'absence de soi. J'ai pensé à vous, Anne, vous vous en doutez. Ce que nous vivons, qui est si difficile, ne doit rien au confort de l'esprit et du corps. Mais je m'émerveille d'une rencontre qui rend leur prix – bonheur, souffrance, joie, connaissance – aux valeurs que j'aime.

Au retour j'ai fait une visite à Lohia et bavardé avec les deux peintres qui achèvent les travaux. Les couleurs du nouveau bâtiment lui vont très bien et lui donnent un charme que la construction elle-même ne laissait pas prévoir. J'ai constaté tristement que le gel a réussi là où votre mère avait échoué : le mimosa recule, perd sa bataille de la Marne. Il lui manque un général. J'ai longuement regardé le lac, devant chez vous. Ce paysage, le vôtre depuis les vacances de l'enfance, m'émeut. J'essaie d'y lire qui vous étiez.

Et le soir

J'ai joué tout l'après-midi au golf, et comme prévu, sous des rafales de pluie. Je ne m'en suis pas mal tiré (hier ç'a été désastreux). Je bois l'air avec une grande soif – j'avais vraiment besoin de repos, de ce genre de repos, qui fouette.

Vous seriez là, quelles balades merveilleuses ! Il faudrait se couvrir d'imperméables. Mais imaginez, trois ou quatre heures le visage aux embruns, l'allure rapide, les fougères qu'on écarte, le pas élastique, et la forêt – une forêt encore inconnue de nous (de nous ensemble). Tout ce que j'ai de vous possède cette force-là. Il y a un rythme d'Anne. Un peu bousculant. Mais maintenant que je respire à sa cadence sans lui j'étoufferais.

À l'heure où je vous écris vous terminez votre dernier jour de Paris de ce deuxième trimestre. Depuis Noël il me semble avoir vécu par vous, pour vous, une incomparable saison de ma vie à moi. Janvier, couleur d'absence, et le cœur mordu – jusqu'au 31, qui fut le vendredi de La Camargue. Février, notre voyage, Auvers, l'entrelacs de joie et d'angoisse. Mars et la certitude d'aimer – et la gravité de le savoir.

Anne merci. Je ne puis qu'écrire ces deux mots et me taire. Quelque chose en moi a été sauvé.

La nuit

Après un dîner au golf, seul, car Saint-Périer a accepté une invitation – que j'ai refusée – à Saint-Jean-de-Luz, me voici de nouveau en compagnie : si la pensée obstinée peut recréer un être cher, vous êtes ici, près de moi, Anne. Je vous vois. Vous lisez sous la lampe, lumière douce, près de la fenêtre. L'odeur de la forêt mouillée entre dans la maison. J'aime votre profil attentif. Et votre voix qui parfois rompt le silence, tout juste assez pour en souligner la plénitude. Vous avez vingt ans mais déjà la possession du monde. Moi, j'écoute, interdit, la rumeur que fait en moi votre venue.

Vous m'avez dit que mes lettres vous donnaient souvent l'impression de s'adresser à moi-même. Non. Ce n'est peut-être pas toujours à vous que je parle (si, pourtant, je le crois) mais c'est à cause de vous que j'ai envie de parler, que j'en ai le goût et la force. Je n'ai rien dit et à personne pendant des années.

Ce n'est pas une plainte que j'exprime. Au demeurant si j'avais à me plaindre qui devrais-je accuser sinon mon exigence ? Comblé d'amis, de partisans, d'ennemis, ce qui se complète, sollicité par la gamme des tendresses, je laisse tout en chemin s̶i̶ dès que j'aperçois devant moi une vaste perspective. Cette perspective a été longtemps celle qu'ouvre l'action, le combat pour les idées, une certaine volonté de justice. Mais l'action est comme un désert pour le cœur de l'homme. Il faut avancer, avancer, sûr de soi, de sa direction. Les autres sont restés à l'étape. Il n'y a à attendre nulle aide, nul secours. On doit vivre et mourir ainsi. Arrive-t-on jamais où l'on voulait aller ?

Pourtant, est-ce faiblesse ? si j'aime, si une femme que j'aime m'aime, alors mon courage est immense. Je vais plus loin. Si j'aime, si une femme que j'aime m'aime, tout change. Il suffit d'une pensée fidèle, d'une main donnée, d'un visage offert, d'une communion sans retour – et avec un seul être –, pour que soient justifiés la marche en avant, le refus d'abandonner, la faim, la soif intérieures. Pourquoi ? Je ne sais. Peut-être l'amour est-il ce levain qui soudain éveille la matière et lui fait souvenir qu'elle contient en elle de nouvelles naissances ? Peut-être tout cela n'a-t-il aucun sens ?

Ce que vous m'avez apporté au cours de ces mois, de ces rencontres, de ces journées qui ne voulaient pas finir et qui finissaient toujours trop vite, rien ne pourrait le remplacer.

N'en soyez pas effrayée, Anne : votre aide a été merveilleuse. Je ne vous demande pas davantage ou, plutôt, si du fond de moi j'appelle davantage – ah ! ce terrible besoin d'absolu ! – cela ne vient qu'après cette certitude : il existe entre nous un pacte, un secret, un accord, un lien, une vérité. Et déjà je ne suis plus seul au milieu de ma course.

Mercredi 25 mars

Une fois levé (j'ai d'abord lu au lit – quelques pages du *Catilina* de Salluste... et des journaux – puis j'ai téléphoné, puis j'ai bavardé avec Saint-Périer, qui m'apporte du golf, chaque matin, un thé chaud !), mon premier mouvement a été d'aller à la boîte aux lettres. Joie. J'avais un signe, le fameux signe. Moi non plus, dimanche, je ne vous ai guère quittée – ni lundi, ni mardi... la terre tremble ?

Elle porte la vie. J'adore votre petit iris. Nous devrions à nous deux composer de *Riches heures* : je vous passerais de temps à autre la plume, pour écrire par exemple : « je ris dans la rue » ou « il me faut tout ce temps qui se traîne lourdement », mais ne me passez jamais le pinceau – je déteste l'impuissance de ma main incapable de saisir les couleurs et les formes.

Non seulement ce matin j'ai votre... papyrus mais un miraculeux soleil exhale de la forêt l'odeur d'après la pluie, odeur du Paradis avant d'être perdu. Des oiseaux, bouvreuils, mésanges, pies volettent dans le patio. Le matin ils font un beau concert. Ils boivent aux flaques d'eau que retiennent encore mes pierres de la Rhune. Ils déploient leurs ailes, les sèchent. Le rouge et le gris et le bleu redeviennent un rouge, un gris et un bleu d'oiseaux heureux.

Quant à vous, Anne, qui vous réjouissez (« je suis ~~bien~~ très contente de ne pas vous voir quinze jours ») de notre séparation vous ne réussirez pas (aujourd'hui) à me rendre triste. Demain il sera bien temps. Aujourd'hui est de joie, de beauté. Je ne pense pas à demain mais au dernier samedi soir, et à votre présence en moi, mais à ce matin et à cette petite enveloppe qui vous relie à moi, mais à ce qui nous appartient et à ce qui nous unit. Ne m'en veuillez pas, Anne, de vous sourire.

J'aurais voulu vous écrire hier soir et ce matin. Je ne l'ai pas pu. 14 feuillets de 8 pages sont arrivés pour la correction des épreuves de mon livre. Et il me reste à rédiger une dizaine de pages nouvelles.

Je m'y suis attelé. Mais cela explique pourquoi je commence cette lettre d'aujourd'hui... à 2 heures du matin. Elle sera brève car je suis tout de même las. La journée a été belle. Un grand vent a doré la fin du jour. Je suppose que vous êtes à Clermont, entre deux voyages, et que dans quelques heures vous serez sur la route du Sud-Ouest. J'ai reçu ~~mardi~~ mercredi (hier) votre petit mot. Il me semble pourtant déjà que le temps qui nous sépare s'épaissit. Vous verrai-je demain soir ? Je serai aux Trois-Poteaux à 19 heures. Cela me serait si bon de vous y retrouver.

Sinon je vous attendrai de nouveau, samedi 4 avril, à 15 h 30. Que c'est loin !

J'ai noté pour vous qu'il faut <u>absolument</u> que vous alliez admirer trois tulipiers (qui semblent n'en faire qu'un) à l'entrée du golf (à l'intérieur). Ils sont sensationnels. Mais dépêchez-vous. Je crains que les fleurs ne finissent par céder au vent. Quand vous serez là (à Hossegor) vous profiterez du printemps qui, j'en ai l'impression, vient enfin de se déclencher : je surveille les genêts. La fleur va s'ouvrir. Ce spectacle m'enchante.

Bonsoir, Anne. Le sommeil n'est pas plus fort que ma joie d'être auprès de vous.

Mais il faut bien dormir.

Dieu, que j'aime penser à vous

F

47.

En-tête Assemblée nationale (sans enveloppe).

Ce voyage-là

C'était comme un navire en pleine terre
Avec sa proue et sa carène
Avec ses voyageurs.
Brume pour brume, allons-y !
Abandonné par l'horizon
Les yeux fermés et l'âme close
J'ai pris passage
Pour où, Dieu, je ne sais
Pour où je ne saurai jamais

Il y a des chansons à boire
Il y a des chants pour prier.
Ta musique aussi, je l'écoute
Mais si tu te tais, qu'entendrai-je

La mer, le vent
Et le juron d'un matelot, le grincement d'une poulie,
Le cri de l'hirondelle
C'est cela, oui, c'est cela
Tout ensemble
Cette rumeur en moi.

Quand un navire appareille
Même s'il est de pleine terre
Ses flancs sont lourds de cargaisons
Et ses haubans touchent le ciel.
Récif ou escale, qu'importe
Où tu finiras ton voyage
J'ai pris passage
Pour où, Dieu, je ne sais
Pour où je ne saurai jamais.

Du côté de la mer des Sargasses
À moins que ce ne soit dans le golfe Persique
Ou peut-être à l'ancre, au village
En pleine terre de Taizé
La tempête qui s'est levée
A tôt fait d'imposer silence,
La mer, le vent, le matelot
Et ce qui grince et ce qui crie
N'ont laissé que l'écho
D'une ville engloutie.
Et moi j'écoute encore
Ce que tu m'avais dit
Sans mot dire
Quand tes lèvres se sont ouvertes
Ô mon navire en pleine terre !
Quand avec toi j'ai pris passage
Pour où, Dieu, je ne sais
Pour où je ne saurai jamais.

Anne comment,
Comment veux-tu
Que je comprenne quelque chose
Au ciel de l'autre côté du monde

Moi qui ai déjà tant de peine
À reconnaître Bételgeuse.
Marin, sans toi j'irais tout droit
Au fond des mers
Sans toi, pilote, j'aborderais par le travers
Sans toi je n'ai pas de regard.
Mais c'est maintenant à ton tour d'écouter

Il y a des chansons à boire
Il y a des chants pour prier
Pendant que tu m'abandonnais
Moi, je croyais
Que tu me demandais
De mieux t'aimer.
Sur le navire en pleine terre
J'ai pris passage
Pour où, Dieu, je ne sais
Pour où je ne saurai jamais.

Pâques 64

48.

Papier blanc, à Mademoiselle Anne Pingeot,
Ametsa, avenue du Tour-du-Lac, Hossegor, Landes.

Paris, le 31 mars 1964

J'ai eu une grande joie vendredi. J'en ressens encore la force et la douceur. Je vous vois, venant vers moi, avec vos maigres genêts – et ce visage que j'aime. Ma pensée ne vous quitte pas.

Le lendemain mon compagnon m'a conduit d'un train d'enfer dans le Morvan. J'avais la tête cassée par le vrombissement de la Ferrari. J'ai fait cependant ce que j'avais à faire. À minuit j'étais toujours sur le tas ! Ma journée de Pâques a été intéressante. J'ai suivi plusieurs offices de Taizé, cette communauté protestante consacrée à l'œcuménisme (c'est la première communauté de ce type dans l'histoire de la Religion réformée).

Une église dite de la Réconciliation a été construite par de jeunes

Allemands et est ouverte à divers cultes. Soixante frères environ qui vivent de leur travail et habitent dans les maisons du village suivent des rites qui ressemblent fort à ceux des ordres catholiques. On y devine une réelle intensité de méditation. Je suis allé jusqu'à écouter un prêche ! Je regardais aussi la lumière à travers les vitraux (certains médiocres, d'autres beaux). Les sens parlent à l'âme aussi bien que l'âme aux sens. Je me demandais à quoi j'étais voué. Il est certain que tout ce qui entoure ces derniers mois confère à ma vie une signification qui parfois m'échappe. Votre présence en moi n'en est pas le moindre élément !

Mon lundi a été consacré à un pèlerinage lamartinien : Milly, la maison de son enfance qui n'a changé qu'une fois de propriétaire depuis la mort du poète. Saint-Point, le château où il vécut sa maturité et sa vieillesse. On y voit encore le fameux drapeau tricolore de 1848 – et beaucoup de souvenirs restés très vivants. Le château est composé d'un corps de bâtiment ancien, d'une belle couleur ocre et d'un rajout style oxfordien dû à la femme de Lamartine qui était anglaise.

Tout cela au milieu d'un paysage d'Ombrie. Monceau, autre château où il écrivit les Girondins. Bussières où repose l'abbé Dumont, qui, dans la fiction, fut Jocelyn. Sur sa tombe une épitaphe tracée par Lamartine lui-même qui était son ami.

Tard dans la soirée, la pantoufle récupérée m'a honnêtement ramené à Paris.

Et me voilà en ce mardi, pris, tiraillé entre l'éditeur qui a déjà composé 256 pages et ma flemme d'auteur... qui accroche sur les 12 dernières. Je suis allé chez Plon pour quelques détails de mise en pages. Dans Paris, impression étrange qui rappelle celles du mois d'août. Peu de circulation. Du parking à ne plus savoir ! Un petit air Scandinave-en-vacances ! Que j'aimerais vous avoir là ! il me semble que nous éprouverions un délicieux sentiment de liberté à parcourir les rues de cette ville qui a changé d'âme. J'y songe plus que de raison. Ce serait formidable de ne pas vous quitter.

Cette lettre ne partira pas ce soir. Il est trop tard pour le courrier. Je la continuerai demain. Avant d'aller dormir, laissez-moi, Anne, rêver. Les quelques instants que vous m'avez accordés à Hossegor m'ont pénétré d'une tendresse profonde. Mes mains caressent vos tempes, mes lèvres vos yeux clos. Tout est soudainement simple. Une force veille en moi qui m'attire et me lie à vous. Quand votre visage se détache j'y aime le reflet d'un sourire intérieur.

Je serai samedi à 15 h 30 aux Trois-Poteaux. Les jours qui passent loin de vous hâtent mon impatience mais me donnent aussi l'incomparable goût d'une certitude. Si c'est une illusion, dites-le-moi : je vous sens proche.

Mercredi

Aujourd'hui mon programme est simple : FINIR LE LIVRE. Il le faut ! J'ai une citation à fournir (je l'ai trouvée cette nuit dans Montesquieu, refuge suprême quand on ne sait plus à qui s'adresser !) et trois ou quatre pages à fourbir ! mais ce sont les dernières et il convient de ne pas écrire n'importe quoi. Tout ce mercredi y passera sauf cette lettre que j'aime vous écrire parce que j'aime ce qui nous réunit). Et vous, comment passez-vous vos vacances ? Ici nous sommes figés dans la glace. J'espère qu'un soleil complaisant prêtera à la forêt ses plus beaux coloris pour notre balade de samedi. M'avez-vous oublié ? M'oubliez-vous toujours, vraiment ? ANNE LA VERSATILE ? (Votre vitrail et son scambiatore me sont si chers ! Eux au moins sont là, ne bougent pas, font comme s'ils étaient les messagers de quelque chose qui durerait merveilleusement, verre et plomb, lumière prise à leurs jeux immobiles, fenêtre sur soi-même.)

Demain, rentrée parlementaire. Mon groupe reprend contact, après trois mois, le matin. Je déjeune avec Mendès France. Séance publique l'après-midi. À vrai dire la session ne commencera vraiment que la semaine suivante. J'y aurai du travail puisque, comme vous le savez, j'ai posé six questions orales avec débat au Premier ministre. Elles ne viendront pas toutes mais sûrement deux ou trois (heureusement d'ailleurs car elles viennent en discussion… le vendredi !). D'autre part le gouvernement déposera un projet de loi sur le statut de la radiotélévision. Je compte m'inscrire. Ce débat sera houleux et rude. Je vous expliquerai de quoi il s'agit (mais est-ce que cela ne vous ennuie pas ? N'est-ce pas un domaine éloigné de vos préférences ? C'est pour moi cependant un vrai plaisir que de vous parler de tout ce qui me passionne).

Anne, depuis que je vous connais, pas un seul jour ne m'a apporté la plus petite déception : il me semble que tout vous intéresse. Mais je ne voudrais pas en abuser.

Après-midi

J'ai déjeuné chez Lipp, seul. Au café j'ai rejoint l'un de mes amis installé à une autre table avec Mary Morgan, qui dirige un théâtre. Le groupe s'est accru de deux autres solitaires de Pâques (un peintre, un sculpteur). Mais sagement je suis rentré pour terminer mon devoir de vacances ! Ce soir encore j'éviterai toute invitation. Je ne sais comment je partirai vendredi. Peut-être en voiture pour n'être pas bloqué à Hossegor. De toute manière j'arriverai ou dans la nuit ou samedi matin. Je compte bien y rester cinq jours. Je vous ai rapporté de Taizé une toute petite cruche en grès où vous pourrez mettre les tulipes ou les iris qui auront votre préférence.

Je ne pense pas trop au retour à Paris sinon pour me plaire déjà aux grandes promenades matinales qu'à Versailles et Ermenonville nous nous sommes promis d'accomplir.

Vous le voyez cette lettre est presque un agenda. Je vous raconte par le menu mon emploi du temps. J'éprouve un curieux besoin de vous associer aux occupations et aux obligations de ma vie. Non, vraiment, ce n'est pas une lettre pour Anne en vacances ! I am very sorry.

À samedi donc (je ne puis m'empêcher de souhaiter un petit mot de vous demain ou vendredi – mais je n'y crois guère). J'égrène pour ma joie tous nos souvenirs, nos beaux souvenirs

F

49.

En-tête Assemblée nationale, à Mademoiselle Anne Pingeot, villa Ametsa, avenue du Tour-du-Lac, Hossegor, Landes.

2 avril 1964

Anne, c'est fait. J'ai écrit le mot FIN au bout de mon livre. [*Le Coup d'État permanent*]

J'en suis tellement délivré, et content, que j'ai envie de vous le dire. À vous.

F

50.

En-tête Assemblée nationale, *à* Mademoiselle Anne Pingeot,
villa Ametsa, EV.

Hossegor, 5 avril 1964

La pluie tombe du ciel avec une telle violence que cela dépasse la tristesse. Je me suis levé tôt, poussé par le désir de vous retrouver – par cette lettre – avant notre rencontre de 11 heures.

Hier soir je vous ai quittée tandis qu'un je-ne-sais-quoi d'angoisse m'envahissait (et cela après une semaine radieuse tant notre heure de vendredi avait été, pour moi, dense et heureuse). Ah ! ce rythme syncopé ! J'ai été un peu déçu de ne pas vous voir au Pot de résine. Sans doute en suis-je responsable ; il ne fallait pas vous ramener si tard ! Je n'ai cessé, au creux de cette soirée paisible, de penser à vous.

Maintenant je vous suppose à la messe. J'ai besoin d'un moment moi aussi où la méditation gagne l'être. Pour me reconnaître, et vous reconnaître. Je n'ai pas votre foi mais j'en suis tout occupé. Sans vous en parler, ou à peine, c'est un des aspects de notre union qui me bouleverse, qui m'atteint le plus : l'approche de l'âme, si elle passe par des chemins trop séparés, ressemble à un langage impénétrable. S'il m'arrive de me servir de l'ironie ou d'allusions légères et furtives quand notre conversation aborde ce sujet, cela n'est que l'expression d'une crainte. Ne pas vous comprendre assez bien. N'approfondir ce domaine qu'après l'avoir longuement exploré. Dépister en moi-même et dissocier ce qui ne serait qu'émotion superficielle de ce qui serait la recherche d'une vérité.

J'assiste à votre propre débat avec gravité. Qui peut aider qui ? Tout est si difficile. Sachez au moins que vous m'avez depuis six mois apporté le pain et le vin de la vie intérieure. En étant seulement ce que vous êtes. Unie et partagée, d'un seul bloc et divisée, d'un seul élan hérissé de retenue. Non pas diverse ni capricieuse mais riche de contradictions hors desquelles ne survient jamais, au bout du compte, l'harmonie.

Plus vous m'avez donné plus j'ai éprouvé en moi l'obligation de vous donner davantage – non sur le plan qui est le mien mais sur le plan qui est le vôtre.

À Pâques je vais toujours en Bourgogne où se rassemblent des amis venus d'un peu partout, pour deux ou trois jours. Habituellement les lieux de rendez-vous sont des centres touristiques, une église, une belle demeure, un point de vue (et il y en a d'admirables) sur la vallée et la Saône. Et à midi et le soir, des auberges plantureuses. Cette fois-ci je me sentais à la fois seul (oui, j'étais <u>sans</u> vous) et plein d'une indéfinissable présence (oui, j'étais aussi <u>avec</u> vous). Comment préserver ce lien, en ressentir la force, en tirer le meilleur ? Les rires et les discussions amicales me laissaient étranger (non pas ennemi, mais étranger, c'est bien le mot). La qualité de ce qui m'est venu par vous, simplement parce qu'il n'y a pas plus rare, plus exaltante merveille qu'une femme qui donne – et qui oblige à respecter plus encore ce qu'elle donne que ce qu'elle garde – me créait une nécessité d'introspection. À 8 heures le matin, lundi, j'étais à Taizé. Je suis resté là longtemps. Oui, Anne, j'essayais mes pas sur votre chemin. Il me semble que je resterais très loin de vous si je n'avançais pas dans cette direction. Ou bien je risquerais de ne comprendre rien à rien.

Voilà pourquoi en cet instant, sans faire de bruit, je vais vers vous dont l'esprit peut-être m'éloigne, vers vous, Anne comme un jour qui commence. Et qu'est-ce que la pluie auprès de ce miracle : le jour qui se lève.

Fin d'après-midi

Je n'oublierai pas votre arrivée sous ce déluge à 11 heures (même si ça vous est égal). Avec moi vous êtes incroyablement honnête (au point de ne pas ménager ma joie et ma peine). Oui, d'être venue cela me <u>récompense</u>, d'une certaine manière, de la semaine qui s'achève, vécue loin de vous, mais dans une tension intérieure qui ne m'est pas coutumière, totalement orientée vers ce que, <u>moi</u>, je vous dois.

J'ai joué au golf, dix trous seulement, pour posséder vite à nouveau ce que j'aime : la solitude en votre compagnie spirituelle (j'avoue que j'aime mieux encore votre compagnie sans qualificatif). Le temps était si beau, si surprenant que j'y voyais un symbole. Ah ! qu'il me serait précieux de vous savoir apaisée, mon cher soleil retrouvé.

Me voici. Il est près de 7 heures. J'ai fait le tour de la maison avant de vous écrire pour dire bonsoir, par cette lumière volée, aux choses qui poussent sur mon pré carré. Vous me feriez une grande joie si vous acceptiez demain ou mardi les présentations que je rêve de faire : ici le romarin dont vous avez coupé un brin, là un pin objet de mes soins – et surtout, Anne, partout, savoir plus tard, qu'un jour vous étiez là. Pour la première fois ; amie de mes chèvrefeuilles – et des fusains et du laurier poussif ; oui, pour la première fois vraiment ; amie du ciel par-dessus les arbres qui au moment où je vous les raconte ont la tête répandue sur une longue traînée de feu pâli ; pour la première fois, Anne de toutes les forêts, Anne des jours heureux et des jours déchirés, mon amie, les oiseaux se sont tus. Le matin ils n'en peuvent plus d'espérer et de le crier à tue-tête. Tu viens ô bonheur de vivre et de chanter, tu viens, je le sais ! Et le bonheur se met en route, mais pourquoi ? Si souvent s'arrête à mi-chemin des oiseaux et des hommes. Peut-être serait-ce trop, peut-être en mourraient-ils ? Où sont-ils allés sous la hache de la grêle ? Où étais-je moi-même ?

Tout de même je me souviens aussi d'une main qui s'est dénoncée et d'une douceur si profonde qu'il n'y a plus qu'à écouter en soi sa démarche secrète.

Ce soir sera long. J'ai achevé mes corrections et confierai le document à un voyageur de nuit pour Paris. Ainsi Plon l'aura demain. Il me semble être désœuvré, ou plutôt que je le serai dès que cette lettre sera finie. Je vous aurais gardée avec une telle joie tout ce jour. Ne rien vous dire, ou presque, vous laisser lire, rêver, regarder, entretenir le feu, des heures, des heures, sans commencement ni fin, aurai-je jamais cela de vous, Anne ? J'y pense comme à une claire vérité possédée, déchiffrée.

J'irai poser ces pages dans votre boîte aux lettres. Vous les lirez ce soir. Quand vous en serez là, où ma plume va tracer le prochain mot, cessez un instant, je vous prie, et dédiez-moi, comme au rendez-vous de minuit moins le quart, boulevard Saint-Germain, la pensée – privilège. Elle rencontrera sûrement la mienne. Hossegor est pour moi jusqu'à mercredi une manière de ne point vous quitter.

Mais vous ne l'avez pas deviné (je vous entends répondre : « et puis, ça n'a pas d'importance » ô Hannah du bois de Boulogne !).

La nuit s'abat brusquement. Je distingue mal les formes du patio. Je suis avec vous depuis un long moment. Parfois j'arrête d'écrire, manière de rester près de vous en tirant sur la corde. Rousselet n'est pas encore rentré du golf (lui a continué les dix-huit trous avec nos deux autres partenaires). Il voudrait m'emmener dîner avec un essaim mi-bordelais mi-dacquois. Ne suis-je pas bien ainsi, mon Anne qui tout de même m'a souri ? Mais moi je ne sais même pas faire cuire des œufs sur le plat ! Horrible incompétence.

Je serai à 10 heures, au chêne-liège qui porte sa bosse au pied. J'aimerais un ciel vaste et qui cesse de ramper. Mais qu'importe. Je vous aimerai, vous, d'être là.

Si l'heure n'avançait pas il me semble que je continuerais à vous dire, inlassablement la même chose.

Mais cela vous l'avez deviné, Anne.

F

P.-S. S'il y avait quelque empêchement que ce soit, de votre côté

    1) vous savez que j'attendrai au chêne-liège tout le temps qu'il faudra

    2) qu'en me fixant une autre heure, par ma boîte aux lettres, je serai <u>toujours</u> libre.

51.

En-tête Assemblée nationale, à Mademoiselle Anne Pingeot, 39 rue du Cherche-Midi, Paris VIe *(sans timbre).*

Mercredi 8 avril 1964

Commencer une lettre quand on a dans le cœur plus que la tête plein de choses à exprimer n'est pas commode. Que vous dire, tant j'ai à vous dire ? Des images étouffent mes mots. Vous d'abord, si hostile, si fermée lundi soir et hier, à votre arrivée – puis si belle d'un si beau sourire, si proche (les trois ou quatre au revoir que le hasard nous a consentis dans Hossegor où vous faisiez les courses du dîner m'ont guéri d'un grand mal), si naturellement charmante. Je vous vois telle que vous étiez et je n'y puis penser, Anne, chère Anne, mon Anne, sans que la joie profonde, radieuse que vous m'avez laissée ne soit cernée de douleur.

Que vous ressembliez à l'incertain printemps ! la pluie, cette pluie rageuse qui paraissait vouloir tuer l'envie de vivre et d'espérer – puis ce tendre ciel délivré, ce bonheur de la terre que le soleil éveille, n'était-ce pas un peu vous ? De cela, je l'avoue, je sors secoué, endolori comme après un long voyage dans le pot au noir atlantique : l'avion posé on s'étonne d'avoir un corps, et deux jambes qui, tout bêtement, se mettent à marcher.

Tout m'enseigne à redouter les passions violentes qui vident l'être à mesure qu'elles l'emplissent des seules joies qui valent de vivre – et cependant, Anne, je sais que la femme qui était là, pendant cet après-midi d'hier, coudes aplatis sur quatre coussins entassés, avec soudain son regard ouvert, fixé dans le mien, son regard merveilleusement, terriblement donné – et prenant son regard qui m'abolissait, je sais que cette femme (qui, elle, ne sait pas qu'elle l'est, ou si peu et qui l'est intensément et ce que j'écris là n'est pas contradictoire),

je l'aime.

Quand je vous ai prise dans mes bras, au moment de votre départ, c'était encore quelque chose d'autre que ce que ces six mois m'avaient apporté. J'étais si totalement joint à vous, si confondu en vous qu'à l'heure où je trace ces lignes, après une nuit, par un matin léger de Paris, face aux frondaisons du Luxembourg tandis que vous roulez vers l'Auvergne, je ressens encore la blessure <u>physique</u> d'un arrachement, lorsqu'il a fallu éloigner votre visage, se détacher de vous.

Je crois que vous me pardonnerez de vous le dire parce que je crois que vous le savez.

Il y a une part de vous que je n'ai pas comprise. L'autre vendredi j'avais emporté une provision de force et de tendresse qu'une semaine de séparation n'avait point entamée. Aussi nos difficiles quatre derniers jours, dissemblables, heurtés, m'ont surpris de plein fouet. Sans doute, je devine combien votre sensibilité a souffert de ce va-et-vient entre vous et vous, entre une certaine Anne et une autre, comme si, moi, j'étais le contraire (accepté, refusé) d'un mode de vie et d'un climat (lui aussi refusé, accepté) qui vous sont propres. Sans doute avez-vous pu croire que je surmontais trop aisément ces problèmes que crée une délicatesse aiguisée (et que les circonstances rendaient plus nécessaire encore), que je passais cyniquement par-dessus tout ce monde de nuances hors duquel il n'est pas de compréhension ni d'entente profondes.

Je m'en veux de ne pas l'avoir perçu suffisamment et de vous avoir permis de douter de moi, et de la qualité (tout a été si merveilleux avec vous que je tiens à cette qualité, de toute mon âme) de ce qui me lie à vous. Mais, Anne, il faut m'aider davantage et ne pas, a priori, me juger de travers – et bien vouloir admettre que si je vous parle beaucoup, il existe en moi une part secrète, presque farouche qui <u>tait</u> une vérité plus pudique que moi – et qui souffre cruellement comme elle dévore le bonheur, passionnément, selon que votre main (et que votre être) se tend ou se refuse.

Or, par un étrange malentendu, au moment même où vous vous éloigniez pour sortir à tout prix, au risque d'en souffrir aussi, de ce nœud de contradictions qui vous semblait indénouable, j'avais de mon côté acquis une sorte de sérénité – venue précisément d'un accord retrouvé en moi-même.

Dire tout tranquillement la joie que j'ai de vous voir, le bien que je vous dois, la fraîcheur de votre présence, la curiosité de mon esprit pour le vôtre, en même temps que le sentiment très clair que j'ai du danger que cela représente, et des immenses précautions intérieures dont j'avais ai besoin pour échapper (et je n'y échappe pas) à l'attrait terrible et puissant que j'éprouve, en tout cas pour vous en garder – dire que vous avez été le charme soudain, inattendu de ma vie, que vous l'êtes chaque jour davantage – dire qu'on ne pouvait me faire confiance sur rien, sauf sur mon immense volonté de vous donner infiniment sans rien demander qui puisse gâcher ou ruiner ce que j'aime en vous – dire que vous ne m'aviez fait don que de loyauté et de grâce, oh ! Anne cela m'a vraiment restitué l'harmonie.

J'ai horreur des confidences et je n'en ai pas fait. Mais, mon jardin réservé étant hors de tout débat (parce qu'il est à vous, parce qu'il est à moi et parce que ce qui nous réunit doit être protégé, défendu, respecté), j'étais content d'assumer ma responsabilité qui est entière : j'avais désiré vous voir, je vous avais rencontrée, j'en étais heureux, je désirais continuer de l'être.

Eh bien, voilà mon histoire ! Pour le reste, deux êtres placés devant leur vie, qui ne sont ni sourds ni aveugles, ont bien le droit de fixer eux-mêmes le code de leurs sentiments (ça c'est ce que je vous dis à vous ! car si je n'ai pas celé la joie que j'ai par vous je me suis gardé de prétendre quoi que ce soit sur la nature de vos sentiments, que j'ignore, ou plutôt dont j'aurais tendance à me plaindre – vilaine tête de chien qui aboie méchamment, avec ses crocs dehors pour mordre où il convient : « que voulez-vous, c'est une évolution ! »).

Maintenant je pense à mes pauvres plantes inscrites dans la liste des « visites d'adieu » et qui ont eu droit à votre inquisition savamment mélangée d'indifférence et de sévérité ! Je les avais préparées à un échange d'amitié avec un être très cher et très sensible. Brrr ! Il faudra un jour revenir les voir, même seule, pour leur déclarer qu'en effet elles sont assez ordinaires – mais que ça ne vous empêche pas d'aimer (un tout petit peu) les plantes ordinaires dont le cœur vous est, à l'avance, offert.

Après vous avoir quittée, vous rapportant à Ametsa la substance familiale, moi filant au volant de la R8, j'ai attendu un bon moment votre mère, attardée par les amabilités hossegoriennes, et fait mon bagage. Rousselet ~~est~~ était rentré. Arrivée, votre mère et lui m'ont aidé à fermer les volets et persiennes. Nous avons bu le classique cassis et bavardé. Mais les Destouesse (déjà un peu piqués de mon silence d'avant Pâques) m'avaient invité… Je les ai rejoints à 21 h 30 !

Ils ont été, à vrai dire, charmants. Nous avons frugalement dîné… au Pot de résine et ils m'ont emmené au train, à Dax. Je dormais de fatigue, ou plutôt, je somnolais, rompu. Le wagon-lit m'a paru (je déteste ce moyen de transport) havre de repos. Un sommeil confus, inarticulé s'est emparé de moi jusqu'aux approches d'Austerlitz : Anne douce et Hannah s'emmêlaient dans mon esprit abandonné. Et un Paris tout clair, tout frais, a accueilli à 8 heures du matin un voyageur plus bête que toutes les bêtes de la terre, et content de l'être, qui vous aimait, Anne, tendrement.

Demain je reprendrai cette lettre. Je vous raconterai ma journée parisienne (sans grand intérêt). Je vous ai beaucoup, jusqu'ici, et sans fard raconté une journée intérieure de mon cœur.

Rassurez-vous, il n'y a pas d'impôt de la tendresse. Ce que je vous écris là n'engage que moi, ne touche en rien, en rien du tout à votre liberté à mon égard.

Mais je suis en paix de vous avoir livré tel qu'il est et sans précautions le récit d'un voyage en pleine terre de peine et d'amour, d'un voyage qui va vers vous.

Jeudi 9 avril 1964

Cela n'a pas manqué : de relire maintenant mes pages d'hier m'incite à ne pas vous les envoyer. Mais je n'obéirai pas à cette tentation. Je vous ai souvent écrit des lettres ou des bouts de lettre que j'ai finalement détruits.

Cette fois-ci il me semble que je vous <u>dois</u>, parce qu'ils vous appartiennent, les sentiments et les réactions que les jours récents ont portés à l'extrême. Déchirez ces feuilles, vous, si cela vous convient. Elles sont à vous, à vous seule.

Je me suis levé assez paresseusement ce matin après avoir veillé très, très tard et pour achever l'ultime correction des deux derniers feuillets du livre – et pour mettre un peu d'ordre dans mes pensées, légèrement bousculées depuis samedi ! Dieu que Paris était beau à ma fenêtre. Je comptais si peu sur votre lettre (quelle émotion, quelle joie), moi qui ai toujours un petit choc en recevant le courrier dans l'espoir (faible) d'un signe d'Anne, que je ne l'ai découverte qu'en dépouillant mes journaux. Là, mon récit sera bref : vos quelques lignes se sont tout de suite inscrites en moi comme un bonheur sensible, immense et simple. Votre pensée, quittant Hossegor, m'a touché jusqu'au fond. Quoi que l'avenir fasse de moi, comme on garde un bouquet des plus chers souvenirs, j'aurais toujours de vous un bouquet de gestes à peine accomplis et de mots à demi murmurés dont je comprends soudain la merveilleuse force.

Hier, et aujourd'hui hors cette lettre qui me donne l'envie d'embrasser le creux de votre main, rien de particulier. Séance d'élection des bureaux des commissions, à l'Assemblée. La majorité a tout pris ! (Moi, ça m'est égal, je n'ai jamais été candidat à ce genre de menue monnaie.) Le gouvernement a accepté deux de mes questions orales, les plus politiques, sur les pouvoirs respectifs du président de la République et du Premier ministre (je pose par là tout le problème du régime). Pompidou a fait savoir qu'il y répondrait lui-même. La discussion viendra le vendredi 24 avril après-midi. Je crois qu'elle donnera lieu à un débat important, sévère et passionné. Si vous le désirez je vous retiendrai une place. Vous assisteriez, en cette occasion, à une vraie joute parlementaire et vous verriez ce que signifie une majorité compacte et sectaire – face à la petite minorité, dont je suis.

Quant au livre, il sortira des presses le 17 (encore un vendredi !). Je me réjouis de penser qu'il vous sera sans doute possible de m'accompagner chez Plon pour prendre les premiers volumes (j'ai droit à 50, et je veux que le <u>premier des premiers</u> soit le vôtre). Ce bouquin qui n'est pas un chef-d'œuvre est trop lié à nos conversations pour ne pas m'être plus cher que ceux qui l'ont précédé.

Il sera en vente, comme prévu, début mai.

Arrivez-vous à Paris ce soir ? Si j'avais su exactement je serais allé vous chercher au train.

Cela vous aurait épargné la cohue des gares un jour de rentrée (à moins que la 2 CV ne soit de service !). Je poserai cette lettre rue du Cherche-Midi avant dîner pour qu'elle vous y accueille.

Anne je n'aime pas finir une lettre, je n'aime jamais m'arracher de vous. Hier je vous disais combien j'avais été bouleversé par votre tendresse quand, alors que vous alliez rentrer chez vous, au bout de notre longue route immobile de l'après-midi, mardi soir, j'ai retrouvé votre visage et vu en vous avec l'indicible joie de notre plus secrète harmonie toute la fraîcheur du monde. Pourquoi me communiquez-vous tant de force et de paix ? Je voudrais déchirer le destin qui m'empêcherait de posséder toujours cette puissance d'aimer et d'agir. Mais je veux rester lucide et j'en souffre.

Je veux surtout que vous soyez, mon Anne, plus proche encore de votre vérité à vous – pour moi ; je veux être l'élan, non le frein d'une vie qui commence, que je respecte (que je désire aussi, et si intensément qu'en écrivant mes poignets ont mal, mais je vous le répéterai sans cesse, je <u>vous</u> préfère à moi, de cela je suis sûr).

Dans les semaines qui viendront je voudrais (et ce ne sera pas difficile de mon côté car il n'y a pas, avec vous, hiérarchie des bonheurs) goûter comme à Chantilly, à Port-Royal ou à Auvers l'allégresse merveilleuse des plus beaux jours. Il me suffit pour cela de penser à votre radieux sourire dès qu'en vous tout va bien, dans l'accord profond, profond de votre être. Croyez-moi, j'y penserai ! mon orgueil serait de parvenir à vous aimer comme vous aimez qu'on vous aime quand vous désirez être aimée.

Anne, à demain. Je serai à 20^{heures} rue Saint-Placide. D'ici là j'aurai, ce soir, une réunion de travail politique – demain matin, Assemblée ; et l'après-midi je me sentirais heureux de vous savoir toute proche. Oui à demain donc,

Vendredi 10 avril
1964
à
vingt heures de joie
rue
du saint inconnu,
ce Placide
qu'un seul miracle
a mis sur les autels ;
un miracle pour moi tout seul
qui ne mérite rien :
ANNE qui vient vers moi
et que j'attends.
Que j'attends, que j'attends

<u>F</u>

52.

En-tête Assemblée nationale, à Mademoiselle Anne Pingeot,
39 rue du Cherche-Midi, Paris VIe *(sans timbre).*

11 avril 1964

Bonne journée, mon Anne endormie.
Je pars le cœur plein de vous et grâce d'un si beau 10 avril.
Ce soir je serai à 9 h 30 au rendez-vous sans rue et sans mot.
Et demain tout sera simple et clair : vous serez là.
Oui, bonne journée, mon printemps retrouvé. Sous ma fenêtre les oiseaux chantent

F

53.

En-tête Assemblée nationale, à Mademoiselle Anne Pingeot,
39 rue du Cherche-Midi, Paris VIe *(sans timbre).*

Lundi 13 avril 1964

Anne, parmi les raisons qui donnent à ma vie une signification nouvelle en même temps que s'enrichit et s'approfondit notre entente, il en est une, très simple et sans fracas, qui compte plus qu'on ne croit : fussent-ils dénués d'importance j'ai besoin de vous rapporter mes pensées et mes actes, d'aller à vous à tout moment. Quand je dis qu'avec vous s'éveillent des sentiments que je n'ai jamais connus (et là, vous avez tendance à mettre ces paroles sous la rubrique du « coquillage ») cet aspect de ma tendresse pour vous justifie mon propos : pour la première fois, je sors de moi.

Si vous saviez comme j'ai appris à garder pour moi seul mes rêves, mes ambitions, mes peines ! Mêlé trop tôt à des collectivités indifférentes ou brutales, j'ai dû composer ma force autour d'un raidissement intérieur que rien ne pouvait fléchir. Exprimer ce que je possédais de plus authentique me semblait aveu de faiblesse. Et peu à peu s'est noué en moi un lacis de refus. Au milieu des passions et des intérêts j'ai abrité le secret de mon être derrière un mur si haut et si épais que lorsque j'ai aimé, ou bien lorsque j'ai voulu convaincre, l'obstacle qui m'avait si longtemps préservé a fini par m'enfermer. Dans l'isolement où je m'étais complu ni la joie, ni la paix ne venaient plus me visiter. Avec vous j'échange, je communique, je communie. Je suis comme délivré.

Oui, j'ai grand besoin de vous, mon Anne.

Oui, je suis heureux par vous. Et je n'ai plus qu'une volonté : vous donner l'équivalent de ce que je reçois. Servir à mon tour votre vie.

Préserver les beautés, les vérités que vous aimez.

Maîtriser en moi la violence d'aimer pour posséder, approcher de plus près votre vérité à vous.

Et par un curieux détour, vous raconter ce qui remplit mes journées quand je suis séparé de vous, c'est comme un pont jeté vers vous, où je vais librement, le cœur confiant, oui c'est le signe le plus clair de ma liberté retrouvée.

Qu'a donc été ma matinée d'aujourd'hui ? Presque rien – sinon que je ne crois pas vous avoir beaucoup quittée ! Je suis allé à l'Assemblée où m'attendait un courrier banal. Chez moi j'ai rangé les fiches et documents qui m'ont servi pour mon livre. Le rédacteur en chef de *L'Express* m'a téléphoné pour m'indiquer qu'au lieu d'une publication d'extraits il en ferait plusieurs, sur deux ou trois numéros. Il a l'air mordu ! Il veut m'en parler demain. Nous dînerons ensemble.

Enfin une petite nouvelle baroque : ma voiture, rangée sur les clous de la rue de Fleurus, a été enlevée par la ramasseuse de la Police et il faut que j'aille la chercher rue de Poissy où elle est en dépôt !

Et puis, j'ai pensé à vous, à ces derniers jours, à notre soirée d'hier. De notre promenade le long du canal et par les rues de ce quartier, de notre arrêt à l'exposition du livre marxiste, de notre dîner j'ai retiré des impressions délicieuses : l'amitié intellectuelle et sensible que j'ai pour vous s'étoffe au contact de ces images de tous les jours – et de ces problèmes que nous pose un monde étranger auprès duquel nous nous contentons ordinairement de camper sans jamais le pénétrer. Sur la hauteur de Montmartre, le vent qui courbait les branches chargées de leurs premières fleurs, le vaste ciel qui peu à peu se dégageait et surtout la ville, qui bougeait, scintillait, s'étalait, faite de morts et de vies emmêlées, qui occupait toute la terre visible, livrée aux songes de la nuit, me créaient un paysage intérieur absorbant. Avez-vous deviné l'importance qu'avait pour moi, en cet instant, votre main – seul lien avec ce royaume personnel hors duquel l'individu n'est plus qu'un morceau de bois mort qu'emporte le fleuve noir et sans visage de l'espace-temps ? C'est à ce moment-là, quand j'ai ressenti le plus vivement la nécessité pour moi de votre présence, que j'ai regardé votre profil immobile – et c'est à ce moment-là aussi que j'ai su qu'en vous se croisaient plusieurs émotions.

Il y a deux mois je vous ai dit que nous avions franchi un seuil. C'était vrai, apparemment. Mais maintenant je comprends que nous ne l'avons véritablement atteint, et à jamais, que vendredi soir. Désormais nous détenons un secret primordial.

Vous décrire l'allégresse de mon cœur pendant ma brève nuit de vendredi à samedi, passée à méditer, serait impossible et vain. J'étais comme quelqu'un qui bénit sa propre vie d'avoir été ainsi éclairée, comme un homme touché par la grâce.

Anne, cela se peut-il ?

C'est pourquoi je veux toujours mieux comprendre et aimer. Par exemple, hier soir, à la limite (et je ne le note que pour ne rien laisser au hasard), j'ai senti soudain que l'élan merveilleux qui nous étreignait risquait de nous porter à nouveau au point de déséquilibre.

Or je veux que tout soit accordé entre nous.

Alors, j'essaie de réfléchir ! Cet appel vers une unité totale il ne faut pas qu'il soit, pour vous, cause de désarroi. Mais il faut qu'il soit pour moi une nouvelle raison de veiller.

Oh ! que j'aime votre visage, votre main sur ma nuque, et ce moment, Anne, où je vous appartiens sans qu'il soit besoin d'autre chose, et où, vous le savez, sans qu'il soit besoin de gestes et de mots ! Mais que j'aime aussi, votre sourire heureux, votre regard, avec cette petite lumière de la tendresse et de la joie ! Pour cette lumière-là, qui me dit que vous êtes d'accord avec vous, je resterai celui que je veux être.

Sans doute tout cela est-il imperceptible.

Sans doute m'avez-vous donné, en me permettant de venir vous chercher ce soir, un au revoir très doux et très cher. Mais je souhaite de toute mon âme justifier l'entreprise ardue et exaltante – que j'accomplis avec amour.

À ce soir, Anne. D'ici là j'irai prendre un verre au George V avec Hervé Mille. Je passerai à *L'Express* où Jean-Jacques Servan-Schreiber m'attend. Je dînerai avec un ami de l'Assemblée nationale battu en 1958.

Et j'irai rue Levert. Je vous garderai peu de temps pour que vous dormiez tôt et beaucoup.

Je ne vous dirai sûrement pas grand-chose.

Mais vous entendrez mon silence vous parler

F̲

Coupure de presse de *France-Soir* : « Ils ne voulaient pas d'enfants avant cinq ans : ils en ont eu sept en trente mois. Record original pour M. et Mme d'Algy, vingt-cinq ans, de Dunkerque. » Annoté :

« Les belles familles ! (*France-Soir* d'aujourd'hui.) »

54.

En-tête Assemblée nationale, *à* Mademoiselle Anne Pingeot, 39 rue du Cherche-Midi, Paris VIe *(sans timbre)*.

Mardi 14 avril 1964

Ces trois jours qui maintenant vont s'écouler sans que je vous voie je les commence, ce matin, lourdement. Je ne vous en ai rien dit hier soir parce que vous êtes actuellement si merveilleuse, si confiante avec moi – comme vous l'étiez sur la route de Houdan – qu'il me semble vous devoir un peu d'absence ! Si je laissais aller mon goût de vous (et j'emploie le plus petit mot possible) mon bonheur serait fait d'une présence constante.

Mais ce bonheur je ne veux pas le tenir d'une pression qui ôterait à votre acceptation la liberté de choix qui est la marque supérieure d'un accord véritable. J'ai donc forcé mon courage, en attendant vendredi. Et tandis que vous vous éloigniez, tulipes à la main, je sentais que s'éloignait aussi de moi ma joie de vivre. Ne vous récriez pas, mon Anne. Et ne croyez pas que j'exagère mes expressions.

Simplement, un curieux, un terrible sentiment d'absolu m'envahit. Et vous voyez que je me débats assez mal sous l'emprise de ce visiteur imprévu !

Je reçois dans un moment le rédacteur en chef de *Combat* qui désire m'entretenir de la discussion que j'aurai avec Pompidou le 24. Après quoi je verrai Defferre pour préparer l'entretien de demain matin (encore une partie de golf manquée !) qui réunira avec nous, chez lui, Mendès France et quatre socialistes : Gazier (qui fut ministre du Travail) Pineau (ex-ministre des Affaires étrangères) et, Chandernagor (président du groupe socialiste à l'Assemblée) et Métayer (spécialiste des problèmes militaires). À mes moments perdus je lis la *Description de San Marco* (de Butor), qui me plaît bien. Cet après-midi, mon groupe politique discutera d'un projet sur « les réparations consécutives aux calamités agricoles » (!) et la commission des lois de projets secondaires que j'écouterai distraitement.

J'ai fait quelques pas dehors, côté Luxembourg. J'ai regardé, comme vous hier, naître la vie nouvelle surgissant de chaque pousse. Le ciel hésitait entre le bleu de l'été, pur métallique, proche de l'orage, et le bleu du printemps plus fluide et parcouru de colères tendres.

Il a un peu plu. Vous étiez sans doute aux Métiers d'art. J'ai pensé que vous auriez aimé l'odeur de la terre. Je vous ai revue telle que vous êtes arrivée au haut de l'escalier, rue Levert.

Que j'aie appris à ne faire aucun signe, à ne pas tendre la main ne m'a pas appris l'indifférence ! Chaque fois une émotion s'empare de moi, m'étreint. Rien n'est plus comme avant.

Ensemble, les problèmes extérieurs s'effacent.

Une vie intérieure, fleuve irrépressible, m'emporte, vous emporte aussi, je le crois.

L'intimité qui nous unit est comme une pierre de diamant taillée selon des symboles que nous apprenons jour après jour à déchiffrer.

Je crois que je serais capable d'inventer une prière pour vous remercier, quoi qu'il advienne, et pour toujours de m'avoir tant donné !

Mercredi matin

Mon après-midi d'hier a été occupé par la politique. À la Chambre d'abord, mais sans grand intérêt. Au dîner (frugale dînette plutôt) j'ai retrouvé Françoise Giroud (directrice de *L'Express*), Jean Ferniot (rédacteur en chef) et Michèle Cotta (fille de vingt-trois ans sortie du « séminaire » de Sciences Po avec une bonne thèse de doctorat et qui dirige les pages littéraires du même hebdo). Ils devaient partir tôt car le journal est composé dans la nuit de mardi à mercredi pour paraître le jeudi.

À 10 heures nous nous sommes quittés après une conversation très animée et intéressante. On a commencé à découper les passages du livre qui seront publiés dans les numéros des deux prochaines semaines. En raison de cette réunion autour d'une tranche de jambon et de quelques feuilles de salade j'avais dû refuser l'invitation de Bernard Cornut-Gentille, l'ancien gouverneur général de l'Afrique-Occidentale française dont je vous ai parlé et qui est actuellement député-maire de Cannes (il a été ministre de De Gaulle pendant dix-huit mois en 1958/59). Mais nous étions convenus de passer la soirée ensemble. Je suis donc allé chez lui, avenue Marceau, et devant un beau feu de bois, dans un living-room-bibliothèque qui m'a donné au moins une idée pour le mien (qui est peut-être un peu froid) nous avons longuement bavardé : du dernier livre de Paul-Marie de La Gorce sur de Gaulle, qui le met en cause d'une manière inexacte lors de la rupture avec la Guinée ; des problèmes des Alpes-Maritimes (son département) ; des éventualités qui suivront le départ de l'actuel président de la République ; de souvenirs africains. Cornut-Gentille est un homme d'une sensibilité aiguë, qui le rend parfois insaisissable, mais très compétent et très intelligent. Très réussi spécimen, par-dessus le marché, ~~que~~ du quinquagénaire aux tempes grises qu'Hollywood nous propose si souvent en modèle (dans le genre Cary Grant) !

Ce matin je vous écris par un soleil qui frappe en biais sur ma table de travail. Il est 9 h 30. Je pars maintenant pour le domicile de Defferre. Je vous raconterai cet après-midi. Je suis heureux de vous avoir retrouvée un moment. Pas un jour n'a passé depuis octobre sans que j'en ressente le besoin. Mais je ne m'en plains pas !

Après-midi

La discussion a duré jusqu'à 13 heures.

Mendès et Defferre n'étaient au fond d'accord sur rien sinon sur le désir qu'ils avaient d'être d'accord (c'est déjà beaucoup !). Que ce soit sur les plans militaire, économique, institutionnel ou tactique on a marché sur des pointes d'aiguille. Je vous dirai les thèmes principaux du conflit (conflit assourdi mais réel). Dans un instant je vais retourner à la Chambre, puis je recevrai un conseiller d'État qui travaille pour moi la préparation de certaines lois (en particulier mon projet, presque au point, concernant les avions Dassault). J'ai tracé un premier schéma de mon exposé du 24, qui semble devoir animer les esprits ! Un autre député, Coste-Floret, MRP de l'Hérault et professeur agrégé de droit, interviendra lui aussi. Je remplis autant que je le peux mon emploi du temps. Mais ma pensée s'évade sans me demander la permission et vous rejoint à tout moment. Anne, j'aime plus que je ne saurais le dire la douceur, la violence des instants où rien, rien ne nous sépare plus. Mais j'ai tout autant besoin de votre attention, de ce que j'appellerai votre confiance intellectuelle : j'y puise la volonté de chercher davantage et d'agir sans faiblesse.

Soir

Voilà, la journée s'achève. J'ai travaillé mon intervention, pris quelques notes sur deux bouquins de Duverger — et réfléchi. J'ai également mis au point une proposition de loi organique (type de loi obéissant à une procédure spéciale) sur une réforme du Conseil constitutionnel, proposition que je déposerai demain pour qu'elle soit soumise ensuite aux commissions compétentes de l'Assemblée.

Il est maintenant près de minuit. C'est agréable de venir ainsi vous dire bonsoir. Sans doute dormez-vous à cette heure (à moins que le théâtre, le cinéma ou une soirée improvisée…). Je pense à vous avec tendresse. J'aimerais me pencher sur vous, goûter à vous, juste assez pour vous entendre murmurer (comme vendredi, à Marnes) les mots qui me bouleversent. J'aurais le sentiment de posséder un monde heureux dont vous seriez l'âme. Étrange impression, découverte : trouver en vous le chemin de ma paix intérieure.

D'ailleurs, le corps est-il le corps quand on aime ?

Des bouts de conversation reviennent à mon esprit. En rentrant dimanche soir vous m'avez dit, très doucement et comme en confidence « Et pour moi n'est-ce pas, ne serait-ce pas une catastrophe ? ». Alors je médite là-dessus et j'essaie de ranger mes idées sur ce genre de catastrophes là qui tournent autour du verbe aimer. Et voici ma classification, par ordre décroissant :

La première catastrophe, Anne, est d'être mal aimée.

La deuxième catastrophe c'est de n'être pas aimée.

La troisième catastrophe c'est de ne pas aimer.

Et la quatrième catastrophe, c'est d'être bien aimée.

Faut-il que je m'explique ? Je le fais.

Rien de pire que d'être mal aimée. Une femme ne se guérit jamais de s'être donnée — et de n'avoir rien reçu en échange. Rien. Son cœur ne sortira plus — ou si tard, trop tard — de la solitude où l'aura laissée l'horrible déception d'un accord manqué. Dans cette triste aventure quelle est la part du corps et celle de l'esprit ? Qui peut le dire ? L'un et l'autre en tout cas, s'ils n'ont pas tout, n'ont rien – et le savent – et ne pardonnent pas.

Ne pas être aimée, amère souffrance. Moins cependant que d'être mal aimée. Car reste l'espoir et reste le désir. Et si l'espoir et le désir meurent à leur tour, reste l'intégrité physique et morale que ruine sûrement l'échec, le morne échec. Oh ! Anne, quel fol enjeu mais quelle admirable passion : offrir son être à qui l'on aime. Mais quel malheur sans nom que de voir tout détruire quand on croyait construire. Être mal aimée c'est la lèpre.

La troisième catastrophe se situe un degré en dessous : ne pas aimer n'est pas drôle, surtout si l'on fait semblant d'aimer. On s'y use. Mais on ne perd pas grand-chose quand on mise chichement.

Quant à « ma » quatrième catastrophe, peut-être vous paraîtra-t-elle paradoxale. En quoi est-ce un mal que d'être bien aimée ? Mais vous le devinez. Lorsque le don de soi est d'emblée total et décisif, et merveilleusement heureux, rien d'autre n'a plus de saveur. Un amour qui s'émerveille d'être à la fois bonheur et paix, volupté et espérance, apporte en même temps une infinie capacité de souffrance, s'il faut lutter pour conquérir le droit de le posséder, s'il faut s'exposer au déchirement quotidien. Mais vous me répondrez : « Pourquoi lutter ? Il suffit de n'accepter le risque d'être bien aimée qu'à bon escient. » Évidemment. Mais ceci est une autre affaire, qui nous éloigne des nôtres !

Pourquoi cette petite dissertation ? Parce qu'il n'y a rien de pire, que de n'être jamais visité par la grâce. De la deuxième et de la troisième catastrophe il ne sera pas question pour vous : vous aimerez, vous serez aimée (vous l'êtes). De la quatrième je ne dirai rien de plus. Mais de la première, gardez-vous à tout prix. Elle seule vide l'être. Et je perçois en vous un tel élan, une si vraie générosité dans ce que vous donnez qu'il serait plus désastreux pour vous d'être petitement aimée que de l'être immensément – même si l'ordre et la morale sont du côté du petitement.

Jeudi matin

À 9 heures j'étais à Saint-Cloud pour une leçon de golf (enfin !). À 10 heures je suis allé chez Maurice Faure, député du Lot et président de mon groupe parlementaire. Question difficile : nous sommes sollicités à la fois par le MRP (démocratie chrétienne) et par les socialistes pour créer un parti plus vaste. Il penche pour le premier, moi pour les seconds mais nous nous entendons bien et n'y mettons aucun sectarisme. Il faudra pourtant décider. À midi, j'ai repris mon rôle d'avocat : un Équatorien et une Anglaise qui se disputent deux enfants ! Cet après-midi, travail à la bibliothèque du Palais-Bourbon. En fin de journée j'irai voir à l'hôpital Percy mon ancien aide de camp noir, un Soudanais touchant de fidélité, miné par la tuberculose. Et je dînerai avec Pierre Nicolaÿ que vous connaissez, aux Halles.

Je trouve que ma lettre est bien longue ! Eh quoi ! elle relate trois jours loin de vous. Vous avez là le canevas d'une existence prise dans sa toile d'araignée coutumière.

Mais vous en possédez aussi et surtout le secret enchantement, la signification, la clef.

Je ne veux pas m'attendrir. Sans quoi je déchirerais cette lettre et j'en écrirais une autre qui serait longue, elle aussi, qui n'aurait pas de fin et qui ne comporterait que les trois mots

que je n'écris pas

F

À 14 h 30 je serai, demain, à Saint-Placide.

Mais peut-être vous en doutiez-vous.

Vendredi 17 avril, Bagatelle, cathédrale d'Évreux, Ivry-la-Bataille.

55.

En-tête Assemblée nationale, à Mademoiselle Anne Pingeot, 39 rue du Cherche-Midi, Paris VIᵉ *(sans timbre).*

Samedi 18 avril 1964

Je suis à Clamecy où j'ai reçu mes visiteurs dans le bureau du maire. Il est 1 heure. Je vais maintenant déjeuner avec deux conseillers généraux de la région dans un village voisin d'ici.

La route a été difficile sous les rafales de pluie et de grêle. J'ai tout de même roulé à bonne allure. Mais à peine avais-je franchi les premières maisons de Clamecy que la pantoufle rechignait, toussait, s'arrêtait : j'étais en panne d'essence !

Cet après-midi je poursuivrai mon périple vers Château-Chinon. Puis, après dîner, je reprendrai cette lettre – alors que, de votre côté, vous remplirez votre devoir d'État : plaire et danser. Et comme vous avez décidé (vous me l'avez dit cette nuit) de mettre l'embargo sur le plus beau garçon de la soirée je suppose que votre pensée ne viendra guère me visiter. Tant pis pour moi. Mais cela ne m'empêchera pas de me trouver devant cette évidence criante qui tantôt m'oppresse et tantôt me libère : je vous aime.

Quoi ? Il ne fallait pas écrire cela ? Le coquillage-chien n'a pas le droit de prononcer sérieusement les mots les plus sérieux du monde ? Et pourquoi les écrire ? Je crois que ce sont des mots-talismans : dans la solitude morale où m'enferme ce samedi de crachin et de ciel bouché je choisis mes compagnons. Des mots précieux qui me parlent le langage dont j'ai l'immense besoin. Des mots avec suite ou sans suite, peu importe : chacun d'eux a sa propre valeur. Anne – Je – vous – et le dernier, le plus banal, le plus usé, le plus fabuleux, le plus simple, le plus terrible, ami retrouvé, cher ennemi, compagnon du jour et de la nuit (et je me demande soudain ce que je ferais si j'étais privé de lui) – aime.

Rassurez-vous, Anne, rien de ce qui m'entoure ne m'incite au romantisme. Imaginez le bureau d'un maire avec ses faïences grossières, son cartel dédoré, ses plantes grasses gémissantes, son plan de ville multicolore, ses classeurs, sa tapisserie à larges rayures grises, son mobilier de faux acajou et de velours verdâtre. Ce spectacle ferait plutôt rentrer dans la gorge les confidences du cœur !

Mais je renonce à analyser, à disséquer. En moi, il y a l'unité de mon être. Hier j'étais heureux. Aujourd'hui je suis triste. Mais bonheur, tristesse – et les vitraux d'Évreux, et les tulipes de Bagatelle, et la rivière qui découpait si joliment la prairie, et la bougie rose à notre table du dîner, et le retour dans la nuit, et votre visage penché ne sont que les éléments d'un tout : votre présence permanente au cœur même de ma vie. Présence sensible, éclatante et radieuse. Présence douloureuse.

Coudes sur mon bureau, j'ouvre mes mains jointes et j'y loge mes yeux, mon front. Me voilà hors du temps, délivré des frontières. Me voilà au rendez-vous secret. Je vais à vous.

Dimanche 19, après-midi

Plus tôt que prévu je suis à Paris. Rien n'était très nécessaire dans la Nièvre.

Je m'ennuyais. Et en fin de matinée la fidèle pantoufle a été mobilisée pour un retour ultra-rapide sous un ciel méchant qui crachait des averses. Oui, Anne, je m'ennuyais, je m'ennuie. Mauvaise maladie, mal du cœur. Je n'avais pas envie de rester là-bas. Je n'avais pas tellement envie de rentrer. Ah ! que j'ai été sot de ne pas vous demander un bout de la journée d'aujourd'hui, vendredi. Mais je ne l'aurais pas fait malgré tout. Par égard pour vous. Donc il n'y avait rien à faire. Toutes les issues sont fermées. Je vais travailler tandis que des disques tourneront. En d'autres circonstances j'aimerais ce calme intervalle. Une éclaircie entre deux giboulées rend aux oiseaux du Luxembourg la joie de chanter. Quelle éclaircie me rendra ma joie, qui tient à vous, trop à vous ? Il me semble avoir tant de choses à dire et à créer. Mais voilà que par ce dimanche me manque l'élan. Je ne me suis pas défait, depuis vendredi soir, de la nostalgie de l'absence. Et je m'y enfonce.

Hier, après dîner, comme vous le voyez, je ne vous ai pas écrit. Des amis sont venus me chercher à Château-Chinon et m'ont emmené chez eux, dans une noble propriété qu'entourent des vallons couronnés à tous les horizons par la ligne noire des forêts. Nous avons devisé autour du feu de bois, verre bombé d'alcool à la main. Une jeune femme belle et silencieuse, que je ne connaissais pas, était comme moi, invitée de la dernière heure. Elle s'appelait Anne. Ce nom m'attirait étrangement. Je lui ai parlé, doucement. Que pouvait-elle comprendre ? Je vous imaginais là, avec moi, passant ces heures d'après le jour, d'avant la nuit, quand de lentes conversations font monter à la surface les questions éternelles. Dehors la tempête cognait les vitres, pliait les arbres, hurlait contre la maison. Quand je suis monté me coucher, longtemps avant les autres, j'ai bien songé à tracer quelques mots pour vous. Il était près de minuit. Vous dansiez. J'ai pensé « à quoi bon » et j'ai éteint la lampe.

À travers ce dimanche je ne parviens pas à vous quitter. Je m'ennuie de vous. Je suis triste. Être triste est-ce être faible ? Je n'aime pas être faible. Quand cette lettre sera finie, j'hésiterai encore à vous l'envoyer mais je m'y obligerai : pourquoi se composer un visage ? Cette tristesse, je le sais, est la rançon de la joie que je puise en vous. Vendredi j'ai arraché mes lèvres des vôtres pour vous dire ce qui criait en moi : les années, les souvenirs, les sensations, les désirs s'abolissaient dans cette unique certitude ; j'avais trouvé ; je n'avais plus à chercher ; tu étais là, mon tout. Alors, Anne dites-moi la recette : comment vivre le lendemain — sans vous ?

Pourtant à mesure que j'écris ces pages un peu de jour se lève. Je vous verrai, rue Levert, et lundi soir ce n'est pas le bout du monde !

J'hésite à me réjouir. Trois petits quarts d'heure auront quelque peine à apaiser cette inopportune exigence, cette intolérance à l'absence qui gagne du terrain. Mais je ne veux être ni mesquin ni injuste. Ce que j'ai de vous m'a révélé un univers que j'aime plus que tout. Et je me plaindrais ? Allons, il faut du courage pour être heureux.

Soir

J'ai décortiqué un discours de Debré, un article de Goguel, une analyse (biscornue) de Burdeau consacrés au rôle de l'exécutif dans l'actuelle Constitution. Je commence à voir clair, non dans ce que j'aurai à dire vendredi (je crois que je le sais) mais dans l'ordonnance de l'exposé.

La matière risquant de passer par-dessus la tête d'un certain nombre de députés il faut que je fasse un effort pour être compris comme je le désire. Je fignole donc mon schéma. J'y introduirai la chair du discours quand j'aurai exactement mis au point l'articulation. Les trois premières feuilles de cette lettre sont trop embrumées à mon gré. D'avoir travaillé, puis d'être allé vous porter quelques jonquilles ramenées à votre intention m'a un peu sorti du spleen où je naviguais assez mal (je n'en ai pas grande habitude). J'ai marché jusqu'à Sèvres et bayé aux corneilles – acheté un journal – lu « les nouvelles sportives » – et pensé que j'avais à m'émerveiller de ce que je possède – ce que vous m'apportez – avant de faire le difficile !

J'ai recopié un charmant petit portrait de la « vache » découvert dans les *Histoires naturelles* de Jules Renard. Je le joins à cette lettre. Cela vous rappellera nos considérations d'Ivry-la-Bataille sur la gent bovine !

Quel a été votre dimanche ? Un lever tardif, sans doute, pour récupérer à la fois de la nuit sans sommeil et de la dépense de charme ! Êtes-vous allée à Saint-Eustache ? En lisant *Le Monde* j'ai vu que le curé de cette paroisse était un certain père Boulay. Cela pourrait être l'un de mes camarades de captivité, un dominicain à l'éloquence aussi sonore que creuse, avec ce mélange de spiritualité et de bon appétit devant la soupe aux choux qui caractérise cet ordre. À vérifier.

J'ignore encore si j'aurai mon livre demain. Si oui je vous l'apporterai. Sinon mardi soir ou mercredi en fin d'après-midi j'espère que vous me donnerez l'occasion de vous montrer ce nouveau-né !

Tous nos souvenirs de ces quinze derniers jours se pressent à mon esprit. Je suis seul. La nuit est tombée. Le silence s'établit dans la rue Guynemer. Quelques lumières de la rue Médicis, de l'autre côté du Luxembourg, échappent encore aux frondaisons qui vont maintenant s'épaissir. Elles me rappellent qu'une immense ville cerne le beau jardin, que tous les beaux jardins sont ainsi cernés. L'image me plaît. Vous êtes le beau jardin de ma vie. Un jour je chercherai dans Proust ce passage que je ne puis lire sans une émotion profonde et qui évoque « les petites déesses allégoriques » vers lesquelles se tourne l'adoration des hommes – et leur plus vivace espérance.

Quand je regarde votre visage après avoir bu en lui comme à la source de ma joie, j'éprouve une sorte d'exaltation devant la pureté qui l'imprègne – ô pureté d'un matin clair et d'une âme neuve, petite déesse qui ne sait pas l'allégorie dont s'enchantera celui qui cherche à lire, ou plutôt qui réapprend à lire de simples, d'admirables vérités.

Bonsoir, Anne, à demain. Penser à vous – et comme cela, c'est aussi tenter de répondre à soi-même

F

P.-S. Peut-être la série complète des peintres de Vasari vous serait-elle utile. Les traductions sont assez rares hors des bibliothèques. Par chance j'en possède une. Je serais ravi de vous fournir cet excellent moyen de travail dont l'inconvénient est cependant de n'explorer que la peinture florentine.

Dites-le-moi.

Documents joints :
« La Vache » par Jules Renard (*Histoires naturelles*). Texte recopié à la main.

Coupure du *Monde*, 19-20 avril 1964, p. 3, « Une proposition de loi de M. Mitterrand sur les obligations des membres du Conseil constitutionnel ». Annoté :

« Voici ma loi de cette semaine !! dont vous avez eu la primeur. "Les fonctions des membres du Conseil constitutionnel sont incompatibles avec l'exercice de tout mandat électif, de toutes fonctions publiques et de toute autre activité professionnelle ou salariée." »

56.

Carte de visite blanche accompagnant un bouquet de narcisses,
à Mademoiselle Anne Pingeot, 39 Cherche-Midi.

19 avril

D'un jardin de printemps

57.

En-tête Assemblée nationale, à Mademoiselle Anne Pingeot,
39 rue du Cherche-Midi, Paris *(sans timbre)*.

25 avril 1964, 7 h 30

Vais-je à mon tour faire parler les fleurs ? S'il n'avait été si tôt j'aurais aimé vous déposer trois roses rouges.

L'une pour accompagner vos journées de silence
l'autre pour vous attendre, chez vous, fidèle
la troisième, qu'en auriez-vous fait ? Je ne sais – car c'est celle qui aurait dit que je vous aime et que je vous remercie
sans cesse
de
tout.

<u>F</u>

58.

Petite enveloppe blanche de carte de visite épinglée à un bouquet,
à Anne Pingeot, EV.

Le 27 avril 1964

Une rose pour les pieds las
Une rose pour le cou tordu
Une rose pour la gorge brûlante
Une rose pour l'âme inquiète
Et la cinquième
<u>Pour vous</u>

F

59.

En-tête Assemblée nationale, à Mademoiselle Anne Pingeot,
39 rue du Cherche-Midi, Paris *(sans timbre, traces de papier collant*
l'attachant sur le dossier de presse).

Lundi 27 avril 1964

Anne, j'ai sur ma table pendant que je vous écris votre carte de Chartres et le petit mot qui m'annonce que nous ne nous verrons pas ce soir. Évidemment, je suis très déçu.

Mais je désire surtout que vous vous reposiez. Aussi je pense à vous très tendrement. Je fais le sacrifice de cette soirée de tout cœur si cela vous aide à n'avoir plus mal. Et je vous espère pour demain avec la même joie, la grande joie de toujours.

Cela me peine cependant de vous savoir souffrante – et douloureuse. Par ce beau soleil, par cet air embaumé de toutes les senteurs d'un printemps enfin installé pour de bon j'imagine combien vous seriez heureuse de respirer, de vivre. Je voudrais avoir assez de force pour que cette pauvre petite lettre soit messagère de paix en vous. Je ne puis rien pour vos pieds (qu'un pèlerin ait mal aux pieds, c'est bien normal, mon Anne aimée !). Pour votre cou, vous le savez, je dispose d'une kinésithérapeute-miracle. Si ça continue demain, il faudra aviser. Pour l'angine, hum ! c'est déjà plus difficile. Vous connaissez sûrement mieux que moi les remèdes de bonne femme qui conviennent. Quant à l'âme, ô Anne, c'est aussi mon mal à moi. Plus et mieux je vous connais plus et mieux j'apprends à aimer votre exigence intérieure.

Je déteste que vous soyez ou malheureuse ou mal à l'aise à cause de moi. Je voudrais que tout ce qui vous vient de moi soit soumis à mon immense désir d'accorder le sourire de votre visage au sourire de l'âme. Je sais que c'est difficile mais il faut que vous, vous sachiez que ce que je vous apporte aujourd'hui (si je vous apporte quelque chose) est plus que jamais fait du meilleur de moi-même (qui n'est peut-être pas fameux !). Quand je considère le chemin parcouru, j'éprouve un élan merveilleux de gratitude pour vous. Mais je comprends (et j'ai mal moi aussi de cela) qu'un tel accord puisse être à la fois source d'angoisse et source de bonheur. Que puis-je vous dire sinon que je m'adresse cent reproches, sauf un : celui de vous aimer ?

Anne cette lettre est déjà finie. On m'appelle et je dois partir. J'avais de quoi pourtant vous écrire des pages ! sur mon week-end (épuisant) sur mon autocritique pour vendredi. J'ai pensé que cela pourrait vous distraire que de lire ma revue de presse sur le débat parlementaire. Vous me la rendrez demain. Je vous la joins donc.

Pour demain je serais très très content d'aller vous chercher avant déjeuner. Mais sans doute ne pourrez-vous pas. À J'irai quand même à 12 h 45 rue Saint-Placide. Ne vous en inquiétez pas et ne me répondez pas si vous ne pouvez pas venir. Je serai dans ce cas de nouveau à Saint-Placide à 14 h 30. Mais si vous êtes libre après le lycée italien j'espère aussi n'être pas obligé de vous quitter dès 7 heures le soir ! Bref, j'adore vous voir ! Et ce lundi sera celui du pain sec !

Anne, guérissez, ne soyez pas trop triste, je ne vous quitte, au fond, jamais

F

Si vous êtes en forme nous ferons
vendredi
une balade formidable !

60.

En-tête Assemblée nationale, à Mademoiselle Anne Pingeot,
39 rue du Cherche-Midi, Paris *(sans timbre).*

29 avril 1964

Anne, je pars dans une heure pour Londres et je dois passer auparavant quelques instants chez Defferre. Je ne vous écrirai donc qu'une lettre hâtive et qui exprimera fort mal ce qui me pousse à vous l'envoyer.

Mais voilà : je ne peux pas attendre pour vous dire, vous redire, que triste ou heureux mon cœur est plein de vous. Je m'émerveille du don qui m'a été fait, de ces mois si riches, de votre présence sensible et tendre qui m'a apporté toute la délicatesse du monde.

Mais chaque fois que je vois clairement que ce qui nous unit est pour vous source d'angoisse et de déchirement j'ai mal moi-même. Il me semble que je manque encore du courage qu'il me faudrait pour dominer la violence de la joie ou de la peine qui s'emparent de moi dès qu'il s'agit de vous. Je vous aime et ne puis désaimer et ne puis me défaire du bonheur d'aimer, de l'espoir d'aimer.

J'ai trop vécu pour ignorer la qualité, la vérité rares, oui, mon Anne, tellement rares de notre accord. Oui, le vent s'est levé et mon ciel, traversé de vents contraires et de tempêtes, ressemble à celui d'hier quand le soleil du soir l'emporte et nous offre sa pureté poignante et souveraine. Le vent s'est levé sur ma vie.

Et vous êtes là, devant moi, mon île, ma terre, mon bien, mon port, ma paix – et dans le moment même où je trace ces mots je sais et je comprends tout de vous qu'habite une grande exigence. Ah ! comment démêler ces contradictions !

Je vous écrirai ce soir d'Angleterre. Au cas où cette lettre de Londres n'arriverait pas avant vendredi matin sachez, une fois de plus, que si je n'oublie rien de ce que vous m'avez dit, que si au fond de moi j'y réfléchis sans cesse, je ne puis m'empêcher d'imaginer ces prochains jours de vacances (enfin !) comme un havre de joie simple et vraie. Je reviens demain au début de l'après-midi. De vendredi à dimanche je n'ai rien à faire ! Je n'arrive pas à y croire ! Mon rêve peuple de balades, de délivrance, de sourire aux choses, d'amitié, de confiance, de recherche en commun ces trois jours sans prix. Cela vous paraît-il si contradictoire ?

Si vous êtes restée à Paris j'irai vous chercher à 12 h 30 rue Saint-Placide vendredi. Ce sera le 1er mai. Il y aura le muguet et les rues silencieuses. Si vous êtes prise eh ! bien je viendrai à 14 h 30. Mais songez à votre responsabilité : je serai seul et bâillerai d'ennui pendant le déjeuner (heureusement, j'aurai à lire les bandes dessinées de *France-Soir*) ! Nous ne sortirons pas de la grand'ville et ferons les explorateurs dans les quartiers inconnus ! Je vous interrogerai sur Léonard de Vinci. Préparez-vous : j'ai ici un bouquin que je potasse et vous poserai des colles très calées.

Et puis, et puis, ô Anne, je vous aimerai comme vous aimez – comme vous n'aimez pas : du fond de cette âme divisée que peu à peu je vous livre incertaine, mais donnée

F

Au-dessus de la Manche je dessinerai sur la mer le nom que j'aime
ANNE
    personne ne le verra
    et le flot l'effacera
    mais moi je me souviendrai.

61.

De Vere Gardens, Kensington, Londres,
à Mademoiselle Anne Pingeot,
39 rue du Cherche-Midi, Paris VIe, France.

Jeudi 30 avril 1964

Ces mots et ces chiffres, jeudi 30 avril, je ne les écris pas sans mélancolie tant j'ai aimé ce mois tourmenté, fort et tendre. Je pense à vous, Anne. Vous m'avez réappris sans vous en douter que l'on peut comme le printemps renaître à soi-même.

Et savoir qu'à Paris en cet instant vous demeurez proche de moi me cause une joie poignante.

Je viens de passer des heures très bousculées. Discussions, rencontres, conférences, Radiotélévision. Et maintenant je vais bavarder avec lord Gladwyn qui fut ambassadeur à Paris et qui préside toujours le Comité britannique pour l'Europe. J'ai laissé tomber le directeur du journal *Daily Mirror*, pompeux et gominé, pour vous retrouver le temps d'une petite lettre qui vous dira (une fois de plus) ce que je sais depuis des mois : j'ai un profond besoin de vous rapporter la moisson (bien modeste, souvent) de mes journées. Je crois – et c'est une étonnante certitude – que vous me comprenez absolument. L'accord de l'esprit, ce n'est pas si mal ! (Et s'il n'y avait que cet accord-là !)

J'habite un hôtel correct et vieillot qui donne sur le Kensington Park, très vaste jardin sans solution de continuité avec le fameux Hyde Park où l'on voit les prédicateurs, les marchands à la sauvette et les crieurs de publicité, debout sur des chaises et entourés d'un public respectueux, déballer leur attirail qui va de l'exégèse biblique au cirage pour chaussures. Ce jardin est minable d'apparence : on aperçoit de la rue des pelouses mitées et le grillage de protection se tord parmi ses trous. Mais de près, c'est une autre affaire : des fleurs à foison, pressées, mêlées, un peu comme à Bagatelle dans un savant désordre, ont donné à mes (brèves) promenades entre deux rendez-vous valeur de rencontre secrète et désirée avec la pudique beauté de splendeurs simples. Tout me parle de vous : un quartier pauvre, des bâtisses laides et j'entends vos protestations, un bout de ciel bordé de nuages dorés et je sais que votre cœur s'émeut, une ville inconnue, bruyante, échappant à toute analyse et je deviens curieux de votre curiosité, des fleurs et je guette votre joie toujours prête à s'émerveiller, à aimer. Vous êtes si importante pour ma vie, mon Anne. Vie sentimentale, certes – mais tellement plus. Il n'y a pas de domaine, jusqu'à la plus pure recherche que je ne voudrais posséder avec vous. Cette ambition du cœur et de l'esprit qu'orchestre le désir enrichit, exalte, touche à la plénitude. À Londres, par un jour comme tous les jours, loin de vous, près de vous, au-delà des questions qui divisent ou déchirent, je sens que le lien le plus fort m'unit à vous. Et je vous écris cela alors que j'ignore encore si vous êtes ou non partie pour l'Auvergne, si je ne vais pas connaître l'horrible coup de poignard d'apprendre votre absence ! oui, je vous écris cela parce qu'auprès de cette découverte qui m'occupe tout entier : <u>votre présence inaltérable en moi</u>, le reste n'est plus que de circonstance.

Anne, mon Anne à demain (?). Je l'espère profondément. J'apporterai mes fiches. Vous verrez, c'est un sujet formidable.

F

Samedi 2 mai, Chantilly, basilique de Saint-Denis.
Dimanche 3 mai, Ville-d'Avray, Saint-Cloud.

62.

En-tête Assemblée nationale, à Mademoiselle Anne Pingeot, 39 rue du Cherche-Midi, Paris *(sans timbre)*.

Dimanche 3 mai 1964, 23 h 30

J'ai posé votre photo devant moi, sur mon bureau. Non seulement je l'aime pour l'image qu'elle me donne de vous mais aussi et surtout pour le signe qu'elle portera à jamais, au terme d'une journée dont toute ma vie j'entourerai, je bénirai le souvenir. Je viens de vous quitter. J'ai allumé la lampe de mes veilles (un cheval vénitien en cuivre sert de support et l'abat-jour, couleur miel, est d'un tissu serré). Je pense à vous, si tendrement qu'il n'est pas possible qu'en cet instant votre cœur ne le sache pas. J'ai le cœur et la conscience plus libres, plus tranquilles depuis que je vous ai parlé. De moi à vous tout est dit. Je ne le regrette pas, même si cela vous effraie. Pour le temps qui vient je ne désire qu'approfondir nos raisons d'assortir notre incomparable entente de la beauté et de la grâce dont j'écoute en vous comme en moi l'approche. Ne craignez pas, mon Anne, la surprise ou la faiblesse qui déplacent soudain les plus solides poteaux-frontières. Jamais je n'attenterai à votre liberté fondamentale : celle de choisir vous-même votre voie, et s'il le faut, votre amour hors de moi.

Cette liberté-là vous la perdrez quand vous l'aurez décidé, librement. Mais ce ne sera que pour engager votre vie. Je n'entamerai pas votre vérité. Si vous prenez un jour le chemin qui va vers moi la mort seule m'arrachera de vous. Si vous prenez un autre chemin, mon orgueil et ma joie, au beau milieu de ma douleur, seront d'avoir préservé l'intégrité de celle que j'aime. Au moins j'aurai gagné l'attachement de ton âme, Anne chérie, qui vaut bien tous les renoncements.

Et je bénirai encore l'heure qui m'a valu de vous connaître, de vous approcher et de goûter toute la pureté du monde dans le partage secret qui est nôtre. Quant à moi, quoi que vous fassiez je m'efforcerai d'être digne de ce que je possède – afin de compenser par sa plénitude et par sa qualité le peu de temps qu'il me reste, en tout état de cause, à vous donner.

Pardonnez cette lettre : elle sort de moi, comme ça, en désordre. Mais je ne veux pas en corriger l'immédiate expression. Je veux être tel que je suis, ce soir entre les soirs, cette nuit entre les nuits. J'ai l'immense volonté d'un équilibre difficile et merveilleux. Je le pourrai mieux maintenant puisque je sais ce que j'ai, puisque je sais ce que je ne puis avoir sans ruiner votre paix intérieure, puisque je sais que sans cette paix vous ne serez jamais heureuse – et que là où vous ne serez pas heureuse je ne trouverai pas mon bonheur. Ah ! je sens si fortement la nécessité de vous aimer selon vos lois qu'il me tarde de voir le beau sourire de nos beaux jours éclairer à nouveau le visage dont je ne supporte pas le chagrin.

Vous ai-je parlé trop gravement rue Saint-Placide, à vous déjà si secouée ? Je préfère pourtant que tout soit clair, que vous ne vous mépreniez pas, que vous ne tombiez pas dans vos fameux contresens. Votre peine me déchire. Votre joie m'exalte. N'est-ce pas indiquer mon choix ? Mais je voudrais vous adresser un reproche. Est-ce par orgueil, par pudeur, par jeu ou par tiédeur que vous ne m'avez pas dit plus tôt ce « c'est tellement évident » qui va désormais commander mon esprit ? Sachez qu'un homme qui aime cherche plus l'âme que le corps d'une femme. Mais s'il doute de l'âme il tente désespérément d'atteindre le corps pour trouver un chemin – et un langage commun.

Mais Ah ! si je puis compter sur votre pensée, sur le lien de votre choix, sur votre tendresse pour le temps que vous déciderez tout me sera aisé, jamais plus je ne vous ferai mal et je m'émerveillerai d'être le compagnon de prédilection auquel on <u>accorde</u> son cœur (comme on dit <u>accorder</u> un piano !).

Voilà. Je vais dormir. Il est très tard. N'aie pas de peine. Je t'adresserai ma petite prière comme chaque soir à ceux que j'aime, mais avant tous. Et tu entendras avec moi ce chant du *Fou d'Elsa* :

> *Je suis ici séparé d'elle*
> *Et j'y fais l'essai de la mort*
> *Le temps sans toi m'est infidèle*
> *J'y suis ma propre citadelle*
> *Une boussole sans le nord*
>
> *Ma reine au loin ma flamme éteinte*
> *Dont se réveillent les miroirs*
> *Tout porte à ton nom une plainte*
> *Toute chose est ton ombre peinte*
> *Toute lumière ta mémoire*

Oui, je chante pour toi l'âme que tu m'as donnée, Anne.

F

Lundi 4 mai 64

Cela fait tout drôle cette journée sans vous. Tout drôle et pas drôle ! À vous cela permet de souffler, j'en suis sûr, et sans doute avez-vous besoin de cette halte. À moi cela paraît curieusement anormal : je n'ai besoin que de vous.

Et pour tout. Par exemple pour vous raconter que cette nuit après vous avoir écrit j'avais tellement froid que j'en tremblais (peut-être était-ce aussi une tension qui s'apaisait). J'ai pensé à vous plus tendrement que jamais. À 9 heures je suis allé prendre une leçon de golf. Mais je n'avais aucun goût à taper sur cette balle absurde. Je me suis occupé de mon courrier, à l'Assemblée. J'ai reçu deux livres. L'un du député-maire de Bourges, Boisdé, sur *Technocratie et Démocratie*, l'autre, un recueil de poèmes sur le Pays basque.

J'ai rendez-vous ~~ce soir~~ en fin d'après-midi avec un journaliste qui veut m'interroger sur le Congrès national des maires (qui se tient mardi, mercredi, jeudi. Je n'y ferai que des apparitions. Je m'occupe fort peu de cette association). Mon dîner de ce soir avec Vincent Auriol m'est agréable. J'aurais plus encore aimé l'achever à 21 h 45... Mais je comprends qu'il vous faut réattaquer le travail !

En plus de mon journaliste je verrai avant dîner un M. de Voguë qui préside le comité d'aménagement du Morvan et la femme de l'aide de camp noir dont je vous ai parlé (malade à l'hôpital Percy de Clamart). Et ma journée sera finie. Je l'aurai vécue dans la pensée d'un être qui m'est infiniment cher. Un jour passé sans vous – ouf !

J'ai oublié de vous faire une requête. Je serais très heureux de vous avoir à dîner le mercredi 13 mai. Peut-être avez-vous deviné pourquoi !

Ma joie serait de vous gâter ce jour-là précisément (mais comment ? avec un gâteau en chocolat formidable ?). Votre présence m'offrirait, renversant les rôles, un merveilleux cadeau. Le plus beau (mais votre photo, déjà incorporée à moi, me fond aussi le cœur de plaisir !). Je veux de tout mon être que le 13 mai 1965 ! vous n'ayez pas à penser que votre année n'a contenu que du vide... je veux servir, ô Anne, ce que vous espérez de vous. Avec votre tendresse, j'y parviendrai.

Pour mercredi prochain je passerai à 1 heure rue Saint-Placide. J'attendrai jusqu'à 1 h 10. Si vous ne pouvez pas passer à ce moment-là voici les indications : je plaide l'affaire Rinieri à la IXe chambre de la Cour d'appel, au début de l'après-midi. Vous pouvez entrer au Palais de Justice sans formalité. Entrer dans la salle qui est publique, donc d'accès libre. Des huissiers vous indiqueront comment vous reconnaître dans le dédale des couloirs. Ne soyez pas intimidée. C'est facile.

Si vous n'êtes pas arrivée à 16 h 30 je vous attendrai devant la grille de la cour de Mai, à la sortie, à 17 heures. Si vous n'êtes absolument pas libre sachez seulement que je serais triste de ne pas vous voir avant samedi, que je n'ai pris d'obligation ni mercredi soir, ni jeudi après-midi. Et si décidément rien n'est possible sachez que je penserai à vous comme je n'ai pas cessé de le faire depuis... longtemps. Enfin, pour samedi, si vous n'êtes pas trop fatiguée et si vous disposez d'un moment, dites-le-moi par un petit mot. Je serai là et quand vous me direz (je reste également dimanche).

Je vous écrirai de nouveau jeudi. Vous aurez en fin de semaine des fiches Michel-Ange.

Et maintenant il faut clore cette lettre. Il est 7 heures du soir. Je me dépêche de vous la déposer. Je suis votre

F

63.

En-tête Assemblée nationale, *à* Mademoiselle Anne Pingeot,
39 rue du Cherche-Midi, Paris *(sans timbre)*.

Mardi 5 mai 1964

Trouverez-vous que j'exagère si je vous écris encore aujourd'hui ?
Mais je n'y puis résister.

J'ai bien quelque scrupule à l'égard du Pensionnat du 39, à l'égard
d'une Martine-Morale de plus en plus sévère, à l'égard de mon Anne
bousculée sans répit par ce correspondant qui manque, à l'évidence,
du sens de la mesure. Alors pourquoi me céder à moi-même ?

Je n'en finirais pas avec mes raisons. Je me bornerai donc à en noter
trois qui me feront peut-être pardonner.

Première raison : chaque matin des jours où je ne vous vois pas je
dois traverser une zone (de 9 à 11 heures, après le courrier et avant
le gros du travail !) aride. Vous me manquez. J'ai besoin de vous.
Vous n'êtes pas là. Plexus et poignets me servent de mémoire. J'ai
mal de vous.

Deuxième raison : depuis lundi, non, depuis dimanche de l'autre
semaine pas un jour n'a passé sans une communication entre nous. Ce
dimanche-là c'était la carte de Chartres. Lundi, le petit mot « Anne
Pingeot… ». Mardi, Houdan, Dreux, le cours séché. Mercredi je vous
ai écrit, jeudi, idem. Et vendredi, samedi, dimanche j'ai vécu une
étrange et profonde aventure : vivre près de vous. Hier, enfin, la lettre
du lundi. Eh bien ! dussé-je vous lasser (dites-le-moi quand même si
cela est le cas) je ne peux pas m'habituer à ce qui me sépare de vous.
Pour tout dire : je suis très heureux avec vous. Mieux encore : heureux ou pas, existe entre nous cet échange permanent qui seul permet
d'entreprendre, d'espérer, de vouloir, de pouvoir – au-delà du bonheur qui n'est pas un but en soi – une communion créatrice (capable,
justement, d'absorber, d'intégrer la souffrance, de lui donner un sens,
de s'en servir comme d'un moyen de progrès – langage pratique – ou
de perfection – langage spirituel). Alors je n'ai pas envie, pas envie
du tout, par ce mardi 5 mai, de rompre le fil.

Troisième raison : ah ! pourquoi la répéter ? Si pourtant, je le ferai,
car elle seule, Anne, soyez-en sûre de tout votre être, explique le reste,
tout le reste : je vous aime.

J'ai réfléchi, et beaucoup, à notre soirée de dimanche. Et contrairement au 20 décembre je n'en retire ni désarroi ni véritable anxiété. Mais je dois, je vous dois d'aller plus loin dans le récit de moi-même. J'ai d'ailleurs esquissé ce que je vais vous dire dans ma lettre d'hier. Dans notre histoire depuis octobre je distingue plusieurs phases (comment diriez-vous Hannah ? « plusieurs évolutions » ?).

Jusqu'à ce 20 décembre tout a été lumière. Je marchais à mon tour sur les eaux. Quel bonheur ! Mais je ne pouvais pas ignorer une vérité qui peu à peu prenait toute la place : Visage, image, figure, symbole, ce qui était, malgré tant de grâce, à l'extérieur de ma vie s'installait à l'intérieur.

Était-ce mieux ? moins bien ? Moi je n'hésite pas à conclure : c'était mieux. Peut-être êtes-vous faite pour une carrière de sylphide. Pas moi. Vous avez du mépris pour vous quand votre corps parle et vit ? J'en aurais pour moi si je n'aimais dans une femme que sa démarche immatérielle, l'ombre d'une ombre qui passe sans trace. Vous n'êtes pas pour moi un poème, un trait dessiné sur la surface d'un lac, une petite fille d'Ossian.

Vous êtes pour moi la vie, la mort, le sang, l'esprit, l'amitié, la paix, l'espoir, la joie, la peine. Tout cela cogne, fait mal, ou bien émerveille, purifie.

Tout dépend de ce que l'on en fait. Mais au moins cela est. S'il est une vie éternelle elle ne peut être le contraire de la vie sur la terre mais son complément, son accomplissement, sa sublimation.

Ou bien ça ne signifie rien (hum ! je tranche ce débat avec une assurance qui m'étonne ! Enfin, c'est comme cela que j'imagine ou que je sens).

Que vous soyez à l'intérieur de moi, depuis Hossegor je n'en puis plus douter. Alors, évidemment, se posent d'autres problèmes. Pourquoi ne pas les aborder ensemble ?

Il est une question fondamentale (et vous ne comprendrez rien à ce que je suis, ni à mon comportement vis-à-vis de vous si vous ne connaissez pas la réponse) : je ne sais pas quels sont les sentiments que vous avez pour moi. Remarquez que je ne vous les demande pas. J'aurais trop peur de vous entendre redire ce que vous m'avez déclaré deux fois (vous pensez bien que je n'ai pas oublié) – d'abord rue Saint-Placide, au retour du *Roi sans divertissement* après des heures merveilleuses, ensuite en rentrant des Buttes-Chaumont, vendredi dernier : « Vous savez, je ne vous aime pas. » Oui, pourquoi m'avez-vous dit cela ? Vous pouviez au moins vous taire. ...?

C'était une façon d'être honnête ? De me signifier que notre histoire était une aventure pittoresque ? Que vous flirtiez et rien de plus ? Vous aviez peur de me créer des illusions ? Non, Anne, ce n'était pas nécessaire. Je ne suis pas une pâte molle. Je n'ai jamais donné valeur d'engagement à vos élans.

Comment ne respecterais-je pas la liberté d'une fille de vingt ans dont j'ai tout de même deviné et le goût de vivre, et l'immense besoin d'absolu, et l'intégrité physique et morale ? Vos contradictions n'ont rien de méprisable. Il serait fâcheux que vous n'en ayez pas. Vous seriez déjà mûre pour Riom !

Au surplus n'y a-t-il pas <u>aussi</u> une admirable vérité dans le don de soi ?

Mais j'en reviens à la question : je ne sais pas vos sentiments. Alors je me cogne à la fenêtre, j'ai l'envie furieuse de respirer l'air que je pressens de l'autre côté, je lèche la vitre, j'applique mon front à sa fraîcheur, j'aime follement le monde de mon rêve à la manière d'un prisonnier qui bute sur quatre murs. Je vous embrasse ? Non je vous interroge. Je m'abîme en vous, comme notre dernier soir ? Non je vous interroge. Je vous désire ? Non je vous interroge.

Par contre si mon imagination me rassure et me suggère que vous m'aimez au moins assez pour que l'histoire qui m'unit à vous ait un sens, tout change. C'est le vitrail qui me confère la force (tourmentée, douloureuse) de vivre tout janvier sans viatique de vous. C'est votre parole de confiance sur la route de Houdan, avant Pâques. C'est votre carte de Chartres. C'est votre « tellement évident ». C'est votre photo. Alors, Anne, je n'ai plus besoin des apparences de la possession. Mon cœur suffit à aimer. Le mouvement qui me pousse, ouragan, à me fondre en vous, je le domine. Tout est calme en moi. Un peu comme au zénith d'août ces nuits où terre et mer semblent ne plus bouger et cependant, sous la paix du ciel, est-il pareille et plus complète union ?

Aussi bizarre que cela vous paraisse les moments de désert (il y en a très peu) me font l'effet d'un courant discontinu : je cherche votre visage, votre accord, votre consentement avec une sorte de désespoir comme le prisonnier de la page précédente qui griffe le mur de ses mains.

Mais que voilà des explications ! Faut-il les résumer ? Avec votre sourire et votre tendresse je puis vous réserver, je vous le jure, la plus belle surprise : ne jamais désaccorder votre désir d'être digne de ce que vous attendez de vous – avec ce que vous attendez de moi.

L'espérance que j'ai de vous pour plus tard quand vous saurez où vous en êtes, je vous l'ai dite dimanche soir en vous quittant. Elle est MA VÉRITÉ. Elle seule suppose l'accomplissement définitif du cœur, du corps et… de l'âme. Après tout, il n'y a pas qu'au Puy-de-Dôme qu'on rencontre le plissement hercynien. Le granit ça se trouve ailleurs que chez Anne. En Morvan, peut-être à Touvent.

Et puis zut, ça suffit. Encore huit pages gribouillées ! Et mon dossier Rinieri, énorme, ventru qui m'attend ! Et j'ai pourtant encore des masses de choses à vous raconter (par exemple le dîner d'hier soir occupé par une très intéressante conversation sur Jaurès) ! Vous savez aussi que je rêve d'une bonne journée de travail en commun avec vous : que ce serait bien ! etc. etc. ENFIN

ANNE PARDONNEZ-MOI POUR TOUT ET

RENDEZ-MOI VITE LE REGARD HEUREUX

QUE J'AIME PLUS QUE TOUT

F

64.

En-tête Assemblée nationale, à Mademoiselle Anne Pingeot,
39 rue du Cherche-Midi, Paris *(sans timbre)*.

Mercredi 6 mai 1964

Une paix profonde, heureuse règne en moi. Anne, mon Anne, je vous espérais tant après ces deux longs jours. Merveilleuse journée. Votre présence m'était chère tandis que je plaidais pour mon « mauvais garçon ». Et nous étions si proches l'un de l'autre, sans avoir à le dire, dans l'antique bistrot de l'avenue Blanqui. Oui, ce soir tout est bien.

J'aime écrire votre nom. J'aime penser à vous. J'aime la joie qui vient de vous. J'aime la paix que je vous dois. Je vous aime.

Bonsoir.

Jeudi 7

Hier soir, après avoir reçu mes deux visiteurs et dîné frugalement je tombais de sommeil ! Mais je voulais que vous sachiez, même en peu de mots, combien comptait pour moi ce 6 mai. D'où ce début de lettre sans queue ni tête, mais vous vous y retrouverez !

Ce matin très tôt je suis allé à Saint-Cloud par un temps magnifique et je me suis entraîné (au golf) près d'une heure. Après quoi, consciencieux, je me suis rendu au Congrès national des maires de France qui se tient à l'Hôtel de Ville. Là j'ai rencontré une douzaine de maires nivernais avec lesquels j'ai ensuite déjeuné (au Cochon de lait près de l'Odéon). Trop de plats, trop de paroles : mon après-midi s'en est alourdi !

À table l'un des deux sénateurs de la Nièvre (mon successeur) qui revient d'un voyage aux Indes a été intarissable mais intéressant sur Agra, Bénarès et Karachi. Puis nous en sommes revenus à nos problèmes morvandiaux !

Dans un moment j'irai à Radio-Luxembourg où avec Carous (maire UNR de Valenciennes) et Dardel (président SFIO du conseil général de la Seine) aura lieu un débat sur la gestion communale. Je dînerai chez Robert de Billy, rue de l'Université, vieil homme charmant (spécialité : grand quelque chose de l'ordre de Malte) et l'un des dirigeants d'Esso-Standard.

Mais ce dîner sera rapide car je prendrai le train de 10 h 20 pour Bayonne : en rentrant hier j'ai appris la mort soudaine de Mme Destouesse.

J'irai aux obsèques qui auront lieu demain matin à Moliets. Je reviendrai soit par l'avion Bordeaux-Paris de 18 h 30, si toutefois j'obtiens une place, soit par le train de nuit (mais deux nuits en wagon-lit c'est beaucoup). Cette mort m'affecte. J'aimais bien cette femme intelligente et passionnée, très représentative d'une façon de vivre et d'un milieu social, mais l'esprit ouvert et bon. Son fils est sûrement très malheureux car une grande intimité les unissait.

Au début de l'après-midi, avant de vous écrire j'ai bavardé avec ce remarquable essayiste dont je vous ai parlé, Julien Cheverny, qui faisait partie de la délégation que j'ai menée à Londres. Il venait me soumettre un projet de rapport sur le thème « L'État et le citoyen », en s'excusant à l'avance des divergences qui le séparaient de moi – et en m'indiquant qu'il souhaitait qu'ensemble nous approfondissions notre débat sur les Institutions. Je l'ai tout de suite rassuré ! Cet esprit particulièrement brillant voit l'organisation de l'État, comme trop souvent les technocrates, d'une manière abstraite, mais je crois aussi que je tire le plus grand profit des observations critiques émanant d'hommes qui n'ont pas assumé de responsabilités politiques et qui ont gardé des réflexes neufs. Je dois veiller, pour ce qui me concerne, à ne pas m'immobiliser, à ne pas me figer – tentation normale et dangereuse. Que de fois je vous l'ai dit mais il ne faut pas que, moi, je l'oublie : une idée, saine au point de départ et qui devient un poncif, c'est comme un muscle sclérosé.

19 heures

Je sors de Radio-Luxembourg – débat de 10 minutes – sans histoires. Je vais mettre ma lettre à la poste La Boétie pour qu'elle vous parvienne demain au premier courrier. Quelle journée avez-vous passée ? Je vous imagine contente de votre réunion familiale par cette belle fête claire. Demain sera pour vous un vendredi très officiel. Je vous souhaite une bonne soirée. Si tout le monde a mes yeux je crois bien qu'on vous y aimera (pas trop, je l'espère !). Je penserai très fort à vous.

En entrant à Radio-Luxembourg, rue Bayard, j'ai aperçu pour la première fois exposé en librairie *Le Coup d'État permanent*.

Par contre, Anne, bonne nouvelle : ma physionomie a disparu des kiosques. Martine pourra désormais économiser ses exclamations vengeresses.

Et maintenant j'attends samedi.

Je serai au point prévu à 18 h 30. Pour le cas où vous auriez décidé de me convier à « un pot à domicile », cela ne serait ~~donc~~ possible que samedi en fin de matinée. Il faudrait donc que je trouve un mot au courrier de samedi matin. Mais si vous avez la moindre hésitation, ne le faites pas. Plutôt que le plus imperceptible malaise je préfère plus tard – ou jamais.

Je pense aussi aux dimanche et lundi de Pentecôte. Quelle joie ce serait de les vivre ensemble, avec du soleil, du travail et cette entente qu'hier j'adorais.

À samedi sûrement, mon Anne

F̲

P.-S. J'accepte le défi pour Michel-Ange ! Je m'y mets.

Samedi 9 mai 1964, Mont-Valérien, Versailles, tour du grand canal à pied la nuit, nous escaladons la grille fermée pour ne pas refaire le tour.

65.

En-tête Assemblée nationale, à Mademoiselle Anne Pingeot,
39 rue du Cherche-Midi, Paris *(sans timbre).*

Dimanche 10 mai 1964

Dans les yeux de mon sommeil sont restées les images d'une admirable soirée. Dans la mémoire de mon cœur tout le long de la nuit s'est inscrit un visage très aimé. Je ne vous ai donc quittée que pour un songe aux frontières mouvantes. Parfois je me penchais vers vous et goûtais à cet étonnant bonheur de votre vie en moi.

Anne je vous écrirai demain, de Nevers. Je n'aime pas ces quatre jours.

Je penserai à vous comme à mon recours de joie et d'espoir. Nos mains sont étroitement liées.

Et maintenant près de quatre heures de route ! Bon dimanche, mon Anne.

Reposez-vous quand même.

À mon tour je vous dis « tu es »

F

66.

En-tête Département de la Nièvre, conseil général, le président,
à Mademoiselle Anne Pingeot,
39 rue du Cherche-Midi, Paris *(sans timbre).*

Mardi 12 mai 1964

Sur ce sale et vieillot papier je vous écris cette lettre, mon Anne, qui sera, au-delà des mots, une lettre de tendresse. J'ai reçu la vôtre à mon lever. Vous dire ma joie serait vain. Vous m'offrez, par elle, une journée de travail heureux. Loin de vous, j'ai de la peine à vivre comme je me crois capable de vivre. Avec vous tout me paraît possible. Là est l'un des secrets du besoin que j'ai de vous et de l'accord si fort et si rare qui nous unit. Je retrouve la douceur des attentions qui comblent le cœur. Merci, Anne chérie, pour tout ce que, grâce à vous, désormais je possède.

Dimanche je n'ai pas disposé d'un moment de liberté. Parti tôt, comme vous le savez, j'ai roulé sans arrêt jusqu'à mon but qui était un petit village enfoui dans les dernières trouées du Morvan. À Villeneuve-la-Guyard, j'ai recueilli au vol trois auto-stoppeuses (l'une, étudiante en mathématiques, l'autre, à l'École du Louvre, la dernière en propédeutique) qui allaient « préparer » (!) leurs examens dans une auberge de la jeunesse à Cassis (sur la côte, près de Marseille). Deux d'entre elles iront passer leurs vacances d'été dans un kibboutz israélien. Elles ont distrait ma route et je les ai lâchées... à Avallon (oh ! la truite fourrée. Et, un peu plus loin, Anne de Chastellux, dont le visage était comme une pêche de tendre hiver). Le déjeuner a été, comme prévu, épais. Je me suis sauvé vers 5 heures. Stage à Lormes joli chef-lieu de canton. Visite à Dornecy, village des Vaux d'Yonne. Et toute la soirée dans une propriété éclatante de beauté, par un temps qui donnait l'illusion que la mort, la fièvre, le mal avaient fui la terre. J'ai étudié avec mon hôte, conseiller général de l'endroit (Tannay)... le budget dont nous devions discuter le lendemain à Nevers. Cela m'a conduit à la nuit, et, sans dîner (ouf !) je suis rentré à Nevers pour dormir. Au milieu des splendeurs de ce jour, une note saisissante : à peine aperçue la femme de ce conseiller général, paralytique à force de rhumatismes, nouée, courbée, tordue sur un fauteuil d'impotente et percluse dans sa solitude physique et morale, ne me dédiant pas le moindre regard d'accueil – malade depuis vingt-cinq ans ! Dehors, jusqu'à l'insecte ivre de lumière, jusqu'à la rainette qui commençait à chanter l'approche de l'ombre, l'équilibre des choses s'affirmait, triomphant.

À Nevers, j'étais fatigué (l'auto, le soleil, le repas) et après avoir placé « la » photo sur ma table de nuit (avec l'étude sur le vitrail auvergnat) je vous ai dit un bonsoir sommeilleux.

À 9 heures le lendemain matin j'étais à la préfecture. J'ai travaillé à la commission des finances et présidé une brève séance publique. Le déjeuner m'appelait à Magny-Cours, à 14 kilomètres au sud, chez le juge pour enfants, ami sûr. Ses beaux-parents, universitaires, ont une conversation attrayante.

Sa femme, médecin, vibre pour la moindre idée, pour la moindre émotion. Moment paisible.

Après le café, je suis allé à l'école du village pour remettre mon bouquin à l'institutrice, jeune femme délicieuse que j'ai connue alors qu'elle enseignait dans un hameau glacial du haut Morvan et que j'ai eu grand plaisir à revoir. Je l'ai surprise faisant sa classe et tandis que nous parlions dans le couloir, par la porte entrebâillée, je voyais les enfants qui attendaient sagement la fin de cette récréation imprévue.

Tout l'après-midi, séance. À 7 heures j'ai eu un long entretien avec les trois chefs de division de la préfecture sur des problèmes techniques et ce n'est que vers 8 h 30 que je suis parti pour Montapas, commune rurale à 40 kilomètres est de Nevers, où m'attendaient le maire (intelligent, actif) et sa femme qui réunissaient quelques amis. Quelle extraordinaire explosion de l'été ! Le ciel était partagé selon la position du soleil couchant en zones d'une netteté absolue, bleu cru, bleu-rose, bleu-noir ; la ligne d'horizon, un trait d'encre de Chine.

Les parfums emplissaient toutes choses d'une volupté entêtante.

Que j'aurais aimé jouir avec vous de ce moment unique de l'année ! (si la permission de Martine est maintenue et si cette fragile splendeur veut bien ne pas se détruire, à peine éclose, cela me donne des envies d'un Amsterdam proche : vous seriez émerveillée par ce pays en fleurs – plat à perte de vue – sans rupture entre la terre et l'océan – qui n'est jamais plus beau que maintenant. La Pentecôte serait commode pour cela, bien que les « réservations » d'avion risquent d'être encombrées par l'afflux de voyageurs à cette époque. Je vous en parlerai demain. Le dîner, donc, a été sympathique, dans une maison spacieuse et fraîche. À minuit, j'ai récupéré la pantoufle et suis rentré. J'aurais pu vous écrire, comme promis, mais je ne l'ai pas fait car une grève des postiers commence aujourd'hui. J'ai eu de la chance que votre lettre passe au travers. Perlée au début cette grève sera totale jeudi et vendredi. J'ai donc préféré vous apporter moi-même ces pages à Paris. Je les déposerai au Cherche-Midi en arrivant, vers 10 heures ce soir. Ainsi vous les recevrez et les lirez sûrement avant notre rencontre de demain soir (rappelez-vous : 8 heures, Saint-Placide) et surtout avant 5 heures de ce 13 mai date et heure mémorables. Que j'aimais mon Anne de vingt ans ! Que j'aimerai celle qui, à vingt et un ans, commence un nouveau parcours de sa vie ! Anne, que je vous aime !

21 h 30

Non, je ne serai pas à Paris à 10 heures. Je pars maintenant et n'arriverai pas avant minuit. Le jour a été chaud et la tâche lourde.

Discussion aiguë avec le préfet en séance publique : ce malheureux n'a obtenu que 3 voix contre 20 sur un sujet où nous nous sommes heurtés. Pourtant j'étais allé au fameux « déjeuner annuel du conseil général » et j'avais mis les pieds à la préfecture (côté administration) pour la première fois depuis six ans. Présentation à la préfète dont j'occupais la droite. Propos faussement sucrés. C'était un peu idiot cette scène de province ! La séance de travail s'est prolongée. Je n'ai pas très envie d'accomplir les 235 kilomètres qui me séparent de Paris. Mais il le faut.

Je vous écris cette fin de lettre à l'Hôtel de France. Derrière moi ces messieurs du Rotary dissertent. Ils se réunissent chaque mardi et sont gonflés d'importance. Je les ai salués assez distraitement.

Je suis heureux de penser que demain je vous retrouverai. Est-ce que cela vous ennuierait que nous allions dîner dans les environs de Paris (déserts en semaine) mais dans un endroit propice aux anniversaires importants, genre Coq hardi de Bougival ? Vous ne seriez pas obligée de procéder au « grand sapage » mais nous ne laisserions pas passer ce 13 mai sans un hommage particulier ! Nous ferons comme vous voudrez. Ma joie à moi sera la même.

Une soirée avec vous, mon Anne, c'est une chose merveilleuse.

Anecdote au déjeuner : la préfète me dit : « Connaissez-vous la Hollande ? Nous passons les fêtes de Pentecôte à Amsterdam. Nous avons retenu places et chambres il y a un mois. Tout était déjà occupé. Il a fallu insister. » J'ai pris un petit air mystérieux pour répondre : « Eh bien ! moi aussi j'irai peut-être à Amsterdam, mais je ne suis pas si prévoyant que vous. » Il faudra que nous en décidions demain soir sans quoi aucun avion ne nous prendra ! Peu importe d'ailleurs : un vendredi ou un samedi prochains nous pourrons toujours réaliser ce vœu qui m'est si cher.

Pourvu que Martine ne change pas d'avis !

J'achève cette lettre décousue, interrompue à tout moment par des visiteurs importuns.

Vous a-t-elle dit l'essentiel ? Le voici cet essentiel :
dimanche, lundi, mardi ont été
des jours d'attente
demain mercredi sera un jour de joie
mais, absence ou présence, mon cœur
est plein de vous.

Rappelez-vous, Anne, le parc de Versailles et votre visage dans le creux de mon épaule. Ah ! Ce cercle fermé qui ouvre sur le vaste monde de la tendresse profonde, de la tendresse parfaite.

BON ANNIVERSAIRE ANNE TRÈS AIMÉE

FRANÇOIS

67.

En-tête Assemblée nationale, à Mademoiselle Anne Pingeot, 39 rue du Cherche-Midi, Paris *(sans timbre).*

Jeudi 14 mai 1964

Anne, mon Anne, je crois bien que ni vous ni moi n'oublierons jamais ce 13 mai 1964.

Ce matin j'ai emporté de vous la gracieuse image, la merveilleuse image d'un moment d'équilibre, d'entente, de tendresse, de beauté comme une vie en connaît peu.

Chaque jour me donne une raison nouvelle de vous aimer et me voici pareil à un débiteur, mains ouvertes, qui n'a plus rien à offrir qu'un cœur fidèle et sûr.

Vous étiez cette nuit mon ciel et ma terre et il n'y avait point de contradiction en moi.

Un bonheur exaltant, d'une force terrible, coulait dans mes veines : eau, sang, feu ? source, blessure, incendie ? Toi. Oui, seulement toi, merveilleusement toi.

Je repasse dans ma mémoire tous les instants de ce jour entre tous. Vous et vos ongles en chantier, votre rire heureux à la litanie des cadeaux (ou plutôt à la litanie de ceux qui vous aiment et pour qui cet anniversaire fut le moyen de le redire), la terrasse de Saint-Germain, l'entrée partagée entre l'inquiétude et le fou rire dans la salle de restaurant, le graillou que l'importance des lieux compassait – et la nuit échappée au temps. Il me semble que nous ne pouvions plus nous quitter ! Et je ne vous ai pas quittée, Anne. Quatre heures d'un sommeil demeuré à mi-chemin de Saint-Germain et de Louveciennes, puis une matinée lente comme la Loire à Ancenis m'ont laissé sur vos rivages. Je suis celui qui cerné par vos bras, uni à votre douceur d'aimer, parcouru des plus secrètes tendresses, n'a plus besoin de savoir autre chose – et ne cherche plus qui de la folie ou de la sagesse a raison.

À demain, Anne chérie, à 14 h 30. Nous ne serons pas obligés d'interrompre notre après-midi : la réunion que je prévoyais a lieu ce soir. Nous travaillerons et nous nous promènerons.

Programme qui continuera, si vous le voulez, dimanche et lundi. J'écrirai sur les lignes de force du Moyen Âge finissant et préparerai mon intervention parlementaire de mercredi sur la loi municipale. Enfin j'ai à avancer la monographie et à compléter mon information sur Michel-Ange. Il n'y aura pas d'autre crescendo (sinon l'épanouissement d'une joie qui a maintenant très envie des belles balades, du travail en commun et des interminables conversations pour assimiler peu à peu la plénitude incomparable des heures que nous venons de vivre) ! Tu m'as tant donné, mon Anne, que je veux te rendre en bonheur ailé, content d'être, en lumière de pur printemps, en goût de vivre, d'apprendre, de connaître, la vérité nouvelle que je te dois.

Il est des moments où je voudrais prier pour remercier quelqu'un.

Anne, je vous embrasse aussi DE TOUT MON CŒUR

François

68.

En-tête 4, rue Guynemer, LIT. 32-16

Après-midi
à
Saint-Cloud

Apprendre à la fois
la paix et la beauté
quel homme

n'en rêverait pas ?
Voilà pourquoi, Anne,
Voilà pourquoi.

15 mai 64

69.

En-tête Assemblée nationale (sans enveloppe).

Lettre du lundi (18 mai 1964)

Devant moi, près de moi tu travailles et tu lis. Ce lourd après-midi où la chaleur a fini par exploser s'achève. J'apprends avec toi une forme nouvelle de vie en commun. J'aime que nous aimions les choses simples et c'est une chose admirablement simple qu'un jardin, simple une table et simple une nappe bleue. Moi aussi je prépare ma tâche de demain. Peu à peu s'est établie la paix du cœur où je te retrouve plus subtilement, plus sûrement qu'en tout autre instant. Sans parler je te parle. Sans m'occuper de toi je m'occupe de toi. Sans tenir ta main je suis relié à toi.

Voilà donc une drôle de lettre du lundi qui franchira la colline d'écheveaux de laine pour aller jusqu'à

tes genoux

F

70.

En-tête Assemblée nationale, à Mademoiselle Anne Pingeot,
39 rue du Cherche-Midi, Paris *(sans timbre).*

19 mai 1964

Anne chérie, une lettre a accompagné chacune de nos journées importantes.

Comment donc ne pas t'écrire ce matin ?

Cette lettre-ci ne veut rien expliquer. Elle est seulement un témoin, un petit témoin d'un grand événement en moi. Elle répond aussi à l'une de tes questions : si tu savais comme mon cœur est pur depuis le premier jour où j'ai tenu ton visage entre mes deux mains !

J'ai bien un remords, mais un brave remords qui n'a rien d'un rongeur d'âme : tu dois être bien fatiguée et je n'aime pas que tu le sois.

Pour le reste je m'émerveille et toi je t'aime par des chemins si profonds, si profonds que sans la vaillance du corps et la pureté du cœur il me semble que je m'y perdrais.

Pour savoir aimer il convient, comme pour toute création, d'atteindre, je te l'ai dit souvent, l'unité de l'esprit. C'est pourquoi pendant quelque temps il nous faut maintenant écouter en nous-mêmes ce que nous dicte la sauvegarde d'une belle, d'une très belle histoire, la nôtre, oui, à nous deux. La réussite, c'est l'équilibre, c'est l'harmonie.

Es-tu assez grande, malgré tes 150 021 ans, pour comprendre ce que signifient ces mots que je t'écris au lendemain matin du 18 mai, de ce 18 mai : je t'aime de tout mon être ?

Jamais ne me quittera la présence de cette petite fille née cette fois à 21 ans tout ronds à la vie grave et pleine et forte et fulgurante du plus secret mystère. Moi je dois t'aider pour toujours sinon à être heureuse du moins à faire que tes actes soient l'expression d'une beauté ressentie jusqu'à l'âme, jusqu'à ton âme, mon Anne – même si tu crois ton âme altérée (la mienne – existe-t-elle ? – est adorante et touche à toi comme à un rêve ancien, comme à une espérance éternelle).

Je suis en paix avec moi et je le resterai dans la mesure où je saurai préserver (ou rétablir) l'unité de ta vie intérieure. Ce que nous irons chercher à l'extérieur (vendredi je veux trouver un bel endroit qui ravisse ta curiosité et tes yeux. Dimanche tu ne perdras pas une minute pour accumuler les impressions enrichissantes) servira à cela. Il ne faut pas trop s'enfermer derrière le cercle de nos bras liés (où je suis pourtant si parfaitement heureux) car rien ne doit l'emporter de l'esprit, du cœur ou du corps.

Sache au bas de cette page qui termine ma lettre que me faire digne du don que j'ai reçu (j'en devine, crois-le, la déchirante et vraie et merveilleuse signification) sera ma façon de te remercier, à jamais, ô mon Anne chérie

François

71.

En-tête Assemblée nationale, à Mademoiselle Anne Pingeot, 39 rue du Cherche-Midi, Paris.

19 mai 1964

La nuit n'a été qu'une longue attente désespérée. J'ai perdu tous les courages à la fois. Je vous aime cependant et j'ai tant à vous dire.

Ce matin je ne peux pas

François

72.

En-tête Assemblée nationale, à Mademoiselle Anne Pingeot,
39 rue du Cherche-Midi, Paris *(sans timbre)*.

21 mai 1964
14 heures

Avant même de commencer vraiment cette lettre je veux vous dire l'essentiel : vous êtes, Anne, et depuis de longs mois, mon goût, ma joie de vivre, mon espérance quotidienne ; vous avez été constamment la plus proche, la plus sensible et la plus merveilleuse amie du cœur et de l'esprit ; vous êtes la femme que j'aime.

Cette déclaration préalable était-elle nécessaire ? J'éprouve en tout cas la nécessité de l'écrire. Il n'y a pas d'être au monde pour lequel autant de raisons occupent tout mon être et l'inclinent vers la tendresse, la confiance, le respect. Vos joies et vos peines, vos élans, vos scrupules je les aime comme je vous aime : tout ce qui m'est venu de vous a été pour moi source de fraîcheur, de vérité et de foi dans les combats que je mène – en particulier contre moi-même !

La tristesse qui m'étreint est immense. Elle est une douleur. J'en souffre plus que je ne saurais le dire. Reste cependant un point lumineux, éclatant, admirable au milieu de ma nuit : je ne suis coupable que d'aimer <u>absolument</u>. Je ne le suis pas de n'aimer qu'à demi.

Je vous ai fait une grande peine. Je ne me reproche que cela. Oui, Anne, mon cœur est pur depuis que j'ai mis mon pas dans le vôtre. Oui j'ai accompli, grâce à vous, un immense chemin.

La journée d'hier a été, tout le long, d'un terrible poids. J'ai pensé à vous sans cesse, sans cesse. Pourtant les besognes m'attendaient multiples, difficiles. Je les ai assumées en songeant qu'il me fallait être digne de ce que (je le crois) vous aimez en moi, que je devais être digne de regagner votre tendresse et votre estime. Mais quel effort ! Commission des lois. Et surtout, l'après-midi, séance publique où je devais intervenir dans le débat sur la loi municipale. Je l'ai fait.

17 h 45

La lutte a été d'une rare dureté – avec une majorité et une opposition quasi fanatisées.

Je vous montrerai mon discours ainsi que l'incroyable violence de mes contradicteurs. L'Assemblée était survoltée. Mais ce matin alors que je prenais mon courrier, toujours à l'Assemblée, avant de reprendre le débat, un groupe de députés UNR m'a soudain agressé. Je ne les avais pas vus. J'ai cru être victime d'un accident cardiaque. C'était en réalité de violents coups sur la tête. J'ai encore la nuque en capilotade ! (Je ne vous parle de cela que parce que les journaux en font des grands titres.) Un peu mal en point, j'ai dû supporter cet après-midi une attaque inouïe du ministre de l'Intérieur [Roger Frey]. Ma réponse, au milieu d'une Assemblée compacte, parcourue de passions, a de nouveau bouleversé le climat. J'en suis épuisé. Mais je continue cette lettre de ma place tandis que le débat se poursuit car il faut que je tienne bon ; l'opposition s'est mobilisée derrière moi. Je veux cependant absolument que vous ayez ma lettre ce soir.

Excusez-en seulement le décousu. J'aurais tant voulu vous écrire longuement, complètement, je le ferai plus tard.

Mais je reviens à hier soir. Après la séance j'ai participé jusqu'à 10 heures et sans dîner à la réunion du Comité national de soutien à Defferre (une quarantaine de personnes). Ensuite je me suis rendu chez les amis qui m'avaient invité. Mais je n'avais envie de rien. Je les ai vite quittés.

Croyez-moi, Anne, à travers ces heures j'ai constamment désiré votre présence – votre présence morale. J'avais un besoin immense, irrépressible de vous. J'apercevais la profondeur de l'attachement qui me lie à vous. Sa profondeur et sa beauté.

Rêverais-je ? Je ne puis m'empêcher d'imaginer – et de vouloir – une communion féconde, riche, passionnante. Non seulement celle des délicieuses balades mais surtout celle du travail, de la culture, des convictions, de l'idéal de vie. Jamais je n'ai connu pareille entente. Pardonnez-moi si je vous ai parfois blessée. J'ai trop obéi à un certain éblouissement du bonheur. Mais tout reste vrai de ce pour quoi je vous aime. Tout en moi demeure pareil à la lumière d'Auvers.

Mais je dois aborder la dernière partie de ma lettre. Il est 18 h 30. Je crois que vous sortez ce soir. Pourvu que vous pensiez à regarder si vous avez du courrier ! J'ai une grâce pressante à vous demander. Je vous prie <u>de tout mon cœur</u> d'accepter de ne rien changer à notre « programme » pour demain vendredi et pour dimanche. Je vous prie <u>de tout mon cœur</u> de me faire cette confiance. Ne pas l'avoir, cette confiance, serait pour moi une souffrance si vive que vous ne pouvez pas me l'infliger.

Je vous prie <u>de tout mon cœur</u> d'accepter de me mettre à l'épreuve jusqu'à votre départ du mois de juin. Nous avons à parler. Sérieusement, gravement mais aussi avec tendresse de ce qui nous concerne. Croyez en moi, mon Anne. Ce mois sera celui que je vous dois : l'incomparable harmonie reviendra. Après, vous jugerez, vous me jugerez. Et rien d'autre n'aura de prix pour moi que votre sourire de l'âme revenu.

Je n'ai donc pas rendu les billets d'avion. Je vous espère demain. Je serai, sauf contre-ordre de votre part, à 14 h 30 rue Saint-Placide. Je vous espère dimanche matin. Une belle journée de liberté serait un merveilleux cadeau de vous à moi. Le plus doux à celui qui va signer cette lettre et qui vous appelle à l'aide en un moment où rien ne lui importe davantage parmi les luttes et les blessures, Anne, mon Anne

François

Je vous écrirai plus et mieux une lettre que vous aurez samedi

Deux coupures de presse : *Le Monde*, article de P.-M. Grand, « Huit siècles de sculpture française au Louvre, à la galerie Mollien » ; *L'Express*, « Le dessin français dans les collections hollandaises » à l'Institut néerlandais, 121 rue de Lille. « Huit siècles de sculpture française » est annoté :

« Dans *L'Express* j'ai découpé ces lignes qui vous intéressent. »

73.

En-tête Assemblée nationale, à Mademoiselle Anne Pingeot, 39 rue du Cherche-Midi, Paris *(sans timbre).*

Jeudi 21 mai 1964, minuit et demi

Anne je voudrais écrire le cri qui monte et qui m'étouffe. Je n'y parviendrai pas. Trop est trop. Si vous saviez comme j'ai mal de votre absence, de votre silence, de notre séparation depuis mardi. Et je voudrais écrire aussi les mots qui chanteraient – pourquoi pas ? comme un cantique de tendresse et d'amour pour vous atteindre, enfin, pour que votre main se tende, et s'ouvre, pour que vous me délivriez de la douleur. Oui, mon Anne, je suis si si si si si douloureux, si si si si malheureux. Vous perdre serait la ruine, la solitude, serait le désespoir.

Je me tourne vers vous. Je vous appelle. Je vous attends.

Ma lettre de cet après-midi était bien incohérente. Vous n'imaginez pas dans quel cercle de fer et de haine je me trouvais ! L'un des moments les plus durs de ma vie politique. Et justement ce jour où la souffrance de vous me collait à l'âme, où je devais lutter de toutes mes forces contre une horrible lassitude ! Je voyais affreusement votre visage tant aimé fermé sur lui-même comme l'autre soir. Ce visage ne me parlait plus. M'abandonnait. Et m'abandonnaient avec lui la grâce, la douceur, la paix, ô Anne m'abandonnaient mes raisons de vivre et d'agir. Si vous aviez été près de moi vous auriez ressenti violemment la rudesse, la cruauté de l'affrontement politique. Une Assemblée pleine [mot barré]. Une majorité qu'une passion hostile bouleversait. Une opposition qui ne savait plus que faire. J'ai été attaqué, calomnié, sali, frappé. J'ai parlé hier, j'ai parlé cet après-midi.

Seul parmi les fureurs. Une scène d'une extraordinaire intensité m'a opposé au ministre de l'Intérieur. J'ai tenu ~~oui~~, mais j'avais mal, mal, mal. Je vous disais : pourquoi, Anne, pourquoi m'avez-vous laissé, privé de toute tendresse, privé d'eau et de pain. Je criais vers vous comme vers le recours d'un cœur inapaisé, d'un esprit torturé, comme vers la femme qui comprend, qui guérit, qui soutient, qui élève, comme vers celle qui est ma joie et mon amour.

Anne je vous en conjure ne croyez pas que je confisque votre liberté (vous m'avez dit un peu cela en me quittant rue du Cherche-Midi). Je ne sais rien ou peu de vos sentiments. Je sais cependant que vous êtes mon intermédiaire avec la beauté, la pureté, la grâce, que vous m'avez souri, que vous m'avez accompagné dans mes démarches de l'esprit, que vous me sauvez de mes ennemis inté-rieurs, que vous me guérissez peu à peu de ce qu'il me faut guérir, que vous me restituez à l'image de moi-même qu'avec votre aide je redécouvre.

Ah ! si moi je vous ai causé cette souffrance qui vous poignait mardi, pardonnez-moi mon Anne. Il n'y a pas femme au monde pour laquelle je ~~n'~~ai ~~eu~~ autant envie d'être digne, d'elle, de ce qu'elle est, de ce qu'elle peut devenir. Mais cela s'apprend, se construit. J'ai fait tant de chemin vers votre vérité, vers votre conception de la vie, vers votre idéal et, parce que je suis encore faible, maladroit, soumis à l'immense désir que j'ai de vous, vous me rejetteriez, vous me condamneriez sans m'aider à faire le dernier bout de route ?

Vous m'avez fait aimer non seulement un visage, une tendresse, un don de soi mais aussi une façon d'être, un besoin d'absolu, une recherche spirituelle. Et parce que je n'y parviens pas d'un coup vous me refuseriez votre patience ? J'admets toutes les raisons que vous m'avez dites. Je suis intensément votre ami. Je comprends les graves problèmes qui se posent à vous.

Mais je vous en conjure croyez que rien pour moi ne passe avant votre confiance, avant votre tendresse confiante. Vous en doutez ? Je vous l'ai déjà dit et n'en ai pas tenu compte ? Ah !

Si vous deviniez l'homme désespéré qui trace ces mots vous comprendriez que ce qu'il écrit ce soir l'engage – comme une blessure d'où le sang coule, comme la mort qui arrache à jamais les dernières racines où court la dernière sève, comme l'honneur aussi qui lie l'âme – vous comprendriez que mon salut tient à votre venue à moi, pareille au bonheur de tant, de tant de jours, vous comprendriez que pour ce salut je choisis : oui je vous choisis pour moi – au besoin contre moi. Juin, que ce mois pourrait être beau ! Il le sera, Anne, il le sera. Vous vous réconcilierez avec vous-même parce que j'arriverai bien à vous prouver que ce que vous m'avez donné de vous n'est ni pour vous ni pour moi le signe d'un égarement ou d'une déchéance de l'amour. Cela est. Mais cela (qui me donne moi à vous) ne sera plus que la suprême leçon d'une difficile entreprise. Je vous l'ai d'ailleurs dit un soir, rue Saint-Placide (c'était le 3 mai), et je le répète aujourd'hui ce que j'ai je le garde et l'enfouis au plus profond de moi – dans la ferveur du souvenir. Ce que je pourrais avoir si (la vie n'est jamais écrite à l'avance) vous m'aimiez je ne le conçois, de toute la force de mon être, que devant Dieu et devant les hommes, parce que vous êtes la femme d'une vie et d'un amour et non d'un moment et d'une passion. Pour le reste, je veux vous en convaincre, croyez-moi, croyez-moi, croyez-moi, donnez-moi seulement le temps de justifier la qualité des sentiments qui m'attachent à vous. Oui, renoncer à vous peut être (pour vous) nécessaire. Mais il ne faut pas (ce serait au-dessous de nous et de notre histoire si rare, si merveilleuse), que ce soit autrement que nos mains unies et nos cœurs accordés. Ce que nous avons à décider doit l'être dans la ligne d'une entente dont j'aurai retiré pour ma part un enseignement qui commandera les jours qui me restent à vivre.

Il est près de 2 heures du matin. Je me suis assis à ma table de travail au retour d'un dîner rue Saint-Dominique. J'ai commencé cette lettre harassé, épuisé.

Ô Anne, ma petite Anne j'ai tant besoin de vous. En écrivant j'ai retrouvé votre ambiance, votre climat. J'espère. Je baise votre main. Je ferme les yeux. La fatigue m'étreint. Peu m'importe. Ni sommeil ni repos ne me visiteront tant que vous ne me rendrez pas et tendresse et confiance. Je ne les mérite pas. Je ne mérite rien. Je vous les demande quand même.

Vous me feriez une joie totale, incomparable en m'accordant les ultimes semaines de votre présence à Paris – comme nous en étions accoutumés.

Quel cadeau ce serait ! Voilà pourquoi je vous attendrai à 14 h 30 à Saint-Placide. Voilà pourquoi je serais triste au-delà de l'expression de ne pas accomplir le voyage d'Amst.

Voilà pourquoi je remets en vos mains beaucoup plus que mon bonheur, cette chose mystérieuse qui s'appelle la signification d'une vie

François

~~Samedi~~ *Vendredi 22 mai 1964, 7 heures*

Au moment de vous
Déposer cette lettre
Je veux aussi vous dire
Bonjour Anne
Bonjour comme chaque jour
Depuis
Que j'ai appris
Par vous
La joie du cœur
Ô mon beau visage
Grave
Ou que le rire
Rend à l'allégresse
Du monde.
Que tu me donnes
Ou que tu me refuses
Je n'ai pour toi
Que gratitude ;
Merci, Anne,
Merci
Et pardon
Et bonjour

François

Vendredi 22 mai, Rambouillet, rhododendrons en fleur.

74.

En-tête Assemblée nationale, à Mademoiselle Anne Pingeot,
39 rue du Cherche-Midi, Paris *(sans timbre).*

> *Vendredi 22 mai 1964, minuit et demi*

Je n'ai rien à dire de plus :
Vous êtes une fille adorable
Vous êtes une femme merveilleuse
Mais surtout vous êtes mon

> Anne
> <u>François</u>

Dimanche 24 mai : Delft, Amsterdam. Mon premier voyage en avion de ligne. Mon père qui avait passé son brevet de pilote avait donné à ses enfants leur baptême de l'air en Auvergne.

75.

S.d.

En face de la gare, bateau dans la ville par les canaux, Amsterdam-Delft. 65 kilomètres, musée Volendam, Zuiderzee.

76.

En-tête Assemblée nationale, à Mademoiselle Anne Pingeot,
39 rue du Cherche-Midi, Paris *(sans timbre).*

> *Lundi 25 mai 1964*

Mon Anne chérie, le bonheur existe. Le bonheur d'Amsterdam. C'est ainsi que nous l'appellerons quand il viendra nous visiter. De ce bonheur-là les frontières ont la dimension d'un ciel pur, entre le gris et le bleu, d'une plaine où la géométrie de l'eau et de la terre dessine des symboles aussi bien pour l'œil que pour l'âme, d'une ville ouverte sur le large. Je t'ai aimée, Anne, avec le goût d'un pareil bonheur, silencieuse, presque immobile, et qui avait la couleur de tes yeux, le soir venu mais encore irradié. On ne raconte pas une journée si pleine quand la mouette n'a pas encore arrêté son vol nonchalant, quand le passé n'a pas encore refermé ses vannes derrière nous, quand le voyageur boit encore à la source, ou s'il ne boit plus, n'a pas détaché ses lèvres de la vie qui se donne, fraîcheur, douceur, pureté, force – avant de se donner à son tour.

Nous nous raconterons cela plus tard. Pour l'instant nous savons ce que signifient quelques mots qui désormais auront pour nous la magie du bonheur : Delft, Hals, Rembrandt, Vermeer, et le canal des grands seigneurs, et la goulasch hongroise, et la route de Schiphol et la carte pour Gédéon, et Bruxelles, ta main dans la mienne, tout au-dessous de nous. Il y a aussi ce qui n'est pas dit par les mots : l'histoire profonde et vraie d'Amsterdam, la nôtre, qui n'a pas cessé parce que partagés entre l'ivresse de la joie, la fatigue du voyage et le déchirement d'avoir à se quitter tu as franchi la rue, passé minuit, tandis que je m'éloignais, sous la pluie. Ô cette histoire qui continue ! Je la récite avec ferveur. Le bonheur d'Amsterdam, c'est, Anne, le bonheur de t'aimer.

La trace de tes ongles dans ma paume au moment du décollage du Bourget s'est effacée. Mais j'en garde la douce violence enfoncée dans ma chair. Tes ongles, ta bouche. Toi en moi. Voilà bien ton miracle : loin des fièvres et des incertitudes ce qui a été hier portait en toute chose, dans tous les gestes, à travers toutes les pensées le sceau des âmes accordées. Je voudrais bénir l'heure qui t'a liée à moi.

Ce soir je te verrai. Déjà la joie reprend élan. Je suis tout entier absorbé par toi, par ce que tu m'apportes. Je suis allé à l'Assemblée en marchant, sans hâte. Je rêvais. Je te souriais. Rien ne me distrait de notre monde à nous. Toi tu jouais au tennis sans doute. Le bonheur te fait-il perdre ? Ou l'amour de la victoire, âpre auvergnate, te fait-il préférer la souffrance ?

Sens-tu, en cette minute même où j'écris ces lignes, sens-tu que la lumière de Delft à midi éclaire toujours pour toi mon cœur ?

Tu es aux Métiers d'art. Je t'imagine appliquée. Je te vois presque. Je t'aime ainsi, capable de te concentrer sur un travail. Mais pourrais-tu ne pas entendre ce que je te dis tout bas ? Je dis, oui, que je t'aime.

Et, tout m'émerveille
dans le bonheur des choses

plus clair, plus
simple,
plus admirable
que jamais
depuis
qu'existe
AMSTERDAM

François

P.-S. Je reçois ta lettre. Ô merci. Je t'embrasse. À ce soir.

F

77.

Carton épinglé.

Mardi 26 mai 1964

Pour qu'Anne guérisse vite
ces roses-enfants
donneront leur discret parfum
et moi
mes pensées
de chaque instant

François

78.

En-tête Assemblée nationale, à Mademoiselle Anne Pingeot,
39 rue du Cherche-Midi, Paris *(sans timbre).*

Mercredi 27 mai 1964

Les voyages à l'étranger, les dîners en ville, les opérettes parlementaires m'ont fait négliger, Anne chérie, le premier de mes devoirs qui est de vous rendre compte de mes activités (à Martine est réservée la plus noble des tâches : l'examen des affaires sérieuses, l'exploration des replis de mon Ł'âme pour voir où s'y loge, pour peu qu'elle y loge, la MORALE). Voici donc où j'en suis :

1) J'ai repris hier matin l'entraînement du golf. L'agent O 20 100 O en sera pour ses frais.

2) À midi j'ai reçu un préfet qui m'a ennuyé longuement avec un rapport confus sur l'aménagement du territoire.

3) J'ai déjeuné chez André Rousselet avec deux charmantes Parisiennes, fort bien peignées, ma foi.

4) Je me suis rendu à l'Assemblée nationale pour le débat sur la Radiotélévision, ministre (Peyrefitte) et rapporteur (Ribadeau-Dumas) ont injecté à leurs auditeurs un puissant soporifique. Cela a occupé l'après-midi.

5) J'ai dîné avec deux gentils amis universitaires.

6) J'ai lu cent pages de La Rochefoucauld, rédigé une fiche sur Michel-Ange et me suis couché tôt.

Mais j'ai fait encore mieux :

J'AI TÉLÉPHONÉ EN FIN DE MATINÉE À MME THÉRÈSE GÉDÉON-PINGEOT, MÈRE DE FAMILLE (ET QUELLE FAMILLE !) QUI REVENAIT D'UNE PROCESSION AUSSI ENNUYEUSE QU'UN DISCOURS DE MINISTRE ET QUI A REÇU UN COUP D'ARTILLEUR (LOUIS XVII !) EN PLEIN CŒUR EN APPRENANT QUE LE TRÉSOR DE LA FAMILLE (ENCORE !) AVAIT ÉTÉ ENLEVÉ EN PLEIN PARIS ET TRANSPORTÉ AU MUSÉE D'AMSTERDAM OÙ LA CHRONIQUE DIT QU'IL RESTERA PARMI LES PIÈCES DE PREMIER CHOIX ENTRE DEUX NATURES MORTES D'UN PETIT MAÎTRE ET LE PORTRAIT, PAR REMBRANDT S'IL VOUS PLAÎT, D'UN JEUNE HOMME AVANTAGEUX, PORTEUR DU NOM MYSTÉRIEUX DE MICHEL LE RUSSE (AH LE CHARME SLAVE !).

Votre mère s'est assise dans un fauteuil, et là, bien calée, a entendu le récit (légèrement expurgé) du dimanche néerlandais de sa fille ☺nne. Elle a été, à vrai dire, la surprise et l'émotion passées, charmante et attend maintenant une relation plus détaillée des faits. La caution MARTINIENNE a produit un effet considérable (ce que c'est que d'être considéré ! Félicitez Martine de ma part, mon Anne).

Et maintenant ? Aujourd'hui mercredi... je suis retourné entre 9 et 10 à l'entraînement du golf (je vise l'héritage d'une honnête dynastie clermontoise). Je vous écris de l'Assemblée où je retournerai au début de l'après-midi : encore le débat RTF. Mais Maurice Faure intervient et ce sera intéressant. À 18 h 30 je saute voir une exposition d'un peintre : Ambrogiani.

À 19 heures j'irai à la maison Rothschild, rue Berryer, pour une autre expo sur les grands écrivains juifs. ET À 20 HEURES

J'AURAI LE CŒUR

CONTENT

PUISQUE JE TE RETROUVERAI

MON ANNE

AIMÉE

François

79.

En-tête Assemblée nationale, à Mademoiselle Anne Pingeot, 39 rue du Cherche-Midi, Paris *(sans timbre).*

Mercredi 27 mai 1964

Deuxième lettre de la journée ! Mais celle-ci toute triste. Quoi ? Je ne te verrai pas ce soir ? Tu ne peux savoir combien tu me manques depuis notre merveilleux dimanche (lundi, j'étais trop agacé de t'avoir manquée pour en tirer toute la joie). Je trouve ton mot cet après-midi en rentrant de l'Assemblée. Je m'apprêtais à venir te chercher avec une pantoufle reluisante… et un cœur si joyeux !

Et surtout tu es malade, tu as mal mon Anne. Oui je suis très triste. Et je pense à toi avec une tendresse qui devrait tout de même, si Dieu existe, te guérir. Quand te retrouverai-je ? Si tu vas mieux je puis te prendre demain soir jeudi pour dîner, à 20 heures, rue Saint-Placide. Je sais que ton vendredi est mobilisé. Alors faudra-t-il attendre samedi ? Je me rendrai libre ce jour-là à l'heure et pour le temps que tu désireras, étant entendu que mon dimanche t'appartient, comme tu le sais.

Cependant je ferai le sacrifice de demain si cela peut t'aider à n'être plus fatiguée. Est-ce trop demander que de me faire déposer un petit mot ? ou plutôt si tu fais mettre une lettre à la poste Dupin avant midi je l'aurais sûrement à 4 heures.

Mon Anne chérie, je m'en veux de t'avoir écrit aujourd'hui une lettre sur le ton de mon mauvais esprit. Quand je pense que tu es couchée, mal à l'aise, souffrante ! J'avais envie de rire ce matin tant tu m'as donné provision de bonheur ! Pardonne-moi. Tu occupes tout mon esprit et tout mon cœur. Rien ne compte auprès de cela. Mes petites roses te l'auront dit sûrement.

Je trace ces lignes à la hâte pour qu'elles soient dans tes mains ce soir ou demain matin. Si je ne te vois pas demain je déposerai un mot au 39 vendredi matin. Pourrai-je aussi te <u>téléphoner</u> à 19 heures par exemple, demain soir ? Je n'ose pas le faire maintenant mais j'en brûle d'envie. Tu me manques. Tu me manques. Tu me manques. Mon astuce sur les deux Parisiennes de chez Rousselet était idiote. Je t'aime tant, si vraie, si pareille à ce que j'espérais, si faite pour être aimée.

Surtout, ne change pas !

Anne, mon Anne je t'embrasse.

De tout mon cœur, de tout mon être. Je déteste te savoir fiévreuse avec ta pauvre gorge en feu. C'est en compagnie de ta monographie que je vais essayer de dominer l'absence : au moins j'aurai l'impression de te rejoindre un peu.

En moi la lumière d'Amsterdam demeure, souveraine. Ô merci, Anne, mais guéris vite, vite

<u>François</u>.

80.

En-tête Assemblée nationale (sans enveloppe).

Jeudi 28 mai 1964, 17 heures

Ce n'est pas à toi, Anne, que j'écrirai aujourd'hui mais à moi-même. Peut-être te montrerai-je ces notes. Peut-être pas. Je ne sais rien, vraiment plus rien. Tu viens de m'offrir trois jours de chagrin. Pourquoi ?

Je n'en sais rien, non, vraiment rien. Hier soir sans doute as-tu pu croire que je t'avais imposé une sortie épuisante. Je t'ai expliqué que c'était de ma part maladresse, que je n'avais pas pensé à te prévenir car je ne t'attendais pas ou si peu. Tu ne m'as pas fait confiance. Tu as douté de moi. Ce matin encore tu m'en voulais. Comment ne serais-je pas horriblement découragé ? rien donc ne sert à rien. T'ai-je habituée à ce point à manquer de délicatesse ? Je ne veux même pas m'en défendre. Mais cela me blesse plus profondément que tu n'imagines. Beaucoup plus.

J'avais l'impression au téléphone que tu te jouais de moi, que tu jonglais avec mes sentiments, avec ma capacité d'aimer et de souffrir. T'appeler à nouveau par téléphone ? Tu ne connaissais pas ton emploi du temps ! T'écrire ? Tu ne lirais pas mes lettres ! Aller dans la Nièvre ? Parfait ! Alors, à dimanche ? Oui (sans entrain) ! Ta santé ? Ce sujet t'ennuyait ! Etc. etc.

Tout cela, tu as évidemment le droit de le penser et de le dire. Et je n'aime pas me mettre dans la peau d'un fâcheux. Pardonne-moi donc d'avoir insisté. Je m'en veux. Je me tairai jusqu'à dimanche. Tu auras tes trois jours de retraite entre *Les Justes* et le dîner de samedi. Tu n'auras rien de moi. C'est ce que tu désirais. Il est bien normal que je revienne à une discrétion que je n'aurais pas dû quitter.

Seulement je peux avouer dans cette lettre qui n'est pas pour toi que j'ai mal. Non seulement parce que je t'aime mais parce que tu te moques de cet amour. Tu as réussi. C'est amusant : j'ai le cœur déchiré. N'aurai-je jamais une plage de bonheur ? Et pourquoi l'aurais-je ? Y aura-t-il accord plus parfait, plus sûr que le nôtre, dimanche dernier ? Non. Et il a suffi de trois jours pour en arriver là ? Vraiment, je ne crois plus à rien.

Le ciel d'Amsterdam, certes, je supposais bien qu'il ne resterait pas immuable. Je ne l'invoque d'ailleurs ici que parce que cette lettre ne partira pas. Je ne négocie pas le bonheur. Mais qu'ai-je fait ? quelle faute ? quelle offense ? Et s'il n'y a ni faute ni offense, si simplement c'est comme ça parce que c'est comme ça, alors tout est désespérant. Tu peux rire de moi. Tu peux te complaire dans ce climat changeant. Cela me prouve que je suis fou de prendre au sérieux ce qui ne l'est pas pour toi. J'ai conscience de cette folie. Mais j'en souffre. Là aussi c'est comme ça.

Cruellement.

Oui, tu t'amuses. Sans quoi tu ne serais pas étonnée que de te savoir malade m'inquiète, que de ne pas te voir près d'une semaine parce que tu es fiévreuse me pèse. C'est la preuve que si moi j'étais retenu loin de toi par un accident ou une maladie tu n'en serais guère gênée, que ça ne poserait pas de problème à ta sensibilité.

Ai-je l'air de faire ton procès ? Non, il ne s'agit pas de cela. Je veux seulement voir clair au milieu de mon désarroi. Tu n'as à mon égard aucune obligation. D'aucune sorte. Mais je ne comprends pas que tu aies si peu de tendresse ou d'amitié pour moi pour me donner alternativement la joie et la tristesse, la douceur et la peine (une affreuse peine) avec cette science tranquille. Je n'emploierai pas de grands mots. Je suis extrêmement malheureux, voilà tout. Oui. Tu me rends très malheureux.

Ce matin je me sentais malade de tristesse – j'ai laissé tomber le golf et suis rentré. Je n'avais de goût pour aucune tâche. J'ai déjeuné avec mes Marocains comme je devais le faire, par politesse (tu vois, je fais comme toi : « pas par gentillesse, par politesse »). Maintenant je me sens vidé d'un grand, d'un merveilleux espoir.

Ce n'est pas très commode à supporter.

Vendredi 29 mai 1964, 10 heures

Je continue de ressasser les mêmes pensées. Dieu que la journée d'hier a été longue !

Le fin mot de cela : je suis déçu jusqu'au fond de l'âme. Après le 3 mai, après le 18 mai surtout, après ces merveilleuses et douloureuses heures je comprenais le besoin d'Anne de s'isoler, de réfléchir, de voir où elle en était, même de s'éloigner de moi.

Ce débat était digne d'elle. J'aime que les mouvements de son corps, que son désir de vivre et peut-être d'aimer soient liés, attachés, intimement à l'idée qu'elle se fait du monde spirituel, de ses obligations, de ses devoirs. Je n'aurais pas, autrement, cet infini respect qui finalement domine en moi devant cette fille-femme dont le cœur est profond, l'âme sensible, le corps pur.

Mais maintenant je ne comprends pas.

Qu'elle n'ait pas cru que j'avais agi correctement avec elle mercredi, même en manquant de présence d'esprit, est mesquin.

Qu'elle m'ait ensuite parlé au téléphone comme si j'étais l'un de ses multiples solliciteurs, comme l'un de ses « amants en titre » qu'on tiraille, qu'on attire, qu'on repousse, avec lequel on engage ce combat toujours vain et finalement désolant de la coquetterie, qu'elle ait joué de ma sensibilité et de ma tendresse pour elle comme si elle ne savait pas son pouvoir de souffrance sur moi, oui cela me déçoit. Je ne l'ai, moi, jamais traitée ainsi (ma lettre de mercredi matin exprimait la joie de la revoir le soir même, n'exprimait que cela. Mais peut-être, moi aussi, ai-je donné l'impression de « marivauder » ce qui est détestable. Je le fais rarement. J'ai eu tort). Sans doute ne m'aime-t-elle pas d'amour et je ne songe pas à le lui reprocher. Je ne suis pas à ce point absurde et injuste ! Mais je croyais que nous avions dépassé ce stade de la petite guerre de salon ou du plaisir médiocre. Elle n'aperçoit pas (parce que ses vingt ans ne le lui permettent pas) que je suis à la fois plus rude, plus fort – et plus vulnérable que ses amis habituels, que je me refuse, en tout cas, à être traité comme eux, que je n'accepte pas qu'elle doute de ma parole, que j'enfouirai la pire souffrance dans le silence d'abord, puis dans un changement déchirant de ma vie – le dernier. Le drame, c'est que je l'aime. Bah ! c'est toujours un drame d'aimer : je ne veux pas m'attendrir sur moi-même. Cela elle le sait et ne le sait pas. Je lui apparais parfois comme ce coquillage, image de l'indifférence à jamais cristallisée. Mais après Delft, après le ciel de Hollande, après son délicieux sourire confiant ? Sans me laisser le temps de goûter cette joie ? Fallait-il me punir d'avoir été, fût-ce un jour, un homme heureux par elle ? Je ressens la blessure de l'injustice et ça saigne.

Je pars pour la Nièvre afin de sortir du cercle où je me tourne. J'ai toujours l'impression de l'exil loin de l'endroit où elle vit. Mais c'est mieux. Je ne puis ici ni me distraire ni travailler utilement. Anne, vraiment, Anne pourquoi, pourquoi ? Je voulais un mois de juin plus beau que les beautés de l'été, plus splendide que les splendeurs de l'accomplissement. Je le veux encore car je sais que t'aimer EXIGE. Et je t'aime. Mais je n'avais pas besoin de trois jours de chagrin pour l'apprendre.

Vendredi 29 mai 1964

J'ai manqué mon train de 12 h 30 pour Laroche-Migennes tant la circulation était intense sur les quais. Cela m'a valu de rentrer, de travailler, de regarder le plus bel orage s'abattre sur Paris – et de penser à toi, Anne, avec l'agaçante proximité des lieux. Il est vrai que tu planchais pour ton diplôme. Malgré mon humeur de dogue à ton égard j'ai désiré que tu réussisses, que ta gorge ne te fatigue pas, que tu sois heureuse de ton travail.

Maintenant tu assistes aux *Justes*. Où suis-je pour toi ? Penses-tu à moi, parfois ? Je ne crois à rien, à rien : c'est le refrain de ces trois jours.

J'ai avancé dans la monographie. Hum ! je ne sais si ma petite compilation n'est pas trop rase-mottes. Enfin, tu verras et tu jugeras.

Je t'apporterai dimanche les sept ou huit premières pages. Il y a sûrement des erreurs et des approximations discutables ! c'est comme, toutes proportions gardées, une peinture d'Utrillo ayant pris pour modèle une carte postale. Est-ce qu'au moins cela te rendra service ? Je le voudrais tant.

J'ai (je vais me coucher maintenant, aux alentours de minuit) relu tes deux dernières lettres, regardé ta photo. Je les aime. Je t'aime. Mais je ne comprends rien à rien. Ton attitude de mercredi continue de me révolter.

Je t'en voudrai longtemps de cette faute de jugement puis de ~~cette~~ manque de foi en moi.

Ne vois-tu pas que j'ai tout mis sur le même plateau pour qu'il penche du côté de la vérité, de la tendresse, de l'espoir ? Et tu mets en doute mon souci de ménager ta santé ? oui, c'est horrible de ta part.

Ceci dit tout en moi s'émeut dès qu'il s'agit de toi. Où es-tu en cette heure ? Que fais-tu ? Ô viens-tu par l'esprit, l'espace d'un moment, me visiter ? M'entends-tu t'appeler ? Ah, ces questions sans réponse !

Samedi 30 mai 1964

L'autre samedi « j'inaugurais » ton téléphone. Que ta voix était douce – et belle. Et quelle joie d'attendre le lendemain, ce cher lendemain hollandais ! Ce soir, par contre, je ne sais pas où j'en suis. Toi, tu dînes chez notre voisine de table du restaurant Anna. Avec qui es-tu ? À qui souris-tu ? Avec qui danses-tu ? Devines-tu que tu m'as fait passer une atroce semaine ? Le désirais-tu ?

Et c'est moi, le coquillage ! j'ai vécu aujourd'hui dans l'amour de toi. Ce matin autour de ta monographie. Cet après-midi, au colloque juridique, en rêvant de partager ce travail de réflexion avec toi. En fin de journée, à Guermantes, ce village que nous avons traversé lors de notre balade à Meaux. Demain me paraît loin. Et comment seras-tu ? quelle Anne me rejoindra ?

Que notre situation est ambiguë quand elle pourrait être merveilleuse ! Pour le temps de ta vie que tu me donnes, mon Anne, ne devrions-nous pas, sérieusement, en faire une admirable réussite ? Pour ce temps-là sache-le <u>de toute certitude</u> toi seule comptes pour moi. Ce que j'ai de toi a éloigné de moi le reste qui n'a plus de signification – ni pour mon cœur ni pour mon esprit. Faut-il donc en revanche que je doute de toi ? Faut-il entamer ce jeu morose du cache-cache semi-sentimental où l'art est de tromper l'autre tout en ne le trompant pas ?

Anne, mon Anne je crois que je vaux mieux que cela. Je crois que je peux t'aimer comme une femme est rarement aimée. Je crois que j'ai la force qui fera de notre histoire la beauté d'une vie.

Mais voilà. Je le croyais en rentrant du Bourget l'autre soir. Quel bonheur !

Et je ne sais plus rien.

Dimanche 31 mai, Houdan, pins, noisetiers, aubépines.

81.

En-tête Assemblée nationale, à Mademoiselle Anne Pingeot, 39 rue du Cherche-Midi, Paris *(sans timbre).*

Lettre du lundi 1ᵉʳ juin 1964

Anne chérie, une nuit a passé sur cette journée d'hier étale, immobile, lumineuse, odorante. Le diable tenté a été finalement un bon diable. Je garde de toi comme un envoûtement. Un merveilleux envoûtement.

Que nous nous entendons bien ! Que j'aimais ta voix ensommeillée du retour pareille à celle d'un enfant qui veut qu'on lui raconte des histoires jusqu'à ce qu'il s'abandonne au songe ! Je ne sais ce qui me rend le plus heureux de tout ce que tu m'apportes, mais, hier tout a été source de bonheur. Vert-en-Drouais. J'inscris ce nom dans ma mémoire du cœur. Sur lui les heures du jour ont récité un beau chant paisible et fort à mesure que le temps s'écoulait.

Cela ressemblait à la vie que j'aimerais construire avec toi.

Et voici que juin commence ! Anne, ces trois semaines qui nous mèneront à cette séparation (j'en ressens déjà le chagrin) je veux les faire aussi parfaites que la vraie et profonde tendresse qui m'unit à toi.

Jamais, tu entends, jamais je n'aurai désiré à ce point réussir aussi subtil accord.

Tandis que je t'écris danse devant mes yeux le clair sourire de ton visage. Que tu m'aides ainsi ! Et la fleur à ta bouche c'était pour moi (il faudrait mourir – et refuser que s'altèrent ces merveilles et refuser de vivre privé d'elles) la poésie du monde, l'espérance folle d'une âme éternelle qui ne cesserait pas de remercier Dieu pour une jeune fille en jupe rouge et au corsage mal attaché, pénétrée de lumière, identifiée à l'exaltante joie qui vient peut-être d'on ne sait quel souvenir de Paradis perdu. Anne je t'embrasse pour tout ceci qui remplit ma

vie au-delà de ce qu'elle mérite de posséder, je t'embrasse pour me
fondre en toi, mon salut, ma vérité, ma paix

et mon amour

François

82.

En-tête Assemblée nationale, à Mademoiselle Anne Pingeot,
39 rue du Cherche-Midi, Paris *(sans timbre).*

Mercredi 3 juin 1964

Non, je ne veux pas attendre ce soir, mon Anne, pour te dire, te
redire quel bonheur c'est que de t'aimer.

Si l'on pouvait offrir la joie comme des iris ou une brassée d'œillets
simples je t'en enverrais un énorme bouquet. Il m'en resterait encore
assez pour m'émerveiller de ces quatre jours que je viens de vivre,
unis à toi, pleins de toi.

Non, je ne peux pas attendre ce soir pour te dire quel bonheur
c'est que de

t'aimer

François

83.

Carte de visite de fleuriste épinglée.

7 juin 1964

Ces fleurs des champs compléteront
le bouquet du 6 juin
et surtout te diront ce matin
ce qu'au fond
je ne sais pas te dire
quand les mots n'ont plus de sens

F

84.

En-tête Assemblée nationale, à Mademoiselle Anne Pingeot,
39 rue du Cherche-Midi, Paris *(sans timbre)*.

Dimanche 7 juin 1964, 23 h 15

Je viens de te quitter. J'ai regardé, avant de t'écrire, ton vitrail et l'alouette de Van Gogh.

Je suis brisé.

Pardonne-moi d'abord, mon Anne, de ne pas t'avoir donné la journée que je voulais t'offrir. J'étais aujourd'hui (hier aussi) comme un instrument de musique aux cordes trop tendues. Un mot, un mouvement de ton visage, une intonation et quelque chose en moi se cassait. Ô Anne, cette douleur ! Pour rien ? Non. Pas pour rien. Crois-tu que m'échappait ta propre tension ? L'amour est pour toi l'approche de l'absolu. Dès lors que tu transiges tu penses ou bien que tu n'aimes pas ou bien que tu aimes mal. Et c'est vrai que tu transiges. Pas tellement avec moi car ce qui te lie à moi est assez inanalysable. Mais tu transiges avec le reste par rapport à moi. Et tu t'en veux. Et parfois tu m'en veux : toi qui crains tant qu'un amour profond ne naisse entre nous tu souffres aussi de ne pas m'aimer assez pour ne jamais me renier – pour ne jamais accepter d'atteindre, aussi peu que ce soit (et en tout cas de prendre le risque d'atteindre), l'entente jusqu'ici exclusive – et merveilleuse – que nous connaissons depuis de longs mois.

Moi je te le dis tout simplement (et je n'en tire pas vanité – je m'étonne seulement de cette grâce que j'ai reçue) : du 20 décembre à ce jour, dimanche 7 juin, je t'ai aimée absolument. Corps et âme, corps à âme ce que tu as de moi t'appartient. Et ce que j'ai de toi m'émeut, me bouleverse avec une telle force qu'égratigner ta confiance serait tuer, dans mon esprit, l'âme même de qui m'est si cher, serait bafouer tout ce que j'aime. Aussi quand j'aperçois ton incertitude (que je comprends, que je ne te reproche pas), quand j'aperçois la fragilité de l'illumination qui m'éclaire tout entier au-dedans, fragilité soumise au moindre manquement de ta tendresse, au moindre accommodement, à ~~lta~~ moindre complaisance ~~avec~~ pour l'attrait extérieur, eût-il pour prétexte, cet attrait, l'urgence qu'il y a pour toi d'échapper au cercle qui de plus en plus se resserre sur nous, eût-il pour alibi un argument moral (eh oui ! moral !), quand j'aperçois tout ce qui menace le haut château d'un rêve pur où l'amour de toi m'a conduit, je suis un homme poignardé.

Comprends-moi, mon Anne chérie, cette intransigeance qui commande mes sentiments et qui me fait passer d'un jour à l'autre (que dis-je ? d'une minute à l'autre) de la plus claire joie à la plus noire tristesse je ne me sens pas le droit de te l'imposer (dans la mesure où j'en aurais le pouvoir !). Mais je tiens tellement (à en crier) à l'incroyable beauté d'une histoire où j'ai retrouvé les sources vives de ma vérité – je tiens tellement à toi, mon sourire, ma lumière, mon miracle, que ce soir, malgré ton extrême douceur, malgré ton au revoir si tendre, sans autres raisons que celles, déraisonnables, qui me viennent de mon cœur, la lettre que je t'écrirai sera une lettre aux franges du désespoir. C'est absurde ? Il n'y a pas deux heures nos lèvres étaient liées et nos bras refermés et notre vie battait au même rythme ? (Ô que je t'aimais ainsi, ma bien-aimée.) Alors pourquoi ? Tes lèvres, tes bras, ta vie c'était vrai aussi, passionnément.

Oui, alors pourquoi suis-je si seul dans cette nuit tandis que je trace quelques lignes sous ma lampe, unique point d'or au centre de l'ombre (et de temps en temps je m'arrête, et je regarde droit devant moi sans voir, et je songe à toi, endormie, et le cœur me crève de ne pouvoir caresser ton front, tes tempes) pourquoi suis-je si seul dans ma nuit ?

Bonsoir, Anne. Rien, bonheur ou peine, ne touche à l'essentiel. Si mon instrument casse ma musique reste intacte. Et ma musique c'est la jeune fille d'octobre, au jardin de Saint-Cloud, c'est la jeune fille de juin, sur le même chemin, c'est toi de chaque jour, toi de ce soir. Et je l'écoute en moi.

Et je t'écoute en moi. Musique déchirante.

Lundi 8 juin, midi

T'écrire ! ma matinée a connu, tu l'imagines, des états d'âme variables. Le soleil, une promenade, et soudain voici mon cœur délivré : je te parle en moi-même comme à nos plus doux moments.

Ou bien, et sans plus de raison apparente, une blessure s'ouvre et j'ai mal. Alors, idée, impression, réflexion ou sentiment j'ai un terrible besoin de te les dire, de communiquer.

Mais quand l'instant est venu de me retrouver devant le papier blanc tout s'efface en moi, tout se fond. T'écrire ! Comme hier soir avant de nous éloigner du Père Auto, pendant cette demi-heure poignante et silencieuse, je ne suis plus qu'impulsion, force unie à toi, l'amour n'est plus qu'un cri, la vie n'est plus que possession, et feu, et ton regard mi-clos prend la couleur et le lointain de l'océan. Je sais que j'ai à te raconter (et j'aime le faire) mon lundi sans toi. Mais je voudrais d'abord que tu saches, Anne, que tu es l'être vers lequel je vais – et si tu es au bout de la route quel bonheur et quelle vie comblée, achevée – et si tu n'y es pas ? Ah ! que dire ?

Je ne couvrirai pas ces pages de déclarations sentimentales ! Elles finiraient par te fatiguer ! Et à quoi bon ajouter les mots à ce qui désormais est souffle et sang et fulgurance ? Simplement tu sais que le cœur, autant que l'esprit, a un enfer qui s'appelle la CONTRADICTION. Or moi, au-delà des vanités, des recherches, des prudences, au-delà même des espérances je t'aime dans l'unité de mon être. Merveilleuse, terrible découverte.

Mais quelle faiblesse, quelle absence de marge devant la souffrance, quelle fragilité devant la CONTRADICTION ! Je me reproche cette faiblesse : ce n'est pas ma compagne habituelle et je déteste l'offrir en spectacle. Je pourrais la taire. Mais ces lettres n'auraient pas de sens si elles n'étaient le récit, sur le vif, de mon histoire intérieure. Aussi bien ce que j'ai écrit hier soir que ce que j'écris ce matin, j'ai la tentation de les déchirer. Si je ne le fais pas c'est pour serrer au plus près la trame de mes pensées quotidiennes pour toi. Tu les reçois donc telles qu'elles sont. Et parce que c'est ainsi et qu'elles te racontent mon climat (un peu trop à giboulées actuellement !) je crois que tu me les pardonneras.

14 heures

Au début de la matinée je suis allé à la Chambre. Courrier. Bibliothèque. En rentrant j'ai fait deux courses pratiques (dont une très pratique : la banque !). Puis j'ai plongé dans les sérieuses études sur les pays sous-développés. Je viens de déjeuner. Hop ! en vitesse ! Pas de longues conversations comme j'aime tant avec toi, pas cette étonnante toile de fond qui occupe sans cesse le décor de nos paroles et de nos gestes. J'ai lu les journaux : je joindrai quelques coupures concernant le congrès d'hier. Tu verras, prise au piège aux yeux de mon Anne bourgeoise, l'honnêteté du _Figaro_ ! Dans _France-Soir_ une « triste » nouvelle : à peine retrouvée, l'une de mes deux amies dont je t'ai parlé (rencontrée dans une récente soirée parisienne) est déjà perdue : Marie-Pierre de Cossé-Brissac se marie – et qui plus est... avec Herzog (le ministre des Sports). Trahison ! Double trahison !

J'allais écrire aussitôt, poussé par le fil de ma plume : heureusement qu'Anne me reste... mais je ravale ma présomption ! Anne musarde.

J'ai reçu, il y a un instant, un coup de téléphone de Laurence qui, abeille ouvrière, réunit pour moi des documents utiles à mon intervention de mercredi. Je la verrai demain. Demain sera d'ailleurs un jour plein (mais vide de toi. Donc ce plein-là je m'en passerais) : le matin, avec Simon Nora (justement le premier mari de Marie-Pierre) travail. L'après-midi : réunion de mon groupe parlementaire à propos du délicat conflit que je t'ai exposé sur l'organisation du congrès d'Arcachon. Puis le responsable de l'agriculture en haut Morvan vient chez moi : puis l'ancien ministre de Lumumba (ex-Congo belge). Enfin j'irai dîner à Évry-les-Châteaux. Je n'avais pas envie de rester à Paris mais la mondanité m'ennuie aussi. La maîtresse de maison, dernière descendante de Colbert et qui n'a que ça à la bouche, assez belle, épanouie, sensuelle à fleur de peau (qui est rose porcelaine) et son mari cambré, altier (et opportuniste en diable dans la réalité), solennel, riche à faire peur, ne sont pas des amis proches. Heureusement j'aurai, <u>sur la route de Provins</u>, le souvenir gracieux d'un beau jour : lui sera mon ami.

Mercredi je t'attendrai avec joie. J'espère que tu pourras arriver vers 16 h 45. Tu trouveras auprès des huissiers une carte d'entrée à ton nom.

Si tu étais empêchée de venir dans l'après-midi je serai à <u>19 heures</u> place du Palais-Bourbon devant le petit café où nous avons pris l'autre fois Laurence (à l'angle de la rue de l'Université).

De là nous partirons dîner. J'aime le mercredi. Il m'a toujours donné un goût de bonheur avec toi. Déjà, à celui-là, je tends la main.

Anne deux jours vont s'écouler sans que rien ne nous relie (sinon, de moi à toi, la pensée constante et tendre qui se blesse aux obstacles mais qui n'arrête pas, fidèle, de t'entourer). Je t'entends me répondre que je dois bien m'y habituer ! Eh bien ! comme d'autres aiment la glace à la crème et le gâteau au chocolat moi je n'aime pas ce genre d'habitudes. Ton visage renversé, ce sourire immobile, et ce bras qui me cerne – ou bien ce profil penché sur la tapisserie – ou bien ces longues marches où l'on respire à pleins poumons – ou bien ces fleurs que tu cueilles (et je vois que tes doigts en sont amoureux) – ou bien ce don de toi qui t'ouvre à la brûlure, angoissante, admirable, souveraine qui semblable à l'éclair joint le ciel à la terre – et nous deux, jour et nuit (qui est le jour ? qui est la nuit ? le soleil seul le sait), partagés, qui se perdent et s'unissent, qui s'unissent et se perdent – oui tout cela compose le paysage où je me meus. Le 23 juin nous partirons. Le lendemain sera le solstice, la gloire de l'année. Puis le surlendemain, le jour déclinera. Les feux de la Saint-Jean auront allumé les collines et se seront éteints.

J'aurai en moi le visage d'Anne. Et commencera l'attente amère. Ah non ! je ne suis pas pressé d'accélérer le pas vers cette solitude, forêt ou désert qui étouffe les cris.

Au revoir, mon Anne aimée. Si tu veux bien, parfois, accorde-moi la secrète pensée qui signifie que tu es, malgré le temps, la distance, malgré tout (et puis aussi, à cause de tout),

ma très chère, ma si chère

Anne

François

Coupures de presse :

« La campagne présidentielle. M. Gaston Defferre reçoit l'appui de MM. Maurice Faure et Mitterrand, annoté :

Le Monde, éditorial de Pierre Viansson-Ponté, *cf. Le Figaro* ! »

Le Monde, 9 juin 1964, p. 6, Raymond Barrillon, « La convention préparatoire des institutions républicaines » : « La motion finale réclame un regroupement des "forces de gauche à vocation socialiste". »

France-Soir : « Maurice Herzog va épouser la comtesse Marie-Pierre de Cossé-Brissac » (Simon Nora, son premier mari, père de Fabrice, treize ans, et Constance, vingt-deux ans, a épousé la fille du général Georges Picot, Léone).

France-Soir : « Mitterrand : "Defferre doit être le candidat de toute la gauche" ».

Le Figaro : « La convention préparatoire des institutions républicaines », « Le regroupement de la gauche comprend obligatoirement les communistes », souligné et suivi de quatre points d'exclamation et du commentaire suivant :

« Exactement le contraire de ce que j'ai dit et qui a été <u>adopté</u> !! quel mensonge !

M. Estier, un des premiers rapporteurs → non. »

85.

S.d. Enveloppe de carte de visite de fleuriste.
Pois de senteur rose, rose, rose.

86.

En-tête Assemblée nationale (sans enveloppe).

14 juin 1964

Tout est grave dans mon cœur
Tout se grave dans mon cœur
Tu m'apprends la beauté
Des choses indicibles
Tu m'apprends que la grâce
Existe
Comment vivre en sachant ces merveilles ?
Simplement parce que
Tu as fermé tes bras
Un monde que j'espérais
S'est ouvert devant moi
Le bonheur
Porte un nom
Le même peut-être que celui du chagrin
Mais bonheur ou chagrin je l'aime
Anne.

F

87.

En-tête Assemblée nationale, à Anne Pingeot.

Mardi, 9 heures

Anne,
Voici la fin de Mozac.
à demain
Je t'aime

François

88.

En-tête Assemblée nationale, à Mademoiselle Anne Pingeot,
39 rue du Cherche-Midi, Paris *(sans timbre).*

Vendredi 19 juin 1964

Ce vendredi en effet a bien besoin d'une compensation. Mais tous les deux nous l'aurons eue : toi en contemplant les beautés de Bourges, moi, grenouille, en recevant ta lettre inattendue et si heureusement bienvenue. « La rue du Regard » m'a enchanté. Voilà une carrière pour toi. Si tu le veux je puis te servir de modèle et de prétexte à inspiration pour chaque rue de Paris. « Tu te rends compte » ! dix ans de travail et de joie à retrouver mon Anne aimée à tous les tournants de tous les jours de toute une vie !

J'espère que tu as passé une bonne journée entre le saucisson, les vitraux, les chers professeurs et tout le petit peuple des Métiers d'art. Ici, il a mélancoliquement plu. On ne se remet pas comme ça de tes fugues ! Paris et moi avons gardé un air chagrin. Cet air-là je l'ai promené comme prévu chez le tailleur, à l'Assemblée et chez les bouquinistes. Cela m'a d'ailleurs rapporté un merveilleux Gérard de Nerval, *Le Rêve et la Vie,* délicieusement relié. Enfin j'ai terminé mes séances chez le dentiste. Ah ! ce vendredi !

Pourtant je le préfère encore à celui qui viendra la semaine prochaine et que ne suivra pas un samedi de bonheur. Te voir demain, indicible espérance.

Ce petit bout de lettre, Anne chérie, précédera de peu notre rencontre puisque sauf contrordre je serai à Saint-Placide à 12 h 45.

Mais tandis que je l'écris (bientôt minuit sonnera) le temps me paraît long qui me sépare non seulement de toi mais de cette création continue de ce monde qui nous appartient et que j'aime violemment

François

[Verticalement :] P.-S. Je prends l'avion pour Marseille dimanche matin.

Samedi 20 juin, forêt de Rambouillet, bruyère.

89.

En-tête Assemblée nationale, à Mademoiselle Anne Pingeot
(sans timbre).

Lundi 22 juin 1964

Après tant de lundis de joie
profonde
puis-je te dire, Anne,
en ce lundi 22 juin
qui clôt une si extraordinaire
et si heureuse année –
que je t'aime ?

<u>François</u>

Œillet sauvage séché.

Lundi 22 juin. Compiègne, Morienval, Crépy-en-Valois.
Mardi 23 juin, Lorris, Germiny-des-Prés, Saint-Benoît-sur-Loire,
Meaulne, Bourges, Cérilly.

90.

En-tête Assemblée nationale, à Mademoiselle Anne Pingeot,
10 rue de l'Oratoire, Clermont-Ferrand, Puy-de-Dôme.

Mercredi 24 juin 1964, 23 heures

C'est la nuit, la nuit de la Saint-Jean. Les feux de mon enfance brillent-ils ce soir sur les coteaux ? Chaque maison, chaque ferme célébrait la splendeur du solstice.

Je sentais mon cœur ébloui sous le ciel étoilé. Les dernières braises éteintes un peu de nostalgie me poignait. Il fallait recommencer à vivre.

Le temps a passé. Beaucoup de temps. De ma maison les hôtes ont disparu. Morts, lointains ou dispersés. Le feu brûle pour quelles âmes, quelles espérances, quelles pensées ? Et quel enfant songe que la beauté va l'emporter dans un monde admirable où sa ferveur jamais ne se consumera ? Je vois, dans ma mémoire, le champ où l'on se rassemblait. J'entends la prière et les cris joyeux qui, aussitôt après, accompagnaient les sauts par-dessus le brasier. Que la flamme était claire et haute ! Elle piquait mes yeux tant j'approchais. Et, quand je regardais la nuit, de grandes taches dorées dansaient encore devant moi. Puis tout se remettait en place. À l'horizon, point par point, l'ombre reprenait son domaine un moment dérangé par le rite des hommes. Le ciel immense et froid faisait frissonner les épaules. Les femmes serraient leur châle. Les hommes pressaient le pas. Personne ne parlait plus.

Pourquoi évoquer ces souvenirs ?

Parce que cette lettre est écrite un 24 juin ? Sans doute. Mais surtout parce que hier, après tous ces jours, c'était, il me semble, avec un peu d'avance, un feu de la Saint-Jean — merveilleux, exaltant, saisissant — un feu rien que pour nous. Fête chrétienne, fête païenne où l'âme et le corps ne sont qu'un même élan — pareils à la flamme qui est à la fois du ciel et de la terre et qui est aussi autre chose, chaleur, morsure, esprit.

Anne, ma chère Anne :

(Je pourrais employer d'autres mots de tendresse. Ceux-là sont les premiers qui s'imposent à moi.)

Ma chère Anne. Ils signifient la parfaite communion, l'accord de la pierre et du fleuve, de la pierre et de la coupole céleste dont le bleu tournait au gris à force d'essayer de tout comprendre — bref, ils signifient qu'à Saint-Benoît-sur-Loire, le bonheur avait bon appétit et ressemblait à s'y tromper à deux voyageurs en retard qu'une aile de poulet et une tranche de bœuf froid n'empêchaient pas de dévorer l'ultime fromage de chèvre qu'une servante économe tentait de leur enlever de la bouche.

Ô Anne, chaque instant, chaque geste, chaque silence, chaque sourire avait son poids de bonheur. Mais maintenant que le Feu de la Saint-Jean s'est éteint je rêve à la flamme d'hier. Tu me manques déjà et déjà je t'espère.

Mon retour, après Saint-Germain[-des-Fossés], n'a pas battu les records de vitesse ! À Moulins mes paupières tombaient. À Saint-Pierre-le-Moûtier je ne savais plus où j'étais. J'ai donc pris position sur le bas-côté et j'ai dormi une heure ! Assez tard, un lit de l'Hôtel de France de Nevers me recueillait enfin ! Reparti ce matin sous un soleil impitoyable j'ai dû combattre encore le sommeil. J'étais pour déjeuner chez André Bettencourt. Diverses courses m'ont retenu

l'après-midi. Des rendez-vous pris inconsidérément par ma secrétaire m'attendaient en fin de soirée. Résultat : pendant que tu me
téléphonais j'avais, engoncé dans un fauteuil, un visiteur que je ne
pouvais décemment pas expulser de mon bureau et dont la présence
m'agaçait tellement que je ne t'ai pas dit ce que je voulais te dire !

Mais que tu m'as fait plaisir ! D'abord ta voix. La distance s'abolissait. Elle était comme j'aime, cette voix que j'aime.

Ensuite, savoir que tu étais allée à Louvet, que tu étais rue de
l'Oratoire, dans cette belle maison riche d'une profonde présence, que
tu étais heureuse de notre voyage d'hier.

Évidemment je suis soucieux de l'opération de demain [ablation des
amygdales]. Je déteste ce geste qui va te meurtrir. Je penserai à toi,
très fort, à 11 heures. Cela ne t'aidera guère mais je me sentirai plus
proche de toi, comme le canard danois naturalisé allemand qu'un
miracle a mué en gentil Auvergnat – avec l'accent, et qui se trouve si
bien dans le creux de ta main. (Méfie-toi de tes baisers sur le bout de
son bec : ça le décolore, lui, ce pauvre Scandinave qui n'a pas encore
l'habitude, comme dirait Stendhal, de l'amour à la française.)

Je continuerai cette lettre demain. Mais, Anne, ce soir, qui est le
premier d'une si longue absence, je voulais te le consacrer.

Comment te remercier jamais des mois incomparables que par
toi je viens de vivre ? Je m'y efforcerai en t'apportant le meilleur de
moi-même. Et d'abord le feu qui m'habite – comme si le Dieu de
ma jeunesse avait voulu me restituer au milieu de mon âge l'âme des
nuits de la Saint-Jean, cette âme retrouvée que je te dois.

Jeudi, 18 heures

Anne, que tu as dû souffrir ! J'y ai pensé toute la matinée. Je n'aime
pas être loin de toi quand je te sais douloureuse.

Maintenant je suppose que les médecins t'ont donné les calmants
nécessaires. Je n'ai pas voulu t'en parler plus tôt : je savais que cette
opération, réputée de peu d'importance, est terriblement pénible.
Comment pourrais-je t'aider ? Si tu étais au 39 j'aurais déposé des
fleurs des champs que tu aimes tant.

J'espère que cette lettre te parviendra demain vendredi et qu'elle
te trouvera déjà sortie de la zone où le mal tient et domine l'être.
J'écris ces pages d'aujourd'hui à l'Assemblée. Atmosphère de fin de
session, languissante. Pour moi d'ailleurs, l'année est finie. J'y reviens
sans cesse : quelle belle, quelle merveilleuse année. Je mets à tout

instant mes pas dans nos pas. À l'heure du déjeuner j'ai regardé avec un brin de nostalgie la rue du Dragon qui a désormais pour moi un air heureux et un petit sourire d'amitié – et qui fleure le romarin. J'étais tout près, boulevard Saint-Germain, au restaurant Calvet, invité là par deux dirigeants du Club Jean-Moulin (le principal club des technocrates nouvelle vague). Contact intéressant. Mais comment pourrait-il être productif ? Leur langage ne connaît pas autre chose que l'abstraction juridique. Il leur faudrait aller plus souvent par les petites routes du Berry et respirer le soir doré qui tombe sur les cimes de la forêt de Tronçais. Mais leur chemin ne passe pas par là.

Ce soir je dîne chez Yveline Lecerf cette Jurassienne connue lors de mon évasion d'Allemagne et que j'avais perdue de vue jusqu'à ce dîner mondain que je t'ai raconté.

Je rentrerai tôt car je dois partir pour la Nièvre à 6 heures (la cérémonie anniversaire du massacre de Dun-les-Places a lieu à 10 heures).

Comme tu le sais je resterai ensuite à Château-Chinon (quelle joie ce serait que d'y trouver un mot de toi). Lundi je rentrerai dès le matin à Paris puisque je ne puis te rencontrer. Et vendredi (3 juillet) je serai à 10 heures (et le cœur si, si heureux) à Moulins.

Je t'écrirai à nouveau, évidemment. Je posterai ma prochaine lettre lundi. Donc de Paris. Tu l'auras sûrement mardi. Ne m'oublie pas. N'oublie pas qu'un tout petit mot de toi se traduit pour moi en grande joie.

N'oublie pas que tu es ma joie.

Hier soir avant de me coucher j'ai mis ton disque « Anyone… » mais laissé sur la plage arrière de la pantoufle le soleil l'a gondolé ! On ne peut dire que le rythme y gagnait ! Aussi vais-je passer chez un disquaire me procurer un exemplaire demeuré plat… et audible. Le tien ira rejoindre les objets très chers de mon « musée » !

J'ai commencé mon *Journal parlé*. J'espère qu'il t'amusera. Le premier jour ainsi mis en pages n'est pas très esthétique (tout le monde n'est pas DIPLÔMÉ des Métiers d'art) mais je ferai des progrès.

Voici, mon Anne, l'heure du courrier. Je ne veux pas le rater. Je voudrais pour terminer ces pages te dire mille tendresses. Je n'en écrirai qu'une : je t'attends fidèlement, avec en moi la douceur divine d'Auvers.

François

91.

En-tête Assemblée nationale, à Mademoiselle Anne Pingeot,
10 rue de l'Oratoire, Clermont-Ferrand, Puy-de-Dôme.

Lundi 29 *juin 1964*

Pour la première fois, avant-hier, samedi, j'ai ressenti ton absence comme un mal physique. Pendant les trois jours précédents le téléphone avait amorti le choc. Et ta lettre trouvée en arrivant à Château-Chinon vendredi après-midi m'avait fait un tel plaisir ! Mais, privé de tout lien direct avec toi, j'ai compris que commençait vraiment la séparation tant redoutée. Le week-end nivernais s'est déroulé par une chaleur tropicale, absorbé par une série de petites obligations dans des endroits variés, ce qui m'a contraint à piloter la pantoufle dans tous les azimuts du département.

Rien n'a pu me distraire d'une pensée constante : toi, mon Anne.

Et d'abord comment vas-tu ? j'ai encore dans l'oreille le son de ta voix un peu cassée par l'opération. Maintenant que les jours ont passé j'espère que tu ne souffres plus et que tu récupères… non seulement du contrecoup de l'intervention chirurgicale mais aussi des fatigues accumulées au cours de ces dernières semaines ! Si tu savais les vœux que je forme, égoïstement, pour que tu sois en état de faire à ton volant pégasien [la 2 CV de ma mère] la distance Clermont-Moulins, vendredi !

Chaque jour je compose mon petit journal illustré pour te raconter ma vie – sans Anne, qui, après tout, je m'en rends compte, n'est pas si intéressante que ça. Quel besoin j'ai de te parler, d'échanger avec toi soucis, espoirs, et mille réflexions qu'une journée suscite ! Le côté Anne-compagnon a beaucoup compté dans la joie, la si belle joie qui, par toi, m'a si pleinement visité tout le long de cette année. Et l'une des dernières images que je garde de toi, place Thorigny, tablier bleu autour des jambes et portant tes cartons, n'est pas la moins chère à ma mémoire. Elle symbolise gaiement une certaine façon d'être de notre entente, faite de confiance et de notre commun désir de travailler, de chercher, d'apprendre et de comprendre, ensemble.

Évidemment, aujourd'hui, j'ai quelque peine à ne pas trop penser à ce qu'aurait pu être ce lundi. Mais ce matin, à 7 heures, au lieu de filer vers le sud je débouchais sur la RN 7, à la hauteur de Neuvy, en direction de Paris ! En effet j'étais mort de fatigue hier soir et après avoir dîné chez l'un de mes amis, médecin à Saint-Amand-en-Puisaye, je suis resté finalement pour la nuit. Je t'ai rapidement dit mon emploi du temps au téléphone – le voici : vendredi 6 h 30 départ pour la Nièvre – 10 heures cérémonie de Dun-les-Places. Déjeuner. 16 heures Château-Chinon. 18 heures conseil municipal. 20 heures dîner avec des maires. Samedi de 9 à 10 heures : j'ai reçu à la mairie. À 11 heures permanence à Clamecy. 12 h 30 déjeuner avec des élus de cette région. 16 heures préfecture de Nevers. 17 heures visite du lycée agricole de Magny-Cours. 18 heures visite d'une école pour jeunes rurales. 18 h 30 comité de l'Association des maires à Nevers. Dîner à Magny-Cours. 22 heures soirée, à Fourchambault, de l'aéroclub nivernais. Et à minuit et demi je reprenais la route, seul, pour rentrer à Château-Chinon… Dimanche matin j'ai encore reçu des visites à la mairie. À 10 h 30, s'est tenue l'assemblée générale des syndicats d'initiative. J'ai visité divers chantiers. Déjeuner à quelques kilomètres de là avec le président et le vice-président de la « Jeune Chambre économique » de Nevers, dans un bistrot-bistrot. Retour pour la fin du banquet des syndicats d'initiative. À 17 heures à Monceaux-le-Comte : tir aux pigeons d'une fête locale. À 18 heures je me suis arrêté chez un mécanicien ami qui vit dans un petit village au bord de l'Yonne. À 20 heures halte à Entrains-sur-Nohain et à 22 heures Saint-Amand…

Pardonne-moi cette ennuyeuse énumération. Elle te montrera que je n'ai guère soufflé ! Et puis n'ai-je pas l'habitude de te raconter mon travail ? Il me semble ainsi te mêler davantage à ma vie. Et rien ne m'est plus important que cette communauté des actes les plus humbles et les plus ordinaires. Partager la beauté d'un soir couchant sur l'église de Morienval enrichit l'âme et fortifie le plus secret accord.

Partager, fût-ce par la pensée ou par le récit, les heures vides du cœur ou de l'esprit, mais que l'action emplit, c'est aussi avancer, et profondément, dans la connaissance mutuelle.

Ce matin j'ai rapporté à la bibliothèque de l'Assemblée *Le Vitrail français* et j'ai classé les dernières fiches annotées pour ta monographie.

Cela m'a un peu pincé le cœur. Peu de souvenirs me sont aussi doux que cette anarchique composition ! Que c'était merveilleux, ces heures du Père Auto penchés sur les vitraux de Notre-Dame-de-l'Assomption ! J'aurai au moins appris que « la combinaison de bi-oxyde de manganèse et de sesqui-oxyde de fer donne des jaunes intenses » ! J'aurai surtout appris je ne sais quelle chanson intérieure qui me parlait de toi – et j'aurai vécu près de toi ce rêve tenace qui reste enraciné en moi : créer entre nous l'harmonie, veiller sur l'allure des « quatre chevaux », marcher du même pas vers un même horizon.

Cette semaine aura lieu la fin de la session parlementaire. Déjà je ne m'en occupe plus. Je vais à l'Assemblée pour mon courrier, pour suivre quelques textes qui m'intéressent à la Commission des lois et pour mettre au point la bibliographie qui me sera utile pendant les vacances afin d'établir un plan définitif de *Laurent* et d'entamer les premières pages. J'aimerais être d'attaque avant octobre pour me consacrer alors à la rédaction. J'ai déjà sélectionné des fiches (que j'apporterai vendredi) et qui me permettront d'écrire une sorte de « Présentation de l'Europe » à la charnière du Moyen Âge et de la Renaissance. Cette « présentation » servirait de prologue au bouquin. Je serais très fier de moi si j'étais en mesure de t'en lire le début dès la fin du mois.

Où en sont tes projets ? J'ai cru entendre vendredi dernier que ta colonie de vacances mobiliserait ton mois d'août... ce qui te ferait hésiter. Tu me le diras : vendredi prochain n'est encore qu'en perspective que je m'inquiète des semaines qui suivront !

La balade en Charente et Périgord me tient tant à cœur, et surtout je ne supporte pas l'idée de ne point te voir durant de longs jours ! Me trouveras-tu un peu puéril ? J'en suis à poser ta photographie avant de m'endormir, sur ma table de nuit ! Pour l'instant, celle qui a ma préférence, dussé-je te surprendre, est celle de Clermont, prise chez toi, avant un bal. Je retrouve en elle une certaine joie irradiante que j'aime voir naître, surgir (comme lorsque je t'ai apporté le canard) violemment, et puis s'emparer de toi tout entière. La cause de cette joie peut paraître futile à qui te connaît mal. Mais moi je sais qu'il n'y a en toi <u>rien de futile</u>. Simplement une extraordinaire spontanéité, une intense curiosité de la vie, une faculté, que je crois rare, d'aimer... ou de détester, une force d'émotion qui te bouleverse. Dans cette façon d'être je vois une réponse à ta question « où est la pureté ? ». Ton approche du monde, de la vie, de l'amour, des êtres est essentiellement pure. Et je t'aime ainsi.

Que ferai-je d'ici vendredi ? rien d'extraordinaire. J'ai tout effacé de ma journée de demain sinon un rendez-vous chez moi, en fin de soirée, avec un sociologue qui mène une enquête sur les milieux politiques. J'ai envie d'être seul, de réfléchir, d'aller par les rues de Paris, sans autre objet que de rester avec moi-même pour mieux atteindre le domaine privilégié – où tu es. Mercredi, golf (il faut bien soigner l'amour-propre menacé par l'entraînement familial... et par l'action souterraine de certain agent secret...). Pour déjeuner je rencontre deux dirigeants du groupe Hachette (le trust des journaux et de la distribution de la presse). J'ai appris trois nouveaux poèmes du choix de Paul Eluard.

Je te les dirai, si tu le veux. Je lis *Chine-URSS, la fin d'une hégémonie* de François Fejtö, un excellent journaliste, qui étudie les origines du schisme communiste. Enfin et surtout, mon Anne, je demeurerai celui qui a été par toi comblé de tant de jours heureux : proche par la pensée et par le cœur.

Je t'apporterai plusieurs articles (ceux-là en général fort méchants !) parus depuis une semaine à mon propos (*Le Figaro, La République nouvelle* etc.). Aurai-je une lettre de toi avant vendredi ? Je n'ose l'espérer. En tout cas je serai ce jour à l'heure convenue profondément heureux de te revoir. Je quitterai Paris jeudi soir et coucherai à Nevers. J'étudie deux itinéraires où j'essaie de placer des sites et des pierres qui te plairont. Ah ! mon Anne que j'aime ce que tu me donnes.

Je pense que tu me raconteras Clermont, Louvet et si tu vas mieux, tes promenades, tes lectures. J'essaie si souvent de les imaginer.

Maintenant je confie à la poste cette « lettre du lundi ». Elle t'apportera plus que ma tendresse

François

92.

En-tête Assemblée nationale, à Anne Pingeot.

Mardi 30 juin 1964

Anne chérie, demain commence un mois très différent de ceux que nous avons connus cette année. Que sera juillet ?

J'ai tenu cinq jours. Depuis hier une morsure me met à vif. Ta main que je sentais jusqu'ici solidement, intimement unie à la mienne, je la cherche. Et surtout je cherche ton cœur. Ah ! que je déteste l'absence. Non qu'elle atténue mon amour de toi, ni le soin fidèle avec lequel j'entoure nos souvenirs et mes espoirs. Mais souffrir, mauvaise rencontre ! Je me pose toutes les questions à la fois. Aurai-je une lettre demain ? M'oublies-tu ? Seras-tu à Moulins vendredi ? etc. etc. Bref je suis enfermé dans le plus classique des pièges : je t'aime et je me cogne aux jours qui nous séparent.

Par la pensée je ne t'ai pourtant guère quittée aujourd'hui. Comme je te le raconte dans mon *Journal parlé* j'ai erré dans les rues du quartier Saint-Sulpice, à la recherche d'images vivantes qui me procureraient l'amère joie de t'imaginer, venant vers moi, ombre dense.

Maintenant la nuit est en son milieu. J'ai lu. Je me suis distrait à mon petit travail de « mise en pages » quotidienne. Je pense à toi. Quelques mots dominent mon être. Quatre mots : « PARLER DANS LA NUIT ». Oui, je voudrais te parler dans la nuit. Je songe à cet extraordinaire vendredi 12 juin, à cette nuit chaude, si chaude et embaumée. À tant de phrases balbutiées qui chantaient la tendresse, le plaisir de vivre, l'orage en lisière, le ciel étoilé, l'approche mutuelle d'une étonnante communion. Te parler dans la nuit, mon amie attentive, en profil perdu – et parfois le visage offert.

Tout avec toi est grave pureté ; la passion elle-même, qui brûle et transfigure, n'altère pas cette gravité. Elle la porte seulement un peu plus haut. Parler dans la nuit, étendu près de toi ; parler pour toi et au-delà de toi ; communiquer avec le secret du monde par ton intermédiaire. Confidences de l'âme. Paix du corps. Douceur de ta main, de tes lèvres. Alliance.

Il n'y a pas de pays où je ne saurais retrouver la signification des plus subtils langages. Amsterdam. Parler toute une nuit, à peu de mots, avec de grands traits – d'union de silence. Ne pas te quitter. Ne pas désirer autre chose que l'immobile échange des choses éternelles. Ravenne. Parler dans la nuit. Rêver. Attendre le matin. Comme une veillée du Moyen Âge. T'aimer. Te vouloir.

Attendre, avec le matin, la vie. Et le soleil.

Pourquoi la nuit évoque-t-elle d'abord les fièvres du désir ? Moi je te vois avec la tache sombre de tes cheveux, l'éclair vert de tes yeux, la noble ligne de tes bras, et le sourire gonflé des heures douces.

Mais je te vois surtout forte et confiante dans l'abandon d'un univers où toi et moi seuls demeurons, dans l'ignorance d'une ville inconnue où la beauté prend possession du cœur avant de commencer son long voyage. Oui, moi je te vois autrement que la nuit que d'autres nous racontent.

Parler dans la nuit, lente conquête de soi-même. Dignité suprême. Hiérarchie dont le sommet n'est supportable qu'absolu.

Comprends-tu Anne ce que veut dire ce cantique qui monte en moi ? Cette nuit mon cœur veille. Je te murmure ma tendresse. Je goûte à tes lèvres pour boire un peu ma source aimée. Mais tout en moi apprend cette splendeur : t'aimer VRAIMENT.

Mercredi 1er juillet, 17 heures

Ce matin, golf. Ma plus mauvaise partie de l'année. J'ai été très irrégulier. Je me suis même abaissé jusqu'à faire un 10 !

Bah ! peu m'importe. J'attends demain soir pour prendre la route Nevers-Moulins avec une telle joie que rien d'autre ne compte.

Pourtant une triste nouvelle pour moi : mon professeur de golf [Charles Magniez] qu'une petite toux sèche avait arrêté il y a trois semaines est mort hier d'un cancer au poumon. Je pense avec mélancolie à son univers qu'il aimait : les pelouses vertes de Saint-Cloud, les marronniers à l'horizon, la balle blanche qui lui obéissait si bien. Il avait un cœur simple. Que lui a dit la mort ?

Au déjeuner j'ai dépéri d'ennui. Ces gens importants qui veulent paraître au courant de tout et qui n'apportent qu'une brassée de ragots dont l'opposition n'exprime que médiocre rancœur (on se demande pourquoi) me fatiguent. J'ai vite prétexté une illusoire obligation pour filer à peine le café servi. L'un d'entre eux cependant a accroché mon intérêt, un bref instant : il possède une propriété en Dordogne, à quelques kilomètres de Touvent, et nous avons parlé de la terre blanche, des champs de noyers, de la chaleur craquelante de juillet. Dans la soirée j'aurai une réunion avec Gaston Defferre à son bureau de l'avenue de l'Opéra.

Hier il est venu passer une demi-heure chez moi.

Je pense à toi, mon Anne chérie, avec une telle tendresse ! Mais que la passion est intolérante ! Huit jours ont tout juste passé depuis notre séparation et me voici déjà malheureux, sans vraie raison, livré aux phantasmes de l'imagination. Comment faire ? sinon te garder de jour en jour et tous les jours et pour toujours. L'année qui vient de s'écouler m'a donné plus que je n'avais espéré : la montée continue vers un merveilleux accord. Oui, par toi tout est ascension, recherche d'une perfection personnelle, désir de comprendre et d'aimer. Que je voudrais conduire ma vie jusqu'à l'épanouissement pressenti au fond de nos plus secrètes tendresses : la paix du cœur dans l'harmonie d'Auvers ; l'exaltante ambition de réussir une admirable entente ! Je t'aime, que veux-tu, Anne. Je n'oublie évidemment aucun des obstacles qui se dressent entre nous (et quels obstacles !), mais les affronter vaut la peine. Avec toi je ne sais pas ce qu'est le bonheur mesquin – si on peut l'appeler bonheur – je ne connais qu'un immense besoin d'atteindre le domaine privilégié où l'homme en se dépassant s'accomplit. L'aide de mon petit compagnon si cher m'est pour cela nécessaire. Tu me l'as consentie tout le long de cette belle année. Là est le sens de mes Mercis.

23 heures

Je t'ai écrit ces dernières pages à l'Assemblée. En rentrant, ô joie, ta lettre sur mon bureau ! Je l'ai décachetée lentement. Maintenant que je l'ai lue j'ai un peu honte de moi. C'est une lettre comme celle-là que j'attendais depuis toujours. « Je ne suis plus seule… tu es un peu moi. » Je porterai ces mots en moi, Anne, crois-moi à jamais. J'aime le jardin que tu me racontes, la fleur que tu m'envoies, le chariot qui te portait, le canard sous ses pois de senteur et même le cousin si beau.

J'aime Louvet où « tu montes », ta fenêtre ouverte sur les roses, tes lectures dans le silence. Et j'aime, mon Anne, par-dessus tout la sérénité, l'entière confiance de ton cœur. Oui je m'en veux de ne pas avoir d'emblée admis, une fois pour toutes, que l'état de grâce c'était ta façon d'être, qu'autrement tu n'aurais rien donné de toi.

Avant d'aller dormir, ma chérie, j'embrasse tes lèvres – puis longuement, tes mains. Et je te garde : je crois bien que je ne sais pas te quitter.

Jeudi 2 juillet 1964

J'ai commencé ma journée par l'église de Saint-Cloud où était célébrée une messe pour Charles Magniez. J'ai ensuite reçu deux pittoresques serviteurs des arts. La femme d'un sculpteur céramiste d'abord qui venait me présenter les œuvres de son mari pour provoquer leur achat soit par le département de la Nièvre soit par la ville de Château-Chinon. Puis un musicien qui voudrait une subvention pour « les centres ruraux de la musique » ! J'ai déjeuné chez Rousselet qui part en vacances à Beauvallon.

À 15 heures j'étais au Palais de Justice afin de plaider un référé sur un conflit opposant trois firmes cinématographiques, l'une française (la mienne) les autres italienne et allemande à propos du film *Monsieur*.

Un saut à l'Assemblée nationale tombée dans un douillet délassement. Et j'ai fini mon après-midi chez moi avec le commandant africain dont je t'ai parlé, mon ancien aide de camp qui rentre demain au Mali alors qu'il redoute d'être arrêté là-bas en raison de ses positions ultra-francophiles.

Enfin une réunion du Centre d'action institutionnel a accaparé ma soirée.

Voilà comment après une heure cinq de voiture je me trouve à Montargis (110 kilomètres) où je loge pour la nuit avant de te rejoindre.

J'ai disposé ta photo du bal. J'ai pensé à toi si tendrement, si tendrement. J'ai fermé les yeux pour mieux voir ton visage. Je t'ai aimée, mon Anne, comme je t'aime.

Et je te dis bonsoir – et quel bonheur demain

François

Vendredi 3 juillet, Moulins-sur-Allier, Autun, le Beuvray, oppidum de Bibracte.

93.

En-tête Assemblée nationale, à Mademoiselle Anne Pingeot.

Samedi 4 juillet 1964

Anne, je t'aime

François

MON EMPLOI DU TEMPS

5 dimanche : Luxeuil (Haute-Saône)
6 lundi : Hossegor
7 mardi
8 mercredi : Paris
9 jeudi
10 vendredi
11 samedi : Hossegor
12 dimanche
13 lundi
14 mardi
15 mercredi : Paris
16 jeudi
17 vendredi
18 samedi : Château-Chinon
19 dimanche
20 lundi : Paris
21 mardi

Peut-être ensuite un peu Hossegor ou ailleurs mais je te le dirai et surtout vers le 23, 24, 25… <u>Saint-Germain</u>.

94.

En-tête Assemblée nationale, à Mademoiselle Anne Pingeot,
10 rue de l'Oratoire, Clermont-Ferrand, Puy-de-Dôme.
[L'été, je séjourne à Louvet chez mes grands-parents,
mais vous adressez le courrier à Clermont pour ne pas les alerter.
Cela durera jusqu'à la mort de ma grand-mère.]

Ville-Langy, samedi 4 juillet 1964, 12 h 30

Il y a quatre heures exactement je voyais ton visage, ta silhouette s'effacer sur le quai de la gare. J'ai longuement regardé Clermont, le puy de Dôme, les clochers des églises. Puis je me suis réfugié en moi-même. À Moulins je n'ai pu résister à l'impulsion de te téléphoner. Entre la pantoufle patiente et l'horloge qui par un hasard cruel marquait l'heure de notre rendez-vous d'hier je me suis senti soudain horriblement désemparé. Que je t'aime, mon Anne ! Ta voix m'a fait du bien. Je t'imaginais me parlant dans ta chambre que je ne connais pas avec auprès de toi ma lettre, le livre d'Autun et le gentil canard. Pendant que je t'avais au bout du fil j'étais de nouveau sous le charme du bonheur tranquille dont je sens si fort qu'il pourrait être notre lot. Vivre avec toi, pour toi ! Cela supporte, je le sais, tant d'affrontements préalables avec l'extérieur.

Mais je suis si sûr que nous bâtirions la plus solide et la plus douce des unions, placée au niveau des vérités élémentaires – la vie – la mort – la paix – l'amour – l'ambition de créer, de servir. À partir de Moulins j'ai poussé la pantoufle à petite allure la tête encore pleine d'images chères (ah ! ton sourire d'hier, au volant de la 2 CV, arrivant devant la gare – et notre allure de chiots maladroits quand nous sommes allés l'un vers l'autre !). Je me suis arrêté à Decize pour saluer une famille qui avait été accueillante pour moi au début de ma vie politique nivernaise. J'avais appris la mort d'un fils de trente-six ans. Étrange, mélancolique impression ! Grille entrouverte, parc délaissé, herbes hautes, volets clos. Cette maison était morte aussi. Je suis reparti, le cœur serré.

Je suis maintenant à Langy, belle propriété classique, avec une cour bien dessinée, une demeure rectangulaire, basse et moussue, de nobles communs, un pigeonnier de bon style. Je devais coucher là cette nuit ! Je vais y déjeuner.

La maîtresse de maison est allée au village pour ses achats. Dans la salle à manger où je me suis installé pour t'écrire règne une fraîcheur que soulignent par contraste les champs déjà brûlés qui commencent au-delà du parc et le bourdonnement des mouches. Toi, tu es à Louvet. Nous devons respirer un peu la même odeur de cire, de miel, de fruits, de chaleur sur les volets. Je suis triste, très. Mais en même temps j'ai foi en toi, en notre entente – et, oui, j'ai foi en moi. L'heure vécue hors du monde cette nuit avant d'arriver à Clermont continue et continuera longtemps de multiplier en moi d'extraordinaires résonances. Je t'aime comme un cep de vigne aime la terre, comme le regard aime le ciel.

17 h 30

Je suis à Château-Chinon, à mon bureau de la mairie. Après déjeuner je me suis reposé un moment [mots illisibles barrés]. Quand l'heure vint de partir de Langy (qui se trouve à 35 kilomètres de Nevers, à l'est) un orage sec commençait de courber les arbres, de faire crier les plinthes, de répandre partout un méchant vent rasant, porteur de ce feu d'été qui roussit la splendeur de juin et dessèche l'âme des hommes. Un curieux désespoir m'a pénétré sans que j'en aperçoive le cheminement. Je me suis rappelé ta réflexion sur mon activité, mes déplacements incessants – et ta question « peut-être ne pourrais-tu pas vivre autrement ? ». Et il est vrai que le mouvement, l'action c'est une manière de se fuir. Mais je ne me comporte ainsi que lorsque j'y suis contraint.

J'ai au contraire une faculté profonde d'immobilité. À une condition, essentielle : que ma vie se bâtisse là, avec ses souvenirs, avec ses espérances. Être seul, n'avoir pour compagnon que le mal d'aimer ou le lent poison de l'indifférence, je ne puis supporter cette torture. Alors, une sorte d'épouvante me fait refuser cette prison du temps, [nouveau feuillet, en-tête Ville de Château-Chinon (Nièvre). Le Maire] du temps qui ne bouge plus, du temps qui n'est plus que la préfiguration de la mort – la mort – vivante. Si j'avais près de moi l'être qui comprend, qui soutient, qui éclaire, l'être capable de relayer la volonté et la puissance d'amour, je n'aurais pas trop des années qui me restent pour m'enraciner et pour approfondir l'horizon qui me serait donné. Je t'assure qu'écrivant cela je ne laisse pas aller mon imagination. Je te montrerai à Touvent les lieux où je pouvais demeurer tout un jour à regarder en moi-même, dans l'accompagnement harmonieux des choses alentour. Si j'ai mon ciel avec moi je redeviens un homme de pleine terre. Mais, voilà, il faut que je puisse lever les yeux sur un visage, compter sur une confiance, espérer, pour l'au-delà des actes, dans je ne sais quelle harmonie que j'appelle, tu le sais bien, toujours du même mot : la paix – la paix que déjà je possède, toi présente, toi mienne.

J'ai pris exprès ce papier à lettres de la mairie pour ce troisième feuillet parce qu'en arrivant à Château-Chinon j'ai été soudain déçu de ne pas t'y avoir amenée hier. Il est vrai qu'Autun et le Beuvray ont meublé notre journée, assez pour s'ajouter à nos beaux souvenirs. Mais j'aurais dû te montrer mon travail tel qu'il est, dans les rues, sur les places, à mon bureau etc.

J'y aurais puisé une énergie nouvelle. Un jour, vraiment il faudra que tu viennes ici. Ce désir s'inscrit précisément dans les réflexions que je notais un peu plus haut : si je t'incorpore à mes tâches tout change, tout chante, tout mue en elles. Il me semble que je leur transmets un formidable goût d'accomplissement dont je ne détiens le secret que si quelqu'un le partage.

La journée d'hier m'a beaucoup marqué. Je me reproche bien d'avoir été un peu égoïste car tu es fatiguée et tu dois te reposer. Mais j'ai ressenti, surtout quand je t'ai conduite à Clermont, un choc inattendu de moi, tant je croyais avoir atteint les limites possibles de notre entente. Ce choc me bouleverse encore. Quand mes lèvres ont rejoint les tiennes j'ai eu l'impression de te rejoindre, toi, sur le rivage d'un autre monde où tu m'avais précédé.

Et quand j'ai bu ce qui était peut-être des larmes, au-delà des mots et des gestes je t'ai appartenu, mon Anne chérie, comme dans une communion mystique.

Dimanche 5 juillet 64, 22 heures

La journée s'achève. Pour continuer cette lettre je me suis arrêté à Provins. J'ai quitté Luxeuil peu avant 7 heures et depuis, je roule, je roule dans un carnaval de circulation, par des routes en réfection, bref, en m'abrutissant !

Je commence à tomber de sommeil, d'autant plus que je me suis couché hier ~~soir~~, après la réunion de Montsauche, à 2 heures du matin et que je suis parti ce matin de Château-Chinon à 9 heures. Or au dîner d'hier comme au banquet d'aujourd'hui j'ai dû haranguer quelques centaines de convives. J'y ai mis, surtout à Luxeuil, beaucoup d'énergie pour convaincre et emporter l'adhésion. Résultat, je suis exténué et ma main crispée sur le volant, lassée par la fatigue, tient mon stylo en dépit du bon sens. Je voulais t'écrire une lettre de tendresse, mon Anne et le ferai bien mal. Je voulais te dire le <u>ravis-</u>

<u>sement</u> que j'ai éprouvé à Moulins quand je t'ai vue. Ah ! il existe donc des joies qui s'emparent de l'être aussi complètement que les douleurs ! Je voulais te dire combien cette journée était importante pour moi et combien j'en avais goûté la force, le charme, la plénitude. Ce dimanche, aujourd'hui, le souvenir encore si proche de nos heures partagées m'a aidé à montrer des qualités qui ne me sont guère habituelles : patience et complaisance ! J'ai écouté des tas de discours et de balivernes avec une angélique attention. Que veux-tu ! J'avais acquis grâce à toi une telle réserve de bonheur que je pouvais bien distribuer autour de moi quelques miettes de gentillesse ! Je crois que tu me rends meilleur ! Mais il reste encore beaucoup à faire…

À Luxeuil j'étais l'hôte d'un sénateur radical, ancien ministre de l'Air, Maroselli. Corse implanté en Franche-Comté, il règne sur son département depuis trente ans. Important, il ne sait rien. Sûr de lui, il ne bouge que du vent. Mais c'est un brave homme qui aime sincèrement les gens de son petit pays. À table j'étais entre sa femme et lui. La conversation ne manquait pas de piquant. Luxeuil étant jumelée à Salsomaggiore il m'a parlé en termes élégiaques de l'Italie.

Exemple : « Parme, connaissez-vous Parme ? Vous savez bien, le jambon de Parme ! » et il ajoute aussitôt : « Il y a aussi quelques monuments épatants. »

Mais je ne puis tout te raconter. Mon programme pour ce soir consiste à rentrer à Paris (je penserai à notre trajet Provins-rue Levert, rappelle-toi), et à ne pas dormir trop tard après minuit – et demain à 9 h 35 je serai dans l'avion de Biarritz d'où je gagnerai Hossegor (je t'ai indiqué que je resterai là jusqu'à mardi soir et je serai mercredi à Paris). Je suis vraiment navré de ne pas y voir ta mère – quand ce ne serait que pour lui communiquer mes dernières impressions sur le vocabulaire de sa fille Anne. Je lui écrirai un mot pour lui exprimer mon regret de l'avoir manquée.

Lundi matin, 9 heures

Je suis à Orly. J'ai atteint Paris hier, tombant de sommeil. Je jette cette lettre à la poste pour qu'elle te parvienne sûrement demain. N'oublie pas 1) que je n'ai pas ton adresse à Châtel-Guyon, 2) que je t'écrirai à nouveau jeudi et que tu recevras donc cette autre lettre vendredi, 3) que… je t'aime.

À bientôt mon Anne
Que j'embrasse

<u>François</u>

95.

S.d. Classé là, poème sans doute antérieur ?

Petite prière d'un *dimanche* matin

Je vous aime, Anne.
Sentiment peu commode pour une vie peu commode.
Mais ce matin, comme si montait de moi une prière, je joins les mains
    et j'élève mon esprit.
Quelque chose me dit qu'une grâce de Dieu m'a visité.
Il y a les peurs et les doutes, il y a l'angoisse, il y a le désir, il y a le
    mécontentement de soi-même,
Il y a l'âme surprise par la connaissance d'un accomplissement où elle
    croit d'abord n'avoir point de part.
Il y a aussi le sourire du ciel sur un visage élu,
Les bras qui se referment et se nouent
Le cœur donné,
Le corps qui s'ouvre non pas à l'autre mais à la venue d'un quotidien
    miracle où la vie et la mort projetées au-delà de soi-même tout est
    source et musique éternelles,
Il y a la gravité du livre qu'on s'interrompt de lire pour écouter son
    cœur ou pour sécher ses yeux,
Il y a la noblesse partagée d'une conquête à faire, d'une œuvre à
    achever,
Laquelle, laquelle ?
Vivre sans jamais abandonner ta main
Vivre sans jamais abandonner ce que j'aime de toi, par toi et avec toi
Vivre sans jamais renoncer aux seules raisons de vivre
Vivre sans jamais oublier la prière de ce matin
Et qui ressemble
Ô Anne il faut me croire
À l'âme que tu cherches
                   Petite prière
                   Pour un dimanche soir
      Crois-moi

                                       F

96.

S.d. Cachet de L'Air du temps *de Nina Ricci.*

97.

S.d. Deux angles de nappes de bistrot découpées,
dessin du trajet de Paris à Moulins.

98.

S.d.

> Je ne veux pas que vous soyez
> Un seul instant
> Triste.
> Je veux
> Que vous rentriez le cœur
> Joyeux
> Comment faire ?
> <u>J'essaierai de trouver</u>

99.

S.d. Annoté sur une nappe :

Cf. Teilhard de Chardin. Le grand-père Pingeot dans son lac privé (lac Pavin) au temps où la zone tropicale s'étendait jusqu'à l'Auvergne. Le grand-père observe les temps futurs avec un rien d'amusement.

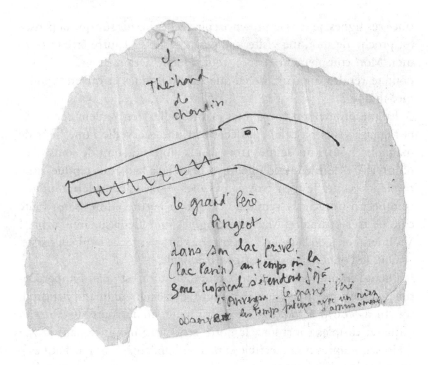

100.

En-tête Assemblée nationale, à Mademoiselle Anne Pingeot,
10 rue de l'Oratoire, Clermont-Ferrand, Puy-de-Dôme.

7 juillet 1964
Midi

Je ne résiste pas longtemps, mon Anne, à l'envie de t'écrire. Hier soir, seul dans ma maison, j'ai passé quelques heures délicieuses à regarder le jour décliner… et pour mieux te retrouver, te parler, j'ai continué de tenir mon *Journal illustré.*

Je me suis levé un peu tard ce matin, puis je suis allé acheter la presse et me voici assis à ma table de travail pour commencer cette lettre. Avant cela j'ai organisé mon décor : sous mes yeux, ta dernière lettre à toi est ouverte et j'ai ainsi la joie profonde de lire et de relire la phrase-talisman « Je ne pense pas – à toi. Tu es un peu moi. Je ne suis plus <u>seule</u> ». À côté, ta photo de Clermont. Un peu plus loin la maisonnette hollandaise. Sous mon coude gauche ton *Jardin des arts.* Moi non plus, Anne, je ne suis plus seul. Au moment même où je trace ces lignes, je sens ta présence spirituelle. Je suis sûr que ta pensée est proche de moi, me visite, me pénètre. Tu es l'autre être et tu es moi. Mon complément et mon tout. Quelle action de grâces élever pour te rendre une part de ce que tu me donnes et qui me rend à moi-même ?

En me promenant parmi mes plantes (elles t'en veulent encore de ta rageuse visite pascale) j'ai découvert une merveille : une fleur de magnolia ! oui, l'un de mes trois arbres, objets de tant de soins, s'est offert, m'a offert le luxe d'une fleur, blanche à la corolle tendue, lisse, resplendissante. Je n'en croyais pas mes yeux. Je considère toujours comme un miracle la venue de ce que la nature admet sans doute comme très ordinaire. Mais, tu imagines, une fleur sur mon arbre ! Vraiment, on a de la peine à se ranger à cette vérité : le bonheur existe.

Oui, le bonheur existe. Est-ce paradoxal ?

Quand je me raconte mon bonheur de toi c'est vers d'imperceptibles signes que mon cœur se reporte. Par exemple quand vendredi soir tu as couru à moi lors de notre halte sur la route du Morvan – quand tu m'as souri lors de notre rencontre inopinée dans la rue d'Hossegor après notre terrible et merveilleux après-midi de Pâques – quand tu as simplement murmuré « je suis heureuse » – quand tu es restée près de moi tandis que je travaillais à la monographie, chez le Père Auto – quand tu es arrivée à la gare de Moulins – quand tu as posé ton visage sur mon épaule au retour du fameux vendredi 12 juin – quand tu as ri en recevant le canard – ah ! certes il y a aussi tout ce qui engage l'âme et le corps et qui scelle le plus profond accord. Mais cela, je le sais et j'arrête ma pensée au seuil. C'est autre chose que le bonheur. Il n'y a rien d'autre à en dire que ce que tu en as dit : je ne suis plus seule – je ne suis plus seul.

Il y a exactement deux semaines, un mardi très cher, très doux, avec cependant à son terme la déchirure d'une séparation, se déroulait. Je garde de Saint-Benoît et de la Loire, à la terrasse de notre auberge, un souvenir qui ne finira qu'avec moi, dans la ligne d'Auvers et de Delft. Depuis ce jour je t'attends. Tu ne l'as pas ressentie, cette attente, comme une épreuve car tu avais un trop grand besoin de lire en toi, et donc de connaître l'immobile climat de l'été à Louvet ou rue de l'Oratoire. Moi, j'ai de la peine à la supporter. J'ai acquis une notion douloureuse du temps. Mais tout ce qui me vient de toi m'aide – jusqu'au fulgurant accord de vendredi, jusqu'à la douceur heureuse de cet instant où je t'écris. Je m'émerveille de toi : tu me fais vivre sur un plan de confiance, de tendresse, de vérité avec soi-même qui vaut bien, qui dépasse tellement celui que je puis t'offrir. Je suis uni à toi, mon Anne, non seulement parce que je t'aime mais aussi parce que j'aime <u>devenir</u> celui que tu pourrais aimer.

20 heures

Cette lettre a été interrompue par l'arrivée de Claude Léglise désireux de fixer l'heure de notre partie de golf. Je l'ai retrouvé en effet à 4 heures, après avoir déjeuné (seul) au club, et flâné autour de chez moi. Je n'ai pas mal joué quoique irrégulièrement (17). L'après-midi a été splendide. Et maintenant c'est le soir doré que tu connais.

Les taches rouges des géraniums tranchent sur les arcades blanches. Les chèvrefeuilles ont fleuri.

J'insère dans mon enveloppe une fleur pour toi. Je voudrais t'apporter tous les parfums qui s'unissent à l'entrée de la nuit. T'étonnerai-je en notant que j'ai beaucoup pensé à toi (et je n'ai pu m'empêcher, une fois de plus, de m'arrêter au 16, à l'endroit du « Ciao, on s'tire ») ?

J'éprouve comme un mûrissement – ne souris pas : comme une marche vers je ne sais quelle perfection. Oh ! j'en suis à des milliers de kilomètres-lumière, mais je sais que c'est vers là que je vais. Parce qu'il ne me paraît pas concevable de tenir ton visage dans mes mains, de vivre avec toi les moments que tu sais, sans m'approcher de ton vrai « toi », qu'un immense élan vers la beauté, vers la pureté des sentiments peut seul combler. Je veux être digne de ces « premières fois » en t'apportant ma volonté de conquérir cette dignité.

Il est une règle d'or : l'amour ne se nourrit pas que d'amour. Ou il dépérit – et il meurt.

Il n'est que le reflet des autres vérités pour lesquelles il convient de lutter, peut-être de mourir. Ces vérités, les conventions sociales, les habitudes de penser, les rites n'en fournissent pas la clef. Mais l'âme et, à son défaut, le cœur les devinent. Moi je te veux heureuse d'être toi-même, fidèle à la musique intérieure. Oui, à cela, je ne cesse de penser en te parlant tout bas.

Mercredi 8 juillet

Je suis arrivé ce matin gare d'Austerlitz par un vilain petit temps gris. Je n'osais croire au courrier. Aussi quelle joie ! Ta lettre m'a ravi – et ému. Il y avait tant de douceur dans le dessin de Fatoune ; tant de confiance dans la carte postale ; tant de tendresse dans chaque mot et tant de tristesse devant « les jours qui suivent » nos rencontres. Rien qui ne me touche au plus profond.

Tu sais, mon Anne, la petite fille qui va se réfugier dans « le ~~ja~~ verger du haut » et qui se met en retard pour avoir gravi la montagne au risque de ne pas répondre à l'appel de la cloche je l'aime telle qu'elle est.

Sa lumière et sa grâce pour rien au monde je ne voudrais les voiler, les atteindre. Comme si tu avais deviné, je me répète, après Montherlant, cette admirable évidence « c'est l'âme plus que le corps qui désire les corps ». Là est la gravité de cette histoire, la nôtre. Oui, mon âme te désire et il est moins facile de se déprendre d'un désir d'âme que d'un mouvement du corps. Nous sommes presque victimes de la qualité de notre recherche. Une banale aventure n'engagerait pas grand-chose. Il faut l'admettre : ce que je désire en toi c'est ta vérité, la vérité de ton être. L'enchantement de mon cœur m'entraîne là où la pesanteur de mes sens me freinerait. Tu n'as pas encore appris à aimer que tu sais d'instinct où est l'amour, celui qui crée, qui exalte, qui ennoblit. Et c'est bien cet amour-là que tu redoutes, non l'autre : l'autre ne pourrait pas t'atteindre.

Anne, crois-moi, je pense aussi à cela. J'ai un respect violent de ta vie. J'y réussis mal – j'ai trop besoin de toi. Mais chaque fois que tu m'as donné ton regard, au moment où tout peut s'accomplir, j'ai reçu la lumière de ton âme – et je l'ai acceptée. Mais je dois te raconter ma journée – autrement je te parlerais trop de nous.

Après avoir lu ta lettre j'ai traîné. J'avais à me frotter, à me raser, à me changer. Quand mes deux premiers visiteurs (les dirigeants du comité d'expansion de Bourgogne) ont sonné je n'étais pas encore prêt… et il était 11 h 30 ! Tout au début de l'après-midi, mon ami Georges Dayan est passé me prendre et nous avons marché jusqu'à l'Assemblée nationale. Mais il pleuvotait, prétexte pour baguenauder dans trois ou quatre librairies. Je suis donc arrivé fort tard au Palais-Bourbon. Une heure après j'en revenais pour recevoir le rédacteur en chef de l'hebdomadaire MRP *Forces nouvelles* puis la directrice de *La Dépêche du Midi*, enfin le directeur du *Courrier du Parlement* (la presse, tu vois, était à l'ordre du jour !). J'ai composé la page quotidienne de « ton » journal.

Et j'ai flâné puis dîné, seul, chez Lipp. Là j'ai rencontré Georges Izard, un député d'antan, actuel et célèbre avocat qui dînait avec sa femme (la fille de Mme Daniélou et la sœur des Daniélou, le jésuite et l'hindouiste – je t'ai déjà parlé d'elle). Nous avons bavardé.

Et je suis rentré.

Maintenant je vais aller dormir. La photo aimée sera à mon chevet.

Ta pensée en moi, présente, essentielle. Je te verrai dans ta chambre de Louvet que je suppose dans la tour où se trouve l'escalier (si je comprends bien tes indications fléchées !). Je respirerai l'odeur de la nuit, sa fraîcheur, sa clarté. Dans ce domaine de ton enfance je te regarderai longtemps reposer.

J'embrasserai ta main très doucement. Tu ne sauras pas d'où vient cette caresse. Ton rêve t'aura menée dans les hautes herbes, sur les pentes que tu aimes, parmi les grands oiseaux. Je voudrais que tu souries à la beauté, à l'harmonie. Je retiendrai mon souffle. Nous ne serons plus seuls, mon Anne.

Jeudi 9 juillet

J'ai joué au golf tout le matin. Résultat : 18. Je m'y installe à ce chiffre fatidique ! Après quoi j'ai déjeuné à Saint-Cloud, puis, rentré, j'ai commencé à recevoir quelques visites.

Je vis depuis hier matin dans le climat de ta lettre qui m'est très, très chère. Depuis vendredi je n'ai pas ressenti la moindre rupture d'unité bien que dès la première minute de notre séparation, dans la courbe de la voie ferrée qui offre un si beau panorama du puy de Dôme et des monts, l'attente avec son cortège d'angoisses (la mouche noire) ait remplacé le bonheur.

Quelles que soient tes pensées, Anne chérie, tu dois savoir que ma main est solidement liée à la tienne, que je suis le même qui avait peine à s'arracher à toi lors de ce dernier et indicible arrêt. Tout à l'heure je suis passé par la rue de Sèvres. J'ai souri à l'enseigne du Vieux Bougnat.

Tu te souviens ? Plus loin c'était la rue Saint-Placide. Mais je ne l'ai pas prise. Pour l'instant je l'évite plutôt. Tout est si présent en moi. Au restaurant du golf le menu marquait : homard. Mes trois commensaux l'ont-ils remarqué ? J'ai fermé les yeux sur l'image de l'Artoire, sur la route de Rambouillet, avec son graillou select et ton appétit qui m'amusait ! Et que l'air était embaumé chaque fois que nous nous y sommes rendus, que la nuit était fraîche pour nous y accueillir, et merveilleuse !

Quand tu recevras cette lettre tu seras à la veille de ton départ pour Châtel-Guyon. Merci pour l'adresse ! J'en userai ! Je t'écrirai samedi et dimanche, d'Hossegor. Tu devrais l'avoir mardi (ou, par Bayonne, lundi). Si toi tu m'écris bientôt (comment te dire que je l'espère du fond du cœur ?) sache que je serai à Hossegor jusqu'à mercredi soir. Comme mardi est le 14 juillet pour qu'une lettre me parvienne elle doit être postée <u>lundi</u>. Le 16 et le 17 je serai à Paris ainsi que je te l'ai indiqué. Dès maintenant, si on te demande quel jour hebdomadaire de congé tu préfères pendant le camp, le vendredi ou le samedi m'iraient très bien (en effet le lundi 3 août je suis obligé d'assister à une course cycliste, clou de la « saison » de Château-Chinon, et le 5 août je dois me rendre au mariage de mon neveu sur la Côte d'Azur). J'aimerais encore mieux le vendredi, non pour respecter notre tradition mais parce que je te retrouverais la première fois le 24 juillet plutôt que le 25… Ô Anne je m'ennuie tant les jours où je n'espère rien de toi !

Demain j'ai une réunion du Rassemblement démocratique avec Maurice Faure (le matin). Le soir je reçois un journaliste américain de *Newsweek*. Et à 22 h 40, le train pour les Landes…

Et toi ? As-tu encore la gorge douloureuse ? Où en est ta voix ? Attention au séminariste ! Ton stage s'accomplit dans un centre au nom presque comique. Ou plus exactement il est presque comique de te voir « rue du Commerce », dans le sanctuaire de l'« Éducation physique et sportive ». Mais ça ne me donne pas du tout envie de rire ! J'ai peur que cela ne te fatigue et je ne voudrais pas que ton goût de l'ascèse se traduise par trop d'ennui.

Je penserai à toi si tendrement – mais cela t'aidera-t-il ? Je compte les jours sur les doigts, malheureusement de quatre mains… ou presque. Tu es mon Anne, mon bien précieux, ma tendresse : ces pages, l'une après l'autre, et chacune à sa manière, n'ont fait que te le dire. Les clore me peine déjà.

Oui, à bientôt

Anne
<u>François</u>

101.

En-tête Assemblée nationale, à Mademoiselle Anne Pingeot,
Centre régional d'éducation physique et sportive,
rue du Commerce, Châtel-Guyon, Puy-de-Dôme.

Samedi 11 juillet 1964, midi

Je posterai cette lettre dès aujourd'hui, avant 5 heures, pour qu'elle te parvienne lundi. Je suis arrivé ce matin à Hossegor après une nuit en couchette et un sommeil chahuté. Aussi me suis-je un peu reposé pour affronter la partie de golf en bonne condition, partie de golf qui m'opposera après déjeuner à Claude Léglise et peut-être à M. le Président du Golf-Club de Charade [mon père] dont on vient de me signaler la présence dans notre modeste localité.

J'espère que tu as reçu ma lettre hier car maintenant je te suppose pensionnaire à Châtel-Guyon. Aide-monitrice ou monitrice-stagiaire, quel est ton titre exact ? Je me permettrai, malgré les égards que je dois à ta nouvelle qualité officielle, de t'écrire à nouveau dès lundi. Je dois aussi veiller au grain – côté séminaristes ou bien côté moniteurs blonds et athlétiques (ce sont peut-être les mêmes) !

Tu sais, mon Anne chérie, je m'ennuie <u>très</u> sérieusement de toi. Hier vendredi je n'ai pas arrêté de songer à chaque moment du vendredi précédent – j'ai refait notre route, revisité Autun, et surtout j'ai vécu, <u>absolument</u>, dans ce merveilleux, cet incomparable climat qui toujours se crée entre nous. Et ce matin j'ai revu ton visage de la gare de Clermont et je l'ai longuement, tendrement, embrassé – tandis qu'un coup de poignard au cœur me rappelait qu'il fallait désormais attendre, attendre l'interminable déroulement des jours.

Je t'écris de la grande salle de la maison. Je suis seul. Un temps gris perlé prête aux choses un air de douceur triste. Les géraniums commencent à gonfler, à s'étaler. Des oiseaux chantent. Je n'entends pas d'autre bruit. Je ne sais pourquoi la mer se tait ainsi. L'odeur des pins pénètre jusqu'à moi exaltée par la pluie nocturne. Je distingue aussi le parfum des lilas d'Espagne dont les fleurs piquées au bout de baguettes maladroites retombent, trop lourdes pour supporter leur plénitude. Quand je suis arrivé, très tôt, le jardinier était là, coupant, taillant (ce zèle de circonstance ne m'a pas abusé !). Du coup j'ai passé la revue des plantes. Ma fleur de magnolia a succombé, surprise, trop surprise sans doute d'avoir vécu. Mais deux autres se forment, encore nouées dans leur naissance. Les lauriers-roses ont un aspect pauvret avec leurs feuilles effilées dont la pointe roussie montre bien que la dose de soleil et de pluie ne convient guère, ici, à leur tempérament. Les pétunias, eux, ont l'insolente résistance des petites vertus et des espèces plébéiennes. J'ai fait monter en grade les œillets d'Inde. Non pour te contredire mais parce que j'aime leur parfum sur, et plus encore par ce qu'on ne trouve guère d'autres plants dans la région depuis quinze jours. Quant aux mimosas ils me paraissent disposés à l'attaque : je vais me constituer en sentinelle vigilante pour éviter les mésaventures de Mme Gédéon.

... Je viens d'être interrompu par l'un de mes partenaires de golf, Lazlo Neubrun, un Hongrois d'origine qui me rapporte qu'il vient de jouer... avec M. Pierre Pingeot, lequel lui a gagné deux balles et joue le plomb ! Diable ! L'agent O 20 100 O aurait-il rempli parfaitement sa mission ?

Tu vois, mon Anne, que je me voue à des travaux mineurs ! Je n'apporterai mes fiches pour *Laurent* qu'à mon prochain séjour. Cette fois-ci j'ai l'intention de ne rien, rien, rien faire. Tu avais raison de le prévoir : je suis lézard. Cependant le lézard est animal fidèle. En vérité je vis et je vivrai ces jours dans l'amour de toi. Et si je préfère adopter parfois le ton de mes mauvaises plaisanteries tout en moi est grave et consacré à la belle et profonde histoire qui m'unit à toi. Tu me manques comme on manque d'air. Je n'ai même pas besoin de penser à toi pour savoir que j'ai besoin de toi. Chaque jour je continue mon journal illustré : cette manière de te retrouver guérit un peu la solitude. J'aime t'aimer et te parler de ma tendresse comme on se parle à soi-même. Tu t'identifies pour moi à la pureté du soir de Morienval, à la claire lumière de Saint-Benoît, à la force radieuse de la nuit du 12 juin, de l'arrêt de Clermont. Anne ne sois pas triste de cela, comme tu l'étais dans ta dernière lettre – triste et heureuse je le sais bien. Ce que nous vivons a le prix infini des aventures de l'âme. Ta citation de Montherlant m'a beaucoup frappé.

Anne chérie, à lundi. Dis-moi exactement ton programme. Tu rentres donc à Clermont le 18 et pars à Saint-Germain-Lembron (?) le 20. Est-ce toujours cela ?

Et quelle sera ton adresse ? Au moindre signe de toi, serait-ce pour une heure, tu sais que j'irai à toi (est-ce impossible samedi 18 pour te ramener à Clermont ?).

En tout cas j'attends que tu me gardes ton prochain jour de congé... et le plus tôt me ravira ! Pour moi, je le répète, je rentre à Paris jeudi 16 au matin. J'y resterai le 17 et serai à Château-Chinon les 18 et 19 (téléphone 106). Après quoi, cela dépend de ce jour de congé.

Il est 1 heure. Il faut aller déjeuner. Je vais expédier cette lettre maintenant.

Ô Anne il est si doux et si important pour moi de t'aimer

François

102.

En-tête Assemblée nationale, à Mademoiselle Anne Pingeot,
Centre régional d'éducation physique et sportive,
rue du Commerce, Châtel-Guyon, Puy-de-Dôme.

Hossegor, 13 juillet 1964

J'avais commencé ma journée d'une manière un peu anxieuse : je craignais d'avoir à attendre mercredi pour recevoir ta lettre. Et, mercredi, cela aurait fait une semaine sans rien de toi. Or je vis dans une telle intimité <u>réelle</u> avec toi depuis notre séparation, dans une telle harmonie (tachetée d'ennui et de peine tout le long de ces jours qui se traînent) qu'il m'aurait semblé <u>très</u> difficile d'aborder ce trou noir du 14 juillet sans perdre un peu courage. Mais voilà qu'une délicieuse joie m'a été accordée : ta lettre de vendredi était là quand, le facteur talons juste tournés, j'ai pris le courrier.

Évidemment tu poses aux charmantes postières quelques rébus ! boulevard des <u>alouettes</u> ! Moi, ça m'a fait penser à l'alouette de Van Gogh qui trône près de mon lit, à Paris, sur un rayon de livres, à l'alouette d'un soir, alors que nous nous promenions à travers champs (ou plutôt sur un tout petit chemin de terre) près de Maulette, avant Houdan. Tu cueillais des bleuets et des coquelicots. La nuit montait. Le chemin butait sur les plantations d'un pépiniériste. Nous retournions vers la pantoufle laissée loin au bord de la route quand nous avons entendu le chant de l'alouette – et nous l'avons vue qui se levait entre les blés, tout droit, et qui restait à la hauteur de son plaisir d'être, en battant les ailes, qu'elle a courtes et qu'il lui fallait à cause de cela agiter furieusement.

Donc, moi, j'ai des souvenirs d'alouette – mais les demoiselles des P et T ? Tout de même, avenue des Fauvettes (ah ! ce nom est pire que « rue du Commerce » !) quelqu'un, qui était très heureux, a reçu ce matin la lettre d'Anne.

Que fais-je à Hossegor ? C'est facile à concevoir ! le matin je lis les journaux, le *18 Juin 40* (d'Amouroux), je me promène entre lac et mer, je déjeune tôt et chaque jour je t'écris puisque si je ne t'envoie pas une lettre quotidienne je poursuis fidèlement mon *Journal* (quand tu le liras peut-être n'aura-t-il pas pour toi grand intérêt puisqu'il te raconte au jour le jour des faits et des réflexions qui seront anachroniques… sinon par la tendresse qui les inspire). L'après-midi je joue au golf.

Hier c'était une compétition. Ton père était mon partenaire-adversaire. Il a bien joué... sauf deux trous catastrophe. Résultat : une nouvelle balle pour moi (j'ai fait aussi quelques bêtises. Score : 19). Mais ni l'un ni l'autre n'avons été classés. J'étais cinquième pour trois prix !

Je pourrais me dispenser de te raconter cet aspect futile de mes occupations. Mais ne dois-je pas tout raconter ? Alors je t'annonce qu'avec deux autres partenaires nous recommençons cet après-midi ! Je sens déjà fondre dans mes mains l'honnête héritage GERGOVIA !

Le soir, je flâne à nouveau. Hier, à quatre, nous sommes allés au Pot de résine. Mais je suis rentré de bonne heure. Couché, je lis. Selon ma coutume je pose à côté de moi ta dernière lettre et ta photo. Un dernier regard – et j'éteins.

Ne t'inquiète pas trop pour Agnès, cependant je confesse que l'ayant aperçue devant Lohia je me suis arrêté pour tenir avec elle quelques propos de caractère très personnel. C'est, avec Martine, la plus charmante des trois Gédéon's daughters.

Ce matin c'est la joie qui domine en moi, mon Anne chérie. Je t'aime tant. Ta lettre m'est précieuse. Je ne sais plus comment être, comment vivre loin de toi. Ce n'était pas une habitude que de te retrouver si souvent à Paris à la fin de l'année, que de te faire le récit de mes actes et de mes pensées, c'était l'expression d'un besoin profond, d'une égalité intérieure reconquise, d'un merveilleux état, fort et créateur.

Quand te verrai-je ? Cette incertitude me pèse. Je suppose toujours que ton jour de congé se situera vendredi, samedi ou dimanche 24, 25, 26 juillet puisque tu entres en « colonie » lundi. Quel que soit ce jour je serai là. Mais comment s'appelle exactement le village en question ? SAINT-ILLIDE ou SAINT-ILLÈDE ? Et cela ne doit pas être une adresse suffisante. Indique-moi le nom du camp pour que je puisse t'y écrire.

Voilà définitivement mon programme... en attendant tes précisions :

Jeudi et vendredi, Paris.

Samedi et dimanche, Château-Chinon.

Dimanche soir j'irai coucher à Jarnac et je serai lundi matin de nouveau à Hossegor, où je resterai jusqu'au milieu de la semaine... pour me rendre dans le Cantal.

Écris-moi dès que tu le pourras.

Je suis si affamé du moindre signe de toi !

Tu ne peux l'imaginer. Moi je t'enverrai une autre lettre jeudi, de Paris, que tu recevras donc vendredi à Châtel-Guyon. (Évidemment si ton jour de congé était fixé en début de semaine (lundi, mardi ou mercredi) j'irais directement dans le Cantal sans passer par Hossegor. Renseigne-moi.)

Aujourd'hui tu accomplis ton stage. Je ne puis exactement me représenter ton décor. Mais je pense à toi si fort, et j'ai tant d'amour disponible pour toi, que je franchis la distance et le temps pour prendre ton visage dans mes mains, doucement l'approcher et goûter à tes lèvres la joie absolue – qui est notre domaine à nous.

J'embrasse aussi le sommet du crâne lisse de notre ami le canard !

Moi non plus, mon Anne, je ne te quitte pas. Nous entamons maintenant le deuxième versant, le bon, qui nous ramènera l'un à l'autre au bout de ces dures trois semaines.

Je n'espère que cela

François

103.

En-tête Assemblée nationale, à Mademoiselle Anne Pingeot,
Centre régional d'éducation physique et sportive,
rue du Commerce, Châtel-Guyon, Puy-de-Dôme.

Jeudi 16 juillet 1964

Anne chérie, écrire ton nom en ce début de lettre est déjà pour moi une joie. L'absence s'épaissit depuis le quai de la gare de Clermont et tout ce qui te rend plus proche m'émeut et me ravit. Hier soir j'ai dîné avec « Gédéon » à qui j'avais téléphoné de venir me chercher à Orly où je devais arriver en fin d'après-midi. De là je l'ai conduite à Barbizon pour échapper à un Paris extraordinairement étouffant et, sous de beaux platanes, nous avons dégusté melon, poulet grillé et fromage de chèvre, tout en bavardant de tout et de rien. C'est une impression étrange, et que j'aime, que d'entendre parler de toi, d'entendre simplement prononcer ton nom. Un mot, un signe, une image, un son, l'évocation d'un souvenir et voilà que je vois ton visage, et qu'il vit et qu'il redevient merveilleusement mobile et présent. J'ai eu grand plaisir à ces quelques heures. C'était la première fois que je prenais un repas seul avec ta mère – à quoi s'ajoutait, sans qu'on le dise, cette autre présence évidente, qui s'imposait à notre esprit : toi. J'ai ainsi appris que tu avais récupéré la voix d'antan, que tu avais entamé courageusement ton actuelle existence collective – et des détails qui, plus ils étaient insignifiants, plus je les écoutais avidement : ce n'est pas le noble geste de l'orateur antique qui suscite mon intérêt mais le pli de sa bouche ou la courbe de son petit doigt – c'est le mouvement particulier qui le personnalise. Ce qui me manque de toi, mon Anne, c'est la minuscule accumulation des petits faits quotidiens. Je n'arrêterais pas d'entendre parler de toi.

Et moi qu'ai-je dit ? Eh bien ! ce que j'ai dit depuis le premier jour des « explications » pascales ! qu'aucun raisonnement n'avait jamais expliqué la foi, la grâce et l'amour – que ce qui te concerne est pour moi <u>important</u>. Très. Que c'était peut-être incompréhensible mais que c'était comme ça ; que ce n'était pas très agréable que d'avoir un rocher en suspens sur sa nuque (<u>le temps</u> qui passe si vite pour qui a perdu sa jeunesse), et prêt à vous fracasser, mais que j'en avais la claire perception ; qu'une fille de vingt et un ans c'est un drôle de combiné femme-bébé etc. La nuit était admirable après l'airain du jour. J'ai raccompagné « Gédéon » rue Chomel – j'avais un peu de peine de la quitter non seulement parce qu'elle est sensible et généreuse mais parce que s'éloignait un témoin très proche de ta vie.

Ce matin j'attendais le courrier avec l'impatience que tu sais. Demain sera vendredi ! Deux semaines lentement écoulées !

Je suis terriblement attaché à toi, mon Anne. Alors la moindre nouvelle a le goût du bon pain. Mais, rien.

D'être à Paris me promène de souvenir en souvenir. Ô Anne, vraiment, quelle année ! Nous en rendions-nous compte assez pendant que nous la possédions ? Chaque fois que je t'ai vue, rue du Cherche-Midi ou rue Vieille-du-Temple, comme surgie de l'absence, un choc résonnait en moi longtemps, longtemps. Et maintenant que je passe par ces lieux pour mieux te retrouver (pendant les quinze premiers jours je les évitais) le même choc me surprend. T'aimer est à la fois ce bonheur immédiat (et on ne sait même pas que c'est un bonheur. Quand j'ouvre le robinet d'eau brûlante au lieu de l'eau froide je ne sais pas, la fraction d'une seconde, si ma sensation est celle d'une brûlure ou d'une morsure glacée. Ainsi la violence d'un sentiment dépasse-t-elle un instant sa nature) et cette lente, profonde, passionnante recherche qui de Chantilly à Clermont m'a conduit à la certitude.

Quant à mon emploi du temps depuis ma lettre de lundi, le voici à rebours : ce matin je me suis levé tôt pour aller à l'Assemblée et mettre en ordre mon courrier. Un saut chez le coiffeur. Je voulais fouiller chez un bouquiniste de la rue du Faubourg-Saint-Honoré mais il était trop tard. À midi j'ai discuté avec un de mes collaborateurs de l'utilité qu'il y avait à me rendre aux obsèques de Maurice Thorez et j'ai décidé de ne pas bouger.

Ce soir je préside une commission de travail (sur l'organisation de l'État) pour Defferre. Puis je dînerai avec mes deux camarades de captivité (le juif russe-boxeur-tailleur etc. [Bernard Finifter] et le puissant industriel ex-engagé de la guerre d'Espagne [Patrice Pelat]) dont je t'ai parlé. Hier j'ai eu quelque embarras à rejoindre Paris. Pas d'avion libre à Biarritz ni à Bordeaux.

Je suis donc allé à Lourdes ! Cela a mangé mon après-midi. Le matin j'avais paressé à la maison (en me fâchant toutefois contre mon jardinier qui m'avait fait la surprise – qu'il croyait bonne – de racler une partie du terrain en arrachant toute végétation, y compris les mousses !). Le 14 juillet, par un ciel torride j'ai joué, mal, une compétition de golf (23). Le soir un dîner à dix ou douze chez des amis s'est achevé dans une boîte à danser… mais je n'ai pas franchi la porte et je suis reparti seul – et heureux – avec en moi une infinie douceur : il m'eût été insupportable de refermer mes bras, fût-ce pour la plus banale des danses, sur une femme qui m'eût, aussi peu que ce fût, éloigné de celle que j'ai tant aimée tandis que nos visages joints, comme fondus, allaient se détacher au départ du train de Clermont à Moulins. C'est une révélation indicible, mon Anne : garder précieusement ce que j'ai de toi est pour moi facile, simple, NORMAL (et, écrivant ce mot, je souris à l'accent que tu lui donnes quand tu le prononces).

Lundi, après t'avoir expédié ma lettre, j'ai également joué au golf. Pas très bien. Je crois que cet entraînement soudain m'a un peu asphyxié ! Évidemment j'ai, chaque jour, poursuivi le *Journal*. Je te l'apporterai quand je te verrai. J'ai oublié de te dire la semaine dernière que je m'informe sur tes débouchés possibles pour octobre. Pour l'IDHEC tu le sais, il faut une année à Voltaire. Pour la Ville de Paris, la suppression de l'école doit être compensée par des postes en surnombre au compte de l'État (avec un programme semblable). Quelques rares places seraient encore disponibles. Je suis cela de très près et te tiendrai au courant. Tu pourrais être amenée à prendre des décisions rapides.

Côté politique : vacances. En France, tout au moins. Mauvaise nouvelle : deux de mes amis, emprisonnés au Mali, ont été empoisonnés par leurs gardiens. Que d'espoirs se dissipent !

Côté judiciaire on approche de la fin. Je plaide encore demain dans un conflit entre coproducteurs d'un film franco-germano-italien. Après quoi on attendra mi-septembre.

Mon Anne, et toi, que fais-tu ? Je ne sais rien de ton stage à Châtel. Tu m'as bien prévenu que tu ne m'écrirais peut-être pas avant longtemps mais prévenu ou pas je m'ennuie de toi ! Convié par ton père au festival auto du 19 à Clermont j'ai décliné cette invitation. Te voir en Vice-reine d'Arvernie ne comble pas mes vœux ! Quand tu partiras lundi matin pour le Cantal je serai moi-même sur la route, venant de la Nièvre. Que c'est dommage de te manquer !

Si je n'ai pas de nouvelles de toi d'ici demain soir j'en attendrai impatiemment soit à Château-Chinon (samedi) soit à Hossegor (à partir de lundi). D'ailleurs si je puis te voir en début de semaine je n'irai pas à Hossegor auparavant.

N'ai-je pas abusé en t'écrivant trop souvent à Châtel ? Il m'a semblé que, pensionnaire, le courrier te serait un compagnon bienvenu. Il est vrai que parmi tes évangéliques athlètes tu dois apercevoir le pauvre épistolier que je suis dans une vague grisaille. Me vengerai-je en regardant sous le menton le régiment d'Australiennes et de filles de Scandinavie débarquées à Paris ?

Non, mon Anne, je t'embrasse en t'espérant, très, très bientôt – en caressant le canard (moi je ne quitte pas la maisonnette néerlandaise !) et en sachant, du fond de l'être, qu'il n'y a pour moi qu'un seul itinéraire

François

P.-S. Au moment de mettre cette lettre à la poste il me semble n'avoir rien dit, rien exprimé. Sans doute ai-je le cœur trop plein, mon Anne que j'aime, pour que des mots écrits, un jour comme un autre, suffisent à l'apaiser. Je cherche alors mes points de repère : les instants où j'ai su et compris la force de la tendresse, et pourquoi ne pas le dire ? la simple vérité de l'amour. Ces instants tissent les souvenirs qui m'unissent à toi. Ô Anne, que je t'aime !

F

104.

En-tête Assemblée nationale, à Mademoiselle Anne Pingeot,
monitrice à la colonie de vacances, Saint-Illide, Cantal.

Hossegor, lundi 20 juillet 1964

En quittant Jarnac pour Hossegor ce matin je ne pensais qu'à toi, mon Anne aimée. Je t'imaginais parcourant au même moment la route de Saint-Illide. J'en étais distrait à mon volant ! Non, je n'ai pas cessé de vivre cette matinée avec toi ! C'en était douloureux tant ma pensée était en désaccord avec mes gestes qui, eux, m'éloignaient de toi alors que j'aurais vraiment désiré aller vers le Cantal. Ces quinze jours écoulés depuis Clermont-Ferrand je n'en supporte plus le poids. Cela me rend bêtement injuste avec toi. Je joindrai en bout de lettre les pages écrites hier matin alors que j'ignorais encore qu'une lettre m'attendait à la mairie. En effet bien qu'expédiée au Vieux Morvan, le facteur voulant faire du zèle a remis ta lettre à la mairie. Résultat : peu pressé d'ouvrir ce courrier ordinairement administratif, je n'en ai pris connaissance qu'à l'heure du départ – et j'ai passé une nuit inutilement désolé de n'avoir rien reçu de toi ! Je pourrais ne pas t'envoyer ce que je t'ai écrit dans cet état d'esprit mais je le fais quand même pour que tu saches où j'en suis !

Quand j'ai eu ta lettre dans les mains, quel bonheur. Anne, mon Anne. Je suis très malade de tendresse. Je t'aime, oui, vraiment, je t'aime. Je l'ai lue, relue, à chaque étape sur la route. Parti à 1 heure pour Ville-Langy où j'étais invité à déjeuner j'ai repris mon chemin en direction de la Charente à 15 h 30. Deux ou trois arrêts pour me délasser (à Saint-Amand-Montrond et j'ai vu là un panneau qui indiquait Cérilly et la forêt de Tronçais – à Argenton-sur-Creuse – à Bellac, pays de Jean Giraudoux) je suis arrivé au soleil couchant. Frère et cousins au bord de la mer, je n'ai trouvé que ma tante (qui fêtait la veille ses quatre-vingt-sept ans). J'ai dîné en tête à tête avec elle puis bavardé tard.

Elle s'est occupée de tout, a commandé strictement le service, a surveillé au premier étage la confection de mon lit, a commenté les événements – tout en se plaignant des incommodités de la vieillesse, de la solitude morale devant le vide fait par la mort autour d'elle, de son incapacité à lire et à marcher (mais elle avait le *Figaro* sur les genoux et a visité, à l'heure du sommeil, toutes les pièces de la maison, qui est vaste – maison assez laide, de bourgeoisie cossue, avec deux escaliers de pierre, au milieu d'un parc, avec beaucoup de roses et de chiens). En me disant au revoir elle m'a donné un portrait de mon grand-père maternel quand il avait dix-huit ans, de très bonne facture, exécuté par un grand-oncle, peintre d'honnête talent (j'ai très bien connu ce grand-père que j'aimais beaucoup et qui est mort lui-même fort âgé). Levé tôt j'ai erré dans les rues, acheté les journaux et rencontré là le nouveau curé, précisément l'un de mes anciens condisciples de Saint-Paul d'Angoulême.

Puis je suis allé au cimetière. Un jour dont on devinait qu'il serait vibrant de chaleur commençait à chauffer les pierres blanches qu'une petite mousse grise mordille. Quel silence. Quelle indifférence entourait ces morts, les miens, géométriquement réunis, dont les visages ont souri – ou pleuré – à mon enfance et à mon adolescence ! Dans la chapelle des sépultures familiales traînent depuis des années des couronnes desséchées. Que dire encore sinon répéter : quel silence ! Alors, mon cœur, troublé, violemment épris, ce rêve, cette volonté d'une vie reconquise ne sera-ce que silence ? Moi, oui, je le sais bien, gisant à mon tour. Mais cet amour, ce chant du monde en moi, cet appel éternel, faudra-t-il qu'ils se pétrifient ? Et qui les pleurera ?

Le jour et la nuit tourneront sur eux-mêmes et la pierre immobile marquera les heures au gré du soleil et de l'ombre. M'en allant je songeais au seul salut qui est l'espoir.

Et je comprenais que l'espoir aussi me dévorait, défi, accomplissement, feu qui se consume et s'allume à sa propre flamme. Et je comprenais surtout qu'il fallait préférer l'essentiel, le choisir implacablement, l'imposer aux médiocres sollicitations. Et je te reconnaissais, mon Anne, comme l'alliée profonde de mon être et de ma pensée.

Peut-être me sera-t-il donné de te mener par là un jour d'août. Je te montrerai marquées par les lieux, les premières étapes de ma vie. La maison ; le fleuve (l'un et l'autre endormis). La petite ville blanche. La vallée ; les coteaux ; le ciel perlé ; les toits de tuile ocrés. Ce n'est pas mon pays : je n'y éprouve que des impressions collées par les années de mon enfance. Il n'exprime pas cette enfance. C'est à Touvent que gît celle-ci.

Là tu respireras la chaleur des blés coupés, la menthe du soir, l'air qui court, les tilleuls et les lauriers. Parcourir mes chemins avec toi sera une grande, une puissante joie. J'ai découvert, avec délices, avec angoisse la vérité de ces mots simples : je t'aime, Anne. Alors, tout change ; un sang nouveau réveille, inspire, commande, emporte. Pardonne-moi de t'écrire cela.

Je suis arrivé à Hossegor en fin de matinée après avoir animé les lignes droites (et aplaties de soleil) des Landes par quelques courses, d'abord avec une Mercedes, ensuite avec une autre DS. Distraction un peu puérile ! Mais une somnolence, qui n'était pas physique, m'attirait loin de la RN 10 ! Peu après Barbezieux (Chardonne a écrit un *Bonheur de Barbezieux* qui te ravirait) je me suis arrêté chez un artisan céramiste qui travaille dans d'incroyables conditions d'inconfort au fond d'une ancienne grange. Je lui ai acheté ce qu'on appelle en Charente une « potiche » (l'accent du coin donne à peu près « po-ti-èche ») et dont je cherche le nom : jarre serait exact si l'on y mettait l'huile. On dit aussi, par ici, une « ponne ». Par extension mais c'est une appellation abusive, certains disent « cruche ». Bref dans cette potiche non vernissée, couleur terre, très claire, presque blanche et qui se raie facilement je placerai des fleurs et cela me permettra de liquider deux pots ignobles, cadeau évidemment d'un ami pourri de bonnes intentions !

Je t'adresse cette lettre un peu au hasard en me fiant et à l'exiguïté de Saint-Illide (que j'ai toujours envie d'écrire Sainte-Idylle) et au flair des postiers. J'espère qu'il n'y a ~~au~~ qu'une colonie de vacances dans ce village sinon ces pages risquent fort de s'égarer. Il est vrai qu'il n'y a pas deux « Anne-Pingeot-monitrice » ! mais nous sommes lundi. Il faut bien deux jours au courrier pour s'acheminer jusqu'à toi : avec de la chance c'est donc mercredi que tu le recevras. Or m'auras-tu déjà écrit pour me dire quel jour je puis être auprès de toi ? Si tu ne l'as pas fait ne perds pas une minute : je serais si triste de ne pas te voir cette semaine. Dès réception de ton mot, je file. Ne t'inquiète pas de la longueur de la route : elle est moins longue d'Hossegor à Saint-Illide (443 kilomètres) que de Saint-Illide à Paris. Et puis je vais comme cela dans la Nièvre pour les comices agricoles ! Je puis bien aller dans le Cantal pour ma joie !

J'ai aimé ta lettre, mon Anne. J'aime que tu aies osé aborder une tâche si différente, si contraire. Je crois que rien ne se justifie si on ne consacre pas sa vie, si on ne la donne pas. L'expérience de cette action collective, auprès d'enfants pour qui tout est si important, influera sur toi. L'équilibre de l'action et de la méditation, de l'amour et du don de soi, de la liberté et de l'ascèse est le premier secret d'une vie féconde. Tu sais combien je crois en la liberté, qui vaut tant de sacrifices. Mais la liberté s'affirme aussi par l'abnégation (à condition que ce ne soit pas une ruse de l'éducation, un guet-apens du conformisme). Ô Anne tu es tellement celle que j'ai toujours aimée – avant de t'avoir jamais rencontrée ! Tu es la seule femme qui m'ait enseigné que le couple existe dès lors que l'amour se fait recherche et désir d'absolu et conquête du cœur et de l'esprit. (Enseigné sans le savoir ! Si tu l'avais su comme tu aurais fui, par ce petit matin froid d'un mardi de novembre !)

Je ne voudrais pas que tu te fatigues trop, <u>quand même</u>. Le stage + la colonie + moi pendant l'année, c'est beaucoup ! quand je te verrai (vendredi ? samedi ? dimanche ?) je m'appliquerai à ne pas ajouter à cette fatigue. Je voudrais que tout te soit fort et doux. Ne te fais pas de souci pour moi. Je partirai la veille au soir, je regarderai de jolies régions (le Périgord, le Quercy), je dormirai à moins de 100 kilomètres et j'arriverai tout reposé le lendemain à 9 h 30 à Saint-Illide. Si jamais ce mot était le dernier avant notre rencontre je t'indique tout de suite que je serai à ou à partir de <u>9 h 30 devant la mairie</u> le jour dit. À moins que dans une lettre tu ne m'indiques un autre lieu de rendez-vous, qui aura évidemment priorité !

Anne chérie, voici une lettre rédigée très au fil de la plume (le courrier est levé à 17 h 30 et j'ai commencé à t'écrire après déjeuner).

Elle contient une telle, une telle, une telle tendresse. Te revoir bientôt ! Cela chante en moi.

Que le « lézard additionné de grâce cheftaine et d'yeux cernés » ne s'occupe pas plus qu'il ne convient de l'opinion du coquillage !

Il y a beau temps que le coquillage a rendu tout le sel de la mer et s'est empli, tout grand, de la douceur d'être devenu quelqu'un d'autre

<u>François</u>

<u>P.-S.</u> Je joins donc les deux feuilles écrites dimanche matin avant que je sache qu'une lettre m'attendait depuis l'avant-veille ! Elles aussi racontent ce que je suis – et comment je t'aime

<u>F</u>

<u>2ᵉ P.-S. Si ton jour de congé était jeudi ou vendredi et que tu n'aies pu me renseigner avant par lettre tu peux me télégraphier à Hossegor. Je partirai aussitôt… et le souhaite tellement.</u>

Dimanche 19 juillet 1964

Méditation à annuler !!!

Il est 9 h 30 du matin. De ma chambre du Vieux Morvan, j'entends, émanant de je ne sais quelle radio, un violon déchirant, admirable. Sa musique s'accorde à mon état d'âme qui n'a pas supporté cette longue semaine sans nouvelles de toi. Je puis imaginer que tu as été empêchée de m'écrire ou du moins de m'adresser une lettre pendant ton stage. Je puis aligner dans mon esprit toutes les meilleures raisons, et les plus rassurantes, pour expliquer ce silence. Mais ces raisons ne pèsent pas lourd devant la peine qui m'envahit. Je me croyais plus endurci ! En vérité je suis horriblement triste. Je fais ce que j'ai à faire en usant mon énergie jusqu'à la corde. Hier, passant par Autun, j'étais livré à ce chagrin sans frein et sans mesure, qu'il me semblait pourtant avoir abandonné pour toujours sur les routes de ma jeunesse. Ah ! ce point culminant de la vie et de l'amour je pensais bien n'y plus jamais passer. Là les bonheurs et les douleurs ne se soumettent plus aux lois ordinaires de la plaine et du quotidien. Il faut redouter de s'y rendre et le désirer de tout l'être. L'orage et la douceur du ciel pur et l'air qu'on respire, l'homme qui les recherche à cette altitude doit savoir qu'ils lui feront éclater le cœur. Anne, ainsi avec toi ai-je gravi, sans que tu l'aies voulu, un rude chemin. Ce matin je me trouve seul au sommet. Les mots auraient-ils perdu leur sens qu'il serait interdit d'en écrire certains ? Aimer, souffrir, espérer, mourir, désespérer sont de ceux-là. Encore est-ce les atténuer que de ne leur prêter que la forme de l'infinitif, comme si l'on racontait l'histoire de quelqu'un d'autre qui se serait passée il y aurait longtemps, longtemps…

Hier j'aurais voulu dessécher avec le jour. Par la plus rude chaleur j'ai roulé, à mon volant, près de 600 kilomètres. À Autun j'ai revécu, jusqu'à la déchirure, notre vendredi 3 juillet. Poussé par le désir de retrouver quelque chose de toi je suis allé à Chamirey, belle propriété typiquement bourguignonne, où l'ombre de Régine et Kitou évoquait pour moi tant de joies délicieuses, celles du 39 (Kitou racontée par toi, sa voix au téléphone, les filles à la fenêtre le matin du départ, mes lettres jetées à la boîte, Martine et ses beaux yeux, l'attente au carrefour (merveilleuse attente !), les mille et un petits faits de la rue vus du feu rouge, toi survenant ô Anne, mon amour, et toi, et toi, et toi tant espérée). Revenu à Autun j'avais la tête pleine d'images dont la douceur faisait la cruauté.

Étais-je stupide ? À Château-Chinon je guettais le moment où l'hôtelier me dirait « une lettre pour vous ! » (comme le courrier était arrivé le matin et que je n'ai mis les pieds à Château-Chinon qu'à 20 heures il fallait supposer qu'il aurait oublié de me remettre cette fameuse lettre hypothétique dès ma sortie de voiture, ou ~~de~~ de la déposer dans ma chambre ou, ou, ou… enfin… il fallait supposer une série d'invraisemblances que j'ai <u>supposées</u> l'une après l'autre !).

Aujourd'hui tu es à Clermont. Tu vas assister à la course automobile. M'auras-tu écrit ? M'as-tu oublié ? Demain tu partiras pour Saint-Illide (que j'ai repéré sur la carte, près de Saint-Cernin) et je ne connais même pas l'adresse et le nom exacts de ta colonie de vacances. J'aurais tant aimé t'y conduire ! Au même moment je me dirigerai vers Hossegor. Je ne veux pas te raconter mon itinéraire intérieur. Je pense que tu le devines. Et cependant, mon Anne, au milieu de ma peine, une immense tendresse m'occupe et me domine, celle qui me donne à toi.

105.

En-tête Assemblée nationale, à Mademoiselle Anne Pingeot,
monitrice à la colonie de vacances du Crédit foncier,
Saint-Illide, Cantal.

Nevers, samedi 25 juillet 1964

Je ne suis pas heureux de ma journée d'hier 1) tu as besoin de repos et j'ai accru ta fatigue 2) j'ai été d'une sensibilité d'écorché du commencement à la fin 3) j'ai manqué à ton égard de la délicatesse d'esprit et d'intelligence du cœur sans lesquelles on ne crée pas la merveilleuse communion qui justifie l'amour – et particulièrement l'amour qui me porte vers toi.

Et pourtant je suis heureux de ma journée d'hier 1) te revoir m'a bouleversé 2) te revoir dans ce pays qui est le tien, c'était comme une invitation profondément désirée à laquelle on se rend 3) nos deux repas ont tout de suite retrouvé le ton de notre tradition bien établie en Île-de-France ! 4) tout ce que tu m'as dit cette nuit et qui était si grave était, aussi, extraordinairement pénétré de tendresse et de douceur 5) nous avons vu ensemble de belles pierres 6) j'ai aimé, passionnément, ton regard tandis que tout en moi éclatait comme la fin du monde au bout des temps.

Je ne suis pas heureux de ma journée d'hier car la joie que j'avais sur la petite route de Pleaux à Saint-Illide – tu ne peux pas <u>non</u>, tu ne peux pas la deviner (je chantonnais les numéros des dix derniers kilomètres de telle manière que qui m'aurait entendu m'aurait pris pour un fou) – n'était plus que douleur sur la petite route de Saint-Illide à Saint-Cernin, quinze heures plus tard. Et si tu savais la souffrance de ma nuit, d'abord jusqu'à Bort-les-Orgues où j'ai pu trouver une chambre, ensuite jusqu'au jour, en attendant vainement que cesse le grand tumulte de mon tourment ! Meurt-on d'angoisse ? Je ne suis pas heureux de ma journée d'hier car j'atteins aujourd'hui, ou plutôt, j'ai atteint ce matin le fond de la peine, la pire torture morale.

Et pourtant je suis heureux de ma journée d'hier parce que j'aime ta loyauté, tes scrupules, parce que tu m'as dit les mots qu'il me fallait (« tu n'es pas seul »), parce qu'une nouvelle densité donne à notre histoire un poids fondamental, parce que tu étais belle sous le soleil, parce que tu étais belle dans la nuit, parce que ton bras a fermé mes épaules, parce que ton corps était miel, parfum, musique et ta bouche était l'eau du ciel au milieu de l'été. Je ne pense jamais à ton corps (si, constamment, à ton visage dont je recrée aisément le regard, les lèvres, le front, difficilement le contour, les proportions, le mouvement) quand tu es loin de moi. Je t'ai aimée longtemps avant d'en connaître le goût. Mais pourquoi le taire ? Près de toi, uni à toi, en toi je suis. L'incroyable paradoxe ! je suis à l'instant même où je me fonds en toi. Cet accord-là Anne, tant de vies ne le posséderont jamais, et ma vie – il faut que tu le saches, il faut que tu saches ma plus secrète vérité – n'a plus besoin de Venise illusoire, d'amour-plaisir, de courses autour du monde et de soi-même depuis que tu me l'as donné. Ne crois pas qu'il s'agit seulement d'un équilibre sensuel. Ce matin le polo choisi en pensant qu'il te plairait peut-être portait encore ton parfum. Mon émotion, quand je l'ai perçu, allait au bord des larmes.

Je possédais la présence de l'être pour lequel la beauté, l'amour de la beauté, Dieu ou, en tout cas, la recherche d'une révélation spiri-tuelle, la volonté de créer, la puissance de travail, le courage d'affron-ter gagnent en moi – sur leur contraire !

Ce que je t'écris t'effraye ? Cela ajoute à tes raisons de vouloir t'éloigner ? Être l'un à l'autre est mal en soi ? Compter à ce point sur toi est une maldonne ? Anne, quand tu me dis « ce sera ɨ tellement plus dur plus tard », c'est vrai pour toi et je le comprends.

Mais ce n'est plus vrai pour moi : tout est déjà fait. La force de mon amour pour toi vient sans doute de ce que de longs mois ont été nourris d'entente intellectuelle, de curiosité mutuelle, de plaisir subtil, de communions esthétiques, d'attrait pour des choses essentielles et simples avant que ne s'impose, comme un orage de juillet, puissant et déchirant et qui lave les cieux qu'il a troublés, l'évidence d'une unité, où l'âme et le corps se mêlent, enfin totale.

Cela n'enlève rien au problème posé, aux questions qui te meurtrissent, aux échéances que tu redoutes, quelles qu'elles soient, qui elles nous séparent ou continuent de nous unir, j'en conviens. Vais-je te paraître idiot ? J'ai tout de suite su que la seule, l'implacable logique qui m'attirait à toi était celle-ci : « je ne puis toucher son petit doigt et faire trois pas dans la rue avec elle si je n'accepte pas l'idée qu'elle pourrait, qu'elle devrait, qu'elle pourra, qu'elle devra être ma femme ». Oui, je le reconnais c'est tout à fait idiot et présomptueux si on aligne les arguments d'ordre général que nous connaissons par cœur : dates de naissance et état civil, et les arguments d'ordre particulier : tes convictions et surtout tes sentiments car tu ne sais pas tellement où tu en es = *. Mais c'est ainsi. Et crois-moi, mon Anne (laisse-moi faire, une minute, mon fâcheux esprit !), cette vue très conforme, très bourgeoise et très conjugale n'est pas mon fort... ou bien je serais déjà parti m'installer en Islam (encore le Coran ne va-t-il que jusqu'à 4 ce qui est trop ou trop peu).

Mais arrêtons ces mauvaises plaisanteries, que tu apprécies modérément, pour en revenir à cette terrible et lumineuse évidence : tout m'enchante, tout me délivre, tout me transfigure de ce qui me vient de toi. Tu ne peux imaginer ma capacité de travail et de création quand mon cœur a son levain. Et mon cœur est plus exigeant que tu as l'air de ~~ne~~ le penser, en ce domaine précisément.

Rien de ce que j'écris ici ne t'engage.

Tout m'engage. J'ai un respect absolu de toi. Comment t'aimerais-je sans ce respect ? Ta venue dans ma vie est comme une rivière claire et pure, qui nettoie, bondit, colore. Cette eau je veux la boire, je veux la prendre. Je ne veux pas la salir ou la tarir. Ô retiens bien ces mots : ils te racontent mon amour pour toi. Ils t'expliquent aussi bien mes réactions, ma peine, cet horrible envahissement du désespoir que mes projets, mon bonheur, mon espoir. Cela n'est pas contradictoire, tu le comprends sûrement.

Mais toi, mon Anne, ne crois pas que lorsque tu m'objectes la lutte, nécessaire à tes yeux, que tu dois entreprendre pour échapper à un destin qui déborde de partout sur celui que tu te souhaites, dans la mesure même où il ne le détruit pas, ne crois pas que je discutaille. ~~C'est~~ Ce que tu m'opposes est tellement normal et vrai ! Certes, je me débats car je souffre (infiniment) – et car je continue d'espérer. Suis-je d'un égoïsme forcené ?

Évidemment je pense à moi, à mon accomplissement heureux, au défi d'une vie réussie quand je t'imagine partageant le même amour l'un pour l'autre et pour les autres, les mêmes heures penchées sur le même travail, les mêmes méditations graves et sereines, les mêmes épreuves, les mêmes combats et, ô merveille, les mêmes tendresses devant le monde créé par nous.

Rêve idéal, impossible, préfabriqué ? Eh bien non. Seulement je sais que c'est très difficile.

Je sais que ta vie à toi peut désirer une autre voie, que c'est NORMAL, que les murs dressés devant toi, devant ta conscience te paraissent bien hauts, bien hostiles, que tout ce langage ne convient peut-être pas à ta jeunesse.

D'ailleurs je ne rédige pas cette lettre pour te convaincre mais pour m'expliquer (une fois de plus, sans doute, mais plus complètement que jamais). Ce n'est pas non plus une lettre-dialogue (j'attends impatiemment une lettre de toi mais pas forcément une réponse). J'ai voulu, en traçant ces lignes dénuées de toute préparation de style et de réflexion, et même avec quelque hâte pour qu'elles partent ce soir, que soit clair dans ton esprit ce double credo : je t'aime. Je respecte la liberté – je t'aime. Je respecte ton combat intérieur – parce que je t'aime je ne veux pas me décharger sur toi de ma souffrance – parce que je t'aime j'admets que ton bonheur ne soit pas le mien.

Mais je veux que tu saches aussi ceci : j'ai, moi, dépassé le point du non-retour. Merci ô mon Anne d'être celle par qui j'atteins le sommet de ma course : jamais plus je ne reviendrai en arrière. Je suis à toi, comme hier, aussi intensément mais par mon âme et non mon corps quand je t'écris ceci : depuis toi je ne puis qu'aller et regarder devant moi. Cette pureté que tu m'as abandonnée tu ne l'as pas perdue. Et tu m'as touché le cœur. Maintenant je crois que la noblesse a ses élus, chargés de transmettre la grâce de vivre à travers les siècles. Ni je ne t'idéalise, ni je ne te déforme pour les besoins de la cause.

Quand tu aimeras si tu n'aimes déjà, tu seras capable de transmettre la grâce. De cela je suis sûr, sûr, sûr. Et cette lumière-là efface toutes les ombres.

Il me faut clore ce long monologue. Je suis à l'Hôtel de France, à Nevers où je suis arrivé en fin de matinée après avoir franchi les yeux fermés (ou presque !) les monts d'Auvergne. J'ai vu Clermont, du col de la Moreno, scintiller dans la brume. Une folle tendresse m'a envahi pour ces lieux où tu vis. J'ai vu le petit chemin où nous nous sommes arrêtés le 3 (le bonheur culminant). J'ai suivi l'itinéraire de la 2 CV vers Moulins.

Ah ! je ne t'ai guère quittée ! À Nevers la télévision canadienne m'attendait pour une interview sur la conférence de presse du général de Gaulle. J'ai déjeuné au même hôtel avec les trois Canadiens. Je vais passer la fin d'après-midi à Château-Chinon. Je ne sais si je rentrerai à Paris cette nuit ou demain matin. À Paris, pas d'autre programme que de mettre mes affaires en ordre avant août. Je te téléphonerai lundi à 12 h 30. J'avais <u>besoin</u> de ta voix quand je t'ai appelée tout à l'heure. Et que tu me fais du bien ! Je sais que tu m'as comblé avec tes lettres la semaine dernière, sale Auvergnate parcimonieuse, mais cela ne te dispense pas de m'écrire la semaine prochaine ! Enfin, fais comme tu veux.

<u>J'attends le jour prochain vendredi ? samedi ? où je te reverrai.</u>

Je me suis juré à moi-même de te donner un jour Radieux et je veillerai sur nous, ô mon aimée, de toute mon âme

François

* l'opinion que tu avais d'un homme petit, gros, chauve, coiffé à la diable d'un chapeau crasseux et bizarrement dentu !

106.

En-tête Assemblée nationale, à Mademoiselle Anne Pingeot,
monitrice à la colonie de vacances du Crédit foncier,
Saint-Illide, Cantal.

26 juillet 1964

Certaines de mes lettres, mon Anne, quand elles te parviennent deux ou trois jours après avoir été écrites, ont perdu leur contexte et peuvent t'étonner (et détonner) par quelque excès de joie aussi bien que de tristesse. Je te les envoie, même si je sens que le décalage du temps leur ôte leur véritable signification car je veux recomposer pour toi l'exacte trame de mes pensées et de mes sentiments. Une vie n'est-elle pas comme une marqueterie ? Vue de haut ou de loin on en aperçoit le dessin. De près apparaissent surtout les contrastes et la géométrie du détail.

Ainsi en est-il de ma lettre d'hier, si tourmentée.

Comment la comprendre ? En me levant, vendredi matin, à Brive, j'étais possédé par un bonheur extraordinaire. Quand je t'ai vue, entre Saint-Illide et Albart, j'ai ressenti mon amour pour toi de façon fulgurante. Je t'aimais sans souvenir et sans espoir. Un regard qui fixe le soleil, qui s'y brûle mais qui ne cille pas et qui devient soleil.

J'étais ce regard brûlé. Et toi tu étais mon soleil, ô mon inconnue attendue depuis toujours ; tu étais la femme du commencement, force entrée en moi et qui me rendait souverain tout en m'asservissant. Toute la journée qui a suivi je suis resté avec ma plaie ouverte, la plaie de la brûlure. Parce que ce que je t'écris là n'est pas une image, pas un symbole, pas une comparaison mais une réalité physique, j'ai souffert sans répit d'un mal d'aimer dévorant, du mal de la possession – le soleil, mon regard, toi, moi. Mon Anne il est des choses simples mais terribles. Par ton corps j'ai touché ton âme, par ton âme j'ai touché ton corps je ne sais plus, je ne sais pas où sont les frontières de ton être – mais je sais que, corps et âme liés, le soleil m'a brûlé jusqu'au plus profond de la nuit.

J'étais tellement saisi par cette évidence, qui pour moi est définitive, que ta douceur même avivait ma douleur : on a beau aimer le soleil, on a beau t'aimer, on a beau être cloué par le bonheur il n'empêche que la plaie ne supporte plus rien sans saigner. Et il n'y avait rien à faire pour me guérir.

Pour la première fois c'était intolérable. J'en aurais gémi. Je crois que j'en ai gémi. Une lassitude mortelle m'envahissait. Je n'avais plus l'énergie de lutter. Le frémissement de ton être, l'accomplissement, l'intensité de ton visage (tout cela au centre de ce paysage que la brume à ras du sol, sous le ciel dont la nuit durcissait l'éclat à mesure que l'heure avançait, rendait fantastique) me portaient au point de rupture.

Tu le devinais. Les paroles de tristesse ou de sagesse ou de refus que tu m'as dites alors contenaient une si merveilleuse tendresse que je t'en aimais davantage : tu ne te séparais pas ; tu tentais de m'accompagner sur un autre rivage où, en vérité, c'est toi qui me conduisais ; tu étais mon amie, mon amour et tu me faisais mal, plus implacable qu'une ennemie, plus mortelle qu'un coup de poignard, plus douce que la mort. Peut-être avais-tu la même perception que moi : le vendredi 24 juillet, comme celui du 3 juillet, l'un dans l'éclaboussante joie, l'autre dans la plénitude qui ressemble à la douleur lorsqu'elle atteint l'unité, si désirable, si redoutable, nous avons été si profondément l'un à l'autre qu'il n'est plus possible d'ignorer désormais que cela EST. Voilà pourquoi je ne t'en ai voulu d'aucun mot qui me meurtrissait, ni de l'inquiétude, de l'angoisse où tu me plongeais. Ta tendresse me rejoignait dans les sphères supérieures de l'âme. Ma souffrance te répondait en venant de mon âme. ~~Mais~~ Et (quelle étrange aventure), j'éprouvais en même temps une gratitude, que Stendhal eût appel~~lerait~~ée sublime, pour toi qui me déchirais, parce qu'il y avait en toi une résonance d'amour et parce que cette résonance était celle d'un cœur pur.

Je t'écris ce soir, non point apaisé mais mon unité intérieure ressoudée. J'ai peut-être analysé, commenté plus qu'il n'était nécessaire l'histoire d'une journée qui m'a très vivement éprouvé. Pardonne-moi de délaisser les faits pour cette introspection qui s'étale déjà sur deux lettres. Mais j'avais besoin de m'exprimer. Sais-tu ce qu'est la claustrophobie ? Elle faisait s'évanouir Camus dans un avion. Elle m'étouffe dans un wagon-lit. C'est une maladie bizarre mais d'origine essentiellement physique (nerveuse ou hépatique). Eh bien la nuit dernière le mal de toi m'a épouvanté, m'arrachant du sommeil, me jetant dans l'abîme où l'être croit se défaire et appelle la mort comme une sauvegarde. Une seconde j'ai aperçu que ton ABSENCE me tuait.

Comment t'expliquer ? il me fallait absolument échapper à l'étreinte de l'angoisse, me lever, partir, aller dans la nuit n'importe où. Ne me crois pas désaxé ! Seulement j'ai reçu un choc et tu me permettras de secouer la tête comme un boxeur K.-O. avant de ~~me~~ se remettre sur les jambes !

Ah ! te revoir ! Anne, notre prochaine rencontre sera toute différente. Je ne perds pas de vue « les quatre chevaux » et je distingue celui qui presse un peu trop le pas ! Je veux revivre avec toi le climat d'Auvers, le limpide climat des ententes heureuses – sans fièvre. Je t'apporterai des poèmes que j'ai sélectionnés et que je te lirai. Si tu repères un bel endroit près du puy Mary nous y resterons longtemps et j'aurai la force (j'aime aussi, sois-en sûre, cette façon de t'aimer !) de faire avec toi le chemin qui mène aux sources de l'harmonie et de la paix. Je veux que tu reviennes à Saint-Illide radieuse, heureuse, lumineuse. Je veux que ma présence dans ta vie t'enrichisse au lieu de t'épuiser.

Je t'ai déjà souvent répété que ma pensée ne te quittait pas mais que très naturellement elle allait vers nos raisons d'entente intellectuelle ou spirituelle plutôt que vers l'entente ou le désir physiques. Quand j'imagine l'avenir (si tu étais là tu me reprocherais de trop imaginer, mais tu n'es pas là et j'en profite !) je crois, sans doute possible, à un accord rare avec toi. Par exemple, préparer, écrire un livre : que

de fiches à établir, à ordonner, à choisir, que de discussions sur le
thème, les caractères, les circonstances ! Ma vie politique traversera
des phases difficiles, peut-être cruelles : que d'heures et d'espoirs à
partager, de volontés à unir ! Ne pas rouiller, ne pas se vulgariser,
tenir bon contre l'engourdissement, tenir les choses par la pointe au
risque de se blesser, comme ce serait bon d'entreprendre ce combat
admirable ! Ne laisser échapper aucune occasion d'affiner son esprit
et ses sens : je me souviens d'émotions à peine ébauchées qu'un amour
de cette nature aurait portées au niveau des connaissances fécondes.
Je te voudrais près de moi à Salzbourg ou à Aix – avec toi chercher,
chercher la vérité spirituelle ou ses miettes, approcher l'achèvement
esthétique.

C'est beaucoup d'ambition ? C'est la seule ambition !

Ne pas avoir cette ambition-là revient à consentir à l'échec, c'est
accepter le pli amer des visages ruinés. Il en est une autre, me répon-
dras-tu, qui s'accomplit dans le renoncement ? Mais on ne renonce
pas à moitié. Vivre une vie de tous les jours dans le monde de tous
les jours en exécutant les actes de tous les jours au milieu de gens de
tous les jours avec les mots tout faits de tous les jours – avec un peu
d'amour, un peu de, un peu de tout n'est pas renoncer mais plier,
s'adapter, se donner l'illusion de l'héroïsme spirituel – avec un sabre
de bois.

M'accuseras-tu d'orgueil ? Il me semble que cette année merveilleuse de Chantilly à Saint-Benoît-sur-Loire a prouvé que deux êtres
pouvaient gravir, degré à degré, la belle, la rude pente du temps,
semaine après semaine, presque jour après jour sans y perdre le
souffle, sans s'y rompre le cou, sans s'y encrasser l'esprit. Et tu vois,
j'ai comme un vertige de désespoir lorsque je pense que pour des
motifs valables mais sans véritable portée nous pourrions délibérément rompre cette marche enchantée. Ah le beau sacrifice ! Mais
pour qui et pour quoi ? Dieu lui-même qui n'est pas aveugle, dit-on,
a bien dû discerner qu'à travers ce que tu m'apportes j'ai fait un bout
de chemin de son côté.

Lundi 12 h 15

Dans un moment je te téléphonerai. De l'Assemblée. Je n'ai pas
cessé de penser à toi. À nous. En moi se livre un combat déchirant.
Mais je ne t'ai rien dit de mes occupations : après Nevers où j'ai
déjeuné samedi je suis allé à Château-Chinon. J'ai emmené avec moi

le fils d'un des Canadiens qui entreprenait un voyage en direction d'Istanbul, en auto-stop, en se donnant deux mois d'errance ! J'ai bavardé avec lui : dix-neuf ans, collé au bac de philo à Janson-de-Sailly, désireux de devenir metteur en scène de cinéma, a séché les cours parce qu'il a vu 180 films cette année etc. etc. À Ch.-Chinon, mairie puis dîner avec deux amis au Vieux Morvan. Ah ! que ta pensée occupait mon cœur. Assez tôt, vers 10 h 30, je suis parti pour Lormes où j'ai logé pour la nuit chez le pharmacien du pays. Le lendemain matin j'ai longé le nord du département jusqu'à Entrains-sur-Nohain, en Puisaye (les jolis œillets simples venaient de là) et j'ai rencontré le médecin ami dont je t'ai parlé. J'ai commencé d'aborder un sujet difficile que je reprendrai le 4 août à Saint-Jean-Cap-Ferrat. Je n'ai pas voulu rester déjeuner mais l'heure avait avancé et j'ai fait le trajet Entrains-Paris en pleine chaleur – avec l'avantage cependant d'être moins gêné par la circulation. Je me suis donc trouvé rue Guynemer au début de l'après-midi. Je n'étalerai pas mes sentiments au moment où j'ai traversé des rues lourdes de souvenirs merveilleux. J'avais peine à en supporter la nostalgie.

J'ai marché dans le quartier Saint-Germain. J'ai rêvé. Je t'ai écrit. J'ai continué le *Journal*. J'ai relu quelques-unes de tes anciennes lettres. En fin de soirée j'ai vécu un instant singulier. Quelqu'un avait mis des disques. J'en distinguais mal les paroles mais la mélodie m'imprégnait. Un chanteur, Leny Escudero, je crois, dont je n'entendais que les accents a entamé une complainte. Peu à peu le vide s'est fait en moi. J'avais l'impression que l'homme n'avait été créé que pour pleurer sur son destin. Je songeais, ou plutôt, je sentais que la malédiction était de vivre non de mourir. J'ai voulu secouer cette torpeur morbide, destructrice. J'avais besoin d'un secours, d'une lumière qui m'aiderait à tenir jusqu'à l'aube, d'une voix qui chanterait l'autre explication du monde.

12 h 45

Or précisément, passant chez des amis où la télévision distribuait son ronronnement, a commencé un « Gospel's song ». Des Noirs au piano, au saxo, à la batterie et aussi un flûtiste, un chanteur encore. Sa voix racontait tant de malheurs que ma peine à moi devenait la partie d'un tout et que s'éveillait en moi l'énergie dissipée, la volonté d'être aux côtés de la misère universelle, qui coule et coule, fleuve immense venu des hauts plateaux pour s'unir à la mer. Une étincelle d'espérance pareille à la beauté du soir qu'aucun bourreau ne parviendra à arracher du ciel, à enlever au regard de l'homme, apparaissait. L'amour que je te porte, au lieu de m'entraîner comme depuis deux jours vers le désespoir des choses impossibles, signifiait la création nouvelle, la conquête, le pas en avant au-delà de soi-même. Et ta voix à toi, mon Anne, saisie à travers l'espace il n'y a qu'un moment, m'a nourri par surcroît de tendresse et de paix, oui, enfin de paix revenue – fondée comme à Auvers, comme à Delft, comme la nuit du 12 juin sur la musique de l'âme accordée aux sentiments du cœur, aux mouvements du corps. Cette « merveille bouleversante ».

18 h 50

Voilà l'heure du courrier, Anne chérie.
Questions pratiques avant de clore
1) Je serai à <u>Saint-Illide (Albart)</u> à 9 h 15 <u>jeudi</u>.
Je me suis très bien arrangé. Ne te fais pas de souci.
Je quitterai Paris au début de l'après-midi de mercredi. Si tu n'étais libre que vendredi tu pourrais le télégraphier mercredi matin à <u>l'Hôtel de France</u> à <u>Nevers</u> où je m'arrêterai au passage pour savoir s'il y a quelque chose de toi. Sinon, tout va bien, et <u>à jeudi</u>.
2) Du coup je ne t'appellerai pas au téléphone mercredi pour ne pas abuser inutilement de ce moyen de communiquer.
3) Je ne t'envoie pas non plus les indications sur l'École du Louvre. Je te les apporterai jeudi.
Je t'embrasse mon Anne. Le bonheur qui me possède à la pensée de jeudi est une chose merveilleuse

<u>François</u>

107.

Télégramme, à Anne Pingeot, monitrice,
colonie de vacances Saint-Illide.

27.7.1964

ENTENDU JEUDI

108.

En-tête Assemblée nationale, à Mademoiselle Anne Pingeot,
monitrice à la colonie de vacances du Crédit foncier,
Saint-Illide, Cantal.

Tulle, 31 juillet 1964

Tant de pensées, tant de sentiments, tant d'émotions et de souvenirs tout proches, collés à moi, me sollicitent, me pressent, me bouleversent depuis qu'hier soir je t'ai quittée, que cette lettre pour t'exprimer à la fois la joie, le chagrin, la beauté ressentie, l'inquiétude, et plus encore le fulgurant bonheur de l'instant hors du temps où réellement et non plus par symbole tu as été ma source et ma vie, parfaitement liée à mon amour de toi – que cette lettre n'est qu'un cri.

Je t'aime, Anne chérie, comme on naît et comme on meurt. Sans recours.

Je me suis arrêté à Tulle pour dormir. La route, après Albart et jusqu'à ce que je rejoigne la nationale Aurillac-Limoges, était merveilleuse, avec ses détours, sa solitude, ses parfums. Elle traversait de profondes forêts et quand elle remontait au haut des collines découvrait le ciel incroyablement pur et royal que toi-même as dû admirer. En passant sous les murs du parc j'ai entendu et aperçu les enfants de ton « bailliage ». J'aurais aimé distinguer une robe rouge pour emporter encore une image de toi. Oh que j'aimais Anne, que je t'aime – et pardonne-moi de te l'écrire, à toi si tourmentée, que je t'appartiens !

À Tulle j'ai trouvé un petit hôtel enfin fort confortable. Je n'avais pas envie de me coucher. J'ai, pour la forme, avalé une salade et un fruit et j'ai pensé, pensé à toi, à nous avec une inexprimable tendresse. Tu as habité ma nuit. Tu habites mes nuits. Je sais que pour moi il n'y aura plus de vie heureuse séparée de toi. De toi le jour, de toi la nuit, de toi le cœur et la chair. De toi ma bien-aimée. Mon esprit éclairé par la joie qui me vient de toi, je le sens allègre et capable de comprendre et de créer. Mon corps, même contraint, maîtrisé (et Dieu sait si je me bats contre moi quand la grande lueur de l'incendie s'empare de mon sang, et tout est flamme et jaillissement et lave qui coule et brûle au creux de mon être – et tu ne devines pas que la force de ma volonté (parfois elle se brise) n'est faite que d'amour de toi pour que jamais tu ne sois ~~pas~~ mienne par la seule surprise d'une suprême contradiction) s'accomplit cependant dans l'attente de toi. Mon cœur ? tu le possèdes et, sans le savoir ni le vouloir, tu le nourris d'amour. Que j'ai besoin de toi, de ta présence constante, de toi, de toi, de toi !

C'est trop ? Avec toi tout était alors trop, depuis le premier sourire et la première et si spontanée et si libre joie de notre première balade. Je ne suis ni naïf, ni démuni d'esprit critique, tu le sais. Mais je suis tellement sûr qu'un accord comme le nôtre, aussi créateur, aussi vivifiant, aussi riche de résonances, est un incomparable don que je m'y engage absolument. Ô Anne ne m'en veux pas de te parler ainsi. Je t'observe qui luttes ~~contre~~ entre des obligations contraires et je m'émeus de t'en voir souffrir. Je ne suis pas insensible à ce visage merveilleusement, terriblement remué que je découvrais en me retournant tandis que nous descendions de notre promontoire. Je serai capable de grands sacrifices pour toi que j'aime. Mourir serait le plus facile mais personne ne me le demande, comme si tu voulais et les tiens avec toi que je vive avec ma douleur, bête féroce qui me tue en choisissant pour instrument de supplice le pire de tous, le temps.

Anne, Anne je ne supporte pas le temps sans toi. Saisis-tu mon angoisse dès que tu évoques une séparation ? Tu vois, ce matin, à Tulle, comme je te l'avais dit en partant d'Albart, non seulement il n'y a pas de désespoir en moi (c'était atroce l'autre jour et tous les jours qui ont suivi) mais la réalité de notre harmonie me donne un étrange bonheur — j'aime mes mains qui ont caressé ton corps, j'aime mes lèvres qui ont bu en toi, j'aime le goût de ton être mêlé de soleil et de lumière, avant de m'endormir j'ai évité de frotter la journée de mon corps à grande eau comme je fais toujours pour garder ta trace, ton parfum, ta présence vivante sur lui. Mais penser maintenant que des jours et des jours vont s'écouler jusqu'à ce que je retrouve ce délicieux chemin de Saint-Illide m'épuise, me ronge. Voilà, ma chérie, un tout petit bout du récit de moi-même et du récit des choses qui nous concernent, au moment où il me faut reprendre la route pour Limoges (tu t'étonnais hier de mes déplacements : je ne puis rester en place) alors que dès qu'un jeudi me ramène à toi, comme celui d'hier que je place parmi mes souvenirs de toi les plus chers, je m'installe sans vergogne dans la position du lézard qui ne bougerait plus pour l'éternité !

Je t'écrirai demain d'Hossegor pour que tu aies une lettre du lundi et parce que j'ai encore beaucoup, beaucoup à te dire. J'ai passé une journée intense. Merci, merci, Anne. L'arrivée simultanée au bas d'Albart, Saint-Cernin le matin (délices !), la route si ensoleillée de

Salers et d'après Salers, le déjeuner-casse-croûte si gai, l'après-midi enraciné dans ton pays, ENRACINÉ (je récite déjà les grains d'un bonheur qui emplit mon existence) tout cela est INCROYABLE.

Au revoir. Je n'aime pas finir une lettre.

Après, j'attrape un sale coup de solitude.

N'oublie pas que :

Samedi et dimanche je suis à Hossegor.

Lundi à Château-Chinon.

Mardi, mercredi et jeudi matin (si ton jour de vacances n'est pas jeudi) sur la Côte.

Si ton jour de vacances est vendredi (j'aimerais mieux, cela ferait un jour de moins à attendre) ou samedi, je partirai par avion de Nice, direction Paris jeudi après-midi. Tu peux donc (j'en aurais une telle joie) m'écrire à Cannes (aux bons soins de Georges DAYAN, Hôtel Majestic, sur la Croisette). Il faut compter deux jours pour le courrier, donc une lettre qui m'annonce que c'est jeudi doit partir lundi pour m'arriver mercredi et une lettre qui m'annonce que c'est vendredi ou samedi doit partir mardi dernier délai. Autrement, tu me télégraphieras. En tout état de cause j'espère t'avoir au téléphone mardi pour être éclairé… et pour t'entendre.

Je t'embrasse, mon Anne, de toute mon âme

François

P.-S. N'aie pas d'inutile scrupule pour moi. Si ton jour est jeudi cela ne me complique pas la vie ! je serai ravi de quitter la Côte mercredi après-midi pour te voir le lendemain. Vive Saint-Illide ! Donc n'hésite pas et préviens-moi.

109.

S.d. Carte postale de Salers, à Mademoiselle Anne Pingeot, monitrice à la colonie de vacances du Crédit foncier, Saint-Illide, Cantal *(avec écriture allongée).*

Avec les bonnes pensées de *Tante Misi* quand même ! [Sœur aînée de mon grand-père habitant La Pierre, près de Salers.]

110.

En-tête Assemblée nationale, à Mademoiselle Anne Pingeot,
monitrice à la colonie de vacances du Crédit foncier,
Saint-Illide, Cantal.

Hossegor, 1ᵉʳ août 1964

Je t'écris du patio de la maison, sous le premier ciel gris rencontré
depuis trois semaines. Mais derrière les nuages on sent que le soleil
tire à plomb sur les nuques imprudentes. Anne, Anne chérie, cette
sorte de consécration dans laquelle je vis à ton égard, cet étrange
absolu d'une étrange passion, je voudrais tenter d'en comprendre
la signification et tenter de te l'exprimer. Arrivé à Hossegor en fin
d'après-midi j'ai passé ma soirée à réfléchir, soit en me promenant
seul, soit en rédigeant le *Journal*, soit en rêvant, et longuement, aux
événements qui nous ont concernés au cours de ce mois de juillet,
maintenant lié dans le passé (notre passé) aux neuf mois qui l'ont
précédé et dont l'importance pour ma vie a été décisive.

L'absence, pour ceux qui s'aiment – et moi, je t'aime – est comme
une bête vivante, avec ses colères et ses repos, ses faims et ses angoisses.
Tout recommence pour elle chaque jour ; hier et demain sont abolis.
Veux-tu que je te raconte l'histoire de ton absence, telle que je l'ai
vécue, passant sans transition de la joie à la douleur, de la paix au
tourment, à l'instant même où je t'ai quittée sur le quai de la gare
de Saint-Germain-des-Fossés ? Pourtant c'est la paix, une paix bien-
heureuse qui a dominé mon esprit jusqu'à la merveilleuse journée,
commencée le 3 juillet, à 10 h 10, à Moulins. Tes lettres, ta chère
tendresse au téléphone (et trois jours successifs !), ta pensée que je
devinais si proche, si simplement confiante pendant ton séjour à la
clinique, tout cela a été pour moi la nourriture d'un grand calme intérieur, d'une foi tranquille dans la force d'un sentiment exaltant. Après
notre deuxième séparation, dans le petit matin de Clermont, j'ai dû
contenir la montée des souffrances. Trois semaines sans toi alors que
j'avais acquis un besoin impérieux de ta présence, il m'a fallu faire
appel aux réserves de courage pour les affronter ! Ta première lettre
de cette période, écrite du « Verger du haut », lettre désolée et si
douce, si semblable à la « lumière de Delft », était comme une lettre
d'amour. Elle a pris une place à part dans mon mémorial secret. Elle
ne le quittera jamais. À partir de là j'ai été envahi par l'inquiétude
comme si j'avais été si haut avec toi qu'il eût été impossible de vivre

sans peiner dans le quotidien de l'absence. Ton stage, cette entrée de mon Anne de Port-Royal et de Morienval dans un monde nouveau et inconnu de moi, puis ton départ pour Saint-Illide ont accentué cette impression. Mais, parmi celles que tu m'as envoyées et que j'ai toutes aimées, une lettre m'a procuré une joie intense, dévorante (écrite par petits bouts, à Châtel d'abord, puis à Clermont d'où tu l'as expédiée).

Ô Anne mon cœur est-il celui que tu décris parfois, usé et las, frotté à tous les sentiments, durci par l'expérience, caillou, coquillage ? Comment peut-il alors connaître des variations d'une telle violence, se perdre avec la même intensité (il finira par s'y rompre. Ce sera peut-être tant mieux) dans l'infini du bonheur et du désespoir ? Déjà je ne supportais plus d'être coupé de toi. Que d'heures vidées de goût et d'intérêt pour ce qui m'entourait ! Cependant je n'avais pas atteint la vraie tristesse, j'avais simplement parcouru les étapes NORMALES qu'une trop grande joie suivie d'une trop grande absence laisse à qui la possède. Pourquoi ai-je réagi avec la faiblesse tragique du désespoir au lendemain de notre première rencontre de Saint-Illide ? Pour plusieurs raisons, évidemment. J'en énumère trois : tout, le long de ce 24 juillet, a été extrême. Anne, tu ne peux comprendre ce qui est, ce qu'a été le don de moi, l'abolition de moi-même lors de notre dernière halte. Je haïssais d'avoir à te laisser. Puis, je te sentais terriblement partagée : heureuse de me voir ; malheureuse d'être heureuse. Enfin je sentais moi aussi combien était difficile et compliquée pour toi cette contradiction où je t'oblige à vivre en demeurant si proche de toi. Et crois-le, mon Anne, tes angoisses me déchirent. Quant à jeudi, vraiment, tu ne sauras jamais combien ton sourire au moment de notre rencontre au bas d'Albart m'a comblé et guéri de tant de peines. J'ai voyagé dans l'allégresse jusqu'à l'instant où de nouveau tu as posé les questions qu'aucun de nous deux ne parvient à oublier. Mais Anne de cette journée, dans ce paysage de grandeur et de beauté, reste gravée en moi l'extraordinaire certitude. Qu'au-delà des problèmes et des difficultés, tout est possible – tout est possible pour la conquête d'une union qui n'aura de sens que si nous avons l'audace, la force et la générosité de la porter au plus haut.

Un jour je me souviens de te l'avoir écrit : quand je suis heureux avec toi je trouve dans cet état la grâce de dominer le violent besoin que j'ai de toi, l'appel vers la possession de celle que j'aime.

D'Amsterdam à Saint-Benoît nous avons vécu ainsi, rappelle-toi. Mais quand tu sembles t'éloigner, te prendre, incruster nos vies l'une en l'autre, devient en moi la sauvegarde – terre à l'horizon qui d'un coup ranime l'énergie, la volonté de combattre et de vivre. De sorte que par un étonnant paradoxe la paix du 12 juin nous protège quand le trouble du 24 juillet me perd.

Maintenant je sais où j'en suis. J'attends notre vendredi (ou jeudi, ou samedi) de la semaine prochaine avec une tendre impatience mais avec une certaine sérénité. Te ferai-je un reproche ? Je veux (ce verbe employé là n'est exprime pas un ordre !) que tu m'aides davantage dans l'entreprise passionnante, ardue et féconde (d'autant plus féconde qu'elle est ardue) qui nous unit. Ni toi ni moi ne sommes faits pour de banals ratages. Ta crainte d'une évolution « moche » (l'horrible mot) de ce qui est si plein, si beau, me blesse. Je vaux mieux que cela. Mais ne peux-tu dominer toi aussi ton angoisse, me tendre la main et t'en remettre à la volonté qui est nôtre d'être dignes du privilège que nous avons reçu ?

Je viens de lire un texte de Camus dont voici un extrait. « J'ai essayé de respecter mon métier à défaut de pouvoir toujours m'estimer moi-même. J'ai essayé particulièrement de respecter les mots que j'écrivais puisque à travers eux je respectais ceux qui pouvaient les lire et que je ne voulais pas tromper. » Eh bien moi je respecte les mots et les actes dits et accomplis par amour de toi et à défaut « de pouvoir toujours m'estimer moi-même ». Je veux estimer celle qui les reçoit par ses yeux, dans son corps, dans son âme – et, avant tout, la respecter.

Comme il faut que cette lettre parte ce soir pour te parvenir lundi je l'interromps. Mais je l'interromps seulement, car j'ai à continuer sur ce thème. Je la poursuivrai donc demain et lundi et posterai la suite à Château-Chinon, lundi soir.

Je t'embrasse, Anne chérie,
avec ferveur

François

111.

En-tête Assemblée nationale, à Mademoiselle Anne Pingeot,
monitrice à la colonie de vacances du Crédit foncier,
Saint-Illide, Cantal.

Hossegor, samedi 1er août 1964, 20 heures

Soleil couchant en gloire. Une lettre pour toi est partie cet après-midi. Je goûte la fraîcheur du soir, tête perdue dans un rêve.

Et gagne en moi ta présence au point que je ne lui résiste plus : je t'imagine à Saint-Illide en cet instant. Ah ! que mes yeux se ferment pour mieux voir ! Que j'aime ta robe rouge. Avant-hier exactement je te quittais, tu me quittais. Et que j'aime ton visage : tout ouvert, tout épanoui, tout sourire à notre rendez-vous – si grave au puy Mary. Si tendre, angoissé, tendu précisément à cette heure-ci quand montent les parfums comme un encens brûlé par l'officiant du jour. Mon amie, mon amour.

Je t'écris ce soir les mots d'un murmure ou peut-être ceux d'une méditation. Rien ne les lie que l'amour d'un homme pour une femme et qui s'interroge sur son destin – sur leur destin.

Que s'est-il passé depuis cette minute où ta robe prise par les ronces tu as refermé la porte de la pantoufle, où ton regard est revenu vers moi avant le détour du chemin ?

Rien sans doute qu'un voyage qui m'éloignait de toi, rien qu'une séparation parmi celles qui déchirent tant de cœurs et que le temps emporte et brouille dans son indifférence. Rien. Tout. Je souffre, Anne. De rien. De tout. Je t'aime, Anne.

Pour rien. Pour tout.

Un jour comme celui-ci est un jour-glu. On s'y colle, appeau tendu par le braconnier éternel. C'était avant-hier ? c'était il y a si longtemps que je te cherche, qu'il me semble ne plus rien entendre ni connaître de toi, que je redeviens aveugle loin de ma lumière. Pour moi c'est évident ce destin qui se moque de moi je dois le prendre au collet. Là est la bataille et non, tu t'y es méprise, contre toi. Lui, je dois le vaincre. Toi, je dois t'aimer. Et aimer si c'est accepter d'être vaincu par qui l'on aime, c'est refuser d'être vaincu par la pesanteur des choses qui écrasent parce qu'elles n'aiment pas.

Je suis assis dans un fauteuil d'osier, un dossier sur les genoux qui me sert de pupitre. J'arrête souvent ma plume. Des images déroulent pour moi seul dans l'entrelacs des arbres et du ciel le spectacle que mon cœur appelle. Je voudrais ton visage enfoui derrière mon épaule. Ton souffle me caresse. Ta main, signe de vie, me presse. Mon corps est gonflé par la joie. Au creux de sa paix heureux il sent en lui la puissance d'action le tendre vers le futur. Tel est le rôle d'une femme : donner pour créer, aimer pour perpétuer la vie, susciter les grandes œuvres et les grands sacrifices, défier la mort et chasser ses phantasmes par le seul sortilège de l'amour.

Certes je ne m'explique pas tout et tu avais raison de conclure, jeudi, que mon expérience ne m'aidait guère à te comprendre. À vrai dire je ne comprends rien à rien dès qu'il s'agit de toi. Je ne puis m'y retrouver parmi ces contradictions dont l'une unit nos lèvres (et je t'appartiens autant que je te prends) et dont l'autre me vaut les plus rudes coups (« je n'exprime aucune tendresse parce que moi, je suis sincère »).

J'ai voulu bâtir avec toi une vie d'exception.

Par la pensée et par la passion d'aimer j'ai voulu souder une entente que ni mon âge ni mon état ne m'autorisent à concevoir mais qu'une certitude intérieure (qui me paraît à moi-même stupéfiante, car je reste lucide) me pousse à rechercher. J'ai pourtant longtemps écarté, chassé cette perspective. Est-ce un progrès de la maladie ? Chaque fois que l'histoire des hommes illustres me propose l'exemple d'un amour tardif – mais merveilleux par ses facultés d'approfondissement, d'enrichissement, de création, mon cœur bat. Ces femmes qui savent non seulement demeurer fidèles à celui qui, pour elles, signifie la vraie mission humaine, qui, pour elles, [mot barré] s'identifie au messager par lequel les vérités se transmettent et se perpétuent, je les vois pareilles aux vestales – et la flamme, privée d'elles, s'éteindrait. Ah ! je sens aussi combien il me faudrait plus de force, de talent, combien il me faudrait de génie pour justifier une si exorbitante ambition. Confisquer ta vie ! je n'en ai sans doute ni le droit ni le pouvoir. Pourtant bouge en moi une force terrible, pourtant monte en moi un cri de possession et, loin des fièvres et des remords, chaque fois qu'en toi s'accomplit cette pulsation nouvelle d'une vie inconnue qui t'envahit tout entière, s'imprime sur ton visage, et module ton souffle, c'est la paix qui soudain règne dans mon corps et dans mon esprit et m'accorde la splendide harmonie des bonheurs simples.

Permets-moi d'écrire cela : je pense maintenant (je n'y pensais pas naguère) que si nous étions l'un à l'autre ce serait le commencement pour nous deux d'une conquête spirituelle consacrée aux plus nobles combats – et non, comme tu le crois certainement, la fin d'une pureté (la tienne) détournée de son destin. Je suis plus pur que tu ne crois lorsque j'aime : alors, le feu qui me trempe je l'appelle, je l'accepte et je ne lui refuse rien de moi.

Puisque je t'écris à bâtons rompus, avec la logique des pensées vagabondes, laisse-moi revenir un instant sur ce moment que j'ai vécu jeudi après-midi quand, par une irrésistible impulsion, j'ai bu, aimé au plus secret de toi le philtre qui fait que voile noire ou voile blanche, quand le sang de Tristan coulera naîtra la fleur de la légende.

Oui, quoi qu'il advienne, ce don de toi signe pour moi un engagement irréversible. Je ne suis versatile que si je n'aime pas. Tu pourras moquer, bafouer, ignorer, délaisser ma tendresse. Tu ne pourras changer cela. [illisible] Et moi je saurai toute ma vie qu'Anne m'a délivré de moi-même. Par toi, Anne chérie, je communique désormais avec la splendeur des choses créées et, si peu que ce soit, avec la souveraine intelligence du créateur. Ah ! comme m'émerveille cette indicible mutation : parce que ton corps s'accomplissait j'ai vu, mon visage uni à ton visage, passer en toi l'âme de ton âme. Et les lèvres qui balbutiaient ne racontaient pas la chanson des sens mais la surprise de la CONNAISSANCE. Ineffable mystère dont l'approche seule me bouleverse.

Tu le constates : cette lettre sera faite, comme souvent, de plusieurs lettres. Demain je te narrerai mes faits et gestes d'Hossegor. J'ai ~~fait~~ joué une partie de golf avec de bons partenaires (handicaps 5, 8 et 11) et n'ai pas été ridicule. Mais je n'y avais pas grand goût. Mme Dollfus a déjà poussé plusieurs pointes pour me relancer. Tu imagines son succès ! Mon mérite est d'ailleurs mince !

Ce soir je n'ai pas voulu me joindre aux amis qui se rendaient au Don Quichotte, le mal nommé ! Je n'ai besoin que de toi. Hors de toi je n'ai besoin que de solitude pour mieux te retrouver. Même le désir à l'état brut quand tel sourire et telle parole sollicitent ne peut mordre sur moi : je n'aime pas celle que j'aime avec des mots et des rêves seulement – mais, comme on dit d'un bateau perdu, « corps et biens ». Je me sens ainsi en merveilleux accord avec moi-même et ce m'est un motif de plus de reporter vers toi ma gratitude. Cela aussi je te le dois.

Pendant que je trace ces lignes (de plus en plus irrégulières car ma position un peu tordue me fatigue le dos) la nuit est venue.

Et venue sans étoiles, que des nuages dissimulent. Je suis heureux d'avoir passé ce soir avec toi. Dors-tu ? Es-tu allée festoyer au village ? Ah ! penses-tu à moi, mon Anne ? À demain. Je t'embrasse si tendrement.

Lundi, minuit

J'arrive de la gare de Lyon et je n'ai pu t'écrire plus tôt. Comment aurais-je fait ? J'ai quitté Hossegor à 8 heures, hier soir. Je tombais de sommeil, Libourne à peine atteinte ! Mais je n'ai pas trouvé de chambre d'hôtel avant Limoges, tant était grande l'affluence en ce 2 août. J'écarquillais les yeux et me donnais des gifles pour tenir le coup !

Sommeil bref : cinq heures. Et de nouveau la route. J'étais à Château-Chinon à 11 heures et présidai illico l'assemblée générale du comité de gestion de la cantine scolaire.

Pendant ce temps ma petite ville se gonflait de 20 à 25 000 amateurs de vélo. Déjeuner avec quinze invités au Vieux Morvan. Puis la course. Tout l'après-midi, par beau temps incertain. Vainqueur : Darrigade (un Landais !).

Enthousiasme, autographes, embouteillages, quémandeurs insupportables, mains qui se tendent etc. Dans un désordre indescriptible j'ai repris mon volant pour attraper la micheline de Nevers. Ce que j'ai fait. Elle vient de me déposer et, avant de dormir, je viens un instant te retrouver. J'ai laissé la pantoufle dans la Nièvre. Comme cela je la récupérerai mercredi ou jeudi soir (selon tes indications) pour aller te rejoindre à Saint-Illide, mais je ferai la partie du trajet Paris-Nevers par le train.

Bref, aujourd'hui il ne s'est rien passé sinon que j'ai gardé tout près du cœur l'image très chère de mon Anne, au milieu des cris, des vociférations, de la poussière… et d'une solide envie de sommeil ! Hier ~~samedi~~, dimanche, Hossegor. Le matin, partie de golf avec Duplaix Père et Fils et your father. Mon partenaire était Paul Duplaix. J'ai mal joué. Nous avons perdu. Et j'ai concédé à ton père une brillante petite balle blanche. Je crois qu'il était plutôt ravi.

L'après-midi j'ai rencontré mon amie Gédéon et nous avons longuement bavardé. Je t'en parlerai. Et j'ai flâné sans éloigner beaucoup ma pensée d'un sujet qui a tendance à monopoliser mes réflexions : toi.

J'avais envie de t'écrire une longue lettre où je te dirais enfin ce qu'il me semble mal te dire… tout en le rabâchant : l'incroyable, le merveilleux, le terrible, le difficile, le délicieux, le déchirant sentiment qui m'occupe. Bah ! je n'y arriverai pas non plus maintenant !

D'ailleurs c'est Lapalisse qui a toujours raison et je ne pourrais pas mieux que lui résumer mon état ! Depuis un mois (rappelle-toi : le 3 juillet de Moulins, Autun et Clermont !), c'est clair comme le jour : je suis heureux, très heureux quand je suis sûr de toi. Je suis épouvantablement malheureux quand je ne suis pas sûr de toi. Voilà, j'ai tout dit… enfin, presque !

Je pars demain matin pour Nice (à 8 h 45). J'espère t'avoir au téléphone à 12 h 30 mais je crois les communications difficiles. J'espère plus encore une lettre de toi. J'étouffe depuis jeudi dans ce silence épais.

Je m'aperçois que j'ai pour toi un attachement de dévot ! Drôle de fin pour un esprit qui se prétendait libre. Je t'apporterai (jeudi ou vendredi, ou samedi ?) le *Journal* qui aura alors quinze jours de plus. Tu constateras par ses soins que, <u>moi</u>, je ne considère pas comme une ânerie de t'être… dévotement fidèle (Gédéon m'a fait une drôle de réflexion qui revenait à ceci : vous êtes quelqu'un qui passe sans retourner la tête – qu'est-ce pour vous qu'aimer, sinon prendre, posséder et aller ~~plus loin~~ ailleurs ? C'est curieux comme une femme extrêmement sensible aux finesses du cœur peut cependant ne pas comprendre qu'un homme qui aime n'est pas un homme charnel – que la possession qu'il recherche est une quête d'absolu).

J'ai entamé un petit travail (parallèlement à *Laurent*) qui m'amuse et dont le prolongement m'intéresse (lis bien et ne te frotte pas les yeux, soulagés au demeurant par <u>notre</u> opticien Prillo, établi à Aurillac !) : *MONOGRAPHIE (~~fantaisiste~~ imaginaire) DE SAINT-ILLIDE.* Tel est le titre de cet important ouvrage qui bouleversera, c'est certain, les données sociologiques modernes ! Ah ! je vais en prendre des revanches ! Que penses-tu de mon idée ? J'aurai déjà dans dix jours de bons pans de l'œuvre debout ! Et tu seras admise à y pénétrer !

Anne que j'aurais aimé t'avoir auprès de moi aujourd'hui. Pas à la manière du puy Mary (que j'aime tant). Mais pour que <u>tu m'aides</u>, pour que tu <u>participes</u>, pour que tu comprennes, pour que la trame (la plus modeste) de ma vie s'imbrique dans la tienne par le travail, les responsabilités, les conclusions tirées en commun, l'impression confrontée. C'est comme cela que j'imagine notre entreprise (avec bien d'autres choses). Agir et méditer. Avancer et faire le point. Aimer simplement et fortement non seulement par la dilection mutuelle mais par la qualité de l'œuvre accomplie.

Peut-être cela t'embêterait-il ! Peut-être es-tu à 100 lieues d'une telle tâche ! Mais je continue à t'écrire comme de coutume, crois-moi, Anne chérie, masque baissé. Et ma tendresse est faite de confiance.

Mardi matin, 8 h 15

Je pars. Je t'embrasse, mon Anne.
<u>Que tu me manques !</u>

<u>François</u>

Surtout n'oublie pas que ça ne me gêne <u>pas du tout</u> d'être jeudi à <u>9 h 15</u> à Saint-Illide… et que je trouve vendredi et samedi bien lointains…

112.

Enveloppe « La Renaissance », Souillac, Lot. Papier à en-tête Assemblée nationale, à Mademoiselle Anne Pingeot, monitrice à la colonie de vacances du Crédit foncier, Saint-Illide, Cantal.

Souillac, 7 août 1964

Anne chérie, assis sur un haut tabouret du bas de l'hôtel où j'ai logé, à Souillac, en attendant mon petit déjeuner (thé… sans jambon) – je t'écris ces lignes qui sont celles d'un homme en paix et dont la peine d'être séparé de toi est dominée par un grand et vrai bonheur : celui de t'avoir merveilleusement retrouvée. Cette lettre sera brève : j'ai un peu paressé au lit ce matin. Il est 9 heures. Et je pense que toi tu es debout depuis l'aube ! Je mettrai ce courrier à la poste d'ici avant de poursuivre mon voyage pour Hossegor. J'essaierai de te dire dans ma « lettre du lundi », que je t'enverrai demain d'Hossegor, ce qu'a été, en mon cœur, le déroulement de la journée d'hier. Mais tu sais déjà la force et la joie que j'y ai puisées. Je suis épris de toi simplement, profondément, gravement. Ce qui veut dire que le besoin que j'ai de toi repose d'abord sur cette confiance, cette entente de l'âme qui prête sa lumière à toute chose. Aurions-nous tant aimé le rocher de Rocamadour, son étroite vallée, ses contrastes, sa douceur fière si nous n'y avions été préparés par notre indicible harmonie intérieure ? (C'était au point que tu as bien fait de remettre les nuages dorés sur ciel bleu du retour à leur place ! je les aimais, j'aimais la route, j'aimais les forêts, j'aimais les champs, j'aimais le monde entier, je t'aimais – voilà de quoi bouleverser d'enthousiasme ! Mais ma petite Auvergnate raisonneuse était là (heureusement sans quoi, plus d'enthousiasme, plus de ciel bleu, plus de nuages dorés etc.) et semblait me dire, avec sa sagesse millénaire : Allons, reviens sur terre !)

Le pays que j'ai traversé pour arriver à Souillac est splendide – à mon goût, jusqu'aux confins de la Gascogne, en incluant évidemment le Périgord, l'un des plus beaux de France. Tu ne peux imaginer combien de petites villes comme Beaulieu, Vayrac, Martel, la nuit tombée, étaient gaies et vivantes. Que j'aimerais visiter lentement toutes ces merveilles avec toi. Quand je te ramènerai dans les Landes nous choisirons un très bel itinéraire. Nous passerons par Périgueux et prendrons la vallée de la Dronne, avec ce délicieux Brantôme. Nous serons facilement à Touvent en fin de matinée si nous partons, comme je te l'ai dit hier, vers 7 h 30-8 heures, même en nous arrêtant ici et là.

Chaque fois que je puis contribuer à émouvoir ton goût de la beauté, participer à cet enrichissement, j'en reçois moi-même le bienfait.

Ma vie avec toi, fût-elle ponctuée d'angoisses et de souffrances, est une exaltante marche vers l'accomplissement, l'achèvement. Ô merci mon Anne de m'avoir donné tellement, tellement que je vais parmi les merveilles. Que sont Delft et Auvers et tous les lieux qui nous sont chers auprès de ce regard où toute la tendresse du monde m'était accordée quand je n'étais plus, dans tes bras hier soir, qu'un homme abandonné à celle qu'il aime, emporté par le fleuve de vie, brûlé par le feu venu des profondeurs ? Tu me dis parfois « tu comprends tout ». Non, Anne chérie, en cet instant toi, tu comprenais tout : je n'oublierai jamais dans le silence de mon cœur la signification de cette heure, de cet échange, de ce regard – c'était ta façon à toi de me répondre à tant de questions.

Je t'embrasse si tendrement en cet instant où je clos ma petite lettre de Souillac ! Je vais vivre ces six jours dans la plus étroite communion avec toi – et je serai à Saint-Illide à 9 h 15 jeudi, je l'espère. Mais tout ce que nous avons vécu depuis juin m'a conduit vers une sorte de nécessité personnelle.

Quand je t'ai demandé « serais-tu étonnée si je restais près de toi à méditer longtemps dans cette église ? » j'exprimais l'appel de mon âme pour l'unité parfaite et supérieure avec toi dont je possède tant.

Ne te fatigue pas trop. Les bonbons sont-ils agréables ? Embrasse pour moi le petit canard. J'aime. Je t'aime.

François

113.

En-tête Assemblée nationale, à Mademoiselle Anne Pingeot,
monitrice à la colonie de vacances du Crédit foncier,
Saint-Illide, Cantal.

Hossegor, samedi 8 août 1964

Mon Anne, cette lettre du lundi ne sera pas une lettre fleuve : je me suis levé tard et je pars tôt pour une compétition de golf (tu comprendras tout de suite le caractère impérieux du second de ces motifs !). Mais je veux tout de suite écrire ces mots, comme on crie devant l'océan à s'en briser la poitrine : Dieu, que je suis amoureux de toi !

La preuve (parmi d'autres) : les cèpes de Rocamadour n'ont pas eu de conséquence fâcheuse. Pas la moindre trace du côté de ma lèvre fragile ! Une autre preuve ? Je m'en fiche, mais je m'en fiche de gagner ou de perdre la balle fatidique. Une troisième preuve ? Odette Dollfus me fait grise mine. Une quatrième ? Celle-là, Anne chérie, tu ne la sauras pas.

J'ai quitté Souillac vers 10 heures et j'ai pris, comme tu me l'avais suggéré, la vallée de la Dordogne. Route sinueuse et lente mais quelle merveille ! je suis allé de ravissement en ravissement. Une route barrée à La Roque-Gageac m'a obligé de bifurquer par des routes secondaires : à couper le souffle !

Il faut <u>absolument</u> que je t'y mène. Tu ne connais peut-être que la nationale qui passe par Bergerac, qui n'est pas mal mais <u>rien</u> auprès de ce que j'ai vu. Que tu aurais été heureuse de cet étalement de beautés ! Je vais étudier la carte pour voir s'il n'est pas possible de mordre sur cet itinéraire pour aller à Touvent. J'ai pensé à toi sans cesse. Je souriais à ton sourire. Je gardais en moi, sur moi, la marque d'une journée admirable, celle de jeudi, et j'avais le cœur ouvert à toutes les joies. Que j'avais mal de m'éloigner de toi mais que j'étais heureux d'emporter avec moi tant de souvenirs qui n'ont point pour moi leur égal.

Après Bergerac commence la Guyenne et, au-delà de la Dordogne, l'Entre-deux-Mers (Martine, la géographe, sait sûrement cela. Toi, tu sais au moins que l'Entre-deux-Mers ça veut dire qu'il y a par là du bon vin blanc). Or, à Sauveterre-de-Guyenne habite le député de cette circonscription, précisément membre de mon groupe. L'idée m'est venue de lui téléphoner et il m'a retenu à déjeuner. De telle sorte que je ne suis arrivé à Hossegor qu'en fin d'après-midi. Depuis Bergerac une tempête-tornade répandait des torrents d'eau qui dévalaient sur les routes pentues.

Mais l'odeur de la terre mouillée après tant de sécheresse m'enivrait. Avant dîner, passant au golf pour organiser la partie du lendemain, sur qui suis-je tombé ? Sur Gédéon qui attendait son mari lequel nous a rejoints, ravi d'une excellente performance.

Mon Anne chérie, j'attends déjà, tu le penses bien, jeudi avec impatience. De t'avoir retrouvée si proche de nos plus beaux jours m'a comblé d'allégresse. Te rends-tu compte que tout change pour moi selon ce que je reçois de toi ?

Pendant ces quinze derniers jours je traînais, n'ayant envie de rien, ne faisant rien. Je sens en moi aujourd'hui la même énergie, le même goût d'action qu'au cours de cette année.

J'ai envie (et je m'en sens curieusement la force) de travailler, de créer, de dominer ce que j'entreprends. Parce que mon cœur est heureux. Parce que tu es mon Anne.

Parce que appuyé sur toi je peux tout. (Ô Anne ne crois pas ces derniers mots présomptueux. Je sais quelles sont mes limites. Mais par toi je m'accomplis, corps et âme, en harmonie avec mon destin.)

Sais-tu que j'enrage ? Tout le long du chemin de magnifiques lagerstroemias empanachés ont sollicité mon admiration : des fleurs partout. Eh bien ! les miens (j'en ai vingt-trois) sont obstinément allergiques à la floraison. Pourquoi ? Une consolation : Gédéon est dans le même cas. Tout de même, le malheur des autres (fussent-ils de ta famille) ne fait pas mon bonheur. Énigme ! (Peut-être leur as-tu donné le mauvais œil, à Pâques ? C'est sans doute l'explication la plus rationnelle.)

Quant à mon béret rouge dont je compte me servir jusqu'à ton arrivée je l'ai déniché, tout froissé par ton manque de respect, dans ma boîte à gants. Nous sympathisons, lui et moi, victimes de la même « mono » cantaloue.

Sais-tu que j'ai passé avec toi des heures sans prix avant-hier ? Ici il pleut mais mon ciel est bleu, mon ciel intérieur dont tu es le jour et la nuit. Je puis imaginer les lieux où tu vis, entre Saint-Illide, Saint-Illide gare et Albart. Je ne m'en prive pas ! Je crains cependant ta fatigue. Certes, il faut se fatiguer, donner et donner, si l'on veut conquérir sa vie. Mais je ne veux pas non plus que tu t'épuises. Je charge le petit canard de veiller sur toi – et, plus sérieusement, je prie à ma façon le dieu de ma convenance, que s'établisse en toi l'équilibre de la certitude, hors des angoisses, des miasmes et des fièvres. Et, même si cela te paraît paradoxal, je prie pour que mon amour pour toi soit le fondement de cet équilibre.

Mon Anne chérie, je t'embrasse comme j'aimais tant dans le clair sous-bois du Quercy : avec du soleil au cœur et le parfum de la terre chaude prête pour la nuit.

À lundi : je te téléphonerai entre midi et demi et 1 heure. Je t'enverrai d'ailleurs une autre lettre au début de la semaine. Mon dialogue avec toi n'a pas de fin. Je m'émerveille que tu sois celle que j'aime

François

Je te signale quand même qu'un laurier-rose m'a donné ce matin sa première fleur.

Un œillet des dunes dans l'enveloppe.

114.

En-tête *Assemblée nationale, à* Mademoiselle Anne Pingeot,
monitrice à la colonie de vacances du Crédit foncier,
Saint-Illide, Cantal.

Hossegor, samedi 8 août 1964, 22 heures

Je t'ai écrit ce matin. Voici donc la chose faite. En bien ! non.
Rien n'est jamais fait pour qui aime. Et ce soir j'éprouve le même
besoin de te parler, de te retrouver que si je t'avais perdue depuis
longtemps.

Je me suis confortablement installé dans mon lit. J'ai placé ta
photo ~~en place~~ sur une petite table d'osier, à ma droite, sous la
lampe qui m'éclaire. Avant d'éteindre je la regarderai. Ce rite m'est
très cher. Je ne sais pourquoi, malgré la nuit tombée, un oiseau
chante à tue-tête dans le patio. Au loin un chien aboie. J'ai fermé
mes persiennes sur un ciel troublé. Pourtant la soirée a été belle et
dorée. Mais l'orage d'hier n'a pas vraiment encore apaisé sa colère.
Et moi, je pense à toi intensément. Je crois que je parviens à vaincre
la distance : je ne te parle pas comme à une ombre qui se dissipe
dans l'absence. Tu es là, mon Anne, et je vois ton visage. Et je t'aime
de tout mon être.

J'ai donc joué au golf pour une compétition limitée au handicap 18,
compétition que j'abordais a priori sans aucune chance. Ma foi, ça n'a
pas été mal : un bon 16 et une troisième place ex aequo ! De quoi épater les populations auvergnates transplantées dans les Landes ! Mais
ces populations ne sauront pas que l'agent secret a trahi sa mission :
la joie que je porte en moi depuis jeudi se traduit dans l'allégresse de
mon jeu. Grande cause, petits effets !

À cette heure-ci sans doute dors-tu après une journée fatigante.
Que je voudrais caresser doucement ton visage que le sommeil fait
ressembler à celui des enfants qui t'entourent !

Dans ton village perdu du Cantal tu accomplis une tâche que tu as
voulue, acceptée – je t'en aime davantage, mon Anne. Mais je veux
que tu me saches <u>solidaire</u>, sur mon bord de mer où chaque soir
propose ses distractions. C'est à toi que me consacre cette alliance
mystique qui me ravit l'âme.

Merveilleux approfondissement de l'amour. Tout en moi refuse ce qui n'est pas toi. Rien ne compte plus que mon désir d'être digne du don qui m'ennoblit et me transfigure. Ô Anne, merci de la beauté de vivre.

Dimanche, 14 h 30

Je deviens paresseux et me suis encore levé bien après l'aube ! J'ai lu. Je commence l'*Alexandre le Grand* de Benoist-Méchin. Dans *Plaisir de France* j'ai pris grand plaisir à deux études, l'une sur l'abbaye de Fontevraud où sont les gisants des Plantagenêts (qui avant d'accéder à la couronne d'Angleterre étaient princes d'Anjou), l'autre sur Éphèse. J'ai aussi continué le *Journal* ce qui est pour moi une façon que j'aime d'être avec toi.

Allant acheter les journaux j'ai rencontré successivement le sénateur Portmann et Gédéon. Le Tout-Hossegor, quoi ! Cet après-midi, grâce à la considération que j'ai acquise par la compétition d'hier, your dear Father m'a choisi comme associé dans la compétition d'aujourd'hui.

Nous ferons donc équipe. On verra bien ! J'écris peu à peu la monographie de Saint-Illide que je te chargerai d'illustrer : trouve-moi là-bas, si ça existe, des photos de gens, d'animaux, d'instruments et de lieux du pays. Thank you.

La tempête a fait gronder la mer toute la nuit. C'était terrible et admirable. J'aime cette violence souveraine. Quand tu seras à Hossegor nous irons faire de grandes promenades sur la plage, si tu le veux bien.

Mais sais-tu ce qui serait formidable ? Que tu reprennes crayons, pinceaux et couleurs et que tu t'attaques à la peinture à l'huile. Tu imagines : trois heures de silence et de paix pendant lesquelles j'écrirais, moi, quelques pages de mon *Laurent* ! Il est vrai qu'après un mois de Saint-Illide tu désireras peut-être des plaisirs plus agités avec tes compagnons habituels de vacances ! Mais que penses-tu de mon idée ?

Je vis, mon Anne chérie, sur la lancée de jeudi. Je t'aime pleinement. Sans questions. Je n'ai besoin que de toi. La présence spirituelle de ce qui nous unit prévaut aussi bien contre la solitude que contre les sollicitations de l'extérieur.

Et c'est tout simple. Comme tu avais raison : « je ne suis pas seul » ! Non seulement nos souvenirs m'accompagnent constamment mais aussi la certitude de ta pensée fidèle et sûre. L'exaltante tentative :

vaincre l'absence ! J'y parviens parce que mon amour pour toi, je le crois, n'est pas tout à fait ordinaire…

23 heures

Même scénario qu'hier soir : assis dans mon lit, avec un bloc de papier à lettres pour pupitre, je viens te dire ce qu'a été ma journée. Quelques amis ont dîné ici. J'avais hâte de les voir partir et je me demande si je n'ai pas atteint les limites de l'impolitesse en montrant mon impatience. Mais je meurs de sommeil et je veux avant de sombrer bavarder avec toi un moment. Je les ai donc un peu expédiés.

La compétition n'a pas été pour l'équipe Pingeot-Mitterrand l'occasion de s'illustrer. Nous avons joué médiocrement. Moi surtout. J'ai besoin de récupérer l'espèce de choc que produit toujours l'arrivée à Hossegor : oxygène à pleins poumons et marche sur le golf provoquent une lassitude que deux ou trois jours digéreront. Demain Claude Léglise et Paul Duplaix se joindront à nous.

En vérité le golf me prend quatre heures par jour de mon temps mais je n'y pense guère. Mes projets rédactionnels (*Laurent, Saint-Illide*, des articles pour *L'Express* et *La Dépêche du Midi*) m'occupent de plus en plus l'esprit. Plus encore toi, mon Anne.

Tu es ma vraie, mon essentielle pensée. Tu as changé ma vie (sans rien détruire : en ajoutant au contraire une raison profonde de croire, d'aimer, d'agir). Ce soir j'ai pris l'apéritif chez les Duplaix où se trouvaient tes parents. Ton nom est venu dans la conversation, et aussi celui de Saint-Illide. J'éprouvais une curieuse impression. Comme si l'on me ravissait un privilège ! Dans le secret de mon cœur je me sentais terriblement proche de toi et je devais pourtant faire comme si j'écoutais distraitement les propos qui te concernaient. J'avais envie de te revendiquer !

La pluie dégoutte sur la forêt. La terre exhale un parfum charnel. Trop de chaleur a provoqué la révolte des éléments. Une bataille se livre par-dessus nos têtes. Je goûte ce climat incertain. Montherlant a écrit un remarquable essai sur « syncrétisme et alternance » que je n'ai pas cessé de placer au premier rang des œuvres modernes. Je te le prêterai. La loi de l'alternance apparaît comme la pulsation du cœur humain. Moi, je suis au bout de ma course avec l'immense volonté d'atteindre l'autre face de la terre, l'autre côté des choses. J'aime cette tempête saine et forte qui mugit en cet instant. Je lui vois une ressemblance avec l'amour que je porte en moi. Tout est redevenu possible. L'autre côté des choses, mes yeux l'aperçoivent, mes mains se tendent pour le toucher. Le ciel qui tombe laisse déjà deviner l'approche de l'infini. Ce qui bouge annonce une naissance – le vent qui cingle les cimes n'est pas le messager de n'importe quoi. L'océan ne remue pas en ses profondeurs pour rien. Je ne suis rien auprès des forces élémentaires et cependant une harmonie se crée entre elles et moi.

De quoi sommes-nous les instruments, Anne chérie ?

Lundi au lever

Tu le vois je ne mets pas longtemps à venir vers toi ! J'ai ouvert les persiennes. Je me suis frotté vigoureusement le corps. Une bonne odeur d'eau de Cologne (faite ici, avec des essences landaises) se mêle aux frais parfums du matin. La radio diffuse une musique douce. Les flaques de pluie restent dans les creux des pierres de la Rhune. Le ciel est disputé : mi-bleu, mi-noir. Les géraniums ont perdu bonne part de leurs pétales. Les pétunias baissent le nez. La table de ping-pong est couverte d'aiguilles de pin. On sent pourtant que le beau temps doit l'emporter. Dès que le vent cesse une sorte de touffeur s'empare du patio.

Hier soir j'ai oublié de te noter la visite d'un certain Robert Fabre, député de l'Aveyron. Cela ne te dit rien – mais voilà : il s'agit du maire de Villefranche-de-Rouergue. Tu devines le plaisir aigu que j'ai éprouvé à parler de cette petite ville qui s'associe à un moment charmant d'une journée étrange et difficile. Du coup, je dîne avec lui mardi. Aujourd'hui je t'appellerai à 12 h 30. Puis je ferai la partie prévue. Le dîner aura lieu à Soustons : invitation Dollfus. Convives : tes parents qui par peur de s'ennuyer ~~ont~~ amèneront les Barbot, et moi… qui par peur de m'ennuyer amènerai les Destouesse. Pauvre O. qui ne sait plus où donner de la tête et qui voit sa table s'enfler d'heure en heure ! (Christiane Portmann sera aussi de la fête… pour m'équilibrer !) Ma vie mondaine s'étoffe ! (Ce soir, je sortirai pour la première fois, mais dans la sage compagnie que je viens de te décrire.) Mais rien n'approche la joie que j'attends mercredi soir : partir vers toi. Délicieuse joie.

14 heures

Ma chérie, ta voix, il y a un instant, m'a apporté un profond bonheur. Pourquoi me donnes-tu tant de bonheur ? Je répète ce mot à dessein : Anne-bonheur (Dieu sait si tu réussis assez bien parfois à être Anne-tristesse !) est mon talisman. Si tu voyais mon visage s'éclairer à ton approche (même à 700 kilomètres je sens quand tu viens à moi, quand tu es mon Anne, quand s'établit cette bouleversante possession mutuelle de l'être tout entier) !

Maintenant je vais terminer cette lettre et l'expédier. C'est qu'il ne s'agit pas de barguigner : à 14 h 40, on m'attend au départ du 1 ! Ma réputation est en jeu (je crains même que de ce point de vue, l'inexactitude, elle, ne soit déjà faite ! Je compte sur toi pour proclamer, surtout à la table familiale, que ce n'est pas vrai, et qu'à Saint-Illide, par exemple, à 9 h 15 du matin, le jeudi, je suis là).

Précisément, ma chérie, je serai là jeudi (sauf incident de route) à 9 h 15 – content, ravi, heureux, bêta de tendresse pour toi.

Merci pour ta lettre : le courrier de mercredi sera le bienvenu ! Je n'avais pas voulu, cette fois-ci, te demander de m'écrire : ma joie est si grande que tu y aies pensé.

À bientôt, mon Anne. Je joins à ma lettre une coupure de journal qui te montrera que, malgré tout, je me tiens au courant de l'actualité « jeunes filles ». Eh quoi ! il faut se tenir informé ! Qui faut-il préférer du Danemark ou de la Grande-Bretagne ? (J'ai noté avec intérêt, because Ravenne, que sur la côte adriatique…)

Anne très chérie je t'embrasse si TENDREMENT que si j'étais tout à fait sincère avec les mots j'emploierais un autre adverbe

<u>François</u>

Coupure de presse sans référence : « Guide de l'Europe des jeunes filles », « Italie – Terriblement tentantes, mais fermement surveillées. Les plus sophistiquées, donc les plus libres, exigent une Jaguar blanche. On est vite dirigé vers l'autel. Se rabattre sur les innombrables Anglaises de la côte adriatique » (souligné à la main).

115.

En-tête Assemblée nationale, à Anne Pingeot, villa Lohia, Hossegor *(sans timbre).*

Hossegor, mercredi 19 août 1964

Mon Anne, de nouveau me voici. Que te dire des deux jours qui viennent de s'écouler ? que d'abord j'ai dormi, toute la matinée d'hier, et, dans le patio, une bonne partie de l'après-midi : qu'ensuite je n'ai rien pu faire d'autre que revenir vers toi, penser à toi, vivre avec toi dans un curieux état plus proche de la souffrance que de la joie. Mes actes ? Les plus ordinaires ! J'ai joué au golf aujourd'hui, et mal. Je me suis promené, dans la nuit, hier, sur la plage, et ce matin encore, incapable de vaincre mon besoin de solitude, loin de toi.

Je ne m'intéresse à rien qu'à ce qui <u>nous</u> intéresse. Je ne supporte pas davantage que naguère (plutôt moins bien !) d'être séparé de toi. Je ne cherche dès lors qu'à me renfermer au plus profond de moi-même.

Te faire l'aveu de cette tristesse, je m'étais promis de n'y pas succomber. Depuis ta réflexion de l'autre nuit « nous nous rencontrerons sûrement bientôt ! » – me refusant ainsi toute certitude et laissant au hasard l'événement le plus important de ma vie, désormais –, j'ai traversé plusieurs dispositions d'esprit. En premier, évidemment, l'amour-propre, ce conseiller fielleux qui m'a tout de suite soufflé de ne pas bouger… avant le hasard. Le découragement a suivi. Puis un peu de mauvaise humeur. Puis une certaine réaction de défi. Puis, puis, qu'importe ? Il n'a pas fallu quarante-huit heures pour que je décide finalement de t'écrire – pour te dire que je t'aime, que je suis terriblement en peine de toi, que j'ai besoin de toi, que je ne suis pas libre d'être heureux ou malheureux depuis que tu <u>es</u> ma vie, et que <u>je t'appelle</u>, mon Anne de toutes mes forces.

Hier, quand j'ai trouvé ta lettre de Saint-Illide, j'ai connu une bouffée d'allégresse. Merci, Anne chérie, d'y avoir pensé. Mais je me sens maladroit à expliquer comment ou pourquoi je suis maintenant si triste. Tout ce que tu m'as donné, toi, avant-hier, de Saint-Illide à Touvent, de Touvent à Saint-Émilion, a été merveilleux. J'ai senti que tu éprouvais en profondeur l'émotion qui m'habitait dans les lieux de mon enfance et j'ai su, à Saint-Émilion, crois-le, que j'avais atteint ce plan supérieur où l'être ne se divise plus. Mais moi, que t'ai-je apporté vraiment ? Oui, sans doute, de belles images et de beaux monuments. Cependant j'ai une telle ambition de réussir avec toi un chef-d'œuvre (je ne trouve pas d'autre mot et il exprime ce que je veux te dire – pardonne donc son allure un peu prétentieuse) dans la construction d'une vie illuminée par l'amour et tendue vers toutes les formes de perfection tout en sachant combien je resterai en deçà que je me reproche (jusqu'à la blessure – car c'est une blessure qui saigne dans mon âme sous les coups que je me donne) toute erreur, tout contresens, toute faiblesse qui pourrait te faire douter de moi.

Je suis très malheureux, mon Anne, je devais te l'écrire.

Je suis seul, horriblement seul, privé de toi. Comment as-tu pu dire « nous sommes à deux maisons l'un de l'autre » ? Nous sommes plus loin l'un de l'autre que si cette nuit je mettais la pantoufle en marche pour le Cantal ! Je préférerais franchir d'immenses distances. Ce ne sont pas celles de l'espace que je redoute. Mais je ne supporte pas cette fausse proximité qui te tient, en réalité, si loin de moi. Que tu n'aies pas, très simplement, dit qu'un jour tu serais heureuse de me voir est pour moi l'échec d'une espérance, échec dont tu ne mesures pas l'ampleur.

Je voulais te taire cette souffrance que tu prendras peut-être pour une faiblesse. Je ferais sûrement mieux de la taire. J'y étais décidé. Mais cette nuit je touche le fond de la vanité ou de la tactique. Si, après cette année si riche, je n'avais pas dépassé le stade des petits sentiments et des petites habiletés je serais indigne d'avoir, au moins, essayé, la plus belle et la plus difficile tentative d'une vie qui n'a jamais pu se satisfaire de ce qui n'était pas l'accomplissement de l'absolu – ou sa recherche.

Ce soir j'ai longuement, longuement marché après dîner. Je suis recru de fatigue. J'ai, comme l'autre jour, choisi de t'écrire de mon lit. Il est tard. Le grondement de la mer emplit ma chambre. Par ma porte-fenêtre entrouverte mes regards se perdent dans la nuit. J'ai rédigé une page du *Journal*. J'appuie mon papier à lettres sur mes genoux. Cette position incommode oblige ma plume à des arabesques. De te retrouver ainsi apaise un peu l'angoisse qui me ronge. Que je t'aime, mon Anne, que je t'aime. Et même si je t'aime mal je t'aime merveilleusement.

As-tu récupéré et la lassitude du voyage et l'absence de sommeil et l'agression du rhume ? (Bien que je t'aime « surtout quand tu éternues » je ne pousse pas le masochisme jusqu'à te souhaiter une bonne grippe – d'autant plus que je me reconnais odieusement responsable.) Je pense à toi avec une tendresse folle. Je me déteste de ne pas te donner l'incomparable harmonie de l'amour mais souvent de te peiner (rien ne m'a plus blessé que ce mot « laisser-aller » quand je venais, moi, de laisser aller mon corps et mon âme vers le plus beau ciel que j'aie jamais connu ou désiré. Mais je l'avais sans doute mérité, ce malentendu).

N'attribue pas ce terrible spleen (où je ne me débats même pas) au silence de deux jours ! J'ai connu d'autres silences qui ne me menaient pas là. Ces quinze derniers jours, nous ne nous sommes vus qu'un jeudi et cependant j'étais heureux ! Ne me crois donc pas exagérément tyrannique. Je comprends très bien que tu aies besoin d'un « campo », que tu te plaises à installer ta chambre, que tu aies à soigner ta gorge ! Est-ce la faute de la journée de lundi ?

Tout a été si intense. Ô Anne je ne peux pas jongler avec cette évidence : même si je t'encombre, même si tu le refuses, je t'appartiens par tant de liens que le moindre mouvement m'entaille. Ou je ne puis m'empêcher de penser que si par cette lettre je ne rompais pas le silence rien n'interviendrait pour m'en délivrer.

Rappelle-toi ce jeudi du boulevard Saint-Germain, quand je t'ai rencontrée <u>par hasard</u> – et tu as préféré ne pas me <u>voir</u>. Certes je pourrais aller chez toi : je ne me résous pas à te rencontrer pour la première fois à Hossegor de cette manière sous l'alibi d'amicales relations. Les Duplaix m'ont convié demain vers 18 heures aux fiançailles de leur fils. Je suppose que je pourrais t'y retrouver. Mais comme cela parmi tout ce petit monde d'amis communs, alors que je ne puis me détacher de l'image de mon Anne débarquant à Lohia à 3 heures du matin après un jour rempli de tant de merveilles – et lourd de tant de questions ! Cela me semble au-dessus de mes forces.

Je ne sais quel est ton climat en cette heure. Moi je chercherai le sommeil qui me fuira longtemps. Ô je voudrais, Anne, raconter la fraîcheur de mon cœur, sur la route d'Albart à 8 heures l'autre matin, la pureté de mon bonheur à Saint-Christophe-les-Gorges, à Aubeterre, à Nabinaud, la violence entière de mon amour dans l'orage qui soudain joignait ciel et terre de mon pays, la douceur qui montait en moi tandis que tu étais assise près de moi dans la grande salle de Touvent, la volonté puissante qui dominait ma joie quand je songeais en remontant vers la maison, par les champs, que rentrer ainsi chaque soir, lié à toi, serait le vrai bonheur à conquérir, les mille et une attentions que j'aurais voulu avoir pour toi (découvrir des feuilles de menthe, guérir ta fatigue, protéger ta gorge de l'air frais que la nuit jetait dans la voiture, te rendre joyeuse des plus petites choses…) – et raconter aussi l'homme qui n'était que fleuve et volcan, élément fondu, répandu au rythme d'un monde qui était toi, mystère, métamorphose, femme – signe de Dieu, symbole de tout.

Quand te verrai-je ? Tu me ferais un grand bien en me le disant. Tu peux aussi ne pas me répondre par lettre : j'irai aux Trois-Poteaux demain jeudi à 15 heures et après-demain à 10 heures. Je t'y espérerai, mon Anne chérie, plus qu'aucun adverbe n'aura la force de l'exprimer !

Le long de cette soirée solitaire, que j'aurais aimé être auprès de toi ! Ne rien dire. Te laisser travailler, lire, faire tes points de tapisserie (éternuer !) à Lohia. Et moi rester là sous la même lampe à écouter la mer et à sentir vivre en moi ce grand amour – qui est, dirait Saint-Simon, et pour toujours « ma grande affaire »

François

Jeudi matin, 8 h 30

Je vais déposer cette lettre à Lohia.

Je la relis. Peut-être ne comprendras-tu pas pourquoi elle rend ce son douloureux. Et il est vrai que tu m'as comblé de tant de merveilles que je te paraîtrais d'une exigence abusive ! Ce matin un *nouveau jour commence et il porte avec lui l'espoir. Hier soir celui qui finissait me ruinait le cœur.* Fidèle à ma façon d'être avec toi, mon Anne, je te livre mes impressions comme elles sont ressenties, sans retouches. Je te l'ai dit, plus que notre séparation depuis lundi, pèse sur moi l'incertitude où je suis : n'est-ce pas la première fois qu'aucun relais ne me permet de m'accrocher à une joie future ? J'avais tant rêvé de belles et longues balades avec la mer, le soleil – et Anne ! Reste la mer, évidemment… quant aux deux autres compagnons…

Mais j'arrête là.

Je me suis aperçu que je t'avais remis le tome III de Jules Romains. Je te déposerai le tome II qui est dans la pantoufle. J'aurai les photos samedi. Que veux-tu, ma très chérie, je t'aime.

Cela explique tout, y compris cette lettre peut-être absurde

F

116.

En-tête Assemblée nationale, à Anne Pingeot, EV.

Hossegor, vendredi 21 août 1964

Je passe toute cette soirée seul : les habitants de la maison sont partis qui au cinéma, qui chez des amis. Non seulement je désire cette solitude mais j'en ai un violent besoin. Depuis notre retour de lundi je me refuse à tout – et sans mérite : je ne puis vivre autrement. Même le golf, passe-temps qui ordinairement me plaît, m'occupe de moins en moins. J'y joue sans intérêt et mal. Me restent de longues promenades où je rêve et réfléchis – où je te retrouve surtout mieux qu'autrement. De t'avoir vue hier m'a procuré une joie intense – jusqu'à ce matin j'ai gardé le reflet en moi de ces quelques minutes lumineuses. Mais maintenant je suis retourné à mon mal, ce mal que par pudeur je n'étalerai pas devant toi, ce mal de toi dont tu ne peux supposer l'ampleur, la profondeur.

Le silence qui m'entoure est strié par la modulation des grillons. La mer a baissé de plusieurs tons sa colère. Le vent se tait. Oui, je suis seul. Seul. Seul. Et sans toi. Sans toi, Anne. Sans toi.

Je ne puis m'abuser sur ton sourire, sur ta gentillesse d'hier. Depuis mardi je n'ai pas reçu un signe de toi. Voilà l'évidence. Voilà ce que je sais. Voilà ce que je sens. Rien, ni ta fatigue, ni ta réadaptation à Hossegor ne me font sortir de ce raisonnement du cœur : Anne n'a pas accompli un mouvement vers moi. Me réfugier dans les souvenirs, aussi proches qu'ils soient (lundi nous étions à Touvent ! Jeudi nous étions à Sousceyrac !) ne serait qu'un faux-semblant. Il faut que je m'en convainque : je suis désespérément seul.

Je suis si profondément malade de toi que j'ai le réflexe des bêtes malades : j'ai envie de partir, je vais partir. Je ne sais où. Je ne veux pas savoir où : déjà je ne supporterais plus les lieux qui m'accueilleront. Je ne puis accommoder ma détresse en mendiant les petits espoirs. Le confort des habitudes et des plaisirs tranquilles que je trouve ici blesse l'intransigeance qui, plus que tu ne le crois, commande ma nature. Parce que j'aime t'écrire et te parler peut-être supposes-tu qu'exprimer mes chagrins les apaise, les modère. Je puis au contraire m'enfouir, m'étouffer moi-même ou plutôt j'en ai l'immense tentation. Oui, m'étouffer.

Détruire cette partie de moi qui s'exalte, qui prie, qui aime, qui cherche, qui s'émerveille, qui chante, mourir à soi-même. Hâter l'anéantissement puisque la mort désormais l'emporte, pour moi, sur la vie.

J'ai devant moi des fleurs dérisoires, dahlias rouges, soucis jaunes. Un feu mal éteint dans la cheminée craque encore sous la cendre. J'ai ouvert la porte sur le patio pour laisser entrer la fraîcheur de la nuit. Mes livres sont fermés. Je ne leur demanderai rien ce soir. Je n'ai pas écrit le *Journal* mais avant de me coucher j'y mettrai quelques mots cependant parce que c'est le symbole de la fidélité à l'union merveilleuse que je te dois, qui m'a tant apporté de bonheur – fidélité, ô troublante et chère amie des heures tristes.

Triste ? Je n'ai que ce mot à la bouche ou au bout de ma plume dans cette lettre, comme dans celle de mercredi ! « Pourquoi ? » me diras-tu. « Si j'éprouve le besoin, que je t'ai plusieurs fois exprimé, de revenir en moi-même pour réfléchir et savoir où j'en suis cela ne signifie ni que je t'abandonne ni que je m'éloigne par le cœur et l'esprit. Simplement je dois le faire. » Peut-être. Sans doute. Mon intelligence, mon bon sens me soufflent que tu n'as pas tort. Mais c'est moi qui ne raisonne plus. Je t'aime et je suis malheureux. Mon histoire s'arrête là. Comprends-moi. Et pardonne-moi.

Si tu savais, mon Anne, la plénitude et la confiance qui m'ont habité grâce à toi. Confiance dans la générosité de la vie, plénitude de mes facultés portées au meilleur d'elles-mêmes et dans une incroyable harmonie. Nos rencontres, nos promenades, nos tendresses n'ont pas été que des échanges entre nous. Elles ont été pour moi une façon d'appréhender le monde, les choses, les êtres, l'action et d'une certaine manière – l'expression est sotte – mon âme. Tu m'as délivré de ce qui m'enrayait, me rouillait, me diminuait. Je me suis débarrassé de tout calcul. Je n'ai obéi à aucune stratégie amoureuse. Puis-je l'écrire (d'ailleurs, tu le sais) ? Pour mieux t'aimer j'ai pris garde à ne pas aimer plus que toi mon bonheur et mon amour de toi. Je ne crois pas avoir jamais plus sincèrement et plus sérieusement recherché la perfection d'un sentiment et d'un accord. Tu vois que je me décerne un bon certificat de loyal service !

Eh bien, c'est vrai : je t'ai bien aimée.

Alors comment expliquer cet affreux marasme où je m'enlise ? Je n'y arrive pas. Je te raconte mes événements intérieurs. Je ne prétends pas leur donner un enchaînement logique. En fait, j'ai traîné toute cette semaine une insurmontable tristesse, un moment vaincue par ma brève visite à Lohia, et c'est tout. J'ai voulu simuler la désinvolture et je t'avais rédigé mercredi une aimable lettre, genre spirituel, qui t'invitait gaiement à me donner de tes nouvelles. Mais cette broderie avait je ne sais quoi d'infect. Je l'ai déchirée. Pas de raison que je me fabrique des contrefaçons pour négocier tes complaisances.

Ne me crois pas injuste. Je t'ai trouvée si fatiguée jeudi (et j'ai tant aimé ton beau sourire et la manière dont les objets autour de toi me parlaient de nous) que je n'ai pas été vraiment peiné de ne pas t'avoir vue davantage. D'ailleurs, je serais, pour être précis, absolument incapable de te dire ce que j'attendais de toi sinon que j'attendais quelque chose.

Ne penses-tu jamais à ce que moi je puis ressentir ? M'imagines-tu jouant, plaisantant, sautillant toute la journée tandis que toi tu es hors de moi ? Es-tu capable à ce point d'isoler les fractions de ta vie l'une de l'autre, de telle sorte qu'elles ne communiquent pas entre elles, ou si peu ? Ne fais-tu aucun lien entre la nuit de lundi et le matin de mardi parce que avec le décor les personnages changeraient ? Suis-je un compagnon d'occasion ? ou suis-je un adversaire pour lequel on aurait des faiblesses et dont il importe peu de savoir si ses blessures saignent et si son cœur bat ?

Compterais-je si peu pour toi que mes joies et mes douleurs ne seraient que les dés d'un jeu ? Passerais-je si loin derrière tes problèmes que tu me tiendrais à distance comme un chien d'arrêt ? Suis-je en dehors du débat que je te pose ?

Écoute cette prière d'Elsa que je te réciterai si tu le veux.

> *Je suis la bête sur tes pas*
> *Je suis la mer qui suis tes traces*
> *La nuit à ta porte qui bat*
> *Le bruit qui se meurt où tu passes*
> *L'ombre qui te berce et t'enlace*
> *La légende qui te trouva*
> *Jamais à court et toujours lasse*
> *Entre mes bras*
>
> *Toi qui renais de mon langage*
> *Toi que j'adore à jointes mains*
> *Toi mon vertige et mon ravage*
> *Qui me rends léger le chemin*
> *Comme à la lèvre le carmin*
> *Permets-moi montrer ton visage*
> *Pour que souffrir soit plus humain*
> *Mourir plus sage...*

Pour que souffrir soit plus humain et pour que mourir soit plus sage, permets-moi montrer ton visage, ô mon Anne.

Je vais cesser cette lettre pour ce soir. Peut-être la continuerai-je demain. Le flot qui m'envahit est trop fort pour les mots. Je vais songer, et sentir. Je vais m'identifier davantage au silence et à la solitude. Bonsoir, Anne aimée. Moi je m'enfonce dans le temps où tout se perd.

Samedi matin

J'avais dit à Gédéon hier soir que j'irais te voir ce matin. Ne m'attends pas. Je n'irai pas. Cela me déchire mais je n'irai pas.

Je partirai demain matin. Où, je ne sais encore. Ne pense surtout pas qu'il y ait autre chose en moi qu'un amour plein de gratitude et d'infinie tendresse. Tu as toujours été merveilleuse avec moi. À Saint-Illide, si proche encore, j'ai glané du bonheur plein les bras. Je t'en remercie de toute mon âme.

Mon Anne.

Si tu sentais le besoin de me parler je serai à 15 heures – 15 h 30 cet après-midi aux Trois-Poteaux.

Je t'attendrai sans t'attendre. Ma décision de partir ne variera pas. Si tu penses à m'écrire adresse ton courrier à : F. M. Assemblée nationale, Palais-Bourbon Paris, qui me le fera suivre. Je l'aurai avec un jour de retard seulement.

J'embrasse le petit canard. Si tu le souhaites, quand je reviendrai, nous réaliserons ce rêve (le mien !) : ton aquarelle et mon livre, dans la paix et la joie du cœur, de longues heures – et nos belles balades. J'ai appris quatre Aragon nouveaux, admirables. Tu verras.

Tu as besoin de repos, de vacances, et de n'être point étouffée entre les contradictions. Moi, ô Anne, que dire ?

François

P.-S. Je te dépose *Le Jardin des arts* avec Conques en exergue.

117.

En-tête Assemblée nationale, à Mademoiselle Anne Pingeot, villa Lohia, avenue du Tour-du-Lac, Hossegor, Landes.

Jarnac, dimanche 23 août 1964

Les heures cruelles que je vis, mon Anne, je ne t'en parlerai qu'au début de cette lettre et seulement pour obéir à cette tradition qui m'est déjà si chère : tout te dire. Si tu ne m'avais donné tant de douceur avant de me quitter je n'oserais penser à la nuit qui s'est écoulée. Je suis rentré épuisé. Je me suis couché tôt. Peu après 11 heures une angoisse sans nom m'a réveillé. J'ai dû me lever. J'ai dû sortir, sortir à tout prix de la maison pour tenter de respirer, de vivre. Et de longues heures ont passé. Je te les raconterai peut-être un jour. Quand la fatigue a eu raison de moi je me suis enroulé dans une couverture comme dans les veillées des camps, et j'ai atteint ainsi le petit matin. Terrible épreuve intérieure. J'avais cependant deux compagnons qui n'ont pas cessé de me prêter leur lumière : tes yeux que j'aime et dont je n'ai pas détaché un instant ma volonté et mon espérance. Et je me répétais tes paroles « de nouveau, nous pouvons dire <u>nous</u> ». Et je caressais le brin de bruyère que tu m'as donné. Témoins de mon amour, témoins de ma détresse, ô témoins de ma nuit.

Je suis parti ce matin un peu plus tard que prévu. J'ai déposé un petit mot pour Gédéon afin de la prévenir de mon départ et de m'excuser de mon faux bond de la veille : nous avions (vaguement) prévu qu'avec ton frère et elle nous nous affronterions au golf (enfin !). Je me sentais étrangement vide.

Désespéré ? Non, parce que je m'accrochais à notre merveilleux retour de promenade, à ton infinie délicatesse, à nos souvenirs – qui sont devenus la grâce de ma vie. Mais peu importe. Il faut surtout que tu saches pourquoi je suis sur cette route qui m'éloigne de toi. J'ai tellement réfléchi à tout cela qui nous concerne. Il faut que tout soit clair. Oui, il faut que tout serve à la beauté de ce qui est <u>notre</u> histoire, peut-être <u>notre</u> vie.

J'avais prévu depuis longtemps que notre présence commune à Hossegor serait difficile. À Paris, à Saint-Illide tu étais responsable de toi-même, de tes choix, de tes actes. Chez toi, avec les tiens tu participes à un monde qui t'est profondément cher, où tu as tes devoirs de chaque instant, au centre d'une hiérarchie naturelle que tu respectes, et surtout après en avoir été privée, ~~tu en~~ dont tu goûtes la cohésion, la solidité, le climat. Les circonstances ont voulu que j'apparaisse (malgré moi, car j'aime que tu sois très attachée à cet étroit bloc familial), sinon à tes yeux du moins à ceux de quelques-uns de tes proches, comme <u>le contraire</u>. Et toi, parce que tu es bouleversée, divisée contre toi-même, il arrive que tu rallies pleinement cette façon de penser, que tu éprouves une sorte de ressentiment à mon égard pour t'avoir engagée là où le destin semblait n'être pas fait pour toi. Bref, ma présence et les problèmes que je traîne dans mon sillage t'ont placée au cours de ces derniers jours, d'une manière plus aiguë encore qu'en d'autres moments, dans une atmosphère si étouffante que tout te devenait insupportable. Au point d'en être, peut-être, injuste pour moi. Je ne t'ai pratiquement pas vue cette semaine mais j'ai <u>senti</u> ta souffrance exaspérée et, moi non plus, je n'ai pu la supporter.

Je t'assure que j'ai fait le plus grand effort, le plus difficile (j'en reste brisé), le plus déchirant pour t'aider <u>contre</u> moi. Je ne t'ai peut-être jamais plus aimée qu'en décidant de t'aimer ainsi. Mais en partant j'ai d'abord voulu que tu te reposes enfin pour la première fois de tes vacances – et tu ne pouvais te reposer me sachant si près de toi et en perpétuel porte-à-faux. Tu sauras d'autant mieux ce que tu devras faire que tu posséderas la paix intérieure. J'ai voulu que tu te sentes libre de toi. J'ai voulu plus encore, mon Anne chérie, que ce qui nous lie ne s'abaisse pas, ne se vulgarise pas à n'être plus soumis qu'à la mesure de petits mais lancinants obstacles. Penser que nous, Anne et François d'Auvers, de Delft, de Morienval, du 12 juin, de Rocamadour, de Sousceyrac, de Touvent, de tant de jours admirables, nous pouvions en arriver à la crispation ou à la mauvaise humeur sur des pointes d'aiguilles alors que nous sommes si totalement amis, unis, si ambitieux d'une belle ambition pour nous-mêmes, non cela n'était pas tolérable !

Et c'était par ma faute. Par ma faute si le bonheur de l'orage au bord de la rivière s'était transformé en tristesse après Saint-Émilion, par ma faute si le bondissement intérieur des balades de l'Artoire et de Rambouillet laissait place aux moroses après-midi d'Hossegor, par ma faute si ce qui est pour moi un grand amour et pour toi sûrement une grande chose de ta vie (dont la place n'est pas encore très fixée mais elle ne sera pas médiocre) n'avait pas la force de dominer en se dominant, si le sourire, l'extase, la surprise heureuse, l'écrasante et radieuse révélation de la vie qui furent (et surtout) si souvent notre privilège paraissaient <u>l'exception</u> alors qu'il dépend de nous qu'ils soient notre règle. Par ma faute, si tu étais lasse au lieu d'être mon Anne (pareille à sa signature) qui m'a comblé de sa joie ☺.

Ce que je te demande en t'aimant ne se justifie que si je t'apporte un amour créateur, fort, juste. Voilà ce que j'ai compris. Voilà ce que je te dois.

Évidemment tu sais que mon imagination ne s'était pas privée d'imaginer ! Que j'avais rêvé de la forêt et de la mer, du sable qui sous les pas lance des étincelles par les claires nuits d'août, de longues conversations confiantes, de tendresses, de paix, de lectures, de poèmes et ceci précisément en ces lieux où matériellement rien ne nous séparait. Mais je puis bien t'en offrir le sacrifice et de bien d'autres choses encore : je resterai ton débiteur.

Ma première halte a été pour les Destouesse chez qui j'ai déjeuné à Moliets. Ayant dû me décommander pour un dîner prévu pour lundi chez eux, ils ont insisté pour me retenir et finalement leur amitié m'a été bonne. Au café sont venus les Barbot : rencontrer tes amis m'a fait du bien. C'était, très peu, mais tout de même, un peu toi. J'ai repris ma route dans l'après-midi. Ayant appris que ma tante très âgée était encore seule à Jarnac je m'y suis arrêté pour la nuit. J'ai avalé une tranche de jambon et je l'ai laissée écouter sa télévision tandis que je t'écris. Demain j'irai à Paris. Là je verrai.

Terrible impression : la pantoufle. Depuis notre séparation de juin elle m'avait accompagné partout allant vers toi, revenant vers toi, ou te quittant pour revenir à jour fixe – donc à jour d'espoir. J'avais le cœur serré ce matin à côté de cette place vide pour un voyage sans but ! Mais j'ai renoncé au train car cette fichue pantoufle m'est apparue soudain si nécessaire, plus que cela : indispensable.

Elle est là-dehors, dans le parc, et je l'aperçois qui luit sous la lune. Je suis sûr que demain matin elle me dira à sa manière « Eh bien ? Et Anne ? Quand la retrouve-t-on ? ».

Avant de partir d'Hossegor je suis allé chercher les photos. Deux sont ratées, l'une à cause de moi (prise à Saint-Céré), l'autre à cause d'une déchirure du film qui a fait également des dégâts sur des photos réussies (tu remarqueras les taches rouges qui proviennent de ce défaut).

Mais Saint-Cernin, Saint-Illide et Nabinaud sont vraiment fidèles. Je te les joindrai ~~les~~ à cette lettre.

Bonsoir, ma chérie. Il est maintenant assez tard. Je veux repartir de bonne heure.

Ô que je voudrais sortir de moi, ne plus être confronté à cette peine lancinante.

Anne, je te donne tout.

Lundi matin, 8 heures, Jarnac

Je me suis fait réveiller à 7 h 45. Mais déjà je pensais à lundi dernier, au bonheur de ma chambre de Mauriac. Dans un instant c'était Albart – et Toi – tu imagines !

Par un hasard amer et doux la radio diffuse en cet instant « Je chante pour passer le temps ». Je t'embrasse, mon Anne.

Lundi soir, Paris, 18 h 15

Je suis arrivé au milieu de l'après-midi et – quelle joie formidable – c'est toi, ma très chérie, qui m'as accueilli. En effet je suis allé directement à l'Assemblée nationale… où ta lettre m'attendait.

Merci, Anne, ô merci.

Je suis installé dans un petit café près d'une poste centrale (rue de Montevideo) afin de mettre cette lettre en temps utile. C'est un quartier d'ambassades africaines. Une nuée de Noirs s'est abattue à grand bruit autour de moi. Il fait beau et doux. Entre Jarnac et Paris je suis allé à franche allure, avec beaucoup de circulation jusqu'à Tours. Ma pensée ne t'a pas quittée mais je n'ai pas écorné la pantoufle ! Le début de ma lettre, écrit hier de Jarnac, te dit peut-être trop la rudesse de ce que j'ai vécu ces derniers jours. J'avais passé une éprouvante nuit et j'étais assez fatigué : ce qui explique pourquoi je m'attarde plus qu'il ne convient sur ma peine.

En vérité elle est profonde mais tu as été si merveilleuse avec moi samedi que c'est une peine féconde et non désespérée. Partager le même bonheur et la même tristesse, tu me l'exprimes toi-même <u>comme je le ressens</u>, c'est une façon de s'unir qui a <u>la même</u> valeur.

Je le répète : repose-toi, et même distrais-toi. Je ne m'y trompe pas mon Anne : ta gaieté peut parfaitement être une façon d'aimer dès lors qu'elle vient d'un cœur qui a retrouvé son harmonie. Et c'est cette harmonie que je te souhaite de toute mon âme, cette harmonie supérieure, lien subtil et profond entre nous. J'ai une confiance totale en toi. Je t'ai laissé en dépôt ce qui nous appartient. Je sais que tu me le garderas intact. Prends le soleil qu'Hossegor te donnera (je l'espère), écoute la musique que tu aimes, ris, recrée l'ambiance facile et heureuse des beaux jours avec les tiens, sors : tu ne me retires rien – puisque « ton cœur est plein comme il ne l'a jamais été » – dans le secret de toi montera le même chant de tendresse et de foi que celui qui m'emplit. Tu verras. L'amour aussi a ses devoirs (un jour je t'ai dit « son ascèse »). Je me plie à ces devoirs parce que je veux préserver notre merveilleuse histoire et, plus encore, la mener plus haut – et non la faire traîner parce que j'aurais été indigne d'elle – et de toi. De toi, petite fille bouleversée mais qui instinctivement choisis les plus rares recherches. De toi, mon Anne.

Si tu m'écris de nouveau (ce serait biaiser que de ne pas ajouter…
« et je le souhaite ») continue de m'adresser le courrier à l'Assemblée
nationale. Je n'ai pas encore déterminé mon emploi de lieu et de
temps ! Une idée (peut-être irréalisable, mais je te la soumets quand
même) : si tu veux que je te conduise à Clermont le 1, le 2 ou le 3,
j'en serai ravi.

Cela te ferait rester davantage à Hossegor… et cela me permettrait
de te revoir avant… le 6 (c'est un peu loin, me semble-t-il !). De même
si tu dois partir avec Gédéon et te trouver inoccupée en Auvergne
n'oublie pas que je serai dans la Nièvre dimanche… et que ce n'est
pas très loin de toi. Examine et dis-moi (la pantoufle qui comprend
tout ou qui lit par-dessus mon épaule me souffle « insiste, insiste, je
serais si heureuse »).

Mais il est l'heure, ou bien je raterai le courrier. Je t'écrirai mercredi.

Anne, que j'aime ta lettre. Qu'elle m'est bonne. Que je t'aime

François

Deux photographies carrées, portail de Touvent, église de Nabinaud.

118.

En-tête Assemblée nationale, à Mademoiselle Anne Pingeot,
villa Lohia, avenue du Tour-du-Lac, Hossegor, Landes.

Mercredi 26 août 1964

Mon Anne très chérie je n'attendais pas, n'osais pas attendre ta
lettre d'aujourd'hui. Savoir combien ta pensée m'est proche et fidèle
est pour moi source de grande joie – au milieu de ce passage difficile où je suis. Déjà, lundi, en arrivant à Paris, ton premier message
m'avait bouleversé : on peut être bouleversé par le bonheur au pire
de la souffrance. J'aime ta main sûre, ton cœur confiant. Moi aussi
je promène, et j'expose, mon petit musée de tendresse : il ne se passe
pas de nuit sans que sur ma table de chevet voisinent tes photos, tes
dernières lettres et maintenant l'église de Saint-Illide (nous l'avions
prise deux fois). Ainsi la chaîne n'est pas rompue de ce qui fut, durant
tant de mois, une exaltation merveilleuse, un goût passionné de vivre
et d'échanger, une recherche de beauté et, beaucoup plus que tu ne

peux le croire, une exigence spirituelle. Merci mon Anne de m'aider avec une si délicate tendresse.

Tu le vois, les jours s'écoulent quand même… moins vite, certes, que ceux qui nous ont donné Rocamadour ou Sousceyrac. Mercredi ! Ah ! je n'aimerais pas revivre les heures qui m'ont cerné depuis samedi soir (et pourtant elles m'ont valu ta <u>présence</u> en moi, comme jamais peut-être). Je suis finalement resté à Paris, dans l'appartement vide, avec mes fiches, mon *Journal*, mes livres, mon vitrail, mes photos. Je suis hors du monde mieux là qu'ailleurs. Il n'y a pratiquement aucun de mes amis (sinon Rousselet, rentré depuis lundi).

Je fais de temps à autre, pour goûter le soleil et une autre forme de solitude, un saut à Guermantes, en Seine-et-Marne (nous l'avons traversé ce village une fois), chez mon amie (et cousine) Lise. Je ne bougerai pas jusqu'à dimanche matin ou samedi après-midi, direction Nièvre.

Il est assez tard : 18 h 15. Le courrier part dans trois quarts d'heure. Je ne t'écrirai donc pas une lettre fleuve. Puis-je te faire des suggestions ?

Je pourrais rentrer à Hossegor dans la nuit de dimanche à lundi en quittant Clamecy (où je me rends) ~~vers~~ au début de l'après-midi de dimanche. Cela me permettrait de te voir avant ton départ… et j'avoue que j'en ai grand besoin ! Lundi nous pourrions nous soûler d'une grande et belle promenade de bord de mer (dès mon arrivée je mettrai un mot dans ta boîte pour fixer l'heure). Quand pars-tu exactement pour Clermont ? Le 2 ou le 3 ? Le 2 me laisse tout le temps d'aller et de revenir (il faut que je sois à Hossegor pour la Coupe… et recevoir mes amis qui y participent, du moins le 4 à midi). Le 3 aussi, si nous démarrons tôt dans la matinée. Choisis.

Tout ceci à deux conditions. D'abord que tu n'aies pas déjà un autre moyen d'aller en Auvergne ! Ensuite, et c'est la principale : à CONDITION que tu en sois heureuse, librement, que ni ma présence, ni ma joie ne soient pour toi rupture d'harmonie ou tout simplement de repos. Ma seule volonté en te quittant l'autre jour a été de t'aimer comme il le fallait, comme je le devais. Si cela t'est nécessaire je t'attendrai à ton retour du 5 ou 6. Autrement ce serait, pour moi, formidable que de retrouver le charme des balades avec toi et surtout de t'accompagner dans un nouveau périple (je songe déjà à la vallée de la Dordogne que nous dégusterions à petites lapées !). Que ce que tu appelles ma fatigue n'entre pas en ligne de compte. Le bonheur ne me fatigue pas.

J'erre dans Paris la tête pleine de nos souvenirs. Hier matin j'ai propulsé l'appareil de photo dans tous les coins de rue où nous nous sommes retrouvés en 63 (La Hune, le 39, la rue d'Assas, Saint-Placide, les Blancs-Manteaux) ainsi que le 5 de la rue de Thorigny. J'espère te fournir un flash-back sympathique, si les photos sont réussies. J'ai acheté des livres. Un *Panorama de l'histoire universelle* de Jacques Pirenne, une *Peinture hollandaise*, et deux que je t'apporterai à Hossegor, très beaux : *Le Mezzogiorno* et *Compositions photographiques en noir et blanc.* J'ai flâné rue de l'Abbaye, place Furstemberg, rue de l'Échaudé. Des spectacles charmants m'ont ému : éventaires d'objets naïfs pour étrangers – des peintres et particulièrement un couple qui dessinait face à face, chacun son horizon, et qui riait et qui travaillait et dont on devinait l'amour.

Ton idée pour l'« Alléluia » que tu aimerais que nous écoutions ensemble a produit en moi de larges ondes ! Que c'est bête que nous ne puissions pas ou si mal <u>rester dans notre ligne</u> (pendant les « vacances ») qui serait de ~~rester~~ lire, de peindre, <u>d'écouter la musique</u> de notre préférence, durant de longues heures.

Je te lirais des pages et des pages d'une sélection d'admirables livres. C'est cela notre vie à nous (avec le rire des bons déjeuners, la tendresse, la paix, l'espérance de tant de jours !). N'oublie pas l'aquarelle. Au moins entre ton retour d'Auvergne et ton départ pour l'Italie connaîtrions-nous ce travail en commun qui m'est si cher, si précieux et qui nous donne un sentiment si vrai d'entente <u>privilégiée</u>.

Bonsoir, Anne chérie. Je n'ai pas clos cette lettre que déjà j'ai peine à te quitter, je sens <u>peser</u> l'absence ! Bonsoir, mon Anne.

Est-ce trop te demander que de m'écrire (un tout petit mot suffira, ou dix lignes !) si tu <u>peux</u> partir pour Clermont avec moi et s'il convient que nous retrouvions Hossegor ensemble lundi après-midi ? Une lettre mise avant 17 heures, vendredi, m'arrivera à Paris samedi matin et, avant d'aller dans la Nièvre où le courrier ne me rattrapera plus je saurai ainsi ce que je puis prévoir.

Je t'embrasse, Anne – et cette lettre, comme la tienne, ne te dira que ce que tu sais déjà

François

P.-S. Sauf si tu souhaites qu'il en soit autrement je serai donc à Hossegor lundi.

Je joins à cette lettre un papier qui peut t'intéresser

F.

Coupure du Monde, 27 août 1964, p. 7, Georgette Gabey : « Quand les enfants sont en colonie de vacances. Les soucis et les joies des moniteurs ».

119.

En-tête Assemblée nationale, à Mademoiselle Anne Pingeot,
villa Lohia, avenue du Tour-du-Lac, Hossegor, Landes.

Jeudi 27 août 1964

J'ai beaucoup de peine à surmonter ce matin l'agression brutale de la tristesse. Depuis qu'hier j'ai mis ma lettre à la poste j'éprouve un redoublement de solitude. Pourtant tu m'aides merveilleusement : je lis et je relis ta lettre inattendue.

Comment te décrire l'envahissement de mon être ? Cela ressemble à ce que j'ai vu lors des inondations du Nil. L'eau apparaît un peu partout en surface dans les rides de la terre, sans lien visible de l'une à l'autre. On ne discerne pas ses progrès. Tout demeure immobile. Cependant l'observateur attentif ou informé remarque que la montée de l'eau suit le canevas d'une colossale rosace qui imperceptiblement s'organise. Par des milliers de petits canaux les rides commencent à communiquer. L'eau sourd du sol comme si elle ne provenait pas du fleuve en crue et compose, ici et là, des lacs indifférents.

On se croyait sur la terre ferme ? On est déjà dans un marécage. En allongeant le pas on franchissait des rigoles, puis des ruisseaux ; on enfonce maintenant sur le limon mou d'une mer qui s'ébranle. L'aviateur, ou le voyageur qui assiste à ce spectacle du haut des falaises de roc et de sable qui bordent la vallée, qui n'ont devant eux qu'une perspective, ignorent ces détails : ils <u>voient</u> l'inondation. Plutôt que la lente pénétration d'un élément par l'autre ils constatent le changement d'un décor, en bloc, entre deux actes d'une pièce. Il y avait un fleuve étroit, enserré dans ses rives. Il y a désormais la géométrie d'une figure classique tracée par la nature saisonnière. Il y aura bientôt le Nil superbe et puissant, coloré par les terres rouges et blanches qu'il arrache et qui se mêlent à son flot.

Mais pour celui qui se place au centre de ce combat, qui s'attarde à cette terrible et inéluctable communion, tout autre est l'histoire qui se raconte autour de lui tandis que des îles éphémères s'enfoncent et se noient et que la plaine devient torrent. Ce qui se passe sous les yeux est le rituel d'une possession. Il sent, il sait qu'un jour lui aussi connaîtra son vainqueur, venu des profondeurs et maître des surfaces – au sein duquel il s'engloutit.

Ainsi la tristesse s'empare-t-elle de moi, comme en d'autres temps la joie, et par le même chemin : celui qu'a tracé un amour – dont je n'ai vu qu'il joignait les deux rives à leur plus haut niveau qu'au moment d'être, à mon tour, emporté.

Hier et aujourd'hui j'ai vécu deux étranges journées. Ma solitude s'accroît. Et mon silence. Ce qui se déroule alentour je l'aperçois comme derrière des lunettes fumées et l'entends avec des oreilles assourdies. J'ai marché dans le quartier Saint-Germain – Odéon – je suis resté longuement, seul client, chez un disquaire de la rue Jacob à écouter les disques que je choisissais. Une bonne partie de l'après-midi s'est écoulée ainsi. Je poursuivais mon dialogue intérieur sous la pression déchirante d'un violon ou dans l'accompagnement d'un grégorien serein. J'ai acquis un disque qui s'est exactement accordé à ma sensibilité du moment. Je te l'apporterai. Chez moi, j'ai continué. D'abord avec « nos » airs : « Je chante pour passer le temps » et « Anyone who had a heart ». Une émotion soudaine, violente m'a poignardé. Cela t'associait si intimement à moi que j'en avais mal. Il y a dans « Anyone » un cri, qui ne cesse pas de résonner en moi. Après, Mozart, Bartók, Bach – légère ou grave la musique parlait pour moi et j'étais un instrument à sa guise. Je suis de nouveau sorti, presque étourdi. Je me suis arrêté chez Yveline Lecerf, l'antiquaire de la place de Furstemberg. Elle n'a pas compris, je le suppose, le sens de ma visite : je ne lui ai pratiquement rien dit ; j'ai regardé ses objets ; me suis assis dans un lourd fauteuil ; ai prononcé quelques mots sans lien apparent. Et je suis parti. J'aime la voir comme cela. Elle est l'une de ces rares femmes qui ne posent pas de questions et vous acceptent. Je goûte cette discrétion du cœur.

Avec toi, mon Anne, je n'ai pas compté les heures : je crois bien n'en avoir pas manqué une. J'ai appris un peu mieux les poèmes du *Fou d'Elsa*. J'ai mis à jour le *Journal*. Et j'ai surtout pensé, rêvé. Je puis rester sans souci de l'horloge – eh oui ! – de cette manière : sans voir personne, sans téléphoner, comment dire ? consacré. Oui, je suis consacré à ce que j'aime. La deuxième moitié de l'après-midi s'est donc déroulée derrière mes persiennes mi-closes, dans un appartement mangé par la chaleur impitoyable, et dont peu d'îlots échappent au désordre et à l'abandon. Je n'ai aucun service (vacances et congés jusqu'au début septembre). Je retrouve mes habitudes de collégien et de soldat. Je frotte mes chaussures et retape mon lit (hum !). Je jette mon linge un peu n'importe comment et j'entasse le papier que chaque courrier apporte, énorme (des masses de journaux surtout), sur des tables dont ce n'est pas précisément l'usage. Mon bureau résiste aux livres et notes qui s'y amoncellent. Son désordre à lui est à mes yeux d'une scientifique ordonnance et je me reconnais fort bien dans son dédale ! De toi ou me parlant de toi, j'ai, pendant que je t'écris : sous le coude gauche, ta dernière lettre ; de travers sur les feuillets 1 et 2 écrits de cette lettre en gestation, la photo de l'église Saint-Illide.

À ma droite, entre la lampe et le texte de la Constitution, les œillets des dunes dont la couleur tranche sur une enveloppe blanche où ils reposent. Encore à droite, le *Journal*, avec une paire de ciseaux et un rouleau de scotch, mes indispensables outils. Me gênant le coude droit, le long crayon « pour saint Modeste » ; ouvert devant moi, *Le Fou d'Elsa*. Plus loin traîne un vieux *Michel-Ange*. Dans un coin ton dessin de Montesquieu. Et en cherchant bien, la liste ne serait pas close. Mais comme il y a encore le *Gilles* que tu n'as pas lu, le *Panorama de l'histoire universelle* acheté avant-hier, une *Revue des Deux Mondes* où j'ai coché un article à lire, « La fin des Peaux-Rouges » de Jean Dutourd, une pendulette, des enveloppes, des feuilles éparses de papier blanc, un chiffon pour essuyer le cuir du meuble etc. etc. tu constateras qu'il te faudrait beaucoup de patience pour supporter… mon laisser-aller (plus apparent que réel). Sur l'un des deux fauteuils qui regardent vers mon bureau gisent des revues d'Art, des pochettes de disque, mon appareil photo et je ne sais pourquoi ma robe de chambre – et je ne sais davantage pourquoi l'autre fauteuil est libre de tout encombrement, comme s'il attendait, royal, une visiteuse qui ne viendra pas.

Je te narre ces petites choses, mon Anne aimée, parce que je pense qu'elles donneront vie, dans ton esprit, à ce fantôme que je suis peut-être devenu pour toi. (J'ajoute qu'un pick-up savamment dissimulé dans le coffrage de chêne clair qui englobe ma chambre et mon bureau diffuse par deux haut-parleurs placés comme il convient une musique excellemment rendue.)

J'ai tracé le mot « fantôme ». Comment ne le serais-je pas un peu ? Lundi il y aura deux semaines depuis Touvent ! Deux semaines coupées par deux rencontres… particulières : dix minutes auprès de toi, malade, dans ta chambre, et notre promenade du samedi ! À Saint-Illide je pouvais te représenter dans un cadre, avec des obligations et un rythme de vie, et moi j'étais, me semble-t-il, très présent. Mais à Hossegor, après ces jours que nous n'avons partagés qu'en souffrant de leur ambiguïté ? À Hossegor, où tout est en place pour toi – hors moi ? À Hossegor de tes vacances de toujours ? J'écris ces questions et pourtant quelque chose me procure une joie très forte et très pure : la fidélité que traduisent tes lettres, la merveilleuse délicatesse de ton cœur qui s'ouvre d'autant plus que j'ai besoin de toi, d'autant plus que tu me sais en profonde peine de toi. J'ai découvert une certaine Anne par ces deux lettres. Une Anne à qui va ma foi, à qui va ma confiance, et à qui m'unit, au-delà des gestes, des actes et des mots, un accord de l'esprit et du cœur dont je comprends maintenant qu'il donne à tout amour sa véritable dimension.

Vendredi matin

J'ai remis le concerto n° 1 pour violon et orchestre de Bartók (au violon, David Oïstrakh). La musique a empli mon bureau. Je l'ai écoutée sans rien faire, pénétré peu à peu, moi-même mouvement et rythme, qui se dissipent en s'accomplissant. Mon âme perçoit la signification fugitive des sons et compose sa propre symphonie. Je sens se mouvoir en moi une sensibilité où toute caresse serait déjà douleur et toute douleur dénouée pour une image, un sourire, pour l'espérance d'un absolu que les choses à la fois refusent et promettent. Je reprends cette lettre. J'aime te parler, ou parler tout haut pour moi-même, comme si tu restais à jamais présente, liée, donnée. Que j'aie accès à toi m'émerveille et me bouleverse ! Je rêve à l'année qui vient. L'an dernier nous sommes partis de l'extérieur des choses afin de les pénétrer, de les assimiler, de les comprendre. Le chemin inverse serait tout aussi passionnant : aller, par la réflexion, la méditation, la lecture, la musique, du centre de soi vers la beauté objective. Dans ma lettre de mercredi, je crois, je te disais combien me manquait la possibilité de passer avec toi tout un après-midi, toute une soirée, sans rupture de temps uniquement attachés, absorbés par l'étude d'un texte, l'affine-ment d'une idée, la communion autour d'un « Alléluia » (et ensuite, on se tait ; il n'est besoin d'aucune autre preuve sensible pour savoir CE QUI EST). Toi, tu m'apportes une richesse spontanée de vie, une exigence de pureté, un désir immense – et intact – de comprendre, d'aimer, de créer. Je crois que là où tu es je peux te rejoindre et t'ap-porter ce que par le détour des années j'ai fini par atteindre (bien mal, trop mal) : le dépassement de soi. Mon Anne tu n'imaginerais pas le rôle que tu as joué dans l'orientation de ma vie. Il y avait peut-être une source enclose dans le rocher. Encore fallait-il que quelqu'un touchât ce rocher pour libérer la force contenue. La première fois que je me suis rendu compte que c'ÉTAIT TOI, quel choc en moi, quelle violence – dont j'écoute encore en moi le cri.

Vendredi après-midi

Je suis allé déjeuner chez Lipp avec Laurence. Là, le spectacle parisien se mettait en place pour la rentrée. À chaque table s'échangeaient de discrets saluts. Hélène Lazareff (nous l'avons rencontrée chez Sainlouis) avec une amie, genre jolie mannequin aux yeux dévorants ; Jean Marin ; un peu plus loin Éric Ollivier jeune romancier au beau visage de combattant perdu ; ailleurs Guislaine de Boysson qui fut la vedette de Dior, avec laquelle j'ai été très ami, et que je n'avais pas aperçue depuis cinq ans ; encore, Philippe Grumbach, qui lance une nouvelle revue, type *Life* ; encore le vieil Hisquin, qui, Nivernais de souche, me voue une sympathie touchante (c'est un écrivain mineur mais intéressant) etc.

Cette rapide escapade s'est terminée tôt et j'ai laissé Laurence avec sa voiture cagneuse et ses journaux en vrac. Elle m'a demandé de tes nouvelles. Entendre ton nom, quelle douceur !

Me voici à nouveau penché sur ma table de travail… et de rêverie. Cela fait six jours que je ne t'ai vue. En temps ordinaire cette séparation paraîtrait normale par sa durée. Mais puisque la mesure du temps se règle sur nous-mêmes et sur l'intensité ou l'hébétude de la vie intérieure je puis t'assurer que je n'ai jamais été aussi longtemps séparé de toi. Pas même durant les trois semaines commencées le 24 juin. En revanche et par certains aspects ce monologue où je m'enferme m'oblige à cerner et à approfondir ce problème fondamental (pour ce qui me concerne) : nous.

Je discerne tout ce que nous pouvons entreprendre dans la ligne qu'instinctivement nous nous sommes choisie. Quels bonheurs à conquérir ! J'aperçois ce que cela exige de moi et je m'en effraie et m'en réjouis à la fois : rien ne me passionne davantage que toi. T'aider à avancer dans la connaissance heureuse et grave, ~~de~~ t'aimer à ce point où se confondent sagesse et folie, ne jamais détruire ou abîmer l'intégrité de ton être, cela suppose une grande rigueur, un grand respect, une attention infinie. Le puis-je ? Je ne suis que désir de t'aimer comme on ouvre les yeux sur la beauté, comme on offre sa vie, comme on contemple un ciel – ou l'apparence de l'éternel.

Ô mon Anne de Saint-Illide j'ai tellement compris la signification de ta recherche. Ô mon Anne lasse et divisée d'Hossegor j'ai tant souhaité te montrer que je t'aimais au-delà du trouble et de la fièvre.

Peut-être aurai-je un mot de toi demain. J'irai chercher le courrier puis je partirai pour Château-Chinon où je serai dans l'après-midi. J'y ferai mon travail sans attrait ~~mais~~ que je m'impose cette fois-ci sans y être contraint. Dimanche matin je me rendrai à Varzy, siège de l'ancien évêché d'Auxerre, belle petite ville aux toits penchés – puis à l'heure du déjeuner (que j'éviterai) je me dirigerai vers Hossegor où j'arriverai dans la nuit. Comme je te l'ai écrit, tu sais que je serais heureux d'une belle promenade lundi. Très, très heureux. Mais cela passe <u>après</u> ce que je me suis promis à moi-même : si mon arrivée était pour toi le signe du moindre embarras, je continuerais ce que j'ai commencé en m'éloignant. Si au contraire cela était aussi une joie pour toi, ô quelle paix enfin retrouvée ! Je mettrai (je te le répète) un mot dans ta boîte aux lettres pour t'indiquer que je suis bien là ! Que penses-tu de 15 h 30, au chêne-liège à la bosse ?

J'espère de toutes mes forces que septembre nous offrira sa lumière dorée – non seulement pour la beauté des soirs mais surtout pour l'allégresse profonde des jours heureux.

Je t'embrasse, mon Anne, ma très chérie

<u>François</u>

120.

En-tête Assemblée nationale, à Mademoiselle Anne Pingeot, EV.

Hossegor, 31 août 1964

Je suis bien arrivé et serai à 15 h 15 aux <u>Trois-Poteaux</u>.
À tout à l'heure, je l'espère

<u>F</u>

12 septembre - 27 septembre, voyage en compagnie de mon frère Gérard dans la deux-chevaux de maman jusqu'à l'Adriatique, pour le mariage de ma correspondante italienne à Sirolo (Ancône).

121.

En-tête Assemblée nationale, à Mademoiselle Anne Pingeot,
aux bons soins de la Signora Papini, Bosco San Francesco,
Sirolo, Ancona, Italie.

Hossegor, lundi *14 septembre 1964*

Anne aimée, j'ai peine à prendre la plume. Mes doigts sont maladroits.
Ma tête n'y est pas. Tu es donc partie ? l'été est fini ? je n'y crois pas. Je
ne suis pas encore sorti de ces dix jours enchantés que je viens de vivre
avec toi. Mon Anne, quel bonheur ! Je me raconte une merveilleuse
histoire, la nôtre – un bonheur quotidien ! lundi, mardi et mercredi : du
petit café d'Azur à la route d'Orcival – et puis dimanche, lundi, mardi,
mercredi, jeudi, vendredi, samedi, après ton retour de Clermont jusqu'à
nos mains liées en remontant la dune, ce dernier matin… Maintenant
je ne sais où j'en suis, pris entre le chagrin, l'ennui, l'attente et tout au
fond de moi l'éclaboussante joie et l'ardente espérance.

Tu m'occupes tout entier.

Samedi, après ton départ, je suis allé boire un mélancolique whisky
à Lohia. J'avais envie de voir ta chambre, tes livres, l'horizon de tes
matins, tes objets familiers. Je n'arrivais pas à décrocher. Je ne disais
rien ou presque et tes parents me laissaient rêver. L'après-midi j'ai
joué avec ton père l'ultime partie de golf que j'ai gagnée aisément : on
a rarement vu un joueur plus décontracté que moi. Ma pensée était
si loin de l'indifférente petite balle !

J'ai dîné chez les Léglise, à Capbreton, mais j'étais rentré avant
11 heures. J'ai écrit mon journal et j'ai mis longtemps à trouver le
sommeil. Hier, dimanche, j'ai fait une visite à Gédéon, peu avant
midi. J'ai avalé quelques prunes, un demi-melon, un verre de champagne gentiment offerts et nous avons bavardé un bon moment. Une
chaleur plus étouffante encore que celle des jours précédents s'est
emparée d'Hossegor, dépassant les plus rudes canicules d'août. J'ai
lu l'après-midi. Le couple Dollfus est apparu : j'ai été sombrement
aimable ! leurs talons tournés je me suis replongé dans la vie des
Césars (ceux, inconnus ou peu connus, qui succédèrent aux Antonins).

Mais toi, mon Anne, il me semblait que j'allais t'entendre ou te
parler. J'avais besoin de commenter tout haut les personnages de
haut vol de la décadence romaine – ou d'évoquer l'Italie vers laquelle
tu te diriges – ou simplement de reprendre cet incessant dialogue
que, bavards ou muets, nous avons commencé il y a près d'un an et

qui, pour moi, ne finira qu'avec les mouvements de mon cœur. Hier soir je ne suis pas sorti malgré les sollicitations Dollfusiennes (sollicitations collectives !) : je n'aspirais qu'à la solitude où je te rejoins, qu'au silence où me parvient l'écho de ta voix. Ah ! que ces mots sont simples, et d'une terrible et admirable clarté : je t'aime.

Aujourd'hui tu franchis la frontière italienne. Je t'imagine à Sainte-Marguerite-de-Ligure, à La Spezia, à Lucques. La Méditerranée t'offrira sûrement un spectacle de beauté. Puis ce sera Florence, Ancône, peut-être Ravenne (… et ce sera les Italiens « il en est de si beaux »… et même des Allemands, jeunes dieux teutoniques !). Comme j'aurais été heureux de t'accompagner, de m'attarder aux lieux que j'aime, de faire avec toi l'échange (surtout à Florence) de nos souvenirs et de nos émotions devant la splendeur des choses ! Là j'aurais pu (me semble-t-il), mieux que partout ailleurs, hors du temps, laisser mon âme te parler. J'espère qu'un tel accomplissement me sera donné : il existe entre nous une incomparable communion – que la beauté ouvre le chemin et son langage mystérieux déchiffrera pour nous tous les secrets du monde !

Évidemment me voici, qui, tout bêtement, compte les jours. Le 1er octobre, que c'est loin ! S'il t'est possible de me faire signe pour que j'aille te chercher à Turin ou Milan, la pantoufle, ravie, se mettra en quatre pour me mener à toi. Mais si cela ne t'est pas possible (ce que je comprendrai fort bien) je t'attendrai fidèlement – impatiemment. Songe qu'entre deux sauts à Saint-Illide je ne pensais qu'à retrouver une mono auvergnate ! Et cela ne durait qu'une semaine ! Alors, que ne serais-je capable d'accomplir pour une petite Sibylle dorée dont tant de jours m'auront séparé ?

Quoi qu'il en soit n'oublie pas, Anne chérie, que le 2 ou le 3 octobre ce serait formidable de te piloter vers Hossegor. Je compose déjà le programme de cette journée ! (Je pense à Richelieu, à Jarnac et la vallée de la Charente, à Brouage et Saintes, à Saint-Michel d'Aiguilhe… Après quoi, Hossegor, les feux odorants d'octobre, la plage que ne visitent que de lents charrois, les jours d'or et de pourpre…) Je voudrais créer du bonheur pour toi comme un musicien sa symphonie. J'aurai ma brassée de poèmes et te la donnerai, fruit d'automne ou bouquet de la forêt. Je te lirai aussi quelques passages de Pascal ou de Shakespeare que j'ai déjà notés : partager ces richesses, ma bien-aimée, n'est-ce pas offrir à notre vie son limon ?

N'oublie pas non plus de tenir Martine en haleine afin que ton dossier soit prêt à ton retour et que tu puisses toi-même procéder aux formalités d'inscription le 1 ou le 2 octobre (qui sont un lundi et un mardi). Comme je te l'ai dit je serai à Arcachon les 26 et 27 septembre à l'occasion du congrès du Rassemblement démocratique (un débat difficile s'y déroulera sur « le regroupement au centre » – avec MRP et Indépendants – je te montrerai les rapports préparatoires qui développent la thèse de Maurice Faure, de Duhamel et leurs partisans, cela t'intéressera). Je quitterai Hossegor mercredi (après-demain). Je passerai le prochain week-end dans la Nièvre. Ce rythme de mes obligations je le redoute en ton absence. Que j'ai besoin de toi ! Je ne te le dirai jamais assez. Mais le bonheur et la confiance inspirent mon équilibre intérieur. Comment ne serais-je pas comblé par ce qui me vient de toi ?

Tu ne peux savoir à quel point je me réjouis de la perspective d'un nouveau séjour commun dans les Landes. Il se situera à l'orée des grands travaux parlementaires et de prises de position essentielles. Qu'il sera bon de t'en parler, de t'y associer, de préparer mon esprit à ces luttes dans ce climat à la fois doux et fort qui, grâce à toi, est nôtre.

Je t'écris cette lettre peu avant le départ du courrier abrité de la chaleur (hier il y avait 52 degrés au soleil – n'as-tu pas trop souffert sur la route ?) à l'ombre du living-room. Moi qui suis resté ici je puis vivre totalement dans l'ambiance de la dernière semaine, dans ton ambiance. Toi qui as changé de pays, de paysage, de langue et d'habitudes n'es-tu pas dépaysée de moi ? Sans doute. Pourtant j'ai confiance en notre union, en sa force et sa profondeur. Tous mes actes je te les dédie mon Anne, tous mes projets, tous espoirs. Parfois, lorsque la tristesse tend à dominer la joie, je ferme les yeux sur l'image de cet être que j'aime et dont le visage clos contenait, exprimait la merveille indicible du don partagé – du don de soi jusqu'à l'achèvement d'une nouvelle naissance ;

Ô Anne, mon amour

François

122.

En-tête Assemblée nationale, à Mademoiselle Anne Pingeot, aux bons soins de la Signora Papini, Bosco San Francesco, Sirolo, Ancona, Italie.

Hossegor, mercredi 16 septembre 1964, midi

Mon Anne, ce jour est le dernier de mes vacances à Hossegor. Je pars ce soir pour Paris. Mais j'espère très fort revenir bientôt. La perspective du début octobre m'aide tellement à attendre ! La même chaleur orageuse pèse sur les Landes. Je traîne de la villa au golf et n'ai de goût à rien. Ce matin cependant je suis allé dire au revoir aux Trois-Poteaux. Partout je vis avec nos souvenirs. Tout à l'heure j'irai chercher les photos prises la semaine dernière et me réjouis déjà de retrouver ces témoins de tant de chers instants. Gédéon, partie hier à l'aube, a emporté l'ultime présence qui me rattachait à cet été merveilleux, angoissé, fervent – et finalement riche d'une extraordinaire plénitude.

Ah ! ce bonheur de septembre ! Il est un sourire que j'ai vu naître sur ton visage et qui signifiera à jamais pour moi la grâce de ma vie.

Lohia est fermée et le rideau de bois de ta chambre abaissé. Je revois en esprit chaque détail, chaque objet choisi par toi : la couleur de l'abat-jour, les portraits des trois Pascal, la branche d'arbre, les coussins. J'entends « Anyone… », je me rappelle ce matin du (fâcheux) mardi où je suis venu prendre ton père pour le golf et ton rapide bonjour, à peine levée (que je t'aimais, mon Anne) en robe de chambre. Que je voudrais écouter là, le 4 octobre (Saint-François-d'Assise !) l'alléluia et le concerto.

Ma maison sera comme la tienne, repliée demain. Mais il y aura encore les géraniums du patio, les abélias en fleur, peut-être les lauriers-roses, les transats pour plonger dans un ciel paresseux, le grondement de la mer, et, dans la cheminée, de grands feux de bois – quand tu viendras dire à mes plantations un bonjour réparateur (elles ne se sont pas tout à fait remises de la « visite de politesse » ! Je crois que cela explique leur croissance retardée).

À propos de visites de politesse je les réduis au minimum. Ce soir, les Portmann. Dans l'après-midi, les Destouesse. Et voilà tout ! J'irai aussi régler les notes en souffrance au club, chez Dubarry, chez ton ami Hourcade, et pour le jardinier-fantôme. Après quoi, en route.

Déjà la vie politique se réanime. Un journal (*L'Express*) lance sa nouvelle formule. Un autre (*Minute*) m'attaque… et raconte d'imaginaires mésaventures qui me seraient arrivées… à la chasse au sanglier (jamais de mon existence je n'ai participé à une chasse… sinon à la glorieuse épopée africaine dont je t'ai montré les images !). Un roman paraît (de Michel Droit), qui sous un nom à peine d'emprunt me met en cause etc. etc. Allons, il faut se cuirasser, baisser la tête et avancer ! L'année sera rude, avec en bout de course l'élection présidentielle. Nous y connaîtrons de passionnants et difficiles épisodes – et je dis Nous car rien ne me prête davantage force et courage et ambition que de te savoir ma bien-aimée présente et attentive.

L'activité nivernaise recommence du même coup. Hier un conseiller général, de passage à Capbreton, est venu déjeuner avec moi. Il lorgne le Sénat... et il n'est pas le seul ! J'irai à Nevers et Château-Chinon en fin de semaine et préparerai la prochaine session qui aura lieu les 12, 13 et 14 octobre. Entre-temps, comme tu le sais, je participerai au congrès d'Arcachon (26 et 27 septembre).

Tu vois, ma chérie que l'événement lui aussi a fini ses vacances ! L'accueillir, bon ou mauvais, propice ou redoutable, la main, le cœur liés à toi, métamorphose en joie de combattre ce qui pourrait être lassitude et refus. L'importance de ta tendresse, de ton accord, de tes élans, je la mesure à l'envie que j'ai d'être digne de mes tâches.

Ce que tu me donnes est source de vie, d'action et de force. Et la pureté que tu m'apportes est source d'exigence.

Il est 1 heure. Aussitôt après déjeuner je reprendrai cette lettre que j'irai poster de telle sorte qu'elle te parvienne à Sirolo avant dimanche.

Que j'aimerais t'embrasser, mon amour !

15 heures

Puisqu'il n'y a pas de petite nouvelle qui ne doive figurer dans mes lettres en voici une : je joue très bien au golf. Juges-en ! successivement 17, 16, 15 et, hier, 12.

L'ombre de l'Attila-Cup vient hanter mes nuits ! J'ai été tellement nul au mois d'août que la honte m'étouffe ! Et il me faudra attendre Pâques pour venger cet affront sur la gent auvergnate !

En tout cas ce 16 septembre est jour de gloire pour Odette Dollfus. Poussé par un remords tardif j'ai accepté une partie pour cet après-midi. Ce sera la première fois de la saison que je jouerai avec elle ! (Mais je crois que je n'accomplirai que dix trous.)

Chaque jour depuis ton départ je recompose mon mémorial. Hier je songeais à notre mardi silencieux et maussade de « notre » maison landaise [Latche], et le soir, au pittoresque dîner de La Petite Tonkinoise. Aujourd'hui je ne détache pas ma pensée de mercredi : si je devais choisir entre tant de bonheurs que je te dois il me semble que sur la plage d'Yons nous avons connu, ce mercredi-là, un apogée. Rappelle-toi la gloire du ciel, du soleil, de la mer – la joie resplendissante qui nous a pénétrés – l'accord simple, si simple et si profond, qui nous a réunis. Mon Anne très chérie, « rien ne vaut le malheur d'aimer »... si ce n'est le bonheur.

Cette lettre te joindra au moment de partir pour Turin, où je t'écrirai après-demain, de Paris. Pourquoi ne m'enverrais-tu pas ton numéro de téléphone de l'avenue Bidone ? Je t'y appellerais à l'heure de ton choix. À moins que tu ne me dises d'accourir avec la pantoufle pour te ramener à Clermont…

En arrivant à Paris, pourvu qu'un mot de toi m'apprenne que ni Florence, ni l'Italie, ni personne au monde ne m'ont éloigné de ton cœur.

Si tu savais comme tu es mon tout, toi que j'aime

<u>François</u>

123.

En-tête Assemblée nationale, à Mademoiselle Anne Pingeot,
aux bons soins de la Signora Papini, 1 Via Bidone, Torino, Italie.

Vendredi 18 septembre 1964

J'ai commencé ma journée dans la joie car le courrier m'a apporté tes trois cartes de Florence. Moi aussi, mon Anne, je désirais tant être avec toi là-bas ! Je continue d'espérer qu'un jour nous y serons ensemble, que nous vivrons lentement, attentivement les heures de bonheur auxquelles la beauté nous invite. La beauté et l'amour de toi.

Je compte qu'une lettre me racontera bientôt les étapes et les péripéties du voyage. Tu as dû accumuler tant d'images merveilleuses ! Je ne suis pas trop jaloux de Niccolò da Uzzano, qui est mon ami de longue date et dont le visage expressif m'avait si fortement frappé lors de ma première visite au Bargello. Le petit canard a été chargé par moi de veiller sur ta fidélité et ne m'a pas encore envoyé de message alarmant. Que je serais triste autrement !

J'ai donc quitté Hossegor mercredi. Paris, un Paris parcouru de vents coulis plutôt frais a déjà reçu mes promenades : le Marais, Saint-Germain, Saint-Sulpice, l'Assemblée nationale. Que j'aime penser à toi ainsi ! Mon Anne chérie je crois bien que l'état de grâce des premiers jours ne s'épuisera jamais. J'éprouve à t'attendre ici plus d'émotion encore que l'année dernière. Tout me paraît beau et délicieux quand je songe que par ces rues de nos chers quartiers nous serons à nouveau compagnons.

J'ai acheté des livres : les *Écrits et discours politiques* de Benjamin Constant (ça doit être passionnant) et l'original de *La Colline inspirée* de Barrès (un peu ruineuse !). Je me suis beaucoup attardé rue de Seine chez les boutiquiers de gravure. J'ai trouvé pour toi une carte d'Auvergne et une carte des Landes (originales) d'un joli coloris. Ainsi qu'un dessin de l'église de Villefranche-de-Rouergue. Tu verras ! Tu ne peux imaginer mon plaisir quand j'ai l'impression que quelque chose (et ce sont de très petites choses) te plaira.

Hier j'ai déjeuné chez Lipp avec Georges Dayan (maquereau vin blanc et cassoulet : graillou typique du lieu !) et dîné chez Rech, où je voulais inaugurer les huîtres (toujours avec G. D. + son frère Jean, un médecin). Dans l'après-midi je suis passé à l'Assemblée où le comité directeur du Rassemblement démocratique était réuni. En fin de soirée, longue conversation avec Gaston Defferre, à son bureau de la place de l'Opéra. Rentré tôt j'ai écrit le *Journal*, rangé des livres et fait des vœux (comblés !) pour le courrier du lendemain. Aujourd'hui, hors mes balades et flâneries, j'ai rédigé un éditorial et dicté quelques lettres. Ce soir je participerai à un « colloque » amical avec mes cofondateurs de la Fédération nationale des anciens prisonniers de guerre. Ça m'ennuie un peu car je pratique malaisément ce ressassage de souvenirs entre « anciens » mais pour ce vingtième anniversaire ils ont tellement insisté que j'ai fini par céder.

Demain matin enfin je partirai pour la Nièvre où je resterai le week-end. Pour le cas où tu me dirais de venir te chercher quelque part je serais prêt, à partir de lundi, à enfourcher notre pantoufle… un télégramme à l'Assemblée m'en informant me suffirait. Simplement il faudrait que je sois à Arcachon le 25 (à midi).

Petite nouvelle judiciaire : Rinieri, celui du « faux » Matisse que tu as vu juger, est arrêté pour une autre affaire. Cette fois-ci il a écoulé des vrais tableaux… volés ! La lettre envoyée de la prison de la Santé où il me demande d'assurer sa défense est d'un tour assez drôle ! je te la montrerai.

Deux critiques ont paru sur mon livre, intéressantes et fouillées. L'une dans une revue d'extrême droite (*Écrits de Paris*), l'autre… dans *La Montagne*. Je les garde pour toi.

Avant de quitter Hossegor j'ai obtenu les photos prises de notre voyage à Clermont jusqu'au poteau du carrefour d'Yons. J'en joins quatre à cette lettre (une de Domme et trois des Landes). Que d'images heureuses, mon Anne !

Ma mémoire ne cesse pas d'être en pèlerinage : vendredi dernier, à cette heure-ci, nous étions au café Dumora, à Léon. J'entends encore l'horloge. Et je te vois, lisant *Le Jardin des arts*. Et j'ai dans la bouche le goût amer (moins que la gentiane de Salers !) du cassis que nous a servi notre hôtesse tout étonnée de notre clientèle !

Il m'est par contre difficile maintenant de me représenter le cadre dans lequel tu évolues : jamais je ne suis allé à Ancône. Je m'efforce de ne pas trop penser au charme de Walter, à l'audace des beaux Italiens, aux douceurs des soirs adriatiques, aux grâces d'un mariage où surgira peut-être quelque 19/20.

Pour tout te dire les jours qui nous séparent me paraissent diablement longs. D'autant plus longs que j'ai été incroyablement heureux depuis mon retour le 30 août à Hossegor. D'autant plus longs que tu es dans un pays où nous irions ensemble par des chemins enchantés. D'autant plus longs que je t'aime de plus en plus.

À travers les rues de Paris j'ai rêvé à nous. Apprendre ! connaître ! échanger ! approfondir ! comprendre ! Je me sentais un appétit féroce d'avancer vers toi dans toutes les directions qui impliquent une communion plus proche de l'absolu. Ô, mon Anne chérie, je me sentais des forces neuves pour les plus belles tâches. Aimer ! t'aimer.

Je suppose que tu auras cette lettre lundi. Elle te dira imparfaitement l'immense tendresse de mon cœur. Tu seras à Turin. La dernière fois que j'y suis allé (en août 1962) j'avais dîné au Caval di Bronze (?) sur la place du même nom (ou tout au moins sur la place où caracole cet animal). J'avais plutôt aimé cette ville.

Je t'embrasse, Anne et je t'aime

François

Coupures de presse sans référence : « "C'est Nonce le Mort qui m'a confié les tableaux", prétend Toto le Truand arrêté à Paris en négociant cinq toiles volées. Enquête de Georges Gherra. »

124.

En-tête Assemblée nationale, à Mademoiselle Anne Pingeot,
aux bons soins de Madame Papini, 1 Via Bidone, Torino, Italie.

Lundi *21 septembre 1964, 11 h 30*

Mon Anne je viens de passer avec toi une bonne partie de ma matinée… sans t'avoir enlevée d'Italie ! En effet un mot de Gédéon au courrier m'informait que ton dossier du droit, qui doit être déposé le 25, n'était pas complet, que le certificat de domicile à Paris que devait envoyer M. de Jouennes n'était pas arrivé, qu'on n'avait pu se procurer ton numéro d'inscription à la Sécurité sociale, qu'on ne savait s'il fallait t'inscrire aux travaux pratiques d'après 18 h 30 ou d'avant, que l'on ne connaissait pas ton choix pour ces travaux pratiques etc. J'ai aussitôt téléphoné à Clermont pour dire qu'on ne s'affole pas… et qu'on ne t'affole pas. J'ai pris sur moi d'indiquer que l'on retienne pour les travaux l'histoire des institutions et le droit constitutionnel. Et j'ai décidé de t'appeler à Turin à la fois pour que tu me confirmes cette sélection et pour que tu me donnes, si possible, ton numéro de Sécurité sociale.

Pour le reste, on s'en arrangera ici et ton dossier sera au point à la date convenue. Ne te crois pas obligée d'abréger tes vacances italiennes. L'inscription définitive nécessitera ta présence, mais cette ultime formalité n'aura lieu qu'en octobre et tu seras convoquée à date fixe pour cela. Donc, pas d'inquiétude inutile !

À vrai dire si je n'attendais pas une lettre de Gédéon j'en espérais une de toi ! Mes chères petites cartes de Florence ont été les bienvenues mais ne me racontent rien de ton voyage et si le style concis est considéré depuis Tacite comme le meilleur et le plus raffiné, ta concision me laisse sur ma faim ! Dix jours ont passé, dix jours de séparation : sans doute avais-je été trop gâté par ta présence et par la joie. Je ne m'habitue pas du tout à cet épais silence qui a suivi. Voilà pourquoi je suis d'une humeur de chien et de chien triste. Je ne conteste pas ton honnêteté : tu m'avais prévenu que tu m'oublierais vite. J'avoue n'avoir pas imaginé qu'en cette occasion tu battrais les records de vitesse !

18 heures

Bon. Je t'ai appelée à 12 h 30 à Turin mais personne n'a répondu. Je recommencerai ce soir. Si je ne t'obtiens pas ne t'inquiète pas pour ton dossier : sur la base des indications que j'ai fournies à Gédéon il sera en bon ordre – et s'il y manque un détail je veillerai à ce que ce soit sans conséquence.

Je m'aperçois que ma mauvaise humeur fond comme neige au soleil dès qu'un espoir commence à poindre. Avec un indécrottable optimisme voilà que j'attends maintenant le courrier de demain matin ! Je crois que je t'aime trop.

Depuis ma lettre de vendredi je suis allé dans la Nièvre – dont je suis revenu hier soir. Nevers d'abord, Château-Chinon ensuite.

Enfin Clamecy. D'un coup les sollicitations m'ont assailli sans vergogne. La pantoufle (fidèle, elle) a, malgré quelques plaintes, été de
bonne compagnie. Nous essayons mutuellement de nous consoler :
quelqu'un nous manque à en avoir mal au cœur. La pantoufle tousse
un peu. Moi je grogne. Chacun a sa façon d'aimer Anne. Et toi, si
tu nous aimes (comme on aime le Crunch) reviens-nous vite. Ou
écris-nous.

   La vie politique s'ébroue. Je vois Mendès France, Defferre, Maurice Faure. Demain je reçois trois journalistes. Comme tu le sais
je pars jeudi soir pour Arcachon (mais je n'ai pas tout à fait abandonné l'espoir d'un saut en Italie pour aller te chercher – bien que
ton silence…).

   À tout hasard je te signale que mon adresse à Arcachon vendredi,
samedi et dimanche sera l'Hôtel Haïtza au Pyla-sur-Mer par Arcachon.

   Dès lundi je serai de retour à Paris.

   J'ai appris deux des poèmes de l'anthologie que nous avons lue sur
la plage d'Yons. Ils sont très beaux. D'en réciter pour moi seul les
cadences recrée ces heures bénies. Ton visage m'apparaît, ton regard,
tes lèvres. Je m'étourdis de beauté. Dieu, quel bonheur j'ai possédé !
Et que je t'ai aimée !

   La houle de la mer, la douceur, la fraîcheur du vent qui venait du
Nord, la langueur de la forêt, la clarté du ciel, c'était nous. Et la vie
que j'ai bue brûle mon sang, me consume et m'apaise. La vie en toi.
Ta vie. Que je sens battre en moi désormais. Merveille.

   Je t'embrasse mon Anne. À ces deux feuillets j'ajoute ce que je t'ai
écrit samedi soir pendant les danses du mariage. ~~Je les ai~~ Écrit surtout
pour moi-même.

   Devrais-je moins t'aimer ? Je n'essaie même pas !

                                                          François

Château-Chinon, samedi 19 septembre 1964,
23 heures

   À cette heure-ci que fais-tu ? Tu danses, j'imagine. Et danser
à Ancône, le soir d'un mariage, par un beau jour de septembre,
cela doit estomper l'image lointaine de celui qui achève son travail
rugueux et gris à Château-Chinon (Nièvre) ! Que me reste-t-il de
mon Anne bien-aimée ? Elle danse et sourit à ceux qui l'invitent
et qui lui plaisent. Parfois elle va chercher le parfum d'une fleur.

Se rappelle-t-elle l'instant d'un répit, que quelqu'un l'aime hors du cercle enchanté qui l'enferme en ce jour ? Je viens de monter dans ma chambre de ce petit et modeste Vieux Morvan. J'ai la tête un peu lasse des visites multiples, des sollicitations, des visages vidés d'expression à force d'avoir songé au pain, à l'argent, au malheur. J'ai regardé tes photos – ma lumière et ma joie ; relu tes cartes de Florence, dernier signe de toi ; ouvert le *Journal* à la page du samedi 19 septembre... Ma pensée franchit la distance mais ne peut recomposer ton décor. Je ne vois donc que toi, toute droite regard radieux, robe éclatante, danseuse souple. Une main sur ta taille ou sur ton épaule, une main dans ta main, un autre homme que moi possède ce moment de toi. Il s'enivre de toi. Ta bouche, tes yeux, ton front – ton corps se font ombre ou clarté, don ou refus, mouvement ou silence au gré d'une soirée à laquelle je n'ai point de part. Devant moi un papier peint, sous mes paumes une table de bois, autour de moi quatre murs nus. Par la fenêtre se dessinent les lignes noires du Morvan. Ah ! que je pense à toi, Anne, mon Anne. Que je voudrais soudain entrer là où tu es, m'incliner et te dire « Anne, voulez-vous danser ? » et t'emporter, t'emporter dans le rythme, dans la beauté, dans l'éclatante ardeur d'aimer, dans la nuit chaude, vivante, étoilée.

Oui, que me reste-t-il de ma bien-aimée ?

Je t'embrasse très doucement, au-delà de l'espace, comme un exilé qui donne vie aux ombres. Ô miracle, tes lèvres s'ouvrent. Ô miracle, je bois ton âme. Je ne suis plus seul. Tu es là.

125.

Télégramme, Urgent Mademoiselle Anne Pingeot,
chez Madame Papini, 1 Via Bidone, Turin.

[21 septembre 1964]

APPELLERAI 12 H 30 PUIS 18 HEURES POUR PRÉCISIONS TRA-
VAUX PRATIQUES DROIT — FRANÇOIS

126.

En-tête Assemblée nationale, à Mademoiselle Anne Pingeot,
aux bons soins de Madame Papini, Bosco San Francesco,
Sirolo, Ancona, Italie.

Mercredi 23 septembre 1964

J'envoie cette toute petite lettre en espérant qu'elle arrivera avant
ton départ de Sirolo. Je n'avais rien reçu de toi depuis les trois cartes de
Florence quand, cet après-midi, m'est parvenue ta lettre de dimanche
(elle tombait bien. Ton silence m'étouffait. Jusqu'à aujourd'hui je ne
savais rien de ton voyage). J'ai écrit deux fois à Turin. Pour ton dossier tout est en ordre. Figure-toi que j'ai été avisé <u>hier</u> qu'un concours
pour le professorat de dessin Paris et Seine aura lieu en octobre et
novembre (7 octobre, 9 et 27 novembre)... les inscriptions étant closes
le 24 septembre, c'est-à-dire demain soir !

Pour parer à toute éventualité j'ai fait les démarches nécessaires
et si tu le désires tu pourras t'y présenter (la première épreuve, le
7 octobre, est une composition française « sur un sujet se rapportant à l'Histoire de l'Art » et ce sujet, cette année, est « la peinture
française du xvie au xixe siècle inclus »). L'incroyable désordre ! En
juillet j'avais eu un avis officiel m'informant qu'il n'y avait plus ni
école ni concours !

Je pense que maintenant le couplé droit-École du Louvre doit te
convenir mais je n'ai pas voulu substituer ma préférence à <u>ta</u> décision : tu seras donc en mesure en rentrant d'Italie de choisir entre ces
différentes hypothèses, puisque tu es inscrite partout ! (Sauf à l'École
du Louvre, ce que tu pourras faire à partir du 1er octobre.)

Dans cette beauté qui t'entoure Hossegor, la maison landaise, la
plage sans nom te paraissent-ils confus, à demi oubliés ? Moi qui
n'ai qu'un classique Paris de septembre (ensoleillé (mais déjà un peu
déplumé) à m'offrir je vis intensément parmi mes souvenirs.

Et parmi mes regrets ! Ne pas t'avoir partagé (même un jour) ta
joie d'Italie restera pour moi une épreuve. Cruelle.

Mais comme je comprends le goût que tu as de ce merveilleux
pays ! Je <u>sens</u> l'odeur des salons dans l'ombre de ces maisons de soleil,
le parfum des tubéreuses, l'odeur des soirs près de la mer. Que j'aurais
aimé être auprès de toi.

Je vais mettre cette lettre à la poste : le dernier courrier part dans
quelques instants. Demain je prends le Sud-Express de 18 h 30 pour

Arcachon. Je serai de retour à Paris <u>lundi matin</u>. Tu me dis que tu comptes y venir fin septembre.

Avec quelle impatience je t'attends ! Et si nous pouvons ensuite aller à Hossegor ce sera pour moi un vrai et grand bonheur.

Écris-moi s'il te plaît pour m'indiquer à partir de quand je puis t'envoyer du courrier à Clermont-Ferrand.

Je t'embrasse, mon Anne, et je réussis mal à dominer mon ennui, mon grand ennui de toi

<u>François</u>

127.

En-tête Assemblée nationale, à Mademoiselle Anne Pingeot,
39 rue du Cherche-Midi, EV.

Jeudi 1er octobre 1964

J'avais prévu une longue lettre : elle sera brève. J'ai trop à te dire pour l'écrire.

C'est que nous sommes le 1er octobre !

Tu imagines ? Dans un moment, ce soir, tu seras à Paris ! À Paris. Au 39 ! Comment le croire ? tu monteras au premier étage par la première porte à droite. Tu auras, peut-être, regardé, en passant, s'il y avait quelque chose – cette lettre – dans ta boîte. Tu inaugureras ta nouvelle chambre, celle de Régine, qui donne sur la rue [hélas, non]. Tu commenceras à installer tes affaires, tes objets, tes témoins. Tu apprendras tout doucement le langage de ce lieu où tu vas vivre. Si tu ne trouves pas les fleurs amies que ma tendresse te destinait pour t'accueillir c'est parce que je ne veux pas que pour cette première fois elles te précèdent. C'est toi qui es attendue. Pas moi, ni mes messagers. C'est pour toi, mon Anne, que s'ouvre cette année en même temps que la porte de ta maison.

Te verrai-je pour dîner ? Je le saurai au téléphone. Je l'espère. Pour le symbole plus encore que pour la joie que j'en attends. Toi à Paris et je n'irai pas aussitôt vers toi. Mais là n'est pas l'essentiel. Demain aussi ce sera bien. Ô vendredi qui est demain et qui me paraît encore embué, lointain comme un horizon qu'il faudrait mille ans pour atteindre !

Ces dix-neuf jours ont été dissonants. Tu étais trop dans le soleil. J'en étais aveuglé. Tu étais trop dans la beauté. J'en étais insensibilisé. Tu étais trop dans une joie qui me laissait trop dans la peine. Tu accentuais trop, à plaisir, le décalage. Tu te taisais, ajoutant à l'espace vide où j'étais. D'habitude tu me manques. Là tu manquais à une certaine règle qui, me semblait-il, s'était à jamais établie entre nous depuis mon retour à Hossegor, depuis Orcival, depuis le 9 septembre de pleine lumière, c'était tout autre chose. Et te voilà ! Et je t'ai entendue hier ! Et ta voix était soudain mon bonheur et ma vérité, comme ça, tout simplement, tout bêtement – naturellement.

Tu vas passer près d'une semaine à préparer l'examen du professorat. Je serais ravi que tu y réussisses mais moins que tu y persévères. Je me suis fait à l'idée – qui m'exalte et m'émeut – que je pourrais t'aider dans tes premières démarches intellectuelles vers la connaissance du droit, c'est-à-dire, du code social (avec ce qu'il faut en prendre et en rejeter). L'histoire d'une société, ses mots de passe, ses interdits, sa stratification écrite, avec toujours (nécessairement) un bon siècle de retard sur l'évolution des faits et des mœurs, c'est bon et utile à pénétrer – comme c'est bon, plus tard, d'en dominer et d'en refuser l'enseignement – comme c'est nécessaire, tout de suite, d'en accepter la logique et le déroulement. En avançant dans ce domaine, telle que je crois te connaître ou te deviner, tu accroîtras ta liberté personnelle, et de la meilleure façon, en le sachant.

Pour l'étude de la peinture aux siècles retenus pour le concours je ne puis rien t'apporter ! Sinon, à la limite (à la manière des Os !) une méthode ou une dialectique. Mais pour cela tu es beaucoup mieux préparée, aiguisée que moi.

Et puis il y a le reste, tout le reste, Paris, toi, moi, nous, les autres, la vie quotidienne, la couleur de la saison, le silence, la plénitude, la joie, ô Anne, la joie, notre joie.

Te revoir ce soir ou demain me laisse incrédule. J'ai repassé dans mon esprit et dans mon cœur au fond de ma solitude tant d'événements qui sont notre vie à nous, depuis le grand départ du 23 juin ! De Saint-Benoît-sur-Loire à ce moment qui est là maintenant, un riche tissu de bonheur et de peine raconte ce que nous sommes devenus l'un par l'autre. Je ne cesse d'en parcourir les récits dont ton âme et la mienne, et elles seules connaissent la trame.

Anne, voilà pourquoi cette lettre sera brève. Oui, j'ai tant à te dire

François

P.-S. Si tu n'étais pas arrivée avant dîner et si donc je ne pouvais t'obtenir ce soir au téléphone je t'appellerais demain à 9 h 30. Avec l'espoir de déjeuner avec toi (et plus encore de dîner pour disposer de + de temps).

128.

En-tête Assemblée nationale, à Mademoiselle Anne Pingeot,
39 rue du Cherche-Midi, EV.

Jeudi 1ᵉʳ octobre 1964, 22 heures

Est-il possible, Anne chérie, que quelques minutes entre deux feux rouges autour de quatre rues aient le poids d'une vie, l'intensité d'un incendie dans le ciel ?

Est-il possible de contenir en soi pareille joie sans mourir, ou sans partir tout droit devant soi jusqu'à la fin du temps ?

Est-il possible de supporter sans perdre le souffle l'apparition d'un visage possédé de lumière ?

Sept roses dans ta chambre veillent seules en cet instant pendant que tu es partie dîner. Elles signifient la grâce d'aimer. Quand tout est silence, offrande, don. Quand le sang bat au rythme des modes inconnus dans la paix infinie de l'âme délivrée.

Bonsoir, mon Anne, mon amour.

J'ai voulu te dire ce bonsoir en un jour où ma main a rejoint la tienne – scellée.

Entends-tu ce qui chante en nous tout bas, si bas
que nous n'avons plus qu'à nous taire
que nous n'avons plus qu'à écouter ?

François

Note bien, mon Anne, qu'il faut ~~rap~~reporter le rendez-vous de demain de 12 h 15 à 12 h 45.

Je dois en effet recevoir mon nouveau préfet de la Nièvre en fin de matinée et comme, en raison de notre voyage à Hossegor, je l'ai précisément déjà décommandé pour le premier rendez-vous qui était prévu pour le 8, je ne veux pas manquer de courtoisie en l'expédiant trop vite !

À demain donc 12 h 45, Saint-Placide.

Les heures qui s'écouleront d'ici là seront lentes – mais tellement heureuses

F

Je ne serai pris dans l'après-midi à l'Assemblée qu'entre 16 et 17 heures.

129.

En-tête Assemblée nationale (sans enveloppe).

Samedi 3 octobre 1964

Je t'aime.

Cela remplirait des pages, des jours, une vie !

Mais il est 7 h 30. Mon train part dans un quart d'heure. Cela ne remplira donc (avec les jours, avec la vie) que ces toutes petites lignes !

Je t'aime, mon Anne…

Que cette lettre t'en apporte une fois de plus l'aveu en te disant bonjour – dans un moment.

Bonjour mon Anne aimée

François

130.

En-tête Assemblée nationale, à Mademoiselle Anne Pingeot, 39 rue du Cherche-Midi, EV.

Lundi *5 octobre 1964*

Ta lettre reçue samedi, ce dimanche passé à penser terriblement à toi, ce matin que l'impatience de te retrouver ralentit à n'en plus finir, ta voix au téléphone, l'envie de ne dire que : je t'aime, de te le répéter comme un cri de passion, ou bien comme un accompagnement du silence, la brume du petit jour quand l'âme se recueille, la plénitude d'un corps ébloui arraché de lui-même pour se fondre dans la connaissance suprême, le dodelinement d'un autorail qui coupe en deux un paysage de nuit que strient les feux rapides des villages et des gares, la photographie vingt fois contemplée, le sourire qui naît parce que les yeux fermés ton visage m'a souri, la certitude nouvelle, bouleversante d'une communion violente et pure, les cèpes dévorés comme gribouille se jette à l'eau quand la gourmandise s'ajoute à la bonne humeur, les forêts du Morvan plus secrètes que nostalgiques, l'octogénaire acrimonieuse qui me somme, dans mon bureau, d'assé-cher dans les huit jours son pré qu'inondent les eaux usées des HLM, sous peine d'envoyer l'huissier, et la lettre qu'à tout moment je sors de la poche intérieure droite de ma veste pour lire les mots de mon bonheur, et la litanie de mon amour pour celle qui s'appelle Anne et que j'aime, et la sensation de vivre dans la lumière, et la confiance en toute chose créée parce que j'ai confiance en toi, et la solitude vaincue parce que tu existes, et la liberté du rêve et de l'action parce que je ne suis plus libre d'aimer qu'un être au monde, et la joie perdure dans l'océan de joie que me donne cette espérance perdue dans un ciel d'espérance :

À 12 h 30, rue du Cherche-Midi, aujourd'hui lundi 5 octobre, Toi.

Telle est mon histoire depuis un 2 octobre que je garde précieuse-ment en moi, Anne, mon amour

François

131.

En-tête Assemblée nationale, à Mademoiselle Anne Pingeot,
39 rue du Cherche-Midi, EV.

Mardi, le 6 octobre *1964*

Cette lettre commence comme un roman de Jules Romains ! Mais si roman il y a, c'est le mien. Qui pourrait ainsi débuter : « Le matin du 6 octobre François se réveilla la joie au cœur. Il aimait Anne. » Qui pourrait ainsi continuer : « Sa joie confusément lui poignait le côté comme s'il avait ressenti une grande douleur. » Et encore : « Il croyait savoir beaucoup de choses mais il ignorait celle-ci ou bien peut-être l'avait-il oubliée – il est un royaume de l'amour où l'on ne connaît qu'une saison, l'été. Et cet été brûle les âmes, brûle les corps. Si bien qu'il n'y a plus pour ceux qui vivent là ni joie ni douleur mais l'intensité d'un feu qui, si Dieu le laissait échapper, embraserait l'univers. »

Mon Anne chérie, il y aura donc une lettre de plus dans ta boîte ce matin ! je n'ai pu résister (si, j'ai résisté à l'appel téléphonique !) à l'envie de te dire avec le lever d'un nouveau jour que je t'aime, que je t'embrasse, que je t'attends.

Voilà qui n'est pas raisonnable : une petite lettre chaque jour, où va-t-on avec des mœurs pareilles ! Peut-être une petite voix murmurera-t-elle ce reproche en toi. Tant pis. Je ne t'aime pas à moitié, en dosant mes façons d'aimer comme un apothicaire ses poudres. Et puis (je ne sais si tu l'as compris) il s'est produit vendredi (par-dessus tout le reste qui était là, accumulé par tant de moments merveilleux) un échange si bouleversant, si passionné de nos vies l'une en l'autre que je ne puis m'empêcher de contempler ton visage, comme je contemplerais tout ton corps, avec l'indicible certitude d'un pacte fondamental – comme le soleil en plein ciel ou le fleuve encore enfermé au plus profond de la terre.

Mon Anne aimée souriras-tu à ces deux pages que j'aurais écrites à dix-huit ans – que j'écrirais à soixante ? Dis, souriras-tu toi qui sais tout depuis mille ans ?

À ce soir, 17 h 30, Saint-Placide. Ça ne va pas vite le temps de l'attente !

François

P.-S. J'aimerais beaucoup dîner avec toi ce soir. Simplement il faudrait que je sois à une réunion à 9 heures. Pourras-tu ?

132.

En-tête Assemblée nationale, à Mademoiselle Anne Pingeot, 39 rue du Cherche-Midi, EV.

Mercredi, 8 heures, 14 octobre 1964

Je n'ai pu, ma chérie, m'arrêter le temps de t'écrire ! J'ai tout juste tenu le *Journal* en état, ce qui était une autre façon de te parler, mais chaque fois que j'ai voulu vraiment m'isoler pour te retrouver un fâcheux m'en a empêché. Et le soir, rompu de fatigue, je me suis contenté d'aimer penser à toi, intensément, passionnément... avant de tomber dans un sommeil qui ne m'éloignait pas tellement des merveilleux quatre jours que nous venons de vivre.

Et, au demeurant, qu'ai-je d'autre à écrire que les mots simples et éternels ? Je t'aime, Anne, je t'aime.

Hier, sur le quai de la gare, quelle joie ! Espérer dimanche, quelle joie ! Attendre à Rome un mot de toi, quelle joie !

Et tu existes ! Quelle joie !

Tu t'appelles Anne et je t'aime. Quelle joie !

<u>François</u>
Hotel Plaza, 126 Via del Corso, Roma

133.

Carte postale de Rome, voie Appienne, à Mademoiselle
Anne Pingeot, 39 rue du Cherche-Midi, Paris VIᵉ, France.

Mercredi 14 oct. 64

Pour vous, Anne, cette image d'une des plus célèbres routes du monde parmi tant de routes à faire – et la pensée fidèle de

<u>François</u>

134.

En-tête Assemblée nationale, à Mademoiselle Anne Pingeot,
39 rue du Cherche-Midi, Paris VIᵉ, France.

Rome, jeudi 15 octobre 1964

Mon Anne chérie, je suis arrivé à Rome par un temps maussade qui, après s'être éclairé l'après-midi, est maintenant franchement mauvais. J'entends la pluie claquer sur les verrières de l'hôtel et dans la rue. Les autos klaxonnent et criaillent. Cela ne m'empêche pas de goûter les couleurs, les formes, l'air de cette merveilleuse ville. Simplement il faut enfoncer les mains dans les poches de l'imperméable et exposer courageusement le crâne (sans casquette ni béret rouge) aux rafales. Je m'y efforce et me rendrai tout à l'heure à Saint-Jean-Porte-Latine pour y célébrer ta mémoire !

Hier après-midi a été consacré au comité politique international du Mouvement européen (soixante-dix personnes). Séance au Capitole. Morne. Puis réception Villa Madama par le ministre des Affaires étrangères. Buffet. Parc admirable. Avec Maurice Faure nous avons ensuite marché deux heures avant de rentrer à notre hôtel, du château Saint-Ange à Sainte-Trinité-des-Monts. Nuit paisible au Plaza, ta photo près de moi et mille pensées pour toi. Ce matin, ta lettre. La première depuis nos quatre jours incomparables. Je l'aime.

Le congrès des communes de l'Europe, qui se tient aujourd'hui et demain, a lieu à l'EUR quartier moderne hors les murs construit sous Mussolini. Très beau. Cinq mille congressistes. Impeccable organisation matérielle. Moins bonne organisation politique. Discours. Musique. Je bâille un peu. Le déjeuner autour de succulentes fettucine a groupé les Servan-Schreiber (les parents de Jean-Jacques), les Tron (sénateur des Hautes-Alpes), Bonnefous (sénateur de Seine-et-Oise), Jacqueline Thome-Patenotre (député de Rambouillet), Cornut-Gentille (député-maire de Cannes) et moi. J'en sors à l'instant pour trouver enfin un moment de liberté pour t'écrire. Dans un moment Tron et Cornut-Gentille viendront me prendre pour visiter quelques églises... dont Saint-Jean. Ce soir, deux réceptions : ambassade de France, au palais Farnese, et mairie de Rome, au Capitole. Demain déjeuner chez l'ambassadeur de France, congrès, et à 20 heures départ pour Paris. J'espère t'avoir demain matin au téléphone...

Voilà mon emploi du temps. Mais une tout autre histoire se déroule au-dedans de moi dans cette Rome que j'aimerais tant connaître avec toi. C'est l'histoire d'un amour qui remplit mon cœur et donne à tout une étrange résonance. Je t'aime, j'ai confiance en toi, je t'appartiens. Ainsi est clos, et merveilleusement, le cercle où toi et moi vivons. J'attends dimanche. Samedi soir tu sortiras au théâtre. Pas une seconde je ne pense à autre chose qu'au plaisir que tu prendras à voir et entendre une (bonne ?) pièce. Pour le reste je sais, et je t'en aime passionnément, que ne s'arrêtera pas un instant le dialogue qui nous unit. Ce que j'ai lu en toi au cours de notre « voyage dans l'île » a pénétré mon âme. Le lien mystique a doublé le lien des sentiments : l'accord spirituel anime l'accord charnel. Je comprends la paix par toi. Et la force de vivre. Et le don de soi. Tu es mon Anne merveilleuse.

Je t'embrasse ma tant chérie. Je t'ai envoyé une carte. J'en enverrai d'autres. Cette lettre est courte (on m'appelle déjà au téléphone) mais lourde de ma tendresse. Puis-je répéter la rengaine ? Ô Anne, je suis amoureux de toi.

Je t'embrasse et t'espère

François

P.-S. Si je te manquais demain matin au téléphone je t'appellerais samedi soir avant 20 heures. Et si je te manquais encore je serais à Saint-Placide dimanche à midi.

F.

135.

Carte postale de Rome, place de la Bouche-de-la-Vérité,
à Mademoiselle Anne Pingeot, 39 rue du Cherche-Midi,
Paris VIe, France.

Le 15 oct. 64

Promenades dans Rome en compagnie de mes pensées

F.

136.

Carte postale de Rome, église San Giovanni a Porta Latina,
à Mademoiselle Anne Pingeot, 39 rue du Cherche-Midi,
Paris VIe, France.

Le 16 oct. 64

Lieu béni où j'ai trouvé ce que je cherchais.

F.

137.

En-tête Assemblée nationale, à Mademoiselle Anne Pingeot,
39 rue du Cherche-Midi, EV *(sans timbre).*

Dimanche 18 octobre 1964

Minuit sonne. J'avais l'intention de t'écrire demain matin mais j'ai une envie subite de te retrouver dès maintenant et je n'y résiste pas. À peine avais-je atteint le bout de la rue du Regard que t'attendre jusqu'à 15 h 30 demain m'est apparu insupportable.

Voilà bien la maladie de l'amour ! Je tourne en rond, je me repais de tristesse, le monde s'est vidé d'intérêt. Et tout cela parce que cette Anne que j'aime m'a soudain quitté, sur le coup de 9 heures du soir d'une journée que j'avais moi-même abordée dans une terrible tension intérieure (huit jours sans toi après Hossegor, c'était déjà insupportable), m'a soudain quitté pour aller loin, loin, je ne sais où, me laissant seul avec le chagrin d'avoir rompu l'enchantement de deux semaines parfaites, le chagrin d'avoir par ma faute donné un visage lassé à ce qui est pour moi joie et beauté.

Les deux heures qui ont suivi m'ont rongé le cœur et j'avoue qu'en acceptant de me voir demain tu m'as sauvé – de justesse – de l'horrible angoisse qui m'étreint dès que j'ai le sentiment d'avoir manqué à la volonté que j'ai de réussir avec toi une grande entreprise.

De Gambais à la rue de Sèvres (peut-être ai-je été soumis depuis l'autre jeudi à une violence peu ordinaire de sentiments, ce qui m'a enlevé toute marge de sérénité) je me sentais moralement et physiquement bouleversé. Sans doute t'es-tu rendu compte que ce qui nous unit, qui nous a unis ce soir, me mène à la rupture de moi-même, que je suis le théâtre d'une lutte qui m'épuise, de telle sorte que ta fatigue, si totale, a ébranlé par contrecoup mon pauvre et fragile équilibre. Et cela s'accroît. Je t'ai dit que je ne pouvais plus toucher ton visage sans éprouver une émotion si profonde qu'il n'y a plus pour moi de tendresse qui ne m'engage tout entier. Alors, imagine ce qu'a été ce moment, Anne, où ton être était comme une blessure heureuse, ton corps, arc trop tendu, ton âme, royaume sans frontières : je n'étais pas hors de toi, j'étais toi – j'ai accompli le même voyage aux limites de la vie. Avec toi. En même temps que toi. Presque toujours je reviens de cet étrange itinéraire la main dans ta main et la certitude de notre alliance ancrée en moi. Mais quand il arrive, comme ce soir, qu'il me semble soudain t'avoir perdue en

chemin, ma solitude est si profonde qu'elle me désespère. Or qui
est responsable sinon moi ? Serais-je indigne de l'amour qui m'a
apporté la lumière, la grâce admirable de voir au-delà des apparences ? Si je ne suis pas capable de faire naître en toi ce mystérieux
sourire de la plénitude c'est que quelque chose me manque et qui
n'est pas remplaçable, la connaissance innée du plus secret de toi, ô
mon Anne, dont le cœur obéit d'abord à l'exigence de l'âme et qui
n'abandonne d'elle-même que ce qui répond à cette exigence – ou
bien elle a « mal à l'âme ». C'est ce « mal de l'âme », ma bien-aimée,
que je ne puis voir poindre en toi sans une affreuse détresse. Alors,
je me déteste. Et tout à l'heure je me débattais dans cette détresse
parce que je pensais que ton corps ne serait pas si fatigué si tu n'avais
pas subi une fatigue de l'âme.

Il faut que je m'élève le cœur, il faut que je médite, que je m'ap-
profondisse, que je devienne plus riche de vie intérieure, plus dense de
force vraie, plus pur de toute scorie pour aborder cette année si importante pour nous deux. Il me faut mériter davantage cet incroyable
don, avoir l'oreille prête à entendre « ce grand tapage matinal » [René
Guy Cadou] qui m'éveillera à l'unité parfaite dont je rêve avec toi. Il
faut, il faut. Je me répète ces mots qui tournent dans ma tête. L'indicible bonheur d'Hossegor, de Nevers, et, d'une certaine manière,
de Rome m'enseigne à réapprendre ce qu'est un être tel que toi. Le
bonheur, lui aussi, EXIGE de moi le dépassement sans lequel rien ne
vaut. Anne, ma chérie, veux-tu m'aider ?

Lundi matin, 10 heures

J'ai mis longtemps à trouver le sommeil, aussi me suis-je levé ce
matin plus tard que prévu : cela faisait bien une semaine que je n'avais
eu d'horaire normal ! Un soleil de paix dore ma table de travail. Tu es
tout près de moi. Sans doute as-tu reçu, enfin, mon courrier d'Italie.
De ne pas t'avoir composé une journée merveilleuse hier me tourmente. Je voudrais que les fleurs que je t'offre soient toujours belles,
que tout ce qui vient de moi te soit poème, espoir, musique, que les
heures et les jours soient irradiés par mon amour, que cet amour soit
l'ami fidèle et sûr de ta vie, que ta vie soit, par cet amour, le reflet
des certitudes profondes, que tu sois, toi

mon Anne bien-aimée

flamme et lumière et source et chant parce que j'aurai été arbre qui
brûle, lampe qui brille, terre qui s'ouvre, voix qui s'élève.

Quand j'aperçois l'imperfection de mes actes ce n'est pas à eux que j'en veux mais à moi, l'artisan. Tu mérites le plus bel amour, Anne, et que, pour toi, celui qui t'aime aime la beauté, la vérité, la noblesse du cœur. N'était-ce pas ce que nous possédions vendredi et samedi à Hossegor, et chaque jour de cette dernière semaine où pourtant nous étions séparés ? Nous ne l'avons pas vraiment perdu hier mais je te <u>dois</u> davantage que ce que je t'ai donné : l'infinie tendresse humaine qui ne doit jamais se laisser surprendre ni dominer, il me semble que je l'ai en moi mais que je l'ai, un instant, comme oubliée. S'il en avait été autrement j'aurais lu en toi ta fatigue avant qu'elle ne survienne.

Vois-tu, mon Anne, je t'aime passionnément. Et la passion dévore, incendie – ou ressemble à la tempête sur la plage. Ce qui me reste à vivre sera désormais inspiré par cette bouleversante naissance qui prend toute la place. Mais cette passion signifie, je le crois, une exigence supplémentaire : mieux comprendre, mieux aimer. Voilà pourquoi cette lettre, si elle paraît exagérer la difficulté d'hier, n'exagère pas le fond des choses qui nous concernent.

À cet après-midi, ma chérie. À 15 h 30, à Saint-Placide (pas tout à fait dans le rayon visuel du 39 !). Le temps si beau nous incitera à marcher, au parc de Saint-Cloud par exemple, puis à lire et travailler ensemble. Dans le silence peut-être entendras-tu ce cri qui ne cesse pas de déchirer (dans la joie comme dans la peine) ce cœur qui t'aime

François

138.

S.d.

139.

En-tête Assemblée nationale, à Mademoiselle Anne Pingeot,
39 rue du Cherche-Midi, Paris VIᵉ.

Jeudi 22 octobre 1964

Je veux, mon Anne bien-aimée, que ces quatre lignes commencent ta journée pour te dire l'incroyable bonheur que je te dois – et que je t'aime de toute mon âme

<u>François</u>

Renonçant à la « réussite » familiale et sociale qu'on m'avait enseignée comme but suprême, je vous écrivais du Puy : « Je vous aime » – ce qui signifiait pour moi l'abandon de ces valeurs.

140.

En-tête Assemblée nationale, à Mademoiselle Anne Pingeot,
39 rue du Cherche-Midi, Paris VIᵉ *(sans timbre)*.

Lundi 26 octobre 1964
[anniversaire des quarante-huit ans]

Je voulais t'écrire une lettre narrative : ce que j'ai fait depuis notre séparation devant l'hôtel du Cygne, au Puy, à minuit et demi. Mais tout a changé. J'ai reçu ta lettre à toi. Elle m'a bouleversé si violemment que je me sens incapable de <u>raconter</u> quoi que ce soit. Je l'ai ouverte croyant y lire des vœux d'anniversaire ou le récit du mariage ou je ne sais quoi. Ce que j'ai lu m'a laissé interdit. Je suis passé dans ma chambre, j'ai regardé ton vitrail en faisant jouer ses lumières devant ma lampe de chevet. J'ai étalé tes photos. Je les ai regardées sans les regarder. J'ai mis ma tête dans mes mains. J'ai médité, rêvé. Ces mots, tes mots tout simples pénétraient peu à peu en moi, prenaient possession de moi, de ma vie. Je t'aime, Anne, mon Anne chérie.

J'ai eu de la peine à reprendre mon travail. La soirée s'écoule. J'ai mis le journal en ordre. Je reste seul. Ou plutôt avec toi, lointaine et intensément présente. Non je ne peux pas t'écrire une lettre. Je te narrerai demain soir mon week-end nivernais, les petits faits qui l'ont composé. Ce soir il n'y a place que pour une joie si grande et si grave qu'elle n'est plus une joie, ni un bonheur mais quelque chose de plus fort et de plus simple.

Au-delà du bonheur, du malheur, des états d'âme. Ma joie c'est l'échange. Et moi je viens de recevoir le plus somptueux don de l'amour : deux mots et ton nom, pour signer comme on signe une œuvre accomplie.

Rien de ce que je t'apporterai ne vaudra jamais cela.

Bonsoir, ma bien-aimée. Ma plume me brûle les doigts. J'ai besoin de silence. Pour mieux te parler. Je vais m'étendre et m'émerveiller de cette nouvelle naissance : aimer, espérer. Longuement, avant de dormir, je fixerai ton image dans la nuit. Elle accompagnera désormais toutes les pensées de celui qui te doit à jamais le plus beau royaume de la terre

François

Mardi matin, 27 octobre

Mais il ne faut pas oublier que nous nous voyons ce soir ! Pour cela je te fixe un rendez-vous <u>de principe</u> pour 19 h 30 à Saint-Placide (la séance sur la censure commence à 16 heures. Pompidou devrait répondre vers 18 heures et finir vers 19 heures). Mais pour plus de sûreté attends avant de sortir que je <u>t'appelle au téléphone</u> (vers 19 h 15).

Nous dînerons ensemble mais assez vite car le vote aura lieu entre 22 et 23 heures.

Peut-être aimerais-tu assister au débat, après ton cours ? Dans ce cas je t'appellerai à 14 h 30 à Babylone. Si tu es là nous mettrons cela au point. Si tu n'es pas là je déposerai une carte à ton nom, comme l'autre fois quand tu es venue avec Laurence. Et si tu ne peux venir (je le verrai bien en regardant dans les tribunes du public) j'appellerai, comme je te le dis plus haut, vers 19 h 15, et j'irai te chercher à Saint-Placide.

À ce soir mon Anne chérie

que j'embrasse

F

141.

Carton pour assister à la séance du jour à l'Assemblée nationale.

27 octobre 1964

« Mitterrand, député. Nom du porteur, Anne Pingeot. »

Assemblée : Pompidou, vote sur la motion de censure (est-ce ce jour-là qu'il cita Alphonse Allais : « Ils sont entrés par la fenêtre, ils ont mangé tout le veau » ?)

142.

En-tête Assemblée nationale, à Mademoiselle Anne Pingeot.

Jeudi 5 novembre 1964

Tu vois, mon Anne chérie, c'est la mode des petites lettres ! Mais j'aime quand même te les écrire et j'espère que tu ne détestes pas les recevoir : elles sont la confidence tout juste suggérée d'un amour de chaque instant. Murmure ou cri, tendresse ou passion, vie quotidienne ou vie profonde je vais vers toi, je suis toi, je te parle comme à moi-même, je t'appartiens et tu t'appelles Anne et je t'aime.

Hier je me suis couché tard. Le dîner a donné lieu à des discussions vives et acharnées. La réunion à l'Hôtel de Ville m'a retenu deux heures.

Le travail me cerne. Mais une douce lumière éclaire mon âme, transforme ma vie, rend toute chose nouvelle, toute action forte, tout espoir fécond : toi que j'aime, ô mon Anne

François

[En haut :] À ce soir, 17 h 30, rue du Ruisseau.

143.

En-tête Assemblée nationale, à Mademoiselle Anne Pingeot
(sans timbre).

Dimanche 8 novembre 1964

J'aime que tu aies ta lettre du lundi. Je t'écris celle-ci non pour respecter un rite (aussi cher qu'il me soit) mais parce que, ce soir, rentré à Paris après ce week-end qui nous a séparés (pour la première fois depuis dix jours) j'éprouve un intense besoin de reprendre avec toi le dialogue de l'absence – dialogue que ne peut assumer à lui seul le *Journal*. Anne, il faut te dire que l'événement qui a bouleversé nos dernières semaines, l'aveu d'un amour partagé, m'a projeté dans une vie étrange où je ne reconnais plus exactement les personnes, les objets, les habitudes d'avant. Certes, moi je t'aimais, et j'avais déjà parcouru un long chemin vers toi. Mais l'extraordinaire harmonie dans laquelle nous avançons a absorbé toutes mes facultés de bonheur, d'action et – même – d'attention. Mes pensées et mes sentiments sont tellement centrés sur toi que le monde alentour a perdu ses couleurs, ses heures, son mouvement. Les deux jours que je viens de passer dans la Nièvre m'ont contraint à faire un pas hors du cercle enchanté. Mais c'est hors du cercle, précisément que je me suis senti étranger, visiteur, passager.

Ma maison c'était toi, et ma chaleur, et ma douceur, et ma paix et ma certitude et même ma façon de penser. Pour faire le joint entre ces deux parts de vie je sentais qu'il me faudrait ajouter à l'unité du cœur et de l'esprit qui nous cimente, la banale (et si difficile) unité que seule donne la présence quotidienne. Le jour et la nuit n'ont plus de frontières depuis que mon soleil reste fixe au-dedans de mon univers.

Ta voix, hier, à 15 heures me paraissait presque irréelle. Comment, tu me parlais et je t'écoutais ? Et il suffisait de raccrocher le téléphone pour qu'aussitôt l'espace s'installât, épais et muet, entre nous ? Je ne savais plus si le miracle (heureux) était de t'entendre ou le miracle (horrible) de te perdre. Le soir, à notre rendez-vous de pensée, j'étais en voiture. Je venais de quitter Ouroux où j'avais dîné. La route de pleine forêt déroulait son lacis de tournants. J'ai vu ton visage, comme il était, vendredi sur mes genoux perdu dans un rêve, légèrement gonflé par la joie, d'une inimaginable et secrète beauté. Sans doute étais-tu au bras d'un autre homme et dansais-tu avec lui (c'est du moins ce que je croyais à ce moment. Tu m'as dit ce matin que toi-même étais à l'Étoile, près d'arriver chez les Dollfus). Mais peu m'importait (et même cela ne m'ennuyait pas du tout que tu t'amuses) : entre le monde où nous vivons tous les deux et celui (que tu connais bien) que t'offre une soirée de « super-sapage » je sais celui que ton cœur a choisi et je trouverais laid de douter de toi. Il faut, ma bien-aimée, que nous placions notre amour sur un tel plan de vérité, que le doute serait trahison.

Je suis jaloux de toi, à fleur de peau. En profondeur je m'émerveille de ce que je reçois de toi, qui est d'abord privilège de l'âme et offrande de pureté.

Je t'ai rappelée ce matin, avant ton départ pour Bougival, en me reprochant un peu de le faire ! Mais en commençant ce dimanche qui me rappelait Marly-la-Ville, *Les Parapluies de Cherbourg* et le « Baobab » j'avais un tel désir de te parler que j'ai cédé !

J'ai pu, après, partir le cœur plus libre pour La Nocle-Maulaix où se tenait une foire primée. Le temps était admirable. Les teintes de l'automne ont dans le Morvan une splendeur particulière. L'air était léger. Une brume de lumière atténuait les contours. J'ai trouvé un village en fête mais tranquille. Avec mes hôtes j'ai bu le vin blanc et croqué les « petits-beurre ». Et j'ai rejoint Ville-Langy pour déjeuner. Le repas fini, avec André Maringe, j'ai entamé une bonne promenade autour de sa propriété. Nous avons d'abord rencontré Mesdames les vaches blanches dont le poil lui-même irisait le soleil ; puis la compagnie glousssante des poules Leghorn et Rhode Island, les unes rousses, les autres laiteuses ; puis les canards, canards familiers de nos mares et canards engorgés qu'on appelle de Barbarie ; puis les chèvres à la langue rêche, arrachant brin à brin les ronces des haies ; puis les moutons à tête blanche qui sont originaires du Berry et les moutons à tête grise qui viennent du Southdown, en Angleterre ; enfin les chiens musardant et flairant les milliers de mulots qui se sont emparés, cette saison, des prairies et les ont pourries à force de les trouer et de manger les pousses. Un lièvre nous a réjouis, fuyard habile qu'un chien s'essoufflait à rattraper avant d'abandonner, queue basse et morve lamentable aux babines. Dans cette région que bordent à l'horizon des bois ombreux mais qui, sur de grands espaces, n'est que pâturages vallonnés, on voit dans un seul et vaste décor les scènes de la nature, ignorantes l'une de l'autre, indifférentes au sens général que l'homme tente de leur prêter. Mais la lumière d'aujourd'hui liait dans une joie de vivre les êtres et les choses et je te rapportais, dans mon cœur, chacun des sentiments qu'éveillait en moi ce spectacle.

Rentré à la maison il n'était que temps de sauter en voiture pour atteindre la gare de Saincaize, à 50 kilomètres de là. Annie Maringes prit le volant et me déposa à l'heure dite. Un train venu de <u>Clermont-Ferrand</u> me ramassa en soufflant des flots de fumée noire qui s'attardaient dans les boqueteaux de peupliers et semblaient un moment ne pouvoir s'en décrocher. Bourges, Vierzon, Orléans. La nuit. Dans mon compartiment deux femmes seules, l'une jeune et jolie mais visiblement intéressée par un rêve intérieur qui excluait les voyageurs…, l'autre sèche et distinguée (la mère de Dominique, peut-être ?) et un couple d'amoureux qui s'embrassait (maladroitement) comme on s'embrasse quand on ne sait pas encore ce qu'est cet ange obscur : l'amour.

J'ai lu *L'Histoire universelle* de la Pléiade que j'avais emportée. J'ai aussi regardé vaguement les vitres embuées qui collaient à la nuit. Et j'ai pensé à celle que j'aime.

Me voilà donc, ma très chérie, rue Guynemer. J'ai rédigé le *Journal* d'hier et aujourd'hui. Un épais pull-over me protège du froid qui gagne l'appartement (je n'aime pas dormir dans la chaleur). Ma lampe est allumée. Quelques autos vrombissent au carrefour Vaugirard-Bonaparte. Il est autour de minuit. Toi tu dors à Bougival. Je ne connais pas cette chambre où tu es si ravie d'être seule. J'en suis réduit à me représenter le pyjama tout de travers aperçu à Lohia ou la drôle de chemise à fleurs dont tu m'as révélé l'existence !

Non ! À vrai dire je vois surtout des cheveux en désordre sur le plus aimé des visages clos, des traits reposés, et le bras replié contre ta joue. J'aimerais me pencher sur toi, baiser tes lèvres sans déranger ton sommeil, te regarder, essayer de fixer à jamais l'image de mon bonheur.

Tu t'appelles Anne, mon Anne, et je t'aime

<u>François</u>

144.

En-tête Assemblée nationale (sans enveloppe).

Lundi 9 novembre 1964

Je t'aime mal

Je t'aime mal mais tellement
Qu'à force de t'aimer mal je finirai
Bien par t'aimer comme je voudrais
T'aimer.
Il faut donc que tu me pardonnes
Si je cède à la passion de posséder
Un être,
Toi,
Comme l'homme qui ouvre une grenade
Dans un jardin d'Andalousie
Et s'aperçoit que c'est son sang à lui
Qui a coulé.
Je t'aime mal, ma bien-aimée
Mais Dieu, comment t'aimerais-je
Davantage ?

F

145.

En-tête Assemblée nationale, à Mademoiselle Anne Pingeot,
39 rue du Cherche-Midi, Paris VIe.

Jeudi 12 novembre 1964

Mon Anne chérie, il est 6 heures. Avant de quitter l'Assemblée, d'où je t'écris (dans la salle de lecture, sous la statue du roi Henri IV, poussiéreux à souhait et qui porte à son socle la suscription suivante : « La violente amour que je porte à mes sujets m'a fait trouver tout aisé et honorable ») j'aime te redire qu'en moi tout est amour pour toi.

Comment suis-je ce soir ? Ébloui, émerveillé. J'aime l'automne, j'aime la pluie multicolore sur les pavés de bois, j'aime jeudi j'aime même les encombrements de la circulation : je t'aime.

L'ordre du jour, ici, traîne : une loi sur les « bidonvilles », une loi « contre les moustiques » ! Des députés, dans les couloirs, discutent, animés.

D'autres lisent les journaux de province. Une sage lumière est distribuée par des lampes à chapeaux verts. Un buste en marbre (représentant un illustre inconnu) me regarde avec ses yeux vides, près d'un immense tableau où l'on voit les bourgeois de Calais avancer dignement vers le lieu du supplice. Noble sujet mais quelle croûte ! Le ministre de la Santé publique, à deux pas de moi, promet à un obscur UNR une nomination favorable. Des huissiers s'affairent, on ne sait pourquoi.

Moi je pense que tu existes. Je pense à ton visage. Je pense à ton bras sur le mien au musée de Cluny. Je pense au bonheur ce cadeau quotidien que tu m'offres. Je pense que tu es une merveilleuse Anne que j'aime.

Voilà tout pour ce soir. À demain, 13 heures, Porte d'Auteuil. Y arriverai-je vêtu de gloire ? La revanche de l'Attila sera TERRIBLE !

Ô Anne, quel miracle, un vrai, puisqu'il se répète, puisqu'il dure, puisqu'il n'est même plus un miracle mais notre vie de chaque jour.

Je t'embrasse et je t'aime

François

Écrit à l'arrière de l'enveloppe : « Je suis profondément heureuse. Moment merveilleux de ma vie qui émerge enfin de l'inconscience. Me souvenir de ce bonheur qui est grand, solide, bon. »

146.

En-tête Assemblée nationale, à Mademoiselle Anne Pingeot, 39 rue du Cherche-Midi, Paris *(sans timbre).*

Dimanche 15 novembre 1964

Le décor : sur mon bureau, le « Second Report from the Committee of Public Accounts » qu'il me faut faire traduire avant de déposer une question orale sur les profits des constructeurs d'avions, le *Napoléon le Petit* que tu m'as offert, la maison hollandaise, quelques coupures du *Monde* (dont un papier intéressant sur « l'origine de la tiare pontificale »), une lettre d'avocat à laquelle je dois répondre, des feuillets épars – devant moi, deux fauteuils de cuir noir (l'un rempli de livres qui restent à classer) et une table basse où voisinent bouquins et boîtes de balles de golf, un lampadaire constitué d'un fusil de chasse arabe, don de notables algériens, et d'un abat-jour doré. Seule ma lampe de bureau est allumée. Le reste de la pièce est obscur. J'ai rédigé le *Journal* d'hier, ce qui m'a permis de rester intensément avec toi.

Je vais entendre « tes » disques. Il est 10 heures. Après, j'irai dormir, non sans avoir rêvé en regardant « nos » objets, non sans avoir respiré (un moment) l'air de la nuit, à mon balcon. Je suis marqué par les jours que nous venons de vivre au point d'appréhender demain et l'absence.

Voilà : j'ai mis « on pense à tout, à rien… » D'un coup m'assaillent les souvenirs qu'un bout de mélodie exaspère. Ô Anne, mon amour.

J'étais un peu fatigué aujourd'hui. En rentrant j'avais froid. Je sentais en moi une fragilité physique, impression que j'éprouve rarement. Maintenant je suis un peu reposé mais cela ne me délivre pas d'une tension extrême. Ferré vient de chanter : « Il existe près des éclu-uses… » Une corde émotive se tend, se tend à se rompre : la musique qui m'habite est violente, exclusive, m'emplit à me briser. C'est maintenant la mer et sa plainte qu'il me semble écouter. Comme si l'espace renvoyait l'écho, en l'amplifiant, d'un chant alterné : bonheur, douleur, mes compagnons.

Je bénis ce visage que j'aime, que je voyais ce matin à l'église, tout tendu vers ta recherche intérieure, que mes doigts caressaient ce soir, posé sur mes genoux, et qui poursuivait la même méditation. Je bénis, ma bien-aimée, ton visage où j'essaie de lire ce que sera ma vie. Je t'ai rencontrée et j'ai tout de suite deviné que j'allais partir pour un grand voyage. Là où je vais je sais au moins que tu seras toujours. Je bénis ce visage, ma lumière. Il n'y aura plus jamais de nuit absolue pour moi. La solitude de la mort sera moins solitude. Anne, mon amour.

Un jour sans toi, évidemment ce n'est rien de très grave me dit ma raison. Et ce n'est pas grave en effet. J'étouffe pourtant comme cela m'arrive parfois. Contradiction. Tu m'es nécessaire, sinon je perds le goût des choses les plus élémentaires. Aimer ramène au rêve du surnaturel. Je t'aime. Je respire mal hors du monde qu'avec toi tu m'as apporté. Loin de toi je suis comme chassé de ma patrie nouvelle ou plutôt de ma plus ancienne patrie.

Un jour, dix jours, dix ans, l'absence n'a pas d'instrument de mesure. Elle ressemble toujours à la mort. Comme la mort elle invite à sortir de soi-même. L'absence peut tuer.

Ce n'est pas une lettre que j'écris. Je me parle et te parle à mots entrecoupés. De longs instants s'écoulent sans tracer une ligne. Je pense à toi si fortement, Anne, mon amour, que l'exprimer c'est en dire moins. Je voudrais quand même que tu comprennes que plus j'avance en toi plus loin m'apparaît la possession. On ne possède pas une âme. Possède-t-on le ciel quand on touche l'horizon ? on ne touche pas non plus l'horizon : il est toujours à l'autre bout. L'union entre l'horizon et moi c'est que je vais à lui, l'insaisissable mais fraternel ami de l'espérance. De la même manière t'aimer c'est chercher sans relâche, c'est donner jusqu'à l'épuisement de ses forces. Le feu brûle ses propres raisons d'exister. En mourant il s'accomplit. Vivre et aimer sans s'accomplir totalement n'a pas de sens. L'homme qui aime peut mourir : trop tôt ou trop tard ? Cela n'a pas de sens non plus. L'homme qui aime échappe au temps.

Lundi 16 novembre

Je m'aperçois en relisant les pages écrites hier soir que le ton de ma lettre a quelque chose de triste. Et pourtant non. Je t'aime. Tu me rends étonnamment heureux. Peut-être seulement vivons-nous sur un tel rythme de joie partagée, peut-être avons-nous une telle entente qu'instinctivement nous nous refermons sur nous-mêmes comme si trop de bonheur était redoutable !

Je pars dans un moment pour Lyon.

Je t'appellerai à 19 h 30 et serai demain dans le train qui me ramènera vers toi. Ce matin j'ai fait ma demi-heure de leçon de golf et je suis allé à la Chambre. J'accumule les informations sur la loi militaire. J'ai aussi donné le top pour la proposition Dassault qui sera lancée demain.

Surtout je pense à toi, mon Anne, et je remercie de toute mon âme la Volonté qui nous a réunis – je t'aime

François

147.

En-tête *Assemblée nationale, à* Mademoiselle Anne Pingeot,
39 rue du Cherche-Midi, Paris VIe *(sans timbre).*

Mardi 17 novembre 1964

Après tout, pourquoi ne pas t'écrire ? Parce que je t'ai vue cet après-midi ? Parce que tu as reçu une lettre hier ? Parce que cela ferait <u>trop</u> ? Eh bien, mon Anne chérie, je t'écris quand même [quatre accents circonflexes]. Où commence <u>trop</u> si l'on aime ?

Je suis donc revenu par la rue d'Assas, chargé de ma lourde serviette. Que l'air était bon à boire ! M'attendaient chez moi le reporter de Radio-Luxembourg auquel j'ai délivré une rapide déclaration sur ma proposition Dassault et un commissaire-priseur en difficulté qui voulait me charger de ses intérêts dans un procès en cours. Pas mal de courrier. Des demandes de rendez-vous (dont une, curieuse, pour rencontrer Pflimlin). Une information : le débat sur la loi militaire viendrait les 1er et 2 décembre, ce qui nous amènerait à partir pour Hossegor le vendredi 27 et non le samedi afin de passer en tout état de cause deux jours là-bas. J'y pourrais précisément mettre au point mon intervention tandis que tu potasserais ton droit et que Gédéon ferait son Le Nôtre.

Après dîner j'ai mis de l'ordre dans mes notes, rédigé le *Journal,* lu un peu du « Salon bleu ». Cette lettre achevée j'irai me coucher, la tête farcie d'ogives nucléaires, de fusées Polaris et des entretiens Nassau que je ne connais pas aussi bien, me semble-t-il, que toi l'organisation judiciaire…

La promenade du Carrousel à la rue d'Assas n'a été qu'un bondissement intérieur. Être avec toi est devenu mon état naturel, très douce Arverne ! (Hum !) À cette heure-ci tu écoutes le père Varillon. Ta sortie de samedi avec ta bizarre hôtesse est heureusement prise en sandwich entre d'excellents exercices spirituels. Je ne compte plus que sur les Jésuites… Sans eux comment ferais-je pour te garder ?

Moi, demain, j'irai d'abord à l'Assemblée. Ensuite, en fin de matinée, chez Defferre. Plus tard, une réunion des députés-maires, puis un rendez-vous avec l'ancien maire de Tolède, ancien ministre des Affaires étrangères du gouvernement républicain espagnol, en exil depuis vingt-cinq ans, je remettrai le nez dans le dossier « Protection civile » que je compte raccrocher au débat sur la Force de frappe…

Et je serai à 20 heures près de la faculté de droit.

Sais-tu que cela me paraît très loin ? Je te voudrais objet, bibelot, lampe, image, je te voudrais livre, vitrail, je te voudrais femme, ma femme, mon amour, là, oui, là ; je voudrais qu'il n'y ait plus ni jour ni nuit, ni départ, ni absence, ni bonjour ni bonsoir, ni pour ni contre ; je voudrais vivre mon grand amour au point de n'y plus penser que pour te remercier, le dernier jour que Dieu me donnera.

Sais-tu que les semaines écoulées depuis ton retour d'Italie m'ont appris à mieux t'aimer dans la mesure même où j'ai pu mieux connaître qui est Anne-de-tous-les-jours, Anne au cœur donné et à l'âme fière ? Ce n'est pas une réflexion sacrilège, crois-le : il y a une sainteté dans l'amour.

11 heures sonnent à Saint-Sulpice. À l'étage au-dessus, réception : j'entends rire et danser. Tu es rentrée sans doute te reposes-tu, à moins que Régine n'ait organisé au 39 je ne sais quel raout auquel tu participes évidemment d'enthousiasme (pauvre père Varillon !). Ceci dit je t'embrasse, mon Anne chérie, parce que j'en ai rudement envie. Tes lèvres sont plus douces que toi. Je me lie à toi. Je me délivre en toi de la pesanteur. Tu m'apportes la grâce (pour reprendre l'admirable expression de Simone Weil). Comment ne serais-je pas ce soir après tant d'autres soirs, avant tant d'autres jours un homme qui avance dans la lumière ? Tu existes et tu aimes.

Tu aimes tout : les roses, le ciel, les pommes, les couleurs, la matière, Dieu, les sermons, l'économie politique, Gédéon, les parquets cirés, la pantoufle, le canard, le gâteau au chocolat, la mère Saint-Bruno, la paix, la folie, la recherche, l'accomplissement, l'église de Morienval, le feu de bois d'Hossegor, tout encore et peut-être moi, par surcroît.

Moi qui t'aime avant les roses, le ciel, les pommes, etc...

François

P.S.

Que penses-tu de cette formule de Serge Gainsbourg :

« Il vaut mieux ne penser à rien que de ne pas penser du tout... »

Et de celle-ci, écrite par Chateaubriand dans une lettre au ministre des Affaires étrangères : « Je ne vous ai point parlé, selon l'usage, des réceptions, des bals, des spectacles... et je ne vous ai point fait de petits portraits et d'inutiles satires : aujourd'hui il ne faut peindre que ce qui doit vivre et n'attaquer que ce qui menace » ?

148.

S.d. Petite enveloppe du fleuriste André Baumann,
98 bd du Montparnasse.

149.

S.d. Petite enveloppe du fleuriste André Baumann,
98 bd du Montparnasse.

150.

Enveloppe et papier à en-tête Assemblée nationale,
à Mademoiselle Pingeot.

24 novembre 1964

On vous sert aujourd'hui de l'économie politique à pleins bords !
Tant mieux : cela fera du bien aux étudiantes en droit !

Mais peut-être ne faut-il pas exagérer la dose, ce qui risquerait
de vous dégoûter à jamais. Je vous propose donc d'entendre encore,
après M. Massé, commissaire général au Plan (qui n'est pas parlementaire – sa présence ici est un fait <u>rare</u> dans les annales) le rapporteur
général, Vallon, qui en a pour une demi-heure. Après quoi, laissant
tomber les trois autres rapporteurs, nous pourrions nous réconforter
autour d'un thé anti-microbes.

Dès que Vallon aura cessé, rendez-vous place du Palais-Bourbon ?
~~des~~ Si cela vous convient j'y serai

François Mitterrand

P.-S. Defferre et les autres orateurs de choc n'interviennent que
demain après-midi ! Dommage.

[En haut de la lettre envoyée par huissier :] ~~Si vous préférez partir tout de~~
~~suite faites-moi signe. Je me rendrai aussitôt place du Palais-Bourbon.~~

Si vous voulez me parler je puis aller vous saluer dans les couloirs
de vos tribunes

F

151.

En-tête Assemblée nationale, à Mademoiselle Anne Pingeot,
39 rue du Cherche-Midi, Paris VIe.

Mardi 24 novembre 1964

Ma chérie, je suis très content de moi ! Songes-y : j'ai rendu le bien pour le mal. Il est 11 heures et je suis rentré malgré un entourage tentateur (qui ne m'a pas tenté du tout). Et quand je pense qu'une horrible guenon, qu'une production Gergovia, qu'une mégère ingrate, me renvoyait À JEUDI, en laissant ce mercredi tout vide, qu'une fille sans cœur, qu'une amoureuse de grand magasin, qu'une Place de Jaude bachelière (avec mention), qu'une Cruncheuse ésotérique, m'ABANDONNE tout un jour sans s'occuper de mon chagrin, de mon ennui, de mon amour, qu'une Hannah graillouteuse, qu'une Bélise sucrée, qu'un canard de Gédéon, qu'une vierge veuve, qu'une veuve vierge vit sa vie sans même rougir du mal qu'elle fait à la malheureuse épave qui l'aime tout bête- ment, MOI, FRANÇOIS, trahi, renié, poignardé, livré aux heures, aux minutes, aux secondes de l'ATTENTE, oui quand je pense à tout cela je dois reconnaître en toute humilité que je vaux mille fois, cent mille fois mieux que toi, horrible guenon, production Gergovia, mégère ingrate, fille sans cœur, amoureuse de grand magasin ET LA SUITE.

Toi, samedi, TU AS OSÉ DANSER, ô langueur des mélodies ! Et ce jour, à 20 h 45, TU AS OSÉ M'ÉLIMINER de ton emploi du temps de ce mercredi 25 novembre sur lequel je crache avec dégoût ! Et MOI, ce soir, je suis rentré avec l'amour tenaillant qui tue l'envie des autres, avec l'amour dévorant qui manque d'appétit pour ce qui n'est pas de sa préférence, avec l'amour tendre, si tendre, tout tendre qui m'oblige, me contraint, me PUNIT à n'aimer que ma Place de Jaude bachelière (avec mention), que ma Cruncheuse ésotérique, que mon Hannah graillouteuse, que ma Bélise sucrée ET LA SUITE. Et quelle suite ! Mère Michel, odalisque de Sirolo, Verrière-Major, Mono-Chef, Sous- Martin, sœur Saint-Serge, Pantoufle fantaisie, superKitou, miss Salers…

Non ! cette personne n'a pas UN moment pour me voir, ne dis- pose pas d'UN instant pour recueillir mon soupir téléphoné. Car elle s'est installée dans l'IMPORTANCE et la DIGNITÉ ! Pouah !!! cette personne m'écœure.

Et pourtant, ma chérie, je suis très content de moi. Ah ! menteuse, avec tes courbes ! Eh bien, la mienne continue de filer vers le haut, vers le ciel tandis que la tienne mégote, traînasse, s'effiloche, ramasse les papiers oubliés, accroche les pieds des passants. DEMAIN, TU TRAVAILLES !

C'est le comble. Tu n'as donc pas assez d'un maréchal dans la famille ? pas assez de mentions ? pas assez de majors ? pas assez de monographies à 19/20 ? pas assez de Slaves, d'Italiens, de barons ? j'ai compris : TU VEUX ÉBLOUIR le Tout-Clermont avant d'ÉMER-VEILLER le Tout-Hossegor, tu veux épater la rue du Cherche-Midi jusqu'au numéro 99 ; tu veux séduire ces agrégatifs laissés-pour-compte ; tu veux PARADER avec des feuilles de diplôme cousues sur tes robes de bal ; tu veux bomber le torse sous les décorations. Bref, donnant-donnant : je t'aime avec mon sang, tu m'aimes avec de l'encre.

Voilà pourquoi je suis content de moi : je te rends le bien pour le mal puisque JE T'ADORE QUAND MÊME [quatre accents circonflexes].

Une blonde de vingt ans à ma gauche. Une brune de vingt-cinq, à ma droite – réputées jolies. Et moi, l'Idiot (dans le sens Dostoïevski), de quoi je parle ? de l'amour – et que le reste ne m'intéresse pas assez pour le préférer au sommeil… et que tout change, tout naît, tout recommence, tout fleurit, tout ravit, tout se fait à l'image de Dieu, tout sourit à la sève, tout chante, tout demeure, tout bondit d'allégresse, tout prête gravité suprême QUAND ON AIME… et que le reste me fait bâiller ! Je suis un SAINT, un VRAI. Un saint plus vrai que tous les Saint-Illide de la terre puisque j'aime à l'adorer, à baiser ses tempes, à trembler de joie, à n'oser point toucher ses cheveux, à jouer le pari de l'enfer pour la douceur de sa grâce puisque j'aime la mère Michel, l'oda-lisque de Sirolo, la Verrière-Major, la Mono-Chef, la Sous-Martin ET LA SUITE. Puisqu'il est 11 heures et que je suis rentré, cœur perclus de tendresse, âme transie, plume mouillée d'un style cyranesque prête à courir sur ce papier pour t'écrire : je t'aime, je t'aime, je t'aime, je t'aime à cette Nini-du-Pauvre, à cette Notre-Dame empaillée, à cette Ville-de-Compiègne pour wagon-restaurant… ouf ! ces injures me soulagent.

Mercredi 17 h 30

As-tu trouvé les fruits venimeux ce matin ? Mode d'emploi : la mangue n'est pas tout à fait mûre ; attendre après-demain pour l'avaler – les deux avocats se coupent en deux, dans le sens de la longueur, on vide le noyau, on met du sel, du poivre, de l'huile, du vinaigre dans les creux et on croque à l'aide d'une petite cuillère. La noix de coco se perce, on récolte le lait, ou on le boit directement, après quoi on mange la chair par petits morceaux – pour le reste tu trouveras peut-être toute seule depuis la noix du Brésil jusqu'au lychee auquel on enlève l'écorce avant usage...

J'avais envie que tu t'émerveilles des couleurs de ces fruits et que tu en apprécies le goût (à moins qu'ils ~~que~~ ne t'aient empoisonnée selon mon vœu pour te PUNIR, à ton tour, de m'aimer si peu).

Ma chérie, à demain 13 heures, devant le Murat. Je suis à l'Assemblée. Defferre et Debré ont parlé. J'ai vu ce matin le général Vallery sur la Force de frappe ; et Mendès France, au début de l'après-midi, sur la Force multilatérale. J'ai maintenant une réunion rue du Louvre et un dîner chez un de mes anciens collaborateurs, actuellement inspecteur des finances.

Et demain, demain...

Je t'embrasse et je t'aime

mon Anne

François

152.

Carte de visite épinglée, à Mademoiselle Anne Pingeot,
39 Cherche-Midi.

Le 25 nov. 64

Puissent ces fruits du bout du monde empoisonner mon Anne vénéneuse qui se passe si bien de moi un mercredi tout entier

F

153.

Enveloppe et carte de visite blanche épinglées.

Ce soir, jeudi, 19 heures

Ces fleurs de soleil t'apporteront, je l'espère, un peu de joie.

Je pense à toi, mon Anne chérie

François

154.

En-tête Assemblée nationale, à Mademoiselle Anne Pingeot.

Mardi 1ᵉʳ décembre 1964

Que ces roses, mon amour, soient pour toi le reflet des beaux jours
    que nous venons de vivre ;
Qu'elles soient le prélude d'un mois de joie et de ferveur, ces roses
    de décembre ;
Qu'elles soient enfin le signe d'un cœur en paix –
Et le mien le sera
Si tu veux bien, d'un sourire,
Me dire que je suis pardonné.

François

P.-S. Je serai rue du Regard à 13 h 15 et nous irons déjeuner ensemble,
MA CHÉRIE.

155.

S.d. Jeu sur coupure de papier quadrillé

    A. Mitterrand [A1], Pingeot [2], de la B. [3], Réré [4], Canard [5]
    B. Michel [B1], B.-L. [B2], Martin, le général, Josée
    C. Serge [C1], Gian-Franco, Monique, O., Kitou
    D. Franco [D1], V. B., Nano, Baobab, Mère Saint-Bruno

156.

S.d. Coupure de nappe de bistrot avec un plan de discours politique.

1) bien tard
    a) *budget*
    b) *le Plan*

2) trop tôt
   négociation en cours avec nos alliés

3) laissons le temps à W…
4) laissons au Gal de Gaulle
5)

I
BREF RAPPEL DES OBJ. DE LA LOI

1) Déf. Milit
2) Pol. étr.
3) Quelle est votre pol. étr.
   2 questions préalables
   1) est-ce que
   2) est-ce que

II
LA FORCE DE DISSUASION ABSOLUE

Europe
   – *financement (?)*
   – *éco*
   – *tactique (?)*
   – *stratégie*
   – *protection civile*
   – *diplomatie*

157.

En-tête Assemblée nationale, à Mademoiselle Anne Pingeot.

Mardi 8 décembre

L'amour que j'ai pour toi, mon Anne, est sans doute, comme hier, fait d'une violence intérieure que seule apaisera l'unité de nos cœurs, de nos corps, de nos vies, mais l'amour que j'ai pour toi, mon Anne, est fait aussi du chant de l'âme qui en un jour comme celui-ci s'accorde à la pureté des symboles, à la recherche constante de la beauté, à l'appel d'une haute et noble communion.

Sois sûre, ma bien-aimée, que de ces thèmes alternés c'est encore le second, ce sera toujours le second qui éclairera de sa flamme notre marche vers l'aube.

Voici des fleurs qui te diront
que l'amour est une naissance
perpétuelle

<u>François</u>

158.

En-tête Mairie de Montsauche (Nièvre),
croix de guerre, téléphone 27 (sans enveloppe).

Lundi 14 déc. 1964

Que d'idées me tournent dans la tête, mon Anne chérie, depuis que, ce matin, le « Bourbonnais » m'a enlevé, à demi endormi, pour me déposer sur les rives de la Loire ! Comment ne pas penser en effet à cette histoire mouvante qui est la nôtre – et qui cependant avance plus vite que nous – au moment où elle accélère l'allure !

Je t'aime Anne si profondément, si tendrement (j'ai envie d'écrire « si vraiment »), que je veux faire l'effort de t'aimer toujours mieux. Si tu savais comme ta joie m'est chère ! La joie d'Anne, mon bien précieux ! De ta joie je tire force, volonté, énergie et ma joie elle-même naît d'elle. Or je te vois souvent tendue, inquiète, et ton bonheur n'est plus fait d'allégresse. Je le comprends ce qui était élan, espoir en juin ou en août te frappe maintenant de plein fouet, devient engagement de vie. Je ne me reproche pas de t'avoir placée devant un problème finalement inévitable.

Je me reproche d'avoir semblé – et d'avoir en réalité – hâté le pas et donc d'avoir changé en nécessité de choix le libre mouvement de ton cœur. Mais efface, mon amour, efface ce souci qui embrume ton visage : ces jours derniers j'ai gagné sur moi une bataille et c'est à toi que je rapporte les drapeaux arrachés à l'ennemi ! Tu m'as donné <u>six mois de si extraordinaire bonheur</u> que je serais bien sot de ne pas m'y installer !

Et cette merveille n'est pas fragile : je sais que tu aimes de tout ton être et moi, je t'aime Anne, pour toujours. Pourquoi regarder l'horizon ? Le ciel est en nous. Pars tranquille et heureuse pour l'Oratoire. Je ne demande rien d'autre que ce que j'ai. J'ai mon amour. J'ai la femme que j'aime. Je suis comblé. Privilégié. Visité par la plus radieuse lumière. Dans la nuit froide et pure, dans la nuit mystique de Noël tu sauras que mon cœur veille près du tien. Je veux aller sur ta route, mon Anne, aider à ta joie, approcher de ton âme. Tu en vaux bien la peine.

Je t'écris de Montsauche (comme le montre l'en-tête de ce papier). Nous sommes à la mairie avec le préfet qui accomplit sa première visite dans mon canton. Tous les maires sont là et discutent électrification, remembrement, dépopulation… un rayon de soleil a franchi l'épaisseur de brouillard et dore, léger, caressant, les murs de la pièce. J'aperçois une ouverture de ciel absolument bleu au-dessus des toits d'ardoise. La neige est encore accrochée aux bords des chemins. L'air est vif, et sent le gel, le beau cristal d'hiver. Nous aurons une soirée que la gloire du couchant s'apprête à magnifier. Rien ne bouge dehors. Parfois, un vol d'oiseau gris et rouge qui passe d'un coup d'ailes entre les fils électriques et se perd à l'orée de la forêt. Il est comme le témoin de la liberté dans un monde qui tient ses forces prisonnières. Je le regarde et ma pensée elle aussi s'évade, tente de rejoindre l'obscure beauté des choses espérées. Je vais vers toi, Anne. Je te remets ce que je suis. Au bout de son voyage l'émigrant arrive sans bagages. Il n'est plus que lui-même. Il tend sa main à qui la prend ; il offre son regard à qui l'aime. Tu es le bout de mon voyage.

Dans les (brefs) intervalles de ma journée j'ai entamé un livre très intéressant de José Ortega y Gasset, essayiste et philosophe espagnol dont l'esprit s'apparente à celui de Chesterton (moins la recherche spirituelle). Cela me fait songer à une œuvre passionnante, celle de Keyserling, dont je te lirai des extraits à l'une de nos prochaines sorties… de travail. Je ne sais pourquoi Keyserling passe par une phase d'oubli. Tu verras qu'il ne le mérite pas. Je me souviens de l'avoir rencontré dans les rues de Jarnac où il descendait chez son ami Jacques Delamain, l'annotateur de *La NRF*, l'écrivain charmant des oiseaux. C'est un philosophe de l'histoire et de la société très puissant dont les vues ont une rare dimension.

Je sens mûrir en moi le besoin d'écrire le début de mon *Laurent* et de m'y exprimer sans souci du récit, ou plutôt le récit servant de support à ma propre vision d'un temps prodigieux. De telles lectures m'aideront à définir une méthode de travail, une manière de conduire la trame. Je t'en ferai lire (cette fois-ci pour de bon !) à notre retour de vacances. Là aussi nous trouverons une source de joie.

159.

Carte d'entrée à l'Assemblée nationale.

17 décembre 1964

« Mitterrand, député. Nom du porteur, Pingeot, 39 rue du Cherche-Midi VIᵉ. »

160.

Carte de visite de fleuriste à Anne Pingeot.

Le 21 décembre 1964

Il y a un an tu déposais, rue Guynemer, ton vitrail.
Je l'ai regardé ce matin : c'est bien <u>la même lumière</u>.

<u>F</u>

161.

En-tête Assemblée nationale, à Mademoiselle Anne Pingeot,
10 rue de l'Oratoire, Clermont-Ferrand, Puy-de-Dôme.

Nevers, mercredi 23 décembre 1964, 23 h 30

Mon Anne bien-aimée,
Je t'écris ces quelques mots dès ce soir pour ne point te quitter. Je suis à l'Hôtel de France. Je vais dormir. Soudain je sens la fatigue. Toi tu es dans le train. Je t'imagine emportée par la nuit, bleue de brouillard au ras du sol, bleue de ciel par-dessus. J'ai posé ta photo

sur ma table de chevet comme je le ferai chaque soir. Notre journée ressemble à notre année. Je t'aime, Anne, je t'aime. Bonsoir.

Jeudi 9 heures

Avant de tomber dans l'épais sommeil des images embrouillées m'ont traversé l'esprit, se sont mêlées, m'ont emporté : Tronçais et ses arbres droits qui finissaient parmi les étoiles, l'église de La Celle et sa plaque des morts, le soleil d'hiver qui ressemble à la lune... mais ton visage, lui, était clair. Au premier signe du jour, ce matin, je l'ai retrouvé tel que je l'aime.

Maintenant je vais faire un saut à la préfecture. Je partirai pour Paris dans un moment pour remettre la pantoufle à mon frère (chère pantoufle qui réveillonnera sans moi à Genève ! Elle en Suisse, le canard et toi à Vic-le-Comte, je n'ai plus d'amis pour veiller, plus d'amis que j'aime d'amour). Je déjeunerai avec le secrétaire général adjoint de la SFIO, Brutelle. Et je reprendrai cette lettre dans l'après-midi.

Que mon cœur s'attendrit pour toi, mon Anne chérie, tandis que tu dors dans le silence de l'Oratoire !

Paris, 23 h 45

Je suis rentré après avoir dîné avec Laurence et Pierre Soudet. Pendant que je t'écris j'entends le disque d'Aragon-Ferré. Hors ma lampe qui éclaire ma table de travail tout est ombre autour de moi. Je pense à toi intensément. La chanson d'Elsa qu'a apprise Gédéon déroule ses merveilles – « c'est miracle que d'être ensemble », « c'est toujours la première fois quand ta robe en passant me touche », « ma vie est à partir de toi ». Une émotion violente m'étreint qui, si je n'y prenais garde, me porterait au bord des ~~lèvres~~ larmes. J'essaie d'imaginer ta soirée. En cet instant tu pars pour l'église. Anne je voudrais crier que je t'aime, que j'ai un besoin infini de toi, que mon destin est d'aller à ton côté vers la recherche privilégiée de ton esprit et de ton cœur ! Je sais, oui, je sais, que tu es avec moi, que ton être s'unit au mien tandis que tu marches dans la nuit froide de ton Auvergne. Je sais oui je sais, que [illisible] malgré ta sensibilité aux mirages de ton enfance, tu offres ta ferveur à celui qui loin de toi par le corps vit en toi par l'esprit.

J'ai mal de n'être point ton compagnon de Noël, d'un Noël qui serait fait de toutes tes joies, de toutes tes tendresses, de toutes tes espérances.

J'écris ton nom, Anne, comme j'embrasse tes lèvres. Il est minuit. Tu es avec ta famille dans la petite église… que nous avons racontée dans la monographie… et que je voudrais tant connaître dans la réalité. Les gestes de toujours se répètent autour de toi. J'aime cette tradition vivante. Prie pour moi, Anne, prie pour nous. La prière est acte d'aimer. Ô pur échange si parfait.

J'ai retourné le disque. Je ressens de toute mon âme le climat d'Hossegor, pendant nos soirées de musique et de lecture – et qui me paraissent, à distance, remplies d'un incroyable et merveilleux silence. Dehors les rues de Paris sont vides de mouvement. Le brouillard étouffe les lumières. Je suis absolument seul en cette nuit de Noël. Seul ? Je suis à toi, ma bien-aimée, et ma solitude est communion avec celle que j'aime. Merci, petite Anne, ma chérie.

Tout alentour me raconte les gestes de la tendresse, le vitrail, l'aquarelle, le long crayon, les cadeaux d'avant-hier, la maison hollandaise. J'ai gardé précieusement la fraction de papier rouge sur laquelle tu as écrit « À Monsieur François Mitterrand » et « fragile et personnel » : ton premier cadeau, il y a un an, qui m'a guéri de ma première souffrance par toi. Je relirai dans un moment ta lettre d'alors jointe au paquet. Ainsi suis-je entièrement lié, absorbé, donné. Je t'appartiens. Je suis prince dans ce royaume que tu as fait de tes chères mains, je suis « le monde habité par ton chant ».

Le visage clos je viens de rêver longuement.

C'est presque insoutenable. Je suis bouleversé par la perception que j'ai de cette messe que tu vis.

Quand elle sera finie tu rentreras pour le réveillon et son graillou, puis par les routes tordues qui mènent à Clermont, la DS 63 restituera à l'Oratoire son chargement chantant et endormi. Moi je serai déjà dans le sommeil. Mais il me semble que l'obscure pensée qui naît des songes de la nuit s'échappera de moi pour te rejoindre – et pour t'aimer.

Noël, 13 heures

Je me suis levé tard, attendant ton appel (en l'espérant). J'aimais aussi deviner un hiver ouaté derrière la fenêtre. Et la sonnerie a retenti ! ANNE, TU ES MERVEILLEUSE. Ta voix, tes mots. Tu as eu le temps de me dire que la nuit était belle, que tu portais notre châle rouge, que tu étais rentrée à 4 h 30… me voici nourri d'impressions qui feront ma joie tout le long de ce jour qui s'écoulera dans le calme et la paix intérieurs. Étrange chose que cette voix aimée qui surgit pour s'éteindre presque aussitôt. En reposant l'appareil j'étais comme étourdi. Mais que tu étais douce !

Je me suis habillé en musardant. Un costume bleu marine que je quitterai ce soir pour mettre un costume de velours quand Saint-Périer viendra me chercher afin d'aller à Austerlitz. J'ai reçu Georgette Elgey à 11 h 30, énorme journaliste astucieuse qui écrit un bouquin pour les éditions Fayard (la collection historique à couverture jaune) sur la IVᵉ République et qui souhaitait connaître ma relation des événements d'Afrique noire en 1950-51.

Dans un instant j'irai chez mon frère Jacques où je déjeune. Mon après-midi sera, au début, familial (je verrai ma tante, puis ma sœur Geneviève) puis je resterai à la maison jusqu'au dîner où je retrouverai ma sœur Antoinette. Mon train d'Hossegor part à 22 h 40. Demain je serai donc dans les Landes. Quelle émotion que de revoir les lieux où nous avons vécu deux fois de si extraordinaires moments. Je t'écrirai évidemment pour que tu aies une lettre au courrier de lundi.

Mon esprit voyage beaucoup, en ces jours, entre la rue Guynemer et la rue de l'Oratoire ! Par exemple je te suppose maintenant au sommet d'un formidable et capiteux graillou avant que ne s'élèvent les bouquets mêlés du tabac des cigares et des cognacs VSOP ! Anne, l'enfant prodigue, trône-t-elle ? ou est-elle plutôt redevenue (ce qui est plus vraisemblable) la petite fille qui se lève pour de menus services et qui rit en aparté avec Martin ou Bibiche ? Pense-t-elle à moi ? Ça doit être difficile entre les plats qui magnifient le génie de Nini…

Pour l'alphabet de nos souvenirs il vaut mieux le préparer, chacun de son côté, et se montrer le résultat de notre choix mardi, quand je serai auprès de toi. En effet ~~lundi~~ le courrier qui partira lundi ne nous trouvera nulle part, ni toi à Clermont, ni moi à Hossegor le lendemain. Sont valables pour cet alphabet les noms de lieux (villes, villages, églises, monuments, restaurants). Pas les prénoms (à F, tu serais trop embarrassée, ou à M)…

Mon amour chéri, je vais porter ces pages à la poste Saint-Romain. Je veux être sûr qu'elles te parviendront demain. Je n'aime pas finir une lettre – j'ai tant à te dire. Et je t'aime tant, tant et tant

François

162.

En-tête Assemblée nationale, à Mademoiselle Anne Pingeot,
10 rue de l'Oratoire, Clermont-Ferrand, Puy-de-Dôme.

Vendredi 25 décembre 1964, 18 h 30

Mon Anne chérie,
J'ai donc déposé à la poste Saint-Romain ma première lettre pour toi, en allant déjeuner chez mon frère. Et voici que je commence la deuxième, à peine revenu rue Guynemer. Ce jour de Noël, vois-tu, t'est consacré ! Je n'ai pas cessé de penser à toi. Je crois bien que je t'aime avec passion...
Au repas, rue Paul-Baudry (près de Saint-Philippe-du-Roule) étaient réunies autour de Jacques et de sa femme, Gisèle, leurs deux filles, Véronique et Edwige, ainsi que mes sœurs Colette et Marie-Josèphe. Ambiance sympathique. Évocation de souvenirs communs. Jacques, qui est très calé sur la généalogie familiale, m'a appris beaucoup de choses que j'ignorais et nous avons bavardé sur ce sujet jusqu'à 5 heures ! Il m'a montré les livres qu'il tient à jour et des documents très pittoresques. Les Mitterrand ont occupé le gros de la conversation. Deux d'entre eux furent, au xvie et au xviie siècle, prévôts des Marchands (Antoine et Pierre). Une grand-mère épousa Florimond Robertet, ministre des Finances de trois rois – il y a tout lieu de croire que ces Mitterrand, bourgeois de Bourges, furent apparentés à... Jacques Cœur, bourgeois de cette même ville. Plusieurs religieuses (une Marie-Françoise, chanoinesse !). Les prénoms les plus usuels ? Antoine, François, Gilbert... et <u>Anne</u>. Il fut assez facile de repérer leurs traces car le premier à s'éloigner de Bourges fut mon grand-père (et il n'alla qu'à Limoges !). Du côté de la mère de mon père qui s'appelait Marie de Laroche, son père, qui a publié à Limoges des pièces de théâtre et des poèmes, en 1829 notamment. J'ai ramené chez moi un petit volume de poésies ultra-catholiques intitulé... *Le Jeune Poète chrétien.* Des vers solennels et médiocres dans le goût de l'époque, avec des lyres et des luths et de « pieux apprêts » à toutes les pages. Je te le montrerai. De quoi rassurer la famille Pingeot-Chaudessolle (hum !) et Gédéon en particulier. Assez intéressant est un autre aspect : figure-toi que par ma mère qui s'appelait Yvonne Lorrain on remonte en ligne directe à un Claude Le Lorrain qui était du même village que le peintre du

même nom, qui appartenait à la génération précédente. Mais on n'a pas établi le lien. Les papiers s'arrêtent juste là. Or comme le peintre se nommait en réalité Claude Gellée, dit Le Lorrain (il habitait les Vosges, comme mon ancêtre) il est possible qu'on n'ait pu obtenir les papiers, faute de remonter dans une lignée qui aurait adopté le pseudonyme classique au xviie, de son pays d'origine (la Lorraine), ce que n'auraient pas noté les archivistes. Peu importe, mais cela m'a intrigué. Je te passe enfin les mille et une questions que posent l'entrecroisement des familles et les dérivations inattendues... une de mes sœurs, imaginative il est vrai, allait jusqu'à prétendre que nous pouvions compter Gabrielle d'Estrées parmi nos bonnes tantes (elle portait en effet le nom d'une des branches familiales apparentées aux Mitterrand).

Ajoutons que mon frère a sorti une caissette de documents pleins de saveur : une affiche demandant aux Jarnacais de voter contre mon grand-père Lorrain... en 1892, accusé d'être un « Janus », laïque à Paris *et* clérical en Charente ! Une autre, de mon père, en 1925 demandant les suffrages de ses concitoyens en tant que catholique militant ! (Inutile de préciser que « Janus » a été triomphalement élu, et que « le catholique militant » a été piteusement renvoyé dans ses foyers.) Toute une petite histoire a été ainsi exhumée (et la lettre de l'oncle Paul Lorrain, officier de Dragons, qui explose de bonheur parce qu'il a dîné à la table du roi Louis-Philippe et qui signe de sa main ses lettres à son neveu : « Paul Lorrain, chevalier de la Légion d'honneur » !!! et les lettres de mars 1871 lors de la défaite, avec les instructions de Gambetta etc. etc.).

Voilà, mon Anne chérie, ce qui occupa mon début d'après-midi et que je te raconte tout de go. Maintenant je vais recevoir Georges et Jean Dayan (le médecin) avant de partir dîner à Auteuil chez Antoinette et de prendre mon train pour Hossegor. Demain matin je continuerai ma lettre de là-bas. Mais je voulais encore en ce Noël 1964 te dire que mon cœur est plein de toi et qu'il s'émerveille d'aimer comme il t'aime.

Samedi 26, 14 heures

Saint-Périer et moi sommes arrivés à Bayonne... sous la neige, et Hossegor offre aujourd'hui un spectacle rare : pins qui plient sous le fardeau, golf tapissé de blanc, magnolias, lagerstroemias, rhododendrons disparus sous l'épaisseur des stalactites ! Heureusement en ce début d'après-midi le soleil reparaît et libérera, je l'espère, pour demain nos ardeurs golfiques ! Quant au chauffage de la maison, mis en route hier, il s'était bloqué au cours de la nuit. Nous avons donc gelé jusqu'à ce qu'un grand feu de bois nous réconforte. Maintenant tout est en ordre mais j'ai besoin d'un bon sommeil. Je me suis reposé, allongé sur la brouette, l'esprit fixé sur les plus chers souvenirs : toi, le silence, notre union – en ces mêmes lieux. J'ai lu. Me recentrant sur *Laurent* je vais approfondir deux livres que j'ai apportés – *L'Église et la Renaissance (1449-1517)*, très calé et très enrichissant – et *Histoire des ducs de Savoie, Amédée VIII* (qui devint anti-pape). J'ai également mes fiches. Au moins profiterai-je utilement de ces quelques jours !

Sais-tu que tu m'as donné une grande joie ? À 10 heures le courrier (attendu impatiemment) a visité l'avenue des Fauvettes (!!) – et j'avais une lettre de Clermont-Ferrand. Comment peut-on être si heureux ? chaque signe de ton amour est comme l'aube qui chasse les forces obscures. Je t'aime Anne d'un grand, d'un indicible amour. Visite de la grâce qui pénètre une vie et la fait soleil à son tour ! Je voudrais communiquer au monde la lumière qui m'habite parce que j'aime un être qui m'aime, parce que je puis m'appuyer sur l'ordre véritable des choses qui s'appelle l'amour.

Je t'écris du club. Saint-Périer et Neubrun discutent et fument. Un pick-up diffuse des tamourés. Des oiseaux volettent autour des baguettes raidies d'hortensias et n'osent aborder ce domaine inconnu d'eux : la neige. Quelques joueurs désœuvrés aiguisent leur accablement en se racontant la splendeur des Noëls ensoleillés de naguère. Moi, je m'en moque. Je suis avec toi. Je te garde. Je te parle. Je t'aime. J'irai faire un tour à Lohia pour admirer le spectacle des plantations de Gédéon insérées dans un paysage du cap Nord. Les « piquants » faussement tropicaux auront bonne mine ! J'aurai bien un pincement au cœur devant ta porte fermée…

Puisque cette lettre te parviendra lundi il faut que tout soit au clair pour notre rencontre du lendemain : le train me laissera à Saint-Germain-des-Fossés vers 7 heures. Une rame me conduira à Vichy. Là je me débrouillerai pour le nettoyage et le rasage. Et je serai à la gare à partir de 9 h 30. Ne t'inquiète pas si tu ne peux venir si tôt. J'attendrai autant qu'il faudra, au besoin au buffet (pour avoir chaud !). Si tu devais m'adresser un message, pour une cause imprévisible, je m'en informerais précisément à ce buffet de la gare. Sois prudente. La neige à Hossegor signifie que l'Auvergne est soumise aux frimas ! La 2 CV a beau être vaillante, ne tente pas le diable. Je puis, le cas échéant, louer une voiture à Vichy et te rejoindre.

Voici trois jours que je t'ai quittée et déjà rien ne compte davantage que de te retrouver !

Cette année qui va commencer sera si importante pour nous. J'éprouve en l'abordant une intense volonté de recueillement. Un extraordinaire bonheur grave dirige mes pensées vers toi que j'ai appris à aimer davantage depuis que tu es MON ANNE. De Saint-Illide à Tronçais, je me raconte une histoire qui m'enchante – et qui vaut les plus belles, les plus subtiles attentions du cœur. T'aimer. T'aimer mieux.

Ma chérie.

Demain j'écrirai à Gédéon. Ce que tu me dis de ton arrivée à Clermont où elle t'attendait m'a fait rire. Voilà donc Agnès diplômée… Ah ! ces filles Pingeot, c'est quelque chose !

Crois-tu que mardi nous pourrons aller à Vic-le-Comte ? J'aimerais (mais ce ne sera peut-être pas commode pour toi). Je me suis attelé à notre alphabet que je te dévoilerai, ap si le tien est prêt, à Vichy. Il y a de quoi faire ! Dès la première lettre je nage dans l'abondance de biens. Juges-en :

Anne, Amour, Auvers, Avallon, Auvergne, Aragon, Artoire, mes chers points cardinaux… parmi tant d'autres.

Anne est une source,
Amour un fleuve,
Auvers un champ de blé,
Avallon, un ruisseau à truites dans une terre rouge,
Auvergne, une épaule soulevée de la terre vers le ciel,
Aragon, un pays baigné par la mer et amoureuse
    de la Castille, qui est, elle, terre et vent,
    un pays qui porte un nom de poète,
Artoire, une forêt à sa lisière, un parfum de nuit à la frange du jour…
Mais que sont les mots auprès des choses ?
    Je t'aime

François

163.

En-tête Assemblée nationale, à Mademoiselle Anne Pingeot,
10 rue de l'Oratoire, Clermont-Ferrand, Puy-de-Dôme
(sans timbre et sans fin).

Hossegor, lundi 28 décembre 1964

Mon Anne chérie, cette lettre ne partira pas d'Hossegor. Je te la remettrai demain et tu la liras mercredi. Pour que tu aies un signe de ma tendresse dès que nous serons à nouveau séparés. Hier, dimanche, je t'ai écrit… sur le *Journal*. Matinée paisible au-dedans de moi-même. Mais quelle tempête au-dehors ! la neige a cédé sous les rafales de pluie. Hossegor ressemble à la pointe du Raz ! Tout est violence, combat. Je t'écris à la lueur intermittente d'une lampe que l'orage allume et éteint à son gré. Il est pourtant midi ! Cela ne nous empêchera pas, Saint-Périer, Neubrun, Léglise et moi de jouer au golf. Tout pour l'Attila-Cup, pour la revanche, pour la vengeance ! Et il me faut profiter de l'absence de l'agent perfide délégué par la famille Pingeot et Gredin pour ruiner ma forme et mon style !

Ce soir je prends le train à Dax, qui me déposera au petit jour à Saint-Germain-des-Fossés. Anne, ô Anne, ma bien-aimée, songer que demain, en cette heure, nous serons réunis me cause une joie… presque insupportable. Ce matin j'ai été déçu de n'avoir pas de lettre de toi au courrier. Ça me rend la journée difficile. J'incrimine tout et me réfugie dans l'espoir que la faute en incombe aux retards des trains arrêtés par les congères d'Auvergne ! J'ai écrit à Gédéon. Je compose notre alphabet qui me pose des problèmes de choix plus compliqués que je n'imaginais. Je poursuis mes lectures.

Cette cure de solitude me fait du bien mais plutôt que Saint-Périer j'aimerais que mon Anne, silencieuse, heureuse, fût là. La « brouette » semble attendre une chère présence. Le feu de bois a besoin d'être ranimé. Ma joie a besoin de toi.

Mon Anne, mon amour raconte-moi vite de quoi sont faits tes jours. J'ai besoin aussi de tes mots ! Je vis ici dans ton climat. Et je lis *Le Fou d'Elsa* et les poèmes que nous aimons : il me semble qu'un langage d'harmonie et de merveilles unit nos cœurs.

164.

En-tête Assemblée nationale, à Mademoiselle Anne Pingeot,
10 rue de l'Oratoire, Clermont-Ferrand, Puy-de-Dôme.

Hossegor, 30 décembre 1964

Me voici arrivé, mon Anne chérie un petit train antédiluvien m'a conduit de Bordeaux à Dax où l'on m'attendait. Je viens de dormir. Il est l'heure de déjeuner. Je ne t'écris que ces quelques lignes pour ne pas manquer le courrier et pour tenter la chance d'une distribution à Clermont le 1er.

Un soleil admirable avance sereinement dans un ciel pur. Merci de ta lettre si bonne, trouvée ce matin. Je l'ai lue avant de m'endormir et elle m'a confié des rêves heureux ! Merci de tout pour hier : d'être venue, d'être restée jusqu'à la dernière minute, d'être mon Anne merveilleuse. Merci pour les photos avec le canard. Je les aime.

Saint-Périer m'attend, impatient. Impitoyables, mes partenaires me guettent pour la partie d'aujourd'hui ! S'ils savaient comme tu me rends heureux ! Et comme je me moque du score !

À demain, ma très chérie. Je t'écrirai longuement ce soir et demain matin.

Tout va bien (je pense déjà à dimanche !).

J'espère que Gédéon n'est pas fâchée ni triste. Je t'embrasse si tendrement – ET JE T'AIME

François

P.-S. Je t'enverrai « l'alphabet » demain.

Carte postale de l'abbaye de Ligugé (Vienne), « L'unité chrétienne. Les murs de la séparation ne montent pas jusqu'au ciel. »

165.

S.d. Portraits mutuels !

1965

166.

Carte de visite du fleuriste André Baumann, à Anne Pingeot,
39 rue du Cherche-Midi, Paris VIe.

Le 5 janvier 1965

Je crois qu'il est temps que tu apprennes à jardiner !
Je t'aime

<u>François</u>

167.

En-tête Assemblée nationale, à Mademoiselle Anne Pingeot,
39 rue du Cherche-Midi, Paris VIe *(sans timbre).*

Mardi 5 janvier 1965

Il ne faut pas que cette journée s'achève, mon Anne chérie, sans que je te dise, sans que je t'écrive que je t'aime, que je suis heureux, que je vis par toi au-delà de moi-même, que j'atteins avec toi une région de l'âme où les plus simples événements ont d'incroyables résonances. Ainsi de notre déjeuner chez Sainlouis, de notre rencontre pont des Arts, de tes lèvres unies aux miennes dans une merveilleuse pureté du cœur, ainsi de chaque geste, de chaque mot, de chaque silence d'aujourd'hui.

Merci, ô Anne, mon amour, d'avoir béni ce début d'année nouvelle, d'avoir été mon si précieux, mon si cher, mon si bel amour, toute pareille à la neige de Randan, et au soleil rouge de ce soir – d'une seule couleur de terre, d'une seule couleur de ciel.

Ce que tu m'apportes me transfigure. Un calme immense gouverne ma vie. Te voir est un bonheur, t'espérer est un bonheur. Et le bonheur lui-même ne m'est pas nécessaire.

Tu t'appelles Anne et je t'aime.

Il n'est pas tard (23 h 30) mais je vais m'étendre et dormir. Je fais <u>tout</u> lentement, avec gravité. Même rédiger mes vœux conventionnels (et obligatoires) participe d'une sorte de sérénité qui tient à ta confiance, à ta tendresse, à ton désir (si tendu, si désintéressé, si exigeant) de réussir NOTRE entreprise ! Tu m'aides en toute chose. Tu es mon Anne. Tu es moi (le meilleur de moi).

Toi, tu dors déjà sûrement, près de Quentin Metsys, de saint Nicolas et de l'azalée. Si j'étais près de toi je contemplerais ton visage longtemps, longtemps et je lirais l'histoire de tes songes, de ton enfance et de ta vérité sur les traits de ta jeunesse au seuil de l'accomplissement. Je le baiserais. À peine et si doucement que tu ne le saurais pas. Je baiserais ta main, chaque doigt, et le creux de la paume. Et je resterais là, interdit par la beauté d'un monde où existe l'AMOUR DE TOI, où l'on peut aimer comme je t'aime, où l'absolu n'est plus que moquerie ou mensonge, où répond à mon sourire, le TIEN.

Bonsoir, Anne chérie.

Mercredi

Je sors d'un sommeil sans faille. J'ouvre l'œil sur un Paris tout gris qui laisse cependant deviner le triomphe de Sa Majesté le Soleil aux alentours de midi. En même temps que l'œil, l'esprit remonte des profondeurs. Et tout de suite il se fixe sur des images (sans doute était-il déjà avec ces images – qui n'étaient plus des images mais des êtres et des choses habitées par la vie obscure de l'autre côté de la pensée). Anne, mon Anne, voilà, je te vois. Et la journée déroule sa perspective. Rendez-vous. Déjeuner avec Bernard Finifter (l'Israélien militant). Re-rendez-vous. Horizon 80. Et, enfin, la nuit me restitue ma joie : à 20 h 30, rue du Regard, je te retrouve !

Anne je t'aime.

J'éclate sous la pauvreté des mots. Il me faudrait tous les symboles de l'Orient pour raconter combien je t'aime

<u>François</u>

168.

Carte postale, Berry, la bourrée chaînée (danse folklorique).

Le 8 janvier 1965

À toi, Anne, la « sole capricieuse » en souvenir des tendres jours passés à Châtel-Guyon dans la touffeur de l'été.
Un souvenir de Sancerre

<u>Le Big Chief</u>

169.

En-tête Conseil général de la Nièvre, le président,
à Mademoiselle Anne Pingeot,
39 rue du Cherche-Midi, Paris VIe.

Nevers, le 13 janvier 1965

Je t'ai écrit hier mais ma lettre n'est pas partie. Je t'ai écrit aujourd'hui mais c'est finalement le *Journal* qui te racontera l'histoire de mes deux journées. J'étais arrivé mardi matin épuisé. Je me suis reposé dans le travail, un travail harassant. Ta voix (que j'attendais ce moment !) m'a fait un bien fou. Et c'est avec élan que j'ai repris ma tâche, dont je sors tout juste à l'heure du dernier courrier. Mon Anne chérie, j'ai besoin de toi, de ta présence, de ta tendresse. Aussi quand je dois me passer de tout cela à la fois je ne suis plus que révolte et souffrance. Est-ce faiblesse ? Peut-être. Comme est force notre accord, force l'amour, force la confiance.

Je pense à toi ce soir en te souhaitant une bonne soirée autour d'un bon graillou. Je préside encore demain matin mon Conseil. La pantoufle me ramènera à Paris où se tient une réunion du Rassemblement démocratique à laquelle je participe (17 heures). Je serai rue du Regard à 20 h 30, heureux, heureux, heureux de retrouver mon cher amour.

Bonsoir, Anne, je t'embrasse très, très tendrement, comme j'aime, comme je t'aime, parce que je t'aime

François

170.

Serviette en papier de la brasserie Lipp.

20 janvier 1965

Absurde ?
répréhensible ?
oui
mais
Je
t'aime,
Anne

171.

En-tête Assemblée nationale (sans enveloppe).

22 janvier 1965

Mon amour,
Je comprends plus que tu ne crois
Tu comprends plus que je ne crois
Je t'aime plus que tu ne crois
Tu m'aimes plus que je ne crois
Continuons à ne pas croire

François

172.

En-tête Assemblée nationale (sans enveloppe).

Hossegor, 23 janvier 1965

À 6 h 30, ma chérie, je suis arrivé, par la nuit noire, à Bayonne. Michel Destouesse m'y attendait. Nous sommes allés chez lui où Hélène m'a servi un copieux petit déjeuner (deux œufs à la coque tout frais) puis Michel m'a conduit à Hossegor. Un Hossegor que le jour a rempli d'une douce, d'une parfaite lumière qui a rendu joie aux oiseaux (ils chantent et viennent musarder dans le patio), qui étale toutes les nuances du vert sur les feuilles des fusains, du camélia, des pins. Je me suis d'abord reposé en m'étendant avec délectation entre des draps drus et rêches. Je t'ai téléphoné. Mais j'avais déjà ta lettre, mon amour, et mon cœur était heureux. Anne, j'aime ta voix. Et ta voix aime. Ô grâce de ces jours que nous vivons !

Nous avons planté trente jeunes pins. Ce qui m'a permis de visiter mon terrain dans ses recoins de mousse et d'arbousiers, d'en respirer le parfum d'humus. Ainsi deux heures ont passé sans que l'on s'en aperçoive, Michel, le jardinier et moi.

Maintenant je t'écris du living-room, à ma table de chêne. Il fait bon chaud. La maison est propre. Je pense déjà à Pâques. J'aurai installé un pick-up avec stéréo et nous écouterons de beaux disques. La « brouette » t'attend. Je devine ta présence à chaque détail de cette pièce où nous avons échangé tant de tendresses, tant de richesses.

Dieu quelle beauté ! Les gens d'ici se plaignent d'une terrible tempête qui a régné durant ces derniers jours. J'en vois la trace aux branches cassées qui jonchent le sol. Mais le calme souverain d'un hiver de soleil m'était réservé aujourd'hui : rien ne bouge. Anne, mon amour, ma chérie, je voulais t'écrire de cette maison qui te connaît. J'arrête ces lignes. Pas notre dialogue ! Michel m'attend nous partons déjeuner à Magescq. Je cueillerai auparavant quelques brins de romarin pour toi, pour toi que j'aime

François

173.

En-tête Assemblée nationale, à Mademoiselle Anne Pingeot,
39 rue du Cherche-Midi, Paris VIᵉ *(sans timbre).*

Lundi 15 février 1965

Ma chérie, ce soir (il y a bien longtemps que je ne t'ai pas écrit autrement que par le *Journal*) je veux te parler. Te dire que tu es ma joie et, pour l'essentiel, ma vie. Te parler pour combler un vide : toi, tu assistes à la conférence du père Varillon, moi, je suis seul. Ce que tu écoutes suscite en toi l'élan, la foi, la recherche spirituelle, sans doute aussi l'angoisse qui naît des contradictions : moi je n'entends aucun écho sinon (mais c'était il y a un siècle, c'était il y a un après-midi, cet après-midi, de ce jour même, 15 février, lointain, lointain, depuis que nos directions se sont opposées sous la pluie, rue de Vaugirard, mais c'était sur l'autre rivage de ce monde étrange qui s'appelle l'absence), sinon le murmure de ta voix sans paroles dans le délire de l'être qui se dissocie et puis un peu plus tard, ton silence d'un instant, au télé-phone avant de confier, tout bas : « Ça ne fait rien. Tout va bien ! » Le bonheur ne se décrit pas, mon Anne.

Ainsi en est-il de l'histoire d'un homme et d'une femme comme de l'histoire des peuples. Suis-je heureux, ce soir ? Non, pas exactement. Pas comme il m'arrive de l'être, soit parce que c'était la splendeur d'Yons soit parce que c'était la plénitude d'Orcival soit parce que c'était la neige au pont des Arts. Pourquoi ? Je crois savoir : j'avais besoin de ton âme, ma bien-aimée, délivrée des inquiétudes éternelles, j'en avais besoin pour apaiser la mienne et qu'elles s'unissent comme si souvent – et il me semble que je t'ai laissée sans avoir répondu à toutes tes questions. Il est des jours où te quitter est trop cruel, trop anor-mal. Ta chambre avec ses chers objets, ses couleurs, ses iris, méritait de refermer sur nous ses murs hors du contrôle de toute horloge. Je détestais d'être en visite. Tu étais merveilleusement délicate, et tendre. Mais j'étais en visite, dans un cadre où je suis pourtant enraciné par les plus subtiles racines et j'en ressentais le goût amer. Te prendre là, dans mes bras, est plus difficile qu'ailleurs et vaut je ne sais quelle fête extraordinaire charnelle et mystique. Or (et cela a été un jeu de hasard), je ne t'ai pas donné cette fête (comprends ce que je tente d'ex-primer : j'ai été absolument heureux près de toi). Tu vois où me mène mon amour des rites et des cérémonies ! Mais pour moi, le 39, si tu es à moi, ce n'est pas un lieu de passage avec rendez-vous à 18 heures, c'est une maison où tu es ma femme, où la nuit succède au jour. Ou bien c'est comme la plage ou la forêt, un élément de l'espace d'où le reste du monde s'est à jamais (fût-ce pour une heure !) retiré, comme la mer qui monte ou le vent qui ploie les cimes, comme deux êtres à l'âme et à la chair d'ocre et de sable et de sel – nus. J'ai donc eu le sentiment de n'être qu'un peu de moi-même là où précisément j'aurais dû être ensemble le souvenir et l'espérance, la fleur et l'eau, le mur et l'image, la force et la paix. Bref, t'aimer au 39, c'est une rude affaire !

Ô mon Anne, ma chérie, je suis sûr que tu feras très bien le lien de ces lignes d'apparence décousue. Moi je ne crois pas (parce que je t'aime) que le corps éloigne l'âme ou la défie ou la meurtrit. Si ce soir tu as mal à l'âme n'incrimine pas ton corps. En m'aimant il obéit plus que tu n'imagines à ton âme. Sans elle il ne serait pas à moi. Interroge donc seulement ton âme, l'unique interlocuteur valable. Chère âme passionnée, rétractile, abîme de complexités. Notre histoire est une grande histoire parce qu'elle engage tout. Je ne suis mal à l'aise que lorsqu'il m'arrive de composer avec moi-même. Et c'est une manière de composer que de ne pas donner au 39 ce qui lui est dû. Un amour d'une autre sorte, je ne sais pas laquelle. Ou il aurait fallu que tout s'accomplisse. Ou il aurait fallu que nous demeurions avec nos bras, nos lèvres, nos souffles unis sans autre mot, sans autre geste que l'attente absolue d'un jour qui viendra. Ou il aurait fallu se livrer à la musique, à la compagnie aimante des choses sans rien demander de plus.

Alors, imperceptiblement je me le reproche. Je t'ai laissée pour un soir sans vrai secours. Nous avons été <u>très</u> heureux ? Évidemment. Mais aujourd'hui je devais t'apporter davantage. Ton cœur était avide d'une exigence dont je ne me crois pas être indigne mais qu'il m'arrive de mal entendre.

Anne, Anne, Anne. Voici une lettre d'amoureux. D'amoureux fou. C'est comme ça. Prétendre toucher le ciel en possédant la terre caractérise ce genre de folie. Je t'aime et suis un nœud d'interrogations. Cela ressemble à une prière ou au chant d'un marin qui serait perdu en mer, simplement pour entendre quelque chose.

Tu es mon Anne du premier jour. Et tu es Anne de chaque jour qui va de merveille en merveille. Anne de tous les prestiges du cœur.

Ah ! que je voudrais, assis face à toi, tenir tes mains dans les miennes, écouter le temps s'écouler, échanger les mystérieuses paroles des amours admirables, lire en nous la lente et sereine venue du destin.

J'apprendrais de toi un langage hors des mots dont je balbutie les
premières syllabes.

Je t'aime, Anne. Aide-moi.

Ouvre ta main que je l'embrasse au creux
pour unir à mes lèvres
les lignes de ta vie

François

16 février

Anne chérie,

Un grand soleil envahit mon bureau. Le matin, un nouveau matin
commence. À 13 h 15 je serai chez Sainlouis. Je pense à toi d'un si
tendre, d'un si tendre amour. Je t'envoie cette lettre écrite hier soir
et qui te paraîtra désordonnée.

Et je t'embrasse – Et je t'embrasse

François

174.

En-tête Assemblée nationale, à Mademoiselle Anne Pingeot,
39 rue du Cherche-Midi, Paris VIᵉ.

Ch.-Ch., dimanche 7 mars 1965

Mon Anne chérie,
Je t'aime.
Dimanche de neige, de glace
et d'absence.
Mais dimanche aussi
de lumière
puisque je t'aime
puisque tu m'aimes
puisque nous sommes
Anne et
François

175.

En-tête Assemblée nationale, à Mademoiselle Anne Pingeot,
39 rue du Cherche-Midi, Paris VIe.

Nevers, 9 mars 1965

Ma chérie,

C'est l'époque des petits bouts de lettres ! j'ai la main crispée par l'obligation où je suis d'écrire moi-même plus de la moitié du texte du journal (qui paraît deux fois cette semaine) + la circulaire électorale + les affiches + les tracts etc.

L'avalanche des petits soucis ne m'empêche pas de ressentir, vigilante au cœur, la joie de toi, mais nuit à ma faculté d'expression !

Et il y a les trajets Nevers – Château-Chinon et le reste !

Mais je suis suffisamment en forme. Ta lettre, ta voix au téléphone sont mes compagnons, mes amis. Ils m'aident à apaiser les irritations, à garder le sang-froid devant les luttes mesquines. Je jette ce mot à Nevers, puis je retourne à l'imprimerie pour achever mon cinquième article de la journée et préparer la mise en pages.

Tu sais, Anne, je t'aime.

Ta présence en moi est synonyme de force, d'équilibre, de volonté et de tendresse.

Oui, je t'aime, ma chérie

François

176.

En-tête Assemblée nationale, à Mademoiselle Anne Pingeot,
39 rue du Cherche-Midi, Paris VIe.

Château-Chinon, 10 mars 1965

Mon amour,

Tes lettres sont ma joie de chaque jour.

Merci d'être mon Anne.

Pardon pour le coup de téléphone de ce matin, un peu manqué par ma faute.

J'ai beaucoup, beaucoup de travail.

Hier soir, à 18 h 30, Nevers. À 19 h 15 Château-Chinon. À 21 h 30, Saint-Amand-en-Puisaye (110 kilomètres) où j'ai dormi.

Ce matin à 7 h 30, Nevers (78 kilomètres). Deux articles. À 11 heures, Moux (105 kilomètres). À 12 h 45 Château-Chinon (35 kilomètres). Ma circulaire au téléphone pour l'imprimerie. Et je commence deux autres articles…

Mais au volant de la pantoufle, par clair soleil, je pense à toi, j'aime penser à toi. Maintenant j'attends l'arrivée de la course cycliste Paris-Nice !

Je t'aime ma très chérie.

À demain : 9 h 30 à Babylone et 14 h 30 pour t'emmener à Nevers.

Que je t'aime ! (Et que j'aimerais t'embrasser)

François

177.

En-tête Assemblée nationale, à Mademoiselle Anne Pingeot,
39 rue du Cherche-Midi, Paris VIᵉ *(sans timbre).*

Mardi 16 mars 1965

Si je porte mal mon prénom, tu ne peux savoir, mon Anne chérie, avec quel soin je porte mon amour. Le message des signes : je passe mon temps à tenter de le déchiffrer. Ton visage de tout un jour va d'un point de la terre et du ciel à l'autre et je le regarde comme le voyageur la lumière d'une maison au bout de l'horizon, mais c'est peut-être aussi une étoile. Hier il était ouvert, ce visage, avec le jour, secret avec la nuit. Et moi j'apprends à lire sans que tu daignes me concéder un alphabet. Je t'aime, Anne. J'allais écrire, je t'aime, mon amour, mais Miss grammaire me dira que c'est une tautologie. Je me tais donc.

Dans un moment je pars pour Berlitz puis je te retrouve chez Sainlouis. À quelle nécessité obéit cette lettre ? Au mal que j'ai désormais à te quitter, fût-ce pour quelques heures, parce que l'ombre te ramène dans un domaine interdit ? À la joie profonde, fût-elle mêlée d'inquiétude, que mon esprit et que mon corps apprennent tout juste à supporter ? À l'envie que j'ai de ces lettres matinales qui, depuis

les premiers lundis, ont toujours été les petites hirondelles d'un hebdomadaire printemps ? À l'impossibilité où je suis de m'évader de
l'amour pour Anne, ce monde que je parcours en ne sachant où poser
le pied sans risquer de froisser un milliard de fleurs, de couleurs, de
tendresses, de beauté…

À tout à l'heure, toi

F

178.

En-tête Assemblée nationale, à Mademoiselle Anne Pingeot,
39 rue du Cherche-Midi, Paris VIe *(sans timbre).*

Mercredi 17 mars 1965

Comment a dormi cet horrible grognon avec son visage en pointe
et ses malaises juridiques ? Moi je sais maintenant ce qu'est un péché
mortel : perdre le temps d'aimer. Allez, Anne, en enfer !

Je t'écris cette lettre pour t'embrasser quand même, pour te dire,
quand même, que tu es mon Anne, pour, quand même, renaître avec
ce jour nouveau.

17 mars 1964 : je te montrais la maquette du livre. Rappelle-toi
comme c'était émouvant ce vêtement de quelque chose qui n'était pas
fini, qui pouvait encore changer du dedans et qui venait cependant
d'acquérir une forme immuable.

Intéressant dîner, hier soir. Je me suis couché tard après une promenade à pied avec Jean Marin. Je te raconterai.

Mais cette lettre n'est pas une lettre.

C'est une petite pensée collée sur du papier et expédiée au travers
du noble quartier qui abrite à la fois

Anne et

François

qui t'aime et qui
sera rue du Regard
à 14 h 15.

179.

En-tête Assemblée nationale, à Mademoiselle Anne Pingeot,
39 rue du Cherche-Midi, Paris VIᵉ *(sans timbre).*

Mardi 23 mars 1965

Il y aura tout de même une lettre pour toi, mon Anne, en ce mardi puisque ni Gédéon, ni Martin, ni Kiki n'y ont songé. Et c'est moi, François, qui l'écris, parce que je suis malheureux de toi, par toi, pour toi, sans toi, avec toi, bref de toutes les manières. Qu'arrive-t-il ? Je ressemble au ciel de ce mars incertain. Je ne sais où me fixer. J'ai perdu le goût du rire et du bonheur. Et tout simplement, je suis malheureux d'aimer.

Tu le sais bien : on reconnaît le bonheur de loin. Quand tu viens à moi je ne puis m'y tromper. Ton visage, tes yeux, ta démarche me racontent la joie. Mais où sont les neiges d'antan ?

Ta tristesse m'étreint. Peu m'importent ses raisons : j'en étouffe. Physiquement, moralement. L'éclair de cet après-midi a-t-il illuminé le beau paysage des jours que j'aime ou seulement la plaine morne aux longs chemins de pluie ? Je t'aime, mon Anne, et cela me rend sans doute exigeant, difficile, et capable de contresens. Je dirai alors que je suis un peu perdu, ~~comme un~~ aveugle à force de regarder en plein soleil.

Ce qui m'émerveille dans notre amour d'Auvers et d'Orcival, de Delft et d'Yons, c'est la plénitude, la sensation de force et d'équilibre.

L'amour n'est juste que créateur.

J'éprouve la violence de cette force en moi qui m'élève et m'apaise, oui, je l'éprouve depuis le premier jour.

Mais quand je vois cet amour impuissant à dominer tes soucis hors de moi, mon courage de vivre s'épuise.

Comment étais-tu, ma chérie, au Louvre et rue d'Assas, ce soir ?

Moi j'ai marché en compagnie d'une pluie capricieuse. Que l'air est limpide à boire ! que le printemps est prêt à faire craquer le monde !

J'ai marché, j'ai pensé à toi. Une tendresse dévorante alternait en moi l'envie d'accueillir la joie et celle de la nier, j'ai trouvé que le temps serait interminablement lent jusqu'à demain après-midi. J'ai essayé de m'absorber dans les devantures où dorment les beaux livres qui m'attirent comme d'autres le diamant au milieu de la tourbe. Exercice vain ! Tout était toi et m'attisait, « cendre qui blanchit la braise », tout était toi et se transformait à la mesure des heures, chargées au gré de l'humeur, d'espoir ou d'inquiétude.

Voilà la lettre. Elle est écrite. Elle n'a rien vraiment dit de ce qui m'occupe. Elle s'appelle lettre d'amour. Elle ne possède que cette signification-là. Elle ne parle qu'un langage. Elle le parle mal. Elle bute sur les mots et sur leur paroi dure, dure, dure

Je t'aime, seule douceur victorieuse qui efface pluie sur la vitre, pleurs, alarmes, doutes, seule douceur toute-puissante

François

180.

En-tête Assemblée nationale, à Mademoiselle Anne Pingeot, 39 rue du Cherche-Midi, Paris VIe *(sans timbre).*

Mercredi 24 mars 1965

Cette nuit tu m'as visité, mon Anne bien-aimée. Couché tôt parmi mes livres, mes images, mes signes j'ai lu, puis j'ai rêvé – éveillé, dormant, plongeant dans la nuit « des racines profondes », cherchant la trace des lumières qui font peut-être le bonheur des morts et sûrement l'espérance des vivants. Je te voyais avec tes cheveux relevés, serrés dans le carré noir et mousseux qui retombe en franges sur ton cou. Je voyais le lac vert de tes yeux, près des sources immobiles où le bleu du ciel ne parvient pas à colorer ce miroir de la terre. Je mordais ta bouche en silence comme au mois d'août les premières reines-claudes. Mais le rythme des profondeurs s'apaisait avec ton regard et j'aimais cet équilibre à mi-chemin des accomplissements, des ruptures et des déchirements qui nous laissait maîtres de notre joie.

J'allais aussi par les rues avec Toi ; nous entrions dans une église, sombre, sonore, où traînaient des parfums d'encens, de lys et de jasmin ; nous marchions sur les quais, contents d'être des passants distraits, musardant avec la logique du temps. Nous tournions autour des places qui ressemblaient à la cour du Louvre, chassant doucement les pigeons qui ne se dérangeaient pas. Anne, mon Anne, je t'aimais – et je t'aime, ce matin, dans la clarté d'un jour mal arraché aux bourrasques mais déjà lourd de la venue de ce prince étourdi, désinvolte, souverain, le printemps.

Être celui qui t'aime et que tu aimes, ô privilège d'un cœur difficile. Être celui pour qui s'ouvrent tes bras, s'ouvre ce corps long, long de longue fille pareille aux mâtures rejetées par la mer sur la plage des îles. Être celui qui possède le rire, le cri, la volonté d'aimer, l'exigence de vivre de cette Anne encore dorée par le soleil du verger du haut, encore cachée par les herbes chaudes de juillet, encore le cœur battant des vacances d'hier.

Dans un moment tu seras là.

Je bénis l'attente de toi. Tu es reine d'un royaume où respire mon âme.

> Je t'aime
> Je t'aime
> Comme il faut aimer
> Celle qui signifie
> L'achèvement des choses
> Qui ont trouvé leur ordre,
> La beauté

François

181.

En-tête Assemblée nationale, à Anne Pingeot.

Lundi 29 mars 1965

J'enrage car je t'ai manquée de peu au téléphone ce soir. Retardé par mes visiteurs je n'ai disposé d'un moment qu'à 20 h 35... et je ne sais quelle voix du 39 m'a répondu que tu venais de partir. Il est tard. Dumas est resté longtemps. Nous avons parlé livres, dossiers (d'avocats), Landes (il passe ses vacances sur le bassin d'Arcachon). Je m'endors. Mais je veux te dire un grand bonsoir très, très tendre, mon Anne chérie, à la fin de ce lundi où j'ai été si heureux de te voir. En cet instant tu es à l'Alhambra. Quand tu rentreras je dormirai ! Ne m'oublie pas : je t'aime de tout mon être, tu occupes mes pensées, tu es celle qui donne un sens aux actes de ma vie. Ah ! comme j'aimais le dessin de tes yeux, tandis que la lumière frappait de biais ton visage, au Père Auto. Tu étais lumière aussi, source de clarté, de beauté, de force. J'ai le goût de tes lèvres – qui m'émeut encore, mon amour, mon bouquet de printemps, le goût de tes lèvres en moi.

Allons. Bonsoir. Au diable B.-L. et le Caucase ! Bonsoir ma bien-aimée.

Mardi

Je te vois maintenant. Joie. Joie. Soleil partout. Anne, mon Anne, bonjour. Sois heureuse aujourd'hui.

I love you (on va à Berlitz tout à l'heure !)

<u>François</u>

182.

En-tête Assemblée nationale, à Mademoiselle Anne Pingeot.

Mercredi 31 mars 1965

Anne chérie,
Le docteur Dayan bavarde avec moi pendant que je t'écris. Mais je ne suis pas distrait. Mon cœur n'est jamais distrait de toi. Je viens te dire bonjour. Je viens te dire que je t'aime.

Que c'était bon hier soir ! Quel rire intérieur ! Je serai près de toi, rue du Regard, à 15 h 15. Ma joie, ma chérie, à tout à l'heure

<u>François</u>

183.

En-tête Assemblée nationale (sans enveloppe).

Mercredi 31 mars 1965

La chaleur m'étouffait cet après-midi. Une lente lutte s'organise entre la vie du dehors qui éclate, qui explose et le corps, mon corps

mal dégagé du rythme de l'hiver. D'où sorte de langueur. Inadapta-
tion au printemps qui, même s'il se fait attendre, arrive toujours plus
tôt qu'on ne croit.

J'aurais dû te montrer mieux Rouault et j'ai l'impression de t'avoir
bousculée. Cela valait plus grande attention et toi tu vaux, toujours,
chaque jour, plus grande attention. Il faudrait regarder, contempler,
réfléchir, aimer sans se presser comme si l'éternité était de l'autre côté
de la porte. Puis j'ai écrit des lettres, réglé de l'arriéré, reçu. J'avais
envie de te revoir vite, mon Anne, de repartir au bord de la nuit, au
seuil de la fraîcheur, avec toi à mon bras, suspendue et rieuse.

Sur mon agenda j'ai noté cette phrase de Sénèque :
« Ô combien nous sont hostiles les vœux de ceux qui nous aiment. »

184.

En-tête Assemblée nationale, à Mademoiselle Anne Pingeot, EV.

Dimanche 11 avril 1965

Fourbu mais vaillant, après un pauvre petit 99 à la partie de ce
matin, j'espérais, de retour à 16 heures, vous trouver à Lohia pour
vous montrer un camélia, merveille d'audace et de lourdeur rouge
et penchée.

Mais Anne s'est envolée !

Je compte sur elle (un peu, beaucoup…) soit à 17 heures soit à
18 heures aux Trois-Poteaux : j'irai les deux fois pour le cas où la
première serait vaine !

À 7 heures ce soir si Gédéon veut venir voir mes plantes, elle sera
la bienvenue. J'irai le lui dire.

Anne
attendue
espérée
à
ce
soir

F

185.

En-tête Assemblée nationale, à Anne Pingeot, EV.

Hossegor, Vendredi saint 1965 [16 avril 1965]

Mon Anne,

Ton père a bousculé mon emploi du temps – en reportant de 14 à 16 heures notre rendez-vous au golf et en insistant ensuite pour faire dix-huit et non dix trous...

Résultat, je n'ai rejoint la pantoufle qu'à 19 h 10 et j'ai trouvé ton mot trop tard.

Je suis triste de ne pas t'avoir revue aujourd'hui et je fais pénitence de toi.

Demain je serai à 11 heures au lieu dit et je pense à la messe de nuit. En moi tout est paix et joie, hors ce petit contretemps,

paix et joie

par ta grâce

<u>F</u>

186.

En-tête Assemblée nationale, à Mademoiselle Anne Pingeot, 39 rue du Cherche-Midi, Paris VIe *(sans timbre).*

Dimanche 25 avril 1965

Anne chérie,

Voici la carte d'entrée pour la Convention. Defferre parlera vers 15 h 15, 15 h 30, je lui répondrai aussitôt – donc vers 16 heures. Viens ! je t'attends.

Si tu n'as pu arriver assez tôt tu peux encore passer me prendre au palais d'Orsay jusqu'à 17 h 30, mais le plus pratique sera que je te téléphone au 39, vers 18 heures, pour te dire quand nous pourrions nous retrouver (sans doute à 18 h 30). J'ai hâte de te voir. Je t'espère et je t'aime

<u>François</u>

187.

En-tête Assemblée nationale, à Mademoiselle Anne Pingeot,
39 rue du Cherche-Midi, Paris VIe.

En route, 3 mai 1965

Ma chérie, j'ai passé ma journée d'hier en Puisaye, c'est-à-dire dans une propriété proche de Saint-Amand, tout au nord de la Nièvre. Une dizaine de Parisiens, journalistes surtout, étaient réunis là, chez Georges Suffert, lui-même journaliste à *L'Express* et animateur du Club Jean-Moulin. J'ai circulé tout autour pour visiter des communes et des mairies et n'ai rejoint Nevers qu'après minuit. Il avait beaucoup plu. Les chemins gardaient de longues flaques d'eau. L'herbe des champs était luisante et grasse. La masse des bois donnait une impression de force obscure et se perdait à l'horizon dans un ciel bas. De terre montait l'odeur des printemps tristes. Pour vaincre la nostalgie il m'aurait fallu une maison dont j'aurais aimé la chaleur et la qualité de la lumière – et la voix et le visage d'un être d'élection.

J'ai dormi à l'Hôtel de France (chambre n° 94). Auparavant j'ai achevé la lecture du *Tais-toi* de Paul Morand. Quant à ma conférence je n'y ai mis le nez que ce matin, après une réunion de travail pour préparer la session de la commission régionale Bourgogne.

J'ai essayé de t'obtenir au téléphone à l'heure dite mais le numéro était occupé. Ensuite, la poste ne parvenait pas à l'avoir... et j'ai dû poursuivre ma randonnée. J'espère qu'à 7 heures j'aurai plus de chance. Je parlerai à la fin d'un dîner-débat puis je passerai la nuit à Saint-Cyr-au-Mont-d'Or, chez François de Grossouvre. Je ne pense pas pouvoir arriver à Paris demain assez tôt pour déjeuner avec toi. Cela m'ennuie. J'aurais voulu être près de toi au moment où tu iras passer ton examen. Mais 500 kilomètres même avec la pantoufle, ce n'est pas facile à franchir en moins de six heures ! J'irai donc te chercher à 20 heures rue Michelet et nous pourrons dîner ensemble.

Hier soir j'ai longuement regardé tes photos et parmi elles, celles de Cordes. Prétexte à rêverie ! Je me reportais aux heures de joie et de ferveur pour ressentir plus rudement cette sorte d'étouffement que j'éprouve, séparé de qui j'aime – j'espère qu'à Bougival tu t'es reposée et que tu as travaillé en paix, comme tu le désirais. J'essaie d'imaginer ton décor chez les Barbot et je voudrais le connaître.

Irons-nous en juin ?

Sur la route je me suis arrêté pour… acheter les journaux et je suis tombé sur le nouveau numéro du *Jardin des arts*. Du coup je l'ai pris… pour y trouver un reportage sur Cahors. Une photo a déjà pris place dans notre *Journal* à nous ! point de repère, signal, borne milliaire, jalon d'une (non de deux vies). Un clocher, des toits, un pont sur une rivière, d'image en image, une histoire, la nôtre, se raconte. L'histoire d'un amour qui doit être plus que l'amour.

Mon Anne bien-aimée, je voudrais que cette lettre soit pour toi une bonne compagne depuis le moment où tu la découvriras dans ta boîte jusqu'au moment où nous serons réunis ; je voudrais qu'elle te porte chance pour l'après-midi ; je voudrais qu'elle soit simple et tendre messagère d'un voyageur qui, le temps d'une brève étape, interrompt sa course et confie aux mots d'une encre bleue toute bête une prière d'aimer qui chante dans sa tête mais qu'il exprime à la diable…

Car *Laurent* m'attend. Il convient de lui consacrer l'avant-dîner pour parler dignement de lui et lui donner raison…

Mon Anne, ma chérie, à demain. La pantoufle se plaint de moi et me demande pourquoi je t'ai laissée au loin. La pantoufle a la logique des femmes et comme je ne l'ai pas écoutée elle crisse, se démène, renâcle ! je crois qu'elle est jalouse de moi.

Bonsoir et que passe vite, vite, vite, cette semaine ennemie.

Je t'aime et je t'embrasse de tout mon être

François

188.

Carte postale, deux ânes sur des montagnes : « Bonjour aux amis »,
à Mademoiselle Anne Pingeot,
39 rue du Cherche-Midi, Paris VIe.

Le 7 mai 1965

Ah ! la bonne herbe ! Et cependant mon regard mélancolique se tourne vers le phalanstère du 39, et spécialement vers vous,
    ma sœur…

F

189.

En-tête Assemblée nationale, à Anne.

Jeudi 13 mai 1965

> Tu t'appelles Anne,
> ma chérie,
> Anne comme anniversaire,
> tu t'appelles Anne
> et je t'aime

François

190.

Carte de visite de fleuriste, à Anne Pingeot,
39 rue du Cherche-Midi, Paris VIe.

Le 18 mai 1965

Ce sont les fleurs de la confiance,
mon Anne déchirée
– et tant et tant aimée

F

191.

Sur un angle de nappe de bistrot.

18 mai 1965

> Je t'aimerai
> toujours mon
> Anne de
> ma vie
> Tant pis pour toi
> Tant mieux pour
> moi

192.

En-tête Assemblée nationale, à Mademoiselle Anne Pingeot,
39 rue du Cherche-Midi, Paris VIe *(sans timbre).*

Mercredi 19 mai 1965, 2 h 30

Ce soir, après une longue journée crispée sur ma souffrance, mais tenue juste assez à distance pour que se déroulent, comme il le fallait, la série des menus devoirs et le défilé réglementaire des heures l'une après l'autre – ce soir, après le choc ressenti en te retrouvant gare de Lyon qui m'a soudain délivré de l'angoisse où sombraient la force et l'espérance, oui ce soir j'étais un homme ivre. Cela doit être classique (mais je ne connais l'ivresse d'aucun alcool, d'aucune drogue) : tout se dédoublait en moi. J'étais à la fois celui qui crie à la mort et qui rit de son destin mutilé, celui qui perd son sang et qui regarde dans un miroir sa mauvaise mine, celui qui vit un amour absolu et qui entend sortir de lui des paroles de dérision.

Pardonne-moi donc mon Anne. Il y a aussi une ivresse du chagrin.

Tu m'as offert une verveine, à 2 heures de la nuit, au 39. Tu n'y as sans doute pas prêté attention : tu m'as sauvé. Cette verveine qui n'a pas infusé, que je n'ai pas bue, qui reste miettes desséchées d'une brave petite plante inoffensive, Anne, c'est pour elle que je t'écris. Je te remercie de tout, de ta présence, de ton pas sur les feuilles des beaux jardins d'Île-de-France, de ta main ouverte, de ta bouche, de ton corps, des échanges qui touchent l'âme et l'émeuvent, des beautés aimées, recherchées, partagées, des itinéraires qui mènent à Orcival et à Cordes, je te remercie de tout ce que je reçois de toi depuis le premier jour, mais je te remercie avant tout de cette paix trouvée au fond d'une tasse où rien cependant ne fut versé, je te remercie avant tout de la verveine du 39.

Ce silence autour de moi, sous la lumière de la lampe qui frappe durement le papier où je trace ces lignes, cette solitude qui me rapproche de toi à peine t'ai-je quittée me font fuir un sommeil qui risquerait de m'abolir alors que je dois veiller. J'ai encore froid du Morvan, du voyage, de notre marche par les rues, froid dans les os et dans le cœur. J'ai encore les soubresauts de la révolte qui mêlent au froid la fièvre. Je me révolte contre ce coup asséné au point exact, au moment exact de non-défense. J'étais possédé de bonheur, de confiance, d'élan. Oui ça donne froid quand on se regarde, après.

Mais il y a toi. Il y a toi, mon Anne, mon amour, ma bien-aimée, mon bien, ma lumière, toi, toi, toi, toi, toi, toi, toi, toi, toi, Oh ! toi.

Et ce que tu m'as offert, une verveine, qui eût été fade, sûrement, si tu l'avais faite, et qui me sauve, qui me désaltère, qui coule en moi, petite source chaude, petite, toute petite vie venue d'ailleurs qui se glisse en moi pour aider ma vie à demeurer le contraire de la mort, c'est-à-dire mouvement, création, souffle.

Je ne t'aime pas assez pour renoncer à toi ?

Je t'aime trop pour renoncer à toi. Si on arrive à tuer bout par bout ce que je suis on finira par y arriver. Mais on n'y arrivera pas. Ce n'est pas à toi que je voulais faire mal en parlant comme je l'ai fait au milieu de notre soirée, c'est à moi. Je me suis fait mal (à toi aussi) mais pas assez pour que j'aie envie de continuer à nous blesser.

Mon amour pour Anne est un champ qui va jusqu'à la mer comme un fleuve qui ne bougerait pas. Un champ sous le ciel, sous une grande traînée de ciel. Mon amour pour Anne est un arbre fleuri qui ressemblerait à l'arbre tout seul qu'on voyait au-dessus de nous, entre l'infini du monde fini et nous. Et il est tous les oiseaux qui chantent parce que la musique a été mise dans leur gorge et qu'il s'agit de la rendre à Dieu, sur deux notes alternées. Mon amour pour Anne est une église claire avec des bancs de bois qui sentent le buis et la cire, une adoration du cœur interdit par la grâce qui le pénètre. Mon amour pour Anne est un vainqueur qui entre dans la ville et n'arrête son cheval qu'au sommet. Il est contemplation : mon amour pour Anne n'a jamais cessé de voir Anne telle qu'elle est. Il n'a jamais cessé non plus de la voir telle qu'il l'aime. Il est action : demain, demain, ah ! demain – et ainsi de suite, ce qui me fait penser, je ne sais pourquoi, que ce n'est pas la peine de fermer les yeux de ceux qui ne sont plus rien. Le regard est au-dedans.

Je m'étais sans doute trompé d'heure : 4 heures sonnent ! Il faut demain matin que la douleur soit soumise à l'amour. Je t'aime de toute mon âme, Anne, mon Anne. Cette lettre n'a pas de fin

François

193.

S.d. Coupure de nappe en papier (femmes de votre vie !).

1 blonde yeux marron
2 plutôt blonde yeux plutôt bleus
3 brune bleus
4 cheveux d'or devenus… yeux verts

194.

S.d. Coupure de nappe en papier.

ÉCRIVAINS	POÈTES	PEINTRES	MUSICIENS
1. Shakespeare	1. Hugo	1. Zurbarán	1. le Beethoven
2. Pascal	2. Verlaine	2. Le Caravage	de la 7ᵉ
3. Tolstoï	3. Aragon	3. Cranach	et de la 5ᵉ
ou			2. Mozart
1. Pascal			3. Schumann
2. Chateaubriand			
3. Stendhal			

CHANTEURS MODERNES	ACTEURS
1. Ferré d'Aragon	1. Robert Hirsch
2. Brassens	2. Audrey
du début	Hepburn
	3. H. Fonda

195.

S.d. Dessin d'un canard (?) et d'un coq et une invitation au Crillon.

196.

En-tête Assemblée nationale, à Anne Pingeot,
39 rue du Cherche-Midi, Paris VIᵉ *(sans timbre).*

Jeudi 24 juin 1965

Ma chérie Anne,
On est triste de votre tristesse. On n'arrive pas à se débarrasser le

cœur de la nostalgie qui tombait sur votre visage, tout cet après-midi, à mesure que l'heure passait. On attend encore le sourire qu'on aime, le sourire qui ne vient pas du souci de sourire – et on attend aussi le petit signe qui veut dire à celui qui part qu'on a de la joie en réserve pour la fin du jour, pour la nuit, pour le lendemain matin, enfin pour le temps qui se nomme solitude.

On avait envie de crier un peu fort qu'on était amoureux d'Anne, heureux de l'être et ravi de l'étaler depuis les passages cloutés jusqu'au fond de la tanière Anna. On avait envie de dire n'importe quoi, de s'amuser de soi-même, pour le seul plaisir de ne pas entendre les mots, les phrases, et leur petit jeu d'osselets et de les laisser filer comme un ruisseau qui sort tout juste de sa source et qui trouve la pente qui l'emmènera au creux de la plaine, pour le seul plaisir de regarder ton visage tressaillir, terre neuve étonnée de ce qui naît en elle.

On a donc filé par la rue du Regard avec le sentiment d'être frustré d'une humble grâce quotidienne et on a senti d'un coup la pesanteur du soleil méchant et dissimulé qui broie les couleurs, les pensées, les bonheurs et même le noir au rouge et l'orangé au bleu pour en faire une pâtée anchois-pommier qui dégoûterait Orémus lui-même. [Blague rapportée par Bibiche : mon premier est un poisson, mon second un arbre fruitier et mon tout un roi de France. Anchois + pommier = François Iᵉʳ.]

On se plaint depuis lors. On traînasse devant des photos de Loire et de Rouergue. On aime Anne en grognant. On fait le mal-aimé. On tournerait à la grise mine et au tracas du cœur si l'on n'avait devant soi la perspective du téléphone, à 9 heures, ce soir, la perspective d'une voix passe-muraille qui guérira peut-être celui qui l'entendra. On ne s'en est pas moins mis au travail, inspiré par la forte leçon de l'Auvergne laborieuse. On a avancé l'avis à donner sur la Région Bourgogne. On a reçu le président de ladite qui a la plus magnifique trogne adéquate et qu'on verrait en chancelier à traîne rouge et large hermine. On a feuilleté deux pages d'Aragon et signé, signé pour Laurence des lettres ennuyeuses. On a parcouru *Le Nouvel Observateur* et lu l'article de Claude Krief sur la rupture de la Fédération, article qui nous a rappelé une salade niçoise avalée de conserve avec une Anne très sage et très douce.

Maintenant on appelle un taxi qui vous posera rue du Louvre où se succéderont deux réunions. On fera le détour du Cherche-Midi afin de mettre ces lignes sous vos yeux. On sera dolent parce qu'on sera amoureux d'un indéchiffrable objet dont on ne parvient pas à saisir la délicate horlogerie : on aurait dû consacrer plus d'attention à la mécanique du mouvement perpétuel quand on avait des culottes courtes entre les murs de Saint-Paul d'Angoulême.

On clôt cette lettre en se déclarant passionnément amoureux et tristement désorienté. Un berger des Cévennes, s'il cherche en vain les routes du ciel qu'un nuage lui cache et qui n'aime que ça : rechercher l'étoile qu'il a choisie pour compagne de rêve, ce berger-là est un pauvre berger

F

Vendredi 25 juin, mort d'Orémus.

197.

En-tête Assemblée nationale, à Mademoiselle Anne Pingeot,
au 39 *(écriture d'enfant).*

Jeudi 1ᵉʳ juillet 1965

> Mon amour
> d'Anne
> Je vous aime
> de tout mon cœur
> d'anchois Pommier

198.

En-tête Assemblée nationale, à Mademoiselle Anne Pingeot,
aux bons soins de Madame Dulac, Hôtel Saint-Sauveur, Lourdes,
Hautes-Pyrénées.

Vendredi 2 juillet 1965

Mon amour d'Anne, j'ai regardé le train jusqu'à la lanterne rouge et j'étais enraciné sur ce quai immobile tandis que l'absence, ton absence me cernait. J'ai pris un taxi et je suis allé chez Lipp. J'y ai déjeuné seul d'un hareng baltique (en ton honneur) et d'une tête de veau mélancolique. L'ayant appelé au téléphone j'ai vu Georges Dayan surgir au café. Ensemble nous avons erré (Crédit lyonnais, Palais-Bourbon). J'ai envoyé deux télégrammes à Lohia. Et je suis rentré à mon bureau où j'ai mis un peu d'ordre.

J'ai rangé des livres, rêvé devant nos photos, préparé le fichier qui me servira pour le 2 décembre. Tu me manques Anne chérie, Anne qui approche de Bordeaux après avoir traversé les forêts de pins de la Double, pas loin de Touvent. Nous ne nous sommes pas dit au revoir comme il aurait fallu. Mais on ne dit jamais bien au revoir à qui l'on aime.

Quand tu liras cette première lettre tu auras déjà plongé dans l'univers des malades de Lourdes. Tu auras l'impression d'être passée d'un monde dans l'autre et c'est peut-être celui où nous étions encore ce matin qui te paraîtra irréel, hors de sens. Ne te fatigue pas trop, mon chéri. Mais cette recommandation ne signifie rien : tu te fatigueras, tu feras ce que tu dois faire et tu auras raison. Il n'y a rien à garder quand on donne. Ne m'oublie pas cependant, ne me loge pas dans le canton des bonheurs imaginaires, imaginés. D'un cœur très sûr et très épris de toi, j'attends.

Maintenant deux visiteurs sont arrivés, Hernu et Beauchamp. Ils me mobilisent alors que l'heure du courrier se précise ! Zut !

Mais ça n'a pas beaucoup d'importance puisque tu SAIS

> Tu sais que je t'aime
> Tu sais que je pense à toi,
> Tu sais j'ai déjà mal de toi, mon amour,
> Tu sais que je suis
> François, le tien.

Je t'écrirai de la Nièvre demain. Ce soir je dîne chez mon frère Robert avec l'ancien président du Brésil Kubitschek.

Ô mon Anne, ma merveilleuse chérie,

bonsoir, bonsoir,

je t'aime

François

199.

2 juillet 1965. Télégramme, à Mademoiselle Anne Pingeot,
villa Lohia, avenue du Tour-du-Lac, Hossegor.

MA PENSÉE NE VOUS QUITTE PAS — FRANÇOIS

200.

En-tête Assemblée nationale, à Mademoiselle Anne Pingeot,
aux bons soins de Madame Dulac, Hôtel Saint-Sauveur, Lourdes,
Hautes-Pyrénées.

> *Dans le train de Nevers à Paris,*
> *dimanche matin 4 juillet*

Mon Anne chérie cette écriture d'épileptique ou de nonagénaire est due, tu l'as compris, aux modulations de la voie ferrée. J'ai pris le train à 8 h 31 après avoir couché à l'Hôtel de France et dès que j'arriverai gare de Lyon je serai happé par les amis qui m'emmèneront à Saint-Gratien où se tient depuis hier un « séminaire » de la Convention des institutions républicaines (80 participants). J'aurais dû rentrer hier soir mais mon emploi du temps de Château-Chinon ne m'a pas permis d'attraper le célèbre « Arverne » qui me valait de retrouver un joli petit manteau rouge du côté de la marchande de journaux... quelle journée, hier ! Pas une minute qui ne soit mangée par les autres. Une réunion l'après-midi pour désigner nos candidats aux élections sénatoriales de septembre et pour définir notre « stratégie » électorale s'est terminée fort tard. (Je n'ai plus d'encre !!) Du coup je suis resté à Nevers pour la nuit, non sans avoir (« profitant » de la circonstance) fait un tour à la « Nuit des Ailes », soirée et bal populaires dans les hangars de l'aéro-club. Ce matin, que j'avais les yeux brouillés ! Rompu, brisé ! J'avais évidemment tes photos près de moi et avant de dormir d'un sommeil imparfait une longue pensée, très douce pour la Croix-Rouge française m'a occupé l'esprit et retenu le cœur. On vient de dépasser Montargis... mais je trace ces deux derniers mots assis devant mon bureau, rue Guynemer, avec une cartouche d'encre pleine, et deux amis dans les fauteuils, qui bavardent et me pressent car on m'attend à Saint-Gratien…

Je veux absolument que cette page informe parte maintenant pour qu'elle t'atteigne demain. Or nous sommes dimanche et il n'y a qu'une seule levée, à 15 heures. Voilà, mon Anne chérie, pourquoi j'arrête ces lignes ici.

Le courrier m'apportera-t-il un mot de toi demain ? Comme je l'espère !

Moi, je pense à toi tout simplement, ma joie, mon amour miraculeux de tous les jours. Et, tu le vois, je m'habitue au miracle tant tu m'as pétri de merveilles et depuis tant de jours, tant de mois…

À demain, Anne-Aimée, mon cher amour, ma très chérie

<u>François</u>

201.

En-tête Assemblée nationale, à Mademoiselle Anne Pingeot,
aux bons soins de Madame Dulac, Hôtel Saint-Sauveur,
Lourdes, Hautes-Pyrénées.

Lundi 5 juillet 1965

Mon Anne chérie, une déception au courrier de ce matin : pas de lettre de Lourdes. Je me suis donné un tas de raisons pour corriger mon ennui (d'abord, ton travail qui doit te laisser peu de temps). Mais je ne suis pas tout à fait arrivé à ranger mon cœur à l'abri du bon sens et je suis un peu triste.

Hier s'est déroulé à Saint-Gratien. Débat jusqu'au dîner. Charles Hernu et Dayan m'ont alors emmené à Barbizon chez Bérard-Quélin, où nous avons achevé la soirée tranquillement et au frais (j'ai même eu froid). Impression bizarre : Paris sans toi. Je me sens du vague à l'âme et du vague au corps. Uni à toi, merveille. Coupé, déchiré de toi, malaise, incertitude. Qu'as-tu fait depuis Bayonne ? Comment était Hossegor, et ta chambre à Lohia ? Et comment l'hôtel Saint-Sauveur et Lourdes ?

Je compte te rejoindre à Hossegor le 12. J'arriverai dans la journée – mais je t'en reparlerai. Une semaine encore ! Mon Anne très chérie, tu me manques comme on a soif. Et j'ai soif.

Dis-moi quand tu quittes Lourdes. À partir de quel jour dois-je t'écrire à Lohia ? Toi, écris-moi à <u>Paris</u>. Je serai dans la Nièvre demain mardi ainsi que jeudi, samedi et dimanche jusqu'à <u>vendredi inclus</u> je trouverai donc commodément mon courrier rue Guynemer. <u>Samedi</u> si j'avais quelque chose à Nevers (où je passe la matinée pour le syndicat départemental d'électricité) que je serais content !

Une question : as-tu finalement envoyé le paquet destiné à Michel Barbot ? sinon il gît au 39 et j'irai le chercher pour le mettre moi-même à la poste. Encore faut-il que Josée soit prévenue pour que je ne me heurte pas à une porte close. Penses-y.

Une mauvaise nouvelle : le joli pin tout droit que j'avais moi-même planté entre les deux prunus devant la maison d'Hossegor et qui atteignait déjà la hauteur du toit est mort. Il était si beau à Pâques ! Je l'aimais beaucoup et m'occupais de lui avec prédilection. Quelle bête l'a rongé et tué ? C'était mon préféré. Elle a visé juste.

Parle-moi de Rieutort. Quand pourrions-nous y aller entre le 13 et le 18 ? Les Barbot y seront-ils le 16 par exemple ? Je me réjouis tant à la pensée de pouvoir t'y conduire – et t'en ramener. Prends contact avec eux pour connaître leurs projets. Le circuit que nous ferions serait merveilleux : une route bordée de richesses d'art faites pour nous.

Le courrier de 16 heures vient de sonner : encore rien de toi. Et demain je serai parti à l'aube ! Ça commence mal. Dédette qui m'a piloté jusqu'à La Boulie ne me console pas, malgré de méritoires efforts. Mais je n'oublie pas que tu dois avoir une vie terriblement fatigante… et je ne t'en veux pas du tout.

Mon chéri, comme je voudrais ton visage ! Ton visage de Beaugency, le matin, par exemple, tout las et tout rieur.

Ou bien je voudrais marcher près de toi comme l'autre soir, le dernier, en rentrant du cinéma Le Saint-Séverin : l'intensité d'un bonheur simple. Je t'aime. Si fortement qu'en dépit de l'absence et du silence je pense que tu vis en moi, que mes gestes et mes actes s'harmonisent à toi. Et je t'embrasse très tendrement et la tendresse cède le pas et je t'embrasse comme je t'aime : force et ferveur (ça fait deux f, comme professeur).

François

202.

En-tête Assemblée nationale, à Mademoiselle Anne Pingeot,
villa Lohia, avenue du Tour-du-Lac, Hossegor, Landes.

Mercredi 7 juillet 1965

Mon amour d'Anne,

Enfin, ta carte, ce matin. Qu'elle m'a fait plaisir ! j'ai le cœur heureux par la grâce de quelques mots tendres, le cœur fondant devant une écriture en arabesque ! Ce soir tu quitteras Lourdes pour Hossegor : je suis sûr qu'en dépit de la fatigue tu t'es passionnée pour ta tâche auprès des malades, pour aider, aussi peu que ce soit, à supporter l'immense misère du monde et des hommes, pour servir, aussi peu que ce soit, l'espérance.

Repose-toi maintenant. Je te retrouverai lundi soir ou mardi matin. Je ne sais pas encore comment, train ou avion. Il faut en tout cas que je sois à Gien-sur-Cure, dimanche soir, pour dîner avec le conseil municipal ! Après quoi, Paris et les Landes… La pantoufle m'a précédé à Hossegor, le ventre plein des objets hétéroclites qui font un déménagement.

J'ai tellement besoin de mon Anne et c'est une si bonne et si violente joie que d'aller vers toi.

Hier, parti à 7 h 50 et revenu du Morvan à 23 h 15, j'ai fait un tour insensé par Nevers, Château-Chinon et mon canton avant de me retrouver, mort de fatigue, gare de Lyon. J'ai visité tous les hameaux de la commune de Gouloux, par un temps admirable. La plupart de mes électeurs m'ont reçu dans les champs où s'achevait la fenaison. De la terre montait l'odeur des pluies d'orage et les collines lourdes de leurs forêts cernaient autour de moi un horizon de lumière. On a parlé de tout. J'étais accueilli avec confiance et amitié. On m'a même fait arbitre d'une querelle qui divise âprement le bourg : une famille devenue anticléricale avait jadis (à la fin du siècle dernier) offert un bouquet de fleurs dorées artificielles pour l'autel de l'église. Le nouveau curé voulant moderniser et célébrer l'office face au public a jeté les fleurs, parmi d'autres détritus. Du coup la famille anticléricale, vexée, a entamé la vendetta, poursuivi le maire (anticlérical lui aussi : c'était ton chauffeur, de Dun à Château-Chinon), et divisé la communauté villageoise !

J'ai vu les uns et les autres et plaidé la bonne foi réciproque ! Ô Clochemerle éternel !

Aujourd'hui, journée politique puisque j'ai rencontré Guy Mollet et déjeuné chez Mendès France avec l'ambassadeur de Grande-Bretagne. J'ai également rédigé deux questions orales, l'une sur le Marché commun européen, l'autre sur l'indemnisation des rapatriés d'Algérie et demandé pour cette discussion une session extraordinaire (article 29 de la Constitution, Mlle Polard). La presse commente beaucoup cette initiative.

Un petit fait-divers : mon frère Jacques vient d'être nommé général... et affecté à un commandement de la Force de frappe ! d'où commentaires redoublés...

Je te raconterai par le menu mes entrevues, extrêmement intéressantes. Elles seront complétées demain par trois réunions d'abord avec le Parti radical, ensuite avec le Rassemblement démocratique, enfin avec le Comité national H. 80. Le tout étant centré sur la Fédération et le regroupement, l'élection présidentielle restant en filigrane !.

Dès vendredi matin, jusqu'à dimanche soir, re-Nièvre. Mais je t'écrirai demain, évidemment.

Mon Anne, ma chérie, si tu m'écris demain adresse ta lettre à ~~Paris (avant 17 heures)~~ Nevers. Je l'aurai vendredi ou samedi. Si~~non~~ tu m'écris vendredi, adresse ~~encore~~ la à Paris : il faut deux jours au courrier pour établir la liaison Hossegor – Château-Chinon ! je l'aurai alors lundi, juste avant mon départ. (Pardonne ce gribouillis, mais si je veux que cette lettre prenne le train ce soir il faut que je la jette vite à la poste et je n'ai pas le temps de reprendre ce vilain brouillon.)

Bonsoir, ma très, ma tant chérie. Ah ! t'embrasser !

Dore-toi au soleil, souris à l'espérance des jours qui nous attendent, sois en paix et heureuse.

Je t'aime et je t'aime

François

Coupure de presse *Le Monde* : « M. Mitterrand demande une session extraordinaire du Parlement ».

203.

En-tête Assemblée nationale, à Mademoiselle Anne Pingeot,
villa Lohia, avenue du Tour-du-Lac, Hossegor, Landes.

Vendredi 9 juillet, 7 h 15

Ma très chérie,

Hier, poussé de réunion en réunion, je n'ai pu t'écrire. Mais avant de prendre mon train pour Nevers je pense que la lettre que je t'écrirai aujourd'hui ne t'arrivera sans doute pas demain puisqu'elle ne partira pas de Paris. Je jette donc ces quelques lignes à la poste de la gare de Lyon pour que tu aies sûrement ce mot demain matin, que tu saches que je suis continûment, profondément, passionnément lié à toi – que je t'aime. Je t'écrirai évidemment une autre lettre plus détaillée tout à l'heure de Nevers. Mais c'est si doux pour moi que de te redire, mon Anne bien-aimée, ma tendresse et mon attente de toi

<u>François</u>

En haut de la lettre :
P.-S. Je serai à Hossegor <u>mardi</u> mais je ne sais encore à quelle heure.

204.

En-tête Assemblée nationale, à Mademoiselle Anne Pingeot,
villa Lohia, avenue du Tour-du-Lac, Hossegor, Landes.

Nevers, 9 juillet 1965, 10 h 30

Mon Anne, évidemment je n'aurais pas dû me faire d'illusions et supposer que le courrier pourrait m'apporter une lettre d'Hossegor ce matin… et cependant je m'étais laissé aller à l'espérer, comptant sur des facteurs bondissants, sur des trains atomiques, sur un miracle, quoi ! Mais après une semaine de séparation, ma philosophie s'essouffle et je suis très triste, ou plutôt malheureux au creux du plexus sans analyser les raisons. Une semaine… et <u>une</u> carte postale ! (que j'aime, le pauvre enfant unique, avec dilection !) – avoue que passer ainsi et soudainement d'une année tissée au plus solide, d'une fin d'année forte et belle à la trame serrée, serrée, que passer de la dernière soirée de Saint-Séverin et du retour merveilleusement harmonieux au 39 à cette solitude de toi c'est assez cruel.

Remarque que j'écris cela sans acrimonie ni invective et que si, subjectivement, je m'en plains, objectivement je comprends qu'il ne pouvait en être autrement !

Ta voix, ta voix que j'aime (beaucoup, beaucoup, ma chère voix) au téléphone, l'écrasant travail de Lourdes, la grippe montante… et la stupide lenteur des P et T à la fois m'apaisent, me convainquent, me rassurent. Me rassurent ? Hum ! pas tellement. D'humeur inquiète sont les anchois et les pommiers privés de leur eau salée ou de leurs pattes d'oiseaux. D'où ces questions : m'aime-t-elle, pense-t-elle à moi ? D'où ces méditations : Anne + une dose indéterminée de mystique et de microbes ne peuvent donner qu'une réaction chimique réfractaire à la mémoire fidèle d'un cœur tendre.

Hier je n'ai pas trouvé une minute pour t'écrire : ce n'était pas par représailles ! Mais ce matin, avant de prendre l'autorail j'ai jeté à la gare de Lyon un petit mot fait pour te dire demain matin qu'on t'aime et qu'on t'aime aussi bien à Paris qu'à Nevers, qu'on t'aime et qu'on t'aime aussi bien sous la protection de Bernadette de Lourdes qu'en flânant comme hier soir avec les deux Dayan et Roger Duveau (un ancien député de Madagascar) à travers les ruelles obscures de l'île Saint-Louis…

Dans le train j'ai lu la presse, continué le délicieux bouquin sur la Renaissance italienne (Gebhart) et regardé vaguement un paysage grisaillé par un été qui ne parvient pas à relier ciel et terre.

J'avais devant moi une bonne femme de la bourgeoisie de Moulins ou de Riom, proprement INSUPPORTABLE, eng… le garçon pour des toasts pas assez grillés à son goût, parce qu'il avait ajouté un croissant qu'elle n'avait pas demandé, parce qu'il y avait de la poussière qui salissait ses gants.

Manifestement irritée de mon honnête vis-à-vis (pourtant mon attitude, malgré mon dépit anti-Anne se cantonnait dans une réserve ABSOLUE, encouragée au demeurant par le peu de prix qu'avait la tentation…) elle n'a pas cessé de m'ordonner 1) de replier la table où l'on nous avait servi le petit déjeuner 2) de lui faciliter le passage pour ses allées et venues 3) de rechercher l'origine des courants d'air 4) de me tenir au courant avec plus de précision des horaires de la SNCF 5) de porter à l'avenir une montre sur moi afin de l'informer de l'heure exacte… bref j'ai été, deux heures cinq durant, le souffre-douleur d'une harpie capable de me guérir à jamais des mirages entretenus depuis trop longtemps par la presse du cœur.

12 h 30

Un temps d'arrêt : j'ai dû recevoir deux visites (deux braves gens venus de leur village s'étonnaient qu'on eût arrêté et condamné leur futur gendre qui avait nuitamment vidé une maison voisine de ses objets précieux ! et un autre visiteur voulait que sa femme fût nommée concierge quelque part) et discuter d'une affaire sérieuse concernant le syndicat d'électricité de la Nièvre, mal géré et livré à des personnages qui me paraissent douteux. Maintenant j'attends qu'on vienne me chercher pour me rendre à Langy où je déjeunerai chez les Maringe. J'aurai ensuite un emploi du temps chargé : avec le préfet, examen, sur place, de la situation de Châtillon-en-Bazois, puis poursuite de ma tournée communale, d'Alligny-en-Morvan, dans mon canton, où je dînerai avant de rentrer coucher à Château-Chinon. Demain matin, à la première heure, à nouveau Nevers, pour le syndicat d'électricité en question, et l'après-midi à Château-Chinon, où me réclament mes habituelles affaires du samedi après-midi à ma mairie.

J'imagine que tu te prépares à déjeuner chez la tante d'Ametsa ou chez Christiane Portmann ? À moins que tu ne sois au lit si tu es malade… quel que soit le décor j'imagine surtout le bonheur de te voir, de te surprendre à Lohia, de rester longuement près de toi, d'entendre la musique, ta musique que nous aimons, de respirer notre climat, d'écouter le silence vivre entre nous, de te lire, en commentant les passages qui me frappent, de beaux livres choisis, de rechercher ces mouvements imperceptibles de la tendresse qui racontent la plus merveilleuse aventure humaine… Ô Anne je manque d'air lorsque je suis séparé de toi. J'aime notre entente. Je me nourris de ton amour pour affronter, robuste et sûr de moi, les tâches et les responsabilités. Il n'y a pas la vie avec toi et la vie sans toi. Il y a la vie <u>heureuse</u>* et féconde par la grâce de l'amour et la vie morte ou vide sans amour donc démunie de ce que tu m'apportes.

* Pas forcément. Il vaudrait mieux écrire « vivante ».

Samedi, 9 h 15

Prenons sur le vif les réactions d'un anchois juché sur un pommier et qui attend qu'au bout de la route poudreuse apparaisse sa sœur Anne.

Telle fut ma situation quand au réveil on m'a apporté ta lettre (la première depuis huit jours, Hannah). J'ai donc pris le pli, regardé la suscription, remarqué son écriture un peu désordonnée, savouré la montée en moi d'une étrange joie mêlée d'un soupçon d'anxiété, dérobé un couteau sur un buffet de l'Hôtel de France (je suis finalement rentré à Nevers, peu après minuit, la tête ballottante aux mille tournants du parcours), ouvert délicatement le haut de l'enveloppe et lu. Mon amour d'Anne, tu as fait un rude effort au lendemain de cette horrible nuit humide, fiévreuse, inconfortable, désolante ! M'écrire, venir au village, t'arracher aux caresses (Ô !) du soleil, et tout cela pour me faire plaisir ! (« Anne aux bons sentiments » : entre Lourdes et Saint-Jean-de-Monts, NORMAL !). Ceci dit je me repais de cette manne et je t'adore pour les bacii tantissimi dont j'ai le plus grand besoin. Car j'ai très, très, trop, terriblement, comme ne l'apprend pas l'institution Levet, besoin de toi, de tes bras, de ta bouche, des latitudes dorées (déjà ?) dont l'éblouissement surgi un 9 septembre a traversé du même éclat quatre saisons de notre vie.

Mon amour chéri, je dois rejoindre une réunion. Je reprendrai cette lettre vers midi. Je vis tellement avec toi qu'il n'est ~~poss~~ pas possible que sur ta lagune atlantique tu ne t'en aperçoives pas. Je t'aime.

15 h 30

Je viens de déjeuner avec le préfet, à l'issue d'une interminable séance du syndicat d'électricité. Nous avons parlé d'un peu tout ce qui concerne le département en tentant de composer sans renoncer à rien. Jeu de chats !

Avant de partir pour Château-Chinon je m'attarde un moment avec bonheur, auprès de toi. C'est le mariage Montaigu, me dis-tu. Où ? Ne t'abîme pas dans un graillou idyllique et tiens Aymeric en lisière, je t'en prie, mon Anne. Je compte les jours sur les doigts : 1, dimanche, mon canton – 2, lundi, mise en ordre de mon bureau, dîner avec Guy Mollet – 3, mardi, départ pour Hossegor soit par l'avion soit par le train : si j'arrive à temps j'irai aussitôt te dire bonsoir, si j'arrive dans la nuit dès mercredi matin, quelle joie ! Mais que c'est long à venir !

Mon aimée, lundi je t'enverrai une autre lettre. Elle ne te dira rien d'autre que ceci qui est l'histoire quotidienne de deux années pleines de toi : je t'aime, je suis à toi, je t'espère – et puis (zut, ce n'est que le papier qui le saura) je T'EMBRASSE comme j'aime

comme je t'aime

François

205.

En-tête Assemblée nationale, à Mademoiselle Anne Pingeot,
villa Lohia, avenue du Tour-du-Lac, Hossegor, Landes.

Lundi 12 juillet 1965, 11 heures

Mon Anne, on ne peut pas être plus triste.

Voici mon bilan : en dix jours, une carte et une lettre. J'arrive à l'instant de Nevers, sans nouvelles de toi, en fait, depuis jeudi (c'est ce jour-là que tu m'as écrit <u>la</u> lettre), je regarde, le cœur battant, le courrier de samedi et de lundi… Mais rien de toi, rien.

Comment t'expliquer ? Il me semble que lorsqu'on aime <u>il n'y a pas</u> de raison juste pour ~~expliquer~~ commander pareil silence. Ni Lourdes, ni la fièvre, ni la paresse d'écrire. Je crois que tu ne m'aimes pas. Pas comme j'ai l'envie profonde d'être aimé. Plus que pour Sirolo j'ai une grande peine. Et je me répète tes derniers mots, presque ironiques, sur le quai d'Austerlitz : « Sois heureux, sois heureux. »

Mon bonheur depuis ces mots a été d'attendre en vain, ou presque, chaque jour – de ne pas trouver ~~les~~ par une carte et par une lettre que l'expression d'une rapide tendresse – de passer des heures dures, dénuées de tout ce qui m'est cher et précieux, consacrées à un travail rigoureux, physiquement fatigant, moralement lassant – de tomber de la plus haute certitude de joie au lent déchirement du doute.

Mon Anne chérie je suis tellement triste.

Midi

Je me suis débarrassé des miasmes du train, changé, lavé et je vais maintenant écrire le *Journal* de ce week-end. Ainsi serai-je près de toi comme j'aime à le faire depuis le 23 juin, le 23 juin de Saint-Benoît, de Tronçais et de Saint-Germain-des-Fossés.

À vrai dire ma tristesse se mêle d'inquiétude : peut-être es-tu malade au point de ne pouvoir aller à la poste ? Peut-être es-tu très triste de ne pouvoir me rejoindre ? Comment le saurai-je ?

Je ne pense pas arriver à Hossegor avant demain soir. Ces deux jours à vivre me font mal.

19 h 30

Hernu et Dayan en venant me chercher pour déjeuner ont interrompu ma lettre. Ensuite je suis allé à la Banque, à l'Assemblée, chez un libraire et, rentré, j'ai dicté un énorme courrier. En effet je pars demain au début de l'après-midi et ma matinée sera confisquée par une réunion importante. De telle sorte qu'il me faut dès ce soir mettre tous mes papiers à jour avec ma secrétaire.

Je prends un avion pour Bordeaux à 15 h 40. Je me débrouillerai là-bas pour trouver un train. Je désire <u>tellement</u> pouvoir te <u>voir</u> le soir ! Si tu le peux, attends-moi à partir de 7 heures : si j'arrive à temps je ferai un saut à <u>Lohia</u>. Si je n'ai pu m'arranger avec les horaires, va dîner tranquillement, j'essaierai encore de t'apercevoir à une heure décente et si c'était vraiment trop tard j'irais te réveiller le lendemain… vers 10 heures !

Ma chérie, ma chérie comme c'est étrange de, soudain, après tant de jours, savoir que l'heure est venue.

Savoir, oui, mais sans y croire.

Croire au bonheur !

Faut-il aussi te dire que j'ai espéré que le courrier de l'après-midi guérirait ma tristesse ? Il me reste à attendre une lettre demain matin – et je l'attends…

Je t'aime Anne, mon Anne, et ton silence m'atteint. Sans doute devrais-je ne pas t'envoyer ce que j'écrivais ce matin, puisque j'y exprime le doute. Mais ne vaut-il pas mieux que tu saches tous mes itinéraires ?

Je t'aime et je t'embrasse. Douceur. Violence. Mon esprit et mon corps sont à toi ô Anne tu le sais bien

<u>François</u>

P.-S. J'apporte des livres que j'aimerais te lire, *Argile et Cendres*, *L'Avenir de l'esprit*. Que tout peut être beau !

206.

En-tête Assemblée nationale, à Anne Pingeot, Lohia.

Hossegor, 14 juillet 1965

Anne, mon amour, c'est malin : je suis là, seul, la nuit tombe, Bécaud chante « Nathalie », mes doigts sentent le géranium que je viens de couper, quelques tomates, un melon, un yaourt ont composé mon dîner, Lip dort en rond, sur l'enveloppe j'ai déjà écrit Anne Pingeot, Lohia, je suis là, seul, et toi tu sors d'Ametsa, peut-être es-tu dans ta chambre, peut-être entends-tu Ferré ou Aragon, peut-être Marie-France est-elle auprès de toi sans trop rien dire, peut-être, peut-être et nous sommes là, Anne et François, chacun de son côté, à distance de cent pins, de deux routes et d'une brasse d'air qui se hâte de passer par les gammes du bleu jusqu'aux marges du noir, et pourtant, Anne mon amour, si ce n'est pas malin parce que je songe quand même que j'aurais aimé, aimé, aimé dormir sur la plage avec toi, j'aurais aimé, aimé, aimé de profil avec ton profil regarder les mêmes étoiles du même ciel, j'aurais aimé, aimé, aimé, tenir ta main, conque chaude parmi les sables que gagne le froid d'un juillet insolite, j'aurais aimé, aimé, aimé, de temps en temps, prendre tes lèvres, les ouvrir à ma joie, adoucir ta bouche à petites lapées, glisser sur ton cou dur et qui tressaille, j'aurais aimé, aimé, aimé entendre ton souffle haleter, ton corps se creuser et faire la mer coléreuse de colère rythmée, aimé, aimé, aimé le cri qui monte et te délivre, toi, astre qui rejoint le monde où Anne sidérale t'attendait depuis toujours, si ce n'est pas malin parce que cette forme de bonheur qui est l'été lui-même, un désir m'occupe tout entier qui l'appelle, pourtant il y a un autre couple Anne-François, qui ce soir est uni et ne laisse ni l'un ni l'autre à la solitude, à la peine, à l'incertitude, au chagrin, un couple coupé en deux par l'espace mais coupé on ne sait dans quel sens, horizontal plutôt que vertical, avec ici toi et moi et là toi et moi mais pas toi ici et moi là, un couple qui est de face avec le ciel, dont les profils font une seule médaille, dont le corps épouse exactement l'âme de l'amour et s'il bouge, s'ouvre, se tend ou crie les yeux fermés, tout va bien, tout va bien, ce ne sont pas cent pins, deux routes et une brasse de nuit qui sépareront l'être double, tout est lié, garrotté, confondu, non identifié, identique, ce ne sont pas cent pins, deux routes et une brasse de nuit qui empêcheront Anne-François de lever les mains pour toucher le plafond du ciel, de nouer les mains pour dire à la mort qu'elle n'est qu'une bête aveugle, aveugle et impuissante dans sa puissance de lumière noire, ce n'est pas malin, pourtant Anne mon amour je t'aime d'amour, je t'aime de paix, je t'aime de désir accompli dans l'inaccompli, ces deux mots ne sont pas antithèse puisque l'accomplissement est domaine de l'esprit quand l'esprit n'a pas d'autre nom que l'amour projeté au-delà de soi-même et qui embrasse la beauté, l'espérance, la vérité et qui pleure sur le malheur et qui veut panser toute plaie, fermer toute blessure, guérir toute souffrance où les autres, les autres, les autres s'abîment et nous accrochent de leurs yeux de malheur, de leurs mains de plaie, de leur cœur de souffrance, l'amour qui aime le monde crée, celui qui l'a créé, le printemps éternel, les cent millions et cent mille milliards de petites morts dont l'addition s'appelle la vie éternelle, et c'est justement cet amour-là qui me possède, noyé de lumière au crépuscule rouge, et c'est justement toi mon Anne qui es amour, tandis qu'un charleston retransmis par la radio trémousse la foule d'Hossegor, sous des lampions tricolores, dit le speaker qui parle beaucoup, tandis qu'à ce charleston Annefrançois ne danseront pas, mais ils n'ont plus besoin de rien ce soir de 14 juillet, ni de la Bastille, ni de la cocarde de Camille Desmoulins, ni de gaieté patriotique, ni même d'être ensemble sur la plage, dans la pantoufle, sur le sentier de la forêt, ils n'ont plus besoin de rien que de savoir qu'à jamais ils sont les voyageurs de Cordes, qui font halte, cognent à la porte, montent l'étage, occupent deux chambres-sur-ciel, adossées aux brumes qui montent de la vallée, deux chambres-sur-ciel et Anne dort et Anne rêve et Anne s'éveille les bras vides et Anne attend que le matin ramène les songes de la veille et Anne écartèle son corps et gémit à la joie lente et met l'âme sur le sourire de ses lèvres qui sourient à l'au-delà de sa vie qui commence, et Anne entre dans la paix avec un grand rire et Anne emporte l'herbier des herbes du rempart, herbes séchées, témoins de ce qui vit en elle pour toujours, et peu importe, après tout, si ce n'est pas malin

François

207.

En-tête Assemblée nationale, à Mademoiselle Anne Pingeot,
à Lohia, Hossegor.

Hossegor, samedi 17 juillet 1965

Je t'aime

François

208.

Carte postale, l'ancien donjon (XIIe siècle) du château de Pons.

Dimanche 18 juillet

Et cette tour à l'horizon…

209.

En-tête Assemblée nationale, à Mademoiselle Anne Pingeot,
colonie de « L'Arche », avenue des Pins, plage des Demoiselles,
Saint-Jean-de-Monts, Vendée.

Lundi 19 juillet 1965

Anne ma chérie,

1) Je t'aime
2) Que j'étais triste de te quitter hier soir. Et puis j'ai eu vite sommeil
   sur la route. J'ai aussitôt bâti un plan : je dormirais à La Roche-sur-
   Yon, j'irais le lendemain, tôt, à Poitiers, je laisserais là la pantoufle,
   je prendrais le train pour Paris, je récupérerais la pantoufle au
   retour. Et c'est ce que j'ai fait.
3) Je t'aime
4) À La Roche-sur-Yon, un hôtel demi-borgne (le pauvre !) près de
   la gare, un bon matelas, pas de puces, réveil à 7 heures, un thé-
   croissant au bar, et voilà la bonne pantoufle qui ronfle.

5) Je t'aime

6) Moins de deux heures après j'étais à Poitiers. Délices inconnues : arriver pour un train largement en avance ! c'est pourtant ce qui est arrivé. J'ai flâné en gare, lu les journaux.

7) Je t'aime

8) Paris. Dayan, à qui j'avais téléphoné, m'attendait à la gare. Taxi. Nous sommes allés déjeuner… chez Sainlouis.

9) Je t'aime

10) Courses, dentiste, achat de deux polos clairs, Assemblée, Paris orageux, entrecoupé de lourdes pluies, incommode.

11) Je t'aime

12) Chez moi, je t'écris, il est 18 h 30, il faut être à la poste dans la demi-heure. Je regarde le vitrail. Je classe tes lettres. Je t'adore simplement, profondément, totalement.

13) Je t'aime

14) Ce soir je dîne avec Dayan, Hernu, Brutelle (secrétaire général adjoint de la SFIO). Rendez-vous au Flore à 20 h 15. Je rentrerai pour retrouver le « journal » à écrire, pour t'aimer dans le silence et la paix.

15) Je t'aime

16) Demain je retourne direction Hossegor avec, évidemment, arrêt à Poitiers, puis, sans doute, à Jarnac.

17) Je t'aime

18) Hier, 18 juillet, fut si dense, si heureux : tu étais ma merveilleuse Anne. Je n'oublierai jamais. À toi je suis lié corps et âme. Les canaux de Vendée, les longs horizons plats, c'était aussi le bonheur de Delft, la lumière de Delft.

19) Je t'aime

20) Et les numéros pairs aussi je t'aime, je t'aime, je t'aime

mon Anne
François

210.

En-tête Assemblée nationale, à Mademoiselle Anne Pingeot,
colonie de « L'Arche », avenue des Pins, plage des Demoiselles,
Saint-Jean-de-Monts, Vendée.

Pons, jeudi 22 juillet 1965

Anne, mon amour, ma route est celle de la mélancolie. La Roche-sur-Yon, Luçon (où j'ai couché, à l'hôtel du Croissant), Marans (et le Marais poitevin), Surgères (Hélène), Saint-Jean-d'Angély (et l'édit de Nantes), Saintes (où j'ai visité Saint-Eutrope qui a une <u>très</u> belle crypte romane) et Pons (d'où je t'écris). Je flâne, le cœur accroché aux heures d'hier. Figure-toi que je me suis arrêté là où nous étions, dimanche, au bord du champ de blé. J'ai longuement rêvé devant la marque de notre passage : l'herbe foulée, couchée. J'ai pris des fleurs, à peine relevées de notre poids, mêlées avec nous à l'aventure d'un jour entre les jours (j'en mets une dans cette enveloppe). Il a plu ce matin. Le parfum de Saintonge. Mais la pantoufle avait ses pneus enrobés par une fine couche de glaise : j'ai eu peine à revenir sur la route et là encore elle dansait, notre rebelle amie. Une station Shell est heureusement intervenue : j'ai minutieusement fait laver mes roues. Me voici à Pons, au café du Donjon, donc près de ce donjon carré que nous voyions de notre champ. J'ai bu un thé, installé le « journal », rédigé, collé. Un car d'Anglaises pépie (cacatoès au cri rauque et monotone). Je pense à toi, mon amour. Je t'aime. Je suis un peu désorienté. La pendule qui craint le temps (pendule ingrate par définition) ! J'ai ma vie en toi. Tu es moi. Merci de me dire : « Tu ne me quittes pas. » Tout cela est si grave, si fondamental. Ô lumière du golfe scintillant. Âme des choses qui irradie le soleil des hommes. Au champ de blé j'ai refait la remarque : tout est ciel dans ce pays dont l'horizon épouse la forme même de la terre. À Port-Navalo était-ce le ciel ou la mer ? Ici, le ciel, un ciel vivant, frémissant, traversé de spectacles divers, variables, mais lui, il est le ciel qui regarde la terre de Saintonge et nous deux qui sommes de partout et qui portons l'amour en nous, avec nous. Anne, ma bien-aimée, cette lettre postée à Pons, signifie l'amour de

François.

211.

En-tête Assemblée nationale, à Mademoiselle Anne Pingeot,
colonie de « L'Arche », avenue des Pins, plage des Demoiselles,
Saint-Jean-de-Monts, Vendée.

Hossegor, 23 juillet 1965

J'ai du mal à m'adapter. Hier soir, Hossegor sans toi, sans balade vers la plage ou vers Latche, c'était un curieux vague à l'âme. J'ai continué de flâner entre Pons et Magescq puis je me suis mis à faire une course stupide et acharnée avec une Mercedes. Quand je suis arrivé, l'après-midi était largement entamé. Soirée immobile. La nuit est venue douce et fraîche après la draperie du couchant. J'ai lu, écrit le « journal », posé tes photos près de moi, revécu ce mercredi : je te vois, Anne mon amour, étendue sur la lande, je te vois à Port-Navalo, je te vois toute raide et luttant contre la lassitude, à La Frégate, je vois ton regard qui me bouleverse, ta bouche dont l'arc m'émeut. Brûlure, paix. Ta main aux ongles coupés, plus familière, que j'ai envie, plus que toujours, de porter à mes lèvres pour dire merci, pour dire une autre réponse que celle du désir, que celle du bonheur charnel.

De quoi étais-je triste en effet ? Surtout, je le crois, du temps qui m'enserre et m'éloigne. Peut-être ne l'as-tu pas compris : je t'aime passionnément.

Ce matin je n'ai pas bougé du patio. Lecture des journaux, de Guillemin, affalé sur la brouette, par un soleil léger, caressant, peu disposé à chasser la fraîcheur. J'ai continué le « journal », imaginé des « nouvelles » à écrire. J'ai besoin de créer pour toi. Puisque pour exprimer mon amour il me faut un intermédiaire, je le veux noble. La beauté des choses, elle est là pour tout le monde, mais la création d'un esprit pour un autre esprit, est-il meilleur échange ? (D'un cœur pour un cœur, aussi, c'est sûr, mais seul le silence peut alors parler juste).

J'ai réaménagé la chambre que j'occupe l'été, celle du fond du couloir, qui a une porte-fenêtre sur l'ouest (le patio) et une fenêtre sur le midi. Un seul lit, plus vaste, une couverture tissée au Mali, de couleurs nettes et vives, une lampe très lumineuse, une table basse où s'accumulent mes bouquins, une table de chêne clair, sur laquelle j'écris. Devant la porte-fenêtre un chèvrefeuille très odorant et le camélia aux larges feuilles lustrées. Le soleil pénètre jusqu'au milieu de la pièce à partir de 5 heures. Les murs, tu t'en souviens, sont coffrés en lattes de pin. Dans un coin, le carton où furent enregistrés les glorieux résultats de l'Attila-Cup, hymne à la famille Pingeot… Voilà mon décor.

J'ai attendu le courrier avec l'impatience que tu devines… mais ce sera pour demain. Anne chérie, je pense bien que cela doit t'être difficile de me consacrer du temps au milieu de la « colo » ! <u>Ma pensée ne te quitte pas</u> et je crois percevoir, en moi, ta présence vivante, incessante, arrachée à l'espace et liée à jamais… Je t'aime d'un amour souvent inquiet (quel amour ne se nourrit pas d'angoisses ?) mais si parfaitement fidèle et profond. Loin de toi j'éprouve une sorte de malaise physique. Il me semble anormal que nous <u>puissions</u> demeurer séparés. Et cependant non seulement j'accepte mais encore je suis sûr que tu as raison d'être à Saint-Jean-de-Monts et d'y être ainsi. Notre amour ne doit pas se bâtir dans la commodité des jours faciles. Il doit tout exiger de nous et d'abord de nous rendre plus dignes de lui. Et quand je dis « nous » j'ai envie de sourire ! C'est à moi et à moi seul que s'adresse ce discours ! Digne de toi, de ce que tu me donnes et qui est la grâce suprême de toute vie (moi, ce que je t'apporte, n'est qu'au second degré, une élaboration – mais totale et passionnée) ô Anne bien-aimée je le désire de toute mon âme.

Je le désire… mais pourquoi ce mot commande-t-il ? Je te désire aussi, toi et ton visage et ton corps et l'odeur de toi et la force qui monte et s'empare de nous, et la splendeur de l'accomplissement – Anne, Anne je t'aime comme la lumière le soleil.

N'oublie pas que je serai à Paris lundi soir et mardi et que tes lettres m'aident beaucoup. Je t'embrasse comme j'aime et j'écoute battre ton sang, si fort, si fort et je t'aime tout simplement

<u>François</u>

212.

En-tête Assemblée nationale, à Mademoiselle Anne Pingeot,
colonie de « L'Arche », avenue des Pins, plage des Demoiselles,
Saint-Jean-de-Monts, Vendée.

Hossegor, vendredi 23 juillet 1965, 22 h 30

Mon amour, après avoir mis à la poste ma lettre d'aujourd'hui je suis allé au golf taper quelques balles de practice, puis, les mains rompues, je suis revenu lézarder, « l'homme des *Mémoires d'outre-tombe* » entre les mains. La nuit est couverte, fraîche. L'odeur des abélias et des romarins emplit le patio. Aucun bruit. Si, un avion dont le ronflement s'éloigne déjà. Je suis seul à la maison. J'aime cette heure de solitude riche de toi. Car je pense à toi, je vis intensément par toi. Mes livres me font douce compagnie. Je récite Pascal à haute voix. Je ne veux pas dormir sans t'avoir à nouveau écrit. Anne essentielle, ma chérie. Ton corps, lente, exaltante patience. Je ferme les yeux pour mieux le voir. Combien de vies pour apprendre l'âme qui l'habite ? Avancer pas à pas, connaître, espérer, croire ensemble : merveille du destin, de mon destin.

À cette heure, la veillée finie, tu t'endors sans doute. Où en es-tu ? Que me murmures-tu ? Quelle prière monte de ton cœur et me mêle à ton dialogue avec Dieu ? Je t'adore, Anne, et je te crois, dans ce printemps de ton être, toute proche des vérités fondamentales. Par toi je déchiffre (on pourrait aussi bien dire je défriche) un langage que j'ai su et dont j'aime la résonance. J'ai besoin de toi, mon amour – Anne – Antigone. J'ai besoin de toi, mon amour.

Samedi 24, 16 heures

Ta lettre ce matin a reçu bon accueil ! Je voulais te téléphoner durant le déjeuner mais l'annonce de la venue de Diesel reporte mon projet ! Merci mon amour de ce que tu m'écris : j'y trouve un vrai motif de joie, la joie d'une entente rare. Je ne fais pas grand-chose ici, sinon paresser. Je lis cependant beaucoup. Je limite le golf au practice pour forger un poignet vainqueur des ambitions Pingeot et autres. Je communique avec Michel Destouesse deux fois par jour au sujet de Latche.

Avec ta lettre le courrier m'a apporté une carte des Barbot, du Mas Soubeyran. Du coup je carbure à nouveau sur le voyage cathare. Cela pourrait être formidable. Plaisir subtil d'une curiosité passionnée et d'un compagnonnage de prédilection. Il faut mettre cela d'aplomb !

Je pars ce soir pour la Nièvre. Train à Labenne (18 h 58) puis le Bordeaux-Lyon. Je descendrai à Saint-Germain-des-Fossés, comme certain matin de décembre (merveilleux souvenirs : toi, dans la 2 CV en gare de Vichy ; nous en forêt de Randan ; toi, le visage tendu vers moi en gare de Gannat). J'aurai un dimanche chargé : Luzy le matin, Château-Chinon l'après-midi, Dun-les-Places le soir. Lundi je visiterai la commune de Saint-Agnan (tout près de la Pierre-qui-Vire) et rentrerai de nuit à Paris où je passerai tout le lendemain. Comme tu ne recevras cette lettre que <u>lundi, note qu'à partir de ~~ce jour~~ mardi il faut m'écrire à Hossegor</u> (le courrier met deux jours pour aller de Saint-Jean à Hossegor).

De mercredi à vendredi fin de journée, je serai landais, et vendredi soir, le cœur heureux, je chevaucherai la pantoufle pour gagner la Vendée...

Voilà, ma très chérie, un emploi du temps assez compliqué qui se résume ainsi : lundi tu peux encore m'écrire à Paris. Mardi et mercredi à Hossegor.

Je me repose bien. J'ai dormi cette nuit comme un sac de plomb et dix heures d'affilée ! Je vis au-dedans de moi-même. Dans une égalité parfaite d'union avec toi. Je ne songe qu'aux beautés qui nous enrichiront l'intelligence et la sensibilité, qui nous porteront à nous dépasser. Quelles joies fécondes devant nous !

21 h 45

Je termine ce mot à la gare Saint-Jean de Bordeaux où j'ai, entre mes deux trains, une demi-heure de décalage. J'ai voyagé plongé dans les journaux puis somnolent auprès de deux Suédoises malheureusement (!) d'âge canonique. Je me prépare à une nuit d'un sommeil mélangé ! Mais je me sens en bonne forme, et grâce à toi, heureux, heureux. Bonsoir chérie chérie. Je t'embrasse, mon Anne. Je t'aime, mon Anne... et tu me manques, mon Anne !

<u>François</u>

213.

En-tête Assemblée nationale, à Mademoiselle Anne Pingeot, colonie de « L'Arche », avenue des Pins, plage des Demoiselles, Saint-Jean-de-Monts, Vendée.

Mardi 27 juillet 1965

Anne, mon amour,

Mes deux journées nivernaises ont été complètement absorbées par les mille et un soucis de la vie locale. Il était inutile de t'envoyer un mot dimanche car la grande ville de Château-Chinon n'expédie aucun courrier ce jour-là ! Et lundi, perdu dans la forêt de Saint-Agnan (tout près de Saulieu), allant d'un hameau à l'autre et retenu... quatre heures à déjeuner chez le maire (un paysan pauvre et de belle allure), je n'ai pu, alors que je le désirais tant, décapuchonner mon stylo... et je suis rentré à Paris, minuit passé, après un arrêt-dîner (léger !) chez Bérard-Quélin à Barbizon.

Je mûrissais depuis plusieurs jours le projet de t'appeler au téléphone (je commence à m'ennuyer sérieusement de toi, mon amour) mais dimanche tu déjeunais avec Diesel et lundi j'étais dans la brousse. J'aurais aimé le faire dimanche pour souhaiter la Sainte-Anne... ce matin, je n'ai pas résisté (ne m'avais-tu pas donné l'exemple mardi dernier précisément ? et je n'ai découvert qu'avant-hier le bout de papier sur lequel tu avais noté le numéro 60-44 !). Je ne sais pas si j'ai bien fait. Le téléphone est un instrument d'un emploi sentimental difficile. Quand s'y ajoute une mauvaise communication matérielle, on en sort toujours avec l'impression d'être resté très au-dessous de la joie espérée. C'est ce qui m'arrive un peu aujourd'hui (cela ne m'empêche pas d'être très heureux d'avoir entendu cette voix que j'aime infiniment. Quelle chose extraordinaire ! Mon Anne existe là-bas, elle existe, elle existe. Miracle d'une voix : elle est le signe même de la vie. L'imagination elle-même bute lorsqu'elle tente de recréer le son, le ton d'une voix. La voix, c'est la <u>présence</u>).

Hier j'ai reçu à Château-Chinon ta lettre de samedi. Je la relis, elle me sert de viatique. Comme je n'ai rien ce matin et que ta lettre d'aujourd'hui ne me parviendra que jeudi à Hossegor j'ai devant moi une petite plage d'où la mer s'est retirée, un bout d'espace immobile. Alors... je ne me repens pas de l'avoir dans l'oreille cette voix un peu brouillée, cette voix quêtée à la colo de L'Arche même si j'ai dérangé la consciencieuse mono Anneguenon. Devines-tu, mon amour, à quel point j'ai besoin de toi, combien nos vies sont insérées l'une en l'autre, comme on est vite déchirés par l'absence ?

Au moment où j'écris ces mots, je pleure ! Non par excès d'émotion ! Mais, hier, marchant dans une allée je me suis enfoncé une branche pointue dans l'œil gauche et ça me fait mal, d'autant plus que je rédige cette lettre pendant une réunion sur la Fédération (avec Guy Mollet, Brutelle, Jaquet, Hernu, Maroselli, Savary etc.) et que l'épais nuage de fumée tirée des pipes et cigarettes agresse méchamment l'endroit blessé.

Nous sommes là, à discuter depuis trois heures. On avance quand même et c'est intéressant. Ensuite je déjeunerai avec le présidium de la Convention des institutions républicaines. À 15 heures cinq dirigeants socialistes veulent me voir. La deuxième partie de l'après-midi sera consacrée à des affaires d'avocat. Je dîne avec Guy Mollet. Enfin je prendrai le train pour Bayonne à 22 h 40.

18 h 30

Me revoilà à l'issue de conversations dont l'intensité me fatigue. Je reprends cette lettre pour la conclure (il faut qu'elle attrape le dernier courrier !). Demain je t'écrirai d'Hossegor. Je pense à toi, Anne, avec passion. Je t'aime. J'ai besoin de te retrouver, de te reconnaître, ma chérie lointaine. Pardonne-moi de mal supporter ces longs jours sans toi : le goût de ton visage, de tes lèvres, de ta tendresse est désormais une raison de vivre si forte que mercredi, jeudi, vendredi sont pour moi longue, longue veille. Je t'embrasse mon amour de tout mon être

François

214.

En-tête Assemblée nationale, à Mademoiselle Anne Pingeot, colonie de « L'Arche », avenue des Pins, plage des Demoiselles, Saint-Jean-de-Monts, Vendée.

Hossegor, mercredi 28 juillet 1965

Mon amour, mon amour, je t'aime.

Je n'ai pas envie d'écrire quoi que ce soit hors ces mots qui disent tout.

Mon amour, mon amour, je t'aime.

Tous les domaines de ma vie, tu les emplis. Pas une pensée, pas un acte qui ne soit lié à toi. Ma vie politique ? Je l'ai consacrée à ces deux aspects complémentaires et classiques : mardi débats de caractère général, à Paris, dans la haute jungle des grands intérêts – contacts directs avec les préoccupations quotidiennes à Montsauche, Château-Chinon et Saint-Agnan pendant le week-end.

Mais à tout moment je m'interroge : j'aime connaître tes réactions (même si je ne leur obéis pas !) quand il s'agit des problèmes, des choix fondamentaux ; j'aimerais t'avoir auprès de moi quand j'entends les doléances, les observations, les confidences de mes Morvandiaux : tu y découvrirais mille questions passionnantes et ce serait pour nous une tâche commune exaltante.

Ma vie de vacances ? À Hossegor je me complais parmi les souvenirs qui sont nos souvenirs, je recherche les lieux qui portent notre trace, j'attends le lendemain qui nous rapprochera. De l'Anne au péplum rouge à celle que j'aimais de si profond amour au coin de la vigne de Latche, notre histoire se raconte. Ma vie intellectuelle ? J'avoue que je suis assez paresseux pour Napoléon III. Mais ce que je lis, je te le lis. Pascal, Guillemin, Lecomte du Noüy et même le roman policier de Le Carré (*L'Espion qui venait du froid* – c'est le premier policier que j'ouvre ! il paraît que ce bouquin dépasse le genre) m'invitent à l'échange avec toi. Chaque image, chaque idée, chaque tournure de style qui m'accroche je voudrais te la faire connaître. Il me semble toujours qu'il suffira d'élever la voix pour que tu m'entendes.

Ma vie sentimentale ? Elle se déroule entre deux traits d'union : ta lettre reçue lundi, celle que j'espère demain. Et la merveilleuse compagnie d'un amour de chaque instant.

Ma vie de lézard ? le lézard sensuel trouve qu'entre le néant et l'infini doit bien exister une place exactement créée pour lui où la joie serait comme une île du Pacifique partagée entre le ciel, la terre et la mer au sommet d'un équilibre éternel. Mais ce même lézard a tout de même envie de dire zut à l'absence d'Anne. Il t'aime au-delà des considérations philosophiques, il t'aime pour ta bouche et pour tes épaules, il t'aime pour la douceur frémissante d'un corps secret, possesseur des forces qui l'apaisent, il t'aime pour tes bras refermés, il t'aime pour l'algue et l'iris au creux de toi, il t'aime pour le déchirement de l'être qui s'arrache de sa solitude, il t'aime pour le surgissement du feu et du sang, pour l'envahissement du monde obscur (obscur à nos yeux incapables de regarder l'amour en face – pas plus que le soleil), il t'aime pour ta nuque et pour ta gorge, il t'aime pour tes longues jambes d'été, il t'aime pour ton rire – le rire d'une naissance nouvelle, consciente et délirante, ô sacrifice dominateur !

Ma chérie, mon amour d'Anne, deux fois dix jours de séparation pour ce même mois de juillet n'est-ce pas un peu trop ? En d'autres temps c'eût été héroïque ! Mais là, je m'aperçois que ce n'est pas l'amour que j'aime mais Anne, Anne d'Auvers et d'Orcival, Anne de Pons, mais toi, toi, toi.

Ce sera ma dernière lettre avant mon arrivée de samedi puisqu'il faut deux jours au courrier pour relier les Landes à la Vendée. Je serai devant les Oyats samedi à 10 heures. Je ressens déjà l'émotion de cette poignante, toujours poignante minute où je te retrouve, fût-ce pour une séparation d'un jour sur l'autre. Je t'aime, que veux-tu, comme on ne peut pas aimer.

Tu as dû recevoir ce matin la lettre écrite hier de Paris. Je suis donc arrivé à Hossegor très tôt, assailli par l'odeur de la nuit tout juste dissipée. Une légère brume ôtait à la forêt son aspect familier. J'ai dormi puis commencé ce mot dans le patio. Sur une longue tige toute droite, une rose rouge à corolle simple, seule et fière détache sa forme parfaite sur la blancheur du mur. Les géraniums s'étalent par masses minérales au pied de chaque arbre. Il fait beau.

Moi je pense et je sens que je t'aime, que mon bonheur est toi, que ma vie est en toi, que tu es mon Anne aimée, aimée, que tu es l'espérance et la beauté dont j'ai besoin, Anne, dont j'ai besoin — ô ma blessure heureuse d'être source de vie et non signe de mort.

Je t'embrasse, ma chérie, avec joie

François

215.

En-tête Assemblée nationale, à Mademoiselle Anne Pingeot,
colonie de « L'Arche », plage des Demoiselles,
Saint-Jean-de-Monts, Vendée.

Saint-Jean-de-Monts, le dimanche 1er août 1965

Mon amour, je suis dans ma chambre du troisième étage de l'Hôtel de la Plage. Il est 9 heures. Je vais partir. Ma joie est de m'arrêter un instant pour t'écrire, à toi qui es si près et dont je suis pourtant séparé pour quatre jours. Séparé ? Tu as raison : nous sommes liés si profondément que nous vivons l'un en l'autre par toutes les fibres de l'être. Cette nuit tu as même embarrassé mon sommeil jusqu'à ce que je tombe d'un coup au fond du puits ! Constamment ton visage, grave, grave mais extraordinairement pénétré de tendresse m'apparaissait. Je sentais comme une impossibilité de lui donner la paix qu'il aime et qu'il désire. J'en avais mal, physiquement mal. À l'être que j'aime et auquel je voudrais tout apporter n'étais-je donc capable d'offrir que des ondées de plaisir, des paysages de la terre, des moments ? Un immense amour me possédait. Tous les dons du cœur et de l'esprit, tous les accomplissements du corps, l'espérance, le travail, la recherche, le débat permanent pour avancer ensemble sur la même route, voilà ce à quoi j'aspire par toi et pour toi. Je t'aime d'un amour profond et décisif... et je voyais tes yeux visiter ma nuit et il me semblait qu'ils m'interrogeaient, passionnément : « François, dis-moi, où est ta lumière ? »

Anne, Anne chérie cette recherche inquiète, je le sais, naît précisément de l'amour qui n'est amour que s'il tend à l'unité. Or l'unité est de Dieu et non pas des hommes. Nous pouvons tenter, espérer, approcher, non atteindre. La mort nous surprend avant le terme, quand ce n'est pas la vie elle-même qui stérilise et entrave. L'inquiétude est donc une qualité essentielle de l'amour. Mais moi, je suis dévoré par le feu allumé il y a maintenant deux ans. T'aimer est la grande aventure d'une vie sur le faîte, d'où l'on aperçoit aussi bien les rivages du passé que ceux de l'avenir. Et je sais sans nul doute qu'aucun être au monde n'a été, n'est, ne sera aussi proche de moi. Plus je regarde devant moi plus je comprends mes raisons de t'aimer.

Notre accord est un don du ciel dont nous devons nous débrouiller avec les moyens du bord. Pas commode ! Ce qui est sûr, mon Anne, ma délicieuse, mon adorable Anne, c'est que plus qu'aux Blancs-Manteaux où triomphait le profil S, plus qu'à Auvers, plus qu'à Orcival, plus qu'au 15 août du péplum, plus qu'à Chantilly de la première fois.

Tu as gardé tous tes prestiges.

En apprenant à t'aimer j'ai appris à te respecter. Respecter l'âme c'est facile (ou bien je ne t'aurais jamais aimée !). Je respecte ton corps, Anne, comme on respecte un lieu où palpite toute l'émotion du monde parce que justement brille, dans l'ombre, une toute petite lumière. Ta pureté m'émeut, oui, et je m'émerveille de la découvrir plus vraie qu'imaginée, victorieuse de nos violences, plus haute dans l'acceptation de l'amour charnel que dans son refus. Depuis que tu es à moi je te respecte comme essentielle.

Anne il faut que je parte. J'ai une grande distance à franchir avant Château-Chinon. La mer est belle telle que je la vois de ma fenêtre. Un peu à droite je distingue Yeu et Noirmoutier. La plage est presque vide et me paraît toute lavée des fatigues de la veille et des salissures de la foule. Toi tu es avec tes filles à l'autre bout de la courbure. Tu iras à la messe. Si un instant de paix et de confiance en Dieu t'est donné, prie pour moi. Je crois à la communion des esprits. Je t'aime ô Anne mon miracle. Mercredi j'irai te chercher à 7 heures. Je voudrais que ces nuits et que ce jour qui seront notre vie s'engagent sur ce chemin dont j'essaie de définir le point cardinal. La paix approchée. La méditation. Le dialogue. Le respect de notre amour. La noblesse d'être. J'en suis souvent peu capable.

Aide-moi. Aime-moi. Je suis à toi

François

216.

En-tête Assemblée nationale, à Mademoiselle Anne Pingeot, colonie de « L'Arche », avenue des Pins, plage des Demoiselles, Saint-Jean-de-Monts, Vendée.

Mardi 3 août 1965

Une toute petite lettre, mon amour, pour te raconter hier et aujourd'hui d'une manière schématique :

J'ai roulé en sept heures de Saint-Jean à Château-Chinon non sans m'être arrêté pour prendre des photos à Mouilleron-en-Pareds, à Parthenay et à Saint-Savin. Je n'ai pas déjeuné mais cela était plutôt mieux.

À Château-Chinon une demi-heure de halte seulement et je suis allé à Chaumard (15 kilomètres) où le conseil municipal m'attendait. Puis, dîner avec le maire. Je suis quand même rentré tôt pour dormir !

Lundi, ma matinée a été absorbée par les visites et l'après-midi par la course. 20 000 spectateurs. Temps assez beau. Au déjeuner (au Vieux Morvan) j'avais dix-sept invités, maires et amis de la région. Je n'ai pu prendre la route pour Paris qu'à 20 heures et donc arriver au Ruc du Palais-Royal qu'après 23 heures. Là se trouvaient Dayan et Bérard-Quélin. Résultat : assez tard je n'étais pas couché.

Et ce matin, le cœur angoissé (eh oui !) j'ai guetté le courrier. Mais quel bonheur quelle paix : ta lettre si délicieuse que j'aime et que j'aime et qui me fait de ce mardi un jour heureux, ta lettre était là.

À demain Anne (Dieu, que j'aime ton nom !) Anne chérie. Je serai devant l'Arche à 7 heures (je me mettrai 20 mètres plus haut au cas où tu préférerais ne pas montrer à nouveau « l'oncle François… »).

Te ramener le 5 ? On verra. De toute manière il faudra bien une explication… j'avais rêvé d'une grande journée calme. Mais nous ferons ce que tu croiras nécessaire.

Mon amour, que je suis heureux de demain. Tu es mon Anne, tellement, tellement. Et moi

<u>François</u>

je t'aime

217.

En-tête Assemblée nationale, à Mademoiselle Anne Pingeot,
Lohia, allée du Tour-du-Lac, Hossegor, Landes.

$\boxed{Lundi}$ 6 *septembre 1965*

Mon amour, ma main tremble un peu car il fait un froid de loup. J'ai dû mettre un pull-over et, le manque de sommeil aidant, j'ai peine à me réchauffer.

D'abord, grand merci, Anne chérie, pour la lettre trouvée à Paris en rentrant ce matin. Toi ainsi présente, aimante, vivante, quelle joie ! Il me faut imaginer maintenant Lohia sous le soleil et Anne se dorant sur la terrasse près d'un Martin rêveur. J'aime penser à toi. Déjà je me prends à attendre sans patience le moment du retour. Écris-moi, tu me fais un tel bien.

Ma nuit dans le train a été pénible : claustrophobie brutale, épuisante. J'ai attendu Saint-Pierre-des-Corps dans le couloir. Il faudrait raconter avec précision l'angoisse mentale qui s'empare de moi, comme une agonie. À Saint-Pierre le chauffeur, quatre heures de route et j'étais à l'heure dite à Château-Chinon. La journée n'a été que suite ininterrompue de travail jusqu'au-delà de minuit. Ramené à Nevers j'ai encore écourté mon sommeil pour rentrer tôt à Paris. Longue réunion aussitôt après qui vient de s'achever (déjeuner compris) – il est 17 h 30 – et qui en précède une autre dans un moment ce... dîner pittoresque, à La Méditerranée place de l'Odéon avec Tournoux, Thierry de Clermont-Tonnerre, Ferniot et... J.-J. Servan-Schreiber qui vient précisément de publier aujourd'hui dans *L'Express* un éditorial pour le moins hostile à ma candidature (éventuelle !). Demain, deux autres réunions. Je dois rencontrer incessamment Mollet, Defferre, Maurice Faure. Les journalistes m'assaillent mais je tiens la bouche cousue. Comme j'aimerais que tu sois près de moi pendant cette importante semaine !

Ma chérie que ce mois a été fort et doux, et décisif ! Je n'ai de toi que dons et grâces. Merveille ! Je repasse ces souvenirs avec bonheur dans mon esprit.

De Saint-Jean-de-Monts à Chênehutte-les-Tuffeaux, d'Aulnay à Hossegor, d'Yons à Seignosse je suis allé de toi à toi. Je t'aime. Ce premier petit mot d'une nouvelle année (n'est-ce pas une nouvelle année qui commence ?) sera porteur de tendresse, d'amour, d'espérance. Demain j'écrirai davantage. Maintenant et à jamais je t'embrasse avec ferveur, Anne, mon Anne, ma bien-aimée

François

Je songe au 6 août, il y a un mois, à la route mouillée, au déjeuner d'Aulnay, à notre bonheur...

218.

En-tête Assemblée nationale, à Mademoiselle Anne Pingeot, villa Lohia, allée du Tour-du-Lac, Hossegor, Landes.

Mardi 7 septembre 1965

La réunion de travail commencée à 9 heures ce matin dure encore et il est 18 h 30 ! J'aperçois de la fenêtre la grosse horloge de la Poste centrale du Louvre. Nous avons avalé sur place quelques sandwiches en guise de déjeuner.

J'ai souvent des distractions : ma pensée va vers toi, mon amour, et j'y trouve force et joie. Je t'écris pendant la discussion et ce n'est pas très commode. Au moins sauras-tu que l'anchois pommier exilé à Paris est amoureux de son Anne, amoureux passionnément. Ce ne sera pas encore cette fois-ci la longue lettre promise. Ce sera tout de même l'expression d'une tendresse profonde qui m'occupe tout entier.

Je ne m'attendais pas à une telle avalanche : les événements vont à toute allure.

Je suis placé devant une décision à prendre dont tu sais la gravité. Certes toute décision capitale comporte des risques extrêmes. Se pose un problème d'éthique personnelle. Dois-je choisir le confort de la prudence ou la rudesse d'une vie dangereuse mais féconde ? Encore faut-il qu'il s'agisse bien d'un acte créateur et non d'une erreur de jugement ! Je réfléchis, soumis à des pressions multiples et contradictoires, auxquelles je résiste avec sérénité tant [illisible] la vie intérieure que je te dois me donne la certitude d'une nouvelle dimension.

Tu me manques, Anne chérie, plus que jamais. Et c'est cependant exaltant de penser qu'en tout état de cause tu es unie à tout ce qui m'engage, que bientôt tu viendras près de moi, que tu m'aideras pleinement. Je te raconterai quand je te verrai le détail de mes conversations politiques. Je les résume en te disant que ce n'est pas dans dix ou douze jours, comme je le croyais, qu'il me faudra décider mais sans doute avant samedi. Je serai quoi qu'il advienne à Hossegor samedi matin.

Ce matin pas de lettre de toi. J'espère en trouver une en rentrant dans un moment. J'ai tes photos que j'aime et mon cher vitrail et tous les objets – symboles de notre amour le long de ces deux années. Cela m'entoure d'un climat délicieux qui me lie à toi malgré la séparation. Que ce serait bon d'aller dîner ce soir dans un bistrot de Saint-Germain avec toi (je me suis rabattu sur Patrice Pelat !). Mais je suis heureux de t'imaginer dans ta chambre de Lohia. Je crois que nous sommes un. Tu es mon orgueil, ma vérité, ma paix.

Bonsoir mon amour d'Anne, à demain.

Je t'embrasse de tout mon être – et monte en moi la violence d'aimer, ô ma merveilleuse chérie

François

219.

En-tête Assemblée nationale, à Mademoiselle Anne Pingeot,
villa Lohia, allée du Tour-du-Lac, Hossegor, Landes.

Mercredi 8 septembre 1965

Mon amour,

Je ne connais plus le rythme des heures. Le climat surchauffé des grandes veillées politiques m'enserre (sans m'étouffer !). Demain de Gaulle parle tout l'après-midi. Le PSU lance Daniel Mayer. Maurice Faure s'interroge. Je rencontre les uns et les autres (Defferre, Mollet, Faure, Mayer) avant de décider, peut-être subitement. La tension est extrême et les plus grands actes se déclenchent sur les plus petits signaux, les plus imperceptibles nuances. Il faudrait tenir les yeux fermés comme on écoute la musique pour percevoir les commandements du destin. Peut-être ai-je l'oreille dure !

Que je pense à toi Anne qui m'est si nécessaire et même avec une dent en moins !

Tu as dû souffrir beaucoup. Cela me fait de la peine. Je voudrais caresser ton visage aimé, adoucir ta douleur. Ta lettre de ce matin a été accueillie comme tu l'imagines rue Guynemer !

Je t'aime, je t'aime. Mais sache que j'ai besoin de toi actuellement comme jamais, que je crois à la communion des esprits et que tu es l'être qui m'accompagne.

Bonsoir Anne chérie chérie, c'est l'heure du courrier et je veux que tu aies cette lettre demain. Si j'ai pris la décision d'agir tu le sauras avant ma lettre prochaine. Dès maintenant n'oublie pas que rien de ce qui concerne ma vie ne t'est étranger et que ton amour éclaire ma route. Très bientôt je serai près de toi. Je compte sur toi. Je t'aime, je t'embrasse, je suis à toi

François

220.

En-tête Assemblée nationale, à Mademoiselle Anne Pingeot, villa Lohia, allée du Tour-du-Lac, Hossegor, Landes.

Jeudi 9 septembre 1965, 17 h 30

Anne, mon amour,

Voilà, c'est fait, après de longues méditations, de longues hésitations et maintenant la certitude d'une lourde charge : j'ai fait connaître ce soir, à 6 heures, à l'issue de la conférence de presse du général de Gaulle, que j'étais candidat à la Présidence de la République. Les moments d'hier soir et de ce matin ont été intenses, parfois dramatiques. Defferre, Maurice Faure, Mollet, beaucoup d'autres… le Parti socialiste a fait bloc pour me demander de mener ce combat… Bref j'en suis là.

....

Vendredi, 18 h 30

Je n'ai pu continuer hier cette lettre. Et tu n'as rien reçu ce matin ! (Moi non plus d'ailleurs et j'en ai de la peine.) Les journalistes, la radio, les visites, la bousculade, quoi ! La presse d'aujourd'hui apprécie selon son goût ma candidature. Je t'en montrerai l'essentiel demain.

Ma matinée a été consacrée aux réunions de la Fédération en gestation (et la gestation paraît bonne). Déjeuner avec Mollet. Hier soir dîner avec mon équipe d'amis aux Buttes-Chaumont. J'étais soudain épuisé. Ce qui m'ennuie un peu c'est que chaque nuit je connais une heure « claustrophobe ». Bah ! Il faudrait desserrer l'étau !

Sais-tu que je pense à toi et que c'est merveilleusement utile qu'il y ait l'amour Anne-François ? Je t'aime, ma chérie, et c'est profond et fort. Que de choses j'ai à te raconter ! Je serai demain samedi à Hossegor en fin de matinée car je prends l'avion de Bordeaux puis je rejoindrai les rives du lac en voiture. Je crois que le mieux est que je passe à Lohia au début de l'après-midi, vers 15 heures [illisible] pour t'emmener pour une grande promenade qui me ferait un bien immense. Mais si je te donnais un rendez-vous fixe hors de Lohia je craindrais qu'un contretemps (avion + auto et le risque des retards) ne te fasse attendre. Ma joie est arrêtée sur ce moment où je te reverrai. Je t'adore Anne et je porte en moi la hâte de tes bras, de tes lèvres, de ta tendresse, de ta paix. Je compte rester dimanche et lundi. Pour réfléchir, méditer, prendre de la distance et de l'altitude, et, goûter par toi les hautes joies du cœur, les certitudes qui me sont nécessaires. Anne, mon Anne, à demain.

L'avion n'ira pas assez vite, les routes des Landes ne seront pas assez droites, et nulle patience ne m'habitera. Ta lettre reçue hier, tes photos sont devant moi, sur mon bureau. Je sens que ma vie est là où tu es. Je t'aime

François

P.-S. Si tu dis à Diesel que je viens demande-lui aussi qu'on ne parle pas de ma présence à Hossegor pour que la presse m'y laisse la paix !!
Je n'irai pas au golf à cause de cela.

221.

En-tête Assemblée nationale, à Mademoiselle Anne Pingeot,
villa Lohia, allée du Tour-du-Lac, Hossegor, Landes.

Mercredi 15 septembre 1965

Mon amour,
J'ai été happé par un train infernal dès mon arrivée à Paris. Ah !

L'odeur mouillée d'Hossegor à l'heure du départ et la douce, douce pensée de mon Anne dormeuse au creux de sa chambre aimée !

Hier, trois fois j'ai commencé une lettre pour toi et n'ai pu avancer. Aujourd'hui je passe entre les gouttes de la pluie tout juste un instant : peu importe, je t'aime de tout mon être, mon adorable chérie, et je vis dans le climat de bonheur où j'ai si bien respiré durant ces trois jours de ciel.

Choses pratiques : ma conférence de presse a lieu mardi 21, à 15 heures, à l'hôtel Lutetia. Si tu venais ce serait une grande joie pour moi. Le peux-tu ?

Peut-être te sera-t-il difficile de cumuler le lundi bourbonnais et le mardi parisien. Moi j'envisage les deux avec allégresse, lundi pour travailler dans la paix, et toi près de moi, ma conférence, mardi pour t'avoir là, présente, image de ma force. Si tu ne peux ces deux jours mieux vaut que tu me consacres le mardi à Paris. (Conférence, puis je resterais avec toi pour dîner et le soir.) Renseigne-moi au plus tôt. Dans l'hypothèse de lundi je serai à la gare de Moulins à 10 heures. Dans l'hypothèse de mardi je téléphonerai à Bab 61-68 à midi puis toutes les demi-heures.

Dans l'hypothèse de lundi et mardi, je pourrais te prendre comme convenu gare de Moulins à 10 heures, passer la journée avec toi et t'amener le soir à Paris. Vois cela. Pour le savoir, écris-moi dès demain afin que ta lettre m'arrive samedi matin. Sinon, je serai à Château-Chinon, dimanche tout l'après-midi. En m'appelant au 106 de 15 heures à 19 h 30, tu m'aurais sûrement. En tout cas tu laisserais une commission.

Ouf ! Voilà bien des détails matériels mais importants puisqu'il s'agit de te retrouver.

Mon amour, mon Anne, bonsoir.

Je t'aime, je t'aime, je suis heureux par toi. Demain sûrement je t'écrirai un mot. Et je suis pour toujours ton

François

P.-S. Achète *Le Nouvel Observateur*, deux articles entre autres t'intéresseront.

222.

En-tête Assemblée nationale, à Mademoiselle Anne Pingeot,
villa Lohia, allée du Tour-du-Lac, Hossegor, Landes.

Jeudi 16 septembre 1965

Mon amour chéri,

Je t'en veux déjà ! Pas de lettre au courrier ce matin ! Quelle mauvaise surprise ! Tu m'étais nécessaire au milieu de mes soucis et de mes travaux et voilà que tu m'oublies. Est-ce parce que je ne t'ai pas écrit le premier jour ?

Rancunière auvergnate que j'aime.

Je t'ai dit hier que mon bonheur serait parfait si je pouvais et te retrouver lundi à 10 heures gare de Moulins et te ramener à Paris pour ma conférence de presse du lendemain. Si tu ne peux t'absenter deux jours écris-le-moi. Et si je n'ai rien reçu de toi à ce sujet je serai de toute manière lundi à Moulins comme prévu. Je voudrais passer toute cette journée-là avec toi à préparer ma conférence, exercice difficile et périlleux entre tous en raison des circonstances. Je voudrais tant aussi te raconter les événements denses, durs, passionnants qui se déroulent. Vite, mon Amour, vite mon Anne chérie, reviens-moi. Je te quitte maintenant pour aller chez Mendès France (très favorable) puis chez Guy Mollet et après dîner j'assiste au Comité national de la Convention. Quel chemin à gravir ! Mon amour pour toi est si clair, si lumineux qu'il m'aide et m'entraîne et me guérit des coups et des rudesses. J'ai gardé le plus beau souvenir de nos trois jours d'incroyable harmonie. Je t'appartiens, Anne, et rien ne me sépare de toi : le lien que j'aime marque mon corps et mon âme.

À demain mon Anne que j'embrasse (comme je voudrais t'embrasser, feuille dorée de la forêt imaginaire où j'étreins la force même et la joie de la vie !)

François

223.

En-tête Assemblée nationale, à Mademoiselle Anne Pingeot,
10 rue de l'Oratoire, Clermont-Ferrand, Puy-de-Dôme.

Vendredi 17 septembre 1965

Anne chérie, ta longue lettre m'a fait un bien fou. Merci, mon amour. Mes journées sont semblables à un tableau de Carzou. Mais je m'en tirerai et j'aspire <u>profondément</u> à la joie de <u>lundi</u>. Viens, mon chéri, même si tu dois rentrer tôt à Clermont et revenir le lendemain pour la conférence de presse où je compte <u>beaucoup</u> sur toi.

Pas de fait notable ici. Hier soir la réunion de la Convention m'a tenu tard et je manque un peu de sommeil. Ce matin travail à mon bureau. Puis déjeuner chez Lucas-Carton avec Jean Daniel et Hector de Galard, animateurs du *Nouvel Observateur*.

Je suis rentré à pied, de la place de la Madeleine, pour vaincre l'étouffement. Ce soir je dîne chez Dumas avec ton cher Duverger.

Aurai-je un mot de toi demain ?

Je redoute ton voyage à Clermont qui ne t'en aura pas laissé le temps. Je pense à toi le long de la route et j'aime déjà les horizons où se découpent tes montagnes et qu'on atteint à la fin du jour.

Bonjour à Louvet au verger du haut, à ta chambre, à la « fenêtre », à la trace de nos pas, à l'ombre de nos souvenirs.

Je t'aime passionnément Anne. Tu manques à mon corps qui a faim de toi, d'être toi, à mon cœur qui s'apaise en toi.

N'oublie pas : lundi, 10 heures gare de Moulins. J'ai du travail. Avec toi je serai inspiré ! Je t'aime. Je serai aussi au téléphone au <u>106</u>, Château-Chinon, dimanche à 19 heures.

À demain mon amour

<u>François</u>

P.-S. Ci-joint l'article pour Gédé.

224.

En-tête 176 rue de Rivoli, OPE 32-69,
à Mademoiselle Anne Pingeot,
10 rue de l'Oratoire, Clermont-Ferrand, Puy-de-Dôme.

Le 23 septembre 1965

Mon amour, depuis le départ de ton train, je suis allé de réunion en réunion. Il est 20 heures. Je saute à la poste de la rue du Louvre pour que tu aies ce mot demain. Je t'écris avec le stylo et sur le papier de Dayan. La décision des communistes est connue et un rush de journalistes me cerne. J'ai téléphoné à l'Oratoire. Nini (sans doute) m'a répondu. J'espère qu'elle a bien compris mon message.

Guéris vite pauvre amour chéri fatigué.
À demain. Je t'aime, je t'aime. Quels jours extraordinaires !
Je t'appartiens

François

225.

En-tête Assemblée nationale, à Mademoiselle Anne Pingeot,
10 rue de l'Oratoire, Clermont-Ferrand, Puy-de-Dôme.

Vendredi 24 septembre 1965

Mon Anne chérie,
Que j'étais heureux de t'entendre ce matin ! Tu es mon amour.
Guéris vite et reviens-moi. Vive ce monsieur qui t'a collée en juin !
Mon emploi du temps : serré. Déjeuner avec Guy Mollet, Hernu
etc. Je reçois le comité Jean-Vilar et j'ai mon article pour *La NEF* à
faire. Mais je pense à toi, ma très chérie, et cela m'aide infiniment.
Dimanche, élections sénatoriales dans la Nièvre. Tu auras sûrement une lettre lundi. Je te raconterai mon programme de la semaine
(en gros, mardi matin, Nevers, après-midi, Paris, mercredi Nevers,
vendredi Cannes pour le Congrès européen…).
À demain, ma chérie que je voudrais tant embrasser (fût-ce au
risque des microbes !) et qui me manque déjà très fort. Je t'aime

François

Coupure de presse sans référence : « Les libres propos de Philippe de Saint-Robert.
Bienvenue à Monsieur Mitterrand ». Violente diatribe.

226.

En-tête Assemblée nationale, à Mademoiselle Anne Pingeot,
10 rue de l'Oratoire, Clermont-Ferrand, Puy-de-Dôme.

Mardi 28 sept. 1965, 7 h 30

Je t'aime, mon Anne.
Je prends le Bourbonnais pour Nevers (élections sénatoriales).

Je t'appelle demain à midi.

Écris-moi demain à Nevers où je passe mon mardi (conseil général).

Je t'écrirai plus longuement cet après-midi.

Je t'adore. Et je t'embrasse comme j'aime tant

François

227.

En-tête Assemblée nationale, à Mademoiselle Anne Pingeot,
10 rue de l'Oratoire, Clermont-Ferrand, Puy-de-Dôme.

Mardi 28 septembre 1965

Ma très chérie, tes lettres me comblent. J'y trouve tout ce que j'attends de toi, tout ce que j'aime en toi. Le récit de tes jours, le bonheur qui émane de tes fleurs, de tes promenades, de ton feu de bois, de tes rêveries m'enchante. Je t'aime de toute mon âme, Anne aimée. Moi je suis toujours dans mon train. Rapide. Ce train n'a pas fait halte hier et le dernier courrier était parti que je n'avais pas encore eu le temps de t'écrire. Je me suis rattrapé le soir en restant un long et délicieux moment avec toi, par la rédaction du journal.

Dimanche soir j'ai quitté Nevers après l'élection de mes deux candidats au Sénat.

En lisant ta lettre ce matin j'ai respiré l'air léger et porteur de la lumière que tu me racontes et que j'ai eu à peine le temps de boire durant ce dimanche politique ! Hier lundi (je m'étais couché à 3 h 30 dans la nuit pour mettre au point une interview au *Nouvel Observateur*) j'ai porté tout le jour mon manque de sommeil. Mais aujourd'hui je suis d'attaque. Session du conseil général ce matin. Retour à Paris au début de l'après-midi, avec Bérard-Quélin. Réunion de mon comité national qui s'achève alors que la poste du Louvre s'apprête à fermer ses guichets…

Anne je suis tellement amoureux de toi. Ô feuilles de Louvet, dont l'éclat pourpre touche aux frontières de la splendeur et de la nostalgie ! Demain soir mercredi à 20 h 30 je serai gare de Moulins. (S'il y a un léger retard, pardonne-moi, mais je ne le pense pas.) Le bonheur d'être auprès de toi, Anne, mon Anne, m'émerveille

François Mitterrand sans doute, mais Anchois de Chênehutte aussi…

228.

En-tête Assemblée nationale, à Mademoiselle Anne Pingeot,
10 rue de l'Oratoire, Clermont-Ferrand, Puy-de-Dôme *(sans timbre).*

Mercredi 29 septembre 1965

Mon Anne chérie, que vous êtes ignoble ! me punir parce que vous n'aviez pas de lettre, hier ? Me priver de vous tout ce jour parce que vous êtes de mauvaise humeur ? Me donner cette mauvaise peine en recevant le courrier (et j'avais le cœur déjà si heureux !) parce que vous êtes une sale Auvergnate coléreuse ? Il faut que la joie merveilleuse de vous retrouver ce soir soit si dominante, si bouleversante pour que je ne me fâche pas davantage. D'ailleurs, je m'y attendais. Mais quelle surprise délivrée si vous n'aviez pas eu ce vilain geste de représailles, quelle preuve d'amour (que je désirais ardemment) !

Ma chérie j'ai enfin passé une soirée paisible. Je t'ai écrit (le journal). J'ai pensé à toi, parmi tes objets, avec une douceur infinie. Je me suis couché tôt (délices !). Ce matin après une réunion du Rassemblement démocratique à la Chambre (avec Maurice Faure !) je reprends la route de Nevers. Je siégerai au conseil général tout l'après-midi et je serai (formidable !) à la gare de Moulins à l'heure dite.

Ma chérie d'Anne je vous aime.

Écrivez-moi souvent des lettres comme les dernières qui me font un grand bonheur, qui signifient notre union profonde, profonde malgré la séparation, qui me font vivre avec toi, me promener avec toi, rire avec toi, rêver au coin du feu avec toi. Partir au creux de notre monde à nous, sur un rivage de Sicile aussi bien que sur les flancs de tes montagnes, dans la forêt de Latche ou tout autour de Morienval, je ne pense qu'à cela, tout mangé que je suis actuellement par l'action et par la jungle extérieure.

Mon centre, ma vie, mon unité – c'est Anne ma femme aimée, mon sang, mon plaisir, ma joie, mon espérance, ma paix. Reviens-moi. Ce n'est pas bien d'être ainsi chacun de son côté. Où est la tendresse, la main sur mon front ? Où sont les lèvres qui me brisent le corps, où ton corps qui arrache de moi mon propre sang, où la violence partagée, où la langueur abandonnée où nous rejette la joie, où le feu qui nous brûle ? Chérie, ma chérie j'ai besoin de toi.

Voilà, il est temps de partir pour l'Assemblée nationale. Il est 8 h 30. Un soleil gai strie ma table de travail. La petite maison hollandaise, devant moi, a ses fenêtres tout éclairées : elle veut me rendre un peu, sans doute, de la lumière de Delft. Je marcherai un moment. Pour me délasser. Et parcourir un bout de nos chers itinéraires (non, ils ne sont pas un cadre mort !).

au dos de l'enveloppe en rouge : Hôtel Carlton à <u>Cannes, Alpes-Maritimes</u>

229.

En-tête Assemblée nationale, à Mademoiselle Anne Pingeot, 10 rue de l'Oratoire, Clermont-Ferrand, Puy-de-Dôme.

Jeudi 30 septembre 1965

Anne très chérie,

Ta voix, je l'ai tant aimée à midi. Et moi, t'ai-je donné un peu de joie ? Tu étais, cette nuit, la beauté. Ton corps était le bonheur d'une vie fulgurante. Tes lèvres, mon miel. Je t'ai prise comme on meurt en plein soleil.

Pourtant l'ombre jouait entre nous, faisait semblant de nous séparer. Douceur exaltante de mon Anne. Mon sang coulait en moi plus pur. Tu étais l'amour. Mon amour.

Rentré à Nevers j'ai dormi, pour me réveiller à 7 heures. Mais je suis revenu par le train, moins fatigant. À Paris j'ai été happé : discussion sur la photo à choisir, sur les éléments d'un film, sur le thème des articles à écrire… Déjeuner avec dix de mes collaborateurs, conversation centrée sur des sujets utiles. Je me sentais quand même un peu las. Je suis donc allé à pied à la Chambre pour me désintoxiquer, par un temps humide, la pluie suspendue à hauteur de tour Eiffel. Je vais encore recevoir quatre rendez-vous. Mais je jette sur ce papier des lignes écrites pour témoigner qu'hier fut d'abord un peu triste puis fait d'intensité, d'admirable possession du monde qui est nôtre. Un peu triste par ma faute : l'absence de lettres hier n'aurait même pas dû être objet de la moindre remarque – et toi, tu as aussitôt enfoncé un pieu là où il y avait piqûre d'aiguille ! Mon Anne, dont je suis tellement amoureux, pardonne-moi. Je t'attends maintenant. Nous aurons de belles heures, je t'assure : je voudrais travailler mes textes, seul avec toi. Ta présence, ton aide, ta tendresse, toi. Merveille d'être ainsi au sommet de soi-même.

On a volé la voiture d'Hernu, dans son garage, avec sa serviette, et,

ce qui m'affecte vraiment, mon appareil photo que j'y avais laissé !
Drôle de vol d'ailleurs. J'avoue que mon cher appareil disparu, cela
me fait un peu de peine.

À noter : mon voyage à Clermont ne serait pas le 19 mais le 21.
Parfait pour les polytechniciens ! J'irais de Toulouse à Clermont en
voiture... si ~~je~~ tu venais avec moi, ce serait formidable : traverser
ensemble l'Auvergne ! sinon, un triste avion, par Lyon, assez interminable...

Quant à Cannes, le Carlton est fermé ! Mais il y aura sûrement un
concierge qui me donnera ta lettre. Je logerai chez Cornut-Gentille
et t'indiquerai l'adresse au téléphone, demain, pour le cas où j'aurais
une lettre à recevoir samedi...

Gros travail : préparer mon intervention de Cannes. Défendre
l'Europe politique mais en ouvrant l'avenir sur la participation des
peuples. Je partirai par un avion, demain, très tôt (7 h 30, je crois).

Anne mon amour je t'embrasse comme
    j'aime, comme je t'aime, je t'embrasse pour aller avec toi
        sur nos rivages
            là où m'attendent la paix
                la certitude, la joie

François

230.

En-tête Hôtel Martinez, Cannes, à Mademoiselle Anne Pingeot,
10 rue de l'Oratoire, Clermont-Ferrand, Puy-de-Dôme.

Cannes, 1ᵉʳ octobre 1965

Mon Anne bien-aimée,

Je viens de parler au Congrès européen. Dix minutes, un quart
d'heure. La tribune présidentielle, inquiète et réservée, la salle (nous
sommes au Palais du Festival) plutôt favorable. Ce qui n'arrange pas
les choses c'est que ce congrès a été organisé en juillet... en vue de
soutenir la candidature de Maurice Faure... et c'est Maurice Faure
qui préside ! Bref on m'observe d'un drôle d'air ! Defferre est intervenu. René Mayer interviendra. Décidément mon chemin, pour l'instant est de passer entre les gouttes de la pluie.

J'ai trouvé ta lettre au Carlton. Je l'ai aimée, chérie, et je la relis avec joie. Nous sommes arrivés à Nice, en caravelle, par un solide orage. Il pleut en tornade. Pendant le déjeuner (une formidable bouillabaisse chez Tetou, à Golfe-Juan) je t'ai appelée à Ceyrat. Tu n'étais pas là, m'a dit une voix inconnue. Je te rappellerai <u>lundi à midi</u>. Si tu en es empêchée ne te fais pas de souci… et je rappellerai encore <u>mardi</u>, à la même heure.

Je suis interrompu à tout moment (par Hernu qui insiste pour que j'aille devant la télé hollandaise – ô Delft ! – Ullmann, journaliste de *L'Express*, Jaquet qui me parle d'une interview de Guy Mollet à *Paris-Presse*, etc.) mais je suis heureux de reprendre le fil avec toi, Anne tant chérie.

Me voici au Martinez où finalement je couche cette nuit. Je suis venu me reposer un instant et je retourne au Congrès. Dayan m'a prêté son stylo, le mien n'ayant plus d'encre. Demain je serai à Paris à midi. J'assisterai l'après-midi à la rentrée parlementaire puis j'irai devant le comité central de la Ligue des droits de l'homme. Dimanche je ferai une partie de golf le matin avec Rousselet et travaillerai rue Guynemer le reste de la journée.

Pourvu que j'aie une lettre de toi lundi !

Ma chérie, notre brève nuit de Moulins n'a rien perdu de sa merveilleuse force. Je t'aime et t'appartiens, tu le sais. Je rêverais d'être à Louvet dimanche, de respirer les champs, les arbres, les chemins de ton pays. Nous nous promènerions jusqu'au dîner tranquille près du feu. J'adorerais ton visage, notre paix. Le prix des heures et le prix du bonheur. Ô Anne tant chérie, que j'ai besoin de toi !

Bonsoir mon amour. J'embrasse tes lèvres, tes yeux

<u>François</u>

231.

En-tête Assemblée nationale, à Mademoiselle Anne Pingeot,
10 rue de l'Oratoire, Clermont-Ferrand, Puy-de-Dôme.

Samedi 2 octobre 1965

Que ta lettre m'a fait plaisir, amour d'Anne chérie ! Je riais en l'achevant tant ton désarroi sur le petit papier bleu était adorablement désolé. Je comprends dans la sensibilité de mon cœur, la détresse qui s'empare de toi, dès que s'échappe et s'évanouit le point de repère qui nous sauve du temps. Mais ne t'inquiète pas, mon petit chéri, j'ai très bien compris qu'il y avait une raison à ton absence et je ne t'en ai pas voulu une seconde (même si j'ai été déçu). De savoir aujourd'hui que tu étais au <u>verger du bas</u> me fait te sourire. Je t'imagine dans l'odeur de septembre mourant, si belle, si chère, si Anne de toujours et je baise ta main, ton épaule, ta robe – et je baise ton ombre sur la colline penchée.

J'étais donc à Cannes hier. J'y ai dormi à l'hôtel Martinez. J'ai fait un saut ce matin, avant de prendre l'avion, au Carlton pour le cas où tu m'aurais écrit là… et c'est à Paris que j'ai eu cette douce, très douce joie.

Toute la presse est pleine de l'interview donnée par Guy Mollet à *Paris-Presse*, lequel Mollet invite Pinay à se présenter. Du coup les journaux disputent : Mollet me lâche-t-il ? Je ne m'en soucie pas. Rien ne me fera dévier. Et je me suis contenté de répondre brièvement et d'un ton un peu moqueur aux suppositions ambiguës, ~~lors~~ à Europe n° 1 qui m'interrogeait à l'aérodrome de Nice.

J'ai dîné hier soir dans un bistrot du port de Cannes avec Gaston Defferre, très cordial et loyal. Maurice Faure ne digère pas sa déconvenue. Dans l'immense appartement désuet qui m'était réservé au Martinez j'ai réfléchi et travaillé. J'ai aussi pensé intensément à toi. La nuit, mon Anne, m'a manqué ce corps endormi qui porte le nom de mon bonheur. Du matin de Beaugency j'ai gardé le goût de tes lèvres – et de ton être identifié au fleuve qui bougeait, sous nos fenêtres. De la nuit de Moulins je cherche la violence, admirable prélude d'une admirable paix. Chérie, que j'attends vendredi (mais c'est loin !).

Bon. Il faut que j'aille plancher devant la Ligue des droits de l'homme (dans un quart d'heure). Je t'embrasse, Anne je t'embrasse.

Comme tu sais, je t'aime

<u>François</u>

232.

En-tête Assemblée nationale (sans enveloppe).

Chailly, 30 oct. 65

C'était à l'époque
où je déposais des petits
mots de tendresse et d'amour
dans ton assiette,
sous la serviette
Maintenant,
tu vois bien
que je ne le fais plus.
Turlututu

<u>François</u>

Mardi 2 novembre, 21 heures, café Nemrod
(angle Saint-Placide et Cherche-Midi) pour regarder la campagne électorale
à la télévision avec une partie du quartier. Il n'y avait pas de télévision au 39.
Dimanche 5 décembre, de Gaulle en ballottage : 44,6 ; Lecanuet : 15,6 ; FM : 31,7.

233.

En-tête Assemblée nationale, à Mademoiselle Anne Pingeot,
39 rue du Cherche-Midi, Paris VIe.

Nannon
Je t'aime

Jeudi 16 décembre 1965, 17 heures

Mon Anne chérie,
J'étais rue Michelet à 15 h 05. Comment t'ai-je manquée ? J'imagine soit que tu n'es pas venue, soit que tu es allée à un autre endroit, soit que, contraint de marcher de long en large à cause de l'afflux des étudiants, tu ne m'as pas aperçu.
Résultat : je suis triste, triste.
Je pars maintenant pour Nice.

Un jour sans toi, c'est trop bête.

Je rentrerai dans la nuit.

Demain matin il faut être à la télé à 9 heures <u>précises</u>. Je t'appellerai vers 8 heures et passerai te prendre (si tu peux venir).

Je pense à toi mon amour d'Anne,

Je t'aime

Et je te regrette terriblement

<u>François</u>

P.-S. Je voulais poser ce mot au 39. Mais il est tard et je n'en ai pas le temps alors je le mets à la poste. Je t'adore.

Dimanche 19 décembre : de Gaulle 55,2 % ; FM 44,8 %.

1966

234.

En-tête Assemblée nationale, à Anne Pingeot,
39 rue du Cherche-Midi, Paris VIe *(sans timbre).*

Mardi 11 janvier 1966, minuit

« D'où me venait ce grand chagrin ? Ni le thym ni le romarin n'ont gardé le parfum des larmes » [Aragon]…

Mon amour, mon Anne avant d'aller dormir je t'écris ces lignes. J'ai dans l'oreille tes mots et surtout celui-ci : solitude. Tu es donc seule ! J'avais tellement le sentiment de te donner une présence, celle de mon amour incessant, vivant, passionné que j'en suis horriblement désemparé. Je tombe de fatigue et ne te dirai ce soir rien de plus que les plus vieilles phrases : je t'aime, je suis à toi, je suis triste, je suis malheureux de toi. Je t'embrasse Anne bien-aimée. Ô rayonnante promenade au-dessus de Louvet ! Je rêve de nos pas accordés et je suis, le cœur battant, celui-là même qui, il y a deux ans, s'enfonçait dans le désespoir de l'attente, presque jour pour jour.

Je t'aime

<u>F.</u>

Mercredi 12 janvier, 7 heures

Brrr ! où trouver le goût de commencer cette journée ? Il faudrait le cœur fort et je ne l'ai guère. Un coup d'œil sur la rue : la neige molle cède au dur verglas coupant. Je pense à toi. Je t'aime. Ce jour m'étreint. Manque de courage ? Je te sais malheureuse, seule, et j'ai mal de ton chagrin. Et je dois partir et je te laisse comme un jour d'allégresse où naît en soi le bonheur de vivre, où l'absence n'a plus d'épaisseur où l'amour domine le temps.

Je t'aime mon Anne. Je t'appellerai à une heure. Allons, il faut aller gare de Lyon. Je pense à toi, au 39, et je t'aime et je t'aime

F.

235.

Enveloppe La Nièvre, Conseil Général, le Président.
En-tête Assemblée nationale, à Mademoiselle Anne Pingeot,
39 rue du Cherche-Midi, Paris VIᵉ.

Mercredi 12 janvier 1966

J'avais commencé une lettre pour toi et voici que notre conversation au téléphone lui ôte toute signification. Les heures passant, la rêverie lente du voyage, le rappel des souvenirs, des émotions liés à mes séjours nivernais au cours de ces deux années, liés à nos joies quand j'allais te chercher à la gare de Nevers, quand nous faisions nos belles balades vers le Berry ou vers la Bourgogne, tout cela m'avait replacé dans le climat de notre merveilleuse harmonie. Je regrettais de t'avoir déposé une lettre ce matin sur le coup d'un chagrin qui n'avait peut-être pas de racines. J'avais déjà le goût à la bouche de mon retour demain soir auprès de toi. Qu'écrire maintenant ?

À peine avais-tu raccroché j'ai dû rejoindre plusieurs conseillers généraux qui m'attendaient pour déjeuner. Je m'en suis vite défait et depuis ce moment je ne sais que faire, comme étourdi. Mais une autre séance va commencer et cela me mènera jusqu'à la dernière levée de la poste. Alors, j'ai tant envie, sinon de te parler, du moins de d'être avec toi que je trace en hâte ces lignes pour te les envoyer aujourd'hui.

Mon Anne que j'aime, faut-il que je sois peu sensible ? Je n'avais pas perçu que tu t'éloignais de moi. Tu me l'as dit tout à l'heure et c'est comme si j'avais franchi une terrible frontière. Comme si j'étais de l'autre côté. Et entre toi et moi un mur immense qui lui, monte jusqu'au ciel.

Mais je veux que cette lettre soit semblable à toutes celles que je t'ai écrites, jours de tristesse ou jours de joie. Te raconter. C'est donc dans une gare toute blanche (c'est drôle, elle m'a paru toute noire !) que j'ai débarqué de la micheline. Tout le long du trajet une glace fine collée aux vitres nous avait laissés ignorer le paysage. À Nevers, quel froid en pleine figure. J'ai marché précautionneusement sur un verglas qui tout de même dressait des arêtes coupantes où retenir ses pas. Une DS chaude, grise, indifférente et je me suis retrouvé à la préfecture. Brève séance. Discours du préfet axé sur les problèmes de la construction. J'occupe un bureau nouveau qu'on a remis en état. La séance levée, j'y suis resté. Au bout d'un moment j'ai eu l'idée d'appeler l'Oratoire. J'en avais besoin. J'y ai été si heureux à Noël. J'ai eu ton père puis Gédé. C'était très sympathique. Peut-être ont-ils été étonnés de mon initiative !

En cet instant on discute du budget. Le soleil a percé la couche des nuages de neige : le ciel est coupé en deux, ici très pur, brillant, là fermé.

Certains conseillers n'ont pas pu venir : la RN 7 est impraticable. Tout semble assoupi. J'ai l'impression d'être seul à sentir la vie battre en moi, une vie confuse, déchirée, qui s'appelle douleur en ce 12 janvier. Je n'ai pu évidemment aller à Saint-Sulpice ce matin. Ma pensée se reporte vers les heures d'autrefois. Suis-je si bavard ~~avec toi~~ que tu demandes le silence ? J'aurais aimé pourtant évoquer avec toi cette part de mon passé : m'émeut cette attention que tu prêtes toujours à ce que fut mon enfance. Touvent, Jarnac, les quais de la Charente et leurs tilleuls rongés, la salle à manger transformée en chambre de malade, en chambre mortuaire derrière les petits carreaux de sa porte-fenêtre… j'étais ainsi pénétré, à l'Oratoire, par l'émotion d'une rencontre nouvelle : l'Anne enfant rêvant sa vie, apprenant les mystères du jardin, imaginant le monde d'ailleurs, dormant sous les nobles voûtes – l'Anne d'avant. D'avant Annefrançois, ce personnage qui est toute ma passion mais que ne me fait pas oublier celle qui occupa toute ma vie soudain, tout simplement, merveilleuse Anne d'un soir, au bord du lac d'Hossegor, Anne dansante, rieuse, avec le regard perdu qui soudain s'est posé – et je l'ai rencontré pour ne plus jamais l'oublier.

Une aiguille très pointue vient de me déchirer au creux de la poitrine : c'est ta voix entendue et qui me répète tranquillement que, non, décidément, ta pensée n'est pas venue vers moi, que tu ne sais pas aujourd'hui si tu m'aimes, que c'est comme ça, que tu préfères cette séparation. Je ne cesse pas de brouiller ces mots en moi pour les chasser de ma mémoire sensible. Je cherche protection en prenant ta main tandis que tu marches auprès de moi dans un chemin de forêt. Mais cela ne m'empêche pas de me flageller moi-même en m'étonnant d'avoir été si peu capable de construire une force et de créer un monde où nous serions à jamais, tous les deux, non pas à l'abri des peines et des tourments, mais solidaires et du même côté, à jamais réunis.

Ce soir j'irai à une réunion de mes amis politiques neversois, ensuite je dînerai chez les Bernigaud, à Magny-Cours, puis je reviendrai à Nevers pour coucher je ne sais où encore car l'Hôtel de France a sa fermeture annuelle. Et demain, autre journée désespérante : mes tâches ici avaient changé de sens depuis ton amour. Je crois bien, ma chérie, que je te rapportais tout comme chien de chasse, mes soucis à te raconter, mon envie de donner à mes actes une valeur nouvelle – et il y avait au bout un manteau rouge tellement, tellement espéré près de la bibliothèque de la gare de Lyon. Certes je n'évoque pas cet amour au passé – j'entrevois seulement avec angoisse la richesse qu'il est pour moi. Ce qui m'en est retiré ouvre une large blessure – contrairement à ce que tu penses t'aimer est l'affaire essentielle de mon esprit et de mon cœur.

Aussi égoïste que je sois (et je m'en veux <u>infiniment</u> pour hier) (mes actes sont sans doute égoïstes, pas l'élan qui me fait t'aimer) il faut que tu saches que je me rends compte combien il doit t'être difficile de vivre chaque jour en harmonie avec toutes les aspirations de ton être. Je m'en veux aussi de t'aider si mal, de tout compliquer, de ne point t'apporter encore si jamais je te l'apporte une paix accordée à l'amour qui nous lie.

Aimer, tu sais, c'est souffrir pour deux.

Et je t'aime, Anne.

Il n'est pas loin de 7 heures. Je t'écris, je m'arrête, je recommence selon l'animation de la séance (dont je suis totalement absent en réalité).

J'espère attraper le courrier. Je voudrais que demain matin tu aies cette lettre.

Oui, être avec toi. (Malgré toi ?)

Je t'aime, je t'aime, je t'aime.

Bonsoir mon Anne, ma bien-aimée

<u>François</u>

236.

En-tête Assemblée nationale, à Mademoiselle Anne Pingeot,
39 rue du Cherche-Midi, Paris VIe.

21 février 1966

J'arrive de Lohia. J'ai choisi les endroits où pousseront, si Dieu le veut, un camélia, un magnolia (près de ta nouvelle terrasse), un buddleia (ou lilas d'Espagne) et deux abélias (les petites fleurs blanches odorantes) pour te cacher de la vue des voisins. Je déplace également notre rhododendron qui dépérit au midi et je lui substitue un autre buddleia. Que d'initiatives ! J'en suis tout heureux comme j'étais heureux d'être près de ta chambre et de retrouver la trace de nos étés.

Précisément un beau soleil chaud apaise le vent qui vient de la mer et ploie la cime des pins en faisant un bruit de forge ou bien comme le froissement de l'étoffe céleste. Les couleurs qui m'entourent (le romarin est bleu, le prunus rose, rose, rose, d'une délicatesse incroyable, le cotonéaster timidement rouge, et vert sur vert sont les fusains, les camélias, les arbousiers, les pins) sont celles d'un printemps qui n'a pas encore poussé les mimosas à sortir leur panache jaune mais qui a donné aux mahonias (le houx de jardin) de belles grappes d'or.

Je t'ai eue au téléphone ce matin et, comme toi, j'ai détruit les lignes écrites qui se ressentaient de la nostalgie de nos échanges téléphoniques imparfaits de la veille ! Que j'aimais t'entendre, Blandine qui mangeait les lions dégoûtés des chrétiens ! Mon sommeil avait été dérangé par les bonnes léchées sur ma figure du chien que j'ai recueilli hier soir, un délicieux corniaud de famille beauceronne dite Bas-Rouge dont le jeune appétit s'est exercé, de nuit, sur mes chaussettes qu'il a joyeusement déchiquetées. J'aimais ces bons ronflements d'un cœur réconforté, non pas à la place occupée par mon Anne, la nuit du 2 janvier (on a le sens de la hiérarchie !) mais sur une couverture pliée en quatre par terre. Saint-Périer qui vient de rentrer du golf m'a rendu tout triste en m'informant que Zelia, la serveuse portugaise du club house, lui avait demandé de lui donner notre nouvel hôte et que, croyant m'en délivrer, il avait acquiescé. Déjà je m'apprêtais à le ramener à Paris et je m'en sens veuf !

J'ai eu tout à l'heure la joie du courrier. Une lettre de toi, Anne, et parti, envolé dans un petit nuage noir au bout du golfe de Gascogne, le ton grognon et injuste de nos plus récentes relations ! Que je t'aime, ma très chérie.

Les Duplaix sont là et Guite a un accent mondain plus charmeur que jamais. Je compte bien piquer une balle cet après-midi à son mari. Les plants de Maymon mis en terre ce matin, ce sera ce soir le tour des pins de Destouesse (je m'occuperai du même coup de ceux que l'on destine à Gédéon).

Claude Estier somnole dans le patio : il attend que j'enregistre le début de nos entretiens qui feront le bouquin Gallimard mais je suis paresseux ! Nous passerons la soirée à cela si je ne m'endors pas trop tôt.

Tu me manques. Ta bouche aussi me manque. Et ce corps que j'aime, que j'imagine long, accessible – inaccessible, et tout ouvert sur le regard vert, mauve, noir de la femme inconnue qui m'attend sur ce rivage de l'autre monde, de mon Anne inconnue en qui monte l'étrange chanson de notre amour lié.

Mercredi, te voir me sera doux. J'avais sans doute besoin d'un bon repos ici. Mais je me promène parmi nos souvenirs, mes meilleurs compagnons, et comment ne pas avoir hâte de vivre – avec toi, par toi, pour toi – et de t'aimer, comme nous savons bien qu'il faut s'aimer, au sommet de soi-même.

À demain, mon Anne bien-aimée. Je t'embrasse. Je goûte en toi le bonheur d'être

François

237.

En-tête Assemblée nationale, à Mademoiselle Anne Pingeot,
39 rue du Cherche-Midi, Paris VIᵉ.

Hossegor, 22 février 1966, Mardi gras

À 9 heures, ma chérie, j'étais au golf, par un temps de Paradis ter-restre, avec ce qu'il faut pour cela : chants d'oiseaux à tue-tête, splen-deurs de la lumière, douceur des sons sans écho. Début foudroyant : j'ai joué les neuf premiers trous en 40 et le retour (hum !) en 49 – soit 89, comme hier, c'est-à-dire 15.

Rousselet et sa femme viennent de partir pour Angoulême. Saint-Périer recommence ses travaux forcés en compagnie d'Hausseguy. Estier lit dans sa chambre. La femme de ménage balaie la cuisine. Je suppose que le jardinier n'est pas loin car, près de la porte d'entrée, un beau tas de terre de bruyère signale d'imminents travaux.

Ici, pas un bruit (si, la mer, régulière mais qui joue à contretemps avec le ronflement de la chaufferie). Devant moi la « brouette » : je pense aux deux mystiques voyages à Hossegor d'octobre et novembre 64. J'ai les jambes rompues d'une bonne fatigue qui ne me prédispose pas aux agilités intellectuelles. Pourtant je veux travailler avec Estier.

Ce soir je dînerai chez les Léglise, à Biarritz, avant de prendre le train. Demain matin, à 9 heures, je sonnerai au bigophone du 39…

J'aurai eu un vrai repos qui m'était sans doute nécessaire si j'en juge par mon état de fatigue à Avignon. Nous n'avons pas très bien communiqué : mais je le comprends mieux depuis que je sais la théorie de l'obligation de résultat. D'ailleurs je devrais deviner que tes humeurs chagrines et offensives reflètent toujours une peine subie au regard de l'absolu de l'amour. Pardonnez-moi, mon Anne aimée, si je t'ai fait mal… mais ma faute ne va pas au-dessous de l'obligation de moyen. Encore que j'aie bien envie de contester cette dernière définition !

Je vais faire un tour à Latche. Puis j'enregistrerai avec Estier. Puis je recevrai les corps de métier. Puis je ferai mon bagage.

Rentrer à Paris signifie pour moi, en cette heure nourrie de toi, regagner le pays où tu es. Des images : un châle rouge, des églises romanes, une icône de saint Nicolas, un vase tout humble de Taizé, des tulipes mourantes. D'autres images : tes bras qui me cernent et ton visage à l'envers, gonflé de lumière et de vie intérieures, ton corps que le mien apprend, comme toujours, pour la première fois et qui m'approche de toi ; toi, assise sur le tabouret, la tête contre mes genoux et ma main qui lisse tes cheveux ; l'Anne muette du 7 février, adorable adorante contre mon manteau mouillé ; le canard et l'église de Nabinaud et les hiéroglyphes sur ta table de Polard-cheftaine…

Mon amour, mon amour à demain.

Je vous embrasse. Je voudrais tant vous rendre plus heureuse, autant que je vous aime

François

238.

En-tête Assemblée nationale, à Mademoiselle Anne Pingeot,
39 rue du Cherche-Midi, Paris VIe.

Hossegor, mercredi 27 avril 1966

Mon Anne chérie,
Les genêts d'Espagne sont en fleur et l'un de mes rhododendrons aussi. Il fait un bon et fort vent lourd des odeurs de mer et de printemps. À tout moment je sors de la maison pour respirer à grandes goulées. La terre m'offre un secret de sa puissance. Des jours passés de la sorte et cette puissance me rendrait ce que j'attends d'elle : la plénitude, la maîtrise.
Les rosiers d'Angresse portent témoignage du bonheur d'une journée : ils vivent, montent, s'étalent. L'un d'eux a doublé de volume.
Je travaille ma conférence. Tout est calme – j'ai entendu ta voix.
Je t'aime

François

239.

En-tête Assemblée nationale (sans enveloppe).

Vendredi 20 mai 1966, 11 heures

Mon Anne chérie,
Évidemment je suis revenu au 39 hier soir pour t'appeler au bigophone, évidemment tu ne m'as pas répondu, évidemment je t'ai téléphoné, évidemment tu as refusé de m'entendre, évidemment j'ai recommencé ce matin au bigo et au téléphone, évidemment tu n'as pas décroché, évidemment je suis allé de 8 h 45 à 9 h 15 place Saint-Sulpice, évidemment tu n'es pas venue... je t'ai fait de la peine hier sans l'avoir voulu, tu m'en fais aujourd'hui parce que tu le veux – et tu réussis très bien. À quoi bon ces chagrins emmêlés ?
Ma journée est vidée de sens. La tienne est-elle plus riche ? J'espère de toutes mes forces te voir avant mon départ cette nuit. Si je t'avais jointe je t'aurais demandé de m'inviter à déjeuner. J'aurais tant aimé

retrouver lumière et sourire. Mais je n'y compte guère. Je t'appellerai autant qu'il faudra en fin d'après-midi. Ta peine me touche le cœur. Pas ta rancune.

Mais je t'aime.

Je n'ai le goût à rien, mon Anne, mon amour, que de toi

<u>François</u>

240.

Carte postale, Mende (Lozère), à Mademoiselle Anne Pingeot, 39 rue du Cherche-Midi, Paris VIe.

Le 21 mai 1966

Du Gévaudan sans bête et sans Barbot, une pensée de

<u>F.</u>

241.

En-tête Assemblée nationale, à Mademoiselle Anne Pingeot, 10 rue de l'Oratoire, Clermont-Ferrand, Puy-de-Dôme 63.

27 juin 1966

Anne chérie
je t'aime
et te dirai demain
que je t'aime encore plus

<u>François</u>

242.

En-tête Assemblée nationale, à Mademoiselle Anne Pingeot,
10 rue de l'Oratoire, Clermont-Ferrand, Puy-de-Dôme 63.

28 juin 1966

Mon Anne chérie, quand tu recevras cette lettre ce sera le premier anniversaire de la nuit château Saint-Jean. Demain soir je rêverai à la longue prairie brûlante, aux pierres roses de Saint-Philibert, à la chambre fuie, au parc trouvé qui devait être le décor à la Marienbad d'Annefrançois.

Quelle journée encore ici ! on se réunit, on parle, on jongle avec les idées. Ce soir j'ai une conférence à faire pour le club de l'Atelier républicain. Ta lettre bleue, bleue, bleue m'a donné des idées claires. Je songe à tes roses, à l'épaisseur de tes murs, au vent froid qui descend des hauteurs, à toi dans le silence.

Mon Anne mon amour, l'heure va s'achever sans que je t'appelle à Louvet : ma conférence commence à 20 h 30. J'en suis tout ennuyé. N'aie pas trop de peine. Goûte la fraîcheur de la nuit qui vient. Bois l'eau du ciel avec ses étoiles et l'air profond de la profonde Auvergne. Je t'aime. Je t'embrasse. J'aime tes lèvres ô ma Sologne

François

243.

En-tête Roland Dumas, avocat à la cour, 19 quai de Bourbon, Paris IVe,
à Mademoiselle Anne Pingeot, ~~10 rue de l'Oratoire, Clermont-Ferrand, Puy-de-Dôme 63~~ Hôtel Saint-Sauveur, Lourdes 65.

Le 29 juin 1966

Je t'écris, comme tu le vois, mon Anne, de chez Roland Dumas après une entrevue (discrète) avec Waldeck Rochet. L'heure de la dernière levée est proche. Mais tu sauras demain matin par ces quelques lignes que je t'embrasse comme je t'aime, avec le goût des senteurs de Louvet et la menthe et le romarin sur tes lèvres, sur ton corps – et mon amour aussi vrai que l'été

François

244.

Carte postale, Berlin, Kongresshalle, à Mademoiselle Anne Pingeot,
Hôtel Saint-Sauveur, Lourdes, Hautes-Pyrénées 65, France.

Le 1ᵉʳ juillet 1966

Ici s'est tenue la conférence à laquelle je participais.
Tout l'après-midi, visite de la ville – avec son terrible Mur de la
séparation.
De pensée avec vous

F

245.

En-tête Département de la Nièvre, conseil général, le président,
à Mademoiselle Anne Pingeot, Hôtel Saint-Sauveur, Lourdes,
Hautes-Pyrénées 65.

2 juillet 1966

Anne, mon amour,
Hier, Berlin, Berlin qui revit en marge de son Histoire et du reste
du monde. Un ciel clair, une visite détaillée des différents quartiers,
mais pas de temps pour Néfertiti et Charles le Téméraire ! L'avion,
Francfort, Paris où m'attendaient ta carte d'Aubazine et ta dernière
lettre de Louvet. Je t'aime. Ma pensée va sans cesse vers toi. Ma matinée se passe à Nevers, l'après-midi je serai dans mon canton. Demain
matin un autre avion me déposera à Marseille. Lundi, Gordes et
mardi matin de nouveau Paris, comité exécutif, contre-gouvernement,
programme etc. et… et, je l'espère très fort, un mot de toi, arraché à
tes obligations de Lourdes. Vive et vite jeudi !
Mon amour d'Anne tu es la joie de mon cœur. J'aime que tu existes.
Je t'embrasse comme j'aimerais, un soir, à « la fenêtre » avec ce grand
vent froid qui porte avec lui la nuit et ses promesses graves

François

246.

En-tête Assemblée nationale, à Mademoiselle Anne Pingeot,
Hôtel Saint-Sauveur, Lourdes, Hautes-Pyrénées 65.

Gordes, 4 juillet 1966

Mon amour,

Je t'écris, comme tu le vois, de Gordes où je suis depuis hier et d'où je partirai ce soir. C'est l'après-midi, juste au déclin de la chaleur. Les volets sont en contrevent, des oiseaux commencent à chanter. Les couleurs redeviennent rouges, vertes, bleues. Tout remue : et moi je sors de la torpeur de ce début d'été qui me rappelle, ici, ceux de Touvent. Les mouches contre la moustiquaire, une branche de figuier au-delà et la paroi crayeuse et rebondie qui surplombe la maison des Soudet forment le paysage de ma fenêtre. J'entends Laurence parler à je ne sais qui. Ce matin je suis allé à Apt où j'ai enfin commandé mes pavés pour Latche et où j'ai visité la cathédrale Sainte-Anne, très intéressante et que tu aimerais. Là sont les vrais (?) restes de Sainte-Anne (un chef, un bras dressé, une chapelle royale édifiée par Anne d'Autriche pour la naissance de Louis XIV, une crypte avec la place pour le tombeau de la mère de la Vierge, de belles voûtes, la fraîcheur de l'air et l'on a envie de rester longtemps immobile à rêver plutôt qu'à prier mais à prier aussi un peu en rêvant).

Hier j'étais à Marseille avec les assises départementales de la Fédération des Bouches-du-Rhône, avec Defferre (aimable et circonspect) avec mille Marseillais échauffés. Après le déjeuner, chez Defferre, dans une maison admirablement située tout au haut de la corniche, mer ouverte sur la mer entière tout devant, et comme dans un décor bien réglé, à droite et à gauche, des caps de roches hérissées et nues esquissant les pointes d'une rade, je me suis reposé et j'ai renoué avec le parfum des fleurs de Provence, avec le vent, avec l'espace.

Gordes me plaît et j'imagine (avec le regret d'aujourd'hui et l'espoir de demain) ce que serait ta présence. De ma terrasse qui domine une faille rocheuse et qui, de biais, laisse voir les profondeurs brûlantes de la plaine, je me laisse envahir par l'idée que, me retournant, je te verrai, attentive, pénétrée par la beauté des choses, pleine du riche silence qui souvent nous unit. En allant à Apt, Pierre Soudet nous (nous c'est Hernu, qui m'accompagne, et moi) a fait traverser des hauteurs et des vallées du second rang, qui, vues du Luberon, semblent dénuées de relief, alors qu'elles offrent au voyageur les merveilles inattendues des paysages aux plans multiples. Quelle beauté ! Un jour je t'y mènerai. J'aime déjà ton ravissement !

À vrai dire j'ai mis le pied à Gordes, épuisé, et me suis jeté sur mon lit (dans une chambre pavée en losanges, table de bois mangé, cheminée dont l'âtre est composé de trois belles pierres solides, murs à la chaux) il était 22 heures et la nuit était claire et odorante. J'ai dormi… douze heures, paressé une bonne heure et ne suis descendu qu'à midi ! Un bon et vrai repos dans la séduction d'une campagne où les cigales assourdiraient douze douzaines de motocyclettes.

Anne, mon amour d'Anne, tout occupée à tes malades de Lourdes, que je t'aime ! Je dînerai ce soir en Avignon, je prendrai le train pour Paris, mardi se passera en réunions de travail, mercredi en bavardages à Londres et jeudi tu seras près de moi ! J'y pense sans cesse et je t'unis au fond de moi aux joies que m'offrent ces moments de paix de Gordes qui précèdent ceux que nous partagerons bientôt et que j'attends, le cœur impatient.

Je t'embrasse, Anne. J'ai un peu mal de toi, mon amour aux lèvres chaudes comme la pierre de la terrasse, mon amour au regard semblable à la pureté du ciel délivré de sa violence, mon amour que j'aime tant et tant

<u>François</u>

Carte postale d'une borie :

« Il y a des "bories" sur les garrigues tout autour de Gordes, et le long de la route qui mène à l'abbaye de Sénanque. »

Carte postale d'Apt. Crypte du XIIᵉ s. :

« Sainte Anne a, paraît-il, été ensevelie dans la crypte qui se trouve au-dessous de celle-ci. »

247.

En-tête Assemblée nationale, à Mademoiselle Anne Pingeot,
Hôtel Saint-Sauveur, Lourdes, Hautes-Pyrénées 65.

5 juillet 1966

Mon amour chéri,

Ce petit mot pour que tu saches que je suis bien rentré de Marseille et de Gordes, que j'ai reçu (avec quelle joie !) tes deux dernières lettres

(Hossegor et Lourdes) que j'ai essayé en vain de t'avoir au téléphone du Saint-Sauveur, que j'espère t'obtenir ce soir, que je serai demain à Londres dont je reviendrai jeudi matin vers 9 heures, que je t'attends, que je t'attends et que je t'aime de tout mon être

François

248.

En-tête Assemblée nationale, à Mademoiselle Anne Pingeot,
10 rue de l'Oratoire, Clermont-Ferrand, Puy-de-Dôme 63.

Bornoux, 25 juillet 1966, 9 h 30

Mon amour,

Hier je t'ai appelée de Château-Chinon à 20 h 30, mais la poste a répondu qu'il n'y avait personne au 10 à Ceyrat. J'ai pensé que Gédé et ses parents n'étaient pas rentrés de leur expédition et que tu avais été retenue par les exploits de Diesel au Mont-Dore. Ceci dit, ne pas entendre ta voix tout un jour c'est long. Je songeais sans arrêt que l'avant-veille l'aube s'était levée sur le golfe d'Argos. Maintenant je t'écris du moulin de Bornoux, chez Roclore, où j'ai dîné et dormi. Ce matin, le petit déjeuner pris, je gagnerai Planchez-en-Morvan, dans mon canton, où je passerai ma journée. Je reviendrai, tard sûrement, à Bornoux pour repartir à 6 heures demain matin pour Paris où se tient le comité exécutif de la Fédération. Je t'appellerai, comme convenu, à 13 heures à Ceyrat.

Hier, après la nuit chez les Maringe, j'ai déjeuné dans un château médiéval des environs de Nevers (à Chevenon) où j'étais invité par des amis éleveurs du Charolais et j'ai, le café bu, rejoint Château-Chinon.

Et toi mon Anne aimée ? Bizarre, cette absence soudaine de ton visage ! Tu respires les parfums de Louvet, tu racontes ton voyage. M'aimes-tu ? Je ferme cette lettre à la hâte pour que tu l'aies demain car elle va devoir suivre un circuit compliqué : Dun-les-Places, Nevers, Clermont ! C'est pourquoi je l'écris si tôt avant de m'enfoncer dans la forêt morvandelle et pour être sûr qu'elle prendra le premier courrier.

Près de moi un grand feu de cheminée, un chien boxer qui dort, le bruit de la Cure, la grande ~~cheminée~~ pendule de campagne qui martèle le temps – et en moi, toi que j'aime

François

249.

En-tête Assemblée nationale, à Mademoiselle Anne Pingeot,
10 rue de l'Oratoire, Clermont-Ferrand, Puy-de-Dôme 63.

26 juillet 1966, 21 heures

Mon Anne chérie,
J'ai quitté Bornoux à 6 h 30 ce matin et j'étais porte d'Orléans à 9 h 10. À peine arrivé le contre-gouvernement (le matin) et le comité exécutif (l'après-midi) m'ont happé toute la journée. Je t'écris tout de même ces lignes que j'irai poster dans un moment afin qu'un mot de moi parte vers toi aujourd'hui. J'écrirai plus longuement demain. Merci de ta lettre. Je l'aime. Merci de ta voix entendue avec tant de joie. Je l'aime. Et puis je t'aime, toi, mon adorable Nannon. Bonsoir.
Je t'embrasse si tendrement

<u>François</u>

250.

En-tête Assemblée nationale, à Mademoiselle Anne Pingeot,
10 rue de l'Oratoire, Clermont-Ferrand, Puy-de-Dôme 63.

27 juillet 1966

Mon Anne chérie, ce mot partira encore tard. J'ai reçu successivement sept hommes politiques cet après-midi (dont Pierre Cot, Cornut-Gentille etc.) et le matin a été occupé par des réunions. Pendant le déjeuner je suis allé au golf avec Gilbert qui est de passage à Paris pour se diriger vendredi vers la Russie où il fait un voyage de quatre semaines.
J'étais assez emprunté avec mes clubs après un mois d'inactivité sportive mais je ne me suis pas mal débrouillé. Je n'ai fait cependant que neuf trous avant de me replonger dans la politique. Je viens de t'avoir au téléphone et en suis encore tout heureux. Hernu m'attend pour dîner. Il fait froid dehors. Ô Xenia ! Je pense à toi sur tes collines de vent et d'orage et je t'aime ainsi. Que je voudrais vivre avec toi des jours de campagne dans cette rude Auvergne. Je m'y sentirais plein de force et d'espoir.

Bonsoir, mon amour. Je t'embrasse comme j'aimerais, doucement, lentement afin de retrouver au-delà des violences apaisées

Ton cœur donné, ton âme amie

François

251.

En-tête Assemblée nationale, à Mademoiselle Anne Pingeot, 10 rue de l'Oratoire, Clermont-Ferrand, Puy-de-Dôme 63.

29 juillet 1966

Mon Anne chérie,

Une pluie en violence frappe mes vitres. Le ciel est noir. Je vais partir pour Jarnac après un jour chargé de mille menues occupations. Je t'ai entendue. Tu m'as parlé de soleil. Je t'ai imaginée avec amour. Cela a guéri ce mauvais rêve deux fois revenu. Je sais que je t'aime. Je t'appellerai demain, et encore dimanche entre 8 heures et 8 h 30. Je n'ai pas reposé mon esprit depuis mon retour. Ouf ! Comme dit si bien quelqu'un que je connais : les vacances sont sur le pas de ma porte. Te voir, toi, Anne chérie. Mercredi ? Jeudi ? Tout est lointain mais déjà je sens cette chaleur de ta présence vivante. Je t'attends. Mon programme : demain Jarnac, après-demain Le Quesnoy (Nord), lundi et mardi : Nièvre, mercredi : route. Dimanche et samedi, la nuit à Paris !

Louvet (le Sec !) me paraît en liesse : les dîners, les thés et l'oncle Bertrand par surcroît. Mais je te devine attentive à ce qui est notre royaume, étonnée presque de savoir qu'il est un pays où nous sommes l'un et l'autre l'un à l'autre où le reste est extérieur à l'être Annefrançois. Je songe à tes yeux, je songe au ciel de Grèce, je parcours tes lèvres, et la ligne de tes épaules. Je lis des livres où tu es.

Je t'aime comme je t'aime.

À demain, mon Anne très aimée que j'embrasse, que j'embrasse, Anne de Cordes, Anne d'Athènes

François

252.

En-tête Assemblée nationale, à Mademoiselle Anne Pingeot,
villa Lohia, avenue du Tour-du-Lac, Hossegor, Landes 40.

31 juillet 1966

Mon Anne chérie,

Je pars pour Le Quesnoy (Nord), à peine le téléphone posé, et les images qu'yeux fermés j'enregistrais tandis que tu me parlais seront mes compagnes de voyage.

Toi, ce matin à Notre-Dame-du-Port, par un matin clair et sombre : l'Oratoire qui se réveille ; Diesel qui te houspille : le dîner de famille à Louvet... Trois jours vont s'écouler sans ta voix, ton rire, tes considérations satisfaites sur l'absence...

Je vous aime, Anne. Je t'aime. Hossegor t'a déjà accueillie. J'y serai. Mercredi soir ? Je l'espère. Sûrement jeudi matin. Si j'arrive en temps utile je frapperai à ton carreau vers 10 heures. Anne, mon Anne je t'embrasse de tout mon être

<u>François</u>

253.

En-tête Assemblée nationale, à Mademoiselle Anne Pingeot,
Lohia, avenue du Tour-du-Lac, Hossegor, Landes 40.

31 juillet 1966

Mon Anne, je rentre du Quesnoy, petite ville du Nord proche de la frontière belge et cernée de remparts Vauban (dont le dessin est vraiment œuvre d'art). Un meeting de 3 000 personnes, en plein air, des signatures par centaines, la bonhomie colorée des gens de ce pays, un déjeuner massif ont occupé ma journée. Parti par le train je suis revenu par la route dont la dernière partie était celle que nous avons faite ensemble en revenant de Senlis. J'ai pensé à la basilique des rois de France avec les corneilles qui logent sur les toits et à notre promenade de paix, de douceur et d'amour parmi les vieilles pierres. J'étais dans l'Avesnois, région de campagne verte entre deux vallées de charbon. On y porte de drôles de noms. Mon voisin de table s'appelait Narcisse Pavot. Tout un jardin ! un autre Tharcyde Gernez ! Partout des maisons de brique, pas laides et auxquelles l'âge donne une jolie patine.

Tu dois être arrivée à Hossegor, à cette heure. Moi je t'écris ces lignes avant de plonger dans le sommeil. Je me réveillerai à 7 heures, ferai mon bagage de vacances, l'étalerai à l'arrière de la pantoufle et partirai aussitôt pour Château-Chinon.

Voilà ce jour écoulé. Je pense à toi, mon amour. À toi dans ta chambre claire, à toi sur la terrasse que la nuit a dû emplir de silence. Je te rejoindrai très bientôt. J'apporte des livres. J'essaierai de commencer la rédaction d'un essai sur la politique étrangère. Je veux réussir, comme si souvent, ce temps qui s'offre à nous, à nous deux. Je voudrais aussi que tu te remettes au dessin et à la peinture. Je t'adorerai, ô mon profil si sérieux quand il se penche sur une tache ou quand il se lève vers le ciel.

Anne je t'embrasse et je t'aime

François

Coupure de nappe de bistrot : « Le péché commence au confort. »

Mercredi 10 août 1966, mort de mon grand-père maternel, le général Paul Chaudessolle, à Louvet ; fin du monde patriarcal de mon enfance.

254.

En-tête Assemblée nationale, à Mademoiselle Anne Pingeot,
10 rue de l'Oratoire, Clermont-Ferrand, Puy-de-Dôme 63.

Hossegor, 11 août 1966, 13 heures

Mon Anne chérie,

Tu es sur cette route brûlante le cœur brûlé, broyé. Je pense à toi. La douceur de l'ombre sous le chêne de Latche apparaît soudain comme une enfance perdue. Je t'aime. Je m'étais figuré tes grands-parents dans leur cadre de Louvet de telle sorte qu'il me semble être moi-même en deuil d'une image très chère de ma propre vie. Je rêve à tes années, à tes étés dans cette propriété, aux fleurs que tu réunissais en bouquet, aux rêves, aux sensations que tu as connues dans la garenne ou dans ta petite chambre, aux déjeuners familiaux. Je me raconte le récit de tes dernières joies pendant ce bon séjour que tu y as passé au retour de Grèce, aux histoires truculentes de l'oncle Bertrand, au bonheur de Gédé, inlassablement appliquée à rassembler, au complet, ceux qu'elle aime, à ton émerveillement d'être toujours fille de ton sol et proche d'une jeunesse ouverte aux beautés, aux espoirs.

Je me dis que ton grand-père est mort à cette vie dans le cadre exact de son choix, au lendemain d'un repas partagé avec ceux de son cœur, et dans ce jardin qu'il avait sans cesse recomposé. Se dégage une sorte de paix au milieu de ce déchirement. Anne, mon Anne, j'éprouve beaucoup de peine à te savoir ainsi confrontée aux images, aux souvenirs qui n'ont pris ce nom que depuis hier. Je comprends avec la sensibilité des chagrins reconnus tout ce que représentent pour toi cette rupture et cette mort. Mon amour, sois sûre de moi comme tu en as besoin : l'Anne que j'aime est aussi la petite-fille qui aimait la grande maison, ses rites, son refuge et surtout les êtres qui l'avaient faite si accueillante pour son enfance, et finalement si riche de bonheur (ou de capacité de bonheur).

J'espère maintenant très fort te voir lundi (c'est le 15 août. Peut-être sera-ce moins facile ~~que~~ pour toi. Mais j'irai où cela te conviendra, même pour une heure si tu ne disposes que de peu de temps). De Meillard, qui se trouve près de Châtel-de-Neuvre j'irai aisément vers toi. Je pourrais aussi aller te chercher pour te ramener chez Grossouvre où nous dînerions. Je prendrais le train le soir même à Gannat et Grossouvre te raccompagnerait à Clermont. Nous aurions ainsi quelques heures pour parler, nous promener, nous retrouver.

Autre hypothèse : si tu le juges bon je me rendrai à Louvet ou à l'Oratoire voir Gédé.

Mon Anne je t'embrasse. Je te remercie de m'avoir prévenu ce matin. Je te remercie de la confiance de tes larmes. Ces jours de séparation ne sont rien puisque notre cœur veille, puisque de loin, mais de tout près aussi, je suis, je demeure profondément, passionnément, fidèlement ton

François

255.

En-tête Assemblée nationale, à Mademoiselle Anne Pingeot,
10 rue de l'Oratoire, Clermont-Ferrand, Puy-de-Dôme 63.

Hossegor, 12 août 1966

Mon amour,

J'écris cette date, 12 août, et soudain je n'arrive plus à croire à la réalité des événements de ces derniers jours. Avant-hier ce n'était qu'un merveilleux été, un ciel clair, la paix de Latche… je sens que pour toi tout est encore moins concevable, dans ces lieux que tu aimes et surtout à Louvet dont tu me disais ce matin « que les choses te paraissaient éternelles comme les êtres ». Je vis avec toi chaque moment. Je serai proche de toi cette nuit pendant la dernière veillée. Je songe à cette belle fin de ton grand-père, si pareille à sa croyance, et que magnifie la simplicité de la nuit, parmi les siens de son village, dans son église de campagne.

Je pense à Gédé, à son chagrin, et je voudrais avec toi l'accompagner dans ces promenades où se mêlent les raisons de souffrir, par tant de souvenirs vivants, et les raisons de retrouver la paix et la sérénité, par la certitude de l'unité de votre petit groupe familial, par l'étroite tendresse Gédé-Mirza-Nannon, par la foi dans un monde où les étoiles d'août seront comme les mains de Dieu. Demain matin je serai encore tout près de toi pendant la messe.

Tu viens de connaître la mort. C'est un terrible baptême. C'est le signe d'un passage pour les vivants qui aiment et qui pleurent. Ce passage, ma chérie, crois-le, je le franchis avec toi.

Je t'aime, Anne. Demain soir je t'appellerai à 18 heures. Puis dimanche matin à 8 h 30. Au téléphone, nous conviendrons de la journée de lundi.

Nous pourrions nous retrouver dès le matin et déjeuner ensemble. Ici, j'ai commencé hier, à écrire : deux pages sur le Viêt Nam !

Je continue aujourd'hui. Il fait très, très chaud. Tu es mon amour, présent, vivant et fort, mon aimée, mon amie, mon Anne

François

256.

En-tête Assemblée nationale, à Mademoiselle Anne Pingeot,
10 rue de l'Oratoire, Clermont-Ferrand, Puy-de-Dôme 63.

Hossegor, 17 août 1966

Mon amour d'Anne,

Gannat, ton visage adoré, un voyage dans l'air froid avec une couverture frileusement tirée sur le corps, Bordeaux, Dax, la voiture – et, hop, sur le golf pour une compétition. Résultat : nul.

Mais moi je t'aime ! Vive la journée d'hier ! Tu es mon amour-ami chéri. Je t'écrirai demain. Je pense à Louvet, aux prunes, aux promenades, aux souvenirs.

à toi, Nannon
mon Nannon

François

257.

En-tête Assemblée nationale, à Mademoiselle Anne Pingeot,
10 rue de l'Oratoire, Clermont-Ferrand, Puy-de-Dôme 63.

Hossegor, 17 août 1966

Mon Anne chérie,

Je t'envoie ces quelques lignes pour que tu aies des nouvelles de moi au courrier. Mais il est 17 heures et je n'ai que peu de minutes avant la dernière levée. Depuis trois heures nous sommes à la recherche de Sara Vivancos, la plus jeune des filles de l'ami espagnol dont je t'ai parlé, qui a disparu entre Hossegor (Soorts) et Capbreton alors qu'elle était partie à bicyclette à 10 h 30 faire les courses pour le déjeuner. Inutile de te dire l'inquiétude et le drame. La gendarmerie, les CRS etc. vont partout. Cette jeune fille aimait le dessin et avait emporté son carnet de croquis. Agression ? fugue (qui semble impensable) ? suicide (également inimaginable) ?

J'essaierai de te téléphoner ce soir.

Je t'aime, mon Anne et je t'embrasse de tout mon amour

François

258.

En-tête Assemblée nationale, à Mademoiselle Anne Pingeot,
~~10 rue de l'Oratoire, Clermont-Ferrand, Puy-de-Dôme 63~~
Presbytère, Concoules 30. *À l'arrière, écriture de ma mère :*
« Vendredi 16 heures. On ne fait jamais 2 sans 3.
Troisième ratage de la journée !!!!! »

Hossegor, 18 août 1966

Mon amour d'Anne,

D'abord merci pour ta lettre de ce matin. Par elle je vis et je vois Louvet, la maison, je me protège contre le froid, je bois le thé dans ta cuisine, j'aime le calme de ta chambre.

Certains vers des poèmes de ton grand-père ont une résonance émouvante. On ressent l'amour profond pour sa terre, qui habitait son cœur.

Quelle belle journée nous avons passée à Meillard-Châtel-de-Neuvre ! Comme je t'y ai retrouvée ! À inscrire, je crois, parmi nos plus beaux moments ! Grossouvre m'a téléphoné ce matin. Il sera à Hossegor lundi. Comme Michel Clerc est là actuellement le contact sera facile à établir entre eux pour la villa.

Mardi je partirai pour Paris, d'où j'irai dans la Nièvre avant de te rejoindre dans le Gard.

Je m'en fais une joie à l'avance. On peut faire un voyage très intéressant, que je vais préparer de près !

On a récupéré Sara Vivancos, partie à vélo, polo, blue-jeans et 4 000 anciens francs, à l'aventure, seule, sinon avec son carnet de croquis, pour voir l'Espagne. On a passé une nuit tragique à battre les fourrés de la route Soorts-Capbreton. Je me suis couché à 2 heures du matin, fourbu. Quant aux parents, ils étaient anéantis. Cela ne m'a pas empêché de jouer au golf ce matin, et <u>bien</u>, pour la première fois de la saison… Diesel en était tout content… car il était mon partenaire.

Il fait beau, avec un vent très froid. J'ai mis les polos de laine. J'écris lentement. Je voudrais avoir quand même vingt-cinq pages à te lire. Y parviendrai-je ? Je m'attache pour l'instant à l'affaire du Viêt Nam.

Toi, demain, tu seras sur la route du Puy. Je t'envie d'accomplir ce pèlerinage.

J'aurais vraiment aimé t'accompagner. Silence, marche, fatigue, paix, douceur des soirs, amitié, tout cela est sans prix. J'essaierai de t'atteindre aux étapes par mes lettres. Je penserai à toi de tout mon cœur, de toute ma tendresse. Anne chérie, mon cher amour, si tu savais comme t'embrasser serait bon et doux et fort. Je t'aime tant

<u>François</u>

259.

En-tête Assemblée nationale, à Mademoiselle Anne Pingeot,
au Presbytère de Concoules, Gard 30.

Hossegor, 19 août 1966

Mon Anne chérie,
J'ai joué de malheur avec le téléphone. En effet, hier, le circuit était occupé et ce matin j'ai d'abord obtenu à Louvet… ta grand-mère (il était 9 h 30), puis à Clermont une voix inconnue (il était 13 h 45). Les deux fois j'ai battu en retraite prudente et anonyme ! Mais je suis resté sur ma soif et me voici maintenant un peu plus séparé de toi, puisque je ne puis te téléphoner (sauf nécessité). Je t'écrirai donc fidèlement – en espérant que tu feras de même (n'oublie pas : à partir du 23 tu m'écris à Paris, que je quitterai le 27 au soir). Par Michel Destouesse j'ai appris que les Barbot arrivaient lundi à Moliets. J'irai les voir ce jour-là, puisque le lendemain je partirai pour Paris. Dans une de tes

lettres dis-moi <u>où</u> je dois te récupérer le 28 dans la soirée (tard) ou plutôt <u>le 29 tôt</u>.

Voilà mon Anne chérie pour nos affaires administratives ! Pour le reste je n'ai pas eu de lettre ce matin. J'ai gagné au golf contre ton père et un autre partenaire, quatre balles.

Depuis hier la forme est revenue (et le plaisir de jouer du même coup !). Hier soir je suis allé dîner avec Mendès, Dumas et Pierre Bloch chez ce dernier au Pyla. Aimables propos, prudence politique, léger ennui cordial. Je suis rentré dans la nuit non sans avoir dépanné une famille nombreuse privée d'essence sur le bord de la route du côté de Mimizan, ce qui m'a attardé d'une bonne heure. Quant au chêne de Latche il se languit de toi. J'imagine son ciel découpé. Merveilleuse œuvre d'art. Prends des croquis le long de ton pèlerinage, tu me ferais plaisir. J'aime jalonner notre vie, surtout lorsque, séparés, il nous faut réinventer l'histoire de l'autre. Donne-moi donc des images de ce voyage que je regrette tant de ne pas faire avec toi.

Mon Anne, mon amour je suis <u>très</u> uni à toi, sans problème. La journée de lundi me baigne encore dans un climat de paix profonde. Je t'aime rudement (!) entièrement. Je suis très amoureux de toi et de tout ce qui te concerne. Je voudrais être associé aux pensées et aux intentions de cette marche vers le silence et l'unité que tu accomplis. Bonsoir, Anne bien-aimée que j'embrasse si tendrement – et

à demain

François

260.

En-tête Assemblée nationale, à Mademoiselle Anne Pingeot, Presbytère de Concoules, Gard 30.

Hossegor, 20 août 1966

Mon amour d'Anne,

De quelle sanction suis-je l'objet ? Ni hier ni aujourd'hui je n'ai eu de lettre de toi et demain, dimanche, je ne puis en attendre.

Je n'ai donc reçu qu'un courrier cette semaine – et cela me rend triste. Pourtant il faisait si beau en moi depuis notre lundi...

Chaque jour j'écris mes pages sur le Viêt Nam. Et chaque jour je fais ma partie de golf (ce matin, Diesel et moi : match nul).

Voilà tout mon programme par ces journées claires et calmes d'un Hossegor semblable à celui que tu as connu dans la première quinzaine d'août. J'ai déjeuné chez le sénateur Pierre de La Gontrie, déjeuner annuel et rituel : crabes, moules, palourdes.

Je retrouve ma chambre et sa paix avec joie pour t'écrire. Pour t'écrire que je t'aime.

Gédé arrive ce soir. J'irai la voir demain.

Agnès a servi de caddy ce matin : elle devient jolie. Nous avons bavardé, c'est-à-dire balbutié quelques borborygmes.

Hop ! cher pèlerin marcheur, il est temps d'aller à la poste. Je vous embrasse et aimerais fort vous retrouver à l'étape. Je vous gronderais bien un peu pour votre silence qui me peine. Mais j'aime tant, aussi, vous embrasser...

Bonsoir mon amour d'Anne – je vous adore en pensant aux splendeurs du Velay qui font votre paysage

<u>François</u>

P.-S. N'oublie pas : à partir de lundi matin tu m'écris (si tu m'écris !) à Paris, car je pars en voiture mardi matin.

261.

En-tête Assemblée nationale, à Mademoiselle Anne Pingeot, Presbytère de Concoules, Gard 30.

Hossegor, 22 août 1966

Ma chérie,

Je ne puis m'empêcher de t'en vouloir ce matin. Depuis jeudi je suis sans nouvelles de toi. Je ne pensais pas que ma joie de l'autre lundi serait si chèrement payée. Je ne croyais pas que tu jouerais ainsi de mon attente et de mon anxiété. J'espérais que tu aimerais m'écrire pour réduire la séparation. J'en suis trop déçu pour t'en dire davantage.

Ici, rien de nouveau. Je pars demain pour Paris, ce qui signifie sans doute que je devrai encore me passer de courrier. Le temps est un peu couvert et lourd. Diesel est rentré en Auvergne après une dernière belle partie de golf (16), et ravi de son succès.

J'ai vu Gédé et ta grand-mère. Gédé m'a raconté vos journées à Louvet que j'aurais tant aimé t'entendre me décrire.

Je continue l'étude de politique étrangère (quinze pages sont au point). Ce soir je compte rencontrer les Barbot à Moliets.

Je pense à toi, j'ai bien un peu de peine et je t'embrasse

François

262.

En-tête Assemblée nationale, à Mademoiselle Anne Pingeot,
13 rue Hoche, Saint-Gilles, Gard 30.

Paris, 24 août 1966, midi

Anne, mon amour,

L'arrivée de ta lettre ce matin a mis du baume sur ma peine qui était grande : tu ne m'as pas écrit pendant six jours ! Je n'y comprenais rien et ne pensais pas que mes deux appels téléphoniques étaient cause de ce silence ! Devais-je te faire demander par ta grand-mère ? Et la seconde fois j'ai cru que tu étais déjà partie pour Le Puy et qu'il était inutile et peut-être gênant pour toi de laisser mon nom à une inconnue, (car je n'ai pas reconnu la voix de Martine – c'est Gédé qui me l'a dit !). J'étais moi-même si triste de ne pas t'avoir obtenue. Anne, mon amour chéri, est-il nécessaire d'être cette méchante Auvergnate rancuneuse et vengeresse dont tu m'offres la radieuse image ? Sale fille, bonne femme directement descendue des marchands en blouse des foires du Cantal, et qui ergote sur le prix du ruban, mon Anne, je suis fâché, moi aussi, contre toi. Où est le merveilleux amour de ton regard, tel que je l'ai reçu sur le quai de la gare de Gannat ?

J'aime ton pèlerinage. Je voudrais l'an prochain t'accompagner. J'en serais très très heureux. Quelle beauté et quelle paix, ces longs chemins, ces grands vents, ces hauts plateaux, ces vallées qui vont vers une foi. Le récit que tu m'en fais, je le vis – et je regrette de ne pas partager avec toi ces impressions profondes.

Pour rentrer à Paris, hier, j'ai fait un circuit compliqué. Je suis d'abord allé en « pantoufle » à Toulouse (d'où j'irai te prendre le 29 au matin). Là j'ai pris l'avion… mais il avait du retard… mais il faisait escale à Bordeaux… mais il a eu une panne de réacteur : résultat je ne suis arrivé à Orly qu'en fin d'après-midi, comme si je revenais d'un grand voyage ! J'ai dîné avec Laurence et Pierre Soudet chez Lipp et je me suis endormi avec l'inquiétude de ne rien avoir au courrier ce matin. Aussi, le coup de sonnette de 8 heures a été bien accueilli !

Pour lundi matin, deux hypothèses : ou bien je vais vous [Martine et moi] chercher à Saint-Gilles. Dans ce cas je serai à 12 h 30 devant la mairie.

Ou bien je vais vous chercher à Sète (si un train peut vous y conduire). Dans ce cas je serai à 11 h 30 devant la mairie également.

J'ai une petite préférence pour la deuxième solution, because commodité, car je retrouverai ma voiture à l'aéroport de Toulouse où je l'ai laissée et où j'atterrirai à 8 h 25. Pour me renseigner un télégramme adressé à Paris avant samedi midi ou une lettre mise à la poste d'un village pas trop perdu vendredi conviendront (j'espère la lettre ! j'aime tes lettres !). Si tu ne recevais ce mot que trop tard pour m'écrire ou me télégraphier, je serai à Château-Chinon, pour le déjeuner de dimanche, de 13 à 16 heures, au n° 106. Enfin (pour ne pas se manquer, aucune précaution n'est inutile) si je n'ai aucune indication sache qu'avant de continuer sur Saint-Gilles, je m'arrêterai un quart d'heure devant la mairie de Sète, entre 11 h 30 et 11 h 45.

18 h 15

Je sors de la réunion du contre-gouvernement. Cela a duré trois bonnes heures, utilement. J'avais auparavant déjeuné avec Hernu et Laurence. Paris est tout vide et retrouve son air de splendeur. L'émotion de passer par les rues où nous avons flâné ! Que je t'aime, mon Nannon ! Je veux faire d'octobre un mois de merveilles. La politique m'a pris à la gorge, mais pas pour longtemps. Tout au moins la politique active. Waldeck Rochet parle à la télé, de la Fédération, ce soir. On insiste pour que je réponde mais je refuse. Ne pas arrêter la réflexion. Ne pas faire mûrir les fruits au soleil artificiel. Je nourris ma documentation sur le Viêt Nam. J'aurai mes vingt-cinq pages prêtes pour lundi. J'écris assez facilement mais il faut serrer le style davantage.

Ce soir je dîne avec Bergougnoux (jeune dirigeant catholique),

Maroselli (jeune radical) et Legatte. Je me réjouis tellement à la pensée de lundi matin. J'aurai le cœur à éclater de t'apercevoir ! Il faudra faire bonne contenance avec la Morale en personne [Martine] en tiers ! Je t'attends mon amour chéri. J'ai bien un peu envie de t'embrasser, de te prendre dans mes bras, de goûter à toi et par toi l'union parfaite où l'être en s'abolissant s'accomplit et renaît, mais ce ne sont pas propos pèlerins…

Anne bien-aimée, à Sète, 11 h 30, mairie, lundi 29 – sauf contre-indication (sinon à Saint-Gilles 12 h 30, mairie). Vive Sète où il faut voir les canaux, les maisons basses de ce midi où la gaieté est grave, et le cimetière marin, je vous embrasse vous que j'aime

François

263.

En-tête Assemblée nationale, à Mademoiselle Anne Pingeot,
13 rue Hoche, Saint-Gilles, Gard 30.

25 août 1966

Mon Anne aimée,
Juste un petit mot pour que tu saches
demain que je suis
   ton
   François
très tendrement
et même passionnément
amoureux de
         son
         ☺nne,
que je serai plus heureux qu'un ciel du matin de te rejoindre lundi,
   bref que je t'aime
      comme on aime
      quand on aime
de Nevers à Cordes à Beaugency
         à château Saint-Jean à Chênehutte…

264.

En-tête Assemblée nationale, à Mademoiselle Anne Pingeot,
13 rue Hoche, Saint-Gilles, Gard 30.

25 août 1966, 19 heures

Mon amour d'Anne,
Je t'envoie en fin de journée ma dernière lettre de ton pèlerinage pour que tu l'aies sûrement samedi. Je pense à toi intensément. J'ai reçu ton mot d'hier, qui sent la menthe et les grands espaces. Tu m'as donné une vraie joie et j'ai oublié la déconvenue de ton silence. Et puis je t'aime tant et tant. Aujourd'hui je suis resté chez moi à recevoir un peu (surtout J.-J. Servan-Schreiber) et surtout à lire et à écrire autour de mon sujet : le Viêt Nam. Je suis engourdi car il fait frais. Demain je serai à Quimper et je rentrerai le soir, entre deux avions, devoir de vacances pour régler ou plutôt m'informer de la situation politique, et mieux encore pour avaler quelques coquillages ! Samedi matin, Paris. Et l'après-midi je partirai pour la Nièvre. Là je resterai dimanche. Je prendrai l'avion Paris-Toulouse lundi matin à 7 h 30 où m'attend la DS, impatiente, je suppose, de faire avec moi, en fidèle monture, le chemin qui va vers toi. Comme je te l'ai déjà écrit, notre rendez-vous est : mairie de Sète, à 11 h 30 – sauf si vous n'avez pu quitter Saint-Gilles.
Dans ce cas, mairie de Saint-Gilles à 12 h 30. Si cette dernière hypothèse prévalait, tu me préviendrais. Je serai au Vieux Morvan (téléphone 106), dimanche, de 13 à 16 heures.
Amour d'Anne, tes lèvres me manquent. Tes bras. Ton corps où j'aime l'âme et la source. J'aime, j'aime.
Vite lundi et la belle route de notre réunion. Vite, mon Anne

François

265.

En-tête Assemblée nationale, à Anne Pingeot, EV.

Hossegor, le 2 sept. 1966

Mon Anne,
Je passerai au petit chemin à 9 h 45 et si je ne t'y trouve pas j'y retournerai à 15 heures. Te voir, ma joie

F

266.

En-tête Assemblée nationale, à Mademoiselle Anne Pingeot,
Lohia, allée du Tour-du-Lac, Hossegor, Landes 40.

Château-Chinon, 4 septembre 1966

Mon Anne aimée,
Le Morvan m'a accueilli avec sa couronne de brume. On n'y voit
pas à 100 mètres. Je viens de me frotter, de me raser, de mettre chemise et cravate dans une chambre d'emprunt au Vieux Morvan. Je me
défais peu à peu des plis de la nuit, recroquevillé sur ma couchette.
Gannat, Saint-Germain-des-Fossés... Le Bourbonnais mouillé que
j'ai aimé avec toi, par toi... un peu plus de 100 kilomètres, par Moulins et Decize, et j'ai retrouvé ma modeste capitale. Je pense à toi,
mon amour d'Anne. À toi, ma bien-aimée. Hier fut jour de clarté !
Que j'étais bien sous le chêne-liège du bord du lac et que ton visage
m'était doux !
Avant de partir pour Montsauche j'ai voulu t'écrire ces quelques
lignes afin de les mettre à la poste ici, sans quoi tu risquerais de
n'avoir aucun courrier avant jeudi. Je suis empli de toi.
Ô mon Anne merci de tant de richesse.
Je t'aime

François

267.

En-tête Assemblée nationale, à Mademoiselle Anne Pingeot,
Lohia, allée du Tour-du-Lac, Hossegor, Landes 40.

7 septembre 1966

Mon Anne chérie,
Les plus délicieuses lettres du monde, l'une trouvée hier soir en
rentrant de la Nièvre, l'autre reçue ce matin dans mon lit, font de
moi le plus heureux de ceux qui aiment.
T'aimer, ma chérie, comment n'y pas songer dans ce silence encore
préservé, dans ce Paris déjà couleur d'automne qui me renvoie une

brassée d'images radieuses, intenses, bouleversantes, où je te rencontre toujours ? C'est le Paris de nos rentrées, depuis la première quand je cherchais en vain à te joindre, quand je t'atteignais enfin rue de Thorigny (en même temps qu'un autre), quand j'allais déposer un mot au 39 le cœur ému à rompre, depuis la deuxième, un jeudi qui te rendait à moi après la mer de Sirolo et le coup de fil à Clermont, depuis la troisième... Mais je serai à Hossegor dans moins de deux jours, mais tu seras dans mes bras, mais l'été continue, mais j'embras-serai tes lèvres chaudes, mais je connaîtrai le lent miracle du sang qui brûle, du feu qui donne vie, qui te rompt, qui t'ouvre à des soleils nouveaux, mais tu seras à moi, mon amour, mais tout au-delà, la paix de l'être m'apprendra à t'aimer plus encore...

Depuis samedi j'ai accumulé les fatigues. Une nuit dans le fracas des roues sur les rails ; une journée à table : de 2 heures à 11 heures de la nuit les convives ont mangé. Encore ai-je pris l'air entre 6 et 10 ! Épuisant !

Hier, j'ai fait sept ou huit visites. Utiles mais également fatigantes (vin rouge, vin blanc, alcools, champagne + routes en S, froid, chaud, conversations).

Bref je suis aujourd'hui assez las, d'autant plus que le téléphone et les visiteurs ont pris d'assaut Littré et Guynemer. Curieux mélange de paix, celle que je te décris d'un Paris aux rues de province et d'un bon-heur d'anchois, et de trouble, celui que m'apporte le recommencement de l'action. Maintenant j'attends une délégation. Je vais la recevoir. Avant l'heure du courrier j'ajoute quelques mots à cette lettre. Mais tout de suite je veux te dire ma joie de toi, mon Anne, mon Anne.

....

20 heures

Ouf ! je saute à la poste centrale Louvre pour que la lettre parte avant 20 h 30.

Je t'embrasse et je t'aime très très fort

François

268.

En-tête Assemblée nationale, à Mademoiselle Anne Pingeot,
Lohia, allée du Tour-du-Lac, Hossegor, Landes 40.

16 septembre 1966

Mon amour,

J'ai voyagé sans claustro et abordé Paris avec la fraîcheur de mon frère Rastignac ! Vu ce matin Mollet, puis Defferre, puis les crocodiles de la SFIO Guille et Augustin Laurent, déjeuné avec dix amis de la Convention, allé chez le coiffeur, écrit une page, reçu des visiteurs. Je vais maintenant au groupe permanent de la Convention (c'est le comité directeur). Demain matin la micheline me déposera à Nevers. J'irai ensuite à Château-Chinon où je resterai jusqu'à dimanche après-midi. Et le soir en route (par rail !) vers ☺nne.

Mon amour je vous embrasse. Je vous aime aussi ! je m'ennuie déjà de vous. Je vous imagine près de votre lac, dans votre paysage. J'aime vos lèvres. À lundi

François

269.

En-tête Assemblée nationale, à Mademoiselle Anne Pingeot,
10 rue de l'Oratoire, Clermont-Ferrand, Puy-de-Dôme 63.

23 septembre 1966

Je t'aime, mon Anne, et j'ai ici une vie de forçat ! Résultat, je m'assois juste pour t'embrasser... sur ce papier.

Heureusement qu'il y a le téléphone... et l'espoir de dimanche après-midi.

Je vous aime, oui, passionnément

François

270.

En-tête Assemblée nationale, à Mademoiselle Anne Pingeot,
10 rue de l'Oratoire, Clermont-Ferrand, Puy-de-Dôme 63.

26 septembre 1966

Nannon aimée,

J'ai le goût de vous dans mon cœur, sur mon corps. J'entends le cri de délivrance et de communion. La nuit est claire, froide, presque hostile. Une source chaude, vivante, d'amour et de joie s'offre à moi. La paix s'empare de nous. Ainsi étions-nous hier soir. Voyage sans histoire ce matin. Lecture des journaux, des hebdos ; regard aussi perdu parmi les rivages de la Loire.

Ce petit mot télégraphique vous dira, toi que j'aime, que je jalouse les poires de Louvet, les chemins de Louvet, les tilleuls de Louvet.

Je les croque, je les parcours, je les sens.

Et je t'embrasse à pleines dents, Anne tout juste sortie de l'été, craquante et lisse, et j'écarte en toi pour mieux t'aimer et te connaître ton être le plus secret, et je t'aime tout simplement

François

271.

En-tête Assemblée nationale, à Mademoiselle Anne Pingeot,
10 rue de l'Oratoire, Clermont-Ferrand, Puy-de-Dôme 63.

27 septembre 1966

Mon Anne chérie,

Je viens de terminer un enregistrement pour la Radio officielle qui passera samedi à 13 heures. Je commence deux autres enregistrements, l'un pour Europe, l'autre pour Luxembourg.

Cela m'a donné un gros travail de préparation et je n'ai pas mis le pied dehors.

Ta voix à 1 heure était si bonne à entendre, mon adorable fille. J'avais à la bouche le goût des confitures. Garde-m'en !

Tout va bien pour Gordes. Un rendez-vous à Avignon samedi à

11 heures du soir m'irait parfaitement. Peux-tu t'y trouver ? quelle joie ensuite, ces heures et ces jours !

Anne aimée bonsoir, à demain

Je vous embrasse comme j'aime, comme j'aime

François

272.

En-tête Assemblée nationale, à Mademoiselle Anne Pingeot,
10 rue de l'Oratoire, Clermont-Ferrand, Puy-de-Dôme 63.

29 septembre 1966

Anne chérie,

Je vous aime et je vous attends. Samedi, à 23 heures, en gare d'Avignon.

Ici, c'est la bousculade après mon interview à Europe 1. Journaliste sur journaliste se succèdent dans mon bureau.

Ferniot, de *L'Express*, en sort. Tournoux, de *Match*, arrive.

Je glisse ce petit mot entre ces obligations, pour retrouver un instant la joie de mon amour – et pour que tu saches…

… que je t'aime et que je t'attends, samedi, 23 heures, en gare d'Avignon.

Ce soir je dîne avec Grossouvre. On parlera de Nannon sur son chameau, je suppose.

Je t'embrasse, avec ta bonne odeur de confiture et de châtaigne,

François

273.

En-tête Assemblée nationale, à Mademoiselle Anne Pingeot,
39 rue du Cherche-Midi, Paris VIe. *Enveloppe Hôtel de France
et Grand Hôtel réunis, Nevers.*

Nevers, 19 octobre 1966

Mon amour d'Anne,

Ton visage du Pizou, tes yeux qui se réveillaient à la joie sans trop oser y croire, ta bouche que j'avais envie de prendre, ta douceur d'être ont été ma compagnie d'hier et de cette nuit.

S'y sont ajoutés l'air porteur des senteurs de la terre quand j'ai mis le pied dehors au lever, à Langy, la musique de Ferré sur les poèmes d'Aragon, les souvenirs proches et vivants d'un amour somptueux, tout ce qui fait ma vie loin de toi et qui n'a de sens que par toi, Nannon que j'aime

François

274.

En-tête Assemblée nationale, à Mademoiselle Anne Pingeot,
39 rue du Cherche-Midi, Paris VIe.

Hossegor, 1er novembre 1966

Mon amour,

Voici une Toussaint avec ses parfums, ses silences, ses souvenirs, ses lentes et profondes pensées – et trois petites fleurs pour celle que j'aime

François

Trois œillets des dunes, séchés.

275.

En-tête Assemblée nationale, à Mademoiselle Anne Pingeot,
39 rue du Cherche-Midi, Paris VIe.

2 décembre 1966

Mon amour d'Anne,

Je veux célébrer dignement l'anniversaire de la victoire d'Austerlitz, et celui du coup d'État, et je pense qu'aucune démarche ne sera plus haute à cet égard qu'une lettre expédiée à l'adresse du 39 de la rue du Cherche-Midi.

Confidente de mes émotions historiques vous le serez du même coup mon cher amour des sentiments que je vous porte, et qui sont ceux de l'amour dans toutes ses variétés et cependant, surtout, de l'amour passionné.

Je vous écris de la séance de l'Assemblée après mon intervention à la tribune, pour que vous sachiez demain, tandis que nous serons tristement séparés, que ma pensée ne vous quitte pas

François

276.

En-tête Assemblée nationale, à Mademoiselle Anne Pingeot,
39 rue du Cherche-Midi, Paris VIe 75.

Dijon, 5 décembre 1966

Mon amour,

Dijon tout noir et blanc, couleur de Bourgogne d'hiver, Dijon sans toi, sera donc ma province d'un jour, une nuit et un jour. J'y suis arrivé le cœur triste et j'entends, installé dans la salle du conseil général, seul, tandis que les commissions sont réunies, les éclats de voix des représentants régionaux. Je n'ai pas envie de m'y mettre !

Dans le Mistral j'ai lu, somnolé, regardé vaguement le paysage strié à partir du Morvan par une tempête de neige. J'ai pensé aussi à toi mon Anne douloureuse et j'avais le cœur triste, oui, comme je te l'écris dès la troisième ligne…

J'aurais dû t'éviter cette peine et j'adorais tant ton visage de chagrin. Quand je sors d'un wagon-lit je suis cotonneux, je traîne, je me réinstalle lentement dans les gestes de Paris. Après, les visites, les tracas et pourtant le désir émerveillé de te retrouver, très chérie aux microbes, amour aux baux ruraux, Nannon abandonnée… que je vois toujours telle qu'elle était sous le chêne-liège du lac, qui me racontait Louvet, la vie d'autrefois, les routes de l'enfance !

Je vous aime, mon canard à l'orange amère. Que ferai-je ce soir ? Envie de rien et les musées seront fermés et j'aurai en moi ton regret. J'arriverai à Paris demain en fin d'après-midi, soit par le train (ce sera alors 20 heures) soit en auto. Je te le dirai au téléphone.

J'ai ici des souvenirs de bonheur auxquels je vais accrocher solidement mon rêve : toi endormie, sourire aux lèvres, belle duchesse venue des Flandres à moins que ce ne soit du Portugal. Tu aurais pu t'appeler Bonne ou Isabelle.

Mais c'est Anne que j'aime, Anne aux yeux clos, Anne pour mon cœur et pour mon corps, Anne pour la beauté des choses, Anne pour l'ombre de saint Bénigne

François

277.

En-tête Assemblée nationale, à Mademoiselle Anne Pingeot,
10 rue de l'Oratoire, Clermont-Ferrand, Puy-de-Dôme 63.

Dimanche de Noël 1966

Mon Anne bien-aimée,
Ma journée d'hier a été dévorée par la longue route qui va de l'Oratoire au mur blanc de ma maison. D'abord l'Auvergne qui bascule du côté d'Aubazine, puis le Périgord, la Vézère et l'Isle, enfin la Guyenne que tranche la Garonne et la nuit a commencé avec la première ligne des pins. J'avais déjeuné à Brive (des cèpes !) avec Dumas. À peine arrivé j'ai dîné au Pot de résine : feu de bois, meubles luisants, silence. Nous (les Guimard et moi) sommes rentrés tôt – 10 h 30) et avons dormi tout tranquillement jusqu'à… 11 heures du lendemain. Le long du chemin une petite pluie ne m'a pas quitté. J'ai expérimenté les phares « à iode » (?) qui ont tracé des sillons de lumière blanche devant moi. J'ai rêvé un peu distraitement. Je me suis raconté nos histoires, mon amour d'Anne.

Aujourd'hui, farniente. Le ciel est changeant. Des paquets de pluie et c'est le soleil avec de petits nuages légers. Le sable est imbibé d'eau et çà et là ne peut contenir cette mer venue du ciel. On se sent aquatiques plus que sauvages. Déjeuner au Pesquite (cèpes, confit d'oie).

Après-midi studieux. J'ai écrit cinq pages. Il y a longtemps que ça ne m'avait pas visité, cette inspiration facile ! À 6 heures j'ai levé la tête… que je n'ai placée devant une horloge qu'à 8 heures ! Diable, moi qui avais tant espéré l'appel au téléphone et qui allais le laisser passer ! Je me suis précipité, je t'ai aussitôt obtenue… et j'ai été puni par la douce voix perfide de mon Anne dont la tendre indifférence, le sublime détachement me rongent le cœur au moment où je t'écris. Il est de nouveau tard : j'ai mis au point la rédaction de mes pages. Il faut dormir. Ô nuit immobile ! Je t'aime Anne rude au creux de ta maison profonde. Bonsoir. Dans ton sommeil tes lèvres se feront pour moi abandonnées. Je les prends. Je les bois. Oui, bonsoir, dormeuse enroulée de mon cher Saint-Benoît.

....

Lundi, 15 heures

Lever vers 10 heures. Oxygène du jardin. Une rose blanche dans le patio. Le camélia bourgeonnant. Les oiseaux se sont tus. Un ciel lavé donne au soleil sa juste part.

Vite est venue l'heure du déjeuner. Les Guimard partent pour Hyères, via Carcassonne, et je les ai conduits à Bayonne qu'ils ont visitée. Du coup nous avons déjeuné à La Petite Tonkinoise où nous ont rejoints Saint-Périer et Piette, surgissant de Bordeaux.

Maintenant ces deux derniers sont au golf, les Guimard sur la route, et je suis resté au restaurant pour t'écrire. La petite famille vietnamienne pépie à la cuisine. Je suis seul. Un soleil blanc prête un éclat d'argent à l'Adour. Je vais poser cette lettre à la gare de Bayonne en souhaitant lui faire gagner ainsi un courrier pour qu'elle te parvienne demain. Je vais passer tout mon après-midi à la maison. Écrirai-je les pages voulues ? J'ai reçu (avec ta lettre aimée, ma chérie) un mot de Léone Nora (de chez Gallimard) qui me presse de lui remettre un manuscrit…

Je serai dans le living-room jusqu'à la nuit, qui tombe ici à 6 heures. Dans le calme –

Et la conscience profonde de ta présence spirituelle.

Anne, mon amour, je vous embrasse si tendrement, si doucement et si passionnément et je vous vois telle que vous étiez à Saint-Benoît, au pied des murs carrés et purs.

Je vous aime

François

278.

En-tête Assemblée nationale, à Mademoiselle Anne Pingeot,
10 rue de l'Oratoire, Clermont-Ferrand, Puy-de-Dôme 63.

27 décembre 1966, midi

Mon amour chéri,
J'ai dans les mains ta deuxième lettre. Elle me raconte, comme j'aime, ta vie d'Auvergne et de Noël. J'y puise ma joie. La chouette d'Athéna me ravit. À la rentrée nous en ferons l'ex-libris tant désiré ! Ainsi ta pensée et tes actes m'accompagnent-ils. Rien (que l'espace) ne me sépare de toi.

Ici, depuis ce matin, la tempête. Un grand souffle continu emplit la forêt. Je suis dans mes papiers. J'ai travaillé jusqu'à 1 heure cette nuit. Neuf pages pour une journée. Cela suppose bien des imperfections. Je les relève à la lecture, rageusement. Je ne vois pas comment j'arriverai à finir avant le 10 janvier. Mais j'avance quand même, comme on se frappe à la discipline. Je me suis cependant levé paresseusement à l'appel de Saint-Périer porteur du thé et du sandwich. Les Guimard sont partis. Robert, Arlette et Maxime les ont remplacés. De temps à autre je mets le nez dehors, pour respirer. Autrement c'est l'immobilité complète. Je n'ai pas encore cédé au découragement d'une tentative absurde. Qu'on me donne un mois et un cloître et je bâtirai un beau livre !

Anne chérie, ma douce de Saint-Benoît, ma dure du téléphone, Anne chérie je vous aime. Je joins à cette lettre un article de Giono qui me plaît, savoureux, judicieux et solide.

Pardonnez la brièveté de ces lignes : j'ai mal à la main d'écrire. Prenez ce que j'ai : mon amour (qui vous désirerait compagne de silence et de paix, compagne de travail et de marche, compagne de vie profonde). Anne très chérie, à demain. Je vous embrasse, lèvres chaudes d'enfance en plein hiver

<u>François</u>

Mardi, 15 h 30

P.-S. Dieu, quelle admirable pluie sur fond de ciel traversé de soleil ! L'odeur de la terre monte et m'enivre. Je viens de déjeuner au club. Seul, je pense à toi, avant de me remettre au travail. Un rai de lumière frappe ma table avec des ombres qui jouent au-dedans. Je t'aime, Anne. À ce soir, 7 heures. Tu me manques.

Coupure de *Sud-Ouest* (?) : « Jean Giono de l'Académie Goncourt, *Les sentiers battus* ». Article contre l'adoration du soleil

279.

En-tête Assemblée nationale, à Mademoiselle Anne Pingeot, 10 rue de l'Oratoire, Clermont-Ferrand, Puy-de-Dôme 63.

Hossegor, 28 décembre 1966

Mon amour d'Anne,

La paresse du matin me vaut une très douce récompense : celle de voir arriver sur mon lit le thé, la pomme, le sandwich et… le courrier que m'apporte d'un coup Mercure Saint-Périer.

C'est donc vers 10 heures que je décachette l'enveloppe timbrée à Clermont-Ferrand, timbre qui porte orgueilleusement le profil de la cathédrale, et qu'entre deux gorgées de thé toujours trop noir, je déguste ta lettre.

Je t'écris du golf car cette nuit le chauffage a sauté, encrassé par le fond de cuve que j'avais imprudemment laissé se vider. Le réparateur est à l'ouvrage. Je l'ai abandonné assis, désespéré, parmi un monceau de pièces qui ont pour moi autant de sens qu'un hiéroglyphe. Ah ! le génie d'un Diesel me manquera toujours et je déplore plus amèrement que jamais mon incapacité à manier les vrais ressorts du monde !

À Hossegor, il pleut. Un test : on ne peut passer hors des flaques d'eau qui barrent le Tour-du-Lac devant Ametsa. Il paraît que les bunkers du golf sont autant de fontaines de Vaucluse.

À propos de Vaucluse, les carreaux d'Apt sont maintenant arrivés à Latche. Leur couleur m'émerveille. Roussillon et le roseau d'or, Sainte-Anne, Anne, Gordes, le mûrier dans la fenêtre : je lis mon bonheur au revers de l'un d'entre eux que j'ai à la maison. L'ocre jaune, l'ocre rouge, l'ocre d'amour, l'ocre de ciel à l'heure du soleil couchant, l'ocre de l'amour quand tes yeux s'ouvrent après le grand voyage au-dedans de toi-même. Ocre est le bonheur de voir, de prendre, de vivre, d'aimer. Ocre, mon Anne de Didymes et de Nafplion.

Le devant de la maison de Latche est défoncé par les maçons qui ont délicatement déposé les briques afin de réparer la poutre brisée. Il y a comme deux yeux noirs maintenant qui regardent la clairière. Il me reste à faire naître la lumière d'un regard.

Je n'ai pas encore joué au golf. J'ai sans doute besoin de reconstituer d'abord les réserves. Il pleut beaucoup et fort. Mais le ciel n'est pas cette chape triste et sans issue des pays continentaux. À tout moment des trouées s'ouvrent par où passent l'espoir et l'espace.

J'ai ralenti mon allure de plume ! Éditer le bouquin en janvier serait folie. Je l'écris à Gallimard. Par contre les cinquante pages rédigées m'ont disposé à poursuivre. C'est donc un livre qui sera fait cette année, je voudrais l'avoir achevé en mai. Un mûrissement de ton et de style est encore nécessaire. Mais si j'en ai le loisir après les élections (ce que je crois) j'aimerai composer un vrai bouquin littéraire et m'éloigner du ratiocinement politique (Florence, Laurent ou autre chose).

Tu sais mon Anne que tu me manques ?

Déjà mon imagination évoque un rendez-vous moins tardif que le 6 janvier ! Te voir, marcher près de toi, parler lentement, te prendre dans mes bras, connaître l'éclat et la coupure du diamant dans ce moment où crie notre plaisir d'être noués, t'aimer, t'aimer.

Mon Anne chérie, comment n'y pas songer ?

François

280.

En-tête Assemblée nationale, à Mademoiselle Anne Pingeot,
10 rue de l'Oratoire, Clermont-Ferrand, Puy-de-Dôme 63.

Hossegor, 29 septembre [décembre] *1966*

Mon amour,

La poste a été avare ce matin : rien de toi. Je m'étais pourtant bien habitué à cette heureuse tradition. J'accuse les P et T. Est-ce juste ?

J'ai reçu par contre la dactylographie de mes dix premières pages. Quelques corrections à faire et ça ira.

Pour une fois je ne me suis pas réveillé sous les fifres de la pluie. Un timide soleil a vaincu les embruns. J'ai lu au lit. Pascal m'occupe et me retient sans risque de lassitude. Je commence *La Mort de L.-F. Céline.*

Les journaux aussi, qui me livrent les plus petits recoins de leurs chroniques ! Ils s'accumulent dangereusement sur ma table, faute de femme de ménage, laquelle reste chez elle par la grâce d'un épanchement de synovie. La crasse gagne mais conforte ma tranquillité.

Pris contact hier soir au téléphone avec Michel Destouesse. Demain j'irai à Latche où je verrai un géomètre. J'ai passé une heure à la mairie de Soustons pour étudier le cadastre. J'apprends ainsi la géographie de la section A dite du pont de Labarthe qui borde au sud le chemin d'accès et celle de la section B dite de Pey (tu te rappelles notre balade et notre conversation avec les gens du hameau-nègre que nous interrogions sur le nom de la ferme de « Mademoiselle de La Ferté » ? Ils avaient répondu « c'est Pey » en prononçant Peille) au nord du même chemin. Mon voisin du sud porte le beau nom de FOURGT !

J'écris ou plutôt j'écrivote. Je m'accorde quatre mois de travail sur un rythme plus raisonnable. Mais cette fois-ci j'ai envie d'aboutir et c'est bien amorcé.

J'aimais ta voix d'hier soir. Elle était claire et portait jusqu'à moi le son des grandes marches d'hiver sur tes monts. J'avais obtenu, une heure auparavant, Gérard, qui ne suffisait pas à mon plaisir, mais qui avait été charmant.

« Vous n'avez pas de chance, répétait-il, Anne n'est justement pas rentrée. » Vous dira-t-on, mon amour, qu'on est amoureux de vous et qu'on serait heureux près de vous ?

Non, puisque vous avez cessé, dites-vous, de penser à nous…

Malgré tout, les jours qui passent sont ressentis plus sévèrement et la morsure de l'âme et la morsure du corps par l'absence se font plus acérées. Votre bouche, Anne, et vos yeux, et vos mains, et Anne, les secrètes sources de ma joie.

Oui, je les désire et les caresse, rêveur éveillé, attentif, prêt à prendre.

Je vous aime

François

281.

En-tête Assemblée nationale, à Mademoiselle Anne Pingeot,
10 rue de l'Oratoire, Clermont-Ferrand, Puy-de-Dôme 63.

Hossegor, 30 décembre 1966

BONNE ANNÉE

MON ANNE.

JE T'OFFRE MON AMOUR

DE CHAQUE JOUR. EST-CE SI PEU ?

JE TE DONNE CE QUE JE SUIS. ÇA VAUT CE QUE ÇA VAUT.

MAIS

JE SUIS DIA

BLE

MENT

AMOU

REUX

DE TOI

ASSEZ

POUR

TOUS

TES

JOURS

ET

POUR

TOUTES

TES

NUITS

JE

T'AIME.

Il pleut, il pleut, mon Anne chérie ! On vit dans l'eau. Je suis allé à Latche avec le géomètre. On mesure au millimètre près mon conflit avec ce propriétaire imbécile qui m'en veut de ne pas penser comme lui (un milliardaire évolué !). Ces histoires m'agacent et je suis souvent tenté de laisser tomber tous ces gens. Faire du bornage de cette mesure lilliputienne dans une forêt de 3 000 hectares, c'est décourageant.

Je vais maintenant partir pour le golf où Neubrun m'attend. Je téléphonerai ce soir à Clermont : heureusement ! C'est ma joie. Tu es ma joie. Et quand je pense que tu as pleuré ton mois de décembre ! (À cause de moi ? À cause de toi ?)

Une lettre de toi ce matin. Je l'ai lue avec le sentiment de l'entente solide que tu mets pourtant en question. Il y a <u>relation</u> entre nous, mais oui, mon amour. Peut-être laissons-nous l'habitude et la paresse prendre le dessus et ternir comme il ne faudrait pas notre sensibilité, alors qu'on devrait au contraire toujours aiguiser et approfondir.

Amour de fille, on m'appelle. Il est 3 heures et je ne puis faire attendre plus qu'il ne convient.

Pardonne ce mot court. Il porte un amour vrai que tes bras autour de mes épaules rendraient plus heureux, que ton corps, eau et feu, exalterait comme je sais bien – la puissance de l'unité ! la force de l'identité ! – comme je voudrais tant.

L'odeur de ta nuque, la rondeur de ton épaule, le mouvement et la musique des heures où l'on aime – ah ! tu me manques !

Comment n'y pas penser jusqu'à la souffrance ?

François

282.

En-tête Assemblée nationale, à Mademoiselle Anne Pingeot,
10 rue de l'Oratoire, Clermont-Ferrand, Puy-de-Dôme 63.

Hossegor, 31 décembre 1966

Je sais, mon Anne chérie, que cette lettre ne te parviendra pas demain mais je l'écris pour mon plaisir, parce que depuis ce matin je me retiens pour ne pas te téléphoner, pour ne pas te dire que je t'aime. C'est agaçant de ne l'avouer qu'à heure fixe !

J'ai reçu un bon courrier : une lettre de toi. J'ai évidemment remarqué le « comme je t'ai aimé ». Hum ! ce passé composé ! Enfin j'aime mieux savoir que tu penses que tu m'as aimé plutôt que de vivre dans l'idée que tu ne penses pas du tout à moi…

Moi, maniaque, je fabrique des songes et je me demande comment te retrouver le plus tôt possible. Pourquoi pas le 3 au soir ?

Je partirais le matin, je déjeunerais à Jarnac et je me dirigerais l'après-midi vers… Bourges ? À moins que de Clermont il ne te soit possible de gagner Angoulême ou Poitiers de façon que je t'y rejoigne avant 7 ou 8 heures du soir, mais j'en doute.

[En marge : Non, ça n'a pas de sens. Je vote pour →] Bourges , ce serait mieux. À 8 heures, à la gare. On rentrerait à Paris le lendemain matin. Mais j'ai scrupule à raccourcir tes vacances. (Ce scrupule passe quand même après mon désir de toi, de ta présence, de ton sourire, de notre joie, de ton souffle la nuit près de moi, du bonheur d'être.)

Mon amour de fille, que je vous embrasse ! Je voudrais dessiner votre corps avec mes mains, regarder votre regard jusqu'au moment où vacille jusqu'à la mémoire de la lumière, sentir l'accomplissement de la possession oh ! lenteur et merveille !

Anne il n'y faut pas trop penser : trois jours c'est si loin et peut-être incertain, trois jours encore...

Je suis à toi, je t'aime et je veux faire de 1967 un mois d'octobre en toutes saisons. Tout est possible si nous savons aimer : présence, absence ne sont, peuvent n'être que les deux modes de l'unité.

Je vous adore

François

1967

283.

En-tête Assemblée nationale, à Mademoiselle Anne Pingeot,
10 rue de l'Oratoire, Clermont-Ferrand, Puy-de-Dôme 63.

Hossegor, 1ᵉʳ janvier 1967

Anne
An nouveau
Première lettre du Premier de l'An
Anne, ma bien-aimée.
Un ciel bleu, bleu, bleu, un soleil qui tachette l'humus à travers le feuillage des arbousiers, le rouge-gorge familier qui saute d'une pierre de la Rhune à l'autre, et moi, un sécateur à la main, coupant, taillant, et les gouttes d'eau qui tombent des feuilles vernissées où les ont accumulées cinq jours de pluie et qui me trempent, dans mon oreille ta voix claire, l'amour qu'elle exprimait, le cœur pur qui s'ouvrait à l'espoir et aux promesses de vivre, en moi ta présence et par l'imagination ton visage, ta démarche dansante, parfois ta bouche chaude, éduquée sur une joue une nuit de 31 décembre civilisée, je ne sais plus où du côté de l'échaudé, je ne sais quand (si, un 13 mai), pour se parfaire à la pierre ponce avant les merveilles, les dernières merveilles de Saint-Benoît-sur-Loire, un air de mer, d'espace, d'abîme, de source que je respire à grandes lapées, un bolet sur le crâne, le pull d'Anne pour la chaleur de mon corps, une plante vindicative qui me coupe au bas du pouce, l'odeur, l'odeur, l'envie d'enfermer vous dans mes bras,

de creuser en vous, de briser ma force en vous pour sa renaissance, de partager avec vous l'éternel rythme, la pulsation, le sang secret qui se répand et le rêve aussi de dominer la vie, le temps, la mort, les espérances qu'on recommence inlassablement comme si c'était toujours l'enfance, les plis qu'annonce le martèlement de l'âge, tes lèvres qui me boivent, tes yeux qui communiquent avec le royaume de Dieu, les contradictions, les synthèses, mon amour, voici la promenade tranquille que j'ai faite autour de ma part de forêt, ce matin de lumière, du premier matin de 1967, et qui a été une promenade où je t'ai de tout moi-même accompagnée, aimée

François

284.

En-tête Assemblée nationale (enveloppe blanche).

30 janvier 1967

Mon Anne chérie,

Gardez votre chagrin au creux de votre mouchoir, faites un nœud au coin et quand vous aurez oublié qu'il vous faut être triste cela vous rappellera quelque chose. Et quand aussi ce chagrin-là sera au fond de votre poche vous retrouverez le ciel dans les yeux, la joie de vivre dans le corps et la confiance dans le cœur. Vous êtes mon Anne chérie.

Tout petit mot : ce sera cette lettre écrite entre deux visiteurs par cet après-midi de tendre et traîtresse douceur. Mais lisez-y, comme depuis trois ans, qu'on vous aime, et que vos idées noires sont des idées fausses, et que votre visage tourné de mon côté est l'horizon, le paysage, la forme et la couleur d'un peintre de notre temps qui n'expose qu'à Nevers, Cordes, Beaugency, Chênehutte, Chênehutte, Beaugency, Beaugency et cetera…

François

285.

En-tête Assemblée nationale, à Mademoiselle Anne Pingeot,
10 rue de l'Oratoire, Clermont-Ferrand, Puy-de-Dôme 63.

9 février 1967

Annon
  On (je) vous aime à Paris, mon amour enfui ; on (je) soupire après le dîner de la tour Magne à Nîmes (tour magnanime) ; on (je) rêve d'Anne dans les 6ᵉ et 7ᵉ arrondissements, Anne plus présente que les énormes Lecanuet – de Gaulle,
  Anne d'Auvergne et de mon amour

François

286.

En-tête Assemblée nationale, à Mademoiselle Anne Pingeot,
39 rue du Cherche-Midi, Paris VIᵉ 75.

Château-Chinon, 14 février 1967

Mon amour d'Anne,
  Je me suis levé tard afin de me nettoyer de la fatigue. Un soleil glacé règne sur le Morvan. La petite neige de la nuit n'a pas tenu. Je pars pour visiter quelques communes du canton de Lormes. Il me faudrait du temps pour préparer mes émissions de télévision. Je compte garder plusieurs matinées de réflexion.
  Je pense à toi, mon adorable fille, à nos objets, à ta chambre, à tes yeux, à ta bouche, à toi, à toi, et tu me tiens une profonde et douce compagnie

François

287.

En-tête Assemblée nationale, à Mademoiselle Anne Pingeot,
39 rue du Cherche-Midi, Paris VIᵉ 75.

Ch.-Ch., 15 février 1967

Rien qu'un trait sur ce papier avant de partir en campagne, après avoir écrit, écrit pour les journaux, circulaires, affiches etc…

Je vous aime, mon Anne-lumière, mon Anne-amour, mon Anne d'espoir

François

288.

En-tête Assemblée nationale, à Mademoiselle Anne Pingeot,
10 rue de l'Oratoire, Clermont-Ferrand, Puy-de-Dôme 63.

Lundi 3 avril 1967

Mon amour chéri, dans le tohu-bohu de cette première séance, je jette ces lignes sur le papier. Chaban-Delmas vient d'être élu. Atmosphère fiévreuse. On a réuni sans arrêt. J'ai déjeuné avec Estier, Dumas et les Soudet. Je dîne avec Grossouvre. J'ai pris rendez-vous avec Mollet (mardi en huit) et Mendès (vendredi).

Soleil d'Hossegor hier. Toi. Je pense à mon Anne et je l'aime

François

289.

En-tête Assemblée nationale, à Mademoiselle Anne Pingeot,
10 rue de l'Oratoire, Clermont-Ferrand, Puy-de-Dôme 63.

19 heures, 4 avril 1967

Mon Anne chérie,

Je termine rompu ma journée d'Assemblée à ne rien faire qu'attendre ! Je reviens vite recevoir quatre visiteurs et retournerai au Palais-Bourbon pour revoter.

Joie de ta voix ce matin. Je te voyais dans ta chambre, absorbée par ton travail, Martin près de toi et polard comme toi !

Je t'appellerai dans un moment. Ce lien avec l'Oratoire m'est si précieux.

Grossouvre me quitte à l'instant.

Sicile, le 18… j'y compte tellement, même avec une Anne mécanisée par les polycopiés. On serait si bien et il paraît que c'est si beau.

Mon amour de fille je vous embrasse et je vous aime

<u>François</u>

290.

S.d. Carte épinglée à des fleurs, Mademoiselle Pingeot, appartement de Madame de Jouennes, 39 rue du Cherche-Midi, 1ᵉʳ étage droite.

291.

S.d. Noces. Liste des 44 nuits.

292.

S.d. Carte d'embarquement d'un vol Alitalia.

Merci, mon Anne, d'être toi.

293.

*Carton du conseil général de la Nièvre, le président
(enveloppe blanche).*

25 avril 1967

Mon amour d'Anne,

Je t'embrasse pour commencer, beau visage chéri que je revois tel que je l'aimais, hier matin, au réveil de Palerme. Je te suppose maintenant penchée sur tes polys, studieuse, absorbée. Cette Anne-là aussi m'attendrit. Séparé de toi j'en suis tout surpris. Tu as été la plus douce, la plus vive et la plus sensible Anne qu'on puisse aimer. Dans tes yeux les contours de Sicile avaient des formes pures, plus pures qu'en vérité.

Je voudrais posséder dans ton cœur le trésor des rêves mais mieux encore la paix des certitudes.

Anne, pour finir ce petit mot, je recommence à t'embrasser, mon soleil et ma source.

Et je t'aime

<u>François</u>

Lundi 5 juin 1967, guerre Israël-Égypte.

294.

S.d. Dessin d'une carte d'Israël.

295.

En-tête Assemblée nationale, à Mademoiselle Anne Pingeot,
10 rue de l'Oratoire, Clermont-Ferrand, Puy-de-Dôme 63.

Vendredi 23 juin 1967

Mon amour de <u>fille</u> (mais non… mais si)
Tu me manques BEAUCOUP.
Je ne t'écrirai pas aujourd'hui <u>vraiment</u> sauf pour te dire comme
ci-dessus.
Je t'aime mon amour d'Anne

<u>François</u>

296.

En-tête Assemblée nationale, à Mademoiselle Anne Pingeot,
chez Monsieur Maucout, 14 bis avenue Franklin-Roosevelt,
Nîmes, Gard 30.

J'ai la voix enrouée. Et dormir près du mûrier, un rêve !

26 juin 1967

Mon amour d'Anne,
Bonjour à Nîmes, au petit appartement de joie et de soleil, à
Mme Maucout bis, bonjour à toi.
Je serai là par l'avion comme prévu sauf imprévu, à 21 h 30.
Tu me prendras là en direct pour Gordes et je serai heureux de
te retrouver.
Avant-hier à Montauban j'ai visité l'expo Ingres, très belle. Hier Péri-
gueux avec 2 500 convives et le soir à Gramat (Lot) 800. La Dordogne, le
Quercy avec leurs couleurs et leurs formes de nos voyages de Saint-Illide.
Anne, chérie, que j'embrasse et j'aime à demain

<u>François</u>

Mercredi 28 juin 1967, mort d'oncle Bertrand, frère unique de maman, en service
aérien commandé en Forêt-Noire. Pénible retour de Gordes avec vous en deux-chevaux.

297.

En-tête Assemblée nationale, à Mademoiselle Anne Pingeot,
10 rue de l'Oratoire, Clermont-Ferrand, Puy-de-Dôme 63.

Vendredi 30 juin 1967

Anne très chérie,
Depuis ce matin je suis par le cœur et la pensée auprès de toi.
Demain matin, plus encore, si cela est possible. J'ai dans les yeux
les lis et les roses de l'Oratoire. Je songe à ton oncle qui a connu son
enfance là, comme à Louvet, plus que jamais votre domaine fait de
morts et de vivants. Je t'embrasse et je t'aime et je parle en silence à
ton cœur de douleur

François

298.

En-tête Assemblée nationale, à Mademoiselle Anne Pingeot,
10 rue de l'Oratoire, Clermont-Ferrand, Puy-de-Dôme 63.

2 juillet 1967

Mon amour d'Anne,
Je viens de te quitter au téléphone. Cette chaleur, cette lourdeur
d'été évoquent les jours d'août de l'an dernier. Un deuil encore, la
famille, unie ou divisée réunie autour d'un mort, je sens combien ton
cœur doit souffrir de recommencer ce douloureux itinéraire.
Je retourne maintenant à Poigny-la-Forêt (dans la forêt de Rambouillet, pas loin de Saint-Léger-en-Yvelines). Ce soir je coucherai
chez Rousselet à Itteville (quel souvenir as-tu vécu là ?) et je partirai
pour la Nièvre demain matin. Je pense à toi mon Anne aimée, je vis
avec toi, je respirerai avec toi l'air de Louvet, ce Louvet qui a perdu
ceux qui l'aimaient de toutes leurs racines, les hommes de chez toi,
mais où vous devez maintenant, femmes de la maison, assurer la
continuité, la ferveur, le respect du temps passé.
Je vous aime, mon Anne.
Note bien les 11 et 12 juillet, à Gordes, si possible (sinon, où tu
voudras, Auvergne, Louvet, Meillard, mais j'espère que ~~ces de~~ le

pèlerinage auvergnat pourra avoir lieu vers le 20 juillet) en attendant la Lozère aux alentours du 7 août.

Bonsoir, ma chérie. Je t'embrasse fort, fort et tellement

<u>François</u>

299.

En-tête Assemblée nationale, à Mademoiselle Anne Pingeot, 10 rue de l'Oratoire, Clermont-Ferrand, Puy-de-Dôme 63.

7 juillet 1967

Mon Anne bien-aimée,

C'est encore une lettre-télégramme !

Quelques mots tirés d'un emploi du temps écrasant pour te faire signe. Signe de tendre et profond amour, d'attente, aussi, impatiente. Je pars à l'instant pour la Nièvre dont je reviendrai dans la nuit. Demain matin 10 heures, avion pour Biarritz. Dimanche, Hagetmau (Landes) et réunion publique (aux bons soins de Michel Destouesse !).

Je vous aime mon Nannon. Merci pour vos adorables lettres. Je vous embrasse et vous guetterai à Nîmes lundi soir à l'aérodrome 21 h 30.

Tu me manques

<u>François</u>

300.

En-tête Assemblée nationale, à Mademoiselle Anne Pingeot, aux bons soins de Monsieur et Madame Pierre Soudet, Fontaine basse, Gordes, Vaucluse 84.

Paris, 10 juillet 1967

Tu es là, près de moi.

La lumière est en nous sous son ciel de Provence. Toi, je t'aime, Anne présente, Anne que j'aime aussi absente. Ainsi vont mes pensées avant de m'envoler vers Nîmes où tu m'attends, où je t'espère. Les cigales, le mûrier derrière la fenêtre, ton profil, ton souffle, tes bras de lavande et de miel, mon Anne, quel peintre m'en fera le tableau pour les jours de l'éternité ? Je vous aime

François

301.

En-tête Assemblée nationale, à Mademoiselle Anne Pingeot,
10 rue de l'Oratoire, Clermont-Ferrand, Puy-de-Dôme 63.

Château-Chinon, dimanche 16 juillet 1967

Mon Anne très chérie,

Me voici dans ma petite chambre 15, au Vieux Morvan. Il est 10 heures du matin. Je ne suis pas encore descendu.

Depuis mon réveil j'ai flâné, rêvé. Je commence ma journée avec toi. Ma pensée me porte vers Louvet que j'imagine d'après les images que j'y ai recueillies lors de mes brèves visites. Je vois ta chambre, la tour, j'entends les oiseaux, je te suis dans ta promenade sous les tilleuls ou entre les rosiers. Je m'incorpore aisément à ton paysage, à ta vie. Tu es mon Anne aimée, profondément aimée, de plus en plus me semble-t-il.

J'avais beaucoup de peine de te quitter à Marignane. J'ai gardé cette tristesse longtemps. C'était vraiment <u>anormal</u> d'être sans toi, privé de toi, de vivre loin de toi. Je ne me suis pas vraiment défait de cette impression. Quand je ressens cela ma sensibilité s'aiguise. J'ai besoin de toi jusqu'aux moindres intonations de ta voix. Un coup de téléphone me laisse un bon moment dans la zone sentimentale où j'ai cru pouvoir te placer au gré d'un mot, d'une inflexion. D'où l'importance de ce fichu téléphone pour la température de l'absence !

Cette nuit, rentrant de Saint-Honoré, je pensais à toi avec intensité, je souffrais de ne pas aller vers toi, pour te rejoindre dans l'harmonie de l'amour et du sommeil. Ce matin au réveil les cloches de Château-Chinon avaient pour moi l'écho des cloches de ton village d'Auvergne. J'avais le cœur plein d'espoir, plein de joie et de poésie : Anne allait peut-être m'appeler pour m'entraîner dans une grande promenade par les chemins de son enfance !

Mais je veux te raconter mon emploi du temps depuis l'envol de la Caravelle. Ah ! que j'enviais la 2 CV ! Je te plaignais bien d'avoir à rouler sous la chaleur le long de cette côte pétrolière mais je me plaignais aussi d'être projeté si loin du Nîmes où tu te rendais. À Paris j'ai déjeuné seul, triste encore. J'avais avidement regardé, des hublots, le dessin de la terre entre Marignane et Valence. Le Luberon, Cavaillon que j'ai très clairement distingué, Gordes que j'ai cru apercevoir dans une tache de soleil. Après quoi on a bifurqué vers le nord-ouest, et survolé ~~la~~ une ligne médiane entre Vichy et Roanne.

L'après-midi à Paris a été surchargé. J'ai vu Guy Mollet dans sa tanière de la cité Malesherbes, Borker le traditionnel envoyé de Waldeck Rochet. Je suis allé chez le tailleur, chez le coiffeur et ai reçu encore divers visiteurs.

Le soir Claude Estier est venu me chercher pour m'emmener à Fleury-en-Bière (près de Barbizon) où Gisèle Halimi recevait. Très belle propriété close, maison d'Île-de-France typique, une compagnie conforme à ce que j'en attendais, avec ses tics assez prononcés. Gisèle Halimi est une avocate, quarante ans, assez belle, très douée, mi-arabe mi-juive (!), née à Tunis, femme de Claude Faux, jeune écrivain, trente ans, collaborateur et secrétaire de Sartre. Gisèle Halimi a été candidate de la Convention aux élections législatives dans le 15e arrondissement.

C'est le prototype de l'intellectuelle de gauche avec tous les dadas de circonstance, mais aussi une forte personnalité. Son public : des intellectuels anti-israéliens (dont le fameux Maxime Rodinson, juif lui-même et théoricien du panarabisme !) des Algériens, des Marocains, l'ambassadeur de Cuba, l'ambassadeur de Yougoslavie, des artistes allemands, le directeur (communiste) de l'Institut de physique de Rome, un poète juif du Chili, des pin-up, un souper de méchoui à la sangria et au beaujolais, et ce qui était le meilleur, Francesca Solleville, qui a chanté de façon très remarquable. Il avait beaucoup plu, d'orage, et l'herbe et les arbres avaient la lourde odeur d'été. J'ai abandonné la fête vers 1 heure du matin et ai couché là dans une chambre pour petite fille avec des murs tapissés d'images pieuses, notamment notre vieux saint Baudime ! J'ai entendu la musique et les conversations qui continuaient dehors et me suis endormi. Oh ! mon Anne de Sénanque, comme je t'aimais !

Le lendemain matin, petit déjeuner avec Gisèle, Claude Faux, Rodinson et le poète et je suis reparti en direction d'Alligny-en-Morvan.

Route difficile (l'autoroute) en raison des grands départs du 14 juillet, sous une chaleur écrasante. Mais à Alligny un peu d'air frais a rendu le déjeuner supportable, déjeuner pris avec les conseillers municipaux dans la salle d'hôte d'une auberge.

Déroulement rituel. Bonne ambiance. On a parlé de Jean Genet qui passa là son enfance, prêté à une famille par l'Assistance publique, et déjà chapardeur, inverti et remarquable. J'ai fait des visites jusqu'au soir et suis rentré à Château-Chinon où m'attendaient quelques amis, dont Allen, avec lesquels j'ai discuté des candidatures du conseil général.

Hier la journée a été consacrée à l'académie du Morvan. Séance le matin à la mairie, communications savantes sur les limites et le parler du Morvan, sur son histoire aussi, d'avant les Celtes, considérés comme des envahisseurs, sur l'erreur des Éduens de n'avoir pas précédé Clovis dans sa conversion car Autun aurait sans doute joué le rôle qui fut dévolu à Paris etc.

Il y avait là des professeurs (Sorbonne), des curés, dont l'abbé Grivot, l'auteur des bouquins sur la cathédrale d'Autun, Gislebertus etc. et le meilleur spécialiste des chapiteaux, des nobles fin de race, généalogistes, archivistes ou simplement porteurs de beaux noms, des nobles encore en bon état, un charmant qui possède le château de Vauban, à Bazoches, Vauban dont il est le descendant direct, un instituteur que j'ai imposé, quelques illustrations du pays devenus qui directeur d'Air France, qui président du Crédit lyonnais, le père Basdevant, quatre-vingt-dix ans, ancien président de la cour de justice de La Haye, le bâtonnier d'Autun, des spécialistes patoisants… et Mme Schneider, le puissant maître de Forges, merveilleuse incarnation de ce qui m'irrite et me fait rire, grande dame aux idées libérales, qui se penche sur « la condition de ses bonnes gens », qui pense que les populations d'Amérique du Sud ont de la chance d'avoir des dictateurs et des prêtres épatants, qui a des idées sur tout avec un petit air avancé, ou de fronde, qui veut me voir en particulier, à Paris, parce que ici tout de même, c'est difficile, pour me dire des choses très importantes, qui nous a laissé un chèque de 1 000 francs qu'on ne lui demandait pas (pour le musée) sinon on aurait plutôt espéré 10 000 francs.

Bref, elle m'a beaucoup apprécié. Je lui plais. Moi je regardais surtout, perdu sur sa vaste poitrine un minuscule ruban rouge de la légion d'honneur, tout petit trait de distinction et de discrétion qui me paraissait d'énorme vanité mondaine et d'héroïsme assez modeste…

Bon, cela m'a occupé jusqu'à une heure tardive. Le dîner avait lieu (l'Académie dispersée !) à Moulins-Engilbert avec trois amis morvandiaux et le patron d'une petite usine à installer dans le coin.

Ce dernier s'est révélé convive très attrayant, en compagnie de sa femme, très jolie Tchèque. Ayant bourlingué partout il en a gardé de savoureux souvenirs, sur un ton truculent. Ses amours à Tahiti et au Japon valaient le meilleur rire. Ceci dit il fabrique des anoraks et doute de la capacité de mes paysans à donner le ton de la mode à Megève et Saint-Moritz. J'essaie de le convaincre !

Et voilà. Ah ! non j'oublie. Après dîner j'ai fait un saut à Saint-Honoré, à 12 kilomètres de là où se déroulait un concours hippique nocturne. J'y ai rempli mes devoirs en une heure et pu dire bonjour à l'un des fils de François de Grossouvre qui concourait (pas celui que tu connais).

Maintenant je m'apprête à partir pour Gien-sur-Cure. Dure journée en perspective. J'y déjeune et j'y dîne. Cette commune vote à 88 % pour moi. Je lui dois des égards (malheureusement elle n'a que 200 habitants).

Mon amour je ne t'ai pas dit mon bonheur de t'avoir entendue deux fois. Tu es ma joie et mon amour. Tu me manques. Au corps, oui, mais plus encore au cœur et à l'esprit. Cet amour se révèle totalitaire. De quoi souffrir et vivre sur les cimes de l'allégresse. De quoi vivre en plénitude.

Je te rappellerai évidemment à Louvet. Tu sais mon projet : quitter Nevers demain mardi à 19 heures. Si tu viens me chercher cela aura l'avantage de laisser ma voiture à Nevers où je la retrouverai aisément. Mais cette corvée pour toi m'ennuie. Je ne sais où je coucherai, peu importe, mais nous aurons la joie de vivre ensemble un matin à Louvet. C'est à cela que je pense surtout. Je pourrai rester toute la journée avec vous pour reprendre l'avion de jeudi matin. Ce mercredi m'apparaît plein de bonheur tranquille et grave. Je t'aime tant, mon amour d'Anne.

Allons, au revoir, ma chérie. Il faut clore cette lettre. Je t'embrasse, ô désir de tes bras, de ton être, du feu et de la houle, du cri qui nous dépose aux bords d'un autre monde, ô Anne, mon Anne

François

302.

En-tête Assemblée nationale, à Mademoiselle Anne Pingeot,
10 rue de l'Oratoire, Clermont-Ferrand, Puy-de-Dôme 63.

Avallon, lundi 17 juillet 1967

Mon amour chéri,
J'espère que cette lettre qui partira d'Avallon, rattrapera celle d'hier, postée à Autun et que le week-end des P et T aura sans doute immobilisée à l'ombre d'Eve-Martin [ma sœur Martine] et de Saint-Lazare. (J'ai appris que dans le Morvan des années 1900 le prénom féminin le plus commun était celui de Lazarette !)
Tout à l'heure je t'ai obtenue au téléphone. Mon Dieu, quelle joie !
Je t'aime avec passion. Est-ce trop pour une fille d'Auvergne ? Anne, mon amour, je t'embrasse et je t'attends… Demain soir, 19 heures, mardi, gare de Nevers. Je pense à toi. Mon cœur t'adore et mon corps te désire, soleil clair, ô visage de mon amour.
Anne, mon Anne

François

303.

En-tête Assemblée nationale, à Mademoiselle Anne Pingeot,
10 rue de l'Oratoire, Clermont-Ferrand, Puy-de-Dôme 63.

Château-Chinon, le mardi 18 juillet 1967

Mon adorable Nannon,
La journée passera plus vite aujourd'hui puisqu'elle s'achèvera près de toi. Quel bonheur de t'aimer mon amour. Je sais bien que tu recevras cette lettre demain et qu'elle pourrait paraître inutile mais je ne puis résister à l'envie de te dire qu'aujourd'hui jeudi 18 juillet je suis passionnément amoureux de toi. Je t'imagine, je te rêve dans ton Auvergne de lave brûlante, vêtue à la diable, penchée sur ton droit, appliquée aux travaux du jardin ou faisant de longues promenades riches d'impressions et de vie au-dedans de soi. À ce soir mon Nan-

non. Je brûle de toi, moi aussi. Tu es ma merveilleuse Anne, parée de tous tes prestiges

<u>François</u>

304.

En-tête Assemblée nationale, à Mademoiselle Anne Pingeot,
10 rue de l'Oratoire, Clermont-Ferrand, Puy-de-Dôme 63.

Château-Chinon, le vendredi 21 juillet 1967

Mon Anne chérie,

Je n'ai pas trouvé le temps, hier, de t'écrire. À 8 h 30 j'étais rue Guynemer, je me rasais, je me changeais, je dépouillais le courrier de quatre jours, je recevais une visite, j'apprenais la mort de mon cousin Pierre Landry, j'allais aussitôt chez lui près de Saint-Philippe-du-Roule et à 10 heures j'étais rue de Lille pour le contre-gouvernement. Fin de séance à 12 h 45, je saute chez le dentiste, et à 13 h 30, restaurant Le Pot d'étain, rue des Canettes où m'attendaient Hernu, Estier, Bergougnoux, Baboulène (là je te téléphone, je t'obtiens, joie profonde). À 15 heures, Bureau politique, jusqu'à 17 h 30. Rendez-vous : cinq dont l'avant-dernier avec Viansson-Ponté et le dernier avec Morot-Sir, attaché culturel à New York qui fut blessé par le même obus que moi en juin 40.

Ceci m'amène à 20 h 45 pour dîner avec Guy Mollet et Dayan chez moi. À 22 h 30 je signe cinq classeurs, je bavarde avec Dayan et m'endors à minuit pour me lever à 7 heures afin de prendre la micheline direction Nevers. Dans tout cela mon Nannon bien-aimé a gardé plus de place qu'on n'imagine. À tout moment je sentais sa présence, son amour et le bonheur plein de la journée de Louvet me remplissait, m'exaltait, me faisait homme d'équilibre et de paix devant le silence de la mort et les bavardages de la vie.

Merci mon merveilleux amour pour Louvet, pour ta grand-mère, pour Gédé et pour Otto [le chien d'oncle Bertrand] et le jardin et les roses et le verger et Gergovie et Redon et toi et ton visage de beauté, de tendresse et d'unité. Je t'aime passionnément, Anne.

Maintenant je suis à Château-Chinon. Je rentrerai cette nuit à Paris pour les obsèques de demain matin. Je reviendrai dans le Morvan demain soir (je dîne au Relais de Mandrin avec quinze survivants de sa bande !). Dimanche sera de travail mais lundi, plus tôt que prévu je te retrouverai : le téléphone m'aidera pour te donner des précisions.

Amour d'Anne, ma très chérie, tu ne peux deviner la force qui m'habite pour t'aimer et la reconnaissance que j'éprouve pour tant de grâces

François

305.

En-tête Assemblée nationale, à Mademoiselle Anne Pingeot, 10 rue de l'Oratoire, Clermont-Ferrand, Puy-de-Dôme 63 *(sans timbre).*

Hossegor, 27 juillet 1967

Anne mon amour,

Sur la route de Rochefort-Montagne j'ai suivi des yeux la 2 CV qui partait, elle, vers Louvet-le-Sec. Elle grimpait, vaillante. J'ai cru t'apercevoir avec ton profil appliqué. Je t'ai dédié un grand salut du fond du cœur et la pensée la plus tendre du monde.

Route, route, soleil, soleil.

L'émerveillement de la vallée de la Vézère ! Je t'y conduirai ! Rien ne peut décrire cet accord des formes et de la lumière. J'avais la nostalgie de toi en moi. Je songeais à l'heure bénie qui nous réunirait dans la communion de la beauté. Lassitude ensuite à la nuit tombante, au fil des kilomètres. Et, toi, mon amour que trois provinces éloignaient déjà de moi, je t'aimais.

Merci ô Anne de ce voyage à travers ton pays. Merci de ta présence vivante, féconde, si tendre et si pleine. Je t'emmènerai de nouveau, Nanannon, du côté de l'Alagnon.

Hossegor de juillet classique. Je cuve le reste de fatigue. Dès ce soir Michel Destouesse me sollicite pour un dîner qui m'ennuie. Viens vite. Je manque de toi par tous les bords, par tous les pores. J'ai besoin de tes yeux, de ta bouche, de ta douceur d'être, de ta violence profonde, de tes doigts de caresse, de tes silences qui ressemblent à des prières ferventes au grand Saint-Illide. Je t'embrasse, plaisir, amour, bonheur, plénitude, Anne

François

P.-S. J'ai écrit à ta grand-mère, par ce même courrier, mais à l'adresse de Louvet.

306.

En-tête Assemblée nationale, à Mademoiselle Anne Pingeot,
10 rue de l'Oratoire, Clermont-Ferrand, Puy-de-Dôme 63.

Hossegor, vendredi 28 juillet 1967

Mon Anne chérie,

Je ne suis pas encore sorti du patio et du terrain de la journée et il est 16 h 30 !

J'ai... lézardé, reçu (avec quelle joie !) tes deux lettres en une, lu les journaux et un bout des *Secrets de l'île de Pâques* (inachevé il y a trois mois), recueilli quelques appels téléphoniques (ma secrétaire, J.-J. Servan-Schreiber, Rousselet), visité mes pins, déjeuné.

Je t'écris de ma chambre, le nez sur ton carton de l'Attila-Cup 66 (et la 67, paresseuse ?) avec à ma droite l'*Explication des paysages de France* et à ma gauche la coupe de golf dernière en date (Cinzano 1965 !!).

Je suis en merveilleuse union d'esprit de cœur avec toi. Ta lettre m'enchante, qui me parle d'Orcival et du verger du bas. Deux jours pleins ont passé depuis notre séparation. Restent 5 ou 6 à parcourir. Je t'attends avec tant d'amour et de ferveur que je voudrais remplir ces jours de poèmes, de réflexions, de lignes tracées au gré de ma fantaisie. Le lézard se réveillera-t-il ?

T'aimer est en soi une œuvre passionnante, mais aimer c'est aussi exprimer. Tu es pour moi explication d'une si vaste part du monde que je m'en veux parfois de n'en rien écrire. L'action dévore et s'évanouit elle-même aussitôt accomplie. Toi, tu es.

Lip court après tous les oiseaux et aboie. Et il y a beaucoup d'oiseaux. Quand se délivrera-t-il de sa chimère ? Le ciel est bleu bleu, l'air chaud en surface et frais en profondeur. Les géraniums s'exhalent à l'approche du soir. Je pense à toi. Je t'aime.

Tu t'appelles Anne et je t'aime. Tes yeux sont comme la mer océanique. Ils en ont les colères et le calme vert. Ta bouche, elle, ma pêche, je voudrais la mordre et la pénétrer. Ce rire qui naît sur ton visage et qui m'annonce la joie irrépressible, quel peintre de génie saurait tracer son trait ? Ma mémoire, peut-être, qui soudain s'illumine, aura ce génie-là : merveille !

Je te regarde, Anne mon amour, et je découvre nos secrets

François

307.

En-tête Assemblée nationale, à Mademoiselle Anne Pingeot,
10 rue de l'Oratoire, Clermont-Ferrand, Puy-de-Dôme 63.

Hossegor, samedi 29 juillet 1967

Mon amour d'Anne,

Voici l'emploi du temps de ma journée : lever à 9 heures, practice de cent balles au golf, lecture des journaux, lecture d'un *Marie Stuart* de Philippe Erlanger (acheté hier, entamé hier soir au lit et fini il y a un instant), déjeuner, longue station sur la chaise longue brouette par un temps admirable, lettre à mon Anne. Un petit coup au cœur : pas de lettre de toi. J'incrimine les P et T !

Et puis j'ai pensé, j'ai rêvé, le regard fixé au ciel où se promènent des petits nuages discrets. J'ai pensé, j'ai rêvé à mon Anne que j'aime, que j'aime avec passion. Une huppette, puis un rouge-gorge sont venus me tenir compagnie, Lip a dormi contre mes pieds. Les bruits d'été ne montent pas jusqu'à ma colline. Dans *Le Figaro* une enquête de l'IFOP qui me donne 37 % des suffrages devant Pompidou, 37, et Giscard, 29... Je ne me sens pas les mériter tant j'oublie les affaires d'au-delà de mon cœur !

Anne aimée que j'ai goûté notre voyage d'Auvergne ! Je me délecte de géographie vécue et les monts du Cantal me font en esprit un délicieux film pour kinopanorama. J'ai besoin de ta présence et rien ne me distrait de toi – Saint-Illide !

À demain. Ta grand-mère a-t-elle reçu ma lettre ? Je me réjouis déjà de commencer bientôt une semaine qui nous réunira. Je me laisse engourdir dans les plus doux de nos souvenirs.

Je me raconte Nevers, Cordes, Beaugency... Saint-Germain-Lembron. Je t'embrasse avec ferveur, je t'aime

François

308.

En-tête Assemblée nationale, à Anne Pingeot, EV.

Hossegor, 1ᵉʳ août 1967

Mon Anne chérie,

Le jour d'Anne-Hossegor est un jour béni. Cette nuit il y avait l'orage avec son odeur de soufre, cet après-midi il y avait le couvercle de plomb de l'été-bête des vacances. Mais maintenant (alors que sans doute la DS 21 de Diesel aborde la forêt), maintenant est venue la brise ocrée des soirs de paix, toute mêlée aux parfums du sol et de ces fleurs d'humilité que sont l'abélia, le chèvrefeuille, le buddleia.

Anne arrive, Anne mon amour.

Dorée, longue, adorable, secrète, cœur donné, tête farouche, longue, longue (pourquoi est-ce cet adjectif qui se coince dans ma gorge ? il dit peut-être mon désir de cette fille dorée, adorable, secrète, cœur donné, tête farouche et longue, longue…).

Je vous aime vous qui venez habiter notre forêt, je vous aime mon Anne.

Je me remets au golf et je découvre assez de ressources en moi pour attendre l'orgueilleuse Gergovia de pied ferme.

J'attends le sable sous nos pieds, la mer, le ciel-de-pin sur nos visages encore éblouis de stupeur, ta main de nuit, le solarium, je t'attends mon amour et serai à 10 heures ce soir devant Lohia, devant ta chambre. J'espère t'y voir. Sinon demain matin à 10 heures aussi je passerai te chercher.

Juin a été si tendre, juillet si beau parmi tant de chagrins, août sera si plein de fort amour

<u>François</u>

309.

En-tête Assemblée nationale, à Mademoiselle Anne Pingeot, villa Lohia, avenue du Tour-du-Lac, Hossegor, Landes 40.

16 août 1967

Anne, mon amour, odeur de soleil et de pin, beau visage de paix, secret de source au creux du Plateau, non, du Palais du Roy [Rieutort-de-Randon, Lozère, chez les Barbot]. Bonjour.

Tout à l'heure, 300 (!) journalistes entassés rue de Lille. Partout, les radios, les agences. Ouf !

Je ne pars pas par l'avion mais par le train. Je n'arriverai donc que demain matin (tôt). Mais aurai-je le courage du golf prévu avec Diesel vers 9 h 30 ? Dis-lui qu'il veuille bien reporter à 10 heures.

J'irai vous dire avant que vous êtes mon Anne, odeur de soleil et de pin, beau visage de paix, source du Palais du Roy... que j'embrasse

<u>François</u>

310.

En-tête Assemblée nationale, à Mademoiselle Anne Pingeot,
villa Lohia, avenue du Tour-du-Lac, Hossegor, Landes 40
(sans timbre).

Hossegor, 25 août 1967, 17 heures

Mon Anne chérie,

Je pars très triste, sans comprendre ton attitude, indigné. Tu juges vite, sans souci d'être juste. Me voilà donc encore une fois séparé de toi, et j'en ai une vraie peine, mais séparé par autre chose que mes compagnons habituels de voyage : l'air, la route, la Nièvre... Je t'aime : cela explique sans doute mon découragement et ma fatigue devant ces presque trois jours.

Je reviendrai par le train de lundi matin et te ferai signe dans la matinée.

Je t'embrasse comme je t'aime

<u>François</u>

Je te dirai quand même une pensée très tendre quand tout à l'heure mon Viscount survolera Hossegor

311.

En-tête Assemblée nationale, à Mademoiselle Anne Pingeot,
villa Lohia, avenue du Tour-du-Lac, Hossegor, Landes 40.

26 août 1967

Mon Anne chérie,

À Orly Laurence et Pierre Soudet m'attendaient et m'ont conduit à *L'Express*, rue de Berri, où j'ai dîné avec Jean-Jacques Servan-Schreiber. Notre conversation a duré jusqu'aux environs de minuit, puis je suis rentré rue Guynemer, la mémoire terriblement sensible à certains lieux par lesquels passait notre voiture, rue de Varenne, Sèvres-Babylone, l'angle de la rue du Regard, place Saint-Sulpice. Nuit dans l'appartement abandonné, sentant la poussière de l'été. J'ai regardé avec tendresse nos chers objets (la petite maison hollandaise est là, devant mon papier) et particulièrement le vitrail, qui me vint un matin triste, guérir un peu le mal d'un 20 décembre.

Je partirai dans un moment pour la Nièvre, exactement à Metz-le-Comte (rappelle-toi la petite église enfoncée dans la terre, au haut d'une butte, avec son grand toit de pierre penché et moussu) où se marie le fils d'un ami architecte, puis à Dun-les-Places. Je coucherai à Château-Chinon. Demain, deux comices agricoles : le matin à Clamecy, l'après-midi à Château-Chinon. En fin de journée, réunion sur des problèmes d'électricité à Montsauche (et d'adduction d'eau, suite à la conversation que j'ai eue à Bouit dans le champ). Je ne sais pas si je rentrerai à Paris pour prendre mon train, à cause du grand retour des vacances (c'était déjà difficile d'aller hier à Parme, tant les voitures se pressaient direction Paris), ou si j'irai directement à Tours. De toute façon j'arriverai à Bayonne, puis Hossegor lundi matin, avant que tu n'aies cette lettre.

J'ai quitté Hossegor dans l'état d'esprit et de cœur que tu devines. Je ne m'en suis, à la vérité, pas défait : mon sommeil a été traversé d'images désolées et tout ce matin je traîne, comme je te l'écrivais hier, découragé.

Comment se peut-il (c'est ce que je me répète) que sur une impression, un mouvement, un réflexe, tu sois aussi injuste, avec ce vilain visage hostile, toi mon Anne à laquelle je n'ai, je le crois, jamais appris à mentir sur ses sentiments (je n'y serais pas arrivé !), mais dont j'attends toujours, je ne sais pourquoi, comme un respect tendre pour notre amour ! Je suis triste aussi de ces moments (chaque moment est si rare, en soi, si précieux, peut-être si fécond) perdus, abîmés. Par ma faute ? Je ne fais pas de procès. N'en fais pas. Simplement, tu as eu tort de douter.

Ce matin j'éprouve le même besoin que toujours de te raconter la trame de mes occupations quand je suis loin de toi (même si ça ne t'intéresse pas beaucoup !). Je vois ton regard des jours de paix et de joie. (Heureusement, hier, à Moliets tu avais la coiffure quakeresse, tirée, pouah ! résurrection de la Nana des Blancs-Manteaux, ce qui me permettait de dédaigner tes dédains !) J'imagine ta présence des jours graves et sereins. Et je sais que je t'aime d'un amour profond.

Précisément je lève le nez sur un classeur d'où sort, en raison de son grand format, le faire-part du mariage de Martine (il n'a jamais quitté ce classeur d'affaires courantes !), et dedans il y a les cartons, l'un : « Cette carte permet de stationner 4, boulevard Trudaine », etc… l'autre : « Madame Pierre Pingeot recevra le samedi 14 janvier 1967 après la cérémonie religieuse » et, au bas à gauche de ce carton-ci, « RSVP avant le 5 janvier », ces derniers mots soulignés. Et je crois bien n'avoir pas répondu avant le 5 janvier ! Quel mufle suis-je, mal élevé, grossier, épais, qui ne connaît pas les usages ! Je me souviens cependant d'y être allé, muni de belles chaussures brillantes de chez Gervais et là, dans la pure église du Port, d'avoir aimé de toute mon âme ces lignes, cette méditation et droite, pensive, confiante, mon Anne dans sa robe serrée, oui, je me souviens d'avoir aimé mon Anne, comme j'aimerais tant l'aimer aujourd'hui, comme je l'aime aujourd'hui, comme…

Mais, assez d'aveux pour cette correspondante dont la main sèche de l'au revoir avait quelque chose d'un serpent mort, assez d'aveux pour cette Anne qui au nom de l'humilité chrétienne, condamne et juge à la manière d'un saint Dominique borné, sectaire mais qui défend l'Ordre et qui en épouse la gloire, assez d'aveux pour cette Anne qui porte pourtant le même nom que l'Anne que j'aime, et qui a la même bouche, et qui a les mêmes yeux avec leur même couleur, et qui a les mêmes longues mains de douceur et qui a le même corps de la Grande Lande et la même âme de Saint-Benoît et qui a…

Je t'aime

François

P.-S. Et qui a aussi, et c'est bien dommage, le même nombril (le centre de l'univers est de toute évidence… non, ce n'est pas la gare de Perpignan).

312.

En-tête Assemblée nationale, à Anne Pingeot, EV.

Hossegor, 28 août 1967, 7 h 30

Je suis venu à Lohia il y a près d'une demi-heure. Tout était fermé. Tous dormaient. Je suis allé jusqu'à la terrasse. J'ai regardé ta chambre close. Et je suis reparti le cœur lourd, comme il l'est depuis vendredi.

Dans le train, réveillé à Dax, les Landes de brume et d'automne ont accueilli le voyageur. J'étais saisi par cette impression de solitude immense au sein de laquelle toi et moi vivions, miracle si nous étions unis, désespoir séparés. Maintenant j'entends les appels des sirènes qui avertissent les navires ou plutôt qui crient dans le silence un cri que personne peut-être ne recevra comme un secours soit que nul n'ait besoin de secours, n'ait besoin d'aide et d'amour, soit que nul, hors moi, ne soit distrait du bruit des choses quotidiennes.

Ainsi sommes-nous Anne et François qu'un rien pouvait déchirer, et sortir des routes profondes où ils croyaient vivre et mourir.

Bien que je sois comme stupéfait (merveille et cruauté du cœur et de l'esprit avides du lendemain en semblant ignorer qu'un soir il n'y a plus de lendemain !) parfois (force de l'habitude, l'habitude devenue moi-même ?) j'éprouve l'approche d'un souffle de douceur et de tendresse qui m'apaise dès que je pense à toi, Anne endormie, Anne pensive, Anne de Saint-Benoît (tu vois, c'est à celle-là que vont mes pas au sortir de la nuit). Je t'aime de toute mon âme, heureux ou triste, je t'aime du point du monde où l'on est délivré des moiteurs et des médiocrités de l'instant.

Mon Anne chérie, quoi que tu fasses, il faut que tu saches ce matin que je suis là semblable à ceux qui prient comme on se lave à la pureté du jour qui commence. Je t'aime tout simplement

<u>François</u>

qui passera (s'il ne te voit auparavant à Lohia) à 10 heures, te chercher au chemin,
et qui espère.

313.

En-tête Assemblée nationale, à Mademoiselle Anne Pingeot,
10 rue de l'Oratoire, Clermont-Ferrand, Puy-de-Dôme 63.

Hossegor, 30 août 1967, 9 h 15

Mon amour d'Anne,
Tu viens de partir. Je pense à toi. Je t'aime. Mon odeur de romarin,
mon visage de Saint-Benoît, mon cou de mer salée. Avec toi je ferai les
étapes de ton voyage. Je verrai ton regard appliqué sous les lunettes de
couleur. Je pense à toi. Je t'aime. Les vacances nous ont réunis : ré-unis.
Merci pour juillet et pour août. Pour Gordes et pour Rieutort. Pour
la plage et pour la forêt. Mon Anne.
Je pars maintenant au golf rejoindre Claude Léglise. Cet après-
midi je lirai et travaillerai. Et je penserai à toi d'amour et de passion,
mon Amour d'Anne

François

314.

En-tête Assemblée nationale, à Mademoiselle Anne Pingeot,
10 rue de l'Oratoire, Clermont-Ferrand, Puy-de-Dôme 63.

Hossegor, 30 août 1967, 16 h 15

Ma chérie,
Depuis ma lettre de ce matin que s'est-il passé ? J'ai fait ma compétition de golf avec Claude Léglise qui a joué médiocrement, et moi plutôt
bien (nous avons fait 40 + 46 = 86 en greensome). J'ai aperçu Bibiche
auquel j'ai passé mes bois et Rousselet qui semblait bien placé pour
se classer. Le temps est splendide : septembre déjà, doux et doré. Au
retour j'ai acheté mes journaux et les ai lus, étendu sur la brouette rouge
et bleue. Déjeuner. Conversation photo, images, animée par Claude
Otzenberger. L'air est d'une extraordinaire immobilité souple. Évidemment j'imagine ton voyage. As-tu pris ton repas à Mussidan ? Les
routes de Dordogne doivent être très belles aujourd'hui. Ce soir tu seras
à Louvet mais je redoute avec toi l'enfer Tulle. Quand tu seras arrivée
pense que je t'aime, que je respire ta chambre aux Fables, que je ressens

le dur et bon contact du lit qui m'a été donné un jour, que j'admire la chute des Puys sur la ville et sur la Limagne, que je rêve de marcher à tes côtés dans la garenne et par les chemins de ton enfance, de ta vie.

De ce matin je garde morsure et chaleur au cœur, le goût de tes lèvres, le nid de ton cou lisse et soudain creusé, tes bras et ton front sur mon épaule, et la beauté qui m'émeut de mon Anne secrète en proie à la pudeur de sa peine et de son amour.

Bonsoir, mon chéri, nous te regrettons bien ici, nous les chênes-lièges, les herbes de la vigne, le solarium, les œillets des dunes et moi qui ne connais l'épanouissement de vivre que par toi, mon silencieux Saint-Benoît

François

315.

En-tête Assemblée nationale, à Mademoiselle Anne Pingeot,
10 rue de l'Oratoire, Clermont-Ferrand, Puy-de-Dôme 63.

Hossegor, 31 août 1967

Mon amour chéri,

Hier soir je suis allé prendre un bol d'air à Lohia où j'ai bu le traditionnel moscatel en compagnie de Gédé, Martin, Hervé, Bibiche et Pierre Duplaix. Il faisait un temps admirable. Que j'ai pensé à toi, mon Anne, depuis le déjeuner Péronnie jusqu'à ce dernier matin d'hier ! Après dîner j'ai lu le manuscrit de Jean-Jacques S.-S., que j'achèverai demain et qui est très excitant pour l'esprit. Je me suis couché assez tôt après avoir un moment rêvé dans la nuit, assis sur la balancelle, près du patio.

Ce matin le ciel était embrumé mais s'est vite dégagé. J'ai joué avec Rousselet, Pierre Duplaix et un témoin de mes années d'après-guerre à Paris, le Docteur Laval. 94. Ni bien ni mal, avec cette désespérante crispation de la main droite qui me fait rater les putts faciles de même qu'elle m'empêche d'écrire cette lettre commodément (tu vois que mon écriture est hachée et irrégulière).

C'est agaçant !

Je vais maintenant à Latche où l'architecte va revenir. J'ai besoin de discuter avec lui et de lui communiquer « nos » observations.

Je compte sur le courrier de demain pour avoir un mot de toi. Mais peut-être n'auras-tu pas eu le temps. Cela ne m'ôtera pas la joie de penser à toi en t'aimant du meilleur de moi. Anne, Louvet. Ces mots sont pour moi images accordées à un certain ciel, une certaine terre, une certaine manière d'être que j'aime profondément.

Mon Anne je vous embrasse. Avec ce merveilleux désir de vous, qui arrache ma force et me la rend, vie renouvelée, espoir et paix.

Je vous embrasse et vous regarde, mon endormie de Barbizon (oh !).
Je t'aime

François

316.

En-tête Assemblée nationale, à Mademoiselle Anne Pingeot,
10 rue de l'Oratoire, Clermont-Ferrand, Puy-de-Dôme 63.

Hossegor, 1ᵉʳ septembre 1967

Mon amour chéri,

Ta lettre découverte dans la boîte de ma porte d'entrée a été lue, relue, aimée. Ne sois pas triste mon Nanour : je t'aime et te reviendrai bientôt.

Évidemment j'ai fait ma partie de golf ce matin. 93. Ça va mieux. Diesel et Saint-Périer ont fait leur apparition, dorés, en forme, optimistes (abusivement) quant à la Coupe Sainte-Geneviève !

J'ai déjeuné chez mon général-peintre espagnol et je suis maintenant en longue conversation avec Georges Suffert qui m'interviewe pour *L'Express* en réponse à Pompidou (lequel s'exprime dans le numéro prochain). Il fait très beau. Nous parlons dans le patio tandis que deux secrétaires sténotypent et qu'un photographe opère sous tous les angles. Tout est calme. Je suis venu, en entracte, t'écrire dans ma chambre.

Des mouches bourdonnent. Je pense à toi mon Anne bien-aimée. Tu es ma grâce, ma pureté.

Ce soir j'irai visiter Lohia à l'heure de l'apéritif. Demain, neuf visiteurs (les animateurs de la Convention Dayan, Estier, Fillioud, Mermaz, M.-Th. Eyquem etc.) seront là + la télévision belge qui fait une émission de vingt minutes sur moi dans une sorte de « Cinq Colonnes à la une ».

Je t'embrasse, mon Nannon, tendrement, passionnément et je rêve de nos promenades silencieuses sur tous les chemins que nous aimons

François

Un œillet des dunes séché.

317.

En-tête Assemblée nationale, à Mademoiselle Anne Pingeot,
10 rue de l'Oratoire, Clermont-Ferrand, Puy-de-Dôme 63.

Hossegor, 2 septembre 1967

Mon amour d'Anne,

D'abord, une nouvelle : j'ai joué 87 pour le premier tour de la Coupe Sainte-Geneviève et je tiens la tête du peloton ! (Diesel : 91 (− 20 = 71), Bibiche 84 (− 13 = 71) moi : 87 (− 19 = 68).)

Ensuite : j'ai dîné hier soir à Lohia (saumon fumé, salade, saint-nectaire, fruits), après avoir préparé avec le number one les départs de la coupe. Martin avait ses boucles d'oreilles d'orange espagnole et buvait Hervé des yeux. Ah ! que j'aurais aimé t'avoir là !

Auparavant j'étais allé à Latche rencontrer les corps de métier. Une heure d'utile mise au point.

Maintenant j'ai ici neuf visiteurs. On discute ferme ! (Il pleuvote ce qui retient les tentations de balade.)

La télévision belge a sorti ses sunlights dans le living-room. Je vais donner l'interview dont je t'ai parlé (il est 16 h 30). Ce soir nous dînerons tous au Pot de résine dans la petite salle qui nous est réservée pour que nous puissions parler librement.

Enfin, mon amour j'ai noté avec joie que le séjour à Gordes devenait possible. J'y pense amoureusement ! Laurence a déjà tout prévu et Pierre (qui est là) viendra peut-être. Reste à régler ta venue. Je pense un peu que je pourrais arriver le 8 au soir à Lyon, à Nîmes ou à Marignane par avion et poursuivre la route vers Gordes avec toi. On précisera cela dans les jours prochains. (Il faut que je sois à Digne le 9 en fin de matinée.)

Voilà le bas de la page. On m'appelle − sais-tu que je t'aime ?

Passionnément ? Que j'ai un grand désir de toi et que c'est merveilleux de t'espérer ? Et que j'ai hâte, ô mon Anne, de toi

François

318.

En-tête Assemblée nationale, à Mademoiselle Anne Pingeot,
10 rue de l'Oratoire, Clermont-Ferrand, Puy-de-Dôme 63.

Hossegor, 4 septembre 1967

Mon amour,

Merci pour ton (tout) petit mot de ce matin. Tu me manquais trop, avec l'absence de lettre samedi et l'absence de facteur dimanche ! Je pense à toi avec tant de tendresse et je t'aime si profondément. Notre forêt est belle mais quoi ! sans Anne, Seignosse perd tout de même certains de ses attraits.

Je fais maintenant des projets pour les 9 et 10. Ainsi que je te l'ai écrit samedi je puis te rejoindre le 8 au soir. Sinon, à Gordes, le 9 au soir. Je souhaite la première solution mais cela dépend évidemment de ce que tu peux entreprendre ! Je t'écrirai et te téléphonerai pour la mise au point.

Je me dépêche de t'écrire cette lettre parce que je ne suis revenu qu'à 16 h 45 d'un déjeuner chez Mlle Delsel (la secrétaire de la villa Douchka), avec Saint-Périer pétri d'alcool, qui a épouvanté le couple d'instituteurs sexagénaires qui complétait la table !

Quant à la Coupe Sainte-Geneviève je l'ai perdue au bénéfice de Bibiche.

96 aujourd'hui, 92 hier, 87 avant-hier : moyenne 17,1. Mais Bibiche a joué 12, 10 et 8 !! Je reste deuxième !

Mon amour j'ai hâte, hâte de toi, j'ai besoin de toi, de tes bras, de ta bouche, de ton corps où sont les songes et les sources qui m'emportent. J'ai hâte de ton sourire grave de Rieutort, je t'aime amoureusement

François

319.

En-tête Assemblée nationale, à Mademoiselle Anne Pingeot,
10 rue de l'Oratoire, Clermont-Ferrand, Puy-de-Dôme 63.

Hossegor, 5 septembre 1967

Mon Anne chérie,

Ce maudit coup de téléphone ! Depuis six jours, depuis ton départ,

qu'ai-je eu de toi ? un petit mot le lendemain, une carte postale hier !
J'en étais malheureux et j'avais trop envie de renouer avec ta présence.

Mais, comme au temps de Sirolo, Anne n'est plus là pour moi !
Alors ta voix de tout à l'heure, gênée, indifférente, sans éclat, sans
joie c'est la négation de ce qui nous unit et qui me paraît si souvent
la grâce de vivre (je sais que tu pouvais difficilement t'exprimer mais
quand tu m'aimes tu sais toujours me le dire).

Je serai à Paris jeudi matin et y resterai vendredi. Pourrai-je t'appeler au téléphone de l'Oratoire <u>vendredi midi</u> ? Tu viens de me laisser
entendre que tu n'irais peut-être pas à Gordes... Ce serait pour moi
un très gros sacrifice. Malgré tout, voilà comment je pense organiser
ce voyage pour qu'il ne soit pas trop fatigant et pour que tu disposes
de temps pour travailler :

Je prendrai l'avion pour Clermont vendredi soir. À l'aérodrome
d'Aulnat je te retrouverai et nous partirons aussitôt en DS vers Avignon où je dois être samedi à 11 heures. Tu continueras vers Gordes
que je rejoindrai après dîner. Le lendemain, dimanche, je partirai
pour Courthézon (Vaucluse) vers 14 h 30 et reviendrai en fin d'après-
midi. Lundi matin nous referons l'itinéraire Gordes-Clermont. Ainsi
nous travaillerons l'un et l'autre... mais nous aurons aussi la joie de
vivre de belles heures ensemble.

Est-ce un rêve ?

Mon amour d'Anne, je voudrais tant que tu ressentes la force qui
m'habite, faite de tendresse et de désir, et de cette passion qui m'abolit
en toi, me transfigure et me rend à nouveau force, tendresse et désir.

J'ai relu nos poèmes préférés. Ils sont là près de moi, dans ce livre
que je te lisais sur la plage du premier 15 août. Je t'aime telle. Mais je
te cherche cependant sans toujours te trouver et j'en souffre. Bonheur
d'Annefrançois : cette communion <u>immédiate</u> qui domine notre vie.
Quand tu t'éloignes de corps et d'esprit, d'esprit surtout, tout défaille.

Et Hossegor ? Eh bien aujourd'hui c'est la splendeur bleue et dorée
des jours d'Yons. La mer gronde, avec violence. Le ciel lui ne bouge
pas, si ce n'est en changeant de couleur avec la ronde des heures.
Maintenant il est 5 heures. Les ombres s'allongent. Le soleil approche
du couchant, resplendit, et transforme en lumière frémissante les
choses faites pour la recevoir et soudain se croire lumière elles-mêmes.

J'ai joué au golf avec Bibiche : égalité (en net) : lui 85, moi 91. Je
vais corriger l'interview pour *L'Express* et y passerai ma soirée. Pompidou, dans le dernier numéro, a fait un boom. Il faut que je réponde
sérieusement !

Anne, mon Anne, que je voudrais t'embrasser, t'aimer de tout mon être, connaître la possession, ce voyage de l'unité. J'ai caressé l'oiseau de la réconciliation. Qu'il t'aide à retrouver la paix de notre amour !

Je suis amoureux de mon Anne revêche, ô sainte Pierre Ponce.

À demain. Réponds-moi. Retrouve-moi. Je suis ton

François

320.

En-tête 4 rue Guynemer, LIT 32-16, à Mademoiselle Anne Pingeot,
10 rue de l'Oratoire, Clermont-Ferrand,
Puy-de-Dôme 63 *(encre violette).*

[6 septembre 1967]

Mon amour d'Anne,

J'éprouve des sentiments mélangés : ton silence de plusieurs jours m'a rendu triste et coléreux et voici que ton adorable lettre de ce matin me remplit de remords. Depuis dimanche en effet je me plaignais beaucoup de toi. Je sais, je sais, il y a ta grand-mère, les pommes, les prunes, le droit etc. mais comment était-il possible, me disais-je, qu'il n'y eût rien pour moi ? Le soir, je me promenais autour de nos maisons et je remâchais ma déception. Jusqu'au moment où l'idée du coup de téléphone m'a valu cet accueil glacial qui n'a fait que m'enfoncer dans ma désolation ! Bref, mon Anne, j'étais un amoureux bien malheureux.

Ta lettre d'aujourd'hui me remet (un peu) d'aplomb. J'étais au niveau de Sirolo : le plus bas. ☺nne chérie, aussi dure que ta terre de lave, il suffit d'un mot de toi pour que le soleil se lève. Ça va mieux et d'un coup j'ai le cœur fou d'amour, fou de rêve, fou d'espoir. Les meilleures conditions pour tomber de très haut !

Ah ! Gordes ! De ce bonheur que j'imagine naissent en moi des poèmes. Viens, mon Anne polarde. Te voir, la nuit, t'entendre respirer contre les branches du mûrier, boire en toi, sentir le sang d'aimer sourdre, échanger les sourires de la paix endormie… Comment te créer de la joie ? Serai-je assez fort, assez attentif, assez au-dedans de moi-même pour inventer l'amour ?

Ici, après un hier de splendeur, la marée a nourri le ciel de nuages bas et lourds. Cela ne nous a pas empêchés, Diesel, Bibiche, Saint-Périer et moi de faire notre partie (la dernière de l'année) – j'ai gagné les trois balles, sans gloire excessive : Diesel 98, Saint-Périer 99, Bibiche 88 et moi 93. Je respirais la terre mouillée, odorante. Des tourterelles et des étourneaux traversaient les clairières en un vol haletant. Les huppes se posaient complaisamment entre nos balles. J'ai dit au revoir au houx du 13, le plus noble, le plus costaud, au pin et au chêne-liège entrelacés, au pin qui dresse des cuisses écartées, avec des écailles lisses et rouges, au 15. Les lagerstroemias du bord de mon mur sont fleuris, oui ! Ceux du haut en sont aux bourgeons et meurent d'envie de sortir et de vivre. À Lohia le lac a monté plusieurs marches. Dans ta chambre j'ai embrassé l'oiseau et caressé du bout du doigt le verre de l'herbier de Cordes et recherché l'image de mon Anne, près de son feu, de sa musique, de ses objets.

Anne je t'aime passionnément. J'aime tes mains. J'aime ta bouche. J'aime ta nuque quand tu partages tes cheveux avec les deux couettes de côté. J'aime le léopard j'aime ton visage renversé sous le chêne de Latche. J'aime le cri qui sort de toi quand tu es moi. J'aime ma bien-aimée. C'est comme ça.

Demain je serai à Paris. Pourrai-je t'appeler au téléphone vendredi à midi (à l'Oratoire) ? Pourrai-je te retrouver le soir ? Quoi qu'il en soit je serai le même qu'en ce jour ouaté où mon cœur t'appartient

<u>François</u>

321.

En-tête Assemblée nationale, à Mademoiselle Anne Pingeot,
10 rue de l'Oratoire, Clermont-Ferrand, Puy-de-Dôme 63.

7 septembre 1967

Mon Nannour,

J'étais dans le train à 23 h 12 et à la gare d'Austerlitz à 7 h 25 ce matin. Me voici donc à Paris, vacances closes, un Paris fait de soleil et d'air tendre. Hier soir, le dernier dîner s'est déroulé au Pot de résine, en compagnie de quatre Pingeot, des Destouesse et de Saint-Périer. Le matin j'avais arraché une balle à deux Pingeot (une balle par homme) : Bibiche 88, Diesel, 98, moi 93. Mais tu connais déjà ces chiffres. L'après-midi j'ai vaqué à diverses occupations concernant Latche, ce qui m'a mené à Soustons et à Dax.

Le ciel était tout mouillé, avec de beaux aperçus de ciel bleu, la forêt en dessin chinois sur un horizon ~~en~~ tout de finesse. À Latche un chien de chasse reniflait les vieux bois qui gisent pêle-mêle : seule activité décelable.

Dès mon arrivée j'ai ouvert le courrier et d'abord une lettre dont l'écriture me disait quelque chose ! Merci, mon Anne très aimée, et pardon pour mon injustice. Je suis malheureux sans toi, voilà mon excuse. Maintenant je siège sans arrêt : bureau politique, comité exécutif et j'ai corrigé de biais et en vitesse mon interview à *L'Express*.

Et demain ? Je t'appellerai, à tout hasard, à midi, à l'Oratoire. J'ai retenu une place dans l'avion de Clermont et j'aurai la DS qui nous conduira, je l'espère, en Vaucluse, dont nous prendrions la direction le soir même. Tu imagines ? Le Ventoux, le Luberon, le mûrier, Apt, et nous, la nuit, emmêlés, corps rompus de bonheur, cœur aérien… Et tu travailleras, je te le jure !

Mon Nannour, je vous aime et j'ai bien envie de vous, tout simplement, tout merveilleusement – bien envie de vous aimer comme TU SAIS

François

322.

En-tête Assemblée nationale, à Mademoiselle Anne Pingeot, 10 rue de l'Oratoire, Clermont-Ferrand, Puy-de-Dôme 63.

12 septembre 1967

Mon Anne chérie,

Heureuse surprise ce matin : ta lettre d'hier était au courrier ! Quelle joie ! Quand je pense que j'ai manqué de quelques secondes Gédé et ses invités – et devant la porte du verger du bas ! Je regrette la merveilleuse scène manquée !

Ta lettre était aussi adorable que toi.

Résultat, j'ai le cœur en paix et plein de force. Merci mon Nannour, merci mon Nanannon, nous retournerons dans les gorges de l'Alagnon.

Le beau voyage que nous avons fait !

L'odeur des montagnes avec leurs grandes herbes et leur appel de liberté. J'imagine déjà nos promenades futures, nos marches, tes fleurs, l'amour la nuit dans une chambre ouverte sur l'infini.

Je t'écris en vitesse pour que tu aies ce mot demain. Mon programme : jeudi et vendredi, Nièvre, pour mes élections cantonales, samedi, Metz, dimanche, Lure, lundi et mardi Nièvre. Si tu m'écris demain et (ou) après-demain adresse ton courrier à l'Hôtel du Vieux Morvan, Château-Chinon. Si tu m'écris vendredi, adresse : rue Guynemer etc.

Je pense à toi, mon amour, j'ai une grande faim de toi, mon Anne, oui, déjà, déjà, toujours – passion profonde, heureuse, exaltante – et je t'embrasse si fort, si tendrement

François

323.

En-tête Assemblée nationale, à Mademoiselle Anne Pingeot, 10 rue de l'Oratoire, Clermont-Ferrand, Puy-de-Dôme 63.

Paris, 13 septembre 1967

Mon amour d'Anne,

Dans le mot écrit hier à toute allure j'ai commis une erreur : le mercredi 20 je serai dans la Nièvre et non dans le Gers. Je compte bien te ramener à Paris ce jour-là ! Je serai tellement, tellement heureux de te revoir et d'être auprès de toi la veille et le jour de ton examen. Gédé pourra-t-elle te conduire pour me rejoindre dans le Morvan ? Sinon je m'arrangerai pour te faire prendre à la gare de Moulins ou à la gare de Nevers dans l'après-midi. Nous en reparlerons.

Voici donc mon programme définitif :

Jeudi 14 : Nièvre
Vendredi 15 : Nièvre
Samedi 16 : Metz et Thionville (Moselle)
Dimanche 17 : Lure et Luxeuil (Haute-Saône)
Lundi 18 : Nièvre
Mardi 19 : Nièvre

Mercredi 20 : Nièvre (je te ramène à Paris en fin d'après-midi)
Jeudi 21 : Paris (le matin) ; Côtes-du-Nord (le soir)
Vendredi 22 : je compte (si tu le veux) te ramener dans la Nièvre
    où je resterai
Samedi 23 : matin, Nièvre ; après-midi : Auch (Gers)
Dimanche 24 : Nièvre.

Au gré de ces dates et de ces lieux tu sauras où m'écrire quand tu
en auras le temps ! Tu sais que le facteur sera désiré et guetté – mais
je sais que tu es surchargée de travail… Tes nouvelles me font tant
de bien et… je t'aime.

Figure-toi que dans l'avion de Clermont j'ai voyagé avec Giscard
d'Estaing auquel je n'ai pas dit que j'avais excursionné à Chanonat
en ta compagnie !

Quel délicieux retour nous avons fait, mon Nannon très chéri. La
dernière étape, par le mont Giroux et Louvet-le-Sec, m'a profondément ému. C'était ton pays, une part importante de toi. J'aimais ces
chemins de ton enfance et de tes rêves. Je te comprenais mieux. Tu
étais mon Anne d'avant mon Anne, ô limbes de mon amour.

Hier j'ai erré chez les bouquinistes pour ne récolter qu'un Péguy
(*Les Cahiers de la Quinzaine – un nouveau théologien : M. Fernand
Laudet*) et un discours électoral intéressant d'Émile Ollivier (chez
Clavreuil). Je t'attends pour continuer !

J'ai reçu Viansson-Ponté dans l'après-midi de même que tout à
l'heure je verrai Tournoux (*Match*) et que j'ai déjeuné avec Montaron
(*Témoignage chrétien*). Après dîner j'irai au groupe permanent de la
Convention. Enfin, demain matin 9 heures je partirai à mon volant
pour Moux (mon canton).

J'emporte avec moi pour lire l'Ollivier et *La France de Richelieu et
de Louis XIII* de Tapié.

Anne, mon amour, j'ai besoin de t'aimer en aimant la beauté et
l'esprit même des choses et du monde.

Lever la tête. Voir le ciel. Tenir ta main. Chercher ensemble. Être
sûr de toi. Être apte à avancer sur le chemin où l'être se parachève
et s'accomplit.

Mon amour, à demain. Je t'écrirai de Moux en espérant que le
courrier t'arrivera le lendemain.

Je t'embrasse et je t'aime de tout moi-même

                                                        François

P.-S.

Demain jeudi et vendredi je coucherai au Vieux Morvan (tél. 106) ainsi que lundi et mardi. Pour le cas où tu voudrais et pourrais m'atteindre. Entre 8 et 10 heures le matin, c'est la bonne heure. À tout hasard, mon cher Nanour !

324.

En-tête Assemblée nationale, à Mademoiselle Anne Pingeot,
10 rue de l'Oratoire, Clermont-Ferrand, Puy-de-Dôme 63.

14 septembre 1967

On vous aime, mon Nanour, on lit vos lettres avec une grande joie dans le cœur et beaucoup de force pour entamer la nouvelle journée, on pense à vous dans la chambre glacée du matin, on vous désire comme on désire le soleil, la lumière, ou bien de beaux fruits craquants à s'épanouir, ou bien l'eau de la source ou bien le feu qui lèche et brûle les champs d'été, on sait que vous êtes vérité, on veut toujours mieux vous comprendre en recherchant la part de ciel qu'avec vous il s'agit d'atteindre.

Mon Anne, avant de partir pour le Morvan, je mets cette lettre à la poste, comme cela tu l'auras demain. Je suis amoureux de toi, tes lèvres me manquent et ton corps qui s'ouvre à l'accomplissement de la nuit. Et tes yeux trop cachés durant ce voyage ce qui m'a valu l'éblouissement de les redécouvrir sur la route de Saint-Germain-Lembron.

N'oublie pas que nous nous retrouvons mercredi. Pour la mise au point écris-moi (je t'ai proposé hier diverses solutions) ou bien j'appellerai Louvet (pour une fois !) en demandant d'abord Gédé (j'ai envie de le faire lundi vers midi).

Je vous embrasse mon amour. Vite, il faut que je prenne mon volant pour déjeuner à 13 heures à Moux. Que j'ai besoin de toi ! J'embrasse très précisément le creux de votre épaule et je m'abîme en vous

François

325.

En-tête Assemblée nationale, à Mademoiselle Anne Pingeot,
10 rue de l'Oratoire, Clermont-Ferrand, Puy-de-Dôme 63.

La Chaise en Morvan, 15 septembre 1967

Je déjeune, mon Anne aimée, dans une auberge du haut Morvan, à la table d'hôte, tandis qu'un épais brouillard bloque le regard au seuil même de la porte. Il fait froid brrrr... On a sorti le marc de Bourgogne. Mes compagnons ont les pieds chauds dans de grands sabots de hêtre et de bouleau.

Je ne peux que te jeter ces lignes.

Elles seront le message d'un amour
Profond, profond
le mien, pour Anne de
Chastellux, Nannon de
l'Allagnon, Anne très chérie
de tous les lieux de la terre

François

326.

En-tête Assemblée nationale, à Mademoiselle Anne Pingeot,
10 rue de l'Oratoire, Clermont-Ferrand, Puy-de-Dôme 63.

Metz, 16 septembre 1967

Mon Anne très aimée, je t'écris sur la nappe d'une table de restaurant, à la gare de Metz, avant la réunion qui commence à 4 heures. Je suis arrivé de Paris à Luxembourg par avion et j'ai déjà parlé à Audun-le-Tiche, à la frontière. Par la route je suis passé ensuite par Amanvillers... petit village où j'ai franchi la frontière lorsque je me suis évadé (pour de bon). Ici, tout à côté, il y a la Citadelle où j'ai été enfermé quelques jours et j'aperçois le Cecil Hôtel où j'ai été dénoncé et tiré de mon lit par la police allemande...

Ce sont des souvenirs d'antan qu'il me plairait de revivre avec toi. Mais aujourd'hui il s'agit d'autre chose ! On me transbahute de ville en village sans pitié pour ma tranquillité, avec le gros sans-gêne lorrain qui a toujours le don de m'agacer !

Mon amour de fille, j'ai bien reçu ta lettre de Clermont, hier qui m'est parvenue à temps par un prodige de célérité. Que je t'aime, ma chérie !

Cela me fait un bien fou de te savoir ainsi, attentive et si tendre. Mais je te préviens que tu me manques beaucoup !

Que j'attends le moment de ton retour !

Anne, tout m'attendrit de notre vie, de cet échange, de cette communion de nos êtres. Moi qui n'ai pas de cours de droit à réviser je pense à toi sans cesse en m'émerveillant de la grâce de ton amour et je rêve d'un mûrier à travers notre ciel

<u>François</u>

327.

En-tête Assemblée nationale, à Mademoiselle Anne Pingeot, 10 rue de l'Oratoire, Clermont-Ferrand, Puy-de-Dôme 63.

Château-Chinon, 18 septembre 1967

Mon Anne chérie,

Ma journée d'hier s'est passée en Haute-Saône puis en voyage jusqu'à Château-Chinon où je suis arrivé vers 21 h 30. J'ai couché à Luxeuil chez le député du lieu, Jacques Maroselli, puis je suis allé à Lure où se tenait le congrès de la FGDS. 3 000 personnes. Climat vibrant. Notre Franche-Comté est plus méridionale que le Morvan !

Après le déjeuner j'ai pris la route (avec chauffeur) direction Mantry, ce petit village du Jura où habitent mes amies Clairette et Marguerite Sarrazin qui m'avaient hébergé lors de mon évasion de 1941 (Anne avait... moins deux ans. Zut !). J'ai donc descendu l'admirable montagne (par Besançon, Arbois, Poligny) jusqu'aux abords de la Bresse, où se trouve Mantry qui domine son très beau paysage. Mais mes amies étaient parties depuis... une heure ! (à cause de la rentrée scolaire) l'une vers Paris, l'autre vers Lyon.

J'ai contemplé un moment le vaste cirque qui s'ouvre sur Lons-le-Saunier et, par Chalon-sur-Saône et Autun j'ai regagné le Vieux

Morvan. Maintenant (il est 10 h 30 et j'ai dormi comme une souche !)
je suis attablé dans le restaurant avec des masses de journaux et de
papiers devant moi.

Je t'écris. Je dois vérifier quelques actes notariés concernant la
commune puis rédiger un article de propagande électorale pour *Le
Courrier de la Nièvre* mon canard local.

À midi, à 50 kilomètres d'ici, exactement à Saint-Brisson, j'irai
faire une réunion.

Mon amour, mon amour, j'ai beaucoup, beaucoup rêvé à toi. Ta
dernière lettre a été lue, relue (« comme à la guerre tous nos hommes
sont partis… ! »). Je t'aime de tout mon être et tu me manques cruellement. Je compte bien t'avoir au téléphone tout à l'heure et mettre
au point ton voyage de mercredi à Paris.

---

11 heures

Je viens d'appeler Gédé en avance sur les prévisions car je dois
partir tout de suite. J'essaierai de t'avoir demain mardi au téléphone vers 10 heures. De toute manière l'idée que tu viennes avec
la 2 CV est excellente. Tu pourrais me rejoindre à 19 heures, à
Alligny-en-Morvan (dans mon canton, évidemment, à 10 kilomètres de Saulieu, au nord de Château-Chinon en passant par
Château-Chinon, Planchez, La Chaise, Gien, Moux, Alligny :
45 kilomètres environ) ou.

À moins que tu ne préfères aller directement à Avallon où je pourrais te rejoindre vers 20 h 30, devant l'Hôtel de la Poste. Mais si je te
manquais d'ici là c'est la première hypothèse (Alligny) qui serait la
bonne. Tu récupérerais la 2 CV vendredi après-midi.

Anne, mon Nanour, que je vous aime, que je me réjouis de
vous retrouver, que j'attends l'heure éblouissante où tu es moi,
et moi ton

François

Carton de l'hôtel de la Côte d'Or, Châtillon-sur-Seine :

« Pense ce que tu voudras, agis comme tu voudras, regarde cependant le recto de cette carte que je sors par hasard de ma poche maintenant et sache mon Anne aimée qu'hier je t'aimais comme JE T'AIME
aujourd'hui. »

328.

En-tête Assemblée nationale, à Mademoiselle Anne Pingeot,
10 rue de l'Oratoire, Clermont-Ferrand, Puy-de-Dôme 63.

Château-Chinon, 19 septembre 1967

Voici donc, mon Nanour, la dernière lettre de cette Diaspora ! À demain soir, Alligny-en-Morvan, vers 19 heures. Je suis heureux. Je t'aime. Ma grâce d'Anne.
Je vous adore. Ah ! Vite toi

François

329.

En-tête Assemblée nationale, à Mademoiselle Anne Pingeot,
10 rue de l'Oratoire, Clermont-Ferrand, Puy-de-Dôme 63.

Hossegor, 24 septembre 1967

Il est 11 h 30, mon amour.
Je viens de me lever, arrivé d'Auch à 3 heures ce matin. Il fait chaud : pas besoin de veste ni de pull-over. Les géraniums, loin de moi, se sont épanouis et ont poussé haut avec de larges feuilles horizontales, sûres d'elles. Un triomphe (tardif) ! Les lagerstroemias, au moins cinq ou six qui sont sur la butte, ont fleuri. Les fusains ont leur fruit encore enveloppé d'une gaine verte sur deux petites graines rouges. Les mimosas sont d'un bleu métallique, admirable et inquiétant. Les cotonéasters préparent leurs grappes sucrées et dures qui feront tache jaune ou rouge à la Toussaint. Les oiseaux, la mer. Le ciel est d'un bleu qu'on ne lui voit pas l'été qui semble délivré des moiteurs et de la lumière aveugle d'août. Bref, tu le vois, j'ai fait mon inspection (pieds nus, robe de chambre à grosses rayures vertes et blanc-bleu) !
J'ai attrapé l'avion, hier, en regagnant Orly en deux heures et quart. Une bonne Caravelle, quelques nuages orageux sur le Limousin et bon atterrissage à Toulouse. Je suis resté l'après-midi dans cette ville avec Rousselet et ses amis. Puis Rousselet m'a conduit à Mirande

(Gers) où sous la halle 2 000 personnes vibrantes, bruyantes, colorées m'attendaient (avant dîner).

La réunion d'Auch (5 000, 6 000 participants ?) bourdonnait, s'agitait, hurlait au moindre mot quand de 9 heures à minuit j'ai parlé ou discuté avec les contradicteurs. Des socialistes, mes partisans, idiots et sectaires, n'employant que des arguments de sous-sol, des communistes rigolards, des « clubs » sympathiques, effacés, constituaient l'état-major sur la tribune (!). Le candidat adverse (centre démocrate, Conseil d'État) s'époumonait. Je m'en serais attristé si telle n'était la loi du genre. Mais que les orateurs socialistes m'ont irrité avec leur incroyable méchanceté, minable, vulgaire, bête, bête ! La foule n'avait pas l'air de s'en apercevoir, portée par sa passion et par son enthousiasme. Je suis reparti aussitôt pour Hossegor, refusant de participer aux liesses de gueule prévues pour la suite. Des milliers de mains se tendaient mais je n'aimais pas ces arènes où tout était fait pour arracher aux citoyens la part de noblesse qu'il s'agit précisément (ou bien notre rôle est absurde et menteur) d'exalter – et d'accroître.

Je vais me reposer jusqu'à demain soir et j'en ai un peu besoin. Mais, ça va.

Les heures passées avec toi ont été de plénitude et d'amour. Ô mon Nannon, mes yeux clairs, mon beau corps, mon âme de tendresse et de vérité ! Je t'aime et te remercie pour ces grâces que je reçois étourdi de bonheur.

Je téléphonerai mardi entre midi et midi et demi à Ceyrat pour régler « officiellement » ma venue à Louvet... et surtout pour entendre une voix qui me manque déjà.

Anne, ma merveille, j'écoute en moi la douce plainte de la joie qui monte de notre union et qui parfois crie par ta bouche, j'écoute notre amour

François

330.

En-tête Assemblée nationale, à Mademoiselle Anne Pingeot, 10 rue de l'Oratoire, Clermont-Ferrand, Puy-de-Dôme 63.

Hossegor, 25 septembre 1967

Mon amour d'Anne, d'abord je t'embrasse, je cherche le creux de ton épaule, mes mains s'agacent de ne pas trouver la douceur de ta hanche, ma bouche parcourt le boulevard T..., mes yeux rient à tes yeux, mon être se tend vers toi, oui, d'abord je t'aime.

Tu n'auras rien ce matin au courrier malgré ma demi-promesse !

Impossible de découvrir une poste ouverte, hier. Donc, demain deux lettres passeront par Nini et Gédé avant de parvenir à mon Nanour ; elles te diront ce qui est : samedi, dimanche, lundi j'ai adoré mon Anne.

Hier soir et ce matin, résultats des élections cantonales et des trois législatives. Estier, de Paris, Saury, de la Nièvre et Rousselet, de Toulouse, m'ont tenu informé. Dans la Nièvre je vais gagner quatre sièges sur les douze en renouvellement et les quatre seront acquis à la Convention (dont celui que je suis allé soutenir vendredi soir à Corbigny et qui est déjà élu au premier tour en battant mon vainqueur des législatives de 58 qui était conseiller depuis vingt ans). J'aurai donc maintenant la majorité absolue au conseil général par mes seules forces, sans compter SFIO et communistes. À Toulouse, le candidat de Rousselet a un beau résultat quoique légèrement distancé par le sortant, Baudis, que Rousselet avait battu de justesse aux législatives. J'irai le soutenir jeudi. À Paris nous sommes loin derrière les communistes, ce qui est très préoccupant.

Comment reprendre pied dans cette région parisienne perdue depuis quinze ans ?

Toutefois quelques réussites à Saint-Gratien (Val-d'Oise) Aubergenville (Yvelines) Clamart (Hauts-de-Seine) Courbevoie (Hauts-de-Seine) quant aux députés invalidés, Le Foll (Saint-Brieuc), qui avait 35 voix d'avance en mars, en a 6 400, et Vignaux (Auch), qui en avait 1 200, en obtient 6 500.

Ma chérie, Hossegor est sublime.

L'équilibre parfait, ce charme spécifique de la forêt landaise quand l'océan, le soleil, la lumière, les parfums, les oiseaux, les abeilles se mettent de la partie. Je me repose bien aujourd'hui. Hier il faisait trop chaud : mon polo de laine rouge était à peine supportable.

Je suis allé à Latche qui avance un peu, côté menuiserie. Le mur de briques roses est complètement récupéré et admirable.

Un cheval, de la musique, la vigne et... ☺nne ô bonheur à vivre là ! ♭

À bientôt, amour d'amour. C'est finalement samedi que j'irai à Louvet-le-Sec. Mardi et mercredi : Paris (avec réunions en banlieue). Jeudi : Toulouse. Vendredi : Nièvre. Samedi midi je pourrais arriver pour déjeuner et ne repartir qu'à 13 h 40, 14 heures dimanche. Programme possible : samedi, jour et nuit, Louvet et sa terre d'alentour, jusqu'au cou, balades avec mon Anne, soirée douce – merveille !

Dimanche matin, golf à Charade, déjeuner rapide et départ, à condition que mon Anne soit là – sinon – merveille aussi ! – dimanche matin, Anne, balade, messe, douceur à Louvet (je crois même que je préfère cette seconde hypothèse !).

Ceci dit, je lis *L'Homme à cheval* qui me plaît beaucoup. Je pense à toi. Je te désire, fort. Je t'aime encore plus fort

François

331.

En-tête Assemblée nationale, à Mademoiselle Anne Pingeot, 10 rue de l'Oratoire, Clermont-Ferrand, Puy-de-Dôme 63.

26 septembre 1967

Je vous aime, Annanon, mon Namour et… ce coup de téléphone surprise me fait un plaisir fou. Rien d'autre ici qu'un gros travail dont je te parlerai demain. J'appellerai à 17 heures.

Je vous adore, mon Anne femme-fille-fleur-fruit-beau soleil

François

332.

En-tête Assemblée nationale, à Mademoiselle Anne Pingeot, 10 rue de l'Oratoire, Clermont-Ferrand, Puy-de-Dôme 63.

27 septembre 1967

Mon amour,

Ta voix qui surgit, là, parce que j'ai composé un numéro de quelques chiffres, je n'en reviens pas ! Miracle des gestes si souvent répétés et qui gardent la force d'une première fois. Je t'aime, mon Anne. Je te sens troublée, un peu triste. Samedi, à moins que ce ne soit la veille, je voudrais tant te rendre une part de l'immense joie que je te dois.

J'imagine déjà ta terre autour de toi avec ses couleurs, ses odeurs, ses formes, et Louvet vivant où mon Anne vit.

Ce soir trois réunions banlieue parisienne. Demain matin, départ pour Toulouse. J'appellerai Ceyrat à 19 h 30. Je reçois beaucoup. Je pense à toi beaucoup aussi et quand je ne pense pas à toi, peu m'importe, je suis toi, je respire l'amour de toi.

Comme je t'embrasse, mon merveilleux Nanour

Ton François

333.

Grande feuille blanche, à Mademoiselle Anne Pingeot,
10 rue de l'Oratoire, Clermont-Ferrand, Puy-de-Dôme 63.

Le jeudi 28 septembre 1967

De Toulouse (je t'écris dans le bureau d'Évelyne Baylet, Rousselet étant vautré au creux d'un profond fauteuil, par une chaleur écrasante) je viens mon Nanour t'embrasser et te dire que jeudi ça va, vendredi ce sera mieux et samedi, merveille…

Je vous aime adorable fille. Moi, je me casse les nerfs à courir les routes et à pénétrer l'épaisseur des masses !

Hier soir trois réunions m'ont fatigué. Maintenant je fais ici cinq communes et un grand meeting au Palais des Sports. Je reviendrai demain à Paris (12 h 30) avant de regagner la Nièvre. Là je serai libre tôt les réunions ayant lieu avant dîner. D'où ma joie si jamais je pouvais aller à Moulins par exemple te retrouver… je te téléphonerai. Au revoir à ce soir 19 h 30. Je vous aime tellement

François

334.

En-tête Assemblée nationale, à Mademoiselle Anne Pingeot,
10 rue de l'Oratoire, Clermont-Ferrand, Puy-de-Dôme 63.

3 octobre 1967

Mon amour,

J'étais triste de t'annoncer cette nouvelle et d'être ainsi le mauvais messager : j'étais triste que l'échec fût si proche du succès : un demi-point ! Je suis triste de ta tristesse. De t'avoir manquée au téléphone tout à l'heure ajoute à ma peine, corrigée cependant par l'adorable lettre de ce matin.

Je t'aime, mon Anne, et je veux que tu ressentes que cet amour veille, et reste auprès de toi tandis que tu es si déçue.

Je voudrais tant que cette année commence avec l'espoir au cœur, pour tes études, ton travail comme pour ce qui nous unit – la beauté des jours, le goût d'aller de l'avant, le bonheur de nos mains liées.

Demain je serai à Nevers. Je t'appellerai, veux-tu, à midi, à Ceyrat – Louvet. Sinon à 15 h 30 à Clermont. Ne pourrai-je te retrouver le soir, à Moulins ? Te revoir, te revoir j'y pense d'autant plus qu'il y a cette peine d'hier. Si oui je pourrai t'y retrouver pour dîner vers 20 h 45 à l'hôtel de Paris – et te garder.

Peut-être préféreras-tu jeudi ? Dis-le-moi mon Anne bien-aimée. Je te raconterai ma vie depuis Louvet : Montsauche, Nevers, Autun, l'Assemblée…

Je t'aime de toute mon âme

<u>François</u>

335.

En-tête Assemblée nationale, à Mademoiselle Anne Pingeot,
10 rue de l'Oratoire, Clermont-Ferrand, Puy-de-Dôme 63.

Nevers, 4 octobre 1967

Mon amour d'Anne,

Je suis dans mon bureau du conseil général. Je viens de recevoir le secrétaire général de la préfecture auquel j'ai parlé justice de paix, gendarmerie, musées. Les commissions sont au travail. Nous reprenons la séance publique demain matin. Tout à l'heure je t'appellerai à Clermont. Je suis arrivé à Nevers par la micheline, j'y ai lu et préparé mes dossiers de la session. En arrière-plan je pense à mon intervention sur la motion de censure sans en avoir encore fixé les grandes lignes. J'attends le déclic à partir duquel mon esprit s'organisera.

Hier j'ai eu une journée chargée avec la réunion de mes amis, le matin, et l'après-midi, le groupe parlementaire.

Après dîner (et dîner) Dayan est venu me parler longuement de nos affaires politiques.

De temps à autre j'ai regardé *La Bête du Gévaudan* à la télévision, curieux des paysages de Haute-Lozère, mais qui n'ont pas été exploités autant qu'il aurait fallu. J'ai pensé à Rieutort, au Truc, à notre lit à édredon, au travail en silence, à toi.

Je t'aime mon Anne. Je continue d'avoir un vrai déchirement de ta peine et de m'irriter contre cet examen vraiment sottement hasardeux dont on fait dépendre la carrière et les chances de ceux qui abordent la vie.

Sache seulement mon amour que je suis très amoureusement et très profondément ton François (si peu, si mal d'Assise en ce 4 octobre), que je ressens tes joies et tes chagrins, que tout m'émeut et me ravit de toi.

Dis, quand reviendras-tu ? Je t'espérais ce soir, demain… Tu arriveras par Diesel, non par moi : je suis jaloux !

Samedi je serai dans la Nièvre mais pour la journée seulement et te verrai donc sûrement le soir. À moins que… la chance ne nous réunisse plus tôt.

Anne, mon Nanour, bonsoir, je t'aime

François

336.

En-tête Assemblée nationale, à Mademoiselle Anne Pingeot,
39 rue du Cherche-Midi, Paris VIᵉ *(sans timbre).*

7 octobre 1967

Bonjour mon Auvergne chérie faite de lave et de montagnes rondes avec un grand ciel par-dessus.

Paris, par ma plume, vous accueille et vous aime.

Je vous appellerai demain matin, et compte bien déjeuner à votre table (ou vous à la mienne !)

Je t'aime, toi

François

P.-S. Laurence voudrait aller au cinéma avec toi ce soir. Elle t'appellera à partir de 17 heures.

337.

En-tête Assemblée nationale, à Mademoiselle Anne Pingeot,
10 rue de l'Oratoire, Clermont-Ferrand, Puy-de-Dôme 63.

12 octobre 1967

Mon amour d'Anne,

Je suis revenu vers ma voiture, le cœur lourd de mélancolie, en pensant à mon Anne emportée par « le train des Morvandiaux » (comme me disait le cheminot rougeaud, originaire de la Nièvre, qui m'a parlé sur le quai au moment de ton départ !). Je t'aime, voilà ma lettre écrite. Je t'aime, voilà tout !

Après dîner je suis allé au groupe permanent de la Convention, ce qui m'a mené jusqu'à minuit et demi – et à un sommeil pas encore rétabli dans ses profondeurs. Ce matin je n'ai pas arrêté de recevoir, notamment Boussac, le « roi du coton », vieillard alerte et sage. Je donnerai cet après-midi une interview au *Nouvel Observateur*, je verrai Matzneff, puis Gilles Martinet, puis une journaliste américaine, puis les grands patrons de la sidérurgie.

18 h 30

Eh bien je suis au beau milieu de ce chapelet de rendez-vous ! Je n'en sors pas… sinon pour ajouter ces lignes qui sont de tendresse et d'amour. Demain matin 8 heures je prendrai le train pour Strasbourg. Je reviendrai dimanche fin d'après-midi par l'avion de Genève. Je t'écrirai demain d'Alsace, mais moi je serai bien triste d'être sans nouvelles de toi. Lundi j'espère tant trouver un mot au courrier !

J'ai étudié mon calendrier : je pourrais te rejoindre jeudi après-midi ou, si tu ne le pouvais pas, samedi après-midi. Déjà tu me manques trop ! « Le premier qui aime aimera le dernier... » Je te préciserai tout cela. Quant à Florence je pense au mardi matin 24 pour le départ. Veux-tu y réfléchir ?

Mon amour, mon amour je vous embrasse tellement

<u>François</u>

338.

Carte postale, château du Haut-Kœnigsbourg, le donjon,
à Anne Pingeot, 10 rue de l'Oratoire, Clermont-Ferrand,
Puy-de-Dôme 63.

13 octobre 1967

Des rues sorties du xvᵉ siècle, la place où l'on brûlait les Juifs, le château du Kaiser et ces mots : « Je n'ai pas voulu cela. » Et partout l'opulente saison d'un opulent pays – et ma pensée de Saint-Benoît

<u>F.</u>

339.

Carte postale, Riquewihr (Haut-Rhin), Grand-Rue vue du Dolder,
à Anne Pingeot, 10 rue de l'Oratoire, Clermont-Ferrand,
Puy-de-Dôme 63.

Le 13 octobre 1967

D'Alsace aux couleurs d'automne, les Vosges penchées sur la riche plaine – et la pensée du voyageur tournée vers l'Oratoire.

<u>F.</u>

340.

Carte postale, Colmar, musée Unterlinden, à Anne Pingeot,
10 rue de l'Oratoire, Clermont-Ferrand, Puy-de-Dôme 63.

Le 14 octobre 1967

J'ai visité le musée « sous les Tilleuls » que vous aimeriez sûrement. En l'honneur d'Otto Chaudessolle j'ai choisi cette carte qui vous dira des histoires comme on les conte dans les gorges de l'Alagnon.

F.

341.

En-tête Assemblée nationale, à Mademoiselle Anne Pingeot,
10 rue de l'Oratoire, Clermont-Ferrand, Puy-de-Dôme 63.

Orly, 15 octobre 1967

Mon amour chéri,

Je débarque à peine de l'avion Swissair qui m'a ramené de Genève et je profite des levées plus nombreuses (je le suppose) de la poste d'Orly (un dimanche) pour t'écrire cette lettre, sur mes genoux. Je t'ai envoyé quelques cartes d'Alsace, mais sont-elles arrivées ? Depuis mercredi soir et le train qui t'enlevait à moi j'ai senti ton absence comme on manque d'air. Je t'aime passionnément mon Anne et j'aime avec toi la vie quotidienne. Ces quatre jours de ta présence à Paris m'ont été si précieux. Dimanche dernier : chez Anne, Bougival. Dimanche d'avant : Charade, Louvet. Toi, toi mon amour.

Le bonheur pour moi ce sont ces heures qui nous réunissent. De mon hôtel de Lausanne, je voyais le lac, la montagne de Savoie, le Valais, les vignes qui descendent des coteaux abrupts, le mouvement des oiseaux et des barques. J'ai longuement rêvé à l'harmonie, l'exaltante harmonie qu'eût été ta présence. Le silence de notre amour pénétré par la beauté des choses. Il y avait ce matin un beau soleil sur les vignes. Paris m'attendait noyé sous ses nuages bas. Je rêvais. Je t'aimais. J'étais misérable et seul sans mon Anne, sans la femme de ma vie, de mon sang, de l'âme peut-être que l'approche de ton âme a rendue nécessaire.

T'entourer de mes bras, mieux te dire (j'étais fatigué lors de ton séjour), mieux t'aimer (je me sens le cœur si disponible pour la recherche de ce mieux si tu veux bien me donner ton regard, tes lèvres ou ta main).

Je songe à la « fenêtre », à la garenne, à l'odeur de la terre, à la promenade qui eut occupé tout cet après-midi avant de rentrer ravis et fourbus pour lire, bavarder devant le feu – et tes bouquets, signe de présence et de beauté, signe plus discret que le plus discret mouvement du cœur.

Je passe avec toi ce dimanche, mon Anne bien-aimée, autant qu'il est possible à l'esprit de créer le monde de son espérance. Les heures vont lentement. Je suis riche de toi, ô mes prestiges intacts, ma femme donnée et toujours attendue !

Anne je t'embrasse et le profond désir du feu et du sang secrets m'habite. Plus encore et très au-delà je t'embrasse et c'est la paix, mon amour sans bornes, mon ciel

<u>François</u>

342.

En-tête Assemblée nationale, à Mademoiselle Anne Pingeot, 10 rue de l'Oratoire, Clermont-Ferrand, Puy-de-Dôme 63.

16 octobre 1967

Mon Anne chérie,

Je ne pouvais plus résister à l'envie que j'avais de te téléphoner et l'annonce de la grève prochaine des P et T a précipité mon appel ! De cette audace j'ai été tellement récompensé que je recommencerai... dès demain. Quelle émotion que ta voix, là, essoufflée, venue droit du verger et colorée d'automne rouge et jaune, comme l'ampélopsis et les forêts de hêtres. Je t'imaginais avec des bottes, le teint que donne l'air, sain à susciter les baisers sur les joues, le regard vert-bleu des jours d'innocence, la longue démarche pour chemins d'Auvergne, sous le vent, à plein ciel. Je crois bien mon Nanour que je suis amoureux de toi !

Moi, après t'avoir écrit d'Orly je suis rentré en taxi, sous la pluie crachineuse, je me suis changé en velours marron et j'ai aussitôt regratté mon interview à l'*Observateur*. De Galard est venu la chercher vers 10 h 30 et je l'ai gardé, faute d'avoir terminé jusqu'à minuit. Ce matin golf-Odette (enfin ! la tradition était rompue depuis juin !) puis interview Ferniot pour *France-Soir*, avant de te téléphoner (bonheur !) et de partir déjeuner avec le susdit chez Charles Gombault, l'un des patrons de ce journal. Je suis retourné à l'*Observateur* où, sur le marbre, j'ai corrigé mes morasses. À 5 heures j'étais chez moi d'où je t'écris. Je recevrai ensuite Gisèle Halimi (je fais une conférence pour son club demain), un journaliste de *Newsweek* (troisième interview de la journée), deux collaborateurs.

Pendant le voyage j'ai lu le dernier Paul Guimard *Les Choses de la vie*, de la veine du précédent, avec un sujet peut-être moins original. Je te l'apporterai. La grâce et le délié du style, les sourires de la pensée, la rapidité du temps : voilà un bon écrivain.

Projets pour la semaine prochaine.

Si Gédé part jeudi inutile de bâtir des plans sur la comète ! Je pensais te prendre le soir, aller vers Roanne, et Charlieu, et revenir le lendemain par avion. Donc c'est samedi que nous nous retrouverions. Ce jour-là je déjeune avec les maires de la Nièvre, à Nevers (Beaugency !). L'après-midi ou en fin de soirée je puis te rejoindre à Clermont ou ailleurs (Moulins, Vichy).

Il faut que je sois à Millau (Aveyron) à 11 h 30 dimanche. Je reviendrai dans la nuit, peut-être via Clermont (sûrement si tu es avec moi ou si je dois passer te prendre pour te ramener à Paris).

En effet je compte que nous prendrons l'avion mardi matin pour rentrer vendredi après-midi. Je me fais une telle joie de ce voyage et je me sens l'esprit avide d'admirer, le cœur avide d'aimer. La beauté en ta compagnie, la beauté des choses, miroir du rêve qui nous habite et toi le long du jour et de la nuit !

Mon Anne très aimée je t'appellerai à Louvet demain à midi, en cas d'échec à 7 heures. Nous mettrons cela au point. Je t'aime et je voudrais tant t'embrasser, lente montée des forces profondes qui éclatent dans le soleil

François

343.

En-tête Assemblée nationale, à Mademoiselle Anne Pingeot, 10 rue de l'Oratoire, Clermont-Ferrand, Puy-de-Dôme 63.

17 octobre 1967

Mon Anne aimée,
Ce ne sera qu'une petite lettre aujourd'hui. Tu le mérites bien d'ailleurs si j'en juge par le vide de mon courrier !

Ce matin j'ai travaillé deux heures avec mes amis de la Convention, puis j'ai reçu Tournoux, de *Paris-Match*. J'ai déjeuné avec Hernu et Aubert et je suis depuis le début de l'après-midi à l'Assemblée. Ce soir je fais une réunion avec ton ami Maurice Duverger.

Que j'aimais t'entendre à midi ! Voix si chère. N'oublie pas : samedi, 19 h 30, Saint-Germain-Lembron, mairie. Le lendemain matin ou bien tu rentreras à Louvet ou bien je t'emmènerai à Millau et Rodez. Sans doute vaut-il mieux pour toi rentrer à Louvet pour ne pas t'ennuyer dans cet Aveyron sans moi puisque je serai confisqué par la politique jusqu'au soir (22 heures). De toute façon un avion partira mardi pour l'Italie (mardi matin)…

Je vous embrasse ma femme mon amour. Ah ! que j'ai envie de vos bras et du creux de votre épaule et de vous, que j'ai envie d'être et de demeurer près de vous

François

344.

En-tête Assemblée nationale, à Mademoiselle Anne Pingeot, 10 rue de l'Oratoire, Clermont-Ferrand, Puy-de-Dôme 63.

18 octobre 1967

Chérie Anne,

Je vous aime. Je pense beaucoup à vous. Ce qui frappe ma mémoire amoureuse ? La démarche d'un être plein de grâce et qui cherche à voir et à comprendre. La possession m'attache à toi durement, profondément. Peut-être suis-je uni à toi davantage par la recherche de la beauté et du secret du monde.

Hier soir débat avec Duverger. Au moins 800 personnes entassées dans un petit cinéma. À la sortie, j'ai pris un peu froid à cause du vent méchant qui balayait les rues. Ce matin j'ai joué au golf avec Rousselet et Neubrun, mieux que mercredi dernier. J'ai pris deux balles à Rousselet, égalité avec Neubrun.

Déjeuner avec Defferre, Dayan, Rousselet, Dumas, Estier… j'ai maintenant un après-midi très chargé de rendez-vous et ce soir, débat à la Mutualité sur les structures de la Convention.

Mon amour, mon amour merci de ta lettre qui a le goût des

pommes et des fleurs d'arrière-saison qui ont de si belles couleurs. Je t'appellerai demain à midi comme prévu. Sinon, à 7 heures.

Si nous nous manquons, samedi je serai à Saint-Germain-Lembron à 19 h 30 (mairie).

Te dire que tu me manques, que j'ai besoin de toi ? Oui, faim, j'ai faim d'Anne et de connaître la violence d'être.

Je suis à toi

<u>François</u>

Dessin d'une carte de Venise et des îles.

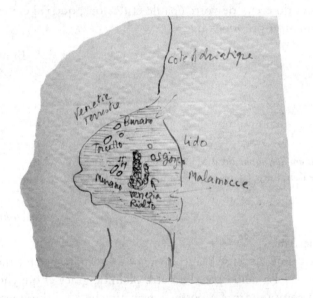

345.

En-tête Assemblée nationale, à Mademoiselle Anne Pingeot,
10 rue de l'Oratoire, Clermont-Ferrand, Puy-de-Dôme 63.

Hossegor, 28 octobre 1967

Mon amour d'Anne,
Claude Léglise, prévenu par Gilbert, m'attendait à la gare de Bayonne. Heureusement ! J'avais oublié la clef de la maison et celle-ci n'avait été ni préparée ni chauffée. J'ai remis sur place tout en ordre et me suis plongé dans mon lit où j'ai passé ma matinée à lire, somnoler, rêver. Dehors, un grand vent qui portait des nuages pour les chasser aussitôt donnait au ciel sa part de clair et son poids d'obscur : l'automne, quoi, vivant, mourant, glorieux, mélancolique. Je t'ai, comme tu le sais, téléphoné. J'aimais, j'aimais ta voix mais elle était si lointaine ! À midi j'étais sur le chantier de Latche, très avancé avec des boiseries, le ciment sur les murs, les bois xylophénés, un air de vraie maison. Je suis allé déjeuner au Pot de résine et l'après-midi j'ai retrouvé ma chambre, mon demi-sommeil, mes lectures (Venise et la Révolution d'octobre), mes rêves.
Saint-Périer arrive ce soir. Gilbert demain. Il y a des géraniums en bel état dans le patio et des cotonéaster en fruits rouges et jaunes. L'été a tenu longtemps, les plantes ont monté, monté et commencent de retomber du haut.
Je vous aime, mon Anne heureuse de Saint-Marc. Vivre avec toi, te voir vivre, j'ai le cœur plein de tes images.
Anne mon amour je te cherchais cette nuit contre moi dans le roulement du train, de la nuit, je te cherche toujours

<u>François</u>

P.-S. Un saint d'Auvergne en supplément, voir texte joint.

Coupure de presse sans référence : « La canonisation de frère Bénilde ».

346.

En-tête Assemblée nationale, à Mademoiselle Anne Pingeot,
10 rue de l'Oratoire, Clermont-Ferrand, Puy-de-Dôme 63.

Hossegor, 30 octobre 1967

Mon amour,
La pluie en tornade a occupé toute la nuit. J'aime la pluie, l'odeur qu'elle tire de la terre, le bruit de ses coups sur la forêt. Hier la partie de golf n'a pas pu dépasser le huitième trou !
C'est dire ! Guy et moi avons dîné au Pot de résine, silencieux, ciré, paisible. J'avais revisité Latche avec les Destouesse – avec qui je dîne ce soir (à Moliets évidemment).
Anne je vous aime.
On vient me chercher pour déjeuner au golf et on joue à 2 heures. Il est 12 h 45. J'ai donc été très paresseux pour me lever. Mais, bonheur, toi, à l'autre bout du fil, toi, mon chéri !
Anne je t'aime

François

347.

En-tête Assemblée nationale, à Mademoiselle Anne Pingeot,
39 rue du Cherche-Midi, Paris VIᵉ.

Samedi 18 novembre 1967

Anne je vous aime

François

348.

Grande carte postale, New York, le Lower Manhattan vu du ciel,
à Mademoiselle Anne Pingeot, 39 rue du Cherche-Midi,
Paris VIe 75, France.

Le 19 nov. 1967

Première étape.
La Ville !
Saint-Benoît – Torcello occupent ma pensée

F

349.

En-tête Hilton Inn, San Diego, Californie,
à Mademoiselle Anne Pingeot,
39 rue du Cherche-Midi, Paris VIe, France.

Le 21 novembre 1967

Après un voyage que l'avion + le rhume ont fait défiler comme les images d'un film accéléré où l'on prend mal à la tête, me voici, mon amour chéri, à San Diego, ville étalée à la frontière du Mexique, donc tout à fait au sud de la Californie.

Auparavant je me suis arrêté vingt-quatre heures à New York (et j'en ai profité pour survoler la ville en hélicoptère ! quel spectacle !) et l'avion m'a repris, posé à Chicago, posé à Tucson (Arizona), et déposé à San Diego. Le tout en prenant neuf heures d'avance sur l'horaire parisien !

J'ai déjà harangué deux fois les étudiants locaux, entre deux éternuements (pas les bons, non, les mauvais, ceux du fichu microbe de la grippe !), je suis allé sur un golf et ai joué neuf trous avec, à portée de la balle manquée et en abrupt contrebas, le Pacifique lui-même énorme et rond, j'ai enfin visité les environs (à 50 kilomètres à l'est, c'est le désert, le vrai). Tout à l'heure je partirai pour Los Angeles où je resterai ce jour seulement. Puis ce sera San Francisco pour dix jours à l'intérieur desquels il y a le Thanksgiving Day et donc cinq jours sans qui me permettront de sauter à Las Vegas et au Grand

Canyon tout en gardant mon port d'attache dans ce « Frisco » dont tout le monde me dit qu'elle est la ville la plus attachante des USA.

En avion j'ai déjà lu *Oui, l'espoir* et entamé *Terra Amata*. Ici l'hôtel est composé de bungalows qui donnent de plain-pied sur la plage d'une sorte de lagune reliée au Pacifique (nous sommes à la latitude de Tunis).

Et toi, Nannon mon Nanour ? (Pourquoi deux n ~~ici~~ là et un seul ici ? mystères de l'orthographe et de la tendresse !) Je vous aime, je t'aime. Que fais-tu dans ce Paris habité par tous les Baluc de la terre ? Pense à moi, à Gand, au Béguinage, aux nuits des hôtels borgnes… moi j'y reporte ma pensée comme à la douceur, au bonheur, à la communion des êtres.

Je t'écrirai de San Francisco et te raconterai ce que je vis et vois. Mon Anne je vous embrasse, j'aime vos lettres et je cherche la couleur de vos yeux, là, dans le fond de la mer où se posent des mouettes et que visitent d'un vol aigu des vanneaux et des bécassines tout près encore de la naissance du monde

François

350.

En-tête Assemblée nationale, à Mademoiselle Anne Pingeot, 39 rue du Cherche-Midi, Paris VIe 75, France.

San Francisco, 22 novembre 1967

Mon amour d'Anne,

Le rythme de mes jours ne décroît pas. Hier j'ai posté à Los Angeles la lettre écrite à San Diego. Je pense qu'elle t'arrivera plus vite ainsi. Los Angeles a 7 millions d'habitants étalés dans des maisons basses et d'un style agréable sur une superficie qui égale… la moitié de la Belgique ! J'habitais dans un hôtel avec piscine et lumières typiques de Beverly Hills, tout à côté d'Hollywood, où j'ai dîné dans un restaurant polynésien. Le soir le temps s'est troublé et dans ce pays où il n'avait pas plu depuis cinq mois ça a été la tornade, et les rues étaient devenues des torrents.

J'y retournerai le 26 pour dîner avec Salinger, l'ami de John Kennedy. L'après-midi je suis allé voir les dauphins, les phoques et les morses du Marineland, banlieue de Los Angeles sur le Pacifique. Je ne regrette pas ce spectacle, incroyable et drôle, émouvant.

Ce matin très tôt (7 heures du matin) j'ai pris l'avion pour San Francisco : 700 kilomètres, moins d'une heure, par un temps splendide. San Francisco est la plus belle ville que j'aie vue aux États-Unis et l'une des plus belles du monde avec ses collines, sa baie profonde, ses formes et aussi, ce que l'on ne trouve pas souvent ici, ses proportions humaines. Cela vaut Rio. Évidemment je fais des conférences ! Quatre sont faites maintenant et ce soir la cinquième à Diablo College (le collège du Diable !).

Ensuite j'aurai cinq jours d'interruption qui seront pleinement utilisés. Avec un petit avion d'un ami américain je compte visiter le Grand Canyon, Salt Lake City et Las Vegas.

Mon amour, mon Nanon, que fais-tu toi, en ce mercredi ? (mais je t'écris à 16 heures et il est 1 heure du matin pour toi !)

Je te rêve sur les quais, au Louvre et dans notre cher quartier. Je revis les beaux moments de Belgique. Je t'attends, je te désire, je t'aime. Je compte les jours et les barre sur le calendrier ! Je n'ai pas lu un journal français mais j'ai dans mon cœur le journal le plus tendre : il commence à Nevers, Cordes, Beaugency et va jusqu'à Saint-Quentin, en attendant les autres nuits. Je t'embrasse, ma femme bien-aimée, charnelle et mystique, entre Gand et Bruges, et la même partout : toi que j'aime

François

351.

Carte postale Las Vegas, Nevada, à Mademoiselle Anne Pingeot, 39 rue du Cherche-Midi, Paris VIe 75, France.

Le 24 nov. 1967

Une nuit à Las Vegas, jet de lumière dans le désert le plus aride, orgie du jeu et du bruit. Une lettre suit. Cette carte vous dira ma pensée de chaque jour

F

352.

Grande carte postale, Grand Canyon, Arizona,
à Mademoiselle Anne Pingeot,
39 rue du Cherche-Midi, Paris VIᵉ 75, France.

Le 25 nov. 1967

L'un des plus grands et des plus beaux spectacles du monde. Un ciel pur et d'un bleu minéral. Un autre monde, peut-être une autre terre.

Mais à travers l'espace c'est le même <u>F</u> qui vous embrasse.

353.

En-tête Assemblée nationale, à Mademoiselle Anne Pingeot,
39 rue du Cherche-Midi, Paris VIᵉ 75, France.

Los Angeles, 26 novembre 1967

Mon amour d'Anne, mes cartes ont dû te dire à peu près l'itinéraire de ce week-end prolongé, commencé par le Thanksgiving Day et poursuivi jusqu'à ce soir, dimanche. Le Thanksgiving tu le sais est le jour d'action de grâces en souvenir de l'arrivée du *Mayflower* et de la certitude qu'il était possible de vivre sur cette terre nouvelle, puisqu'il… y avait des dindons sauvages. Ce jour-là c'est le vide absolu en Amérique. Nous sommes donc partis dans un petit avion de San Francisco (semblable au Paris du 15 août) à Las Vegas. Surprise : après l'admirable site de San Francisco, une vallée fertile puis c'est une chaîne de montagnes – et le désert. Un immense désert aux vallonnements et aux plissements grandioses. Nous sommes passés par-dessus la « Vallée de la Mort » que nul ne peut franchir aux mois d'été, et nous avons plongé sur Las Vegas, inimaginable invention humaine. Las Vegas est une rue au milieu du chaos et de la désolation, une rue fantastique bordée des palaces les plus fous, dans un mouvement démesuré de lumières.

Dans ces palaces, généralement construits avec goût, il faut se frotter les yeux pour croire en ce que l'on voit : des jeux, par centaines, par milliers, partout, des machines à sous, du music-hall au bar, dans chaque salle, des gens sortis d'un astre mort. Au loin les montagnes découpent durement le ciel, avec çà et là, des croupes neigeuses qui rappellent qu'il s'agit de la sierra Nevada et, toujours ~~les,~~ la porte ouverte sur le désert, qui pénètre et domine le spectacle. À minuit, à 7 heures, à midi, tout le temps, un jeu infernal absorbe les touristes venus par avion ou en voiture de tous les coins de l'Amérique. (Il faut faire au moins 200 kilomètres avant de retrouver un endroit habité.)

Samedi, changement de décor. L'avion (un Aero Commander bimoteur) nous a posés au Grand Canyon. 2 000 mètres d'altitude. Un froid vif (à Las Vegas on crevait de chaleur). Un air si pur. Des forêts, un plateau sorti des films pour Indiens, et soudain le plus somptueux miracle de la nature : ce grand canyon dont les deux lèvres sont séparées par 20 bons kilomètres et qui offre le visage ravagé, admirable des millénaires disparus. De violentes couleurs où domine l'ocre rouge, le fleuve Colorado au bas, à 1 500 mètres de profondeur, des roches colossales dessinées et creusées comme des gorges du Tarn multipliées par un coefficient géométrique, le surréalisme de l'eau et du vent qui ont patiemment travaillé cette terre friable. Je te raconterai. Au sommet des grandes réussites naturelles, au-delà même de ce que l'on peut attendre du hasard, acharné à modeler les entrailles du monde.

Hier samedi, paix. Nous sommes descendus vers Palm Springs, station également conquise sur le désert, mais à 200 kilomètres à peine à l'est de Los Angeles, un Deauville du golf. Là encore les constructions sont très simples et belles. Mais cette banlieue chic avec palmiers et links n'a pas d'autre intérêt. (J'y ai joué cependant neuf trous. À grand-peine : il y a vingt-six parcours et... les joueurs sont inscrits à partir... de 6 h 15 du matin !)

Maintenant me voici à Los Angeles. Je dîne chez Pierre Salinger, le compagnon de John Kennedy. Demain je serai à Monterey, le Saint-Paul-de-Vence de la Californie, au sud de San Francisco et mardi je reprendrai mes conférences autour de cette dernière ville. Je te raconterai.

Mon amour, je m'attarde dans ces récits et descriptions. Mais sais-tu que je pense beaucoup, beaucoup au 26 octobre, il y a un mois ? Que nous étions heureux !

Tu es mon Anne et tu me manques, très [toute la suite est écrite verticalement :] chérie, tu me manques en profondeur. Je voudrais ton regard et ta bouche, je voudrais ton corps où s'apaise et s'émerveille le mien, je voudrais le silence qui suit le grand mouvement de la joie. Je t'aime

François

354.

En-tête Assemblée nationale, à Mademoiselle Anne Pingeot,
39 rue du Cherche-Midi, Paris VIe 75, France.

Ontario, 29 novembre 1967

Mon Anne, mon amour,

J'entends encore ta voix trembler à l'autre bout du fil, à l'autre bout du monde.

Ai-je été cruel en te réveillant en pleine nuit, ma dormeuse chérie ? je n'ai pu résister à l'envie de t'appeler après onze jours d'absence et de silence. En effet je n'ai à l'heure actuelle rien reçu de toi depuis mon départ de France. On pouvait imaginer que les volcans d'Auvergne avaient enseveli les terres d'alentour ou que mon Anne, oublieuse de la vie antérieure, ne savait plus qu'un voyageur portait au loin le prénom de François.

Je t'écris d'Ontario, petite ville à 60 miles à l'est de Los Angeles. J'ai quitté San Francisco par avion ce matin. J'y retournerai par le même chemin après ma conférence. J'ai pour l'instant une vie d'enfer, entre mes collèges et mes universités et l'appétit excessif des Américains pour la discussion. Pas une demi-heure par jour qui soit libre ! J'ai dû me fâcher pour desserrer l'étreinte. D'autant plus que les distances sont énormes et que tout déplacement se traduit par des heures de voiture à l'intérieur d'une même ville.

Depuis ma dernière lettre je suis resté un jour à Los Angeles chez Pierre Salinger, le conseiller de Kennedy, où j'ai dîné et couché. Dîner intéressant avec notamment l'ancien gouverneur de Californie Brown, plusieurs dirigeants démocrates ainsi que l'actrice Shirley MacLaine. On a discuté tard, avec, en bas, sous nos fenêtres la ville monstrueuse qui occupait tout l'horizon, Hollywood, Beverly Hills, Ensino, etc. Le lendemain je suis allé à Monterey et Carmel, petites villes résidentielles à 500 kilomètres au nord, construites dans un très beau site au bord du Pacifique et où sont les plus étonnants golfs d'Amérique. J'y ai joué six trous, à Cypress Point, dont le fameux trou n° 16, l'un des plus connus du monde (parles-en à Diesel !) qui consiste en un départ et un green séparés par 200 mètres de mer. Là les phoques et les morses me regardaient narquois, vautrés sur les rochers et aboyant au ciel – un peu plus loin des dizaines de cerfs, des nuées de mouettes considéraient gravement la facture de mes coups. Des arbres penchés par le vent, sous lesquels il fallait se courber, un air de Bretagne qui serait à Madère.

– Mon amour d'Anne, il faut que je parte à ma conférence. On vient me chercher. Je continuerai tout à l'heure. Je vous embrasse fort (oh ! que j'en ai envie – le goût de mon Anne. Le goût de vos lèvres !).

– Me revoici. Épuisé. C'est vraiment une moyenne de dix heures par jour consacrées à la discussion ! J'ai pu m'échapper trois fois pour six ou neuf trous de golf et encore a-t-il fallu <u>discuter</u> en marchant avec mes compagnons !

Je puis évidemment faire de mon côté des observations intéressantes mais la dose est un peu forte depuis quelques jours.

Je pense à toi, mon Anne, constamment. J'essaie de me représenter ta vie à Paris, comment se remplissent tes jours, tes soirées. Même le temps qu'il fait, le manteau que tu portes. Je songe à ta chambre du 39, aux objets de notre vie. Je rêve à toi, mon amour, quand se prépare la lente liturgie de la possession. Tu as gardé à chacun de ces gestes la valeur du rite et la noblesse des signes. J'aime ton visage qui se penche, le trouble qui ourle tes traits, la caresse de tes mains faites pour les fruits, les fleurs et la douceur d'aimer. Je sens en moi la grande houle du désir et ton corps au-dessous de moi qui s'incurve et qui s'ouvre. Tant que j'en ai la force je te regarde, mon amour, et je lis sur toi l'approche du mystère, le passage à l'indéchiffrable.

Oui je pense à toi ainsi, Anne de tous les prestiges, préservée comme au premier jour. Et je t'aime de tout mon être

François

355.

Carte postale, San Francisco, Fisherman's Wharf,
à Mademoiselle Anne Pingeot,
39 rue du Cherche-Midi, Paris VIe 75, France.

Le 1er décembre 1967

Tout un quartier de la ville grille des crabes le long du Pacifique. J'y suis venu déjeuner, près de la Porte d'or. Et là, comme ailleurs j'ai aimé penser à vous

F

356.

San Francisco, 1er décembre 1967

Mon Anne chérie,

Je quitte San Francisco avec beaucoup de peine : depuis treize jours je n'aurai eu qu'une seule fois la joie de recevoir une lettre de toi. Une seule fois. Et chaque matin, j'ai espéré. C'est usant, l'espérance !

J'en suis vraiment malheureux, aussi sot que soit cet aveu. Venise, Gand, Bruxelles et nos promenades de Paris avaient été les étapes d'un grand et vrai bonheur pour moi. Pourquoi ai-je pensé que l'absence ne nous séparerait pas ? Si tu m'aimes tu m'aimes bien mal puisque ton cœur ne te dit pas ce que je ressens. Si tu m'aimes moins (ce qui signifie, si tu ne m'aimes pas) oublie les lignes que je viens d'écrire. Elles n'ont en effet pas de sens.

Imagines-tu ce que peut être mon désarroi quand chaque matin j'ai comme un coup de lumière en pensant que le courrier va m'apporter un signe de toi ? Mais, hors hier, rien, toujours rien. Je regarde d'un drôle d'œil Patrice Pelat qui en est à sa neuvième lettre... Encore ta lettre à toi me dit-elle « j'espère que tu es heureux », et ne me donne-t-elle guère ce que j'ai toujours reçu de mon Anne.

Demain matin je pars pour New York où en raison du décalage des heures je ne serai qu'en fin d'après-midi. Puis ce sera dimanche. Ainsi le silence va-t-il encore s'épaissir. Oui, si tu m'aimes tu m'aimes bien mal.

Mes dernières journées ont été très fatigantes. Hier très tôt j'ai pris l'avion pour Ontario, près de Los Angeles, d'où je t'ai écrit. Conférence, débat, des heures à parler, à discuter avec des étudiants avides d'analyses. Je suis revenu par un très mauvais temps, avion retardé, orages, tête en feu. Le retour entre l'aéroport et l'hôtel, comme toujours interminable. Dominant cet épuisement j'ai voulu voir le « spectacle » hippy, puisque je n'avais disposé d'aucune autre après-dînée pour observer ce phénomène bouleversant dont San Francisco est l'une des capitales. Je ne le regrette pas tant est saisissante l'impression reçue. Dans une sorte de temple-bus palladium, très sombre, (normalement les hippies se réunissent dans la rue mais il pleuvait), sur une scène un orchestre de trois musiciens, très jeunes, aux longs cheveux blonds. Une dizaine d'amplificateurs du son. Un bruit à briser <u>littéralement</u> la poitrine, à fuir si l'on ne s'accroche pas. Mais avec un rythme fou. Sur trois murs, des images pâles, vaguement colorées, sans écran, épousant donc les aspérités, plans et mouvements des murs, ces images étant géométriques, se recouvrant, s'opposant, surchargées parfois de personnages fantomatiques parlant, dansant, normaux, donc burlesques. Au centre un immense visage gris pâle, les yeux clos, la bouche s'ouvrant et se fermant, torturé et pris dans une sorte de matière visqueuse, cœur ouvert, artère battante ou tout simplement flaque d'huile jetée contre une vitre, le tout ~~projeté~~ émanant de lanternes de projection installées dans le mur d'entrée et maniées par d'habiles opérateurs (ce qui laisse supposer, au-delà des hippies, l'existence de professionnels astucieux qui ont trouvé leur industrie !). Évidemment ces images sont démesurément agrandies et absorbent votre regard comme la musique votre oreille.

La musique ? surtout une batterie effrénée tenue par l'une des chevelures blondes (on ne voit que ces cheveux pris dans le rythme, tournant, se mêlant autour d'une tête dont on n'aperçoit jamais les traits, et dans laquelle jouent des faisceaux lumineux d'or et de sang). En une demi-heure le batteur a bien cassé dix baguettes, sourd à son tintamarre, insensible au déchaînement qu'il suscite, proie de la drogue et du délire. Le guitariste lance de longues plaintes hurlantes. Le troisième crie on ne sait quoi. Dans la salle la moitié des hippies, étendue, inconsciente – l'autre moitié danse sur place, chacun pour soi, prise de tressaillements, les bras en l'air, virevoltant, griffe les murs ou, comme une femme près de moi, pousse de temps à autre un long cri de bête. À l'entrée des Noirs nonchalants, des filles sans regard, des barbus aimables. J'ai mis une bonne heure à dégager mes oreilles de la compression subie, comme à la descente d'un avion. Je mettrai plus longtemps à me dégager du choc provoqué par l'explosion d'une société et peut-être d'un monde. (Je me raisonne aussi en pensant à ces malades de drogue et de l'âme qui seront plus drogués et plus privés d'âme encore quand, notaires ou directeurs de banque, ils géreront la même société.)

Ce matin j'ai fait une émission radio. Débat long, un peu ennuyeux. Mais San Francisco est sortie de la nuit et des brumes et ruisselle de lumière, de soleil, d'allégresse. Cette ville existe, contrairement à tant de cités d'Amérique. Ce soir je fais une lecture suivie d'une discussion. Je rentrerai tard – et demain, etc.

Mon Anne, j'ai le cœur plein d'amour, de tristesse – comment dire ? le cœur déçu. Je n'aime pas ce mal.

Pourquoi l'as-tu fait ? Ta lettre est un mélange. Je te retrouve dans le recueillement pour le disque de Sidney Bechet, dans la messe de Saint-Eustache, même dans la frénésie du jerk. Je ne te retrouve pas dans les phrases composées, déjà déteintes des grandes écoles, sur la fascinante Amérique, dans la demi-indifférence des quarts de tendresse.

Je t'embrasse parce que je t'aime et parce que mon être est et sera toujours bouleversé par le tien. Tant pis pour moi

François

357.

En-tête Assemblée nationale, à Mademoiselle Anne Pingeot, 39 rue du Cherche-Midi, Paris VIe 75, France.

New York, 2 décembre 1967, samedi soir

Mon Anne chérie,
Cette campagne d'Amérique tourne décidément au désastre : alors que j'espérais de toutes mes forces qu'un mot de toi m'attendrait au Barbizon Plaza, une fois de plus j'ai été horriblement déçu. J'ai trouvé là un paquet de lettres, de mon bureau, de Robert, de Carmoy etc. mais de mon Anne, rien. Pourquoi, pourquoi ? Toi qui sais la réponse, quelle est en cet instant où tu me lis l'expression de ton visage ? Tout est toujours possible et quinze jours étaient bien longs. Mais je commence aussi (est-ce pour me rassurer d'une certaine manière ?) à craindre un accident. Je me dis que m'aimant tu m'aurais écrit comme on écrit quand on aime (et ta lettre n'était pas cela, ton unique lettre) ou qu'ayant cessé de m'aimer tu aurais eu la loyauté d'attendre mon retour pour me l'apprendre autrement que par le silence, cette torture lente. Je ne puis imaginer que tu m'aies fait un tel mal par simple fantaisie.

Je n'ai su de toi que ceci depuis notre au revoir du Luxembourg : que tu étais sortie tous les soirs et tard, que tu avais beaucoup dansé, que tu « avais la GDB », que « tu étais crevée », que monter le donjon de Vincennes quand on a passé la nuit dehors est une rude épreuve… Je ne te reproche rien de tout cela. Simplement, si tu n'avais que cela à me dire c'est que tu ne me disais pas l'essentiel. Et le « je reste ton Anne » de la fin avait un air si mélancolique et si résigné…

Comme tous ceux qui aiment et que surprend le coup le plus inattendu (et pour ceux qui aiment ce que tu fais là est le coup le plus banalement inattendu) je me pose les questions éternelles qui ne comportent tragiquement qu'une réponse – éternelle elle aussi. Je te dois un tel chagrin (pourquoi s'en tenir à la pudeur des mots ? une telle douleur) que, quoi qu'il advienne, j'aurai peine à m'en guérir.

Je suis ce soir au Barbizon Plaza. Il est 11 h 30, c'est-à-dire que si j'étais resté en Californie il serait 8 h 30. Je me suis rapproché de toi d'un bond de plus de 4 000 kilomètres.

À San Francisco il faisait un temps splendide. Nous avons rencontré les premiers nuages après les montagnes Rocheuses. Pendant la première heure j'ai regardé, l'œil perdu, cet immense désert traversé de chaînes acérées et parallèles du Nord au Sud et damé de vallées grises où l'homme semble n'avoir jamais marché. Soudain la tache rouge des canyons et le trait fin du Colorado, le moutonnement d'une terre livrée aux plus folles humeurs des eaux et des vents, crée le plus étonnant contraste. Mais le désert s'impose à nouveau jusqu'à la deuxième heure où l'on voit la trace humaine coloniser timidement l'astre indifférent qu'était cette terre d'un autre Système solaire. La troisième heure est celle du plat pays, du Middle West, avec ses champs tirés au cordeau pour une agriculture qui n'est qu'une industrie. L'horizon rond, la plaine sans bosses ni replis. On se demande de quoi sont remplis les jours – du rêve ? Mais d'où surgirait-il ? Il est vrai que le rêve naît de l'âme et n'a besoin de rien pour créer sa matière.

Quant à la quatrième heure elle est celle de nos dimensions, du moins tant qu'on ne parvient pas à la côte atlantique et aux abords du monstre New York. Des collines, des fleuves, des haies, des villages, des fumées, de l'herbe, des bois. ~~Et~~ La nuit est venue à l'allure du galop, comme tombe le sommeil d'un enfant, quand nous avons survolé les vieilles colonies d'Angleterre. New York scintillait de tous ses feux, franchie la sombre lagune, et puis, nous a saisis.

Du dîner je ne parlerai que pour dire que malade de toi et de ton silence et de mes pensées il a été le supplice que tu connais peut-être quand tout est effort, et la gorge serrée, et les jambes sans nerfs. J'ai décidé d'être simple avec toi et je suis sûr que tu ne confondras pas cet aveu avec la plainte geignarde de ceux qui ont perdu leur amour : je vis une grande souffrance. Tout ce temps d'aujourd'hui, dans ce ciel, à rêver, à reprendre espoir, à retrouver confiance en toi ! – et ce portier d'hôtel qui tend les lettres, et mon regard qui cherche, qui cherche l'écriture de mon Anne bien-aimée, et cette brisure à nouveau, cette fin au milieu de la foule d'un samedi soir, exubérante, dévorante.

Crois-moi, je ne me raccroche pas aux branches de nos belles images. Mais j'ai là, devant moi, nos photographies de Venise. Je songe à la paix du jardin de Torcello. À ton cri incessant « Oh ! je t'aime ». Je songe à mon amour pour toi, pureté retrouvée, merveille, vie transportée aux cimes. Et je ne comprends pas, comme on ne comprend ni la blessure, ni la mort

François

Dimanche matin, 3 déc.

Je relis ma lettre. Dois-je te l'envoyer ? je m'interroge. Mais je conclus que puisque je ressens cette angoisse je dois te la dire. J'ai téléphoné il y a un instant, sachant que pour toi il serait 6 heures de l'après-midi. Babeth m'a indiqué que tu étais sortie avec Diesel et Bibiche. Comme je t'espérais, mon amour !

J'arriverai peut-être jeudi au début de l'après-midi à Paris (si je peux attraper un avion de nuit après ma dernière conférence mercredi à l'université Columbia). Que ce serait bien de gagner un jour ! je t'appellerai aussitôt ! Je te le confirmerai dès que possible.

Sais-tu à quoi je songe, en terminant ? À mon arrivée la nuit à Saint-Benoît, après ma grande fatigue de La Charité. Finis les miasmes, le mal : tu étais là. Bonheur de Saint-Benoît, des lupins – et de tes bras ouverts pour la plus profonde paix

François

358.

En-tête Assemblée nationale, à Mademoiselle Anne Pingeot, 39 rue du Cherche-Midi, Paris VIe 75, France.

New York, 4 décembre 1967

Mon amour chéri,

Que ce coup de fil d'hier soir m'a fait de bien ! Ta voix, je la reconnaissais, elle, exactement. Elle était celle de notre union, de notre joie, mieux encore, de ce domaine rare et précieux que l'amour nous a permis d'atteindre et dont les itinéraires, de Cordes à Gand, sont l'histoire d'un bonheur sur la terre, et pourquoi pas un petit peu dans le ciel. Elle me manquait, tu sais, cette voix et surtout, me manquait ce qu'elle exprimait. Tes lettres (ce matin j'ai reçu la deuxième) j'ai aimé les découvrir dans le casier postal, mais elles m'ont laissé sur ma faim ! Non qu'elles aient manqué de tendresse mais elles ne portaient rien.

Et je te voyais toujours en ce dernier matin du Luxembourg et de la rue de Sèvres, si proche, si profondément liée, si immédiate, que je ne comprenais pas cette mutation subite, incroyable, que je ne comprenais pas cette rupture de ton. Il me faudrait être très subtil et très honnête pour exprimer exactement ce que j'ai ressenti. D'abord (et je suis sûr que tu ne feras pas le contresens) je n'ai pas été du tout agacé ou irrité de tes multiples danses, sorties et balades nocturnes. Pourtant je dois préciser encore ma pensée : si j'avais trente ans, que tu sois à moi comme tu l'es, que nous ayons à bâtir en toute certitude notre vie ensemble, je crois bien que je ne supporterais pas que, sauf accident ou circonstance particulière, tu puisses jouer le jeu, ce jeu-là. Toi, entre les bras d'un autre, avec le rire, l'alcool, l'entraînement normal du rythme, me paraîtrait insupportable, antinomique en tout cas avec ce grand don sacré de l'être qu'est l'amour partagé. Si donc je puis l'accepter c'est parce que j'ai vingt ans de plus et que je ne ne me reconnais pas le droit de t'empêcher de vivre comme on vit à vingt-quatre ans et qu'on est une Anne délicieuse et drôlement tentante et bien un peu tentée. Puisque, moi, je ne te donne pas cela j'admets que tu l'aies autrement. Seulement, voilà : je t'aime et si je juge que ce serait injuste, et même sot, de te priver d'une part de plaisir à laquelle tu peux prétendre, je ne suis pas complaisant. Et, en l'occasion (là, c'est être honnête !) je trouve que tu en as trop usé. Non pas trop en nombre d'heures ou de soirées, mais trop – moralement, psychologiquement, et très au fond, sentimentalement. Il n'est pas possible d'y échapper, mon Anne chérie, et notre amour, ton amour se brûlera les ailes à petit feu. Mais il ne s'agit pas de te mettre en garde il s'agit de comprendre (et d'apprendre, de mon côté, à mieux t'aimer). Rappelle-toi nos conversations sur l'unité de l'esprit et, avec Pascal, sur le divertissement. Le secret de l'être est si mystérieux. Je te l'accorde : zut pour l'absolu ! du soir au matin et à longueur d'année pour un homme qui part loin, longtemps, qui t'arrache à toi-même, à ton milieu ! et pourquoi donc ? Zut pour l'absolu, et pour la majuscule du mot amour avec ce voyageur de l'impossible qui pour l'instant t'écrit de New York ! C'est aussi de ta faute, amour de fille : tu as placé notre amour sur un tel plan de réussite que j'y ai pris goût et que je n'ai pas envie de descendre, degré par degré, les cercles du paradis.

Mais revenons-y : il faut essayer de comprendre. Voici mon explication : tu as eu peur de souffrir et tu as situé mon voyage là où il n'était pas. Je suis allé « aux États » (bravo pour ton information !) pour m'informer, me tenir au courant… et gagner quelque argent, pas pour me distraire ni pour changer d'air (ah ! l'air de nos amours, de Chanterelle à Sidney Bechet !). J'avais <u>très</u> mal de te quitter, surtout après l'enchantement continu de ces derniers mois. Ce mal ne pouvait être pansé que par une Nanour semblable à la jeune fille de la garenne. Et non pas par cette Anne charmante et charmeuse pour célibataires, pas par cette Anne indifférente et appliquée qui « ne voulait pas penser à moi et y avait presque réussi ». Peur de souffrir ? Oh ! Je devine ce monde en toi que ta pudeur ne me dit pas : l'amour déchirant qui souvent t'habite et qui ravagerait s'il n'était contenu, ou distrait, ou ravalé au plus secret de toi. Mais quoi ? l'absence peut être aussi la présence informelle de deux êtres merveilleusement unis.

Et puis zut encore ! Je ne veux pas faire le sermonneur, car je vous adore mon Nannon et je sais aussi les merveilles de votre cœur autant que les exigences de votre esprit. En tout cas j'ai pensé qu'il ne serait pas vain de te dire quelques-uns de mes cheminements – de mes déchirements.

Pour le reste je n'ai pas obtenu d'avion mercredi soir : il n'en part pas si tard. Je ne serai donc à Paris que vers 11 heures-minuit, jeudi soir. Je t'appellerai vendredi matin avant 9 heures. Tout triste d'un jour perdu.

Terriblement heureux de te retrouver.

Si mon comité exécutif a lieu l'après-midi (je ne sais plus) garde-moi ta matinée. Il me semble que je serai muet d'émotion !

Ce matin, vu Rockefeller, gouverneur de l'État de NY et candidat sérieux à la Présidence – contact très utile. Je vais maintenant à ma première conférence d'ici, devant un « conseil » très fermé. New York, après la pluie d'hier, est un enchantement de clarté, mais froide.

Voilà une lettre qui s'achève et je ne t'ai pas dit que je brûle de toi de tout mon sang, que mon corps est perdu de désir pour Anne de la grande Lande, que je bois en toi, mon lac secret, que je t'aime à m'y engloutir

François

359.

En-tête Assemblée nationale, à Mademoiselle Anne Pingeot,
39 rue du Cherche-Midi, Paris VIe 75, France.

New York, 5 décembre 1967

Mon amour, je vous aime.

Ce voyage se termine enfin. Tu me l'as fait rudement pénible, merci. C'est vrai que tes deux premières lettres ne me sont pas parvenues, mais quatre lettres écrites en dix-sept jours qui n'ont pas été particulièrement absorbés par l'étude du droit, ce n'est pas non plus l'expression d'un amour délirant !

Anne, mon Anne, comment vivre sans un amour qui brûle et consume corps et âme enfin solidaires ? J'en ai rêvé avec toi, j'y ai cru. J'en rêve encore. J'y crois encore. Mais en me moquant de moi-même, assez vain pour imaginer que je puis dominer l'ordre des choses. Paradoxe : espérer sans espoir. Pourtant, pourtant cette Anne miraculeuse que j'aime passionnément, elle existe, ou bien elle a existé. Je ne voudrais pas apprendre à t'aimer modérément, par prudence ou par sagesse, ou par peur de recevoir de tels coups. Ce serait pire que ne pas t'aimer. M'accommoder, horrible mot !

Tu sais que jusqu'à ma mort je n'accepterai jamais l'accommodement avec moi-même. C'est ma façon à moi de défier le temps et l'usure du temps. Eh bien l'Anne de ce mois de novembre, chiche de lettres, divertie jusqu'à l'excès, contact coupé avec la vie profonde d'un amour, et non pas celle qui me ravit, qui peut jerker, j'en suis sûr toute la nuit, éclaboussante de plaisir de vivre parce qu'elle aime et parce qu'elle défie l'absence, parce qu'elle est amour-sûr-de-soi-présent-et-dominant (oui, cette jerkeuse-là m'amuse, me plaît, me fait rire, me séduit et elle peut bien se coucher à 6 heures du matin, après avoir accroché à son char un garçon de circonstance, ça m'est au fond égal, c'est mon Anne, la même que celle dont le cri déchire les frontières de la possession). Eh bien l'Anne de ce mois de novembre qui-se-rattrapait-de-trois-années-sans-danser, comme on se drogue et non comme on s'épanouit, avec en soi la sève forte d'un amour tout-puissant, l'Anne auvergnate qui économise sa pensée, sa sensibilité et ses timbres, ce n'est pas avec ça qu'on peut franchir la distance qui sépare de rien de tout.

Tu me trouves sévère ? Non, je t'écris au fil de ce que j'éprouve. Et puis je t'adore, mon adorable femme. Je ne te supporte pas quand tu n'es pas supportable, voilà tout.

J'ai tellement envie de prendre ta tête dans mes mains, de caresser tes tempes, d'embrasser l'angle des yeux et du nez, Anne de la Garenne, fiancée sauvage et pure qui songe à l'inconnu auquel elle donnera son vrai premier baiser, Anne de Chênehutte d'une incroyable noblesse, paumes ouvertes devant la vie, Anne fervente et sensuelle dont la jouissance est celle d'un fruit mûr au beau soleil du plein été et qui sait que sa courbe unit ciel et terre et qu'on ne tombe pas en parcourant le cycle qui signifie la vie au-delà de la mort, Anne, je t'aime.

Ce qui se passe ici ? J'ai parlé devant le club le plus fermé des dirigeants américains où conférence et dîner n'ont été qu'un échange ! Pittoresque, instructif, fécond. New York hier soir était frappé par le soleil couchant de telle façon que de ma fenêtre (seizième étage sur trente-six, et donnant sur Central Park) je voyais le front de la Ve Avenue, colossal, irrégulier, mais avec seulement des surfaces plates quadrillées d'ouvertures lumineuses, j'y voyais cette masse altière comme une frontière de pierre et de verre léchée par d'extraordinaires fulgurances et loin de me sentir porté par la venue des siècles futurs j'avais le sentiment d'un Gustave Doré, travaillant pour une fois dans les tons clairs et dessinant le songe fantastique de l'homme troglodyte.

Aujourd'hui, je parle à l'Alliance française (trois heures) et au Foreign Policy (cinq heures). Que c'est long de t'attendre. Mardi, mercredi, jeudi. M'attends-tu ? Oui ? Non ? Vraiment ?

Je t'appellerai et te verrai vendredi matin. C'est presque impossible à imaginer. Es-tu mon Anne ? Ta voix me le disait.

Je t'aime

François

360.

Carte postale, New York City, Queensboro Bridge,
à Mademoiselle Anne Pingeot,
39 rue du Cherche-Midi, Paris VIe 75, France.

Le 6 déc. 1967

À vous.

F.

361.

Le 20 décembre 1967

L'ŒUF. Comédie de Félicien Marceau. Décors et costumes de Jacques Noël.
Mise en scène d'André Barsacq.

Thérèse, Anne François Pingeot, Paulette, Michel Barbot, François
Mitterrand.

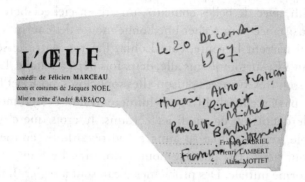

362.

En-tête Assemblée nationale, à Mademoiselle Anne Pingeot,
10 rue de l'Oratoire, Clermont-Ferrand, Puy-de-Dôme 63.

Hossegor, le 26 décembre 1967

D'abord, mon amour d'Anne, te dire que la nouvelle que m'a donnée Gérard ce matin m'a fait de la peine pour Martine-Hervé et pour
vous tous. L'espoir évanoui au plein de ce bonheur si émouvant, si
rare est comme un coup au cœur. Je pense à toi, ma très chérie.

Mon voyage a suivi l'itinéraire prévu : Moulins-Jarnac ou plutôt
Saint-Simon où nous sommes arrivés vers 8 heures ; veillée de Noël
paisible, avec les deux bougies de cire d'abeille allumées (je te voyais,
à Vézelay, encore entourée des ombres de la crypte) ; nuit dans cette
Charente de mon enfance ; matin à Jarnac, à la maison (mélancolie,
douceur, amitié des choses) puis au cimetière ; départ pour Hossegor
à travers les vignes, arrêt déjeuner à Bordeaux, arrêt clef à Moliets,
arrêt œil du maître à Latche, et arrivée sur le coup de 6 heures.

J'ai travaillé le bouquin économique préparé par Soudet et son équipe, intéressant, pas très bien écrit, dont j'ai corrigé dix-sept pages. Dîner au golf, retravaillé tard dans la nuit, posé Che Guevara dans ma chambre, et dormi, dormi... au point que je n'ai pas entendu le réveil sonner, pourtant soigneusement préparé à cette fin ! Il était 10 h 30 quand je me suis réveillé. J'ai aussitôt appelé l'Oratoire, où j'ai obtenu Gérard...

Ici la tempête a sauvagement fait gémir et tournoyer les pins, prêtant à la maison l'allure d'une carène affrontant l'océan. Il a plu, à croire que la mer frappait à la porte. Mais le soleil est venu cet après-midi, avec de belles couleurs, un arc-en-ciel éclaboussant, et assez d'insistance pour sécher une bonne moitié des énormes flaques d'eau qui barrent la route, côté Lohia. J'ai rencontré le sénateur Portmann ! Et surtout je suis allé, deux fois déjà, à Latche. Les deux maisons sont très avancées puisqu'elles sont closes, portes et fenêtres en place, pavé scellé, chauffage et lumière. Il faut évidemment finir un tas de détails ou en modifier certains. Je crois que c'est, dans l'ensemble, réussi et que tu aimeras (je rêve de t'y emmener cet hiver, pour voir, et si possible pour y dormir). Le four est rétabli dans sa forme initiale. Des problèmes d'eau sont à régler. Il manque quelques planches. Les abords doivent être nettoyés. Enfin, on arrive au bout.

Restera l'ameublement : ce sera agréable de s'en occuper, et difficile.

Je n'ai pas encore joué au golf et demeure engourdi. Ce sera pour demain ! Saint-Périer est là, Neubrun s'annonce. J'ai envie de finir le bouquin et de me promener. La nuit de Noël a été nourrie de pensées très tendres pour toi, mon amour. Je t'imaginais très bien sous ta fanchon noire dans l'église de Vic-le-Comte. Et j'avais le sentiment d'une profonde unité, très au-delà des sens, là où plonge l'esprit, ou bien là où il naît.

Mon Anne, mon amour j'espère t'obtenir dans un moment au téléphone. Tu dois être bien triste avec cet accident de Martin. Je me sens si solidaire et je pense à notre soir avec elle de Mérindol-les-Oliviers.

Je t'embrasse, je t'aime, je regarde tes yeux, comme à Moulins quand je te disais, Anne, tous tes prestiges inchangés, Anne, mon Anne

François

363.

En-tête Assemblée nationale, à Mademoiselle Anne Pingeot,
10 rue de l'Oratoire, Clermont-Ferrand, Puy-de-Dôme 63.

Hossegor, 27 décembre 1967

Mon amour chéri,
Voici une toute petite lettre, mais qui se sent tendre, si tendre,
toute tendre pour Anne, mon Anne. Il est 1 heure de l'après-midi,
Guy m'attend pour déjeuner et nourrit des intentions golfiques. Cela
risque de nous mener au-delà de la fatidique levée de 5 h 30 et de
bloquer cette lettre qui se sent tendre, si tendre, et qui a envie de te
rejoindre à toute allure.

J'ai, ce matin, corrigé sept pages de ce style lourd des économistes,
de ce style précis quand il s'agit de la technique, toujours impropre
dès qu'il faut retrouver les grâces naturelles, d ou plus simplement
la correction, du langage. Cela m'a pris du temps, avant de conduire
Clairette Sarrazin (qui part ce soir pour Lyon) chez la dentiste de
Capbreton. Je n'ai pas pu t'appeler ce matin au téléphone de ma maison car il était en dérangement.

J'espère qu'il sera réparé avant demain.

Il fait beau, doux, couleur chat de Perse. J'ai reçu ta lettre, que
j'aime et que j'ai là, sur moi, avant de la relire en paix. Qui est-ce
« papa Mory » ?

J'ai ressenti ta joie calme et profonde de Noël, de l'affection familiale, du retour parmi les tiens, ta tribu. Je me suis reconnu dans tes
impressions. L'absence n'a pas encore pesé sur la présence intime, celle
de l'âme, du corps encore lié, du souvenir vivant.

Je vais me mettre dans *La République de Venise* de Charles Diehl,
célèbre spécialiste de Byzance. J'aimerai infiniment retrouver nos pas
du bonheur, nos pas d'septembre octobre, notre cortège lent notre
splendeur, au travers de ce livre que je pourrai comparer à celui de
Bailly, déjà si intéressant. Vive Venise ! (Un regard sur de très chères
photos ajoute à mon plaisir !)

Anne, ma bien-aimée, je voudrais aussi te cerner de mes bras,
te ployer, t'étreindre et puis caresser la fraîcheur de ta bouche, ô
décembre déjà lourd du printemps

François

364.

En-tête Assemblée nationale, à Mademoiselle Anne Pingeot,
10 rue de l'Oratoire, Clermont-Ferrand, Puy-de-Dôme 63.

Hossegor, 28 décembre 1967

Mon Anne aimée,

Après dix-huit trous de golf (91, s'il vous plaît !) et douze pages de texte, plus un article pour *Le Courrier de la Nièvre*, je mourais de sommeil, ce soir, en rentrant d'un bref dîner au Pot de résine. Eh bien, il est minuit et demi et je suis encore là, à travailler, lettre pour mon Nannon non écrite ! Vite je vais au lit. La mer gronde, tout près. Le feu allumé par Saint-Périer (parti depuis longtemps) achève de craquer les dernières braises. Je re-meurs de sommeil !

Mais je t'aime et te voudrais bien, ma longue fille aimée, pour une nuit de silence et de joie ! Voici en tout cas ce petit mot et, au bas de la page, voici que je t'embrasse

de tout mon être, amour

François

365.

En-tête Assemblée nationale, à Mademoiselle Anne Pingeot,
10 rue de l'Oratoire, Clermont-Ferrand, Puy-de-Dôme 63.

Hossegor, 29 décembre 1967

Mon amour,

Hum ! pas de lettre ce matin ! Mais je suis de très bonne humeur, très heureux quand même grâce à ta voix entendue comme je l'aime, gaie, vraie, accordée. Je suis là, à ma table. J'ai écrit un article, réfléchi, noté dans un calme absolu. Un joli soleil succède à la pluie dans un ciel partagé mais qui penche plutôt du côté de la lumière.

J'ai avancé dans mon travail de correcteur ès sciences économiques : cinquante-deux pages sur soixante-neuf. Je m'occupe aussi de mon terrain et fais construire un petit escalier derrière la chaufferie. Je suis seul. Mais mon cœur est avec Anne, auprès d'Anne. Je t'aime.

J'ai regardé les horaires des trains pour que nous puissions nous retrouver le 2. Je n'en vois que deux : soit Gannat-Limoges (avec changement à Montluçon), départ 16 h 31 arrivée 21 h 27 ; soit (ce qui me paraît préférable) Clermont-Brive, départ 14 h 28, arrivée 18 h 09. Je vais encore explorer les possibilités et te dirai la suite au téléphone.

En effet la poste sera fermée dimanche et lundi, et mardi est précisément le 2...

Mon amour d'Anne je vous embrasse. Je voudrais aussi tant vous garder et vous aimer. Que votre année soit bonne, que cette année demeure année Annefrançois, liés, tressés, unis.

Tu es ma grâce, ma beauté,
ma force, ma douceur

François

1968

366.

1ᵉʳ janvier 1968. Carte de parcours de golf.

Saint-Périer (101), Ladislas Neubrun (111) et François Mitterrand (94).

367.

Carton du conseil général de la Nièvre, le président,
à Mademoiselle Anne Pingeot,
39 rue du Cherche-Midi, Paris VIᵉ 75 *(sans timbre).*

Nevers, 10 janvier 1968

Ah ! Nannon
On vous aime !
On vous dit bonjour ce matin. Avez-vous des cheveux sur la nuque
ou bien en catogans ?
On vous rencontrera aujourd'hui avec un cœur rempli de joie.
Vous vous appelez Anne...

<u>François</u>

368.

19 janvier 1968. Calissons.

369.

En-tête Assemblée nationale, à Mademoiselle Anne Pingeot,
39 rue du Cherche-Midi, Paris VIe 75.

Strasbourg, 22 janvier 1968

Anne, mon amour,

Ciel gris. L'Alsace du ciel était belle comme un ciel peut l'être par hiver clair. Mais à 1 000 mètres du sol la brume neigeuse (la neige avant de tomber est grise elle aussi), fermait la vue à bout de nez. Donc, ciel gris sur une terre morne et sur des toits, ceux de la Maison de l'Europe, de pauvre matière et de pauvre couleur. Mais là n'est pas tout Strasbourg. De la gare jusqu'ici j'ai longé des canaux tout en courbures et en grâces anciennes, de nobles maisons, j'ai aperçu l'âme de la ville. À voir de plus près et de préférence avec toi. La beauté me fait t'aimer mieux, tu me fais mieux aimer la beauté. Ensemble, vous me comblez.

Je travaille n'ayant rien de plus intéressant à accomplir. Je plonge dans l'énorme documentation Angleterre, Euratom, monnaie etc. j'en découvre déjà les grandes lignes.

18 h 30

Maintenant j'arrive 1) de la séance plénière 2) de recevoir une délégation des étudiants d'Aix-Marseille 3) de recevoir une délégation de syndicalistes fonctionnaires…

Il me faut pourtant préparer mon intervention de demain ! Plus je dépouille les documents plus ça se complique… et plus ça m'intéresse.

Ce soir j'irai dîner avec les socialistes français au Terminus, capitale de la choucroute, et j'irai dormir, non sans avoir mis au point mon plan d'intervention. Je pense pouvoir t'écrire demain. Ce serait pour moi une joie.

Déjà t'entendre pendant le déjeuner c'était de la lumière pour mon cœur encore un peu alourdi par ces derniers jours. Anne, mon Anne aimée tu ne peux savoir comme il suffit de peu de chose pour que tout devienne espérance, délivrance, allégresse et force. Ta présence, ton amour, tes bras revenus tout le long de la nuit, tout le long de moi-même, ton sourire, ta confiance sont mes biens les plus précieux.

Je t'embrasse et je t'aime, ma chérie

François

370.

Feuille blanche arrachée, à Mademoiselle Anne Pingeot,
39 rue du Cherche-Midi, Paris VIe 75.

Le 24 janvier 1968

Mon amour d'Anne,

Je suis pour l'instant dans une salle de réunion avec trois autres parlementaires. Nous recevons des étudiants de Grenoble. Toutes les questions y passent. J'en ai un peu assez de me répéter. Ceci dit les étudiants connaissent bien nos problèmes européens. Ils sont sérieux comme des papes, avant d'aller sans doute jerker toute la nuit avec les Anne du coin.

Il est 18 h 30. Le courrier partira dans une demi-heure. Ma journée s'est écoulée en séance car je suis un néophyte très consciencieux ! Charbon, université, amandes et raisins secs ont fourni mon menu. J'ai déjeuné avec André Rossi, député du centre de l'Aisne. Il neige. Strasbourg a belle allure avec la mode d'hiver. Ici on continue d'être choqué par mon discours d'hier. Je te l'apporterai. Tu jugeras. Les gaullistes avaient scandalisé il y a quelques années avec leur Europe des patries, j'ai scandalisé avec mon Europe des travailleurs. On me regarde d'un drôle d'œil habitués qu'étaient ces bons bourgeois à vivre dans le coton.

Je pense à toi, Anne. Je t'aime. Quatre jours sans toi. On peut disserter pour savoir si c'est utile mais c'est long en tout cas ! Tu es plus intégrée à ma vie que tu ne le crois. Ce matin j'ai longtemps songé au bonheur si facile à créer avec d tes yeux graves et tes mains douces et si difficile avec les exigences de l'âme. Mais quel beau programme.

Tu es à moi, tu es moi. Je vous adore ma très chérie

François

Sur pelure (pas envoyé ?) : « Crème chéri, je dois repartir car je crains de ne pouvoir atteindre Chatelain by the RATP, sans utiliser trente minutes. Je t'aime. Je t'embrasse. Ton interview est remarquable. Ferme, ironique, percutant. Sauf la dernière réponse ou plus exactement la dernière phrase de cette dernière réponse, trop scolaire et IIIe République… »

371.

En-tête Sofitel Strasbourg, à Mademoiselle Anne Pingeot, 39 rue du Cherche-Midi, Paris VIe 75.

Le jeudi 25 janvier 1968

Mon amour,

Je viens de déjeuner au Terminus, brasserie strasbourgeoise typique, avec Hernu, qui vient d'arriver, et les deux dirigeants de la Convention du Bas-Rhin, Trocmé (universitaire) et Schoeller (entrepreneur). Je suis rentré au Sofitel pour me reposer un peu. J'ai bavardé avec Hernu, lu « France-soir » (13 rue de l'Espoir, que c'est bête !), flâné. C'est un après-midi de neige qui assourdit les rumeurs de la ville. L'église rose de Saint-Pierre le jeune colle à l'hôtel, moderne et anguleux. Cette rencontre des styles donne beaucoup de charme à la petite place. Ce matin j'ai travaillé, en séance, au texte Soudet qui devient peu à peu mon texte. J'essaie de le dégager des mots tout faits et de la logique technocratique, de lui donner vivacité et liberté de ton, tout en profitant du sérieux de l'étude. J'ai fait huit pages. Je vais retourner à la Maison de l'Europe avant une soirée chargée.

J'ai eu la joie de ta lettre à mon réveil – et de ta voix. Tu es incorporée à ma vie. Tu es Anne, mon Anne. Je pense à ta bouche, à tes épaules, au goût de ta gorge, fruit salé. Mais je pense plus encore à l'élan de ton cœur, à ces ravissements qui viennent de l'autre part de toi, le ciel de toi, ma grâce. Je t'aime très fort, Anne, très amoureusement.

François

372.

Rôtisserie périgourdine. 6 mars 1968.

Dessin de la maison de Jarnac

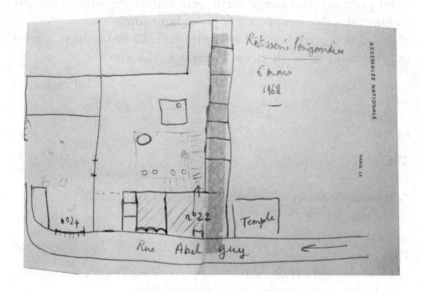

373.

En-tête Parlement européen délégation française,
à Mademoiselle Anne Pingeot,
39 rue du Cherche-Midi, Paris VI⁰ 75.

Le 12 mars 1968

Anne mon amour,
L'Alsace était blanche ce matin au piqué de l'avion sur Strasbourg, blanche d'une neige assez fine pour laisser le dessin des sillons et des lisières, des tuiles et des chemins : un beau tableau de primitif. Maintenant le soleil a nettoyé l'air des brumes qui traînaient encore à midi. Tout a pris l'allure nette, propre, lumineuse d'un intérieur hollandais par un printemps de Delft. Je te regrette. C'est un jour pour toi. Tu vivrais ici entre l'épaisseur, le silence des musées et l'ivresse des promenades le long de la Robertsau.

Mais tu reviendras !

Je me suis un peu reposé cet après-midi. Que de sommeil en retard !

Ce soir, réunion de la Convention, puis débat avec les étudiants, à l'initiative de ceux des Sciences politiques.

Je me rends compte du besoin de méditation qui m'habite. Tout m'est prétexte. Ton image sur le petit sentier de Saint-Benoît est comme une icône qui invite à la prière intérieure.

Je t'aime et je regarde au fond de tes yeux. Là est une lueur qui est celle même de la vie, de ta vie. Là est ma grâce aussi

François

374.

Carte postale, Strasbourg, la rosace de la cathédrale, à Mademoiselle Anne Pingeot, 39 rue du Cherche-Midi, Paris VIe 75.

Le 13 mars 1968

Fleur de pierre et de verre, fleur pour défier l'espace des matins, voici la rose de Strasbourg et ma pensée fidèle

F.

375.

Grande page blanche, à Mademoiselle Anne Pingeot, 10 rue de l'Oratoire, Clermont-Ferrand, Puy-de-Dôme 63.

Express

Le 3 avril 1969 [pour 1968]

Voilà, tu es partie et moi je t'aime, mon absente, ma vivante, mon amour. Un beau soleil du soir se couche du côté de Ville-d'Avray, je suis à la Convention, toi sur la route vers Pascal et Michelin, vers l'Oratoire, ta chambre, ton jardin, tes ferveurs. Je pense à toi, Anne aimée, Anne alliée à mon être.

Bon voyage, reviens vite vers les Landes. Va à Louvet pour le jardin, les champs, l'épaule penchée des monts sur la Limagne. Je t'embrasse, mon printemps.

À demain

Annanon
François

376.

S.d.

F. M. 1916-1974, A. P. 1943-2023 = 39 ans plus tard.

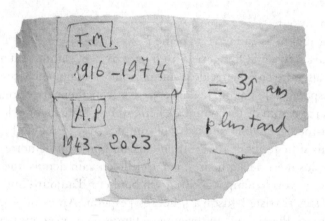

377.

En-tête Assemblée nationale, à Mademoiselle Anne Pingeot,
39 rue du Cherche-Midi, Paris VIe.

Le 16 mai 1968

Mon amour d'Anne,
Comme j'aimerais que tu me sentes solidaire, comme j'aimerais te sentir solidaire quand peine, chagrin, angoisse venus de l'extérieur et non de nous-mêmes nous assaillent. Cet après-midi loin de toi je pense à toi avec tendresse, avec amour. Tu es mon Anne pour laquelle je

voudrais avoir puissance de sauvegarde en toutes choses. Je t'aime et
je t'embrasse de tout

mon

cœur

François

378.

En-tête Assemblée nationale, à Mademoiselle Anne Pingeot,
39 rue du Cherche-Midi, EV.

29 mai 1968

Mon amour,
Pourquoi m'as-tu fait cette peine ?
Je suis arrivé à l'Orangerie à 10 h 02. Dix-sept minutes, était-ce si
long d'attendre en échange de la joie profonde – et un peu nécessaire –
que j'espérais ? Je t'aime. Je dois vivre les événements rigoureux que
tu sais, j'ai besoin de toi comme de l'être qui est le meilleur et la vérité
de moi-même, et voilà que dix-sept minutes c'est trop long !
J'étais si heureux de te revoir en paix un bon bout de notre après-
midi. Mais il est déjà 3 heures, je t'appelle en vain depuis une demi-
heure et je vois le temps mordre mon bonheur d'aujourd'hui.
J'en suis si triste ! Jusqu'à 5 heures j'espérai. Après quoi je serai
mobilisé ici. Pourvu que tu reviennes à temps pour que nous puissions
dîner ensemble ! J'éprouve un vrai désarroi. Tu n'as jamais compris
à quel point tu étais moi-même. Tu me manques parce que tu l'as
décidé. Je ne comprends pas, moi, cette dureté. Je crois bien t'aimer
plus que jamais.
Mon Anne aimée, en dépit de l'Histoire qui marche en ce jour à
grande allure, je suis celui que tu aimes et qui t'aime, celui qui sourit
au bonheur de Gordes et au silence de Torcello, celui qui regarde de
sa fenêtre les lupins de Saint-Benoît.
Mon amour pour toi est mon sang, ma chair, mon souffle.
Pourquoi me fais-tu cette peine ?

François

Je ressens ce que tu fais là comme une mauvaise action

379.

En-tête Assemblée nationale, à Mademoiselle Anne Pingeot,
39 rue du Cherche-Midi, Paris VIe 75.

13 juin 1968

Mon amour d'Anne,
Je suis triste de t'avoir manquée avant de partir (mon émission m'a bloqué jusque-là).
Je t'ai appelée, tu étais partie. C'est bien normal. Mais je veux par ce petit mot que tu saches ma pensée – et mon amour.
Viens avec Laurence demain. Ce serait formidable. Demain soir à Château-Chinon ! et dimanche à Gordes !
Je t'appellerai demain matin à 9 heures. Je suis à toi

François

380.

Grand papier pelure, à Mademoiselle Anne Pingeot,
Hôtel Saint-Sauveur, Lourdes, Hautes-Pyrénées 65.

Le vendredi 5 juillet 1968

Tu es à Lourdes quand tu reçois cette lettre, Ⓐnne bien-aimée. Il y aura de toute manière le miracle de la souffrance qu'apaise un tant soit peu ta main sur un front ou qui défait un pansement et ce miracle-là justifie de croire aux autres. Le miracle que tu as laissé derrière toi c'est que je t'aime dans l'attente du prochain jeudi. Anne aux cheveux courts arbre de printemps, nuque offerte, je t'embrasse et je t'aime

François

381.

En-tête Assemblée nationale, à Mademoiselle Anne Pingeot,
Hôtel Saint-Sauveur, Lourdes, Hautes-Pyrénées 65.

Hossegor, 6 juillet 1968

Mon amour,

J'ai quitté Paris par l'avion de Biarritz, à 13 heures. Gilbert m'attendait à l'aéroport. Nous avons déjeuné là. Puis nous sommes venus à Hossegor. J'ai posé mes affaires, sorti la brouette, changé de vêtements et me voici étendu dans le patio plein de fleurs et qui sent encore le chèvrefeuille.

Je suis seul. Un avion passe là-haut. Les oiseaux chantent. Les géraniums font leur tache rouge minium, les pétunias roses et mauves, les marguerites blanches au bout de leur long col. Le ciel très pur, profond a sa fameuse couleur mouillée.

Je suis tout embarrassé de mon air de ville qui a besoin de respirer, d'ouvrir ses poumons, de détendre sa peau. Je t'écris étendu sur la brouette, me servant du *Mont Analogue* pour pupitre. Je pense à toi très fort. J'ai le spleen de ton visage d'hier, gare d'Austerlitz. Il avait les lignes, la netteté que j'aime. Tes yeux étaient ceux de mon amour et de ma rêverie. Nous sommes séparés, toi à ton tour prise par l'action, moi nonchalant avec trois jours devant moi en quête d'un équilibre physique, et tourné vers toi le cœur plein du désir fou de vivre avec toi l'équilibre de Saint-Benoît.

Tu me manques spirituellement. J'ai grand besoin de ta grave présence pareille à celle du petit chemin du Port ou aux beaux champs de blé ou à la courbe noble du fleuve. Je veux vivre ces jours en ta compagnie profonde, brancardier sans bras et sans brancard, inutile, ne sachant rien faire que t'embarrasser, mais t'aimant de toutes ses forces, et j'imagine que je suis un de tes malades, un de tes infirmes, et que tu vas t'occuper de moi avec tes gestes de brusque tendresse (ou plutôt de tendre brusquerie).

Je suis allé dormir hier soir chez Rousselet, comme tu le sais. Il pleuvait. La terre exhalait son odeur lourde. Ce matin avec lui je me suis promené dans le grand jardin et j'avais les chaussures mouillées. Les fleurs aiment le matin. Raison nouvelle de désirer connaître le matin avec mon Anne, mains liées, dans la pureté du jour qui naît, et de marcher en formant peu à peu les racines de l'espérance.

Je pourrais mourir aujourd'hui : il me semble que je bénirais ton regard et ta pureté matinale, que n'ont pas entamée les midis et les soirs ni les nuits d'avant la première aube. Je comprends ton envie de silence. À condition qu'il parle ce silence. Le mien te parle ô mon amour. Encore faut-il l'accomplir mieux. J'ai dans la tête trop de bruits qui sont venus avec moi.

J'ai commencé *Le Mont Analogue* dans l'avion. Je suis accroché. Je crois que tu le seras. J'ai retéléphoné à Laurence. Tout est d'aplomb pour vendredi. J'ai retrouvé ici quelques objets : le Christ de la rue Saint-Sulpice, le cochon d'Inde, la Vierge de Martine Farge, la cloche (de vache) de Latche (une bouffée de chèvrefeuille vient de passer). L'air qui vient de la mer est assez frais. Mes jambes, nues, ont froid sans avoir vraiment froid.

J'ai le mal de toi mon amour. Mais un mal tempéré par la conscience de la merveille que je te dois : la paix du cœur et l'enthousiasme de t'aimer. Ah ! si nous étions capables de mettre l'âme au niveau, à l'échelle de cet amour ! Toi, tu peux – comme je t'aime.

Anne ma bien-aimée, je ne te laisse pas. Pourtant je sais que tu n'auras pas ces lignes avant lundi. J'en suis bien un peu triste. Chaque heure est pétrie de toi. Je veux vivre cette solitude dans la pensée de toi. C'est ma joie, aussi, ma vraie joie.

Je t'aime

François

Chèvrefeuille séché.

382.

En-tête Assemblée nationale, à Mademoiselle Anne Pingeot,
Hôtel Saint-Sauveur, Lourdes, Hautes-Pyrénées 65.

Hossegor, 7 juillet 1968

Mon Anne chérie,

Je viens de faire l'inspection des arbres. Le gros coup de chaleur de l'autre semaine a fait des dégâts. J'ai compté 2 cupressus bleus, 2 cupressus verts, 5 petits pins, 1 grand pin, 1 fusain parmi les morts.

Heureusement que je n'ai pas lésiné sur les plantations de printemps car il reste, porteuses d'espoirs, les pousses nouvelles ! Un très beau temps, aujourd'hui, s'est rendu maître des brumes de l'ouest, un moment inquiétantes. Par ce dimanche je ne bouge pas de l'après-midi. J'ai vu, ce matin, lors de mes achats de journaux (le magasin Barse, racheté, est tout neuf, tout différent, moins vieille province confidentielle) et d'une visite à Latche, les pique-niqueurs s'installer le long des routes et des rues. Devant ce siège je m'enferme au cœur de ma forteresse : le patio, la brouette, la table ronde de jardin sur laquelle je t'écris. J'ai arraché du lierre, des lianes, coupé des branchages. La nature se venge en me piquant les avant-bras, qui me démangent ! Le salaire du travailleur ! Il est maintenant 5 heures et les chèvrefeuilles commencent à exhaler leur odeur, plus douce qu'en juin mais délicieuse.

Je pense à toi : je ne t'ai pas quittée. Moment de grâce où l'esprit et le cœur peuvent tout. Je ne puis évidemment t'imaginer avec exactitude. Je suis quand même avec toi, t'embarrassant peut-être au plein de ton travail ! Qu'il doit faire chaud et lourd à Lourdes. Ma pensée peut-elle t'aider ? Elle est là en tout cas, tendre et sûre.

Hier j'ai envoyé deux toutes petites lettres à Clermont. L'une pour ta grand-mère, l'autre pour Gédé, toutes deux pour leur dire que je n'oublie pas l'anniversaire tragique de juin. À Gédé j'ai quand même glissé une perfidie visant ses amis politiques…

Le soir, Labarrère, ex-député de Pau, est venu, nous sommes allés au Pot de résine et avons rencontré là l'autre ex-député des Basses-Pyrénées, Ébrard, fédéré plutôt centriste, battu à Oloron. Nous avons dîné ensemble.

À Latche, modeste avancement des travaux. La cuisine finie, le sanitaire en panne, la peinture languissante. Mais sur le gazon (brûlé !) j'aimais regarder notre paysage. La vigne, le petit bois, la colline. Sur la petite route goudronnée d'Azur d'honnêtes militants gaullistes ont tracé de grandes lettres blanches : <u>Palais de l'Élysée, à 200 mètres</u>, avec une flèche pour qu'on ne s'y trompe pas. Mais le palais de l'Élysée dort sous ses tuiles romaines tandis que la treille coupée repousse vigoureusement à l'angle droit de la façade (à droite, de face).

Oui, je pense à toi, mon amour, en déplorant mon indigence. Je t'ai si mal aimée dans l'action de ces derniers temps, si mal aimée puisque je n'ai pas été cette source d'où naissent l'espérance de chaque matin, la paix de chaque soir !

De t'écrire ainsi j'éprouve une sorte de bonheur, celui de reconnaître nos trésors, dont le plus humble : la curiosité passionnée pour le moindre signe d'harmonie, l'éveil de l'attention pour un battement de cils ; et le plus riche, qui ressemble (je le suppose !) à l'amour de Dieu.

Tu n'auras cette lettre que mardi, faute de courrier au départ d'Hossegor. Mais je t'écrirai aussi demain tant j'ai de joie à demeurer <u>à l'intérieur</u> de nos conversations – cet échange de paroles et de silences où tout est dit.

Je vous aime avec passion et cette fleur de la tendresse qui ressemble à la rose jaune que je vois naître c'est encore une façon de te retrouver, mon Anne, de vous connaître, de vous redécouvrir à chaque instant

<u>François</u>

383.

En-tête Assemblée nationale, à Mademoiselle Anne Pingeot, Hôtel Saint-Sauveur, Lourdes, Hautes-Pyrénées 65.

Hossegor, 8 juillet 1968

Mon amour d'Anne,

J'ai été très paresseux ce matin et ne me suis levé qu'à… 11 heures. Je termine *Le Mont Analogue* et je prends des notes sur ce qui me passe par la tête. Tout le chemin que j'ai fait au cours de la journée m'a mené de ma chambre à la brouette. Pas plus loin ! Torpeur physique mais alacrité intellectuelle. Je sens que l'esprit fonctionne. Il y a de quoi méditer, il est vrai, avec la tournure des affaires politiques, et les discussions qui me visent, dont j'aperçois l'écho dans la presse. Je ne suis pas <u>vraiment</u>, je veux dire en profondeur, préoccupé par la politique en ce moment. Je voudrais surtout approcher d'autres domaines de la connaissance.

Revoir les choses de la nature, les saisons, les couleurs. Essayer de comprendre, sinon la vérité et le sens de ce qu'on appelle la vie, du moins son mouvement, son rythme.

Je pense à toi, mon Anne très chérie, comme hier, comme avanthier, fidèle au port de Saint-Benoît, à son clocher bien assis, à son chœur dénué de complaisance, et au-delà, fidèle à la signification de notre entente dès que l'âme inspire le corps.

Le temps est vaguement couvert, grisé, pommelé. Les oiseaux n'arrêtent pas de lancer des trilles toujours semblables et jamais monotones. Petite musique du ciel. Je t'aime d'un profond amour. Je discerne très bien les traits de ton visage, ce que ma mémoire me refuse souvent, et je me réjouis de cet état de grâce. J'embrasse tes mains et le coin de ta bouche.

Je rentrerai à Paris mercredi matin par l'avion de Biarritz (8 h 10), si j'ai une place. Aurai-je une lettre, une carte ? Tu as besoin d'être loin de moi, me semble-t-il. M'écriras-tu cependant ?

La joie qui me vient de toi porte un nom : le bonheur. Jeudi matin je t'appellerai à Babylone avec un tel espoir !

Mon amour d'Anne il faut que cette lettre parte et il est 5 heures. Je la clos. Je t'embrasse. Je t'aime de tout mon être. Je t'attends. Je suis à toi

François

384.

En-tête Assemblée nationale, à Mademoiselle Anne Pingeot,
Hôtel Saint-Sauveur, Lourdes, Hautes-Pyrénées 65.

Hossegor, 9 juillet 1968

Mon amour cette nappe de plomb qui tombe sur Hossegor je suppose qu'à Lourdes elle doit être insupportable. Ici la mer compense tout de même un peu. Là-bas je me souviens de la fournaise entretenue par les flancs des collines et des immenses espaces sans ombre. Lourdes, Vichy, ces deux noms évoquent pour moi l'orage accumulé, qui ne se décide que trop tard à éclater, à délivrer les malheureuses créatures d'en dessous. Et tu travailles ! Je me sens mal dans ma peau à rester ainsi indolent, lisant et flânant.

J'ai fini *Le Mont Analogue*. C'est un chef-d'œuvre qui eût été une œuvre majeure de notre littérature si Daumal n'était mort avant d'avoir achevé le cinquième chapitre. Je l'apporterai pour que tu le lises à Gordes. J'ai acheté le *Dictionnaire des églises de France* tome « Pyrénées-Gascogne » pour nos promenades futures ainsi qu'une *Histoire du Languedoc* qui nous sera utile à Rieutort (on y parle beaucoup de la Cévenne, de Mende etc.). J'ai aussi le *Jardin des arts* de juin, paru en retard à cause des grèves. Il y a de bonnes enquêtes sur l'art maya, sur les koustari (groupe d'artisans populaires russes), sur Gauguin. Près de mon lit le poster de Che Guevara trône toujours, et le petit oiseau (jumeau de celui que tu as, l'oiseau de la réconciliation) se balance avec ~~ma~~ le mouvement de ma main qui écrit (il m'agace un peu !). J'ai envie de rédiger. Quoi ? On en parlera. C'est une envie un peu anarchique pour l'instant. On pourrait se mettre à pied d'œuvre pendant le séjour de Gordes. J'imagine déjà les après-midi écrasants que nous y aurons, striés de cigales et aveuglés de lumière blanche (avant la douceur somptueuse des soirs et surtout le petit matin, que je me promets avec toi au sommet du Luberon).

Mon attirail ici, j'ai acheté deux chemisettes commodes et jolies à manches courtes. J'ai deux polos très légers (l'un bleu, l'autre bordeaux, les chemisettes sont rouge cru et beige clair), une paire de sandales bordeaux, le pull-over rouille acheté avec toi boulevard Saint-Germain, les mêmes pantalons ultra souples de l'an dernier. Voilà tout.

Je suis allé à Lohia. Gros coup de chaleur. La réverbération de la Tour sur le fusain et le buddleia les a un peu roussis. L'if est magnifique. Des romarins sont desséchés. D'autres se développent. Le rebord de la rocaille me paraît soumis à de terribles fureurs de soleil. Par contre les plantations dans la pelouse face à ta chambre, très belles.

Je t'aime, mon Anne. Ces mots-là brûlent aussi. Comme au premier été. Rappelle-toi l'août de l'apprentissage, tes colères, tes tendresses, la rudesse du sol d'Yons sur les dunes, la pluie d'orage sur la couverture, le 12 août et sa nuit rassurante, Gédé et ses bruyères, l'accident près du bord de mer, ta sortie avec T., Aulnay, les retours fous de Paris et l'éblouissement de la joie partagée… Et je te dis cela tandis que tes actes et que tes pensées sont consacrés aux autres ! Mais je souhaite tant faire le lien. Chercher en tout le sens de la vie, s'il en est. Mais chercher n'est-ce pas tout le chemin ? (Pascal, avant moi…) Je t'aime, mon Anne.

Je t'attends pour jeudi avec une étrange, une forte impatience. Avec la passion inchangée, vivante, violente, oui, encore une fois, comme le feu, qui couve ou qui flambe, mais <u>qui est</u>. Mon amour d'Anne, je vous embrasse si, si tendrement. Je suis à vous

<u>François</u>

385.

En-tête Assemblée nationale, à Mademoiselle Anne Pingeot,
39 rue du Cherche-Midi, Paris VIe *(sans timbre)*.

11 juillet 1968

Mon amour d'Anne,
Bonjour à Paris où tu es très attendue, très chérie !
Je t'ai téléphoné deux fois ce matin mais la gare d'Austerlitz avait sans doute requis tes soins.
Je vous rappellerai à midi et vous garderai à déjeuner, si vous êtes libre.
Je vous aime, aime, aime

François

Reposez-vous, tu dois être bien fatiguée. Je t'embrasse.

386.

En-tête Assemblée nationale, à Mademoiselle Anne Pingeot,
villa Lohia, avenue du Tour-du-Lac, Hossegor, Landes 40.

22 juillet 1968

Je suis tout étonné, mon Anne très chérie, de me retrouver devant ce papier pour t'écrire. J'ai vécu avec toi si intensément ces dix derniers jours, y compris hier, depuis notre séparation de Gannat, que je me sens malhabile à te parler, comme si nous étions séparés.
Cette nuit, rentré à 2 heures de la Nièvre, j'ai dormi tout occupé par un rêve, qui était triste, triste : nous étions ensemble dans un lieu de réunion mondaine qui rassemblait, semblait-il, des saint-cyriens (!). L'un d'entre eux te parlait beaucoup. Je ne sais pourquoi je rentrais dormir avant toi. Tu revenais très tard. Ensommeillé je te disais « tu es restée à danser tout le temps », tu répondais « non », « tu as été prendre un verre », « oui », « avec ce garçon », « oui », « chez lui ? » « oui », « tu as fait l'amour », « oui »... une décharge de mitraille dans

ma poitrine, un mal terrible, tu m'entourais de tes bras, tu répétais « c'est si bête », tu étais pleine de tendresse, tu insistais « je n'aime que toi »… Je me suis réveillé avec la suffocation de la claustrophobie, plus mentale que physique, l'horrible sensation de ne pouvoir jamais plus atteindre qui l'on aime, chaque être dans sa prison, et la pire, la mort…

Prolongement, j'imagine, de notre conversation de Saint-Benoît sur le thème : « si nous sommes séparés ». Ça glace le cœur et les viscères.

Mon amour, je t'espère rentrée sans incident de route à Hossegor et ce matin déjà offerte au soleil (s'il est là), à l'eau (elle est sûrement là) au rêve (si je te suis dans ton cœur). De mon côté quand je vous ai quittées à Gannat j'ai rejoint Meillard, où l'on m'attendait, dîné et confortablement dormi dans « notre » chambre… jusqu'à 10 heures du matin ! Une heure de promenade autour de la maison et j'ai pris la direction de Saint-Pierre-le-Moûtier où j'ai récupéré ton appareil de photo (que je t'apporterai vendredi) puis de Château-Chinon. Déjeuner avec mes colleurs d'affiches. Beau temps. Par une jolie petite route du Morvan je suis allé ensuite assister à l'arrivée d'une course cycliste à Brassy, petite commune des environs de Lormes. À Lormes, arrêt chez le maire avec lequel je suis allé dîner à Avallon, en compagnie du docteur Allen. Je serais bien arrivé à Paris à une heure décente si je n'avais mis une heure et quart pour les derniers kilomètres ! (Un énorme embouteillage après minuit, ô civilisation !)

Cet après-midi, séance à l'Assemblée nationale. Je t'écrirai demain, évidemment.

Tu me manques, mon Anne. Je revois ton visage penché, comme absent, du bistrot de Gannat. J'ai le cœur plein d'amour. Tu es mon amour. Tu as gardé tous tes prestiges… et gagné quelques autres. Je t'aime.

J'ai déjà hâte d'être près de toi, de te prendre, de te découvrir, rivage inconnu rivage désiré.

Mon chéri, j'embrasse votre bouche et je me perds en vous où je vous retrouve Anne de toujours, Anne pour toujours

François

387.

En-tête Assemblée nationale, à Mademoiselle Anne Pingeot,
villa Lohia, avenue du Tour-du-Lac, Hossegor, Landes 40.

23 juillet 1968

Mon amour d'Anne,
Ce ne sera pas une vraie lettre ce soir, faute de temps avant le dernier courrier ! Je viens, comme ça, t'embrasser.
Mais t'embrasser très amoureusement. Journée lourde, aujourd'hui, rendez-vous sur rendez-vous, Assemblée etc. Et en fond de toile, présente, aimante, mon Anne.
Je vous aime. Je pense à vous.
Je suis à toi. À demain

François

388.

En-tête Assemblée nationale, à Mademoiselle Anne Pingeot,
villa Lohia, avenue du Tour-du-Lac, Hossegor, Landes 40.

24 juillet 1968

Je t'écris de mon banc de l'Assemblée nationale tandis que Giscard d'Estaing glose sur la jeunesse. Edgar Faure vient d'achever un discours de deux heures. Je serai pris ensuite dans un engrenage accéléré de rendez-vous. Aussi cette lettre doit-elle partir maintenant si je veux qu'elle te parvienne demain.
J'ai déjeuné chez Patrice avec André Bettencourt. Dayan et Rousselet nous y ont rejoints. Ce soir je dîne avec Maurice Faure.
Je liquide le courrier parlementaire en retard, et il y en a !
Ta lettre d'Hossegor a été ma joie de la journée. Je buvais ton soleil et j'embrassais tes épaules salées. Je serai dans l'avion demain soir le cœur heureux de te retrouver. Amour chéri, mon Anne, je compte sur ces prochains jours pour reconquérir avec le repos le merveilleux équilibre des vacances heureuses. Moi aussi je te remercie d'être et d'être à moi.

À côté de moi, Defferre, à ma gauche l'UDR, compacte. Je me sens étranger.

Mais près de toi mon ciel et ma terre se font accueillants, habitables.

Je t'embrasse et je t'aime, mon amour, et je t'espère passionnément.

À demain, par lettre, à vendredi matin, à Lohia. Mais il n'y a pas d'heure du jour et de la nuit (beaucoup de rêves me visitent, ce n'est pas l'habitude) où je ne fasse le chemin de mon amour qui mène invariablement vers toi

François

389.

En-tête Assemblée nationale, à Mademoiselle Anne Pingeot, 10 rue de l'Oratoire, Clermont-Ferrand, Puy-de-Dôme 63.

Hossegor, 31 juillet 1968

Mon amour d'Anne, j'ai le poignet malhabile pour t'écrire tant j'ai joué du sécateur contre le lierre qui étouffe mes pins. J'y suis depuis plus d'une heure tout heureux de libérer ces pauvres arbres. C'est aussi une tâche qui laisse penser. J'ai donc pensé à mon amour, pensé à toi.

Tu es sur la route, vers Périgueux sans doute. J'ai dans les yeux celle que tu étais ce matin dans le gris et la douceur et la tendresse qui occupait notre cœur.

Je me remets à lire et téléphone à Paris pour qu'on m'envoie illico un rayon de bibliothèque sur les années 1848-1851.

La journée est chaude. Le soleil filtre de temps à autre au travers des nuages. Je suis passé devant Lohia pour m'attrister, sachant que la maison était abandonnée, pour espérer aussi le retour de la vie.

Maintenant j'attends lundi.

Tu es mon amour. Je t'embrasse. (Avec ce qui me reste de force – hum !). Je suis vraiment très amoureux de toi

François

390.

En-tête Assemblée nationale, à Mademoiselle Anne Pingeot,
10 rue de l'Oratoire, Clermont-Ferrand, Puy-de-Dôme 63.

Hossegor, 1ᵉʳ août 1968

Mon amour d'Anne, cette fois encore je sors de ma « forêt » où je taille depuis bientôt deux heures. J'aime vivre parmi les arbres. Muni des instructions de Gédé je raccourcis les branches annexes des chênes-lièges, je nettoie les pins et les mimosas. J'ai chaud d'avoir ainsi travaillé, seul, dans la nature paisible, douce et grise. Avant de continuer je change de polo et mets le rouge à col roulé que nous avons acheté ensemble. Je suis installé dans le living-room. Les colombes roucoulent. Je vois les géraniums et les pétunias. Trois roses rouges et une jaune ont fleuri depuis hier et déjà s'abandonnent.

Ce matin j'ai fait dix trous de golf. Au neuf : 42 ! Que Diesel se méfie pour septembre !

J'ai reçu une masse de bouquins sur le coup d'État. Je lis. Je note. Ça carbure. Déjà <u>deux</u> idées me sont venues ! Amorçage. Je compte bien user de Rieutort pour pousser ma réflexion.

Déjà je me réjouis d'aller avec toi dans cette haute Lozère. Rouler par l'Auvergne et la Margeride. Toi. L'Aubrac, le mont Lozère. Nos conversations. L'édredon rouge. Le volet qui bat. Les airelles. Toi, encore toi, mon amour.

Te voici sans doute à Louvet. J'y serai lundi, je pense. Quand tu redeviens terrienne tu as pour moi un autre charme. Je t'aime dans le verger du haut, dans la garenne. Tu es dans ton sol et tu pousses comme les plantes de là-bas. Regard sur le Montrognon par la fenêtre de ton grand-père. Regard des générations sur leur vie. Et le passé qui apparaît du fond du temps.

Mélancolie.

Nous sommes, nous avant les souvenirs. Ma merveilleuse aimée, je t'embrasse passionnément

Ｆrançois

391.

En-tête Assemblée nationale, à Mademoiselle Anne Pingeot,
10 rue de l'Oratoire, Clermont-Ferrand, Puy-de-Dôme 63.

Hossegor, 2 août 1968

Anne chérie,

Juste un mot, car il est 5 h 10. Je me suis levé à… midi !

J'ai lu (toujours sur le *2 décembre*). Gros orage, tombé sur le poteau électrique de Latche. Il pleut. Ça sent bon. J'aime ce temps fort. Merci pour ta lettre. Bravo pour Louvet. Je suis heureux de t'y rejoindre. Je t'aime. Je t'embrasse. J'ai besoin de toi mon amour

<u>François</u>

7 août 1968, de Rieutort-de-Randon chez les Barbot, nous allons avec eux au pied de l'Aigoual à Massevaques chez les Salzmann.

392.

En-tête Assemblée nationale, à Mademoiselle Anne Pingeot,
aux bons soins de Monsieur Maucout, 10 Prés-Rasclaux,
Alès, Gard 30.

Hossegor, 10 août 1968

Mon amour d'Anne,

Je suis un peu embarrassé pour t'écrire : j'ai oublié mes lunettes à Toulouse où j'ai dormi cette nuit, Hôtel des Comtes de Toulouse ! Je les récupérerai lundi mais d'ici là ~~moi~~ me voici <u>contraint</u> de réfléchir plutôt que de lire et d'écrire ! Aubaine pour un sage, mais je ne suis pas (encore) un sage !

J'ai donc coupé ma route en deux. Quatre heures cette nuit : Alès-Toulouse, trois heures ce matin – Toulouse-Hossegor. J'ai bien roulé, pestant cependant contre mon erreur d'avoir pris l'itinéraire côtier car de Montpellier à Agde, ça a été une circulation horrible.

J'ai trouvé Hossegor sous le soleil après, m'a-t-on dit, une semaine de grosse pluie. Un bon parfum de terre mouillée donne à l'air sa douceur que tu sais. J'ai tout juste eu le temps de déjeuner et je me suis mis devant ce papier : tu n'as guère quitté mon esprit (et pas du tout mon cœur) depuis hier soir !

Difficile de comprendre qu'hier matin nous étions sous l'édredon de Rieutort et que nous ayons vu tant de lieux et de visages en si peu de temps. Reste un point fixe où j'ai jeté l'ancre : toi.

Nous étions bien chez Kaki ; de quoi faire une grande joie simple. J'espère qu'autour de vos tapisseries vous aimerez parler, ou sans rien dire, recréer le climat des ententes profondes.

Je pense à toi avec amour, déjà désemparé de cette séparation. C'eût été la perfection de la vie commune sans la dispute de la route (qui était si belle ! sacrilège !). Je te dois une merveilleuse et salubre harmonie, des impressions riches d'accord intime, et le bonheur tout court. Déjà nos mémoires refont les chemins de l'Aigoual, de la Coulagne, de Villefort. Elles refont aussi des chemins plus secrets, à l'abri des volets de bois de notre chambre. Je t'aime, Anne, je t'aimais très fort quand tu veillais sur ma fatigue de la soirée, si tendre, si proche. Tu es Anne, mon Anne, celle que j'aime.

Des projets ? Je pense que c'est le lundi 19 que nous pourrions nous retrouver à Genève. Je te le préciserai. Note bien (au propre et en clair) aussi les quelques réflexions que j'utiliserai le cas échéant dans les écrits que je veux mettre au point cet été. J'éprouve un grand plaisir à travailler avec toi. C'est une très bonne façon de se comprendre. Après tes examens pourquoi ne pas passer quelques jours de travail ensemble dans une retraite de paix (genre Torcello ou Gordes) ?

Ma chérie, n'aie pas de chagrin pour notre querelle. Cela nous arrive rarement et nous permet de mesurer combien c'est vain. Tout est si important, tout ce que nous avons à faire !

Je t'écrirai lundi. Ma lettre arrivera bien à Alès avant le départ de mercredi ! Je t'appellerai au téléphone jeudi (vers 9 heures) à Louvet mais il faut que tu m'envoies le numéro de téléphone automatique. N'oublie pas.

Mon Anne j'aimais ta bouche si douce et si triste d'hier soir. J'aimais ta bouche chaude de nos nuits. J'aime ton visage. Je désire ton corps. Je cherche avec bonheur cet être que tu es

François

393.

En-tête Assemblée nationale, à Mademoiselle Anne Pingeot,
aux bons soins de Monsieur Maucout, 10 Prés-Rasclaux,
Alès, Gard 30.

Hossegor, 12 août 1968

Mon amour,

Cette page tachée de sang m'a d'abord inquiété (et puis tu dois
avoir eu bien mal !) mais ce qu'elle exprimait était si bon, si doux, si
fort pour moi. Elle m'a accompagné sur le golf et je l'ai relue là deux
fois (mais elle n'a pas beaucoup poussé ma balle : un modeste 48 – hier
j'ai fait les dix-huit trous : 93).

Que fais-tu à Alès ? De belles balades j'imagine. Le musée du
Désert est passionnant, j'espère que tu as été le visiter. J'ai beaucoup
aimé, beaucoup, nos quatre jours et ce n'est pas la querelle de la route
qui les a gâchés, ne t'inquiète pas pour cela. Je te sentais triste et ta
tristesse débouche vite sur l'amertume. Je t'aime. Tu m'aimes. « Y
a-t-il des couples heureux » demande le journal *Elle* dans sa publicité
de cette semaine. Oui, il y en a, de longs espaces de temps : le nôtre.

J'ai récupéré mes lunettes. Je retrouve donc le *2 décembre*. Je parcours aussi le *Dictionnaire des églises. Pyrénées-Gascogne*. Passionnant.
Et utile pour nos futures randonnées.

Mon Anne, mon amour je rêve déjà des jours à venir. La Suisse.
Lundi, mardi ? Ce serait formidable. Et en septembre je nourris
d'autres projets.

Je suis <u>heureux</u> avec toi.

Surtout envoie-moi le n° de téléphone direct de Louvet pour que
je puisse t'appeler commodément et mettre au point nos itinéraires.

Kaki et Hervé m'ont reçu de façon charmante qui m'a plu et ému.
Remercie-les pour moi.

Je t'embrasse et je t'espère. De tout moi-même. Il m'a semblé, sur
l'Aigoual et tout le long de nos journées, que nous <u>communiquions</u>.

Merveilleuse approche d'un être. Miracle. Tu es mon amour

<u>François</u>

394.

En-tête Assemblée nationale, à Mademoiselle Anne Pingeot,
10 rue de l'Oratoire, Clermont-Ferrand, Puy-de-Dôme 63.

Hossegor, 14 août 1968

Mon amour d'Anne,
Hier j'étais... à Paris. J'ai pris l'avion à Biarritz le matin et je suis
revenu le soir même. J'ai pu y voir divers amis, me faire couper les
cheveux, prendre le manuscrit de Pierre Soudet pour le faire taper ici.
Le temps était affreux : on ne pouvait traverser la rue sans recevoir
les pires avalanches du ciel. J'ai maintenant retrouvé Hossegor (par la
pluie également, avec un océan furieux). Et j'ai eu la joie, tellement
bonne, de recevoir ta deuxième lettre d'Alès, qui me raconte votre
balade à Anduze et par les drailles cévenoles. J'ai l'impression que tu
n'avais rien reçu de moi. Pourtant je t'ai écrit deux fois aux Prés Ras-
claux. Ce bref voyage à Paris m'a un peu fatigué tant j'ai été secoué
par les mauvais nuages orageux.
Dans un moment j'irai toutefois me mesurer à Paul Duplaix sur le
terrain de golf. Puis je passerai la soirée à lire et noter.
Mon Anne bien-aimée plus va plus j'ai le sentiment profond du
besoin que j'ai de ta présence. Que nous sommes heureux ensemble !
Ces quatre jours d'Auvergne et de Gévaudan m'ont donné l'équilibre
que j'aime, quand l'harmonie règne entre les fameux chevaux de notre
commun quadrige. Vite, te retrouver ! Je te téléphonerai pour mettre
au point ce voyage en Suisse. Peut-être vaudra-t-il mieux retarder de
quelques jours car je dois être au comice agricole de Montsauche le
25. On pourrait dès lors se rejoindre le 22 ce qui nous permettrait de
passer le 23 et le 24 à Genève avant de revenir <u>ensemble</u> en voiture
sur Montsauche et, pourquoi pas de rentrer toujours ensemble vers
Meillard et Louvet.
Mon chéri, je voudrais bien vous embrasser (bien que ma gourmandise des cèpes m'ait valu une petite croûte à la lèvre supérieure !). Je
vous aime et plus je creuse en moi-même plus j'aime mon Anne...
du 15 août.
Vive les Trois-Poteaux ! Je suis à toi

François

395.

En-tête Assemblée nationale, à Mademoiselle Anne Pingeot,
10 rue de l'Oratoire, Clermont-Ferrand, Puy-de-Dôme 63.

Hossegor, $\boxed{15\ août}$ *1968*

Je vous aime, mon Anne.

Je vous aime depuis cinq ans, comme je vous aimais le premier jour et beaucoup plus.

Je vous ai entendue ce matin et j'ai en moi l'écho de votre voix, et l'image des fleurs dans le petit vase de Mende, et la maison de Louvet, et la garenne, et votre joie d'être ensemble, et le long après-midi qui commence là-bas sur l'épaule des monts d'Auvergne.

Moi je suis allé aux Trois-Poteaux à l'heure dite. Un soleil écrasant pesait sur la dune. J'ai regardé la mer, très belle, forte, bleue, ourlée, la plage semblable à celle de 1963, tandis que je t'attendais, j'ai rêvé en cet endroit qui signifie maintenant le commencement de mon grand amour AMOUR ANNE.

J'ai cueilli une petite fleur jaune, la seule qui pousse en ce mois sur le sable, avec la fleur bleue de chardon, et je te l'envoie : elle était exactement là où se trouvaient les deux premiers poteaux.

J'ai écrit ANNE du bout du pied. Je t'ai aimée ma bien-aimée. J'ai décidé que lorsque je dirigerai l'État, et l'Église mise au pas, je donnerai le 15 août à Sainte-Anne. Marie ne m'en voudra pas. On la mettra tout de même à l'honneur.

Oui je vous aime, ma chérie. Mon cœur chante à votre nom. Je vois vos yeux qui me paraissent tout verts et j'y découvre la beauté intérieure, la lumière si longtemps cherchée. Anne, mon Anne.

Cinquième 15 août. Quelle émotion. Je me raconte sans cesse notre histoire. Tu es à moi. Je suis à toi. Mon amour

<u>François</u>

Vendredi 16 août

Mon Anne bien-aimée je viens de te quitter au téléphone. D'abord j'ai été merveilleusement heureux de t'entendre. Ensuite un peu triste. J'avais l'impression que tu m'avais quitté avant de raccrocher. Je t'aime, voilà où j'en suis.

J'ai joué au golf ce matin. Pour la première fois mal 52, 47 = 99 ! Il fait beau, mais lourd. Hier soir, pour la première fois depuis Nanon, Gédé, de Funès, Bourvil je suis allé au cinéma à Hossegor. Voir : *Un homme pour l'éternité.* Drame et mort de Thomas More. Un peu trop théâtre mais passionnant. J'ai lu tardivement mon cinquième *2 décembre.* Je commence à connaître !

Pas de courrier de toi depuis trois jours, je trouve cela bien long. Ma pensée va sans cesse vers toi. Je suis très, très amoureux de Vous, mon Anne.

Mon écriture est mauvaise parce que j'écris sur mes genoux. Je suis dans ma chambre, face à l'oiseau et à Che Guevara. Sur mon lit, les journaux du matin. À côté, mon sécateur : il me sert beaucoup ces temps-ci car je passe beaucoup d'heures à traiter mes arbres.

Louvet, je l'aime, et sa lumière et ses contours – et ses personnages.

Toi, je t'aime de toute mon âme et tu me manques beaucoup, beaucoup

François

Fleur séchée.

Coupure de presse sans référence : « Voici Chênehutte-les-Tuffeaux, son camp romain, ses cercueils monolithes christianisés et son Prieuré qui est un château-hôtel renommé. »

396.

En-tête Assemblée nationale, à Mademoiselle Anne Pingeot, 10 rue de l'Oratoire, Clermont-Ferrand, Puy-de-Dôme 63.

Hossegor, 17 août 1968

Vanité : tu m'as dit ce matin que Diesel jouait 14. Contre Duplaix et Chaput j'ai joué ce matin 88 (avec une balle perdue), c'est-à-dire 14.

Amour : le bonheur de t'entendre dans le noir de ma chambre, l'imagination toute en lumière ! Je voyais le vase de Mende et ses deux cosmos, toi debout dans ta robe de chambre. Je venais de penser à toi le 15 août 63. Que tu étais belle avec ton péplum rouge ! Tu avais l'impertinence, la confusion, et ton allure droite le long de la mer et tes yeux plus verts que l'algue. À mesure que passait la conversation je te resituais dans la froide Auvergne, dure, peu faite pour la tendresse qui m'habitait. Mais que je t'aimais, mon Anne.

Lettres : encore rien ce matin. Je ne suis pas gâté. Rien non plus demain puisque c'est dimanche. Prendre son mal en patience, commode à dire. Compensation : tu n'es guère mieux pourvue. Pourtant je t'écris ! La poste d'Hossegor est paresseuse.

Hossegor : tornades la nuit et le matin. Soleils l'après-midi. Je goûte ce rythme. Évidemment les touristes pestent, comme si la nature était faite pour les vacances-robots, était aux ordres des agences de publicité. Odette Dollfus lassée (du temps ? de moi ?) annonce qu'elle ira l'an prochain en Espagne.

Les abélias sentent bon, les romarins font du gigantisme. Je suis devenu amoureux des chênes. C'est vraiment l'arbre roi. Force et délicatesse. Le chêne de Latche qui fut si souvent notre ciel de lit, qu'y a-t-il de plus beau. Je voudrais acheter un bois de chênes. Rien que pour m'y promener une fois l'an (ne te fâche pas, comme autour du mont Lozère !).

Le hêtre a de beaux sous-bois, oui. Mais le chêne aussi et il a finalement un délié plus libre et plus harmonieux. Évidemment les racines du hêtre, à la montée du mont Beuvray, valent qu'on ne fasse pas la moue ! Tout compte fait, le chêne est le premier du classement. (à mettre dans la catégorie n° 1 : le saule (pas pleureur), l'olivier, le figuier, le houx, le châtaignier, le noyer).

Me voici dans les arbres. Je ~~em~~ reste pour méditer.

Anne. Je l'aime, d'un grand amour. Souvenirs culminants (aujourd'hui) : le 15 août sur la plage ; la fenêtre de Saint-Benoît. Torcello. Je pense à louer à l'hôtel de Torcello. Toi, moi. Peu importerait la couleur du temps. On travaillerait, on lirait, on s'aimerait. À prévoir. Ô lumière de la Vénétie, lagune morte, chemins d'eau, Anne.

Rendez-vous. Avec Anne vendredi 13 heures, à l'aéroport de Genève-Cointrin, arrivée de mon avion de Nice. Anne et F. de G. à Moulins vendredi 8 h 30, devant le Dauphin.

Livres. Lu le *2 décembre* de René Arnaud. Terminé le *2 décembre* de Pierre Dominique. De fond, donc à tout annoter : le *2 décembre* de Guillemin. Commence un bouquin de Gonzague Truc sur *Abélard avec et sans Héloïse*.

Ennui parfois l'ennui d'un être provoque comme un coup de poignard au plexus. Comment ? Anne existe et je suis loin d'elle ? Mais ce jour n'en finit plus ! Souvent j'éprouve cette impression. Intolérable. Claustrophobie. Monde trop petit et pourtant <u>tu es loin</u>.

<u>Ambition</u>. Se dominer. Écrire. Se nourrir de passion pour écrire, et pourquoi pas, pour finalement dominer ses propres petitesses.

<u>Samedi</u> il est 5 heures. Cette lettre reste à cacheter. Le courrier va partir. Assis dans un fauteuil d'osier, dans ma chambre, lettre sur mes genoux, ce samedi te sera mon amour consacré. Méditer. Aimer. Anne.

Ma bien-aimée sais-tu que je suis ton

<u>François</u>

397.

En-tête Assemblée nationale, à Mademoiselle Anne Pingeot, 10 rue de l'Oratoire, Clermont-Ferrand, Puy-de-Dôme 63.

Hossegor, 18 août 1968

Mon Anne chérie, ce matin je t'aurais bien appelée ! mais un dimanche, la messe, la répétition d'un coup de téléphone matinal, tes recommandations !!! Bref je suis resté sur ma faim.

J'avais cependant trop envie d'un lien avec toi. Je suis allé à Moliets, à 11 heures. Rien ni personne (sauf la vieille Germaine) avant 12 h 45 ! Je suis resté quand même, assis sur le banc devant la maison Destouesse, à lire les journaux, des revues, à entendre la messe télévisée qu'écoutait la pieuse Germaine. Michel D. Michel B. et Paulette sont rentrés de la visite de terrains qu'ils avaient entreprise aux fins d'achat par les Barbot. Hélène est revenue de l'église et des bavardages annexes. Je suis finalement resté au déjeuner. Après quoi je me suis joint à la re-visite. Michel B. est tout à fait décidé. Il a commandé la maison. Quant au terrain nous en avons vu un qui serait remarquable.

Ils m'ont montré les photos de Charpal, de Gabriac, de Rieutort. J'en étais très ému. Je t'aimais tant de m'avoir donné tant de joie. Et je t'aimais pour ton visage sur la seule photo où tu es. C'est mon visage préféré ! (Enfin, je veux dire : le visage de toi que je préfère – toi, je t'aime.) Je n'ai quitté Moliets qu'à 5 heures et nous avons pris rendez-vous pour demain matin lundi pour aller, à pied, du Pot de résine à un petit restaurant d'Azur, à travers la forêt.

Revenu à Hossegor j'ai lu deux heures durant, allongé sur la brouette, sur le *2 décembre*, évidemment. Puis j'ai taillé mes chênes-lièges selon le conseil de Gédé. Il était 8 heures : j'ai pris alors mon stylo et me voilà.

Pour tes notes sur notre conversation du réveil, à Louvet, j'ai à ajouter cette formule : « Tu n'as pas les mêmes intérêts que moi : tu ne peux pas penser comme moi. »

Je te raconterai vendredi les observations qui me sont venues à l'esprit à propos du bouquin, et qui extrapolent naturellement le simple fait-divers. J'ai déjà une petite moisson. Soigneusement enregistrée.

Ce soir le coucher de soleil a été admirable. Plus or que rouge. Les yeux cillaient à le regarder. Le Titien peindrait peut-être comme cela la lumière d'une transfiguration. N'est-ce que le soleil, ce créateur de beauté. Et pourquoi la beauté ? Serait-elle aussi vaine que la cendre ? La cendre de la beauté comme celle de l'amour s'appelle l'oubli. L'oubli, tu me le disais par une citation, est la négation même de l'éternité, tout au moins de l'éternité assurée pour et assumée par l'homme. La nuit venue comment ne pas oublier la couleur du soleil couchant ? Il est difficile de sauver ce qui, en soi, est permanent.

J'achète des revues de décoration !

Dans *Maison & Jardin* je retrouve les objets de Mende : coqs en schiste, chaise animaux en fayard. Note : un céramiste de Bagnol-sur-Cèze (Gard) et un potier d'Henrichemont (Cher). Nous irons. J'aime les beaux objets simples.

Lundi 19 août

Je viens de me lever. J'ai écrit quelques lettres à divers amis politiques. Je vais maintenant au Pot de résine pour la marche prévue. Je mettrai cette lettre à la poste dès ce matin pour m'assurer qu'elle partira bien aujourd'hui. Il fait très beau. La pluie de la première quinzaine d'août a donné aux plantes un puissant élan. La lumière joue dans les feuilles. J'ai lu tard cette nuit. J'entendais la mer. Souvent ma pensée était avec toi, mon Anne. Je t'imaginais dormant à poings fermés dans ta chambre rose. Je déjeune donc à Azur. Après quoi une partie de golf m'attend sous la canicule.

Les Barbot m'ont parlé d'une route extraordinaire qu'ils ont faite pour rentrer à Rieutort, sur les indications de Martine. Ils me disent qu'ils n'ont rien vu de plus beau. Je l'ai aussitôt inscrite à notre programme.

Rousselet que j'ai eu au téléphone hier soir m'informait de l'inquiétude de Mollet « parce que je négociais avec Rocard et le PSU » !

La politique, combat contre les ombres quand on n'a pas les faits à se mettre sous la dent !

Mon Anne très chérie, je pense bien à vous aussi comme quelqu'un à qui manque la pierre précieuse des anciens contes. Distance, espace, temps me pèsent. Mais je suis content de cette force en moi qui est notre amour. Ô merveilleux compagnon ! Je t'aime, mon Nannon

François

398.

En-tête Assemblée nationale, à Mademoiselle Anne Pingeot,
10 rue de l'Oratoire, Clermont-Ferrand, Puy-de-Dôme 63.

Hossegor, 20 août 1968

Mon amour,

Tu étais bien morose ce matin au téléphone et tu m'as dit un bien mauvais au revoir. Si je n'avais craint de troubler Louvet j'aurais sûrement rappelé dans la journée. Mais le sentiment d'être importun me glace.

Ajoutons que le courrier ne m'a rien apporté : ce moment où j'ouvre la boîte en croyant toujours qu'il y aura une lettre de toi ! Je n'aurais pas été gâté ces temps-ci ! Heureusement qu'il y a ce merveilleux mot du 15 août (mais nous sommes le 20…) et la photo si réussie d'Anne au béret, au péplum, au panier sur fond de Tibesti. Je me console avec cela….

Le ciel est redevenu tout gris. Du coup j'ai mis le polo montant (le rouge) que nous avons acheté ensemble et que tu aimes.

Je suis allé mélancoliquement acheter mes journaux et je t'écris comme chaque jour de ma chambre, assis dans le fauteuil d'osier, un dossier sur mes genoux pour stabiliser l'écriture. J'irai dans une heure prendre un verre (il sera 12 h 30) chez Mlle Delsel (qui a les mains brûlées), puis déjeuner au Penon chez le magistrat Ropagnol, de Magny-Cours. Je partirai vers 18 heures pour le cap Ferrat puisque je dîne chez les Dumas qui me conduiront à l'avion demain matin. Tu as mon adresse à Cannes : c/o Georges Dayan, Hôtel Martinez à Cannes, 06. Demain soir repas avec Guy Mollet, à Cavalière (Var). Au-delà de mes brumes d'aujourd'hui tu ne peux savoir combien je

me réjouis de la perspective VENDREDI, 13 HEURES, AÉROPORT
DE GENÈVE-COINTRIN où je compte retrouver mes deux voyageurs
de Moulins. Je me pourlèche à l'idée de te faire visiter la maison de
Staël à Coppet et de t'emmener le soir, nous deux seuls, sur la côte
de Vevey, cet admirable site parmi les premiers en Europe : le dîner
sous les pampres qu'aimait Byron quand il séjournait au château de
Chillon.

Et puis, simplement, te revoir, être avec toi, ne rien dire,
attendre la nuit, vivre ensemble les heures du sommeil, et la
grande paresse du matin. Je n'ose même pas rêver à mes bras
autour de tes épaules, à ton visage tendre, à ton corps prêt pour
la joie de l'échange absolu, ah ! retenir le temps qui soudain imite
l'unité éternelle. Cela m'émeut en profondeur, crée un trouble qui
court mon sang et tend ma force, violente et qui ne peut connaître
qu'en toi l'apaisement.

Mon Anne Amour (même grincheuse).

Reçu une très bonne lettre de Laurence, d'Espagne. Un coup de
fil de Mme Viala, m'invitant à Arcangues (mais pour le 24, ce qui
n'est pas possible) ; une lettre de ma sœur Colette, heureuse de son
installation à Jarnac : une maison qui revit !

Je t'écrirai demain, mon Anne chérie, de Nice. Je me souviens d'y être allé alors que tu étais à Saint-Illide et de t'avoir
téléphoné après avoir vaincu mille et un obstacles (atteindre la
poste de Saint-Illide était déjà en soi un miracle, mais, deuxième
miracle, obtenir de la colonie de vacances qu'on aille te chercher,
et troisième miracle, t'entendre !) – et quel bonheur, mon Anne
64, quel cœur battant, tremblant : viendrait-elle ? Que me dirait-
elle ? Accepterait-elle que j'aille à nouveau la voir ? et je voyais
ton visage et je t'adorais…

Je vous aime, ma chérie, passionnément. Un tout petit peu tristement aussi. Oui je vous aime, sale contestataire à bésicles enfoncée dans ton droit commercial et je vous embrasse à en perdre le
souffle

François

399.

En-tête Assemblée nationale, à Mademoiselle Anne Pingeot,
10 rue de l'Oratoire, Clermont-Ferrand, Puy-de-Dôme 63.

Hossegor, 27 août 1968

Mon Anne chérie,
On s'est sûrement fait de la peine pendant ces trois [jours] et pourtant j'ai été très heureux de te retrouver et très triste de te quitter.

Ta voix m'a été si bonne hier et ce matin, et ta lettre lue lentement et tendrement en fin de matinée.

Je suis resté au lit jusqu'à 13 h 15 ! En lisant *Six coups d'État* d'un certain major Goodspeed. Très intéressant. Résultat, devant être sur le tee de départ à 14 h 30 mon Anne est sacrifiée et il n'y aura pour elle qu'un tout petit bout de lettre !

Ma chérie, ma chérie, je t'aime.

Et je t'embrasse très amoureusement en rêvant des jours prochains qui nous réuniront et en imaginant le bonheur à t'offrir.

Je t'aime

François

400.

En-tête Assemblée nationale, à Mademoiselle Anne Pingeot,
10 rue de l'Oratoire, Clermont-Ferrand, Puy-de-Dôme 63.

Hossegor, 28 août 1968

Ta lettre n'est pas arrivée ce matin, mon amour, et les nombreuses visites que j'ai faites à la boîte n'y ont rien changé. Peut-être en est-il advenu de même pour la mienne. J'espère que non. Mon emploi du temps te paraîtra monotone puisque hier j'ai lu dans mon lit puis joué au golf, et c'est tout !

Mais c'est bien reposant et j'en sens le besoin. Au golf, une forme inattendue : 15 en perdant une balle ! J'attends Diesel de pied ferme.

Ennui : il faut que je passe ma journée de demain à Paris à cause d'un bureau politique auquel on me réclame. Je ferai donc l'aller-retour en avion.

Quitter Hossegor m'est franchement désagréable alors que j'escomptais m'abîmer dans la lecture et l'écriture. Hier a été admirable.

Maintenant (il est 14 h 30) un orage subit jette à grands cris d'éclairs des tonnes d'eau sur le patio. Mais le ciel est clair à l'horizon. Je pense qu'on en sera quitte pour la montée des parfums de la terre : merveille de l'été.

J'aimais t'entendre ce matin. J'étais là, dans mon lit, yeux fermés, ta voix dans mon oreille et qui m'emplissait peu à peu, le sang brûlé par le désir de toi. Je prenais tes lèvres et caressais ta gorge. Ton sourire était celui des déesses grecques. Tourné vers le ciel, immobile, alors même que te traversaient tous les mouvements de la terre. Mon Anne.

Je verrai Laurence demain et je pense mettre au point trois jours à Gordes (18, 19, 20 septembre et même le 17 si tes examens le permettent). Quel bonheur ce serait !

Mon Anne aimée, aimée, ma joie profonde, ma fleur seule et droite dans un vase que j'aurais créé et pétri, mon être de chair, de sang, de passion.

Je vous embrasse, la gorge sèche

François

401.

En-tête Convention des institutions républicaines, siège national,
13 boulevard de La Tour-Maubourg, à Mademoiselle Anne Pingeot,
villa Lohia, avenue du Tour-du-Lac, Hossegor, Landes 40.

Le 4 septembre 1968

Le 4 septembre ? Sais-tu ce que c'est ? Hum !

Je t'embrasse, Nannon, je pense à toi, je t'aime, déjà je refais en imagination nos jours prochains dont le bonheur devrait être gravité et tendresse.

Vous êtes à moi

Et je suis ton

François

402.

En-tête Assemblée nationale, à Mademoiselle Anne Pingeot,
villa Lohia, avenue du Tour-du-Lac, Hossegor, Landes 40.

Jeudi 5 septembre 1968

Mon Anne chérie,
Il est près de 5 heures. Hier il faisait froid et j'ai mis un costume
de flanelle. Aujourd'hui on claque de chaleur ! Voyage et discussions
m'ont un peu fatigué. Les chaussures rouges de Venise pèsent à mes
pieds. Je n'arrête pas de recevoir et de rencontrer des gens pour la
préparation du comité exécutif de demain (capital pour la suite des
choses).
Événements : Hier j'ai déjeuné chez Lipp avec Estier, Dayan,
Bergougnoux. Qui était à la table d'en face devant moi ? Joanna
Shimkus ! Très belle, évidemment.
Au dîner, avec Cornut-Gentille dans un restaurant de la rue
Bernard-Palissy (qui donne dans la rue du Dragon), on me dit « ne
vous mettez pas là, on attend un ministre ». Pouah ! je m'écarte. Qui
arrive ? Bettencourt. D'où long bavardage sympathique.
Aujourd'hui, re-déjeuner chez Lipp (Estier, Hernu, Fillioud,
Dayan est au lit avec un claquage musculaire) – et voici Jean Marin…
J'ai reçu ta lettre à l'instant. Pourquoi toujours ce frein, ce manque
de confiance, cette rétention à <u>notre</u> joie ? Je t'aime mon Anne.
Fatigue, silence ou réflexion au-dedans de soi ne sont pas synonymes
d'éloignement. Et j'adore ton visage penché de Lohia, le soir, sur ta
tapisserie.
Ton examen de droit est le 23. C'est affiché rue d'Assas et tu recevras une communication, ou plutôt une convocation. Je t'apporterai samedi divers documents. Pour la muséologie ce sera <u>fin
septembre</u> - <u>début octobre</u>, sans autre précision. On retéléphonera
régulièrement pour être informés.
J'ai vu Robert qui s'occupe de mon voyage – conférences aux USA.
Le départ est fixé au 20 octobre. Pour une dizaine de jours. Que je
serais heureux de te convertir à l'idée de venir, mon interprète chérie !
(O Lido di Mondello !) Je l'espère très très fort et t'en reparlerai. Ce
serait <u>passionnant</u>.
Je prendrai l'avion demain soir et serai à Biarritz vers 11 heures.
J'irai te voir <u>le lendemain matin vers 9 h 30</u>.

Il y a en moi tant d'attente heureuse pour ces quelques jours à construire ensemble.

Si tu le veux je te ramènerai à Paris le 14 ou le 15 (ou à Clermont, et dans ce cas je passerai utilement par la Nièvre).

Mais ma pensée revient sur le même sujet : quel bonheur et quelle curiosité avide si nous faisions ce voyage aux États-Unis !

Une déception : Thérèse, du coiffeur, est partie – avec un milliardaire. Adieu mari-pilote, clients d'Alexandre, massages délicats – ô sage Thérèse ! j'ai eu droit, à sa place, à Liliane, Israélienne aux doigts moins déliés sur ma nuque.

Mon Amour regardez-moi, là, au fond des yeux, les vôtres sont verts, verts, mer, algues, je les aime et m'y perds

François

403.

À Anne Pingeot, EV.

H., 10 septembre 1968

Anne mon Amour chaque jour est une nouvelle naissance pour les yeux qui cherchent et qui distinguent la couleur du temps. Ce matin je vois une jeune fille – jeune femme aux lèvres ourlées d'une nuit où la lune donnait un grand spectacle, j'entends un cri, celui de la terre qui s'ouvre à l'inconnu dans un éblouissement, j'aime un beau visage lisse prêt à dessiner un modèle pour la pureté des lignes et la douceur du cœur.

Anne mon amour il suffit d'y penser à cette richesse éparse comme les métaux dans le sol et qu'un peu d'attention fait or ou argent, d'y penser et d'ouvrir son regard.

Je te vois dans ta propre lumière, j'approche de ton âme, source vers quoi remontent tant de ruisseaux. Je caresse ton cou, tout près de l'épaule, dune, colline, forme où repose la beauté. Et j'embrasse tes tempes où bat ton sang

François

404.

En-tête Assemblée nationale, à Mademoiselle Anne Pingeot,
10 rue de l'Oratoire, Clermont-Ferrand, Puy-de-Dôme 63.

Hossegor, 15 septembre 1968

Mon amour,
Un lac retiré dans son chenal de sable et couleur de perle au Japon, une ouverture de ciel parcourue de grands vents, bleue et noire et blanche et bleue surtout, la ceinture verte et noire des arbres entre deux, et toi venant, ton bouquet de fleurs à la main, toi marchant le long des murs de ton enfance, toi Anne intérieure avec tes yeux de matin mystique, voilà les images qui s'inscrivent pour marquer la fin des vacances. Fin des vacances ? Non, fin d'année, toujours fin de quelque chose qui a été bonheur, cri, tristesse, espoir, quotidienneté, chemins de forêt, balades au bord de l'océan, plongées dans l'inconnu, nuit de lune sur les pins de Seignosse, plaisanteries faciles du golf, silence de ta chambre, émotion renouvelée, tirée de la peine et de la joie, à crier, à pleurer, à aimer.
Après t'avoir quittée j'ai rêvé, sécateur à la main, forgeant la destinée des chênes-lièges, des arbousiers, des pins, stoppant celle de ces plantes grimpantes, coupantes, méchantes, rampantes, piquantes, qui s'en sont donné à cœur joie par cet été de pluies. C'est facile et bon de songer ainsi, les pieds dans l'humus sans âge et la tête partie avec les idées, les images d'au-delà l'horizon. J'ai devant moi maintenant tes fleurs (cosmos, asters, non, pas cosmos, que sont ces marguerites jaunes et rouges ?), tout est calme si le vent toutefois monte fort à l'assaut des cimes. Voici un dimanche matin. Tu es partie. Comme il est 11 h 30 je te suppose du côté de Sore, pas loin de notre illumination de Pâques 66, tout près du petit pont, sur la route de Langoiran (qui est, jusque-là, celle aussi de Langon). J'ai le cœur plein d'amour, et tout autour, de la mélancolie. Tu es ma belle jeune fille Anne de la rue des Blancs-Manteaux, tu es ma jeune femme de Saint-Benoît-sur-Loire et de Torcello, porteuse d'âme éblouie, angoissée dans ton corps qui est mien.
Bon voyage, mon cher amour. Tu es Anne forte de tous tes prestiges, tu es l'amour qui fait vivre et croire, tu es celle que j'aime

François

405.

En-tête Assemblée nationale, à Mademoiselle Anne Pingeot,
10 rue de l'Oratoire, Clermont-Ferrand, Puy-de-Dôme 63.

Hossegor, 16 septembre 1968

La grande tempête s'est emparée de la forêt, mon Anne. Elle jette des paquets de mer, tord les arbres, remue l'air dans ses tréfonds. Le soleil est par-derrière un immense mur, très loin.

Hier j'étais chez Viala, près d'Arcangues, belle maison bien plantée et sans style, parmi des champs et des bois, et avec un beau nom, « le domaine de Garonne ». Il y avait là Maurisset et sa « bonne aventure », précieux, précis, enjaponisé (il en revient) au bout des ongles.

Je vous écris avec amour... et pas longtemps car je vais à Latche rencontrer mes paysans pour rechercher les bornages et je crains si je ne mets pas cette lettre tout de suite à la poste, de manquer le courrier.

Je t'ai entendue ce matin. Oh ta voix que j'aime ! Je me souvenais d'Hossegor d'octobre 1964, de nos merveilleuses heures hors du temps.

Mon Anne je vous aime, je vous embrasse, vous sentez la bonne Auvergne des grands temps.

Et je suis votre

François

406.

En-tête Assemblée nationale, à Mademoiselle Anne Pingeot,
10 rue de l'Oratoire, Clermont-Ferrand, Puy-de-Dôme 63.

Hossegor, 17 septembre 1968

Mon amour, ma matinée a été simple. Je ne me suis levé qu'à 10 h 30, rêvant, recrachant les derniers restes de grippe. Puis j'ai écrit ou plutôt regratté, ce qui est conforme à mes habitudes. Le déjeuner était là. Le jardinier est arrivé au café. Et je t'écris avant de rejoindre Claude Léglise au golf où nous ferons notre dernière partie. La tempête gronde, légèrement en sourdine. Hier tout mon après-midi s'est passé dans la forêt à arpenter les futurs échanges. J'ai beaucoup marché et bu de la santé à pleins poumons. J'aimais t'entendre ce matin. Tu es ma clarté, ma source fraîche. Et je te prête le grand ciel lavé d'Auvergne pour le placer dans tes yeux.

À demain, Anne bien-aimée. Ô que le vent est fait de puissance ! Comment n'emporte-t-il pas avec lui tout le dessus de notre terre ? Complicité des éléments depuis le fond des âges, sans doute.

J'aime ta bouche et ton front. Je les embrasse. J'aime le creux de ton épaule. Je t'aime.

Ton

<u>François</u>

Enveloppe Assemblée nationale : vous dessinez un hibou à l'encre rouge.

407.

En-tête Assemblée nationale, à Mademoiselle Anne Pingeot,
10 rue de l'Oratoire, Clermont-Ferrand, Puy-de-Dôme 63.

Hossegor, 18 septembre 1968

Mon Anne chérie,

L'équinoxe a de l'avance et nous ne sortons pas de la tempête. Avec pourtant des rémissions qui nous valent des moments de beau soleil. J'ai passé ma matinée à lire au lit (*L'Œuvre au noir*, notamment, que j'achève) et à tailler les chênes-lièges. Je vais jouer dix trous au golf puis me rendrai à Dax où Michel Destouesse m'attend chez un notaire pour mes histoires de terrain.

J'ai écrit longuement hier soir pour ne retenir que quelques lignes, mais c'est toujours ça. Ce matin, ta voix, cette merveilleuse part du rêve qui se fait si heureuse réalité… (ah ! la force de ce murmure qui monte de toi du fond de la possession et qui s'assume dans un cri !).

J'ai appris dans ma promenade frontière que les châtaigniers (rares) de Latche étaient dus à l'obligeance d'un geai qui transporte les graines et les fait tomber au hasard de sa gourmandise. Ainsi en est-il des chênes isolés. Cette origine me ravit.

Demain, début d'après-midi, je partirai pour la Nièvre, via Jarnac. Je coucherai en Charente et serai à Château-Chinon pour déjeuner vendredi.

On pourrait se retrouver samedi à Nevers, aux environs de 17 heures. Je te le préciserai au téléphone. Je me fais une très grande joie de ce projet. Te revoir et dans nos chers itinéraires. J'aime ton visage de Saint-Benoît.

Je vous embrasse mon amour qui me manque déjà. Je vous embrasse et vous désire.

Faites attention à votre rhume pour avoir l'esprit clair le 23. Soignez-vous avec précaution.

La nouvelle de Régine et du 39 remue évidemment beaucoup de choses de notre vie. Mais l'essentiel est de croire, d'aimer et de vouloir. Tu es mon amour, mon Anne reine, ma chérie

François

408.

En-tête Assemblée nationale, à Mademoiselle Anne Pingeot,
10 rue de l'Oratoire, Clermont-Ferrand, Puy-de-Dôme 63.

7 octobre 1968

Ma très chérie Anne Annanon,

Je vous embrasse pour vous dire que plutôt que d'écrire une longue lettre qui ne partirait qu'après le courrier je préfère arrêter tout de suite ces lignes qui sont d'amour et d'union pour vous qui êtes lumière et grâce de ma vie

François

409.

En-tête Assemblée nationale, à Mademoiselle Anne Pingeot,
10 rue de l'Oratoire, Clermont-Ferrand, Puy-de-Dôme 63.

8 octobre 1968

On vous aime mon amour beaucoup plus et beaucoup mieux qu'on ne vous écrit ! Mais Edgar Faure occupe une place éminente dans mes occupations et me contraint à ne sortir de séance pour retrouver ma lauréate qu'à l'heure extrême du courrier. On vous aime cependant d'un cœur impatient. Venez vite sur les côtes du Pacifique ! j'irai bien vers vous samedi, plein de joie, vers d'autres nuits encore, mais croyez-moi rien ne vaut l'amour à San Francisco, du moins je l'imagine !

À demain Anne que je voudrais tant détenir comme le joyau d'un prince hindou, mon joyau, ma chérie, à demain

François

410.

En-tête Assemblée nationale, à Mademoiselle Anne Pingeot,
10 rue de l'Oratoire, Clermont-Ferrand, Puy-de-Dôme 63.

9 octobre 1968

Mon amour d'Anne,

J'étais parti pour le golf de Saint-Cloud avec Rousselet et avais entrepris une partie (médiocre) quand on est venu nous prévenir que mon ami le docteur Jean Dayan était mort subitement cette nuit. Je suis allé chez lui aussitôt. Tu imagines ma peine. Nous avions passé ce week-end (de Levallois) ensemble et c'était ainsi depuis vingt-deux ans. J'y retourne maintenant. Son frère (ils étaient extraordinairement liés) est effondré, méconnaissable. Je t'appellerai ce soir. Je viens de recevoir ta lettre. Comme je t'aime ! Comme tu m'es précieuse. Je t'embrasse du fond du cœur, mon Anne bien-aimée

François

411.

En-tête Assemblée nationale (sans enveloppe).

[1er novembre 1968]

Petit poème de voyage le 1er novembre 1968 dans l'avion de la TWA

Aux alentours de 19 heures
Entre Indianapolis et New York
Il y a
En première classe
D'un côté, exactement du côté gauche
En regardant l'œil de requin du Boeing 727
François pacha,
Affalé dans son large fauteuil
Qui rêve tout de même un peu
À ce qui se passe à l'arrière
Et en deuxième classe
Du même côté
Genoux serrés, tête droite
Anne
Qui rêve aussi
À ce qui se passe, mais cette fois-ci à l'avant
Ils sont sur le même bateau
Bateau volant à 1 000 à l'heure
Sur le premier cercle du ciel
À hauteur du violet de la nuit
Ils ont le cœur au même endroit
Avec des inscriptions comme Atlanta
Et San Francisco
Avec des lumières allumées et des
Lumières éteintes
Avec le noir et le rouge du chagrin, de
La joie, de la vie
Unie
Comme les États du même nom et au
Pluriel
Où ils viennent de divaguer d'un

Dimanche à un vendredi
François Pacha, ex-François Ier
Écrit à son Anne
Qu'il l'aime
Et l'avion de la TWA
Par-dessus le ciel de par terre, New York
Étincelante, l'avion qui descend
Maintenant
Est comme leur maison
Du berger
Un berger qui ne quitte pas du
Regard
Son étoile

412.

5 novembre 1968. Télégramme à Mademoiselle Pingeot,
care Monsieur Duhamel, 420 East 51 St, NYK.

VOUS SOUHAITONS BON SÉJOUR QUAND FAUT-IL VOUS ATTENDRE
PENSÉES FIDÈLES
LAURENCE FRANÇOIS

413.

En-tête Assemblée nationale, à Mademoiselle Anne Pingeot,
10 rue de l'Oratoire, Clermont-Ferrand, Puy-de-Dôme 63.

26 décembre 1968

Sur le mode mineur, mon Anne bien-aimée, me voici en ce
26 décembre, début d'après-midi dans une maison chauffée au feu
de cheminée, tandis qu'au-dehors la pluie grise fait tomber le ciel sur
les toits, avec sur moi mon costume de velours bronze et le pull au
col roulé rouge, au nez les lunettes d'écaille, aux pieds les pataugas
de Rieutort-de-Randon, et dans le dos une méchante douleur qui

m'a tenu allongé la deuxième partie de la journée d'hier, à retenir les plaintes au moindre mouvement, devant moi le rectangle de la fenêtre qui découpe régulièrement deux troncs de pins, le haut d'un romarin, du feuillage d'arbousiers, sous mon papier la carte de Saint-Vincent-de-Tyrosse où sont marqués tous <u>nos</u> chemins, tout à côté un bouquin sur *L'Art de connaître les arbres…*

Sur le mode majeur, je suis tout occupé de toi et je vis en moi-même, allant des souvenirs d'intense joie aux souvenirs de vraie douleur, refaisant nos jours nos nuits nos bonheurs et nos peines, t'aimant de passion et de désespoir, crevant d'envie de t'appeler au téléphone, triste, triste, du courrier vide de ce matin, la mort dans l'âme (que cette expression d'autrefois me paraît soudain exacte pour dire ce qu'elle veut dire), ayant l'impression selon le moment de communier avec toi que j'imagine dans l'église de Vic-le-Comte, cœur donné, ou bien de ne pouvoir t'atteindre dans les fins fonds de ces lointains où tu te réfugies souvent, passant par tous les extrêmes, malheureux surtout, malheureux.

Pendant la route de Clermont à Podensac je n'ai rencontré que la pluie en bourrasque et le jet de boue des autres voitures. Mais j'avais une image plus belle que ce jour de beauté : toi, à 7 heures, dans ton Oratoire, ton visage dans le creux de mon épaule et se relevant vers moi et que j'aimais éperdument, comme on n'ose pas en rêver, visage de vitrail et de mystique où la lumière est une visite de Dieu. Ce visage-là m'a accompagné – paradoxe, en me donnant force et confiance. Je ne prévoyais pas le mal que je te ferais en te téléphonant à peine débarqué à Hossegor, imperméable encore sur le dos.

Le matin de Noël, j'ai longuement songé à toi, tout l'intérieur de moi en contusion, avant de me lever. Commencer une journée avec un tel chagrin, comment faire ? Mon chagrin. Et le tien, mon amour ! Deux chagrins ? Ou un seul ? Mon Anne, ma chérie, il faut que ce soit le même ! Ces cinq années n'ont-elles pas passé au feu, lié, fondu Anne et François <u>d'avant</u> ? Tu ne le crois pas ! Toujours tu doutes. J'ai trop peu donné, sûrement, pour que tu croies. Pour que les souffrances qui nous viennent de partout en cette fin d'année 68 soient occasion nouvelle de mêler nos mains et d'unir nos volontés. Mais je t'aime Anne. N'est-ce pas le bon ciment, le seul, capable de résister au temps ? Je t'aime aujourd'hui de ciel bas aussi clairement qu'en ce 9 septembre de lumière rouge sur les arbres du couchant, qu'en ce 15 août des Trois-Poteaux où une jeune fille angoissée et rieuse caressait l'écume de la mer. Je vois, je vis les heures de Torcello, je désire de toutes mes forces la sérénité du jardin où nous nous sommes promenés. Et une revue que je feuilletais ce matin m'a renvoyé, comme par hasard, de merveilleuses images de Gordes.

Serait-ce t'aimer mieux que de te laisser vivre comme il serait normal de vivre pour l'Anne de la sanguine accrochée au mur de la chambre où j'ai dormi lundi ? Que j'aime ce portrait ! Je l'ai regardé pour lire dans le regard de cette petite fille dont l'âme et le corps sont désormais mes biens précieux (j'ai écrit <u>mes</u>. Pardonne-moi. Ton âme est à toi ou à ton Dieu. Mais crois-tu que j'aurais adoré ton corps sans la grâce qui vient de l'âme ?).

Tu as dit que j'étais indifférent aux nouvelles que tu m'apportais, dimanche, de Paris. Que je n'avais cherché que moi, le soir, avant le sommeil, sans approcher aucunement de toi comme il aurait fallu. J'ai mal protesté. Mais ce n'était pas vrai. Seulement un grand désarroi et une sorte de volonté (absurde) d'agir comme si rien n'était arrivé. As-tu cherché toi à imaginer à quel point j'étais bouleversé ?

Mais tu as raison : c'est toute ta vie qui est en cause. La mienne, elle, est oblitérée et <u>nettement</u> plus âgée que la tienne, plus avancée dans la course perdue, toujours perdue. Je connais mes auteurs ! J'ai appris que l'amour était sacrifice.

Et mon amour a surtout sacrifié la joie (non, pas la joie, l'espérance) de l'autre – d'Anne, de mon Anne, sacrifié ma bien-aimée ! Ironie amère. Et je répète que je t'aime ! Crois-moi, ne me crois pas. J'ai très mal (au dos, et dedans, sur toute cette surface inconnue qui se loge on ne sait où avec tous ces organes, ce sang et ces os et qui pourtant reçoit une souffrance où la chair n'a pas de part).

Mon Anne tant aimée je ne veux pas philosopher dans cette lettre rédigée à la diable, c'est-à-dire dans le désordre de moi-même. Je suis passionné de toi. Je te rends malheureuse, si malheureuse ! Mais je t'aime, essaie de lire entre les lignes. J'étais si bien avec toi, dans ce monde que nous avions bâti, peuplé de petits animaux, arche ou crèche, phoque, ours, canard, de livres et d'images, peuplé de nos bras, de nos lèvres, de nos rires, de nos gémissements, j'étais… égoïste ! Je t'entends d'ici.

Mon amour j'étais si bien avec toi.

Sais-tu que je t'aimerai jusqu'à mon dernier souffle ? Quelle qu'en soit la façon ? Non, je ne marchande pas ! Suis-je un marchand ? Je bénirai ce soleil d'août au moment de mourir, si Dieu me prête conscience, ce soleil d'août : 15 août, 5 août – et tous les autres jours qui ont fait notre été, ce soleil d'août, gloire d'Anne et de François, qui est devenu mon sang, mon ciel.

Et je t'écris cela en décembre !

Anne chérie, comment faire ? Faire mieux serait déjà un beau programme. Tu es juge. Un juge impartial ? Il est normal que d'autres que moi t'aiment puisque ainsi vont les choses. Mieux que moi, aussi sans doute. Plus ? (Quand j'aurai supprimé les je, peut-être me croiras-tu. J'écrirai alors

(je) t'aime

(j') ai mal

(je) suis à toi.)

Ô (mon) amour !

Je vous embrasse, Anne, comme un soir de Saint-Benoît-sur-Loire, dans l'odeur du printemps, dans l'odeur de la nuit.

Absolvez cette lettre qui va dans tous les sens pour atteindre un seul objet : te faire entendre quelqu'un qui t'aime.

Je vous embrasse. Tout mon être vous appartient. Je suis votre

François

414.

À Mademoiselle Anne Pingeot, 10 rue de l'Oratoire, Clermont-Ferrand, Puy-de-Dôme 63.

Le 26 décembre 1968, 18 heures

Je suis rentré de la poste à pied, sous la pluie. Chez le marchand de journaux j'ai acheté *Combat* et *Le Canard enchaîné* ainsi que ce bloc de papier blanc, puisque mon papier à lettres est dans ma serviette noire, et donc à l'Oratoire. J'ai regardé avidement, en passant sur le pont, une langue de sable moulée par la mer au reflux. Elle était comme un os de seiche, lisse et cependant gaufrée sur l'arête. Un peu plus loin j'apercevais l'endroit où nous avons joué sous l'œil hypothétique de Christiane. Il n'y avait plus la piste heureuse de nos pas. Plusieurs saisons, et la mer en a deux par jour, ont ramené l'hiver d'aujourd'hui. Un intense sentiment de poésie, d'amour, de vérité m'a longtemps retenu là. J'ai marché sans pouvoir éviter les flaques d'eau devenues lacs elles-mêmes, jusqu'à la maison.

Je n'avais pas envie de quitter l'air du dehors. Je suis allé dire bonjour à quelques pins. L'un d'eux était couché par la tempête. Je le redresserai demain quand je me serai procuré de la ficelle. Le moindre souffle de vent secouait en belle ondée la cime des arbres sur ma tête. J'ai enlevé le lierre qui montait sur le tronc des oliviers de Bohême. Un peu partout des branches cassées témoignaient pour la tempête de la semaine dernière.

Quelque chose me tracassait. J'avais jeté ma lettre pour toi à la boîte (courrier : 17 h 30) et je me sentais désemparé. Pas d'appel téléphonique ce soir puisque c'est interdit ; peut-être pas de lettre d'Anne demain matin puisque Anne c'est Anne et qu'on ne peut préjuger ce que décidera sa haute sagesse ; un vide ; un vague à l'âme ; un désespoir insinuant ; que faire ? J'ai donc estimé que le meilleur moyen de vivre était de continuer à t'écrire en te racontant le menu détail de ma journée. Cela ressemblera aux balades de la rue Saint-Sulpice quand nous nous disons tout ce que notre joie commande de dire et d'abord notre emploi du temps. Tu te plains d'ailleurs toujours de ce que je le ferais incomplètement, supposant sans doute que dans les trous se logent d'abominables trahisons, les pires turpitudes, soudain arrachées, comme ça pour me distraire du bonheur de t'aimer, au temps du cœur qui t'appartient.

J'ai réveillé le feu alangui, choisi deux bûches perlées de sève puis j'ai allumé toutes les lampes, ouvert ce cahier blanc, lu deux ou trois articles de mes journaux, feuilleté « les coups d'État » (tu aurais pu, quand même, y écrire un signe, une date. J'entends ta défense : tel est ton sort anonyme ! Anonyme ! Ⓐnne) et un *Machiavel* acheté hier, sorti mon stylo. Bonheur ! Te voilà sur cette page non écrite ! Et avec toi grâce, lumière, chaleur. Pourquoi chaleur ? Parce que j'ai froid. Physiquement : le chauffage marche mal. Moralement : tu devines. Pour la première fois depuis le 15 août nous ne sommes plus seuls au monde. Je t'entends encore me répondre que moi, je n'ai jamais été seul avec toi. Tu peux toujours le dire, tant tu aimes saccager ce que tu aimes. Moi je sais que je t'aime comme je t'ai aimée c'est-à-dire comme on aime. Passionnément, totalement. Il y avait donc toi et moi. Seuls. Je le répète. Ce soir j'ai froid. Il est vrai qu'il faut ajouter que ma promenade à la poste est une première sortie tant j'ai le dos meurtri par une rude morsure du côté de la colonne vertébrale. Hier après-midi et soir je n'ai pas pu bouger. Un bloc ! Une douleur qui venait me reposer de l'autre et qui m'en reposait. Qu'est-ce qui me mord ainsi ? Une vertèbre déplacée, je le suppose. Ce n'est même pas dramatique.

Depuis que je trace ces lignes je te retrouve mieux. Je me raconte :
Saint-Marcellin (c'est un autre saint mais j'ai oublié), → Saturnin !
Saint-Nectaire, la conversation chez ta grand-mère, la cheminée
devant laquelle vous déposez vos souliers pour Noël, ta robe (mais elle
est trop là pour plaire – normal !), la nuit dans ton lit avec cet étouffement qui me donnait envie de chercher protection auprès de toi, le
réveil qui m'a semblé si riche d'émotion et d'entente. J'imagine ton
émotion à l'arrivée du petit Bertrand. Tu m'as dit avoir été intimidée.
C'est bien cela la marque des grands moments. Une vie qui entre dans
la vôtre, qui durera plus que la vôtre si Dieu le veut et qui disposera
d'une large part d'amour, il y a de quoi intimider. Je ne m'attendais
pas à ta rigueur du soir au téléphone. J'avais voyagé en compagnie du
désespoir. Mais d'un désespoir que nous partagions, dans mon esprit.
Nous étions du même côté et non pas ennemis comme tu voulais l'être
en me disant tant de mots cruels, inutilement méchants (je t'entends
toujours préciser qu'ils étaient méchamment justes). Ennemis ! Anne,
mon Anne je préférerais mourir, je préfère te perdre. Je sais à quoi tu
es affrontée, tout est posé à la fois. Un enfant qui naît, qui pourrait
être le tien. Un jeune homme qui t'aime, que tu pourrais aimer. Le
mariage. L'état social, familial, religieux. J'écris ces mots sans dérision.
Ta vie utile, créatrice au prix d'un sacrifice essentiel qui t'apparaît
souvent nécessaire. L'accord retrouvé avec ce en quoi tu crois et qui
t'est si précieux. Les sacrements, la méditation, les messes du matin,
le cœur en paix fût-il brisé par la souffrance. Entre tout cela et toi, il
y a moi, il n'y a que moi. Ne blasphème pas mon amour, ne me jette
pas l'égoïsme, l'indifférence, l'insensibilité, la grossièreté, la sensualité
à la figure. Ces raisons sont trop commodes. Si elles étaient tout à fait
vraies pourquoi hésiterais-tu ?

Ne suis-je que cela si je suis cela ? Le pensais-tu vendredi quand
tu me criais que tu m'aimais comme jamais ? Vendredi ! Il y a six
jours ! Et je suis inconstant ! Le pensais-tu quand je te quittais dans
la rue de New York, devant l'immeuble des Duhamel ? Le pensais-tu
sur la terrasse des Vincent ? Ô Anne, mon amour chéri, si entre toi et
tout cela il y a moi c'est aussi parce que je t'aime, et tu le sais.

Faut-il que j'abandonne cet amour simplement parce que quelqu'un
d'autre t'écrit d'autres lettres d'amour ? Si elles se rencontrent dans
le même courrier quelle pâture ! Cela me fait mal au cœur, à la
main d'imaginer cette compétition. Si j'étais plus libre, moins lié à
cet amour, je t'aurais déjà laissée plus libre. Voilà la logique. Ton
intérêt le plus évident, à l'œil nu, c'est de me quitter.

Tu n'es pas une Anne d'intérêt sinon pour économiser sur les films photos. Mais le mot intérêt a tout son sens dans cette affaire. Il te remet en accord avec toi et avec ton milieu. C'est un intérêt de vie. La vie de mon Anne.

Ce n'est pas mince. Je le comprends. Cela me déchire. Je t'aime avec passion, mon Anne.

Rappelle-toi quand je te le disais : l'amour-passion n'est pas aveugle mais terriblement lucide au contraire. Il voit tout. Mais il agit comme s'il était aveugle. Un aveugle dont on aurait coupé les paupières et qui serait capable de voir les taches du soleil. Je considère donc ton intérêt, j'observe tout ce que je ne t'ai pas apporté, je connais mes manques, mes défauts, je perçois tes souffrances, tes révoltes, je pourrais d'un mot te laisser aller et je ne le dis pas. Pas encore. Pas encore, monsieur le bourreau. Lâcheté ? C'est plus simple. Je t'aime. Pas assez pour choisir une certaine forme de paix pour toi, dans l'autre chemin, celui qui te séparerait de moi. Pas assez. Trop pourtant pour n'avoir pas l'odeur de mort à la seule pensée que toi et moi nous ne serions plus le couple de Torcello. Ô mes lupins de Saint-Benoît, ma rose thé ! Il faudra sûrement que je devienne courageux. Il faudra s'habituer à vivre dans le noir. Pardonne-moi de tenir ta main si fort. C'est un réflexe. Pardonne le réflexe. Un homme qu'on va fusiller doit respirer un bon coup en buvant le petit matin. Une agonie a des soubresauts.

Tu vois, l'heure a passé et même près de deux heures. J'ai interrompu ces pages pour arranger les bûches. Le vent change. La fumée se rabat dans la pièce. J'ai parfois levé la tête vers le plafond, le regard vague, parfois reposé ma main un peu crispée. La nuit est venue, très nuit. J'ai mal de te quitter ce soir, Anne.

Je me coucherai tôt. Je lirai si je le peux à cause de mon dos grognon. Il y aura devant moi les résultats de l'Attila-Cup 66 et, sur la table, l'oiseau de la réconciliation.

Mon oiseau si cher des jours où la peine s'arrêtait au bord du désespoir. Il est l'heure aussi pour toi de dîner. Je ne t'aurais pas mise en retard dans cette redoutable maison (que j'aime bien !). Seras-tu bavarde ? Silencieuse ? Qu'auras-tu fait tout ce jour ? Seras-tu allée à Louvet, dans la campagne ? Qu'as-tu lu ? M'as-tu écrit ? Toutes ces questions seront sans réponse alors que dix lettres sur un cadran de téléphone résoudraient ces problèmes de l'amour quotidien, celui qui tient si chaud le cœur. Mais je ne t'appellerai pas. Non pour t'obéir. Je crois que tu me sourirais. Mais pour respecter ton besoin de réflexion.

Pour dire la vérité je m'y résous à grand-peine. J'ai besoin de toi mon amour. Quoi ? Je ne puis plus t'appeler à l'aide ?

Vendredi 27 matin

Je me suis donc couché, tôt, mais sans lire car il faisait trop froid. J'ai beaucoup, beaucoup pensé à toi et le sommeil venant tu es devenue tantôt rêve heureux tantôt cauchemar. Je suis resté frileusement au lit assez tard. Dehors, soleil. Et le temps délicat (mais plus froid) propre à ce pays.

J'ai mis un polo gris-bleu cobalt et ton pull-over gris-jaune et encore les chaussures Rieutort.

Et la belle casquette de San Francisco ! Le dos toujours sensible j'ai pris la voiture pour aller acheter les journaux. Au retour, ta lettre ! Mon amour.

15 heures

Je vais au golf essayer de me secouer.

Pourrai-je jouer ? Beauchamp est venu d'Azur avant déjeuner et a interrompu cette missive. Il est encore là et m'accompagne sur le terrain. Michel Destouesse m'a téléphoné. Nous irons dans « nos » bois dimanche.

Anne, je t'ai raconté un jour de vie en surface paisible, en profondeur pleine de remous. Anne tu es mon amour.

F.

415.

Papier blanc, à Mademoiselle Anne Pingeot,
10 rue de l'Oratoire, Clermont-Ferrand, Puy-de-Dôme 63.

Le 31 décembre 1968

Tu es Anne et moi je t'aime.

Soleil, soleil d'hiver. Un ciel de pureté salue l'année qui part, année morte ou presque, 68, adieu ! Ta politique me porte au cœur. Tes amours me comblent le cœur. Les pins montent, montent, pics, lances, licornes vers le bleu de là-haut qui n'est bleu qu'à force d'être bleu c'est-à-dire à force d'épaisseur. Sans épaisseur de la lumière pas de couleur.

Nana Mouskouri chante « celui que j'aime ». Tu es Anne et moi je t'aime, mes beaux yeux verts fendus du moment de l'amour. J'imagine Louvet, blanc, lourd, avec son arrondi amoureux de Limagne. J'imagine tes pas autour de la garenne et ton rêve à la cime des arbres, touchant donc le dôme du ciel d'Auvergne, plateau central, disent les géographes.

L'Auvergne entière est comme Cordes-sur-Ciel. Le visage renversé en plein ciel. Il y a décidément beaucoup de ciel dans cette lettre. Parce qu'il y en a dans ma tête.

Je ne t'ai pas écrit hier ! Paul Duplaix sera envoyé en cour d'assises. Punition : rien de toi ce matin, soit que le facteur ait flâné soit que le courrier soit en panne. Mais il y a eu le téléphone. Il y a des jours où il faut l'aimer ce téléphone !

J'ai donc joué dix trous hier. Ordinaire. Mais comme marche réchauffante avec çà et là un air de charade puisque des petits tas de neige parsemaient le parcours. Le soir je suis allé chez les Destouesse où m'attendait un plat au sang et du foie gras + de la crème pour le dessert. Il y avait Michel, Hélène et « la cousine » Varaut.

Je suis rentré vers 11 heures. Dans l'intervalle Charles Hernu était arrivé. Nous avons bavardé tard.

J'ai dormi pour me réveiller avec toi dans mon oreille. Ta voix que j'aime. Il fait très froid – très beau. Je lis *Cinq mars* d'Erlanger, historien besogneux mais récit intéressant.

Je dînerai ici. J'irai dire bonne année aux Destouesse.

Demain 1969. Je n'ai pas le fétichisme des changements d'année. Chaque jour est un premier de l'An. Tout de même cela ramène aux vœux, aux rendez-vous de l'esprit. Il nous faut des points de repère entre les points de rupture que sont la naissance et la mort. (Encore est-il plusieurs naissances pour une seule mort – on dit pourtant « mille morts » : on meurt tout le temps, on passe son temps à mourir. Alors qu'est-ce que la mort ? Le moment où l'on ne meurt plus.)

Je vous dis bonne année mon amour.

Mon amour, mon amour.

Tu es Anne, tu as gardé tous tes prestiges – 1962, 63, 64, 65, 66, 67, 68, 69 : tu as été l'espoir, le sel, le bonheur, la tristesse, la joie tout et tout. Merci Anne.

Un grand feu craque dans la cheminée. Je boucle cette lettre. J'embrasse la colle de l'enveloppe et du timbre avec l'envie de baiser tes lèvres. Le goût de toi. J'ai un tel goût de toi !

Vichy, fausse et belle nuit, jour fermé sur lui-même, boucle parfaite. Et ce corps ouvert sur l'amour et les beautés du cœur : le tien ! Je l'aime

      aussi !

Je vous embrasse toute

          ma merveille

              très aimée

                    François

1969

416.

Papier blanc, à Mademoiselle Anne Pingeot,
10 rue de l'Oratoire, Clermont-Ferrand, Puy-de-Dôme 63.

Le 1er janvier 1969, mercredi

Je vous aime

François

417.

À Mademoiselle Anne Pingeot, 10 rue de l'Oratoire,
Clermont-Ferrand, Puy-de-Dôme 63,
renvoyé au 39 rue du Cherche-Midi, Paris VIe.

Le 2 janvier 1969

Tu es, mon amour, mon cent cinquante-neuvième correspondant de la journée ! La machine nivernaise a drôlement fonctionné : des vœux en série. Maintenant il est tard. La télé diffuse un nouveau feuilleton policier que j'écoute tout de même d'une oreille. Je te donne à toi l'autre oreille et mon cœur. J'ai joué au golf. D'abord bien, ensuite mal. Les jambes de plomb. Zut !

Je m'étais promis de ne pas atteindre 100 de l'année 69 et m'y voici déjà, le 2 !

Partenaires : Trouillé, Paul Duplaix, Claude Léglise. Temps froid, chargé à mesure des heures des neiges pyrénéennes. Au courrier ta lettre qui est de la joie pour moi, de la joie, de la joie. Tu es Anne aux cheveux courts : mon bonheur, mon plaisir, mon désir, ma paix et tout au fond du tout au fond ma bien-aimée en qui je cherche plus que moi-même.

Je reviens toujours par l'esprit à ce monde clos de la chambre 218. De la neige, du silence, toi, ta chaleur, ton sourire de lumière tandis que je vis en toi. Et ce que nous avons dit à voix basse, ô mon Anne si familière des choses graves.

Bon, le policier s'enchaîne. On cherche la jeune fille. La maison est calme. Dehors, un frigo ! Demain soir j'aurai pris la route. N'oublie pas : Moulins 19 h 15, la gare et si je suis trop retardé, l'hôtel de Paris.

J'ai besoin de toi (et d'encre aussi ! Je prends un bic pour continuer !). J'ai besoin de toi pour devenir ce que je suis.

On n'entend pas la mer, à croire que l'hiver l'a gelée. La forêt ne bouge pas. Les oiseaux se sont tus. Pas d'autos. J'écoute le sang dans mes tempes qui bruit. Le mouvement du sang. Quand il s'arrêtera quel silence ! D'ici là quel vacarme ! Il suffit d'avoir l'oreille fine.

3 janvier

Je suis passé directement du sommeil à toi, en faisant d'un doigt mal assuré le chiffre fatidique qui me relie à l'Oratoire. C'est important et bon de commencer ainsi une journée. Dehors l'hiver cède + 6 degrés. Une douce lumière enrobe les choses. Je suis allé dans un garage pour faire préparer ma voiture et suis revenu à pied. Quelles délices ! Les mouettes piquetaient le moindre affleurement de sable sur le lac. Un immense silence. Deux pêcheurs dans leurs barques. J'ai marché la poitrine libre. Les formes évoquaient les pays plats de mon enfance avec le mouvement intime des marais, glissement du vent sur les roseaux, imperceptible agitation des poissons et des poules d'eau. J'ai visité mes pins. Ils sont beaux et poussent dru. Le courrier m'a apporté ta lettre qui est d'amour et de confiance. Merci mon Anne bien-aimée. Maintenant je me prépare pour le départ. Je suis heureux de te savoir au bout de la route demain. Ma rivière profonde.

Je t'aime Anne et j'attends la première nuit de cette année nouvelle comme on attend la paix du cœur dans l'harmonie du corps – celui-ci presque oublié tant celui-là doit gouverner

l'amour Anne-<u>François</u>.

418.

Listes de préférences.

Beaugency, 5 janvier 1969

MONUMENTS

1 Saint-Benoît-sur-Loire. 2 Torcello. 3 Saint-Illide. 8 ~~Nabinaud~~ Le Colleone. 9 Aulnay. 5 Cathédrale de Bourges. 7 Fontenay. 6 Milet. 10 ~~Parthénon~~ Topkapi ? 4 Orcival.

1 Nabinaud. 2 Morienval. 5 Conques. 4 Sainte-Sophie, ~~Topkapi~~ Parthénon, Monréale, Aubazine. 3 Notre-Dame-du-Port ~~Colleone~~.

On a rajouté, en réserve : Auvers-sur-Oise, les gisants de Fontevraud, les tombeaux de Palerme, le musée d'Autun, la crypte de Vézelay etc.

ÉCRIVAINS PRÉFÉRÉS POUR PLUSIEURS
LIVRES DE LEUR ŒUVRE

1 Shakespeare. 2 Tolstoï. 3 Pascal. 6 Stendhal. 5 Dostoïevski. 7 Flaubert, Valéry, Aragon. 4 Chateaubriand, Romains.

Arbitraire mais nécessaire je choisis trois modernes (xxᵉ siècle) en éliminant des anciens sans rapport des valeurs. J'aurais pu dans ce cas en ajouter bien d'autres.

J'ai eu envie d'ajouter Giono, Gobineau, Benoist-Méchin, Gide, Maurras. J'ai évidemment pensé à Goethe, Hemingway, Pirandello, Céline, Marcel Aymé, Montherlant, Choderlos de Laclos, Rimbaud.

Ouf !!!

… et Balzac, Zola…

LIEUX

1 Le Luberon. 2 Le Ventoux. 4 Le Bosphore, ~~l'Aigoual~~. 5 Le Truc de Randon et le Palais du roi. 3 La Loire à Saint-Benoît. 6 La

vue du Danieli, Salers, Clermont, de Gergovie. 7 Du haut de San Francisco, le dôme et les lumières d'Atlanta, la forêt de Seignosse. 8 La plage et la forêt d'Yons, Agrigente, la plage de Didymes. 9 Le golfe d'Argolide, le ciel moucheté de La Roquebrou, Touvent, la Loire à Chênehutte, les îles grecques vues d'avion. 10 Amsterdam, Marvejols.

419.

En-tête Assemblée nationale, à Mademoiselle Anne Pingeot,
39 rue du Cherche-Midi, Paris VIᵉ.

10 janvier 1969

Cette journée est longue sans vous, mon amour, comme était longue la journée d'hier. Le jour s'est levé avec au centre un soleil rouge, un matin clair et froid, les heures ont suivi les heures, le crépuscule a rendu au ciel de la ville ses sombres fureurs et la nuit est là maintenant. L'horloge des Carmes m'en renvoie l'appel affaibli et qui s'attriste du temps qui passe.

Je pense donc à vous qui êtes je ne sais où dans vos bibliothèques et je pense à vous comme quelqu'un qui vous aime et pour qui la journée est bien longue sans vous.

Je vous verrai ce soir. Mais cet après-midi n'a pas encore créé l'espoir du soir, il est encore plus proche de la tristesse du matin puisque ce matin-là 10 janvier a été un matin d'absence.

Vous aurez ce mot au 39 demain.

Il vous dira que vous êtes
ma grâce
ma lumière
et ma source
Anne,
votre

François

420.

En-tête Département de la Nièvre, conseil général,
à Mademoiselle Anne Pingeot,
39 rue du Cherche-Midi, Paris VIᵉ *(express).*

14 janvier 1969

N'oubliez pas 18 h 57, gare de Lyon Paris-Montargis demain, mercredi, n'oubliez pas non plus que je vous aime

F

421.

En-tête Assemblée nationale, à Mademoiselle Anne Pingeot,
39 rue du Cherche-Midi, Paris VIᵉ 75 *(sans timbre).*

20 janvier 1969

Ma chérie,
Il est 13 heures. Je pars en vitesse. Cette fois-ci c'est un billet de 2ᵉ classe pour limiter ta mauvaise humeur… mais j'aime tellement te retrouver que je ne veux pas dépendre des fonds Blanchet…
Je t'embrasse, je t'attends, tu es ma merveilleuse Anne.

F.

422.

En-tête Assemblée nationale (enveloppe blanche).

27 janvier 1969

Il est près de minuit, mon amour. Je t'ai appelée peu avant 10 h 30. Au bout de six sonneries j'ai pensé que les hôtesses du 39 s'étaient enfouies sous leurs draps en grommelant contre l'importun, et n'ai pas insisté. J'ai écouté et vu l'émission et me suis remis à mon courrier, après une visite de Claude Estier avec lequel j'avais à tirer les conclusions de la réunion d'hier.

Nous nous sommes quittés tristement. Tu es seule et tu as senti ta solitude plus encore que d'habitude. Tu as eu de la peine. Et pourtant tu es mon Anne bien-aimée. Si je ne t'apporte pas assez de bonheur et de calme intérieur pour dominer les difficultés de cette vie pour laquelle tu n'es pas faite (et il y a tant d'amour dans ton cœur, tant de force réelle, qu'il faut bien que le chagrin soit lourd pour que tu y cèdes désormais si souvent) je me sens coupable, terriblement endetté de joie et de beauté envers celle que j'aime. Je t'aime assez en tout cas, crois-le ma bien-aimée, pour te préférer à moi (enfin, pas toujours mais quand même assez, je le répète, pour souffrir au-delà des mots dès que je te fais mal et pour ne plus vouloir te faire mal).

Ce soir je veux seulement t'embrasser, te rejoindre par la pensée, très doucement, en contenant tout juste la passion qui m'habite pour toi. Je t'aime, ma merveilleuse fille, mon Anne douloureuse. Tu as été depuis cinq ans mon grand ciel pur avec des traversées d'orage, bref et plus pur encore (même et parce qu'il criait fort la volonté soudaine des tempêtes de l'au-delà) que le ciel qu'il prétendait voiler. Tu m'as tout donné. Parlons comme les petits-bourgeois du début du siècle – j'ai envie de murmurer « mon trésor » et je ne me trouve pas ridicule !

Tes colères, tes tristesses, tes désespoirs sont d'amour. Jamais je ne te méconnaîtrai. Mais tu as trop mal. Comment le supporter, toi ? Comment le supporter, moi ? Cette, ces questions me déchirent.

En attendant demain, Anne mon Anne, je dormirai. Ton image s'enfoncera dans ma nuit. Je te reverrai, profil fermé, tremblant. Je t'entendrai et tes paroles d'amour et tes paroles de révolte. Et je me demanderai, sans réponse possible aujourd'hui, comment le mieux t'aimer.

Je suis à toi, très imparfait. Pardonne-moi. Je suis à toi comme tu m'appartiens. Mon Anne souveraine des confins du Quercy, et du Luberon en sa ligne de faîte, et des hauteurs de Montredon.

Je vous aime de toutes mes forces et je ne veux pas dire autre chose
avant le bonsoir
ma chérie
des heures calmes, avec
tes bras autour de moi, avec
ma vie entre mes bras

<u>F</u>

423.

En-tête Assemblée nationale, à Mademoiselle Anne Pingeot,
39 rue du Cherche-Midi, Paris VIe 75.

15 février 1969

Mon amour,
  mon Amour,
  Qu'ai-je fait ? que n'ai-je pas fait ? Cherchons. J'ai dû oublier de
te demander des nouvelles des tulipes jaunes. Non. J'ai dû te regarder
d'un œil perfide. Non. J'ai dû prononcer le mot Vaccarès. Non. J'ai dû
t'appeler Clémentine. Non. Je t'ai fait attendre ? Nannon. J'ai blessé
ton amour-propre anti-ticket (de chemin de fer) ? ? ?
  J'ai grossi la voix pour te gronder ? Non. J'ai trop peu aimé mon
amour d'amour d'Anne par la pensée, par l'action, par l'omission ?
Non. Je ne me suis pas enquis comme il convenait de l'état de ton
foie ? Non. De ta Foi ? Non. Du père Varillon ? Non. De la piscine ?
Non. J'ai manqué d'égards pour ton vélo ? Non. Je t'ai mal embrassée
sous le tilleul du Luxembourg ? Non. J'ai eu tort de dormir jusqu'à
midi, ce qui m'a exposé d'abord à ton amoureuse compréhension,
ensuite à ta colère rancunière ? Non, non. Tu ne m'aimes plus ? Non.
Je ne t'aime plus ? Non. Je n'ai pas évoqué Gédéon ? Non. Je l'ai
évoquée ? Non. J'ai manqué de considération pour ton emploi du
temps ? Non. Hum ! Tu n'as pas envie de venir à Auxerre ? Non.
  Je t'aime mal ? Sûrement.
  Mais je t'aime, ah oui !
  Ceci dit je n'ai rien compris. Je cherche. Si je trouve, je F
réclame une prime : un baiser sur le nez du petit ☺ne d'Angleterre
M et le retour des grands yeux verts avec un air de ciel
dedans.

  Voilà.
  À demain
  vous qu'on aime.

Jeudi 27 février 1969, peinture d'affiches pour le Biafra chez les Dulac :
Je suis heureuse avec eux.

424.

En-tête Assemblée nationale, à Mademoiselle Anne Pingeot,
39 rue du Cherche-Midi, Paris VIe 75.

3 mars 1969

On vous aime, mon Anne,
et on aime vous le dire
ce soir.
On vous embrasse aussi
Comme on aimait vous
embrasser
cette nuit.
À demain, pour la voix et les airs, et le cœur

F̲

425.

En-tête Assemblée nationale, à Mademoiselle Anne Pingeot,
39 rue du Cherche-Midi, Paris VIe 75.

Hossegor, 5 mars 1969

J'aurais aimé qu'une longue lettre te raconte les oiseaux d'Hossegor, son ciel gris, la forêt nue et même ses couleurs fauves. Mais voilà :
je travaille à en user mon stylo ! Je suis seul. Je n'ai pas un gros ren-
dement, mais j'insiste. Je pense à toi. Ta voix habite mon oreille. Je
m'ennuie de mes camélias de Latche saccagés. J'aimerais une longue
promenade avec Anne, ma compagne des chemins de bruyère. Je te
verrai demain et c'est une joie déjà que de le savoir.

Tu es mon Anne très très aimée

F̲

426.

En-tête Assemblée nationale, à Mademoiselle Anne Pingeot,
39 rue du Cherche-Midi, Paris VIe 75 *(sans timbre).*

8 mars 1969

À demain,
toi
que
j'aime

F̲

427.

En-tête Assemblée nationale, à Mademoiselle Anne Pingeot,
39 rue du Cherche-Midi, Paris VIe 75 *(sans timbre).*

15 mars 1969

Je t'aime

F̲

Jeudi 27 mars 1969, 8 h 10, retour en avion. Vous dites : « *Je ne fais pas confiance à mes collaborateurs, mais je fais confiance à mes ennemis.* »

428.

En-tête Assemblée nationale, à Mademoiselle Anne Pingeot,
10 rue de l'Oratoire, Clermont-Ferrand, Puy-de-Dôme 63.

Paris, 11 avril 1969

Ma très chérie Anne,
J'espère que tu as vu le beau passage du noyer au châtaignier par un soleil de souvenir heureux et que tu es arrivée à l'Oratoire les yeux pleins d'images à reconnaître un jour ensemble. Pour moi le train a été clément. Depuis j'écris, corrige, rature [Ma part de vérité]. Les quarante-

six pages sont tapées à la machine. J'en ai rédigé trois autres… et je continue.

Joie d'hier et mélancolie. Tes yeux d'amour et de tendresse m'ont suivi dans la nuit. Je t'aime. Je t'appellerai au téléphone. Je t'embrasse amoureusement.

Je suis ton

François

27 avril 1969, le Non au référendum l'emporte.
28 avril, Charles de Gaulle démissionne.

429.

En-tête Assemblée nationale, à Anne Pingeot.

Paris, 2 mai 1968 [pour 1969]

Anne chérie,
Tu es une vilaine bonne femme.
D'ailleurs tu le sais.
Je t'aime quand même et si je te fais de la peine, moi, du moins, ce n'est pas exprès !
Pardonnons-nous mutuellement ce sera tellement mieux.
Je t'embrasse avec amour.
Mais tu es une sale bonne femme

F

430.

En-tête Assemblée nationale, à Anne Pingeot.

[3 mai 1969]

A. chérie,
Laurence est encore incertaine.

Voici donc pour plus de sûreté un billet pour Dijon.
Trains : 17 heures et un autre à 18 h 25 qui arrive à 21 h 02.
Le meeting est à 21 heures, Palais des congrès, Dijon.
À ce soir.
Je t'A.

F

Jeudi 8 mai 1969, Pompidou 45 %, Poher 35 %.

431.

En-tête Assemblée nationale, à Mademoiselle Anne Pingeot,
10 rue de l'Oratoire, Clermont-Ferrand, Puy-de-Dôme 63,
renvoyée au 39 rue du Cherche-Midi, Paris VIe.

Paris, 28 mai 1969

Mon amour,
À la fin d'un après-midi consacré à la correction, épuisante, du livre, je viens à toi juste le temps de ces lignes pour ne pas manquer la dernière levée. Merci pour ta voix de ce matin. Elle était claire et voilée, claire de tendresse et voilée du songe de ceux qui aiment et qui ne croient ni leurs yeux ni leurs oreilles. Je t'imagine à Louvet dans les parfums de mai. Tu es poésie et lumière et grand air pour moi.
Je t'appellerai demain matin. Je t'attends. Je t'embrasse avec amour de toi et de tout ce qui te fait toi

François

Samedi 14 Juin : déménagement du 39 rue du Cherche-Midi au 36 rue Saint-Placide, ma première chambre seule donnant sur des cours, au quatrième étage sans ascenseur avec une entrée de service desservant le petit couloir de ma chambre à l'arrière. Quatre étudiantes, une salle de bains, une minuscule cuisine, pas de machine à laver linge ou vaisselle, pas de télévision. Un téléphone commun.
Dimanche 15 juin 1969, Pompidou est élu. Premier appel téléphonique au 36.
Lundi 16 juin 1969, sortie de *Ma part de vérité* (titre trouvé ensemble).

432.

En-tête Assemblée nationale, à Mademoiselle Anne Pingeot,
aux bons soins de Madame Maucout, Résidence Sainte-Victoire,
bâtiment A, rue Saint-Jérôme, Aix-en-Provence 13.

Paris, 23 juin 1969

Je t'ai appelée, Animour, vers 9 heures et la demoiselle classique
des postes m'a annoncé quarante-cinq minutes d'attente. Du coup
j'ai pensé que mon Nannon chéri roulerait des songes tristes sur la
route d'Aix (au milieu des songes heureux du type Martin, Bertrand,
odeur de thym et de lavande), des songes tristes parce que le temps
sera bien long d'ici dimanche et que nous avons manqué le viatique
de nos voix échangées.

J'étais très amoureux de toi sur ma route de Paris. Je rêvais à ton
visage, au regard vert, aux bras noués au long corps que j'aime, le
corps des petits matins d'Avallon mais plus encore je rêvais au cœur
d'Anne, couleur de mon ciel, couleur de vie, le cœur cherche-midi.
Dis bonjour aux belles collines, à Sainte-Victoire, au Luberon, au
Haut Pays (j'ai dit à Pierre Soudet d'appeler son roman comme ça).
Tu me manques déjà, ma lumière. Tu es toute vibration et je n'ai pas
connu plus grand bonheur que d'être accordé à toi.

Mon Animour, ce soir je serai à Europe 1.

Demain, à l'Assemblée, puis je partirai pour Lille et Valenciennes
d'où je reviendrai dans la nuit. Hier a été une journée fatigante. Ce
matin l'autoroute n'était pas fréquentable entre les gerbes d'eau et
les sautes de vent. Ô notre été ! Retournons à Éphèse ! Je ramasserai
des étoiles de mer et nous marcherons dans les pas de saint Paul.
Anne-bonheur.

J'embrasse tes lèvres, ma chérie. Un petit mot de toi serait le bienvenu ! Ne m'oublie pas. J'irai voir demain matin les affichages de la
fac. Je t'aime. Je t'aime de tout moi-même. J'aime ta gravité qui me
rend le goût du « bout de moi-même ».

Tu es ma bien-aimée. Ne me trompe pas avec Bertrand

<u>François</u>

En-tête coupé de l'Hostellerie de la Poste. Avallon René Hure. 21.6.69.

433.

En-tête Assemblée nationale, à Mademoiselle Anne Pingeot,
aux bons soins de Madame Maucout, Résidence Sainte-Victoire,
bâtiment A, rue Saint-Jérôme, Aix-en-Provence 13 *(renvoyée par
Martine, ma sœur aînée, 36 rue Saint-Placide, Paris VIe 75.*
À l'arrière, note de celle-ci : « *Quel dommage que vous ne soyez restés
plus longtemps, le soleil donne son plein, bonne chance* »).

Paris, 25 juin 1969

Mon amour, que je suis triste de n'avoir pu t'écrire hier et de le faire encore si tard ce soir.

Mardi il y a eu la rentrée parlementaire puis vers 4 heures je suis parti pour le Nord par un temps d'épouvante. J'ai tenu mes réunions et suis rentré à Paris à 3 h 30 du matin par une autoroute dantesque ! Ce matin, les yeux collés de sommeil j'ai donné une interview à Dumayet pour RTL (une heure de conversation !).

J'ai eu le temps d'avaler une bouchée. Puis re-Palais-Bourbon pour élire le président de l'Assemblée. De là saut au Grand Pub pour signer mon livre de 17 h 30 à 21 h 15 ! (650 livres). JJSS m'attendait à dîner à *L'Express*. Je viens de rentrer, il est minuit, j'ai mal à la gorge et la tête en feu et il me faut partir le matin à 8 heures pour Dun-les-Places ! Animour, animour, je suis vraiment triste, triste, tu me manques beaucoup. Je retourne sans cesse à toi, je t'embellis, te sanctifie, t'idéalise, et je t'attends.

Côté fac, rien encore mais comme c'est un peu obscur Laurence t'appellera. Je ne rentrerai que demain soir ou samedi matin de Dijon où se tient la CODER (repoussée de trois jours à cause de la rentrée parlementaire).

Je vous aime et vous désire dans l'odeur et la lumière du bonheur, de la maison Vincent [en face de celle de Pierre Soudet à Gordes], d'Anne ma grâce, ma tendre fille, dans la paix du cœur que je te dois.

Je vous embrasse. Venez. Dimanche sera un beau jour si vous êtes là. Je sens déjà le rire venir en moi parce que tu es Anne et que tu as gardé, ô, mes prestiges du premier instant, tous tes prestiges d'Anne très aimée

Je suis à toi

François

Inscription au concours de conservateur des Musées nationaux.

434.

En-tête Assemblée nationale, à Mademoiselle Anne Pingeot,
36 rue Saint-Placide, Paris VIe 75.

Paris, 2 juillet 1969

Mon animour,

Comme je ne te verrai pas aujourd'hui il me reste ce moyen de te
parler. Bonne chance pour cet après-midi, ma chérie. Moi, égoïste, j'ai
joué au golf avec Rousselet. Pas trop mal. Un soleil, un air à grands
poumons, de l'herbe verte, de la marche qui brise les muscles, ce
réapprentissage m'a fait du bien. Aujourd'hui est l'anniversaire de
Pierre Sarrazin, mon cousin disparu. Cela me rappelle les fêtes de
jadis. Je pars pour Caen. Je te téléphonerai. Je pense à toi. Il y a des
fleurs dans mon cœur. Je te les donne.

Hier soir a été sympathique. Il y avait Clayeux, Thieullent, Bettencourt, Marot, Roy, Dufour, de Ferry. Nous nous sommes quittés
vers midi [pour minuit ?] et demi.

Je vous embrasse et je vous aime, mon Anne. À demain, 1 heure,
devant l'église.

Je suis à toi

F

435.

En-tête Assemblée nationale, à Mademoiselle Anne Pingeot,
36 rue Saint-Placide, Paris VIe 75.

Hossegor, 9 juillet 1969

Mon Animour,

Une très douce journée de soleil a donné au patio ses belles couleurs. Les roses thé continuent de fleurir, les géraniums sont en
place, des marguerites et des pétunias offrent leurs taches blanches
et mauves. Comme il a plu cette nuit les odeurs du sol montent,
exaltantes, émouvantes. Des oiseaux chantent, vont et viennent. La
foule de juillet arrive mais son bruit ne monte pas jusqu'à ma butte.
Je suis allé à Latche qui dispose d'un gazon tondu, mais gazon poli

qui accepte de ressembler comme un jumeau à de l'herbe dans un pré. Là aussi des parfums, de l'ombre et du soleil clairement partagés, mais des oiseaux logés dans les poutres et les hautes fougères montrent qu'on s'est éloigné de la ville.

J'ai lu les journaux, dont *L'Équipe* qui me repaît des exploits de Merckx et de Gimondi. J'ai appris du marchand de journaux qu'il avait vendu quatre-vingts de mes bouquins, et que ça n'arrêtait pas. Enfin, un bon sondage ! Je suis allé voir Lohia mais tout indiquait l'absence de ses propriétaires. J'aurais aimé retrouver Gédé, visiter ses plantations, ouvrir ta chambre, saluer l'oiseau de la réconciliation, caresser ton if du bout des doigts. Je t'aime animour méchant.

Demain je téléphonerai aux Destouesse et je ferai un saut à la maison Barbot. Je n'ai pas joué au golf malgré les pressions de Coco [Léglise]. Peut-être demain. J'ai surtout envie de m'étendre, de rêver et de lire. Un peu, en arrière-fond, d'écrire. Je serais très heureux d'écrire cet été, ici ou là, près de toi, des suites à « la grenade ». Ce serait formidable.

Je garde sur l'estomac la salade « américaine » des Trois Soleils. Le jeûne me ferait du bien. J'ai acheté le numéro juillet-août du *Jardin des arts* que je t'apporterai vendredi. J'avais l'impression de réduire la distance qui nous sépare. Il y a de très beaux articles sur Rembrandt. J'ai aussi acheté l'*Histoire de la flibuste* de Georges Blond qui me paraît passionnant. Du sang, de la volupté, de la mort. Et du soleil sous les Tropiques ! J'ai déjà usé du sécateur. Mon premier mouvement ici est de tailler les branches mortes et les pousses inutiles. Je m'attaquerai demain aux touffes de chênes-lièges pour distinguer la tige qui sera arbre. J'ai été très uni à toi à Gordes. Je suis épris de ton visage. Hier tu étais bien un peu pincée et j'en avais une ombre de peine. Pardonne-moi de t'aimer. Même mal et de loin plus souvent qu'il ne faudrait. Tu es mon Anne aimée qui a gardé… tous ses prestiges – j'y pense comme à une grâce extrême reçue et préservée.

Là où j'allais chercher des œillets des dunes pour toi on construit des immeubles type HLM.

À bas Eluère, au poteau ! Animour je me réjouis de vendredi. J'établirai un minutieux programme de belles haltes (mais si nous ne nous rendons pas à Louvet je m'arrêterai deux heures à Nevers samedi matin pour mon travail. Tu en seras réduite à leur faire visiter Saint-Étienne et l'Hôtel de France !). Ma bien, ma très chérie j'imagine ta journée appliquée. J'imagine moins ta soirée dont tu m'as interdit l'entrée, ou plutôt l'effraction par téléphone.

J'aurais aimé, pourtant.

J'écris sur une table qui branle, dans ma chambre, avec mon oiseau à moi qui suit chaque mouvement de main. Qu'il est beau. À côté, ton sécateur et son papier bleu transparent que je garde comme un talisman. Sur le radiateur, tes comptes de l'Attila-Cup 66. Sur la table de chevet, Che Guevara. Et dans mon cœur, toi, mon amour. Voilà le jour passe, tranquille. Par le ciel je lance un message qui traverse des lacs bleus entre des flocons de nuages légers, spirituels, vagabonds. Ce message dira à mon Anne, qu'elle est aimée, passionnément, de son

François

436.

En-tête Assemblée nationale, à Mademoiselle Anne Pingeot,
36 rue Saint-Placide, Paris VIe 75.

Hossegor, 10 juillet 1969

Mon Nannon chéri,

J'ai reçu ton petit mot à la fois sec (« cher Anchois » et rien d'autre) et gentil (le thym, le bonheur, au-dessus de ton lit). Je l'ai dans ma poche, billet bleu qui me plaît au cœur. La nuit a été belle et froide. Le matin sentait la mer. J'ai flâné dans le village et fait un saut à Latche pour arranger les meubles qui arrivent. J'ai rendez-vous avec les Destouesse dans un moment à Moliets. Je respire. Un grand vent balaie le ciel. Il y a encore un peu de printemps qui traîne. L'herbe roussie apparaît par plaques, annonciatrice des orages et des chaleurs immobiles mais le vert tendre domine. Je me suis retenu à quatre pour ne pas te téléphoner en m'éveillant. J'avais besoin de ta voix. Ta voix, tes lèvres, le regard de tes yeux.

Tour à tour je trompe l'un avec l'autre puisque tu as décrété qu'il me fallait aller d'un amour à un amour. Je vais d'Anne à Anne et je t'aime.

Je coupe un article dans *Le Monde* et je te l'envoie. C'est du Barillon, sincère, plus politique que littéraire, un peu court.

Que fait mon amour de fille ? Elle tape et s'aliène et m'oublie peut-être. Ô Anne des Trois-Poteaux, aux jambes coupées, au péplum rouge ! L'écume de la mer qui venait mourir à tes pieds ! Rien n'effacera la poésie des premiers moments. L'océan couleur de tes yeux. L'océan à boire pour l'éternité (et quelle formidable indigestion !).

Mon amour à demain. Je serai à 1 heure devant le square de l'église et si je te manque je t'appellerai à 17 h 30. Je t'embrasse, cher Animour, et je te désire – oui !

François

Carton Assemblée nationale, horaires :

Paris	La Roche	Auxerre
13 h 35 →	*15 h 51*	
	16 h 05 →	*16 h 35*
18 h 30	*20 h 29*	
	20 h 42 →	*21 h 05*

Vendredi 11 juillet 1969 : licenciée en droit, faculté d'Assas, mention assez bien. Dimanche 20 juillet 1969 : nuit rue Guynemer, réveil à 3 heures du matin pour voir le premier homme marcher sur la Lune.

437.

En-tête Assemblée nationale, à Mademoiselle Anne Pingeot, 36 rue Saint-Placide, Paris VIe 75.

Hossegor, 22 juillet 1969

Mon Animour, je dors depuis ce matin, depuis hier soir, et je lève la paupière pour jeter ce mot sur le papier – bouteille à la mer (océan des P et T) : je vous aime.

Soleil, douceur, trente-quatre pages des *Deux Étendards, Sud-Ouest*, un petit saut à Lohia où j'ai trouvé Diesel et non Gédé, voilà toute mon activité lucide.

Mais mon cœur t'aime. Tu es ma merveilleuse Anne parée de tous les prestiges et que j'embrasse avec ferveur

François

Du 28 juillet au 14 août, stage d'apprentissage sténodactylo (pour gagner mon indépendance financière vis-à-vis de mon père).

438.

En-tête Assemblée nationale, à Mademoiselle Anne Pingeot,
36 rue Saint-Placide, Paris VIe 75.

Hossegor, 28 juillet 1969

Mon animour chéri,
Je t'écris les doigts gourds de sommeil. Il est pourtant 16 heures !
Arrivé vers 11 heures hier soir j'ai dormi aussitôt… jusqu'à midi. Puis
je me suis étendu après déjeuner… et voilà ! Il fait très chaud, de la
chaleur d'enfance aux volets en tuile. L'orage point. J'ai fini *Les Pas*.
Je reprends *Les Deux Étendards*. Le voyage a été bon, sans remous.
J'ai pensé à toi avec une tendresse à caresser le cœur. Je suis toujours
en conversation avec toi, rêve de sommeil et de veille. Demain matin
Michel Destouesse vient me voir. J'irai avant dîner à Lohia.
Tu es Anne et je t'aime. Mon amour, mon amour

François

439.

En-tête Assemblée nationale, à Mademoiselle Anne Pingeot,
36 rue Saint-Placide, Paris VIe 75.

Hossegor, 29 juillet 1969

Mon Anne, je t'aime.
Un grand orage dans la nuit a ramené des nuages, de la pluie sans
chasser le soleil. J'ai fait un saut à Moliets (maison des Barbot) et
Latche (les courges poussent à toute allure). Je pars demain matin par
le train. J'aurai le temps de lire et de rêver. Tu recevras ce mot juste
avant de me revoir : il précédera la joie d'Annefrançois.
Je t'aime

Fr.

440.

En-tête Assemblée nationale, à Mademoiselle Anne Pingeot,
36 rue Saint-Placide, Paris VIe 75.

Jarnac, 5 août 1969

Mon animour chéri,

Je suis comme tu le vois, à Jarnac. Impression d'éternité : rien n'a bougé dans cette petite ville depuis le demi-siècle que je la connais. Sensation dominante : la merveilleuse odeur de l'église. C'est une des plus envoûtantes réminiscences d'autrefois. Je suis allé au cimetière par une chaleur torride. Chaleur des étés d'enfance. Il y a trente-huit ans ~~moins~~ plus un jour c'étaient les obsèques de ma grand-mère aimée.

J'ai pensé au petit garçon dans ce décor inchangé. Hier, la course. Merckx évidemment. La route ensuite. Le dîner en Creuse dans un hameau enfermé entre deux coteaux.

Je suis celui qui t'aime, mon Anne tant chérie

François

441.

En-tête Assemblée nationale, à Mademoiselle Anne Pingeot,
36 rue Saint-Placide, Paris VIe 75.

Hossegor, 6 août 1969

Mon Anne chérie,

Ta lettre de ce matin a été lumière dans la lumière. Je la lis et je t'aime. Je me suis levé tard. J'ai fait un tour à Latche et déjeuné ici dans un patio blond sous le ciel très bleu. Je suis à toi profondément. Je vais mettre ce mot à la poste. Il ne se passe rien d'autre que cette communion. La journée d'hier a été émouvante. Laurence est arrivée et m'a téléphoné. Vraiment, tu es mon bonheur

François

P.-S. Ci-joint une étiquette de la maison de Cognac de mon grand-père !

442.

En-tête Assemblée nationale, à Mademoiselle Anne Pingeot,
36 rue Saint-Placide, Paris VIe 75.

Hossegor, 7 août 1969

Mon Anne, j'ai lu avec délices ta lettre de ce matin. Notre ciel reste clair. Quel mois d'août (mais je n'en vois que la face heureuse ; l'autre, que tu me montres peu, est celle du travail et de la fatigue dans ton Paris surchauffé). Je te rends les armes. Le deuxième tome des *Deux Étendards* est passionnant. J'ai commencé à le lire en me couchant vers 11 h 30. J'ai éteint la lumière à 3 h 30 ! Résultat je suis ce matin tout endormi mais mon esprit suit à la trace Anne-Marie, perdue entre les deux camps ennemis, et qui n'a plus que sa vérité seule, seule devant l'immense monde et la vie devant elle ouverte comme un gouffre. Quelques scènes lascives m'ont fait penser que mon animour n'avait pas sauté une ligne. Hum !

Je vais maintenant (il est 12 h 30) poursuivre ma lecture, étendu sur la brouette, par une chaleur torpide. Même les oiseaux se taisent. Je n'ai pas envie de bouger. Peut-être irai-je au golf vers la fin de la soirée. Il faudrait se secouer !

Ta voix ! elle est comme ton cœur d'aujourd'hui, claire, pure, donnée. Bientôt (neuf jours) nous serons réunis mais nous n'aurons pas été séparés.

L'ameublement de Latche est très moderne et sied à cette vieille maison. Le soir surtout. J'y ai fait une balade hier soir avant dîner au Pot de résine, demain je bougerai côté Moliets. Anne, Anne, tu es mon amour, j'ai envie de toi et je t'aime autant que toujours, autant que sur la route d'Aulnay qui nous ramenait à Hossegor, plus encore, Anne

François

443.

En-tête Assemblée nationale, à Mademoiselle Anne Pingeot,
36 rue Saint-Placide, Paris VIe 75.

Hossegor, 8 août 1969

Mon amour de fille Anne,
Je me secoue un peu, très peu. Hier, dix trous de golf, médiocres

mais en promenade décontractée. Je lis. Toujours *Les Deux Étendards*, *Les Fous de Dieu* et les journaux. Je dors. Je respire. Il me faut encore quelques jours pour que je retrouve le goût de l'action, et donc le goût d'écrire. Latche est habité. Par Georges Vinson sa femme et ses trois enfants (Vinson est l'un de mes jeunes ex-députés de la Convention, de Tarare, Rhône). Il ne savait où aller en vacances et avait surtout ses dettes de campagne électorale à payer ! Je me suis rendu « chez lui » hier soir. Ça faisait un drôle d'effet, mais la vie donnait à la maison beaucoup de charme.

Depuis que je sais qu'un Boeing qui traverse l'Atlantique use 36 tonnes d'oxygène et que ce dernier s'épuise à servir à tout et à n'importe quoi j'aime d'un amour plus élaboré cette forêt qui nous le restitue, formidable machine à respirer. La moindre plante rend la terre habitable à l'homme, éloigne la mort, la terrible mort par asphyxie qui me paraît la moins supportable, la plus « inhumaine ».

Mon amour qui brûle dans Paris, je t'aime. Quelle joie que le voyage cévenol soit possible ! Je vais en étudier les composantes pour qu'il soit exaltant. Et voir la beauté avec toi est le vrai bonheur.

Je t'embrasse, Nannon chérie. Demain matin tu seras dans ton jardin du musée. Je t'imagine. Mais Paris d'août a bien du charme (quand on peut s'y promener !).

Déjà, je te cherche et j'ai un grand désir de toi. Source et feu. Animour. Mon collier de tendresse. Mes yeux verts de mer océane.

Je t'aime

François

444.

En-tête Assemblée nationale, à Mademoiselle Anne Pingeot,
36 rue Saint-Placide, Paris VIe 75.

Hossegor, 10 août 1969

Mon Anne chérie, évidemment les nouvelles d'hier soir ont donné un autre cours à mes pensées, installé que j'étais dans un Saint-Benoît permanent (et la plongée de Saulieu ne m'avait pas davantage préparé à pareille surprise). J'ai de la peine à apaiser la morsure au cœur que je ressens même quand mon esprit s'occupe d'autre chose. Avec toi je m'habitue terriblement au bonheur, comme si c'était un état naturel. Démons et merveilles, vents et marées.

Je t'aime.

Un temps gris, queue d'orage sans doute, donne leur vraie couleur à mes horizons intérieurs. Je ne bouge pas du même endroit. Je serais bien allé à Paris, c'eût été conforme à mon premier mouvement. Mais je ne devais pas le faire par rapport à toi. C'est pourquoi je suis tout bêtement assis dans le fauteuil d'osier de ma chambre, un carton sur les genoux pour l'assise de mon papier, à t'écrire plutôt que d'être auprès de toi alors que j'en crève d'envie.

Remarque que ma pensée n'a pas quitté la tienne et je suis sûr qu'il en est ainsi pour toi, mon Anne, mon amour. Tu plaides souvent pour le bienfait de la séparation (provisoire). Tu sais pourtant que tu es une plante qui ne vit qu'enracinée dans le sol et que je suis le sol qui ne communique avec la lumière dont il se nourrit, que par la plante, tête levée dans le ciel, sa nourriture aussi.

Cette lettre ne t'arrivera que mardi puisqu'il n'y a pas de levée le dimanche. Je ne cherche donc pas à conjurer le sort pour demain. Je t'écris tout simplement ces mots, notre blé : je t'aime passionnément.

Il ne se passe rien ici, que dans mon cœur. Je ne me sens l'envie que de toi, que de toi. Je ne veux être faible ni devant la mort, ni devant le chagrin. Mais quelle stupeur quand on apprend qu'ils existent ! Ceci dit je suis, je serai, je me sens à jamais ton allié.

Tu es ma reine, ma source profonde, ma fille bien-aimée. Mon bonheur est, sera aussi que jamais ne se rompe le lien subtil du 15 août. Tu es ma merveilleuse Anne, tu es mon Anne… et je t'aime. Au-dessus de nous je te retrouve toujours, ton

François

Hossegor, 11 août 1969

Mon amour d'Anne, ta lettre ce matin n'était pas une bonne lettre. Cela ne va pas arranger ma journée ! Des fautes d'ortographe [sic] à la pelle, des ratures chaque ligne, pas un mot de tendresse, bref le désordre du cœur et de l'esprit (une chance que ça s'arrête là !). Et une Ane sans ☺nne. Comptons sur les doigts : nous avions neuf jours à tenir après l'une des communions d'amour les plus parfaites. Et mercredi ou jeudi, soit après trois jours, tu me lâches, tu fabriques de la tristesse, peut-être du malheur (du moins pour Anne-françois considéré comme un tout !). Ça ne s'appelle même pas une traversée de désert : tout juste une plage de séparation à franchir. Et voilà. Le 9 août 1965 il avait aussi suffi de quatre jours pour que mon Anne aille danser avec un autre garçon que le sien. 9 août, bel anniversaire ! Je t'écris ça sans amertume, avec le cœur en peine sûrement.

Comme chaque fois qu'il y a crise je fais mon, notre bilan. Aujourd'hui il me paraît merveilleusement positif. Je n'ai pas connu (sur « 350 » c'est assez joli) amour de corps plus admirable, amour d'esprit plus exaltant, douceur de cœur plus délicieuse. Il manque le sacrement social et la présence qui crée la cellule (vie quotidienne, enfants etc.).

Ce manque est grave je le sais et j'en souffre et je pense à toi qui en es victime et je t'aime de toute mon âme. Mais ce manque doit-il bousculer tout le reste, provoquer les fautes d'ortographe [re-sic] etc. ? Sûrement pas. D'autant moins, et c'est là que je veux en venir, que la cause de notre souci d'aujourd'hui, ce n'est même pas à cet endroit qu'il faut la chercher. Mon Anne tout simplement a du vague je ne sais où et balance tout sur une envie.

Bravo !

Le chagrin de ne pouvoir compter sur tes deux bras à jamais refermés autour de notre amour !

C'est la loi – et tu es mon amie, mon amie du plus profond du plus profond. Je t'embrasse donc. Et je t'aime.

En ouvrant le journal ce matin je vois que la femme de Polanski (qu'elle était belle !) et cinq de ses invités ont été retrouvés assassinés à Hollywood. Tu te souviens du *Bal des vampires* et de notre joie d'être ensemble ?

J'ai peu dormi cette nuit. Ton visage tournait dans ma tête. J'aurais pu t'appeler à 7 h 45. Je ne l'ai pas fait pour ne pas t'appeler justement ce matin. J'avais mal d'être contraint de prendre des précautions. Je suis horriblement sensible à toi. Je connais tes foucades et tes ferveurs.

Mais l'amour ? le tien ? Je ne sais plus.

J'ai eu Laurence. Je suis tout embarrassé de mon samedi dans la Nièvre. Mais j'avais déjà retenu le dîner à Gouloux. J'irai donc quand même. Vois ce que tu feras le soir. Mais s'il y a le moindre embarras ne t'inquiète pas et viens vers moi dimanche après-midi. À 16 heures ce serait bien (à Corbigny sans doute). Tu me manques beaucoup,

beaucoup. Une lumière : les Cévennes, toi, nous. Mais c'est si loin ! Anne, tu n'as pas compris que je t'aimais.

15 h 30

Je reprends cette lettre après déjeuner. Le temps s'est levé. Le Hossegor au soleil qui tremble entre les feuilles est revenu. Moi je pense à toi. Ce soir je dîne chez les Destouesse avec les Barbot, sans entrain. D'ici là je lirai et ferai un tour au golf. Je n'attends pas grand-chose de notre coup de fil qui sera quand même un peu ambigu. Tu vois que je suis triste. Ça dépend des heures. Un rien et je serai de nouveau dans la note de l'espérance.

Je vous embrasse mon Anne chérie, et j'ai le désir de vous, le désir surtout de nos pas sur le chemin qui mène à la basilique de Saint-Benoît. Là nous sommes un et la beauté habite en nous.

Je rêve aux lupins et je suis à toi

François

445.

En-tête Assemblée nationale, à Mademoiselle Anne Pingeot,
36 rue Saint-Placide, Paris VIᵉ 75 *(sans timbre).*

Hossegor, 12 août 1969

Mon amour de fille Anne, amour triste ou amour heureux, quel amour ! Voilà la déclaration solennelle de mes droits !

Nos conversations aériennes d'hier soir et de ce matin ont compensé l'angoisse, pour une part, que m'a causée ce quelque chose en marche déclenché par cette Anne que je déteste et qui, pour un petit choc émotif ou pour se créer une disponibilité nouvelle, adresse sans avoir l'air d'y toucher ses coordonnées aux amants et maris potentiels. Ah ! il fallait bien remplir tes soirées vides ! Pensez donc, neuf jours sans, ce n'est pas supportable ! Et tu t'étonnerais des jeunes gens encasernés pour la semaine qui attrapent de vilaines maladies sur les glacis du fort faute de pouvoir attendre la douce et pure fiancée du dimanche ?

Je me reproche beaucoup de n'être pas resté à Paris, comme je le désirais. Nous aurions accumulé les merveilles.

Faiblesse humaine ! Repos idiot ! Alors que la vie se brûle ou n'est pas vie. Bonne leçon. J'ai envie d'écrire « on ne m'y reprendra plus » mais je suis avec l'amour comme de Gaulle avec le pouvoir : le temps ne tuera-t-il pas les chances de l'autre fois, de l'autre été, de l'autre merveille ?

Finalement je suis quelqu'un de très fidèle. Je t'aime passionnément depuis cinq ans et ça menace de durer longtemps encore.

Je pense toujours au lendemain avec ma bien-aimée, qui, elle, minaude et s'extasie dès qu'elle peut glisser un pied hors des barreaux de sa prison d'amour ! Je te déteste et j'ai aussi le sang qui coule vite à la pensée de ta bouche, de ta gorge, de tes jambes, de ton corps.

446.

En-tête Assemblée nationale, à Mademoiselle Anne Pingeot, 10 rue de l'Oratoire, Clermont-Ferrand, Puy-de-Dôme 63.

Hossegor, 14 août 1969

Mon amour, mon amour, impossible d'écrire ce que j'ai dans le cœur.

La nuit du 13 août a été un monde de bonheur et de plénitude. On a tous les deux franchi une étape, étrange, bouleversante. Je regarde autour de moi en m'étonnant du privilège qui m'est donné, qui est nôtre, celui de la connaissance.

Tu es mon Anne. C'est comme ça que se font les grandes choses. D'abord par l'équilibre protégé jusqu'aux frontières d'où l'on ne retombe pas. Avant dîner, ton adorable dîner, nous aurions pu nous accomplir. C'eût été merveilleux. Et tellement dommage. Et puis ce que tu sais, chaque instant nous portait à la défaillance du plaisir. Mais nous sommes restés sur la même route et nous avons atteint le sommet. Comme je t'aime ! Je ne peux pas écrire d'autres mots.

Anne mon amour, à samedi. Va dans l'allée des charmes, dans la garenne. Absorbe-toi en nous. Tu es, je suis nous.

Je t'embrasse au fond de toi et je bois notre vie dans la joie de t'aimer

François

447.

En-tête Assemblée nationale, à Mademoiselle Anne Pingeot,
10 rue de l'Oratoire, Clermont-Ferrand, Puy-de-Dôme 63.

Hossegor, 15 août 1969, 15 h 15

Anne,
  Anne,
    mon amour,
      J'étais, le cœur battant, aux Trois-Poteaux il y a six ans. J'ai vu la jeune fille Anne venir de son pas dansant. Je l'aimais. Je l'ai aimée. Je l'aime. La mer sous sa sandale, le péplum rouge autour des hanches, la nuque droite elle m'a dit plus tard que ses jambes tremblaient. Anne et François, il y a six ans. La beauté de l'écume, la vigueur du soleil, le silence de nos paroles, l'émotion du temps qui commençait de nous unir, les mots balbutiés, l'attente, le désir, la crainte, bientôt l'amour. J'écris ces lignes le 15 août à la même heure. Je suis passé par le même chemin. J'aime Anne de tout mon être. 15 août – 5 août – 13 août.

Hossegor, 18 août 1969

    Mon animour tendre et rebelle, avant que le courrier parte je t'écris que je t'aime. Je suis un peu somnolent et j'ai dans la tête une jeune fille toute droite sur un quai de gare. Il fait beau, mi-beau. Je t'envoie les lignes du 15 août. Je te parlerai ce soir avec joie. Je t'aime encore plus dans ton cadre de Louvet. Je t'y retrouve comme avant que je ne te connaisse. J'aime aussi tes yeux qui ont rêvé, et je t'embrasse comme je voudrais bien t'embrasser

F

Fleur séchée.

448.

En-tête Assemblée nationale, à Mademoiselle Anne Pingeot,
10 rue de l'Oratoire, Clermont-Ferrand, Puy-de-Dôme 63.

Nice, 25 août 1969

Mon amour, ma fête de Saint-Louis que j'ai toujours imaginée bleu roi avec, en gerbe, des étoiles filantes s'achève. Les pensées se bousculent. Pardonne-moi d'abord ces énervements futiles. Ils ne me sont pas (je crois) habituels. Ils étaient éloignés de mon véritable sentiment, fait, en réalité de solide et profonde tendresse. Mais voilà !

Leçon : rechercher encore et toujours soi-même et la vérité qui doit commander chaque acte et chaque mot. En tout cas je t'aime.

Arrivé à Nice, j'ai dîné, un monde fou partout, un feu d'artifice idiot à Cannes, dans la baie, couché au Martinez (Cannes) où habite Dayan, levé à 6 heures. Route belle et terrible. Passé par des gorges puis un col à 2 350 mètres d'altitude avant de plonger sur Barcelonnette. [Enterrement d'Émile Aubert (1906-1969), sénateur des Basses-Alpes.]

À 12 kilomètres de cette ville on a tamponné nez à nez une voiture qui montait. On est repartis après un bon choc, le moteur vaillant sous une carapace écrasée ! (Route à voie unique et à mille tournants.) Aller : trois heures trois quarts ; retour trois heures. Je suis à l'aéroport de Nice après les cérémonies de Barcelonnette (admirable paysage, émotion, silence). Je t'envoie ce mot en vitesse mais de tout mon cœur qui t'aime passionnément.

J'avais préparé un dimanche paisible après deux jours de voyage. Je désirais tant cette halte ! Mais autre chose était écrit...

Je t'embrasse, Anne, mon Anne, avec amour

François

449.

En-tête Assemblée nationale, à Mademoiselle Anne Pingeot,
10 rue de l'Oratoire, Clermont-Ferrand, Puy-de-Dôme 63.

Latche, 26 août 1969

Mon animour chéri, par quoi commencer ? D'abord ce matin. Je me suis levé avec la tête pleine de toi. Aimer ou souffrir, aimer et souffrir est une forme de possession dévorante, absolue, qui ne supporte le voisinage d'aucune autre pensée. Je suis resté à Hossegor jusqu'au courrier, après m'être réveillé vers 8 heures, mais je savais sans doute possible qu'il n'y aurait pas de lettre de toi. J'ai attendu par une sorte de scrupule, mais je savais.

Il n'y avait pas de lettre en effet.

De la peine, j'en ai évidemment éprouvé. Je ressentais en même temps une sorte de joie : j'étais donc amoureux de toi exactement comme au premier jour puisqu'une inquiétude, une mésentente, un désaccord suffisaient à me plonger dans l'état malheureux que j'ai si souvent éprouvé avec toi dans les deux premières années de notre amour. (Le 20 décembre, la première quinzaine de janvier 64, Pâques 64, sur la route de Saint-Cernin à Saint-Illide le ~~dern~~ soir du premier rendez-vous, au retour de Touvent, pendant Sirolo, lors des rencontres de Saint-Sulpice où tu ne venais pas, le 9 août 65. Arrêtons, la liste serait longue. Mais, merveille, ces dernières années, on compterait sur les doigts d'une main les ruptures de ton de cet ordre.) Oui, je suis malheureux de toi aujourd'hui. Pour un rien, certes. Ta méchante humeur à laquelle a répondu mon sot énervement. En soi cela n'a pas beaucoup d'importance. Mais nous sommes habitués à vivre sur un tel plan d'harmonie que tomber de 10 centimètres nous fait autant de mal qu'à d'autres un précipice.

Explication de fait aussi, qu'il ne faut pas négliger : j'étais fatigué par la route, par la triste nouvelle reçue, par un certain manque de sommeil alors qu'un peu de maîtrise aurait suffi à dominer dès les premières minutes l'incident de Decize.

Explication encore : notre extrême sensibilisation de l'un à l'autre. Ce qui est intéressant à noter c'est l'impossibilité ~~qui~~ de communiquer qui s'enchaîne aussitôt sur l'humeur, comme si nous étions incapables d'entrer ensemble dans une maison dont les portes (sauf une) et les fenêtres seraient ouvertes parce qu'il nous manquerait la clef de la resserre. Un détail mange, envahit tout. Anne François s'interroge, se divise. Nos mains s'étreignent, nos cœurs se parlent, mais pas de clef ! Alors nous filons vers le désespoir.

Dernière explication : nous n'avons pas dormi ensemble. C'est très important, je le découvre. Nous avons été privés de l'échange inconscient de l'intimité, de la tendresse naturelle du sommeil. Du coup a été coupé le lien très puissant qui réunit le jour au jour et sans bien le percevoir nous en avons été déséquilibrés. Notre rencontre avait perdu son unité. Et comme l'~~et~~ harmonie que j'avais prévue a été détruite par le brusque changement de dimanche, c'est-à-dire par une séparation subite qui succédait à deux jours très forts mais faits d'impressions successives non coordonnées, ~~l~~ aucun fil conducteur n'a donné à cette rencontre sa véritable signification. Faute d'avoir partagé nos nuits il nous aurait fallu disposer du dimanche après-midi et soir. Le calme d'une marche en Bourbonnais (dont je rêvais), l'échange sous le ciel de nuit, l'air, le silence, l'étroite communion des heures que nous aimons nous auraient préparés à une séparation de quelques jours qui eût été à la manière de la semaine dernière, riche de pensées et de sentiments communs et donc supportable.

Mais revenons à ce matin : je suis venu à Latche, le facteur passé. Me voici donc installé, <u>pour la première fois</u>, dans ma bergerie et t'écrivant. Il est midi environ. Le soleil brille, caché de temps à autre par les nuages qui donnent à tes yeux plus de force et de couleur au bleu de l'été quand ils ont des formes pleines et la présence d'une menace (j'allais dire d'une contradiction). J'ai longuement considéré le potiron ou plutôt la plante qui donne le potiron et dont j'ignore le nom. Cette humble plante est formidable. Quelle générosité, quelle puissance ! Elle fait maintenant le tour du four et tend à grimper, ~~avec~~ de larges feuilles dont le dessin me rassure par sa noble simplicité. Tout un petit monde s'est organisé par ses soins. Dans le calice des fleurs jaunes, oblongues, un frelon, des abeilles butinent. Sous les feuilles une minuscule grenouille essaie la souplesse de ses membres.

Çà et là les fleurs s'étiolent et à leur base font place aux futurs potirons qui n'en sont qu'au tendre embryon. Je m'étonne que la minceur d'une feuille de potiron suffise à arrêter l'énergie du soleil, la violence de la lumière. Au-dessous, c'est l'ombre. Une feuille capable de provoquer l'éclipse du soleil ! Ô nature exemplaire !

Le vent souffle. Il chante dans la forêt.

Hier soir (oui, racontons hier) quand je suis arrivé à Hossegor, il portait la tempête. L'odeur de l'humus emplissait les narines, les poumons, bain de santé profonde. Un peu plus tôt dans l'avion qui allait me poser à Biarritz la même tempête me valait le sort d'un saladier balancé par une robuste ménagère. Nous avons hésité à descendre, balayés comme feuille au vent. Je ne voyais pas le moteur qui était à mon hublot tant le nuage était noir, noir, noir.

Bref nous avons atterri la tête cassée, vidée, et j'ai dû revenir à l'aéroport sous une pluie si farouche que j'en étais entièrement trempé. J'avais pris l'avion, un Fokker, à Nice avec escale à Lourdes. Trois heures d'un voyage médiocre. J'avais acheté un livre de poche appelé *De Vasco de Gama à Christophe Colomb* et j'ai eu la compensation d'une lecture excitante… surtout pour un voyageur au long cours. Le long cours a été mon lot en effet. De Lyon à ~~Marseille~~ Nice, beau temps, mais juste au-dessus du Luberon que je contemplais les yeux avides, un trou d'air, puis plusieurs, une véritable bataille de notre machine contre un ennemi invisible. Je t'avais quittée, déjà groggy ! Dayan m'attendait, m'a conduit à Cannes, nous avons dîné etc.

La route de Nice à Barcelonnette par le col de la Cayolle est terriblement sportive. Elle est, sur un parcours appréciable, à voie unique et évidemment dans les endroits les plus exposés qui ne le sont pas peu. L'une des plus difficiles que je connaisse. Aller et retour dans la journée soit sept heures de voyage succédant à l'Aigoual, aux Cévennes, à l'Auvergne, au Charolais, ce n'est pas mal me semble-t-il ! Je t'ai déjà dit que la voie unique nous avait conduits là où l'exige la logique, en vis-à-vis brutal avec une autre automobile, un peu de verre et de tôle cassés, et surtout la proximité assez impressionnante d'un abîme dans le fond duquel coule l'Ubaye, merveilleuse rivière à truites et à voyageurs malheureux. (Ah ! l'horrible Nannon le pied sur ma pédale !) Ceci dit les deux chauffeurs s'apercevant soudain dans un virage prédestiné ont freiné à bloc et les dégâts ont été si limités que seul Dayan a quelques difficultés à bouger la rotule droite !

De l'enterrement par un ciel clair, minéral, immense, ~~par des~~ qu'enveloppait un cirque grandiose de hautes montagnes (Barcelonnette est à 1 200 mètres d'altitude) je te dirai simplement qu'il a été la simplicité et la dignité mêmes. Pas de poignées de mains. Pas de discours (un prône délicat et sensible à l'église), des larmes contenues, le haut niveau d'une haute terre où l'âme communique avec les puissances de l'esprit.

Hier soir je me suis couché tôt, las tout de même, la pensée accrochée à toi, t'aimant au travers des images d'Anduze, de Massevaques, de Cabrillac, du retour dans la nuit vers Clermont, du réveil de l'Oratoire, t'aimant de toutes mes forces, triste. Notre amour me donne le sentiment de l'éternel. Comme si la mort, la mienne, n'existait pas. Comme si ma vie recouvrait la tienne alors qu'elle a pris une si dommageable avance. J'ai souvent touché ton âme par ton corps et au-delà. Je me nourris de ton visage apaisé, de ton bras sur le mien, de tes mots murmurés, de nos émotions partagées, de Saint-Benoît aussi présent en moi ce matin que l'autre matin des lupins.

....

Hossegor, 14 heures

Le temps a passé. Je viens de vivre avec toi des moments qui me sont chers. Je t'ai entendue au téléphone il faut clore cette lettre. Une grande bouffée de joie.

Je t'aime, mon Anne, du fond de l'être

François

450.

En-tête Assemblée nationale, à Mademoiselle Anne Pingeot,
10 rue de l'Oratoire, Clermont-Ferrand, Puy-de-Dôme 63.

Hossegor, 28 août 1969

Bonjour vous que j'aime, mon Anne.

Un tout petit bonjour mais lourd de tendresse et d'amour (cf. ton explication parascientifique de la densité). Je pars pour Nogaro où je déjeune et je crains de n'être pas revenu à temps pour la dernière levée. Il fait bleu avec du vent de mer au goût salé. J'ai dormi comme un bloc. Je t'ai entendue dans le demi-réveil. Ta voix me parlait au cœur. J'étais tout près de toi. Je t'aime. C'est merveilleux d'être une part d'Annefrançois. Je t'embrasse avec déjà (ô pente d'Anduze) le sang qui brûle et l'envie de ta bouche tandis que deux grands yeux verts lisent dans le ciel.

Je suis à toi

François

451.

En-tête Assemblée nationale, à Mademoiselle Anne Pingeot,
10 rue de l'Oratoire, Clermont-Ferrand, Puy-de-Dôme 63.

Hossegor, 2 septembre 1969

Mon amour d'Anne, Hossegor est dans la mer. Il y a plus d'eau que d'air. La nuit cela faisait une musique merveilleuse. Le jour c'est un peu lassant.

Je vais rejoindre au golf Diesel, Coco et X mais je me demande si nous pourrons jouer. J'ai dormi onze heures. J'en avais peut-être besoin ! Maintenant je m'installe dans le farniente assorti de richesses lentes : lecture, réflexion, marches tranquilles entre le golf, le marchand de journaux, et notre pâté de maisons. Reçu une lettre des Soudet. Je te joins celle de Pierre qui est vraiment dans sa manière ! Je pense évidemment à nos deux jours Saulieu-Clermont. Peut-être es-tu mal à l'aise dans notre vie-roulotte. Nous ne nous sommes pas assez posés. Aussi je rêve à Gordes et autres lieux, avec toi, la paix, la vie intérieure.

J'aimerais être avec toi dans ton Auvergne brumeuse. Les bottes, la pluie, la terre mouillée, l'effort, ta main : bonheur.

L'amour est un apprentissage perpétuel. On n'est jamais arrivé. L'effort n'est pas de t'aimer mais de se garder soi-même et donc de te garder aussi des miasmes, du laisser-aller. Toi, à Massevaques, joie.

Et cela te va si bien (et ne me va pas mal non plus). Il y a une sainteté à rechercher en toute chose.

Mon animour amour à demain.

Je suis à toi très profondément, je t'espère et je t'aime

François

452.

En-tête Assemblée nationale, à Mademoiselle Anne Pingeot,
10 rue de l'Oratoire, Clermont-Ferrand, Puy-de-Dôme 63.

Hossegor, 3 septembre 1969

Mon Anne aimée, Hossegor ce matin a patte de velours. Un velours gris et bleu tendre au toucher et à la vue. L'air caresse la peau, on respire, on rêve, on plonge dans la douceur délicate de l'espace. Tout cela après une journée d'hier en cataracte quasi permanente, route du Lac coupée par les eaux, greens mués en étangs, voitures noyées (ou plutôt moteurs noyés), batailles dans le ciel entre nuages furieux ou bien concours de beauté pour nuages noirs. Diesel m'a piqué une balle (lui, 93, moi 97). Dès mon lever aujourd'hui, vers 9 heures, j'ai marché. Cela me libérait les muscles et j'avais la tête pleine de rêves heureux qui me parlaient de notre alliance, de notre amour. Je t'imaginais avec cinq jours d'avance dans une promenade à demi silencieuse autour du lac. Je voyais les mouettes de notre entente, je distinguais les pas d'un bonheur ancien et fidèle. Ce n'est pas que le ciel que je te décris soit à l'abri des déchirures. Le soleil est de temps à autre caché par un vol de nuées. Ainsi en est-il d'Annefrançois. Mais l'important est dans l'immensité des mers, de l'espace, et, lien ténu et tout-puissant, dans l'espoir-désespoir de l'amour, éternel duel de la vie et la mort et, peut-être, seule victoire de la vie.

Je t'aime ce matin dans la paix du cœur, avec en arrière-plan la morsure du désir. Désir de présence surtout. La présence est une communion qui peut se passer du reste. Aller, marcher, deviner la pensée qui va au rythme du bonheur d'être ensemble, aimer le poids ailé des chênes, sentir l'odeur de l'humus réveillée par les pluies, tenir ta main, boire à ta bouche quand on s'arrête pour la simple joie de l'échange, voilà qui donne à nos jours une densité dont je suis profondément gourmand. Je t'attends beaucoup pour partager cette façon d'aimer sans laquelle toute autre se dévore elle-même.

Je me suis couché assez tôt non sans avoir regardé à la télévision *La Conversation* de Claude Mauriac. Je suis sensible au jeu de Loleh Bellon (que tu as rencontrée chez Claude Roy) et le thème m'émeut. Je sentais le temps filer entre mes doigts à mesure que se dévidaient les mots volontairement banals, que s'écoulait la vie de deux êtres. Les mots pour rien me déchiraient. Auparavant j'étais allé à Moliets et j'avais vu Paulette Barbot et ses enfants dans la maison installée. Une piperade rapidement avalée chez les Destouesse, et j'étais rentré dans la nuit.

Au lit j'ai lu une histoire du 2 *décembre* en images, très amusante et instructive. Voir la photo par Nadar de Louis Blanc et de Barbès (noms pour moi sans visage) m'a beaucoup plu, et Nadar, quel formidable photographe !

Nannon, ma chérie, je vous aime.

Tout à l'heure j'irai au golf où commencera la petite coupe

« Sainte-Geneviève ». Diesel, Coco, Chardier etc. seront au départ (huit joueurs engagés !). Ce temps me fait le plus grand bien. J'ai à préparer l'accueil de mes amis de la Convention qui viennent passer le prochain week-end afin de préparer la « rentrée ». Ils seront trente dont six avec femme ! Siège des débats, la Bergerie. Cinq heures de travail par jour (samedi et dimanche).

Je crois qu'il est bon de créer un climat d'entente au contact d'une belle nature, au gré des affinités. Nous partirons d'un meilleur pied pour une année qui sera rude.

Hier tandis que je marchais sur le golf je contemplais les verts aux dix ou onze nuances du terrain. Quelle palette ! La mousse, le pourpier, les trèfles, et des herbes que je ne puis identifier ~~avaient~~ dessinaient une admirable tapisserie. ~~Il~~ J'observais aussi les oiseaux, les insectes. Je m'interrogeais : un esprit assez fort, assez riche d'attention, capable de saisir les relations entre les choses et les êtres se satisferait-il d'une vie consacrée à voir et à comprendre ? Il y a assez à faire dans la contemplation ! Mais est-ce suffisant pour répondre aux aspirations confuses de l'homme ? Que signifie l'attrait de l'action ? (L'action, toujours grossière, puisqu'elle anéantit l'attention, puisqu'elle abolit les choses créées, puisqu'elle est le train qui coupe la nature en deux à 100 à l'heure – mais toujours nécessaire à l'équilibre entre le néant et le néant.)

Sans doute y a-t-il des âges pour l'action et la contemplation, ou davantage, une subtile alternance entre l'accumulation d'énergie et sa dépense. En tout cas le retour à l'intérieur de soi est l'obligation première sans quoi il y a dilution de l'être et l'action perd sa valeur d'action. Il en va de l'amour comme des autres recherches. L'allégorie des quatre chevaux ne doit pas être oubliée. L'amour des sens est merveille quand il exprime l'âme de deux êtres vivants qui ont pris le temps de reconnaître leur unité. Autrement le nœud dénoué…

Non, il ne laisse pas que du vide ! Mais plus exactement je crois que l'intensité du plaisir est une exigence terrible qui ne supporte pas un décalage, un changement de rythme, qui a besoin de déboucher sur l'intensité d'un accord plus subtil et cet accord doit exister avant car il ne peut naître du plaisir, qui, lui, traduit mais ne crée rien. Je reprends l'expression : le plaisir ? Un fidèle traducteur.

Et toi, Anne, ma chérie ? Toi dans ton brouillard qui a au moins l'avantage de prêter tout son sens au châle du Morvan. J'aime tes épaules qu'il enveloppe. Elles m'attendrissent et elles sont belles.

J'aime ta gravité du soir quand la tempête ou le vent fou battent les portes et courbent les cimes. À Gordes, le mistral ; à Cabrillac, sur la route du Puy, partout la tempête a été notre amie. Pourquoi ? Parce qu'elle nous enferme à l'intérieur de <u>notre</u> cercle et qu'elle inspire, instinctivement, le besoin de se resserrer l'un l'autre ~~grav~~ de prendre le chemin qui mène, et lui seul, à l'unité.

....

Je viens de t'obtenir au téléphone (!!)
Je porte cette lettre à la poste et je joins celle de Soudet.
Je t'embrasse

<u>F</u>

Lettre de Pierre Soudet à FM.

Entre Venise et Trieste, 28/8/69 (train)

Pour parler franc, puisque Laurence m'a montré la carte jointe, le propos est le suivant : je crois (et je ne suis pas le seul, le livre commençant à être diffusé, des critiques me l'ont dit, ils sont étonnés etc.) que cette bande – qui est exactement, en commentaire de *L'Examen de passage*, « Sujet imposé : la mort » – refroidit (si j'ose dire) et que dans l'éventaire d'un libraire, on ne choisira pas le livre qui pique si directement sur le point où l'on ne veut être amené qu'avec chloroforme (ce que le livre essaie).

Mais voilà, la bande est de Paul Guimard. Lequel a été d'une infinie gentillesse (qui était surtout celle qu'il a pour vous, mais qu'il a merveilleusement étendue à moi), telle que pour rien au monde je ne voudrais lui dire que j'ai des doutes sur cette formulation.

Et pour parler franc (de nouveau) le propos des Soudet est de vous demander si vous ne pourriez pas lui en dire un mot ?

Cette lettre trébuchante est écrite dans le quasi-Mistral qui relie Venise à Trieste. Il va moins vite, mais on y est aussi secoué. D'où cette graphie.

J'ai été heureux d'être brièvement le réceptionnaire de deux coups de téléphone qui étaient hélas (Aubert) professionnels. Je regrette ces longues périodes de « fading » qui parfois s'étendent.

Je vous fais mes très affectueux et en même temps toujours très admiratifs, et par conséquent très respectueux souvenirs (raison pour quoi il n'y a pas de « départ » à cette brève lettre : je n'ai pas envie de vous donner du Président, et vous le sentez bien, des raisons fortes m'empêchent de vous appeler autrement !).

Soudet

453.

En-tête Assemblée nationale, à Mademoiselle Anne Pingeot,
10 rue de l'Oratoire, Clermont-Ferrand, Puy-de-Dôme 63.

Hossegor, 4 septembre 1969

Mon amour d'Anne,
 4 septembre, question rituelle : quel anniversaire ?
 On ne sait pas cela dans nos familles royalistes. Joie de toi, tout à l'heure au téléphone, grâce à ta voix claire. Diesel est parti content et renté : il m'a gagné trois balles en trois parties. Il respire la satisfaction, contenue à grand-peine.
 Il fait beau. Le bleu est presque blanc, très marial en tout cas. L'air n'en peut plus de douceur. Je songe à nos prochaines promenades, à ma compagne sérieuse, heureuse, à la senteur de la forêt. Je suis très amoureux de toi. Mon esprit ne fait pas beaucoup de chemin sans te rencontrer. Mettons un peu plus d'Aigoual dans nos façons de vivre. Mais n'oublie pas tes bras à Louvet : j'ai besoin de leur tendre chaleur et du reste qui s'appelle amour et approche de l'absolu.
 Je t'aime, à demain, Anne chérie, de mon cœur, de mon corps, Anne-moi

<u>François</u>

454.

En-tête Assemblée nationale, à Mademoiselle Anne Pingeot,
avenue du Tour-du-Lac, Lohia, Hossegor 40 *(sans timbre)*.

Hossegor, 8 septembre 1969

Quand vous arriverez, ma chérie, cette lettre sera à Lohia, seule sans doute dans la petite boîte de la grille, à vous attendre, heureuse de vous attendre et plus heureuse encore de s'ouvrir dans vos mains. Votre maison est triste fermée, avec ses yeux clos sur du vide. Du vide, pas tout à fait, puisque l'oiseau de la réconciliation guette votre venue, prêt à prendre son vol, léger dans sa forme, lourd par sa matière, puisque les cornes des vaches illidiennes (ô Saint-Illide !) reposent sur le bois, de cheminée, puisque les fleurs séchées de Cordes sont sur l'étagère, puisque au cœur d'un bouquin sur la Loire et ses belles demeures est enserrée l'image de Chênehutte.

Vous aurez fait une longue route. Vous serez un peu fatiguée ce qui donnera comme toujours une certaine couleur à votre humeur. Vous me retrouverez avec l'impression qu'un siècle s'est écoulé depuis notre dernière rencontre, que peut-être nous ne nous sommes jamais rencontrés.

Mais il y aura le lac avec ses bancs de sable, le lac de septembre, il y aura la terrasse secrète, les arbres amis de Gédé, et plus loin, là-bas, dans la forêt de Seignosse de grands arbres dont le dôme renversé laisse passer assez de la lumière pour que ciel et terre communient.

Moi aussi, mon amour, je vous attends. Trois jours sans nouvelles et nous voici comme des voyageurs venus l'un du cap Nord, l'autre du Kilimandjaro, et qui ont besoin d'apprendre un langage pour se parler commodément c'est-à-dire pour se parler sans mots.

Vous êtes la bienvenue Anne ma chérie mon amour. Ici les chemins, de la mer, de la terre et ceux qui passent en nous-mêmes ont des itinéraires qui ont marqué nos vies et qu'on pourrait lire comme on lit les lignes de la main.

Vous êtes celle que j'aime. Quel événement, attendre celle que j'aime. Je l'aime, donc elle est grâce et lumière, source, vérité, sang. Elle est mon Anne, ma merveilleuse fille, la même et si différente de celle qui marchait ses pieds dans l'écume de l'océan avec un péplum rouge sur ses hanches balancées. Je ne sais ce qu'il y aura dans votre tête, dans votre cœur quand vous décachetterez ce pli. Je sais ce qu'il y a dans ces lignes que vous lisez.

Je vous aime, Anne

François

455.

En-tête Assemblée nationale, à Mademoiselle Anne Pingeot,
10 rue de l'Oratoire, Clermont-Ferrand, Puy-de-Dôme 63.

Paris, 16 septembre 1969

Mon anne très chérie,

Je t'écris de mon banc de député ce qui n'est pas très commode ! J'interviens ce soir. Je veux surtout te dire que je t'aime – et que je t'embrasse de toutes mes forces

François

456.

En-tête Assemblée nationale, à Mademoiselle Anne Pingeot,
10 rue de l'Oratoire, Clermont-Ferrand, Puy-de-Dôme 63.

Paris, 17 septembre 1969

Dans la ligne des lettres express je vous écris, mon amour chéri, de l'Assemblée où je siège sans désemparer. Mais te dire que je t'aime est une bonne façon de t'envoyer pêle-mêle l'odeur de la forêt sous l'orage, le feu qui se consume à Lohia, les couleurs du lac, la joie du cœur et le bonheur d'être à toi.

Je t'embrasse donc en songeant aux jours prochains qui nous apporteront d'autres parfums, d'autres nuances, mais le même amour

F.

457.

En-tête Assemblée nationale, à Mademoiselle Anne Pingeot,
10 rue de l'Oratoire, Clermont-Ferrand, Puy-de-Dôme 63.

Paris, 18 septembre 1969

Mon amour d'Anne,
Je prends l'avion pour Lyon dans une heure et il faut se dépêcher de partir pour Orly (les embouteillages sont massifs). Ce mot t'apportera par signe écrit, comme ces derniers jours, presque télégraphique ce que mon cœur te raconte tout le long du jour.

J'aime penser à un beau soleil sur Louvet et au secret d'une jeune fille-femme qui va tendrement du jardin à la garenne.

J'aime penser à toi

F.

458.

En-tête Assemblée nationale, à Mademoiselle Anne Pingeot,
10 rue de l'Oratoire, Clermont-Ferrand, Puy-de-Dôme 63.

Paris, 30 septembre 1969

Tout de même je reçois ces lettres, qui sont d'amour et de ciel d'or, et je n'y répondrais pas ? Peu importe le nombre de mots, de lignes et de pages. Une seule note suffit et celle qui me monte du cœur aux lèvres est la plus simple et la plus rare : je t'aime.

J'ai un travail fou, éreintant. Je vois ce soir encore Hernu, Estier, demain Clavel, mes éditeurs, des politiques de toute sorte, plus un déjeuner Soudet – gentils technocrates. J'ai soif de toi et de nos balades du quartier. J'ai commandé sans t'attendre une jolie édition complète de Pierre Benoit. Il y a un grand trou place Saint-Sulpice. Le Luxembourg roussit, s'effeuille. Ton ombre est partout. Je l'aime et la cherche. Je n'arrive pas à écrire mes articles. Anne devant la maison de Louvet : ô ! mon cher paysage !

Je t'aime et je t'embrasse à cogner tes dents

François

459.

S.d. Enveloppe blanche.

Vieille <u>dette</u> pour la voiture louée à <u>Clermont.</u>
À toi

F

460.

En-tête Assemblée nationale, à Mademoiselle Anne Pingeot,
10 rue de l'Oratoire, Clermont-Ferrand, Puy-de-Dôme 63.

Paris, 1ᵉʳ octobre 1969

Vous êtes ma lumière, Anne chérie. Une lumière qui hante mon esprit, jaune et noire comme l'Auvergne, venue des profondeurs de la terre autant que des espaces célestes. Je vous rêve parmi vos fleurs et vos arbres face aux choses que vous aimez sans avoir besoin de le leur dire, en complicité parfaite avec elles.

Vous êtes ma lumière, Anne chérie.

Ce matin longue conversation passionnante avec Maurice Clavel. Dans un moment je reçois Thérèse de Saint Phalle. En fin de soirée je rejoins à l'Assemblée Defferre, Billères et Savary, la jungle. J'ai beaucoup de travail. Je voudrais te revoir. Lundi est loin. Mais le climat demeure extraordinairement <u>lumineux</u> entre nous.

Cinq volumes illustrés de Pierre Benoit se prélassent sur mes étagères ! Ah les bas-bleus ! J'ai ri tout seul en lisant ce matin, au lit, *Napoléon tel quel* de Guillemin. Une circulaire de Fouché aux évêques : « Il y a un rapport, messieurs, entre mes fonctions (la Police !) et les vôtres. Notre but commun est la sécurité du pays au sein de l'ordre et des vertus. » Le légat du pape : « De par l'autorité apostolique la fête de l'Assomption de la Sainte Vierge et celle de saint Napoléon seront unies à perpétuité. » Un prédicateur d'Alençon : « Un être pareil à Sa Majesté, quel honneur pour Dieu ! »

Mon Anne que j'aime je voudrais embrasser vos lèvres, votre gorge, vous. Ma paix, mon jour en plein soleil, toi

<u>François</u>

461.

En-tête Assemblée nationale, à Mademoiselle Anne Pingeot,
10 rue de l'Oratoire, Clermont-Ferrand, Puy-de-Dôme 63.

Paris, 2 octobre 1969

Anne aimée,

La rentrée parlementaire a mobilisé ma journée, non sans rudesse en raison de l'éclatement du groupe FGDS. Assaut des journalistes, déclarations, débats.

Tu es ma chérie ma référence claire. Je t'aime du plus profond et j'aime te le dire. Je t'embrasse très, très fort

<u>François</u>

462.

6 octobre 1969. Carte de visite Monsieur Mittérand (sic).

Bouquet du 6 octobre 1969 admirable.
Delphiniums, roses, orchidée, dahlias.

463.

En-tête Assemblée nationale, à Mademoiselle Anne Pingeot,
10 rue de l'Oratoire, Clermont-Ferrand, Puy-de-Dôme 63.

Paris, 11 octobre 1969

Mon Anne chérie,

Je viens de passer ma matinée à ranger. J'ai les mains sales de poussière. Des livres sans intérêt (pour moi) mais accumulés en raison d'un vague respect du papier imprimé ont été expédiés à Château-Chinon et dans des bibliothèques. J'ai classé des lettres touchantes, déjà anciennes, retrouvé des documents, éliminé des piles de dossiers inutiles. Il faut faire cela de temps à autre. Cet après-midi je siège au groupe permanent de la Convention puis je file sur Saint-Florentin où je vais soutenir notre candidat à l'élection partielle de l'Yonne. Maintenant je vais déjeuner avec Dayan, Nicolaÿ et André Soulier l'avocat (de très grand talent) de Jean-Marie Deveaux, qui est en même temps président de la Convention du Rhône. Enfin demain je serai à Château-Chinon. Voilà, mon amour chéri, pour le programme.

Pour le reste Paris est gris, mon cœur lui ressemble, Anne est partie. Je suis très à toi. Tu as été lumineuse pendant ce séjour. L'amour est une grande affaire.

Anne, j'aimerais couper un delphinium de ton jardin, le garder longtemps à la main. Tu es ma chère, chère chérie

François

464.

En-tête Assemblée nationale, à Mademoiselle Anne Pingeot,
10 rue de l'Oratoire, Clermont-Ferrand, Puy-de-Dôme 63.

Paris, 13 octobre 1969

Je vous aime de tout
mon être, mon amour.
Tu es Anne
et ces seuls mots te
parleront autant que la
Bible de tendresse que je
me récite en moi-même

<u>François</u>

465.

En-tête Assemblée nationale, à Mademoiselle Anne Pingeot,
10 rue de l'Oratoire, Clermont-Ferrand, Puy-de-Dôme 63.

Paris, 14 octobre 1969

Ma très chérie, j'espère que tu ne protestes pas trop fort contre ces
« petits billets ». Ils sont une façon pour moi de t'écrire une pensée
quotidienne, comme on coupe une fleur dans un grand jardin. J'ai un
énorme travail à cause de mes absences trop nombreuses en province.
Je t'appellerai demain. Que j'ai aimé ta voix ce matin ! Je mords dans
tes pommes mouillées et je goûte le suc du verger de pleine terre. Je
revois dans mon cœur la petite fille Anne de Louvet.
Je t'aime

<u>F</u>

466.

Carte postale, Toulouse, ancien couvent des Jacobins,
à Anne Pingeot, 36 rue Saint-Placide, Paris VIe 75.

Jeudi après-midi, 30 octobre 1969

Par-dessus le voile de brumes j'ai lu *Les Épées*, rêvé, tenté de déchiffrer le ciel. À Toulouse j'ai visité, à peine le pied posé, le beau cloître des Jacobins. J'imaginais la présence chère des grandes promenades exaltantes. Un peu de cœur chaviré faute d'avoir ressaisi un regard au moment du départ ! Ma pensée est toujours en voyage vers vous

F

467.

En-tête Assemblée nationale, à Mademoiselle Anne Pingeot,
36 rue Saint-Placide, Paris VIe 75.

Hossegor, 31 octobre 1969

Après ma randonnée dans les brumes de la Chalosse et la panne d'essence aux portes de Tartas, j'ai dormi, mon Anne très chérie, toute la matinée. Le seul bruit qui me réveilla fut le chant des oiseaux. Le brouillard s'est dissipé à midi et un soleil de gloire donne à chaque feuille l'illusion d'être soi-même source de lumière. On sent évidemment la fragilité des choses et des heures dans cet automne déclinant. Le cœur se serre un peu et les yeux s'attardent sur les rousseurs vives des fougères raidies contre la mort, l'hiver, l'oubli. Je pense à toi, ma vivante, ma pure. Je t'ai imaginée déjeunant avec Marie-France et j'ai surtout fabriqué ta cuisine à mon goût : j'aime ce que tu prépares pour moi et pour ceux qui te sont chers. Il y a un sel de l'amitié et de l'amour qui donne aux brochettes une saveur inégalable.

Tu es Anne et je t'aime. Je ne sais comment tu gères notre séparation, ni où en sont tes réserves. Vingt-quatre heures passées l'un sans l'autre. Je garde ta chaleur de la nuit et la sensation de ton corps lisse. Je t'écrirai demain. Je vais maintenant taper quelques balles, les muscles sans souplesse et sans envie, par discipline. Ne m'oublie pas.

Caresse la tortue bleue. Tristan Derème a écrit un livre de poèmes sous le titre *La Tortue indigo*. Elle me plaît. Je la garderai, couleur d'été finissant et de feu allumé.

Je vous embrasse et je vous désire mon Anne, lave retenue qui brûle le cœur de la terre.

Je vous aime

F

468.

En-tête Assemblée nationale, à Mademoiselle Anne Pingeot, 36 rue Saint-Placide, Paris VIe 75.

Hossegor, 2 novembre 1969

Mon amour d'Anne,

C'est la beauté des choses qui règne sur aujourd'hui. La lumière a éliminé les brumes juste assez pour garder d'elles des traces pourpres mais assez aussi pour atteindre la couleur du miel. On s'étonne d'un tel bienfait, d'une telle amitié pour les yeux. Le froid de l'humidité a disparu. Il paraît qu'à Biarritz on se baigne. Je pense au 9 septembre d'Yons.

Tu es toi. Tu es Anne. Je t'aime.

Novembre est mélancolique, c'est connu. Mais j'ai le cœur serré de ne pas partager avec toi la douceur finissante, douceur royale pour une fois. L'amour à trois. Toi, moi, l'autre qui s'appelle soleil, mer, mur, pierres, plaisir, nuit, Dieu. Toi tu manques et l'amour en est déchiré, drap de Florence, pourpre. Je pense à toi pratiquement sans cesse. Je dirais cela au téléphone, je t'entendrais grogner. Ce n'est pas vrai, n'est-ce pas, cet amour exigeant ?

Tu as peur de te tromper et tu préfères douter. Cela fait moins mal. Mon Anne je pense à toi avec mes fers sur le terrain de golf (je râle de ton œil sévère), je pense à toi en me promenant (et je me promène beaucoup avec Jean-Paul Martin, rude marcheur et qui scande nos balades des récits de Cordoue, de Grenade, de Bergame, de Vicence), je pense à toi, relevant le nez de mes livres, je pense à toi la nuit (cette dernière nuit a été tout occupée de ton visage, de je ne sais quelle douleur de l'absence et donc de la recherche, de ta main dans la mienne sur je ne sais quelle terrasse, de ton union mystique avec moi). L'océan que je suis allé voir était dans un jour suprême. Un chalutier devant Capbreton donnait au travail des hommes une splendeur paisible.

Voici mon Anne une lettre d'amour, petit trait d'union, prière, chant à voix basse quand tes lèvres gonflent et que nos regards se perdent dans l'inconnu de l'autre

<u>François</u>

469.

En-tête Assemblée nationale, à Mademoiselle Anne Pingeot, 36 rue Saint-Placide, Paris VIe 75.

Hossegor, 3 novembre 1969

Anne chérie,
Le lac est un champ de mouettes. L'eau traverse le champ comme un canal en Vénétie. Points blancs qui bougent sur leur échiquier de sable et d'argent, j'évoque le vol qui les a portées là et je sens l'odeur des océans, le sel, l'amertume et je vois de grands ciels. Leur bec est un cimeterre, leur œil, la lune pleine. Elles sont notre orient. J'ai marché le long de la plage au bas des villas fermées, muettes, encore pénétrées des mystères du silence. Ton image ou ton ombre allait à mon côté. Je te parlais. J'essayais de fixer le temps dans son apparence immobile et dont je sais que derrière ce voile il coule comme l'eau d'un fleuve. Pas la Loire, le Rhône, pas le Rhône, un gave qui tombe de haut. Le temps tombe de l'éternité. Que de fois ai-je accordé ma pensée à ces deux rythmes conjugués. La vie qui construit la durée. La mort qui la tue. Ô paradoxe ! Puisque la vie n'est rien qu'une flamme, puisque la mort dure à jamais, feu éteint. Sur le pont j'ai regardé Criqui debout à la pointe de sa barque, homme d'eau qui n'aime que l'élément qui fuit sous les pas. J'ai eu envie d'un bon poisson tout juste tiré de la mer, de sa chair de phosphore, et de son odeur d'algues. Est revenu le souvenir de Didymes, de l'Égée, de notre bain, de l'étoile de mer, des sarments brûlants, du bonheur vécu.
Est revenue, mon Anne-lumière.

Cette lettre continue de réciter l'amour qui me nourrit et qui m'habite.

Tu

es

Anne

François

470.

En-tête Assemblée nationale, à Mademoiselle Anne Pingeot,
36 rue Saint-Placide, Paris VIᵉ 75 *(sans timbre).*

Paris, 17 décembre 1969

C'est une bien triste fin d'année. Depuis une dizaine de jours je me suis épuisé à vouloir mener de front des travaux multiples. Je n'ai fait que cela et j'ai eu grand tort puisque c'était choisir l'accessoire plutôt que l'essentiel. J'ai cru que je devais agir ainsi et me suis laissé absorber. Ton refus de me voir aujourd'hui, sans préavis, m'en punit cruellement. La malchance a fait le reste. Hier après-midi pendant le pauvre petit quart d'heure où je pouvais supposer que tu serais chez toi (entre 6 h 30 et 6 h 45) j'étais précisément à la tribune de l'Assemblée à propos de l'actionnariat. Ensuite tu étais partie pour Orly. J'étais, de mon côté, assez fatigué et j'ai eu un peu de peine à tenir le coup après dîner. Je t'ai appelée ce matin à 8 h 15 pour être sûr de ne pas te manquer. Mais tu étais déjà partie. Exprès. Je m'en doutais sans en être assuré. J'ai (oubliant que tu avais un cours au Louvre) débarrassé mon après-midi jusqu'à 6 heures pour – enfin – te retrouver, et, quittant l'ambassade de Yougoslavie vers 15 heures je me suis arrêté à trois reprises sur le chemin qui me menait chez toi pour te téléphoner et te dire que j'arrivais. Malchance persistante : pendant près d'une heure la sonnerie était occupée. Rue Saint-Placide, par un temps de désolation, j'ai espéré, téléphoné, retéléphoné d'un bistrot à l'autre. Toujours occupé, Littré 10-77.

J'ai enfin songé à me renseigner à Cluny. Là j'ai appris que tu en n'étais pas rentrée, que tu étais au Louvre, et compris pour de bon que tu ne voulais pas me voir. Voilà. J'ai marché sans savoir où, la mort dans l'âme. Je ne sais que faire tant je suis triste.

Je m'adresse beaucoup de reproches puisque je me suis fait aimer si

peu de toi en ne te donnant pas ce que tu attendais. Je me sentais bêtement en paix parce que c'était le travail, un travail insensé qui m'éloignait matériellement de toi et que je croyais que tu aimais ce travail assez
pour accepter d'en souffrir. Je te rends une part de ces reproches. Il me
semble que la manière dont tu agis n'est pas exactement digne de nous.

Que te dire ? que la peine est en moi et occupe toute la place. Je
vois le soleil de Gordes, je sens ta main dans la mienne à *La Fiancée
du pirate*, je regarde la petite maison hollandaise et j'ai mal

F

471.

En-tête Assemblée nationale, à Mademoiselle Anne Pingeot,
36 rue Saint-Placide, Paris VIᵉ 75 *(sans timbre).*

17 décembre 1969, 23 h 45

Le malheur est que je t'aime – profondément, complètement – et
que mon bonheur s'appelle Saint-Benoît. De quoi te venges-tu ? Au
point de me faire dire par une étrangère à notre vie que tu n'es pas
là, alors que mon ami le vélo témoigne pour ta présence ! Je suis si
triste et triste aussi de t'avoir à ce point blessée que tu ne veuilles plus
me voir ou m'entendre.

Je vais rentrer, il est tard et j'ai mal au cœur, mal à moi-même et je
pense à toi, je ne pense qu'à toi. Anne tu es mon amour. J'ai besoin de
ta voix claire et de ta confiance retrouvée. Vais-je partir pour Strasbourg (demain par avion vers 14 h 30) sans rien de toi ?

Les heures sont si longues. J'ai vécu une journée sans t'en confier le
contenu par un récit (dans les bons jours) ou t'en rapporter le ton par
mon silence (dans les mauvais). Que je t'aime d'être celle à qui je puis
parler ou me taire. Mais aujourd'hui, étouffement, désespoir, vide.

C'est ce que tu voulais ? Sans doute l'amour n'est-il plus en toi. Moi
j'embrasse dans la mémoire de ma vie cette Anne qui reste mienne
et qui m'apporte le goût de vivre, de respirer, d'espérer et de croire.
Je n'ai jamais connu d'heure grise quand je t'ai vue Anne légère et
profonde de nos sommets. Mais ce soir !...

F

472.

Revers du papier à en-tête Assemblée nationale,
à Mademoiselle Anne Pingeot,
10 rue de l'Oratoire, Clermont-Ferrand, Puy-de-Dôme 63.

Hossegor, le 24 décembre 1969, 15 h 30

Mon Anne que j'aime,

Je t'écris sur le dos des feuilles manuscrites de mon livre griffonnées à Pâques sur la petite table de ta chambre de Lohia. Il fait un temps de lumière avec ce soleil de biais qui rougit les bruyères fougères et qui glisse sur les feuillages en laissant un sillage. Le rouge-gorge est aussitôt venu me dire bonjour. J'ai arraché le lierre qui montait sur le tronc d'un prunus et l'oiseau voletait de branche en branche pour être vu. Je t'ai appelée à 14 h 45 mais tu étais déjà partie. J'ai rappelé pour n'entendre que le silence du 36. Déçu je me suis tout de même réjoui de te savoir en route pour l'Oratoire où tu arriveras à une heure raisonnable. Mais Dieu, que j'aurais aimé entendre ta voix !

Tout le temps d'hier mon cœur t'adorait. J'y pense ! Et ta grippe ? Du coup je t'imagine au fond d'un lit d'hôpital et je me fais un nouveau souci. Je sonnerai 92-49-98 ce soir pour me rassurer et pour chercher auprès de toi la paix que je te donne si chichement.

Anne tu es mon amour. Je serai en toi à l'heure de Vic-le-Comte, tout près du chœur de la chapelle (comtale ? royale ?). En toi, dans un coin de ton âme priante, et proche aussi de ta prière. Il y a un merveilleux envol de souvenirs qui vont et viennent autour de moi et reviennent toujours aux sources de ce premier Noël et de mon amour tremblant pour la jeune fille Anne, demeurée l'image et le rêve, après six années. Je voudrais entourer ton corps frileux, fiévreux, enrouler l'écharpe à ton cou, poser le bonnet, retenir un moment tes épaules dans mes bras, baiser tes paupières avec leur petit trait de fard. Tu es aimée, ma chérie, mal peut-être, mais tellement.

Je suis descendu à Latche et j'ai dormi dans la bergerie pleine d'objets qui nous unissent comme ceux du 36 mais privée de toi dont je cherchais la chaleur, la douceur. Pourquoi si souvent doutes-tu ?

Parce que souvent tu n'es pas heureuse.

Mais Anne, je te l'écrirai sans relâche, tu es aimée ! Oh ! A !

Je vais plonger dans *Solal* d'Albert Cohen, écrit trente ans avant

Belle du Seigneur, et dans *Sylvia* d'Emmanuel Berl. J'ai en réserve *Le Sang noir* de Louis Guilloux. L'envie d'écrire viendra un peu plus tard. Pour l'instant, je regarde. Le jour passe vite mais il ajoute d'autres feux, d'autres ors à mesure qu'il décline. Je regarde en moi aussi pour mieux te retrouver. Je sais même si j'ai l'air de ne pas toujours comprendre ce qui vit en toi. Je voudrais embrasser tes mains.

Quand tu recevras cette lettre tu auras vécu ta nuit et ta journée de Noël avec leur cérémonial intime et le chocolat et les souliers et le cognac d'après midi et les conversations qui se mêlent, et l'enfance sur la pointe des pieds et ta rêverie intérieure et Martine et Bertrand et ce cœur qui contient tant et tant de richesses à offrir. Anne, mon Anne.

Ici pas de manteau ni de cache-nez à mettre. Je me promène en polo. La saison est particulièrement douce. Le brouillard a noyé la forêt jusqu'à une heure avancée du matin. On voit les Pyrénées, très très claires, mauvais signe, ou plutôt, signe de pluie. Et la pluie, pourquoi ne pas la recevoir avec tendresse puisqu'elle exprime le rythme des choses, comme ma vie, comme ma mort, comme le temps discontinu que rien n'arrête.

Je serai très bientôt près de toi, mon amour. Bonheur que de te voir et que de reconnaître la plénitude (trop oubliée par obéissance aux accablements du travail mal mené). Tu peux tellement. Il n'y a que bonne terre dans une Anne pure et brûlante de l'envie de donner. Il y a piètre jardinier, qui ne fait pas surgir la joie et l'espérance, qui ne relie pas l'humus au ciel.

Tu es Anne, tu t'appelles Anne et je t'aime

<u>François</u>

473.

En-tête Assemblée nationale, à Mademoiselle Anne Pingeot,
10 rue de l'Oratoire, Clermont-Ferrand, Puy-de-Dôme 63.

Latche, 25 décembre 1969

Mon amour, la nuit va tomber, la nuit tombe. Il est 5 h 30. J'ai laissé les volets ouverts. Je vois le jour bleu-noir entre les arbres et sur ma droite, près de mon poignet qui écrit, la lampe-champignon violette ~~qui~~ éclaire la table blanche.

J'ai lu quelques pages de *Solal*, en plein cœur du roman, qui est beau, lent et rapide à la fois, une manière de Stendhal qui au lieu de naître à Grenoble aurait couru dès son enfance dans les villages de Céphalonie. J'ai rapporté de ce matin ta voix et un peu de ta présence est en moi. Je te représente dans ta chambre et dans le lit où j'ai dormi, chaude, fiévreuse, enfin dorlotée avec tout autour les bruits joyeux et les doux sentiments que fait naître Noël. Je touche ton visage de mes doigts, de mes lèvres. J'aime son relief et sa structure, sa fierté et sa force dont je connais l'autre versant, celui des heures ineffables (je crois qu'il n'y a qu'un f).

Je suis amoureux de toi, avec passion et beaucoup de remords. Que tu as de la peine par moi, ma merveilleuse fille ! Je suis allé à Moliets et nous avons accompli une bonne marche avec les Destouesse et les Barbot, à partir de la maison du « Million ». On y a coupé les arbres, et c'est une bonne chose. Il y a maintenant place pour le soleil et rupture de l'homogénéité de la forêt, ce qui ôte un peu de la nostalgie qu'on ressentait. Il pleuviote. Le brouillard s'était levé hier soir par nappes épaisses longtemps installées à hauteur d'homme et soudain diffusées dans le ciel, où elles sont restées aujourd'hui pour retomber ce soir en larges gouttes irrégulières. Une taupe a ajouté quelques petits tumulus(li) autour de la bergerie. Je pense à toi, mon Anne, très amoureusement.

À Hossegor d'où je t'ai appelée, j'ai nourri le rouge-gorge. Pour cela je suis allé acheter un pain dont j'ai accroché un quignon au volet d'une persienne après avoir répandu des miettes. Le rouge-gorge suivait l'opération avec un intérêt évident, de la branche d'un petit pin. Claude Léglise m'avait convié au golf mais j'ai calé et préféré la promenade. J'aime parler avec Michel Barbot de la Lozère, du Palais du roi et de la Coulagne et aussi de l'Aigoual. Et de toi, mon Anne, âme des choses et des lieux. J'ai perfectionné la formule qui conviendra à la retraite du secrétaire général de Poliet et Chausson : « De Poliet et Chausson à Moliets et pantoufles. » Nous avons bien plaisanté mais j'avais le cœur occupé par un amour brûlant.

J'ai écouté Nana Mouskouri et Harry Belafonte alors que tu te rendais à la messe de minuit. Quelle pureté ! c'était une façon de vivre Noël et de retrouver ta main dans la nuit froide des étoiles.

Je suis passé au Pot de résine, sans personne, maison des bois avec ses lampes de cuivre et sa télévision dispensatrice de petits rêves à longueur de cuisine. Je voudrais suivre une rivière jusqu'à un océan, voir s'ouvrir le mince courant dans l'immensité, symbole de la mort d'un seul jeté dans l'éternel.

Je t'embrasse vous que j'aime, à qui je fais du chagrin, drôle de cadeau de Noël, vous qui êtes mon sang, ma vie, vous qui êtes amour

François

474.

En-tête Assemblée nationale, à Mademoiselle Anne Pingeot,
36 rue Saint-Placide, Paris VIe 75.

Hossegor, 27 décembre 1969

Mon Anne aimée et triste, tu as raison, heureusement que j'ai mon rouge-gorge. Ce matin il me guettait. Je lui ai apporté un pain de riz doré. Il a chanté pour moi et est venu me voir sous le nez. Il a gonflé les plumes de son cou, picoré les miettes que je lui jetais et m'a rac-compagné jusqu'à ma voiture. Dans un moment j'irai te téléphoner mais il fera nuit et il sera sans doute couché.

J'ai joué mes dix trous par un ciel gris velouté et par un temps tourné vers le froid. La marche m'a réchauffé le sang. Résultat médiocre, 50 (encore !) mais cela m'a distrait de mes pensées lan-cinantes. Comment puis-je, comment peux-tu, comment pouvons-nous ne pas nous aimer assez pour vaincre tout ? Je sais que je suis coupable du « moteur au ralenti », pour l'avoir usé à des tâches subalternes alors que notre amour reste, est l'essentiel de ma vie. Ce moteur pourtant je le sens intact, fort, disponible pour toi, mon Anne bien-aimée. Rien n'est plus haut dans ma vie que toi. Je suis habité par une passion qui s'appelle Anne. Et elle a l'air de ne pas s'en rendre compte, l'Auvergnate ! Oh ! l'élan de mon Anne sur le petit chemin de Saint-Benoît ! Crois-tu que je sois aveugle et sourd « malgré le chant du coq » ? Je suis triste de me sentir vieillir et donc de perdre alacrité, souplesse, rapidité alors que tout en moi est trait, tension, désir. Je t'aime amoureusement.

Remarque que je te comprends. Tu te heurtes à trop de murs et tu en es brisée. Tu n'as rien retenu, rien refusé. Chute et choc atteignent l'âme. Tu es ma lumière mais moi qu'ai-je donné ? Plus que tu ne dis, moins qu'il ne te faut. Tu es Anne servante d'absolu, oh ma jeune fille à la rose thé penchée à la fenêtre de sa vie les yeux perdus dans l'horizon bleu de la Loire.

Ceci dit je déteste me mettre en colère et je te demande pardon pour le coup de téléphone de ce matin. J'étais malheureux de ~~de~~ ce que nous nous manquions toujours au détour des mots. Mais que j'ai été bête de ne pas saisir ta voix délicieuse et tendre du premier instant qu'il ne tenait qu'à moi de garder au diapason de la joie retrouvée ! Je crois que tous les deux nous avons un chagrin d'amour. Mais, bonheur, c'est le même !

Anne je t'imagine dans tes promenades noires et jaunes. Le grand manteau bat tes jambes. Tu communies avec le ciel bleu que de grands nuages d'hiver viennent menacer. Je t'imagine ainsi au moment où j'écris. Mais cette lettre t'atteindra lundi matin à Paris. Ne sois pas trop triste mon Anne d'avoir perdu les libres espaces. Tout est en nous, tu le sais bien nous allons vivre « à deux battants » toi et moi et quand j'arriverai le soir (l'avion se pose à Orly à 20 heures) j'aurai le cœur bondissant de tendresse.

Ne me répète pas que je ne dois pas venir. Si tu devinais ma joie de te retrouver tu inviterais le Fokker à se muer en Caravelle, que dis-je en fusée pour qu'aussitôt je te serre dans mes bras. Que dis-je encore ! en hélicoptère pour sonner les deux coups sans même monter les quatre étages !

Je t'embrasse, Anne dégrippée (je l'espère). J'embrasse tes lèvres et ta gorge. Je rêve d'un cri profond qui striera le ciel de notre autre rivage.

Anne, que je t'aime !

François

475.

Enveloppe de carte de visite, à Mademoiselle Anne Pingeot,
36 rue Saint-Placide, Paris VIᵉ.

31 décembre 1969, 1ᵉʳ janvier 1970

De F à A

Iris, tulipes, jonquilles, sorbier.

1970

476.

En-tête Assemblée nationale, à Mademoiselle Anne Pingeot,
36 rue Saint-Placide, Paris VIᵉ.

Latche, 12 février 1970

Mon Anne chérie, un grand souffle de tempête soulève le golfe de Gascogne. Il apporte avec lui une bonne, vivante et violente pluie, il secoue rythmiquement la forêt, il sent bon. J'ai dormi bercé par lui d'un sommeil paisible, jeté sur les rivages sans rêve où le corps seul devient bois, sable, écume. Le petit réveil a sonné à 8 heures. Je me suis étiré avec l'envie de trouver ta jambe et d'entourer tes épaules. Tu étais en moi, là et à côté, et dormante au sourire heureux.

Oh ! bouche qui m'émeut et que j'aime. J'ai eu, au moins, ta voix puisque, muni de mes pantoufles et de mon peignoir, j'ai traversé la zone d'air libre, respirée à pleins poumons, pour t'appeler au téléphone. Je n'ai pas petit-déjeuné mais j'ai bu un grand verre d'Évian, j'ai fait quelques pas autour de la maison, et depuis je lis et je note. J'ai *La IVᵉ République* de Jacques Fauvet, *L'Année politique* de 1958, *Le Coup d'État du 13 mai* du colonel Trinquier, et le Passeron dont je t'ai parlé. Les idées viennent !

Hier soir j'ai dîné chez les Destouesse et suis rentré tôt. J'ai commencé *Les Valeureux* d'Albert Cohen que j'ai acheté à Hossegor. Je compte rester cet après-midi le nez penché sur mes papiers sous ma lampe violette et me placer l'esprit « dans » ce que j'ai à écrire.

Une scie mécanique coupe du bois au loin. De temps à autre le grand chien setter noir et blanc vient me voir et pose sur le dos de ma main une truffe humide. Les oiseaux chantent. Le ciel est gris mais seul l'air compte, et l'espace.

Tu m'es chère, mon Anne. Vivre avec toi est un bonheur facile. La difficulté naît des séparations, des coupures, des ruptures de ton.

Tu as le don de la souffrance. Donc du bonheur aussi. Tu emplis mon « parc ». Tu es là.

Je jetterai cette lettre à Soustons, ce sera la première fois. J'en profiterai pour acheter les journaux. Michel Destouesse court la campagne. Il m'emmènera demain à Bordeaux. Un avion me posera à Marseille vers 11 heures. Je ne suis pas en état de solitude car mon cœur vit d'une vie intérieure où tu occupes un vaste champ. Tu t'appelles Anne et je t'aime

François

477.

S.d., en-tête Assemblée nationale (sans enveloppe).

8 h 45

Je t'aime

F

Merci.

478.

Carte postale, Rome, église Santa Maria in Cosmedin.

11/5/70

La vestale était-elle à Paris ?
J'ai visité son temple sans oser demander son adresse

F

479.

Télégramme, à Anne Pingeot, 36 rue Saint-Placide, Paris VIᵉ.

[2 juillet 1970]

PARIS 110

SUIS PRÈS DE TOI DANS L'UNION DE SAINT-BENOÎT
JE SUIS SI MALHEUREUX JE T'AIME — FRANÇOIS

Vous écriviez en captivité : « Il n'est plus sûre prison que l'espoir
dans le lendemain. »
Je suis perdue.

480.

En-tête Assemblée nationale (sans enveloppe).

3 juillet 1970

C'est une vague de fond, mon amour, elle nous emporte, elle nous
sépare, je crie, je crie, tu m'entends au travers du fracas, tu m'aimes,
je suis désespérément à toi, mais déjà tu ne me vois plus, je ne sais
plus où tu es, tout le malheur du monde est en moi, il faudrait mourir
mais la mer fait de nous ce qu'elle veut. Oui, je suis désespéré. Le
temps de reprendre souffle et pied ? Ô mon amour de vie profonde
j'ai pu mesurer un certain ordre des souffrances. Ce sera peut-être le
seul mot tranquille de cette lettre : je t'aimerai jusqu'à la fin de moi,
et si tu as raison de croire en Dieu, jusqu'à la fin des temps.

Je te rappelais hier la première mort que j'ai vue, qui m'a frappé
au cœur, celle de ma grand-mère. J'étais assis dans un fauteuil au coin
de la chambre d'en bas, très claire quand les volets ne sont pas mi-
clos pour les morts, elle était étendue sur le lit, très belle je crois avec
le profil de ma sœur Colette, je la regardais les yeux dévorants pour
être sûr de graver l'image et surtout pour lui promettre, me promettre
de ne jamais oublier cet instant, notre amour, les jours vécus dans la
grâce de l'enfance. Il y a tellement longtemps de cela. L'image s'est
parfois brouillée mais elle est là maintenant et m'accompagne. Je
peux lui dire humblement avec quelques pardons que j'ai été fidèle.

Le fil est renoué des grands bonheurs et des pires détresses. Une petite fille est venue que j'ai aimée comme un homme du mauvais âge, dans sa force, dans son insolence, sa sûreté de soi (qui empêchent d'être tremblant et attentif devant les chères merveilles, le miracle d'aimer), que j'ai donc aimée passionnément et mal. Une petite fille dont le regard d'abord, une certaine lumière, et la bouche, le sang, le corps, et les ravissements, les élans, la foi en toutes choses m'ont touché l'âme. (Ah ! que je t'aime, mon Anne, que je t'aime, je ne peux pas continuer, c'est atroce, c'est un mal atroce, comment faire, Anne.)

Je fais mes comptes : huit ans. Comme le rêve est impuissant ! je n'aurais pas eu le don de rêver à semblable bonheur réel. Huit ans où le ciel était à moi. Je te l'écris sérieusement, mon amour, déchiré, malheureux comme toi même ne peux ~~pas~~ le deviner. Huit ans de ciel. J'ai eu la même crise <u>affreuse</u> il y a un instant, refus de vivre à hurler : parce que j'ai eu huit ans de ciel. Tu arrivais à l'heure presque toujours. Et je t'ai fait attendre ! et je n'ai pas respecté chaque seconde d'éblouissement, de possession, d'attachement, de clarté, de tendresse, de gaieté, de folie, de beauté, de désintéressement, chaque seconde de toi. Tu m'as donné un tel amour, si riche, si fécond, si confiant, si simple, si heureux et je t'ai laissée souvent interdite, sans comprendre, seule, le cœur un peu serré d'abord – et maintenant pénétré de douleur, d'incertitude, fermé. Te demander pardon est peu de chose auprès de cette barre dans ma poitrine, de ce cercle sur mes tempes, de ce réflexe de bête avant d'être abattue qui me fait crier en moi et pour toi, pour cet irréparable que je n'ai pas donné. Et je ne t'ai pas écrit chaque jour. Et tu as pleuré à cause de moi. Mon Nannon, mon Oh ! A, mon amour de Saint-Benoît, je n'évoque pas des souvenirs pour t'attendrir, je ne veux pas t'attendrir, tu le verras bien à la fin de cette lettre, je les appelle pour qu'ils nous aident. Ce sont nos saints : nos nuits, nos jours, nos promenades graves sur le petit chemin qui va de la basilique, nos Pâques païennes, notre pureté de Morienval, nos commencements de prières, et, si près, notre messe commune et ignorée de Vézelay, toi dans le train de Montargis, ce sont nos saints, Cordes, Gordes, Torcello, l'Auberge du port, Chênehutte, Saint-Illide, l'Aigoual, Giroux, la garenne, Châteloy, le 39, le 36, le Bosphore, le silence d'après le don de soi, les lèvres tremblantes, les poèmes lus, les chênes, les pins, les mûriers, les photos dans les fenêtres, le rire, le plaisir, les mains nouées, l'odeur des églises romanes, ta peur dans New York, ta langueur d'Atlanta, ton chameau de Smyrne, ce sont nos saints, la litanie, le Père Auto, Les

Essarts, les heures studieuses, le diplôme, Anne de Chastellux, Yons, ton coin de Lohia, les oiseaux de la réconciliation… Ce sont nos saints, qui seront là quand mon souffle s'arrêtera. Ils m'aideront peut-être à ne pas mourir dépossédé, désespéré.

Je suis désespéré mon Anne. Je touche les grands fonds, une sorte d'infini où plus rien n'a de sens, d'où je vois mes petitesses, mes manques, mes ratages, l'économie d'attentions et surtout la perte de l'attention. Quand on a le ciel avec soi on le regarde et on doit trembler de le perdre. On le regarde. On se fond en lui. On se met en musique avec la beauté des choses. Je l'ai fait, un peu. Si loin de ce qui t'était nécessaire ! Je suis désespéré, mon Anne.

Je me cogne aux murs. Cet amour dont on peut déjà parler au temps passé, même s'il nous habite, mais il n'existe qu'autant qu'il est source d'échange, et plus d'échange plus d'amour frémissant, plus de vie, plus d'amour sinon c'est un amour d'herbier et tout est mort, la pire mort, celle qui laisse le sang couler.

Cette lettre sera peut-être longue. J'ai tout à te dire. Je ne t'ai jamais parlé. Mais il faudra peut-être aussi que je l'arrête avant terme. Je dis donc tout de suite l'important pour aujourd'hui.

Dans un moment (il est maintenant 11 h 45) je serai devant le 36, je prendrai ton bagage, nous irons gare de Lyon. Merveilleuses heures dans le train ! Je les aime déjà comme celui qu'on emmène nulle part et qui voit par la fenêtre les arbres, des saules plutôt, le long d'une rivière. Nous arriverons à Avignon. J'irai peut-être jusqu'à Gordes. Je ne sais pas encore très bien. Et puis sans te dire au revoir je te quitterai, j'essaierai de rattraper un train ou un avion, je reviendrai à Paris, pas pour te faire de la peine ou du souci car je sais, mon amour, que tu t'inquiètes de moi du fond du cœur, mais pour que tu te retrouves comme tu l'as désiré, en toi-même, sans trouble inutile. Tu seras dans un beau pays qui t'est cher et où nous avons connu un vrai bonheur, avec des amis intelligents et sensibles, avec l'air qui te fera du bien, la colline à escalader, le vent dans les mûriers, la ligne bleue du Luberon, et si tu le veux bien le thym de notre borie.

J'irai à Paris de préférence à tout autre lieu parce que c'est le plus anonyme. Je ne pourrais pas supporter un paysage, un accord de la terre et du ciel, des êtres. Ici il n'y a personne. Je t'aimerai dans la ferveur. Je t'aime avec ferveur. Tu ne m'as fait que du bien. Tout a été beau par toi. Tu m'as transfiguré (pas assez pour me changer comme il aurait fallu mais ça c'est de ma faute). Donc pas de martel en tête, mon cher amour. J'essaierai de travailler, je serai surtout avec toi. Mieux certainement qu'à Gordes parce que tout de même j'aurai fait quelque chose pour toi.

Ce n'est pas très héroïque. Mais je t'offre, mon Anne bien-aimée, ce tout petit bouquet de fleurs. Lundi matin j'irai te chercher à Orly. Ne te ronge pas de scrupules : tous ces billets étaient pris depuis huit jours donc je n'ai rien ajouté de particulier à nos prévisions. Je suis désespéré mais je suis amoureux de toi, qui sait ? jusqu'à la dépossession de moi-même, amoureux de toi dans l'éternité du premier jour.

3 juillet 1970, Gordes

Entre Valence et Avignon ai-je fléchi ? ai-je manqué de courage ? me suis-je donné de fausses raisons ? Je ne le crois pas. Il me reste un privilège, celui de la sincérité vis-à-vis de moi-même, et un devoir profond, celui de dire à Anne ce qui est. Il m'a semblé que nous avions retrouvé un état de grâce dans la douleur égal à la perfection de nos jours heureux, qu'Anne avait peut-être besoin d'équilibre, de beauté et de respirer. Elle m'a dit « il faut que ces trois jours soient beaux » avec une telle foi

　　alors, énorme contresens
　　ou vérité aussi pure que
　　son regard, ma vérité à moi
　　contenue dans nos lignes
　　alors je suis resté.

F.

481.

En-tête Assemblée nationale, à Mademoiselle Anne Pingeot, 36 rue Saint-Placide, Paris VIe 75.

Paris, 7 juillet 1970

Anne mon amour,

Je te dis en commençant ce jour le bonheur de t'aimer. J'ai peu dormi mais ma pensée allait vers toi et se fondait dans un violent accord.

Juillet est d'une chaleur royale ce matin. Des oiseaux chantent ou plutôt psalmodient. Un cri qui est peut-être une façon d'aider la terre à supporter de vivre.

Tu es Anne et je t'aime
et je t'aime
et je t'aime.
Bonne journée
à ce soir
et je t'aime

François

482.

En-tête Assemblée nationale, à Mademoiselle Anne Pingeot,
36 rue Saint-Placide, Paris VIe 75.

Paris, 9 juillet 1970

Anne, mon amour,

Ce matin si pareil et si différent de tant d'autres matins je t'aime et je t'embrasse avec ferveur. Ni ma douleur ni mon bonheur n'ont de mots pour traduire leur langage. Je t'ai aimée, je t'aime d'une passion profonde qui a envahi jusqu'aux racines de l'être. Tu es Anne, mon Anne.

Cette épreuve devant moi me laisse déchiré comme une épreuve de vie et de mort. Tu es mon ciel et ma terre. Je perds tête et pied.

Ô monde que l'amour seul éclaire !

Tu as été si belle et si douce, si tendre et si pure, si donnée à ce que tu aimes qu'au moment où tu pars je n'ai en moi que la bénédiction des merveilles partagées et par toi mon amour – et l'attente.

Mon cœur durera jusqu'au temps de toi-même

François

483.

En-tête Assemblée nationale, à Mademoiselle Anne Pingeot,
villa Lohia, avenue du Tour-du-Lac, Hossegor, Landes 40.

Paris, 10 juillet 1970

Mon amour d'Anne,

Je t'écris de mon bureau. Ta photo de New York est devant moi, près de la maison hollandaise. Je pense à toi dans Lohia, dans ta chambre. Il est 11 heures, le soir. Demain très tôt je partirai pour la Nièvre. L'épreuve commence. Je te revois sur le quai d'Austerlitz, au restaurant, sur les marches du Louvre, dans ta chambre et je remonte ainsi le temps, le temps de notre amour, le temps de notre vie, et le temps de nos peines. Un jour de juillet 1970 que nous avons vécu. Où je t'ai tant aimée. Qui nous a séparés.

Cette lettre te parviendra je l'espère lundi. Elle te dira ce que tu sais. Tu auras déjà repris pied à Hossegor. L'oiseau de la réconciliation t'aura-t-il parlé de moi ? J'imagine ton visage, et cette lumière dans le regard quand tu m'as retrouvé à midi, et ton au revoir du train. L'espace nous a-t-il désunis ? Et le temps qui passe, qui passera ?

Je te vois aussi étendue sur la terrasse, devant le lac, comme autrefois, jeune fille que j'aimais, j'ai connu là des heures auxquelles je ne puis rêver sans trembler, images du bonheur menacé ou perdu. Je t'aime, Anne. Je t'aime. J'ai le goût de ta bouche en moi, l'odeur de tes cheveux, la caresse de ta main. Je t'ai regardée cette nuit, trésor pour mes yeux, paix dormante, courbe d'un corps, souffle. « Rien ne m'effraye plus que la fausse accalmie » ? Non ! Quelle joie de posséder le sommeil de mon Anne présente, vivante. Je ne sais pas si elle m'aime. Je suis à elle. Passionnément. Cela suffit pour le moment.

Mon amour chéri, bonsoir. Samedi, dimanche, lundi, mardi… Je désire tant que l'autre dimanche soit celui qui nous unira.

Déjà je vois les toits de tuile sur les coteaux de la Vézère et l'âme en fête d'autrefois, de toujours, notre fête.

Tu es Anne. Rumeur du sang. Rythme d'après la rue du Dragon. Silence soudain au fond des mers où nous venions d'accoster, voyageurs délivrés.

Je t'aime et te respire

François

484.

En-tête Assemblée nationale, à Mademoiselle Anne Pingeot,
villa Lohia, avenue du Tour-du-Lac, Hossegor, Landes 40.

Corbigny, 11 juillet 1970

Mon Anne bien-aimée,

J'ai partagé avec toi tant de rêves et tant de sensations, tant de recherches, de questions et d'émerveillements, tant d'heures, tant d'attentes que mon esprit se reporte sans cesse vers toi. Comme si. Comme si tu allais ouvrir la porte, comme si nous allions partir pour une longue promenade, comme si nous allions lire ensemble, comme si la nuit, le jour étaient à nous. J'ai envie de te raconter ce que je fais comme si tu étais à quelques pas de moi, sur le chemin de Saint-Benoît, sur le dos du Luberon, le long du chemin de la peste, sur la pente de Montrognon – ou tout simplement comme si j'étais tranquillement assis dans le fauteuil bleu du 39. Il est vrai que tu te plaindrais de ce que je ne te raconte rien !

Eh bien ! voici mon récit depuis que j'ai quitté Paris, ce matin par le train de Laroche-Migennes, à 8 h 37.

À 8 h 15. <u>Accident</u>. Un petit accident. À l'angle de la rue des Écoles et d'une rue qui descend de la montagne Sainte-Geneviève, un taxi dévale à vive allure. Duret ne peut pas l'éviter. Un beau choc, pas mal de dégâts. Le temps de ramasser les objets épars, de m'assurer que les chauffeurs sont indemnes, et je saute dans un taxi qui m'amène juste à temps gare de Lyon. J'ai le devant des deux jambes râpé, mâché, douloureux. Mais ça va. La voiture abîmée n'était pas la mienne. Ce pauvre Duret l'avait empruntée pour ses vacances ! Il est assuré et je m'occuperai de lui. Quant à ma DS elle était partie intelligemment cette nuit pour les Landes, Christophe au volant !

<u>Accident</u>. Terrible : celui de Félix Gaillard, perdu en mer avec trois compagnons. Je l'apprends en lisant le journal. Gaillard et moi : deux Charentais, entrés ensemble au Parlement, partenaires et parfois rivaux, mélange ambigu de relations cordiales. Une des plus belles intelligences, froide, mécanique, beaucoup de séduction, mais frelatée par l'abus des chances et des commodités. Je reconnaissais dans son style la grande tradition de Chardonne : la retenue, le mot juste, pas davantage, et tout était dit. Il s'était marié tard avec une jeune femme dont il avait trois enfants qu'il aimait. Cette femme attend mainte-

nant dans une belle villa de Bretagne, sur la côte de la Manche. Des amis viennent, parlent, étourdissent. On se raccroche au moindre signe. Puis le silence. Le silence du temps qui passe. Plus de journalistes. Plus d'angoisse à en perdre la tête. Le silence. Les amis ont leur propre vie, leurs propres peines. Où seront-ils dans dix ans ? Rien ne bougera plus dans la campagne morte. Les souvenirs sont dans l'herbier. On va à la mer, aux vacances. Le chagrin, le pire chagrin, le passé qui fuit par les canaux de la mémoire.

Je pense à la douleur des vivants qui aiment, et surtout qui continuent de vivre dans un univers décoloré.

2 h 30

Travail. Je suis arrivé à Clamecy où, à la mairie, j'ai reçu la CGT, une douzaine d'ouvriers. Un porte-parole très intelligent. Un débat utile. Quelques élancements le long des tibias m'empêchaient bien de suivre la conversation avec l'attention voulue ! Mon Anne, mon Anne, je t'entendais me dire que cette humble tâche était peut-être la meilleure part de mon devoir. J'avais envie de m'appliquer, d'écouter, de comprendre, d'aider – et de te dédier cet effort. Ta présence, ton amour ont été pour moi, par ces samedis et dimanches âpres ou monotones de la Nièvre, le grain de mon courage. T'aimer mieux c'est mieux agir en toutes choses. Et c'est aussi t'aimer davantage.

Corbigny. Te souviens-tu de ma première ou seconde lettre ? Je me vois te l'écrivant. Chacun de ces instants est aussi clair dans ma mémoire que s'il datait d'hier. Comme je t'aimais. Comme je t'aime. Quelle merveille ! Pour moi, oui, quelle merveille que de t'aimer. Je suis dans cette petite ville pour déjeuner. Mes amis m'attendent pour se mettre à table. Je n'ai pas envie de te quitter. Je t'imagine sur la terrasse de Lohia. Ton visage m'émeut. Je ferme les yeux et me penche sur toi. Ô soleil noir et rouge, ô sang qui brûle. Je suis à toi.

Château-Chinon, 18 heures

Je viens de me reposer deux heures. J'étais à bout. J'ai lu, rêvé. Par la fenêtre, le plus beau Morvan d'été offre ses formes précises, sa façon à lui de se dissimuler. Je suis amoureux de toi. À quoi ai-je songé, étendu sur mon lit de la chambre 15 ? Au drame Gaillard. Ce sont les vacances. On relâche. La mort n'existe que dans les romans. Le vent est mon plaisir comme il est celui de la voile. Quelle trace de la terre pourrait-elle nous atteindre ? Si ! Elle est là, victorieuse. La bouteille de butane explose. Tout explose. On n'arrivera plus jamais.

Justement un article m'attire dans une revue. Je le parcours et je lis. « Le fait d'être "un" et le fait d'être "unique" sont un seul et même processus qui voue à la malédiction de la mort. La mort n'existe que dans la conscience. Elle n'est rien. "La mort est la mort de la mort" disait Feuerbach. Et Valéry : "La mort nous parle d'une voix profonde mais c'est pour ne rien dire." Mais saint Paul crie : "Tous nous serons changés en un instant, en un clin d'œil. Il faut que ce corps mortel revête l'immortalité." »

Ma pensée revient aux images de vie et de beauté, et elle revient à toi sans t'avoir quittée. Ainsi es-tu mon jour, ma nuit, les deux faces de chaque moment de moi-même. J'ai appris à savoir qui tu es. Je te regarde avec amour et je ne sais quoi de tremblant. Je n'ai rien connu de semblable. Par toi tout est métamorphose : le cri, la bouche entrouverte sur le sourire de l'accomplissement, le mouvement profond de l'être qui me reçoit, se joint à mon propre rythme, boit mon sang – et la lumière, comme une veilleuse de tabernacle, qui donne à ton regard le don de me créer, et qui signifie que l'esprit est tout.

Ma source, ma rivière, mon galet du fond de l'eau, mon chant des joncs dans le vent de la Dronne, ma femme, mon Anne, ô poésie pure. Oui, je suis amoureux de toi.

Dimanche 12 juillet, 9 h 45

Je suis devant ma table de ma chambre. Pure matinée striée d'oiseaux. Le Morvan ressemble à l'Auvergne, or et noir. J'ai bien eu un coup de spleen et j'en ai le cœur mordu.

<u>Première fois</u>, voici deux mots qui contenaient toute la joie du monde. Que de premières fois, mon Anne, ont illuminé notre vie ! Les premières fois de la pente montante, t'en rends-tu compte, mon amour, ce sont des joyaux taillés par Dieu. Mais j'éprouve maintenant la souffrance des premières fois, celles qui défont et qui déchirent. Ah ! que je regrette ce voyage manqué de vendredi. Nous serions partis tous les deux. Vieille chanson ! Les haltes, les églises inconnues, l'air du soir, la nuit entrelacée, la terre qui nous appartient. Et ce sera la première fois que je n'irai pas à Lohia : un disque qui tourne, Pascal, l'immortelle d'Éphèse, l'oiseau, le fauteuil de rotin, et peut-être bien du saint-nectaire ! Et Gédé essoufflée, et tante Suzanne l'œil martyr, et… Je n'arrêterais plus de décrire.

Et toi, mon amour, Anne, ma paix.

Qu'est-ce que vivre ? Me crois-tu épicurien ? cherchant l'immédiat plaisir, m'abandonnant aux sensations ? Non. Je me nourris aussi d'inquiétude et l'amour qui m'habite est une façon splendide d'approcher la connaissance. Eh bien, je pense, ma chérie, que cet amour est d'un tel prix, qu'il est la clef de tant de découvertes, que tout avec ~~avec~~ lui ~~se~~ change de sens et de couleur qu'il parle le langage de cette âme inconnue ~~que~~ dont nous pressentons la venue. Je ne suis jamais meilleur qu'en t'aimant. Ou plutôt c'est t'aimer qui m'invite à franchir les distances qui me séparent de l'Unité.

Hier soir j'ai visité mes chantiers : le musée, le gymnase, le local des pompiers, les égouts. Ça a duré longtemps et j'étais quand même fatigué ! J'ai dîné au Vieux Morvan, vers 21 heures, avec Saury et un ami de Nevers. Je me suis couché peu après. J'ai prié en toi, perdu dans ta pensée. Quelle beauté ce serait que de parvenir à cette union totale, que d'associer nos vies dans l'absolu, que de réaliser le chef-d'œuvre qui défie l'absence et la mort. Tu t'appelles Anne et je t'aime. Je t'aime passionnément.

Kermesse, 14 heures

Je suis à Ouroux-en-Morvan. Ce matin j'ai visité deux communes de la région de Clamecy. Déjeuné dans un petit hôtel de campagne, bourré d'estivants, race bizarre. À Ouroux, c'est la kermesse : boules, balles ~~dans~~ à lancer sur une pyramide de boîtes de conserve, loteries, tours de chevaux, pêche de poissons rouges... Je n'ai guère le cœur à cela. Le soleil est écrasant. Mais, en voiture, sur la route des hêtres, dans cette forêt de lumière qui m'offre ses splendeurs, j'éprouve comme une révélation.

La forêt.

Je t'ai dit souvent que l'amour entre deux êtres avait besoin du miroir, du symbole, du soleil ou de Dieu pour que l'échange soit ressenti à son plus haut niveau, dans l'intensité des sens et de l'esprit. L'amour à trois, mais quel amour ! et quel troisième !

Aujourd'hui je sais une autre vérité, peut-être celle que l'Église a voulu exprimer par la Sainte-Trinité. Chacun est tout. J'ai besoin du chagrin, du plaisir, du clocher de Saint-Benoît, du jour resplendissant, du jaillissement de moi-même, de la lumière sur le lac, du souvenir, de l'espérance, de la foi pour communiquer avec toi. Mais sans toi je ne perçois plus le lac, le clocher, le plaisir, l'espérance... Je ne communique plus avec le symbole, je ne me réfléchis plus dans le miroir. L'être aimé est lui-même symbole, lui-même miroir : il est celui qui permet d'accéder à la connaissance suprême.

Je t'écris cette réflexion dans son premier jet, maladroitement. Mais elle m'illumine. Elle donne à mon amour pour toi sa signification, elle le projette et le transfigure.

Anne, j'ai sans doute abusé avec cette lettre interminable : simplement j'ai voulu être avec toi comme si nous faisions ensemble un beau voyage. Le chauffeur de la Nièvre viendra relayer Saury qui rentre à Évian. Je n'ai pas eu le courage de conduire seul alors que tu n'es pas au bout de ma route. Ô bonheur de Saint-Illide ! J'ai donc passé ma voiture à Christophe ravi de l'aubaine. Je rattraperai bien un train en travers de la France.

Je n'ai envie que de te retrouver. J'attends ta lettre où tu me diras ce que je devrai faire. En principe dimanche 19, à l'heure que tu voudras j'irai te chercher là où tu voudras. Si tu préfères un jour avant, un jour après, choisis. Tout sera joie pour moi. Je t'aime.

Comment veux-tu que je termine ces pages sans fermer les yeux sur une heure bénie ? Rue du Dragon. Toi. Nos voix se croisent. L'éclair de la vie. La force de ce qui naît et renaît. Le sang qui coule en toi et se mêle à ton sang. Mon amour, mon amour.

Quoi qu'il advienne, mon cher, mon grand amour, c'est une chose terrible et merveilleuse que d'être

à toi

François

485.

En-tête Assemblée nationale, à Mademoiselle Anne Pingeot, Lohia, avenue du Tour-du-Lac, Hossegor, Landes 40.

Bordeaux, 13 juillet 1970, 22 heures

Je me suis posé la question, mon amour. Faut-il t'écrire chaque jour ? Et j'y ai répondu sans l'ombre d'une hésitation : évidemment ! Je ne pourrais pas faire autrement. Les jours où je te vois, passe encore. Mais les autres ! J'ai un besoin fou de ton bras sous le mien, de nos rues Saint-Sulpice, de ta tête penchée près de la mienne.

Image douce, sans prix, qui me brise aujourd'hui. Je t'aime passionnément. Pour que ce refrain ne soit pas trop lassant je peux au moins ne l'envoyer qu'un jour sur deux ! Mais comment, comment faire pour ne pas dire avant de dormir bonsoir à celle que l'on aime, et bonjour le matin ? Je vis avec toi, Anne, intensément et c'est une vraie souffrance que d'accepter ce mur de la séparation qui pour ne pas monter jusqu'au ciel reste entre nous si haut – désespérant.

En vérité j'ai un formidable chagrin. Tout est douleur en moi. Tout est amour aussi.

Je suis donc à Bordeaux, à la gare, avant de prendre la Puerta del Sol pour Dax. J'arrive de Barbezieux où par ce jour de clair soleil on a mis en terre Félix Gaillard. Heures poignantes. Je comprenais tout de cette peine muette, écrasée, presque absente de sa femme. Je crois qu'ils avaient touché l'absolu et voilà que la blessure saignera à jamais. Je pensais sans cesse à ces mots « je respire mais je ne vis plus ». Mort, vie, ô amour, seul amour, seule résurrection. Tout l'après-midi tu as vécu dans mon cœur d'une incroyable présence. Je t'aimais, te bénissais, t'espérais, te remerciais de tant de grâces. Anne des heures profondes. Anne du ciel dans les yeux. Anne qui crois à la beauté, et peut-être aux destinées de l'âme, tu es ma confidente, mon amie, ma femme, tu es ma seule explication. Étrange merveille : la rose thé de Chênehutte et pour jamais j'étais à toi.

0 h 30, Latche

Un nuage a éclaté pendant que j'étais dans le train. Sur la route de la forêt j'ai senti l'odeur d'après la pluie. Cela m'a fait plus mal encore : cette odeur était aussi celle d'Hossegor. Je suis plus proche de toi : c'en est intolérable. Tu dors sans doute. Je vois ta chambre. Je t'aime à n'en plus pouvoir de tendresse et de peine. Qu'est-ce que cette passion qui me dévore ? Tu ne t'es rendu compte de rien ? Je me repais de ton visage encore donné tandis que ton train à toi t'emmenait vendredi. J'espérais bien trouver une lettre de toi. Je suis vidé, abruti. Ne sais-tu pas ce que tu peux de moi ?

Amour chéri, l'orage gronde encore. La lumière violette m'éclaire. Je suis en robe de chambre. J'ai regardé ta sanguine et caressé le bloc de Mende, déplacé la cruche de Ribérac, frotté celle, vert bouteille, que m'a donnée Gédé. Je prierai sans prier, avant de dormir, devant la station du chemin de croix de Nabinaud que tu as encadrée. Deux photos de toi sur mon rebord de lit, celle de l'aérodrome de Salt Lake City et celle, béret sur la tête et panier au bras que j'avais prise sur la plage du Penon. Je t'aime désespérément. Comment te raconter. Ah ! viens m'aider mon Anne. Je redoute la nuit, j'étouffe, tu n'es pas là, ô Anne comment peut-on détruire un tel lien. Mon rêve de huit années (assorti d'inconscience), une pensée quotidienne, constante, adorante, et voilà la solitude qui me mord la poitrine. Si tu m'aimes encore tu comprendras. Cette maison qui t'a fait mal parce que je t'ai fait mal je la regarde comme une étrangère. Je n'ai plus de pays si tu es loin de moi. Je ne supporte plus rien. Pardonne-moi de te raconter cela. Je t'ai promis de tout te dire. Au fond j'avais pensé sans autre problème que nous serions AnneFrançois toute la vie. Ça me semblait tout naturel et je t'ai laissée dans ton angoisse et seule devant le choix. <u>Annefrançois toute la vie</u>. Comme je t'aimerai ! La pensée ce soir sera-t-elle assez forte ? Sentirai-je ta main sur mon front, ton souffle contre mon oreille pour échapper au mal qui vient ? Dans la nuit de Saint-Benoît cette fille merveilleuse, mon amour, m'avait guéri. Mon Anne, toi qui m'attendais très tard toute droite emportée dans l'élan mystique, viens à moi. Je t'appelle. La nuit durera-t-elle jusqu'à la fin des temps ?

Je t'appelle mon amour.

14 juillet, 10 heures

Je suis secoué par cette crise d'hier soir. Je ne peux pas te dire.

Voici une longue journée qui commence, une journée totalement vide d'espoir. Il n'y aura pas de courrier. Il n'y aura rien je savais que je ne devais pas venir ~~ici~~, que je ne supporterais pas. Mais il y a ce livre à écrire, fil qui me tient, sans lequel je partirais. Je ne pense qu'à partir.

Mon amour pardonne-moi. Ne crois pas que je t'oublie à force de me refermer sur ~~notre~~ mon amour. J'ai au moment où j'écris ces derniers mots l'image de ton visage, lundi soir au retour de Gordes, et vendredi quand je t'ai retrouvée au Louvre.

Visage bien-aimé. Il me dit qu'il faut aller plus loin dans notre recherche commune, qu'il s'agit simplement de faire mieux, d'exiger davantage, de s'aimer en partageant le meilleur de nous-mêmes. Je t'entends : « Moi je ne suis pas triste. Nous avons tous les deux tant à faire. » Et puis je t'imagine avec Martine, avec Bertrand, jouant dans le lac, te dorant de soleil, travaillant dans ta chambre, peut-être, peut-être pensant à moi. Cette épreuve que je vis ~~t'~~était sans doute nécessaire (j'ai devant moi la chouette de Minerve, bleu pâle, et je baise le plat de ta main). Ô je t'aime, je t'aime. Il n'y a pas en moi un désir de toi sensuel mais plus terrible plus violent un désir d'unité sans fin. J'ai éprouvé cette âpre brûlure l'autre lundi. Je n'en ai eu l'approche que depuis un peu plus d'un an.

Avant, tout était de l'ordre de l'instinct, de l'harmonie naturelle, sans questions, à la jointure du corps et de l'âme. Depuis un an (la nuit du jet ?) j'ai faim de toi au-delà de mon sang. Tu es là. Je suis toi. Le mouvement de ton visage comme pour échapper, cette force en toi et soudain cette immobilité. Je te vois au-dessous de moi, plage, terre, astre comme on voit les planètes, dans leur ciel, et jusqu'au détail d'un torrent qui tombe en fracas sur le roc d'un mont inconnu. Sans toi je ne communique pas. Par toi le monde s'ouvre tandis que toi-même tu t'ouvres à ma vie qui se tend à l'extrême et devient à son tour fleuve ou volcan. Ô Anne même pour Dieu tu es mon passage. Ton cri déchire, appelle, réconcilie, apaise. Je pose ma bouche sur tes lèvres. Elles sont fraîches d'avoir brûlé. Sur tes membres. Sur ta gorge. Tu n'es pas encore revenue. Où es-tu ? Emporte-moi, mon amour. Tu m'écrases de toutes les responsabilités. Et la tienne ô ma femme ? Ô le tressaillement admirable de la vie que tu m'as donnée et reprise ! Te souviens-tu de cette entente, de ce voyage, de cette musique ? Je t'aime à la folie, folie lucide, folie mortelle. C'est idiot ? Je ne devrais pas avouer ? Il faut sauver la face ? Je te donne des armes ? Tu as besoin d'armes ? T'aimer trop c'est te conduire à aimer moins ? Je me moque de tout. Je t'aime.

14 h 30

J'ai écrit deux pages pour le livre. Ce jour est long ! tout de même j'ai eu comme une délivrance. Je ne sais pourquoi j'ai dit tout haut « Oh A » et d'un coup j'ai vu ton visage de bonheur, je t'ai entendue me répondre « Oh An », j'ai eu envie de rire avec toi. Quel bonheur dès que nous sommes réunis. Le reste est cauchemar. Ou plutôt le reste serait si beau si nous étions toujours réunis. Je ne pense qu'à cela.

Gilbert est revenu du golf après avoir fait équipe avec ton père. Il m'a raconté la partie. Contrairement à ce que je redoutais, cela m'a fait du bien : je t'aimais tant en moi-même tandis que j'imaginais nos récits de Tartarin, la partie finie, devant le saint-nectaire et le vin cuit d'Espagne, à chaque vacance. Mais je n'irai pas au golf. Comment passer au n° 16 ? Ô ma jeune fille de Pâques !

Tu me crois ? Je vis en toi. Si l'esprit était assez fort (mon esprit), tu le sentirais. Je suis amoureux de toi sans retour. Tu doutes ? Pas un seul jour depuis le 15 août 1963 je n'ai cessé de t'aimer de toutes mes forces. Chaque jour (non, je n'exagère pas, je n'invente pas un passé à rebours !) j'ai voulu qu'un signe te le dise. Il y a eu de la poussière, de la crasse, de la paresse, de la fatigue. Ton regard vers moi, celui que j'aime, a toujours lavé aussitôt les scories. Cet amour-là personne ne le donnera jamais. Parfois tu me parles de mon goût du renouvellement, de mon refus de l'idée reçue, des choses acquises. Je t'ai aimée, je t'aime comme je vis : avec plus de richesse intérieure et de volonté d'être digne de toi qu'aux premiers temps de notre union, mais ceci je te le dois. Avec une force intacte et totalement disponible : cela est ma part. Mon amour est plus jeune que moi. Il puise aux sources du printemps et n'a pas changé de saison. J'ai le même choc au cœur et les jambes coupées (moi aussi !) qu'à ~~quinze~~ 15 h 30 aux Trois-Poteaux tandis qu'approche Anne-de-ma-vie. Ces lettres sont sûrement trop longues. Tu ne t'y reconnaîtras plus ! Mais je sais qui tu es et je t'aime ainsi : au style, à l'écriture tu vois que c'est un premier jet. Tant pis pour les redites et les maladresses. Utilité de ton conseil : si j'écrivais comme ça sur la Vᵉ République ! Mais une lettre pour toi n'est qu'un moment. Elle n'a de sens, elle n'est possible qu'exprimant ce que les heures ont accumulé, ce que mon esprit, mon cœur, mon désir ont lentement formé. Quatre pages font ma vie d'une journée. Quelques mots suffiraient peut-être. Pourtant ce qui nous a tant manqué, les détails quotidiens partagés, j'ai trop envie de te les raconter pour arrêter là ce récit-journal. Ma chérie, mon Nannon, mon amour de fille, ma bien-aimée, ma femme.

22 heures

Je rentre de Moliets. Michel Barbot m'avait téléphoné hier dans l'après-midi pour que je le rejoigne à Azur. J'avais hésité puis acquiescé. Peut-être avec lui pouvais-je sortir de moi où je suis prisonnier. Je suis allé au rendez-vous, il n'y était pas. À Moliets non plus. ~~J'y suis retourné à l'heure du dîner.~~ Günther m'a accueilli en me disant que Gédé, Martin, Hervé, Bertrand et Toi étiez venus. Je crois que j'ai eu un éblouissement. J'étais tellement pâle qu'il m'a dit gentiment des mots pour rien. Entendre parler de toi. Je suis comme un homme qui a vécu sa mort.

Je suis retourné à Moliets à l'heure du dîner. J'ai marché sur la route avec Michel B., j'ai prononcé ton nom, pour ma paix. Les liens

de nos chers rendez-vous du Saint-Louis m'ont rapproché de notre
ancien bonheur. Nous nous sommes quittés ~~proches~~ sans qu'un mot
eût été dit de nous aujourd'hui. Il ignorait sans doute le tourment
où je suis. Mais c'était un peu de toi que je touchais. Je suis rentré,
j'ai dîné seul absorbé en toi, tout le monde étant à Hossegor. Je ne
supporte personne, je ne veux pas peser sur tes vacances, mêler mes
angoisses à ta vie heureuse.

Je ne puis m'empêcher pourtant de songer aux pages que j'aurais
écrites dans le silence de ta chambre, comme durant nos après-midi
de Pâques 69. J'ai une envie terrible de te rejoindre. Je ne le ferai pas
puisque je l'ai promis.

Quelle chance, quelle joie si tu rentrais à Louvet avec un peu
d'avance ! Mais voilà bien mon égoïsme ! Tu me dirais nous partons
demain, bonheur ! <u>Je suis prêt à partir quand tu voudras : mercredi,
jeudi, vendredi, samedi : ne crains rien</u>, je travaille et je travaillerai.
J'aimerais réussir mon livre pour toi. Et travailler <u>avec</u> toi serait si
bon que je n'ose l'espérer. Je n'espère plus rien.

Je suis si angoissé, mon Anne. C'est étrange ce bouleversement de
mon être. Je n'ai jamais connu pareille tempête, qui m'arrache à ce
que je suis. Je t'ai aimée avec passion. Absolument. Tu t'es trompée
sur moi. Mais tout est de ma faute. J'ai vécu sans voir. Je suis toujours
aux Trois-Poteaux. On m'y pendra et ce sera bien fait.

Anne, Anne ma joie. Une nuit commence encore et l'horreur avec
elle. Anne Anne ma joie. Jamais notre amour ne devait finir. Anne
mon amour. Jamais ma vie ne devait durer au-delà de toi. Anne
Anne ma joie mon amour. Rien ne durera, il n'y aura pas d'au-delà.
Anne ma joie. Je récite nos nuits pour que recule l'horreur de respirer
sans toi. Anne mon amour. Il serait plus facile de mourir, si souvent
tu l'as pensé. Anne ma joie, comment ai-je pu t'infliger la moindre
souffrance ? Anne mon amour, comment, comment ? Anne je ne sais
qu'une vérité : je dois tout te donner de ce que tu demandes, de ce
que tu ne demandes pas. Il n'y a qu'une vérité Anne ma joie.

15 juillet, 11 heures

Je travaille beaucoup. J'ai fait mes cinq pages hier (+ celles-ci !).
Si tu m'aimais j'aurais un terrible pouvoir de création. Parce que
je t'aime j'essaie d'avancer. Si tu m'aimais ! Tu m'aimes ? De cette
question mon cœur bat à faire mal. J'ai tellement envie de t'apporter
– enfin ! – de quoi espérer, de quoi nourrir ta vie. Comme je t'ai

déchirée ! Sur la route où nous sommes je m'efforce d'être celui que tu pourrais aimer, de ce jour à l'éternité. J'ai la passion de toi. Crois-tu que le reste me sera donné de surcroît ? J'ai là *Plain-Chant*. C'est l'un de nos secrets que les racines de ce poème, plongées en nous. En pleine chair, ô Anne, au centre de toi, dans la douceur somptueuse de ton corps. L'accord sur lequel s'ouvre la symphonie, le rite, l'enfoncement de l'être, la résurrection sur l'autre rive, mon sang qui coule en toi, la brisure de l'accomplissement. Nous avons touché au mystère, je le sais et tu le devines. Je ne l'avais jamais rencontré. S'il me laisse je serai comme un bois mort sur la plage des souvenirs. Le mystère tue celui qui le pénètre, crois-tu ? Nous sommes allés vers lui ensemble. Pourquoi ne pas relever le défi et vivre ensemble, de la manière que tu voudras, pourquoi ? Pourquoi ne serions-nous pas dignes de cet amour, pourquoi ne serions-nous pas supérieurs ?

13 heures

Je viens de recevoir ta lettre. Que te dire ? Je l'ai ouverte avec <u>une telle</u> émotion. Ce que tu m'as écrit samedi m'a touché. Simplement ce mot « crème », et je retrouve une bouffée de joie. De ce que tu m'as écrit dimanche et lundi, oui, que te dire ? que tu as été <u>gentille</u> de penser à moi ? Tu ne sais pas <u>où j'en suis</u>, j'ai mal à en crier – et rien.

Mon amour. Tu ne sais pas [illisible].

Je m'occuperai de Bibiche, puisqu'il est mon allié. Et de toi, mon ennemie ? Mais tu n'as pas besoin de moi.

Ce n'est pas une phrase toute faite, je te le jure : je voudrais mourir. Tu es ma seule amie, mon seul amour et tu n'as même pas l'accent de tendresse qui sauve. De la terre dans la bouche parfait. Parfois tu m'as confié que tu avais souhaité la mort : si je t'ai fait du mal à ce point, mon Anne bien-aimée, pardon, pardon. Je vis une agonie.

Mais ce ton léger que tu as s'accorde si peu au mien, noir comme un triste oiseau, que j'aperçois soudain que je gâche tes vacances. Non je ne les gâche même pas. Plutôt, je dois t'ennuyer bien fort.

Je vis totalement enfermé. Un pauvre aurait pitié de moi. Je ne veux pas parler. Je n'ai pas marché 200 mètres. J'écris avec un malaise horrible. Je suis très malheureux.

Tout bêtement parce que je t'aime. Je pense comme tous ceux qui aiment : est-il possible que celle qui partageait tant de ferveurs (tiens, les bouquins de chez Loliée, les dîners de La Coupole, le bras dessus bras dessous de notre vieux quartier, toi sur le tabouret du 36 la tête sur mes genoux, les lectures…) (ce sont les images qui me viennent en premier. Je ne cherche pas l'attendrissement. Je suis <u>dedans</u> la grande mare où l'on se noie), est-il possible qu'elle n'ait même plus en elle la grâce d'un sourire qui serait de douceur ?

15 heures

J'irai dans un moment porter cette lettre à Soustons. Comme souvent, avant de la poster j'ai un remords. J'ai livré de moi-même plus qu'il n'était permis. Je te la confie cependant en te priant de m'excuser. Je suis à la veille de quelque chose. Assiste-moi autant que tu le peux. Mais je m'irrite d'être constamment quémandeur.

J'ai eu pour toi un amour fou. Je l'ai toujours et toujours aussi fou. Même si j'en ai l'air je ne suis pas injuste avec toi au fond de moi. Tu m'as tout donné. Tu as été ma merveilleuse fille Anne. Je n'ai que le désir de te donner ma vie. C'est bien mon tour ! Si j'ai besoin de toi et si je te le dis ne crois pas que j'abuse. C'est bien le moment de chanter tout bas « N'oublie jamais, jamais, jamais, jamais » la mélodie de Cordes. Signe de détresse et d'amour.

Mais il faut bien en revenir aux détails pratiques. J'ai écrit ce matin une page. À la volonté, je ferai mon pensum complet d'ici ce soir minuit. Je déteste ton « Coraggio avanti ». L'ensemble a pris corps. Je pourrai te lire de vrais chapitres du bouquin.

<u>Je meurs d'envie de te voir.</u>

Aurai-je un mot demain ? Cela me ferait un bien profond.

Pour le départ je suis disponible à tout moment. J'ai parlé de dimanche pour te laisser un peu aux joies d'Hossegor. J'aimerais mieux samedi et encore mieux vendredi ! Je peux passer devant Lohia à l'heure que tu fixeras. Je suggère 10 heures le matin. Précise-moi. Je t'appelle à mon aide, ma bien-aimée, et ma main est tendue vers toi. Mais je t'aime plus et mieux que ces pauvres mots, sois-en sûre

<u>François</u>

P.-S. [Verticalement :] **ANCHOIS POMMIER.**

486.

En-tête Assemblée nationale, à Mademoiselle Anne Pingeot,
Lohia, avenue du Tour-du-Lac, Hossegor, Landes 40.

Latche, 16 juillet

Mon amour,
Je t'ai écrit longuement hier soir mais d'une façon si incohérente
que cette lettre n'ira pas à la poste... mais au musée. J'aurai de la
peine ce matin à te parler mieux. C'est une souffrance intolérable
qui me ravage. Je t'aime si profondément que je suis blessé de partout. Perdu en mer je crierais au secours. Personne ne m'entendrait.
Personne ne m'entend. Pourtant je suis perdu en mer. Douleur d'un
amour vivant, puissant, en pleine force et qu'on taille à la hache.
Si tu savais comme j'applique mon écriture ! Si je lâche la bride, le
cheval m'emporte vers « le puits noir annonciateur », vers la hantise
du désespoir.
Oh Anne.
Mon Anne, mon amour, ma vie.
Je ne dors ni ne puis bouger. Je suis comme stupéfié. Ta lettre
d'hier m'a fait du bien pour deux mots « mon crème ». Pour « Coraggio avanti » je t'aurais détestée. Je vois comment tu es quand tu peux
écrire cela !
Mais c'est à l'autre Anne que je demande de me donner un peu
d'elle-même, elle qui m'a tout donné. Quand tu pries tu mets ton
visage dans tes mains, parfois. Tu écoutes plus loin. Mon Anne
écoute-moi.
Il faut que je me fasse comprendre. D'abord (c'est de ma faute
sûrement) s'il y a du contresens.
Je t'ai aimée sans partage depuis le mois d'août 1963. Ce que tu
appelles « vie parallèle » je l'ai menée sur le plan social avec une
inconscience que je ne puis me pardonner, mais je n'ai pas quitté
notre vie autrement. Dans toutes tes révoltes tu m'as toujours dit que
tu voulais choisir le futur contre le présent, la création contre l'inutilité. Moi j'ai éprouvé le contraire : le présent était riche de merveilles
et je comptais sur lui pour bâtir un futur. Quant à créer, ma bien-
aimée, tu ne peux imaginer le soin passionné que j'ai mis à construire
un amour, un bonheur, et un être vivant. Un bonheur, ô mon Anne !
– un amour : je l'ai en moi et je le garde et je sais qu'il vaut quelque
chose – un être vivant, toi.

À cet être je me suis appliqué avec un acharnement sans limites. Je t'ai adorée, je t'aime comme au premier jour et c'est là que j'ai une sorte d'illumination pour ~~Comment~~ expliquer le drame où je suis ~~?~~. Cette explication commence par ces mots, si chers, si tendres : Tu t'appelles Anne et je t'aime. Quand je te les ai dits pour la première fois ils venaient du fond de moi, ils étaient très instinctifs. C'était comme un cri de surprise perpétuelle, un ravissement continu, l'émerveillement de l'aube. Je les ai sans cesse murmurés, je les répète encore, ma découverte, mon Amérique. Comment ?

Tu t'appelles Anne ? Et je t'aime ?

Plus je m'interroge moins je doute maintenant du sens de cet émoi. Voilà. Non seulement j'ai aimé la jeune fille qui m'apportait la grâce mais j'ai aimé passionnément la femme qui me donnait la force, la paix. J'ai retrouvé la pureté et la lumière. Te perdre eût donc été déchirant en toutes circonstances. Mais l'explication ne suffit pas, tant je suis bouleversé, Anne, tant je suis désespéré. Un coup de couteau en plein cœur ça fait mal. Mais ce n'est pas ça non plus. J'ai toujours su que nos vies s'étaient liées de travers, que nos bonheurs intenses étaient frappés de fragilité, que tu as été si merveilleuse de m'aimer comme j'étais. Mais voilà la vérité : <u>je t'aime comme on aime son enfant</u>. Ça te paraît bizarre, peut-être choquant ? Mais oui mon amour nous sommes tous deux en mal d'enfant ! Si tu souris en lisant cela tu me fais mal. Je t'en supplie ne souris pas.

Et ne crois pas que je joue sur les mots. Brisons si tu le veux les faux-semblants : j'aime ton corps, la joie qui coule en moi quand je détiens ta bouche, la possession qui me brûle de tous les feux du monde, le jaillissement de mon sang au fond de toi, ton plaisir qui surgit du volcan de nos corps, flamme dans l'espace, embrasement. Plus brutalement : je t'aime de toute ma chair comme je n'ai jamais aimé prendre une femme. Rien d'autre n'a existé. Il n'y a donc pas d'erreur possible, ô inceste parfait ! La plaisanterie que je faisais (de mauvais goût !) <u>est devenue vérité</u> : tu es l'enfant auquel j'ai rêvé chaque jour avec toutes les délicatesses du ciel et de la terre. Te perdre, c'est tous les malheurs à la fois. Imaginer que tu appartiennes à un autre, physiquement, est atroce. Mais tu as le droit de vivre. Châtré il me restera un cœur et un esprit, assez pour t'aimer avec la même passion. Mais si on t'enlève à moi on m'arrache tous mes bonheurs, tous mes amours, je suis en deuil de toutes mes joies, de tous mes rêves de tous mes espoirs. Tu as vu quelques gestes extérieurs de ma tendresse pour toi, reçu quelques lettres, fait quelques voyages. As-tu deviné ce qu'il y avait dessous de racines enfoncées au secret de nous-mêmes ? Je te jure que bien peu d'heures se sont écoulées depuis sept ans sans que je pense à toi. Tu étais ma réalité. Tu es dans ma chair, dans mon cerveau, dans mes veines. Quand je dis « Ne me quitte pas » je retiens mon amour, ma femme, mon sang, mais je retiens aussi un enfant par la main, le mien, mon enfant de prédilection.

J'en ai deux ? Je les aime beaucoup. Ce n'est pas un sacrilège que de te dire que je t'ai davantage donné, que j'ai mis en toi plus de moi-même, qu'il y a dans l'amour qui me lie à toi un absolu, terrible, définitif. Je t'aime comme tu ne peux pas savoir.

Tu vas me juger plus mauvais que je ne le suis : j'ai souvent pensé à te faire un enfant. Freud eût été content du transfert ! Au moins j'aurais créé un être qui aurait été toi. Je ne l'ai pas fait par respect de ton consentement. Par tendresse d'Anne à protéger, à garantir, à aider. Et puis tu ne me l'as jamais demandé fût-ce dans l'égarement de nos heures bénies. Mais je souffre de ne pas avoir cet enfant né de toi. Et toi, qui me préfères-tu ? Un homme ? Non, du moins pas encore et peut-être jamais. Un enfant ? sûrement. Je sais que cette question est injuste : il n'a pas dépendu de toi, mon Anne, de réaliser ce grand bonheur de réunir l'homme que tu aimes et l'enfant que tu souhaites. Comme tu aurais été heureuse d'y parvenir en accord avec ta conscience !

Un enfant de toi et de moi. Si facile. Et si beau ! Vérité au-delà de la Baltique, erreur en deçà. J'en serai amputé toute ma vie. Et souvent, pour l'instant même, je me révolte : pourquoi pas ? Cette responsabilité, et ses conséquences évidentes, ne m'effraie pas. Mais si j'ai veillé sur toi contre moi-même c'est parce que tu t'appelles Anne, et je t'aime.

Je crois que cette lettre ~~essentielle. Elle~~ exprime un sentiment essentiel, une révélation déchirante pour moi : Anne perdue il ne me reste rien qu'un désespoir sans fin. Sur tous les plans qui font qu'un homme n'est sauvé que par l'amour.

Veux-tu consentir à ce postulat ? ce que nous avons accompli ensemble est, je le crois de toute mon âme, d'une essence rare. Je n'ai pas recouru aux petits moyens, sois-en sûre. Je suis capable de grandes choses, mais j'ai besoin d'amour, besoin de toi. Tu es mon tout. En relisant je m'aperçois qu'ici j'ai bifurqué. Je continuerai oralement !

Quand je te demande de ne pas te séparer de moi comme tu as voulu le faire au jardin du Luxembourg, c'est qu'il me semble que je vaux mieux que cela. Je ne veux pas durer médiocrement.

Je désire, je prie, je conjure celle qui m'attendait un soir à Saint-Benoît et qui m'a guéri le corps et l'âme de comprendre ce que j'ai voulu lui dire aujourd'hui. Ce serait exceptionnel que de réussir une nouvelle traversée sur le thème, selon l'itinéraire, pour le port que tu auras choisi ? Pourquoi pas ? Je ne veux pas que tu te sacrifies pour moi, Nannon que j'aime. Il ne s'agit pas de cela. Mais ce qui est exceptionnel c'est aussi le sel de la terre. Je te donne ce que je suis. Fais-en ce que tu voudras. Mais ne me rejette pas. Monter, toujours monter vers le plus haut, oui. Fais pour cela de moi ce que tu voudras. (Il me semble, comme c'est triste, que je me suis mal expliqué.)

Hier soir que le temps était doux. C'était un soir de grande promenade pour nous deux. Y as-tu pensé ? j'ai eu l'impression soudain que tu allais me <u>gracier</u>, me faire <u>un signe</u>, que tu m'emmènerais peut-être marcher dans la forêt de Seignosse, ou le long de la mer, loin dans la nuit, que tu te serais suspendue à mon bras, que nous aurions regardé les étoiles, que j'aurais retrouvé ta voix. Rien n'est venu. Je t'avais promis de ne pas aller à toi. Promesse tenue. Mais je suis tellement malheureux tellement amoureux de toi.

———————

J'attends un mot, chérie, qui me dira où et quand je passerai te prendre pour te conduire en Auvergne. Vendredi, samedi, dimanche ? Je répète : le plus tôt sera le mieux pour moi, le meilleur sera ce qui convient à tes vacances. J'ai confiance en toi.

———————

Ci-joint une ébauche de poème que je perfectionnerai mais que je t'envoie tout de suite.

———————

Pour Bibiche d'accord.

———————

Je suis à toi

                                                              François

P.-S. Rien de toi ce matin.
<u>Oh ! A</u>

487.

En-tête Assemblée nationale (sans enveloppe).

ANNE I

Pour les fleurs que tu n'as pas reçues
Pour les livres que je ne t'ai pas lus
Pour les pays que nous n'avons pas vus
Pour les bonheurs perdus
      Je te demande pardon, mon Anne
Pour l'amour que je t'ai mesuré
Pour la paix que je t'ai refusée
Pour les heures que je ne t'ai pas données
Pour l'espérance délaissée
      Je te demande pardon, mon Anne
Pour les paroles inutiles, pour les silences distraits
Pour les rendez-vous manqués
Pour les pas dispersés
Pour les prières oubliées
      Je te demande pardon, mon Anne
Pour la ferveur de chaque jour
Pour l'attente de chaque nuit
Pour la pensée de chaque matin
Pour la passion de chaque étreinte
      Pardonne-moi, mon Anne

ANNE II

Pour les lupins de Saint-Benoît
Pour les œillets du Luberon
Pour les immortelles d'Éphèse
Pour les roses de Paris
      Pardonne-moi, mon Anne
Pour les mûriers de Gordes
Pour les herbes séchées de Cordes
Pour les lichens de Vézelay
Pour les lilas de l'Oratoire
      Pardonne-moi, mon Anne

Pour les iris du trente-neuf
Pour les gueules-de-loup de Louvet
Pour les camélias d'Hossegor
Pour les thyms de la borie
      Pardonne-moi, mon Anne
Pour l'ocre rouge de Venise
Pour le bleu de Constantinople
Pour le blanc de l'Argolide
Pour l'or de Monreale
      Pardonne-moi, mon Anne

ANNE III

Pour le dîner de La Bouteille d'or
Pour les déjeuners du Saint-Louis
Pour les soupers de La Coupole
Pour les petits déjeuners de nulle part
      Pardonne-moi, mon Anne
Pour l'église de Saint-Illide
Pour les chemins de Nabinaud
Pour la halte de Mont-Redon
Pour la rue de Saint-Sulpice
      Pardonne-moi, mon Anne
Pour la nuit de Chênehutte
Pour les nuits de Saint-Benoît
Pour la nuit du jet pour la nuit d'Atlanta
Pour les nuits de Rieutort
      Pardonne-moi, mon Anne
Pour la première nuit
Pour les plus belles nuits
Pour les plus tendres nuits
Pour la dernière nuit
      Pardonne-moi, mon Anne
Pour notre âme pour notre corps
Pour notre douleur notre joie
Pour notre solitude notre mort
Pour mon chagrin du fond des mers
      Pardonne-moi, mon Anne

ANNE IV

Pour l'ultime prière
Pour la grâce, pour l'eau fraîche
Pour le feu, pour la lumière
Pour ta main sur mes yeux
    Pardonne-moi, mon Anne
Pour mon sang, pour mes mains
Pour mes genoux entre les tiens
Pour ma bouche et pour mon front
Pour mon désir, pour mon sommeil
    Pardonne-moi, mon Anne
Pour saint François et pour sainte Anne
Pour les larmes sur mon visage
Pour qu'un Dieu naisse avant qu'il soit trop tard pour moi
Et pour l'amour de toi
    Pardonne-moi, mon Anne

Je t'attendrai ainsi qu'on attend les navires...

François
16 juillet 1970

488.

S.d.

L'ÎLE

1. Tu es là mon Anne, mon âme.

La tempête au-dehors tourmente la forêt et balaie le sommet des vagues pour en faire cette pluie horizontale qui cingle nos visages. Il y aura ce soir de grands pins cassés par le milieu ainsi que du bois sec, des épaves absurdes tout le long de la plage, des peurs irraisonnées, des violences.

2. Tu es là mon Anne, mon âme.

La terre ~~avec~~ et ses saisons, ses chaleurs, ses soleils rouges, ses hommes pressés, ses villes creuses, ses oiseaux de couleur, la terre a basculé sous la fureur des océans.

Je t'ai dit « Nous sommes dans une île. Pour nous seuls il y a un rivage, une maison, un feu de bois. Pour nous seuls il y a l'amour et le silence ».

Toi, tu n'as rien dit mon Anne, mon âme, mais tu es là.

3. J'ai laissé ma vie de naguère derrière la porte, de l'autre côté ~~de la terre~~ de la mer, ma vie pareille à l'anarchie des choses, au tumulte des hommes. Je te regarde. Sais-tu que je t'ai regardée à perte de vue durant ces quatre jours ? D'événements il n'y eut que le jeu de l'ombre et de la flamme qui se disputaient ton visage. Je te regarde. Ô Anne destructible, éternité changeante, je contemple en toi le reflet immobile d'un jeune dieu qui sourit à l'image d'un songe. ~~À soi-même au songe de sa vie son cœur.~~

4. Tu es là mon Anne, mon âme.

~~As-tu remarqué qu'ici, en~~ Ici, ce soir, toi seule ~~as gardé~~ portes encore ton nom ? Tu t'appelles Anne et je t'aime. Moi, ~~je suis devenu qui suis-je sinon un~~ je ne suis plus qu'un regard ~~une attente~~. Non, un regard et un silence ~~une paix~~. Je ne suis plus que. Le désir et l'angoisse. ~~Le bonheur~~ Le plaisir et la peine, l'espoir, l'indifférence ~~sont restés en chemin et je crois bien qu'ils~~ ont perdu jusqu'au souvenir d'avoir été mes compagnons de route. On les a peut-être noyés cet après-midi comme on noie des chiots entassés dans un sac ! Dans l'île où ne parviennent que les rumeurs lointaines des anciennes contradictions il n'y a pour faire l'horloge que le ~~rythme~~ battement de mon sang et qu'ai-je besoin de mesure du temps fût-elle mesure de moi-même puisque tu es là mon Anne, mon âme ?

5. Quel désordre là-haut ! À croire que, renonçant à ses fausses colères, le ciel a décidé pour de bon d'en finir avec les astres morts. Écoute. Voilà que l'orage au milieu d'une longue flamme soudaine pousse le grand cri stupéfait des hommes qui vont mourir. La nuit ~~d'octobre~~ crépite ainsi que la forêt de pins et les champs de blé incendiés au mois d'août.

J'ai lu à haute voix. Nous entendions les arbres gémir, la mer frapper de grands coups sourds, l'orage déchirer le ciel. Cela convenait à [sans suite].

489.

En-tête Assemblée nationale, à Mademoiselle Anne Pingeot,
Lohia, avenue du Tour-du-Lac, Hossegor, Landes 40.

Latche, vendredi 17 juillet 1970

Avis :
Lire les deux autres pages dans l'ordre c'est-à-dire d'abord celle
qui a été écrite en dernier.

Je suis François qui ouvre la porte de l'Auberge du port une nuit
de mai, qui t'ouvre, Anne, à deux battants, toi, debout, droite, pure,
l'amour-femme, l'amour-mystique, dans le silence de Dieu
  qui comprend sûrement
  car
  il
  n'est
  pas
  plus
  bête
  que
  ça
  et qui pardonnera –
  si nous l'aidons

François qui t'aime

Latche, vendredi 17 juillet 1970, 16 heures

Ma bien-aimée, la chronologie [flèche vers « 16 heures »] est très
importante. Normalement le courrier arrive ici entre midi et
1 heure. Aujourd'hui la voiture canari des P et T, que je croyais
vide de courrier pour moi et donc en balade partout ailleurs et
sans la moindre envie de me rendre visite, stoppe au haut du chemin à 15 h 45. Elle m'apporte deux lettres. Je les lis, les dévore,
non sans avoir fermé les yeux un bon moment et prié les signes,
avant de les ouvrir. Ô Anne, mon chéri, mon vrai, mon seul
amour !
Je n'ai pas le temps maintenant, de peur de manquer le courrier-

départ de Soustons, de t'écrire plus longuement. Tes lettres sont la grâce de Dieu. La joie aussi est indicible.

Tu veux partir avec RV, par Nîmes ? Parce que « le plus dur » est peut-être fait ? Que tu es restée la petite Anne des Trois-Poteaux ! Crois-tu qu'il soit possible que toi ou moi, ou toi et moi, ne nous rejoignions pas le lendemain, ou le surlendemain, ou… enfin, quand nous n'en pourrons plus ? (Je n'en peux plus déjà. Et toi…)

Vraiment tu peux croire que « le plus dur » est fait ? Que tu m'oublieras à Louvet, à Paris, quelque part ? que je t'oublierai ?

Ce que je puis te dire, et je te demande de lire ces lignes gravement, c'est que je te promets de t'aider pour qu'il y ait un grand soleil au bout du fameux tunnel.

J'ai besoin d'abord de deux mois pour finir mon livre, que tu taperas, que je te lirai page raturée après page raturée. J'ai besoin, pour m'aider aussi, de te voir en Auvergne (et donc de te piloter jusqu'à Louvet), de vivre beaucoup près de toi en août, et dans la première semaine de septembre, nous verrons où. Début octobre je t'aurai répondu au cri que tu me lances, à la confiance que tu me rends.

Tu es mon amour. L'épreuve me laisse pantelant. Elle a dépassé ce que tu crois. « Le plus dur » n'était pas fini !

Je t'embrasse – tes lèvres, ton corps, l'être vivant – je t'aime. Je te dois tant.

Et je serai dimanche à 10 heures devant Lohia, s'il te plaît.

J'ai écrit vingt-cinq pages pour toi dans un effort de volonté qui m'a épuisé. Mais voici aussi mon soleil !

Je suis à toi, en toi, noué à ton corps, à ton âme.

F

Latche, vendredi 17 juillet 1970, 15 heures

[En deux colonnes, colonne gauche :]

Mon Anne,

Je t'ai trop écrit, et mal. J'ai eu tort de me laisser aller à exprimer ce qui est indicible. Mon excuse, si l'excuse est admise, est que je souffre comme je t'ai fait souffrir. J'aurais dû savoir qu'il n'y a que le silence, la misère et la mort.

Je songe au vendredi d'il y a trois semaines. Je te rejoignais à Montargis. J'étais heureux comme un fou. J'avais oublié qu'il n'y avait que le silence, la misère et la mort.

Je songe au vendredi d'il y a deux semaines. Nous voyagions par le Mistral. Je me sentais tout près de toi, par et pour le meilleur de nous. J'avais oublié qu'il n'y a que le silence, la misère et la mort.

Je songe au vendredi de la semaine dernière. Je t'accompagnais gare d'Austerlitz. Je t'aimais comme un fou. J'avais oublié qu'il n'y a que le silence, la misère et la mort. Ce matin, vendredi 17 juillet, je le sais enfin. Il faut que je m'aligne à mon tour sur l'humble rigueur des choses. Et tuer en moi la vivace espérance des fleurs, de la beauté, de l'amour, de mon amour pour toi.

Les pauvres que tu visites avaient moins besoin de toi que moi que tu disais aimer et qui t'aime comme un fou – que je reste. Je ne t'ai pas non plus visitée quand tu avais besoin de moi. Œil pour œil ?

Non. Souffrance pour souffrance.

Je suis à jamais

ton

François

[Colonne droite :]

Colonne pratique.

N'ayant rien reçu de toi jusqu'à maintenant (sinon tes bouts de lettres de mercredi) je suppose que c'est bien dimanche que nous partirons.

J'aurai beaucoup de joie à le faire ; je suis ton ami et bien d'autres choses encore et non ton ennemi, quoi qu'on te dise, quoi que tu croies.

Je suis celui qui essayait de prier près de toi dans la crypte de Vézelay.

Je te donne ma peine.

À dimanche, devant Lohia, 10 heures, sauf contre-indication de toi ⸮.

490.

En-tête Assemblée nationale, à Mademoiselle Anne Pingeot, château de Louvet-le-Sec par Romagnat, Puy-de-Dôme 63.

21 juillet 1970

Mon amour,

Le train a fait sa besogne sans la moindre fantaisie et je suis arrivé gare de Lyon à l'heure dite. Un joli soleil de juillet timide m'a accompagné jusqu'à Paris. Il n'y avait que trois ou quatre voyageurs dans mon compartiment. J'ai rêvé (surtout), somnolé, écrit une demi-page, lu les journaux. Rêvé à mon Anne de Larressingle, de Mouchan, de Cordes, de l'Oratoire et du quai n° 2. Mon cher visage, mon cher amour. Je suis amoureux de vous ; je vous connais mieux me semble-t-il ; je me sens plus fort pour vous aimer mieux. Et j'en ai envie, tellement.

Évidemment le téléphone s'est refusé à tout service, du restaurant (Le Quai d'Orsay) où j'ai déjeuné. « Occupé, occupé… » Je t'imaginais si bien à Louvet. Je voyais tes cheveux avec leur ombre dorée. Je touchais du bout des doigts ta robe de ce matin. Je t'entendais parler avec ta grand-mère. Je te suivais au jardin. Je respirais tes fleurs. J'aimais tout ce que tu aimais. Repas pris avec Dayan, Dumas, Hernu, Paillet. Ensuite, coiffeur. Puis je suis allé chez le disquaire de la rue de Rennes acheter *Que ma joie demeure* (Dinu Lipatti) et *Mrs. Robinson*. Je veux les écouter mon cœur près du tien, moyen comme un autre de vaincre l'espace.

Ma secrétaire tape, tape. La pauvre ! Déjà je discerne toutes les imperfections de mon texte, écrit, il est vrai, « dans l'horreur d'une profonde nuit »… !

Quel travail j'ai à faire ! Je n'ai pas l'intention de t'empêcher de faire le tien… une bonne association Annefrançois donnerait peut-être/sûrement de bons résultats.

Quelles journées nous venons de vivre, ô ma chérie ! Cordes évidemment surtout. Que je suis content des herbes séchées : elles seront la marque du souvenir-maître-du-temps. Je t'aimais tant en 1965. Je t'aime tant en 1970. Monotonie ?

Merveille !

Petit chéri dont je suis vraiment si amoureux, penché sur tes livres, dans le bureau d'angle peut-être ou à plat ventre dans le verger du haut, je t'embrasse, j'ai besoin de toi, je t'aime. Je t'aime. Tes yeux ne me quittent pas. Ils m'ont dit ce que les actes n'ont qu'ébauché. Se retrouver. Se trouver. Ensemble. Gagner. Monter. Aimer. Ensemble. Donner. Partager… que d'infinitifs pour écrire que nous avons un beau programme ! Je suis à toi

François

491.

En-tête Assemblée nationale, à Mademoiselle Anne Pingeot,
château de Louvet-le-Sec par Romagnat, Puy-de-Dôme 63.

Latche, 22 juillet 1970

Mon amour,

Ta voix claire de midi, c'était l'été revenu. Je t'aime dans le climat de Chênehutte. Les roses thé étaient au nombre de trois. Par la fenêtre l'Anjou était bleu de Delft. Tu étais mon Anne du 5 août. Et je t'aimais, et je t'aimais ! Voici ce que me raconte la photo que j'ai devant moi et que j'ai sélectionnée hier avec celle qui te montre debout, en pull rouge et jupe blanche au bas de « notre » fenêtre de Saint-Benoît, dans le jardin des lupins. Je suis heureux d'avoir avec moi ces témoignages d'un passé si présent. Car je t'aime dans le climat de Chênehutte. Les roses thé étaient au nombre de trois. Par la fenêtre l'Anjou…

Oh ! A. je suis avec toi intensément. Je viens de lire ta lettre. Accord. Paix. Douce paix après tant de tourments !

Hier soir j'ai quitté Paris par l'avion de Biarritz. Retard. Des voyageurs en pagaille arrivée vers 23 h 45.

J'ai pu dormir et, d'attaque, je me suis rassis ce matin à ma table pour travailler ! Étrange et difficile impression d'abord : tout était semblable dans mon « parc » au décor de l'autre semaine. La sanguine, la chouette bleue, le pot de Mende… j'étouffais. J'ai songé à toi très fort pour éloigner cette appréhension. J'ai « vu » ton visage, ton regard lumineux de Cordes. Tu m'as aidé. J'ai fermé mes bras sur toi, comme ces deux nuits de vrai bonheur. Et j'ai rêvé que je te rejoignais.

La matinée a été très ensoleillée. À 12 h 30 j'ai téléphoné à Michel Destouesse… et je suis allé déjeuner chez lui… Hélène absente. Nous avons paresseusement bavardé dans la fraîcheur de la salle à manger. Je t'imaginais à tout moment, dans ton jardin de gueules-de-loup. Je me sentais relié à toi par un puissant amour, capable de dominer, d'éclairer tous les choix de ma vie. Tu es mon Anne et je t'aime. Tu es mon amour. Les yeux fermés, mes lèvres s'unissaient aux tiennes, je jouais avec tes doigts, j'entendais ton souffle, je te désirais comme à l'heure immobile des pleins soleils tandis qu'au-dessus de nous se dressaient, raides d'orgueil et d'indifférence, les fougères.

J'ai ce matin écouté *Que ma joie demeure* et *Mrs. Robinson*. Ces mélodies sont tellement incrustées en moi, tellement associées à ce retour vers la grâce, que je veux que nous les entendions ensemble. Je les apporterai en août.

Maintenant je vais poster cette lettre à Soustons. J'aurai en moi la lumière que tu y as mise. Comment vivre sans aimer, comment vivre sans espérer ? Tu m'as apporté des éléments de réponse. Je veux que la réponse tout entière soit celle de ton accomplissement. Le long des routes du Gers j'ai retrouvé une certaine musique – qui te chantait.

À demain mon Anne, je compte être dans ton Auvergne lundi matin. Déjà je me plais à suivre nos itinéraires... À demain, d'ici là je resterai le nez sur mon papier... blanc ou presque (!) et le cœur en voyage.

Ma chérie, je suis à toi. Rappelle-toi. À Cordes, notre chambre, les mots murmurés, le sommeil qui gagnait, et soudain la fête de nous-mêmes – toi Anne et moi

François

– et l'unité.

492.

En-tête *Assemblée nationale, à* Mademoiselle Anne Pingeot, château de Louvet-le-Sec par Romagnat, Puy-de-Dôme 63.

Latche, 23 juillet 1970

Mon Anne chérie, je viens de faire un tour par les chemins de forêt sous la chaleur royale que tu as connue la semaine dernière. Il est près de 3 heures. Les mouches bourdonnent et traversent l'espace de ma pièce au rythme fou des étés d'autrefois. Un Espagnol qui vit seul dans une baraque voisine, républicain chassé par la guerre d'il y a trente ans, taillait ses pieds de vigne. J'ai parlé avec lui. Je le comprenais mal mais j'aimais voir ce masque sculpté, entendre cette voix rude d'homme perdu. J'irai chez lui bientôt. Il m'a invité.

Gilbert a téléphoné tout à l'heure pour signaler qu'en compagnie de Diesel il a fait ce matin une mauvaise partie, corrigée au numéro 5 par un trou en un coup ! Moi, je n'ai pas envie de jouer. Je préfère marcher un peu en rêvant. Je te retrouve bien ainsi. La nature affirme sa force et sa plénitude. Les hautes fougères racontent leur aventure sidérale.

Quand je rencontre un chêne je le salue. Le désir aussi me tenaille, sous forme de regret : quelle paix me gagnerait, quelle communication avec les royaumes de la terre et du soleil, si nous étions réunis, le corps fondu, le dur plaisir plongeant ses racines en nous jusqu'à la connaissance, ou jusqu'à l'approche de la connaissance, émerveillés de n'être plus qu'un seul être vivant « à maints têtes et bras », comme traversés par un glaive de lumière. L'odeur de la forêt de Seignosse quand de ta gorge monte le cri annonciateur, l'odeur du soir et du matin, et l'odeur de la nuit, avec ton souffle plus rapide et ton cœur qui bat si fort, si fort ! Oui, je rêve à toi et je suis à toi et je t'attends.

J'ai écrit deux pages ce matin. J'en suis fier ! Si j'arrivais à six aujourd'hui ! N'est-ce pas un peu bête cette littérature au millimètre ? Je voudrais te lire lundi au moins vingt pages supplémentaires, sans compter une composition meilleure pour les parties déjà rédigées. J'espère en effet descendre à Saint-Germain-des-Fossés <u>lundi matin</u>. Je retrouverai là ma DS et je pourrai aller vers toi à une heure qui te conviendra et où tu me diras. Quelle joie d'imaginer ce retour vers toi. Nous irions ensuite à Ventadour, dans un très beau village, et nous bâtirons le reste de notre journée selon l'inspiration (celle-là ne me manque pas !). Si, si... tu le peux... je ne te ramènerai à Louvet que mardi au début de l'après-midi. Vois ce que tu peux faire. Je t'écris cela aujourd'hui parce que nous sommes jeudi, que le courrier ne marche pas toujours très bien, et que le téléphone reste un instrument du Moyen Âge.

Je t'aime mon Anne. Je vis en véritable symbiose avec toi par la pensée et par les sens. Tes trois photos (je répète : celle du jardin aux lupins, celle de Chênehutte, celle de Salt Lake City) ne me quittent pas, je les regarde à tout moment. Que de fois mon esprit revient sur le vrai drame, le terrible choc que nous venons de connaître. Toi séparée de moi ? et Le cœur me fait physiquement mal !

Mais je sais, je sens que si nous savons préserver le miracle retrouvé, nous franchirons intacts les obstacles dressés devant l'accomplissement des vies profondes, qui portent un autre nom : le don de soi.

Que tu existes et que tu m'aimes m'aide à croire et à espérer. Ô vertus théologales ! Peut-être faisaient-elles de l'auto-stop sur les routes du Gers ? Et laquelle était blonde ? Nous avons ensemble, ma bien-aimée, redécouvert les plus simples vérités du monde. Si ta main reste liée à la mienne, et ton cœur confondu au mien, tout change, tout est possible.

Ô Anne, mon Anne. Je brûle de toi, incendie qui lèche mon corps du dedans. Je pose mes lèvres sur ton cou là où je sens battre l'artère et je bois en rêve ton sang. Je caresse ton épaule fraîche. Je prends ta bouche. Une mesure étrange bat en moi. J'ai besoin de toi.

Et je suis
tellement,
comme si j'étais là, debout, au
bas d'Albart, vêtu de blanc, anxieux,
heureux, guettant la jeune fille de
toujours, jeune fille, mon tendre amour,
et je suis
tellement amoureux de toi

François

493.

En-tête Assemblée nationale, à Mademoiselle Anne Pingeot, château de Louvet-le-Sec par Romagnat, Puy-de-Dôme 63.

Latche, 24 juillet 1970

Mon Anne chérie,

Le courrier m'a apporté ta lettre du 22, pleine de soleil et de joie. Elle sera relue plusieurs fois jusqu'au moment où, avant de m'endormir, je la placerai avec mes icônes, je veux dire avec les images de toi que j'aime. Aimer est un chant intérieur. Cette musique en moi qui a retrouvé le ton du bonheur, je sais à qui j'en dois l'inspiration. Tu es Anne, claire et grave, et je déchiffre avec passion chaque signe qui me vient de toi.

Aujourd'hui « je » me suis laissé surprendre par l'heure. J'ai séché sur mon travail quotidien. Hier, par contre, sept pages ! Pourvu qu'en revenant de Soustons le fluide de l'écriture finisse par passer ! C'est éreintant, autrement, et décevant. J'ai aimé aussi notre téléphone d'hier soir.

Comment ne pas ressentir, du fond de l'âme, le privilège d'être à toi ? Aimé de toi, est-ce possible ?

Merveilleuse interrogation quand je sais comment y répondre ! Et moi aussi, je t'aime, et toi aussi tu t'interroges et la réponse (en doutes-tu ?) est celle que tu entends depuis le premier jour (quel est, au vrai, le premier jour où tu as su ? Au retour de Beauvais ? À Auvers-sur-Oise ? à Amsterdam ? Le 12 juin ? ou bien à Saint-Illide ?) (le soir des *Justes*, peut-être ?).

Ici, rien d'autre que mon livre. Qui m'irrite plus qu'il ne me ravit. Je ne suis pas allé à Hossegor (Ah ! cette Gédé !…). Je marche un peu dans les alentours. Je respire dans une solitude apparente de l'esprit que tu as rendue féconde en lui restituant ses invisibles compagnons : l'espoir, la joie d'aimer, la confiance. J'ai hâte de te revoir. Lundi matin j'arriverai en gare de Saint-Germain. J'aime ce train, cette couchette, la couverture, le rêve cahoté qui me conduit à toi. La DS me déposera à Clermont et je pense déjà aux heures bénies…

Anne, mon Anne, cette lettre, petite source, te parviendra sans doute après mon débarquement en Auvergne. Mais si elle va plus vite et s'ouvre à toi demain, qu'elle te dise que je t'aime de toutes mes forces, et d'une grande impatience et d'un profond désir.

Je t'embrasse comme on embrasse à Cordes !

François

494.

En-tête Assemblée nationale, à Mademoiselle Anne Pingeot, château de Louvet-le-Sec par Romagnat, Puy-de-Dôme 63.

28 juillet 1970

Mon amour, ces deux mots ont plus de sens que jamais. Mon, mon Anne, Mon Nannon, Mon amour. Amour, oh, comment ne pas le savoir quand le soleil couchant donne aux monts jaunes d'Auvergne cet or et ce bleu – et à toi cette lumière dans laquelle je baigne encore ? Comment ne pas le sentir quand notre, nos vies se conjuguent et s'accordent jusqu'à l'unité indicible que nous avons connue cette nuit ? J'ai aimé chacune des églises, chacune des promenades, chaque heure de ces trente qui nous ont rendus à l'allégresse des vendredis du premier temps. Je te dois, je dois à ta tendresse profonde et pure, de pouvoir t'aimer mieux encore, musique de l'âme qui n'aura pas de fin.

Mon train s'est traîné sous un soleil royal, écrasant. J'ai vu l'Auvergne, le Bourbonnais, le Berry, la Sologne, la Beauce sur les mêmes tons d'épis, de chaumes, de saules, de fleurs aux couleurs brûlées, d'arbres aux formes pleines, et de ciel métallique à force d'embrasements. J'ai lu… les journaux, cinquante pages de Ferniot, j'ai déjeuné au wagon-restaurant, perdu dans mes pensées d'amour fou, tendre, heureux – triste aussi de ne pouvoir prendre ta main et baiser chaque doigt – rêvé. Quand la portière s'est refermée je suis allé à la fenêtre d'un compartiment, je t'ai vue qui regardais dans ma direction. J'ai agité les bras dans un grand au revoir mais le train avait pris de la distance et je crois que tu ne m'as pas vu. Anne, Anne, mon cher amour.

J'ai sur tout le corps trace et goût de toi. Je suis à toi. À toi.

Ici je signe du courrier, je fais taper des manuscrits, je vais aller chez Di Nota, je verrai Dayan et Michèle Cotta, j'ai téléphoné à Robert, qui recevra Bibiche etc. Mais je t'aurai dans un moment au téléphone et j'en fonds déjà d'attente et de plaisir. Merci pour les groseilles, pour le dîner aux chandelles, pour le visage grave et donné, pour tout comprendre et pour savoir aimer. Ma bien-aimée, nous avons vécu de beaux moments. Donc nous les avons en nous et si nous préservons notre vie intérieure tout peut être conquis, sauvé. La vie de mon Anne, et sa clarté ! Ô que je t'aime, ô que j'aime t'aimer –

François

495.

En-tête Assemblée nationale, à Mademoiselle Anne Pingeot, château de Louvet-le-Sec par Romagnat, Puy-de-Dôme 63.

Latche, 29 juillet 1970

Tu t'appelles Anne, mon amour, et je t'aime. Hier, il n'y a pas trente heures, je me réveillais près de toi. Après une nuit que traversaient d'immenses éclairs dans un ciel pur : notre ciel, notre nuit, notre vie. Avant le bonheur de fermer à nouveau mes bras sur toi, de te voir dans la splendeur et dans la joie, de te rejoindre dans l'unité.

J'étais, je suis ivre de toi, ivre à crier. Je sentais, je sens ton odeur sur moi. Au creux de mes mains il y a ton front ou ta nuque ou ta gorge. Mon regard se noie dans le tien. Je suis tout entier noyé au fond de toi.

Mais je n'oublie pas le reste, le dîner, et le petit déjeuner, les biscottes, le thé à la menthe, la confiture de groseilles, « l'atelier » et ton visage de tendresse, et la grâce d'Anne donnée à chaque instant de ces journées incomparables. Tout est inscrit en moi. Mais je ne suis pas sorti de toi. Je t'appartiens.

Je suis arrivé hier soir par l'avion, vers 11 h 30, et le ciel était aussi chargé d'orage, avec aussi d'immenses éclairs, et je me sentais perdu loin du monde qui est le nôtre, dans la cohue des voyageurs, avec en moi ce trésor, ce joyau « tendre comme le souvenir », et dur comme le diamant. Mon bonheur d'hier, oh Anne, m'occupe comme un vainqueur la ville qu'il a conquise.

Si tôt arrivé dans le « parc » j'ai défait ma serviette de voyage, posé près de mon lit tes photos, passé de l'eau sur mes mains et ma figure et j'ai pensé longtemps, longtemps à toi les yeux clos. Je me suis endormi contre toi et j'embrassais ton cou et je buvais ton souffle.

Ce matin et cet après-midi j'ai travaillé sans efficacité mais je me suis forcé et j'ai maintenant une page au net. Il est 17 h 30. Je vais poster ma lettre et je reprendrai ma tâche d'artisan. En vérité, je t'ai écrit deux fois déjà, des feuilles un peu incohérentes. Je suis dévoré de passion. Je te vois telle qu'à l'Oratoire, cette admirable nuit. Mais ma bien-aimée, sache que ce que j'ai gardé est paix, joie, foi. Réussir notre amour ce sera s'aider à imaginer, à créer, à comprendre. La tristesse qui me serre le cœur dès que je suis séparé de toi est faite de tant d'amour

François

496.

En-tête Assemblée nationale (sans enveloppe). Les deux lettres
incohérentes annoncées.

Latche, 28 juillet 1970, minuit

Mon Amour,
Tu t'appelles Anne. Je viens d'arriver par l'avion. Un ciel d'orage avec d'immenses éclairs. Moi, perdu dans mon rêve. Et voilà : 28 juillet encore pour quelques minutes. Ce matin, ce matin même, Anne, mon amour, je me réveillais près de toi. Après une nuit qui avait aussi ses immenses éclairs. Mais dans un ciel pur : notre nuit, notre ciel. Avant le bonheur de fermer ~~dans~~ mes bras à nouveau sur toi, de te

voir, dans la splendeur et dans la joie, de te rejoindre dans l'unité. Je veux que ces lignes soient écrites ce jour-ci dont l'importance m'étreint et m'émerveille. C'était toi ce matin que j'aimais en buvant mon thé à la menthe, en étalant sur une biscotte <u>ta</u> confiture de groseille, en visitant ton « atelier », en regardant, éperdu de tendresse, ton visage. Toi. Anne. Que j'aime à jamais. Je suis scellé à toi. Souffrance ou bonheur, tout est si fort et touche aux racines de la vie. Pourquoi ? Ah quel amour. Et quelle révélation. Et quel désir de te rendre au comptant pureté et don de soi ! Tu es mon Anne que j'aime tant et tant.

Bon. Je rabâche ! Tant pis pour toi. Tant pis. Tant mieux. Rabâcher parce que je suis ivre de toi, je veux bien. Ivre de toi c'est bien le mot, ivre à crier.

Je sens ton odeur sur moi. Au creux de mes mains il y a ton front ou ta nuque. Parfois mon regard se noie dans le tien. Moi je suis tout noyé en toi.

Sitôt arrivé dans le « parc » j'ai défait ma serviette de voyage, posé près de mon lit tes photos, passé de l'eau sur mes mains et sur ma figure. J'ai pensé à toi les yeux clos. Longtemps je crois. Je t'écrirai demain une lettre plus cohérente. Je voulais maintenant t'embrasser, t'envoyer ~~une~~ par-delà la distance qui nous sépare un message. Je le trouve, ce message, dans mon corps, inscrit dans ma chair. Je ne suis pas encore sorti de toi. Je n'ai rien de personnel à dire. Je suis nous. Je veux t'écrire cela pour que tu le saches bien : je t'appartiens.

29 juillet, 11 heures

C'est incroyable ce que je m'ennuie de toi. Ce que j'ai respiré hier et avant-hier, ce que j'ai vécu avec toi, en toi, m'occupe comme un vainqueur occupe la ville conquise. Je t'aime, Anne.

Je me remets au travail. Il le faut. Il le faut aussi pour nous. La réussite de notre amour ce sera de nous aider l'un et l'autre, l'un par l'autre, à imaginer, créer, comprendre. L'orage de cette nuit (qui était déjà dans le ciel d'Orly, crachant des flammes de l'est à l'ouest) a laissé de grands nuages noirs floconneux. J'ouvre mes livres. Mais je reste avec toi.

14 heures

Je relis ce début de lettre. Il me semble que je ne te raconte rien sinon un tumulte intérieur qui est peut-être mon histoire mais qui ne fait guère un récit ! Si jamais je t'ai infligé ce que je ressens il faudrait me couper les mains ! Je suis jaloux de tout. Non pas d'autres hommes mais de l'air qui te touche, qui te pénètre, des gens que simplement tu vois, auxquels tu parles, des paysages dans lesquels tu t'inscris sans moi. Ce n'est pas ~~une~~ sale petite jalousie, qui voudrait que tu n'aies rien de tout cela ! Non. C'est la souffrance de ne pas partager. Bon. J'arrête. J'entends tes philippiques ! C'est un peu tard pour moi que cette mise en apprentissage de l'amour et de son terrible mal d'absolu ! Mon Anne chérie, je t'aime avec ferveur. Si tu m'aides un peu passionnément (je saute « beaucoup » – et j'écris « si tu m'aides » – et non pas « si tu m'aimes ! ») je pourrai faire un élève convenable. Mais ce matin comme hier je suis brûlé, dévoré de passion. Comment y échapperais-je alors que je te vois telle qu'à l'Oratoire, cette admirable nuit ? Tout le temps que j'ai été près de toi, jusqu'au départ du train de Vichy, j'ai connu une paix, un équilibre intérieur, une joie simple de vivre EXTRAORDINAIRES. Pas de cheval à retenir : les quatre allaient superbement d'un même pas – que dis-je ? au galop.

497.

En-tête Assemblée nationale, à Mademoiselle Anne Pingeot, château de Louvet-le-Sec par Romagnat, Puy-de-Dôme 63.

Latche, 30 juillet 1970

Mon amour d'Anne,

Ta lettre est celle que j'attendais et me comble. Atteindre ensemble l'harmonie que nous connaissons, reflet des étoiles dans le ciel, écho du silence souverain de la nuit, langage secret de l'âme, joie, épanouissement de nos sens, cri de la terre, quel bonheur et quelle force ! Je dois d'être celui que je suis tandis que je t'écris ces lignes à cette petite fille interdite et pure d'un 15 août, qui m'a donné la plénitude de son être. Je pense à elle, je pense à mon Anne du premier jour et de toujours. Et je t'aime.

Je suis comme un reclus au milieu de l'immensité. Mais toi, tu me visites, je te reçois, je te regarde, et je baise tes mains. Il me semble ne pas t'avoir quittée bien que déjà brûle en moi le désir de reconnaître en toi la violence que j'aime, de partager l'étrange possession que tu sais.

J'ai rédigé quelques pages. Travail obscur. Quand verrai-je clair dans ce monceau de papiers épars ? Je saurai après coup que j'ai avancé.

J'ai reçu une visite, celle de Robert Fabre, député de l'Aveyron, habitué d'Hossegor. J'allais m'isoler comme j'aime tant avec toi pour t'écrire ! J'ai mis un peu de temps à devenir affable !

Oh je suis passionnément amoureux de toi, mon Anne ! dimanche je prendrai le train à Bordeaux, à 13 heures. Il s'arrête à Limoges à 15 h 26. Mais je puis aller plus loin pour réduire ta route. Je te le dirai au téléphone.

Autre intrusion politique : mes amis de Bordeaux me talonnent pour savoir comment agir dans la circonscription de Chaban-Delmas où aura lieu une élection en septembre. Je me sens étranger pour l'instant à ce type de problème !

Avec toi pourtant je pourrais faire et entreprendre tant de choses. Comment expliques-tu que j'aie tant besoin de toi, mon amour ? Parce que sans doute tu m'apportes l'unité.

Ma chérie je t'embrasse. J'aime songer à tes lèvres et que je les prends et que mon sang court et bat et que la pulsation du monde qui est le nôtre va posséder mon corps. J'aime songer à tes sourcils qui se froncent d'une drôle de façon quand tu veux me convaincre. J'aime songer à la couleur de ton regard quand s'accomplit le mystère d'être nous. Je suis à toi

François

498.

En-tête Assemblée nationale, à Mademoiselle Anne Pingeot, 36 rue Saint-Placide, Paris VIᵉ 75.

Latche, 1ᵉʳ août 1970

Anne, mon amour, que Paris soit pour toi une façon de vivre, d'agir et d'aimer qui te rapproche encore de ce que tu désires être. Tu as quitté la splendeur de l'été, juillet aux senteurs d'herbe, d'orage, de rose, l'Auvergne noire et feu. Tu as quitté la maison que tu aimes, la chambre rose de ton enfance, l'escalier usé, la salle à manger où il fait bon retrouver l'ombre et la fraîcheur. Tu n'entends plus les cloches des vaches, les bruits de la basse-cour. Tu ne liras plus dans la pelouse. Maintenant ce sera le Louvre, la bicyclette, les quais, le travail et moi tout de même un peu, beaucoup, moi qui suis ton François, moi qui t'aime. Je voudrais t'embrasser au seuil de cette existence du mois d'août qui t'arrache à une part de toi, te rend à l'autre, et toujours te déchire. Pourtant l'unité qui est au-dedans de nous doit triompher de cette perpétuelle division de soi-même. Il y faut beaucoup d'amour, beaucoup de foi. Je te vois déjà au 36, j'ai le cœur serré pour tes heures de solitude, le cœur heureux pour tes heures de paix. Petite Anne qui affronte, jetée, au milieu de tant de choses et d'êtres, avec ton monde dispersé, et toi qui cherches, je t'aime ainsi, je pense à toi comme quelqu'un qui voudrait triompher de chaque mort dont est faite la vie. Oh ! Garder ton visage avec ses yeux de clarté, de tendresse, de vérité, garder ta volonté, de rester celle de toujours, fidèle aux sources, en quête de lumière, garder en dépit du temps qui passe, qui passera, confiance dans la pérennité des actes les meilleurs, ceux qui unissent, ceux qui traduisent l'éternelle musique de l'enfance. Je voudrais t'aimer mieux et plus encore. Découvrir au-delà de ton corps, qui m'émeut, me brûle et m'accomplit ta propre pierre philosophale, qui transmue et touche à l'éternel. Je voudrais vivre assez pour t'aider, t'aimer, te servir. Tu m'as tout donné. Tu m'as tout ouvert, à deux battants. Je suis venu en toi. Mon sang coule dans ton sang. Je te dois de croire à la pureté, à la beauté, à la fidélité profonde. Que puis-je te rendre, mon amour ? Veiller, peut-être savoir veiller, comme le Christ l'attendait des siens, veiller près de toi et sur toi. Veiller à devenir celui qu'il faut que je sois. Aimer est une grande et la plus belle dignité. Je t'aime de toute mon âme.

Salut à Paris, ma chérie, salut au mois d'août, salut à notre amour, puisque tu t'appelles

     Anne

                                   François

Lettre de Marie-Thérèse Eyquem à Anne Pingeot, Louvet-le-Sec, Romagnat 63, renvoyée au 36 rue Saint-Placide, Paris VIᵉ.

La Chauselve, 2 août 70

    C'était, pour moi aussi, une journée bénie que celle où l'on sentait l'harmonie des cœurs et celle des âmes. N'est-ce pas l'image de la plénitude qui est due aux êtres de bonne volonté ?

    C'est sans efforts que s'est créé un climat d'abandon aux choses et aux gens,

beaucoup grâce à vous et qui est, je crois ce dont nous avons tous besoin, mais sin-
gulièrement François, si courageux devant des sanies, et si miraculeusement intact.
   Je souhaite vraiment vous revoir.

M.-Th. Eyquem
La Chauselve
Le Moustier-Ventadour par Égletons 19

499.

En-tête Assemblée nationale, à Mademoiselle Anne Pingeot,
36 rue Saint-Placide, Paris VIᵉ 75.

Latche, 5 août 1970

   Mon amour d'Anne,
   Chaque heure aussi est un anniversaire. Maintenant (il est près de
5 heures) nous étions dans l'autobus fantôme. Je me souviens de notre
arrêt – peu brillant ! sur les bancs de bois du petit bistrot.
   Bientôt nous serons de retour à Chênehutte, dans la chambre bleue.
Que d'amour, quel amour !
   J'arrive juste à Latche après un voyage très long. Il y a un très gros
orage. Hier la tornade a ravagé, cassé, arraché. J'espère que Lohia a
tenu bon. Je t'appellerai ce soir. Ce matin tu étais si proche. Anne,
mon Anne je vous embrasse et je vous aime… comme un autre 5 août,
de tout moi-même

<u>François</u>

500.

En-tête Assemblée nationale, à Mademoiselle Anne Pingeot,
36 rue Saint-Placide, Paris VIᵉ 75.

Latche, 6 août 1970

   Mon Anne, je t'ai aimée comme on aime toute une vie dans le
raccourci de ces trois jours passés ensemble. Et que d'événements
depuis le moment où, dans l'attente heureuse de Limoges, le train

poussif grimpait en ahanant sous le soleil d'été de notre enfance, et laissait derrière lui ces petites gares qui me rappelaient les visages, les paysages, les découvertes, les rêveries, jusqu'au socle du Limousin, vaste forêt sombre après les champs calcaires du Périgord. Chaque heure avec toi a été une histoire d'amour. Harmonie de Gargilesse, nuit inquiète de Moulins, possession d'orage et de paix, amour léger quand la clarté par les fenêtres a annoncé le jour, amour tranquille de Château-Chinon, amour confiant du 36 retrouvé, le cœur un peu serré du recommencement, objets sortis de leur boîte, mois d'août à Paris aux allures de collège, déjeuner à la Fontaine de Mars, printemps et certitude, réponse à la mort dans ce don de toi, ce sourire de tes yeux, cette amitié de ta main sur la mienne, l'attente de toi encore et le retour du soir, et ta cuisine qui m'amuse toujours, et le théâtre, et ton bras dont je sens la chaleur, qui m'émeut, et la nuit, ton visage dans tes cheveux, mon souffle retenu et moi qui t'adorais. Toute la passion du monde était dans mes doigts qui caressaient ta hanche. Je t'ai aimée d'amour, oh ! Anne, de cent façons, heureuse ou désespérée, comme une première fois, comme une dernière fois. Et l'heure qui avançait – petit déjeuner, photographie, au revoir, escalier, pantoufle, le rapide lavage rue Guynemer, Orly – et c'était un 5 août.

Je ne t'ai pas quittée depuis, si l'âme existe.

Rien ne s'est affadi ou affaibli depuis sept ans... alors, hier matin reste dans sa lumière et moi, fidèle à cet amour hors du temps, je suis à toi, et je t'aime.

Ici tout est sens dessus dessous. La tempête a cassé beaucoup d'arbres, et les a jetés un peu partout. L'un des prunus, arraché, a emporté dans son petit désastre les arbustes qui l'entouraient.

~~Mais~~ L'avenue des Fauvettes est en état de guerre : tranchées et redoutes l'occupent tous les 20 mètres ! L'allée des tilleuls qui va à l'église n'existe plus. Un paysan m'a dit : « Le beau temps ne reviendra pas avant demain, la forêt écoute. » Et c'est vrai qu'elle retient sa respiration. Les oiseaux attendent un signe. Et l'homme, écoute-t-il ? Il faut avoir entendu le bruit terrible de l'amour, de la mort, des tempêtes intérieures, et le fracas des colères, des passions, des malédictions, pour apprendre à écouter le silence. Moi aussi je voudrais percevoir un signe. Je te regarde, je t'aime, je t'attends, je m'unis à toi, je tu ai es. Mais je veux écouter en toi l'unique chant intérieur de l'être que tu es. Du fond de la forêt ~~ou bien~~ – d'une « oreille apeurée la grande voix du temps » quelqu'un dit quelque chose, si bas, que le ciel, la terre, des millions d'arbres, écoutent en retenant l'haleine.

Ainsi moi qui entends ton cœur battre à grands coups, si fort, si fort lorsque mon sang coule en toi, ainsi moi qui entends le cri de ta joie, il faut que j'écoute Anne au-delà de soi-même.

Aide-moi quoi qu'il advienne à t'aimer comme seuls quelques hommes ont aimé. Ceux qui savent écouter. Je t'aime par-dessus tout, mon amour.

Je peux marcher longtemps, toujours sur le chemin qui me conduit vers toi. Mais je ne puis rien sans que tu fasses signe. Ô silence où nous sommes, déjà lumière, nuit vaincue, ô silence de Vézelay, silence de Saint-Benoît : tes mains sur mon front tu ne peux rien dire de plus. Et je sais que tu m'aimes parce que le silence dit ce que tu veux me dire, ce qu'aucune parole n'exprimera jamais.

Ma très chérie, au téléphone hier tu avais une voix qui allait d'un extrême à l'autre : comme une hésitation, puis un excès d'assurance (l'infirmière au malade !). Je t'ai rappelée pour mieux te faire sentir que ces trois dernières semaines ont été vraies. Je ne puis imaginer de te perdre (j'ai mal au poignet au moment où j'écris ces mots, te perdre, et cela me troue la pointe du cœur) mais je ne puis imaginer non plus d'être autre chose pour toi qu'élan, force, harmonie. Que tu t'accomplisses, ma bien-aimée. Mon orgueil veut croire que la plénitude est en nous, et mon amour aussi qui se sent si vaste et si puissant. Mais tu m'importes plus que tout. Tu es Anne oh A tu es Anne, merveille. Je crois que je fais l'amour avec toi sans relâche depuis le 15 août 1963 ! Te parler, te voir, te prendre, recevoir, rêver, espérer, aimer la beauté, sourire à la pureté de ton regard, écraser ton corps du poids de ma violence, marcher le long du chemin qui va aux basiliques, me réveiller près de toi, prier à ma manière pour toi, je tiens à ta disposition cent autres infinitifs… définitifs. Cela veut dire je crois que nous avons pris possession l'un de l'autre pour toujours. Mais il suffit que tes sourcils se froncent quand tu cherches pour que j'aie envie de te donner ce que je ne saurais trouver qu'en allant traverser les déserts. Ah ! se reconnaître en tout cela ! Ma chérie lis au moins ces mots et reçois-les : je suis à toi.

Ta porte, mercredi matin, tu étais là – droite, tendre, toi que j'aime, telle que j'aime. Une porte se fermerait et le monde changerait ? Peut-être étions-nous à la merci d'une porte ouverte ou fermée il y a quelques années.

Maintenant tout est au-dedans de nous et le temps et l'espace s'abolissent. (Non pas le bonheur ou la souffrance, c'est autre chose.)

Je suis si amoureux de toi qu'il me semble enfin pouvoir mourir et demeurer.

Anne, ma grâce, mon fanal qui bouge, petit soleil balancé au rythme de tes pas, Anne, mon sel et ma source alternés, Anne, mon sang et ma prière,
 je vous embrasse
 et je vous aime

François

501.

En-tête Assemblée nationale, à Mademoiselle Anne Pingeot,
36 rue Saint-Placide, Paris VIe 75.

Paris, 10 août 1970

Mon amour chéri, tu m'as donné l'équilibre, la beauté, le bonheur. Non seulement ces trois derniers jours mais depuis longtemps, depuis ce 15 août de soleil sur la mer qui nous a réunis, depuis le premier jour. Je t'aime. J'avais besoin de te l'écrire, j'avais besoin de savoir que le facteur porterait demain matin à la concierge du 36 une lettre blanche qui monterait jusqu'au quatrième étage avant d'être ouverte, prise, lue par une Anne qui me sourira. Tu es A. mon amour fondu en moi, ton François fondu en toi

F

502.

En-tête Assemblée nationale, à Mademoiselle Anne Pingeot,
36 rue Saint-Placide, Paris VIe 75.

Latche, 11 août 1970

Mon amour,
Je vois les objets. Je vois le soleil. J'entends le vent. Je sens le parfum des pins. Voilà ce que tu m'as rendu en m'aimant. Cela ne veut pas dire que je compense notre séparation. Cela signifie ce que tu sais :

quand je suis privé de ton amour je meurs au reste du monde et à moi-même. Tu es vie. Je vois donc les objets et le soleil et j'entends donc le vent et je sens donc les pins parce que je communique avec toi, parce que le bonheur et l'espérance que je te dois remplissent mon univers. Mon amour.

J'écris, une page faite, une ou deux à faire. Il me semble sortir un peu de la stérilité. Ah ! si renaissait cette envie de créer ! Tout ce que tu m'as dit et apporté au cours de ces trois jours a été comme un bain de joie et de force. Que t'ai-je donné en échange ?

Peut-être un peu de paix – et je le veux parce que c'est vrai, peut-être un peu de confiance. Vraiment, j'ai été heureux. (Et pour l'essentiel je le reste – tu es là, Anne, mon Anne, vivante en moi.)

J'ai bien dormi, rêvé même et tu habitais mes songes. Je me suis réveillé à Coutras mais juste avant Dax le contrôleur a dû me secouer pour que j'ouvre les yeux ! Je n'ai pas bougé depuis mais j'ai retrouvé mes papiers sans nausée. Demain par discipline physique j'irai peut-être au golf. Je verrai.

Laurence m'a téléphoné. Elle part samedi pour le Kenya. Elle t'appellera à Littré.

Quand je pense à chaque détail depuis mon arrivée impromptue de vendredi je bénis et j'adore mon « amoureuse pieuvre ». Que je t'aime et comme tu es douce, douce ô mon amour quand l'harmonie nous installe entre le ciel et la terre. J'aime tes yeux. J'ai bu ton regard. Il est comme une lumière venue de très loin et dont la source est pureté. Reste, ma bien-aimée, reste qui tu es.

Je t'embrasse comme j'aime tant
toi que j'aime tant
et dont j'attends déjà la bouche et
le nez dans mon cou
et le creux de la hanche, plus doux
que le sommeil, dans ma main
l'as-tu deviné ? je suis à toi

<u>François</u>

503.

En-tête Assemblée nationale, à Mademoiselle Anne Pingeot,
36 rue Saint-Placide, Paris VIe 75.

Latche, 12 août 1970

Ne pense pas, mon amour chéri, mon amour d'Anne, que je procède par représailles ! L'absence d'une lettre de toi au courrier, ce matin, n'a aucun rapport avec la brièveté de celle que je t'envoie.

D'abord parce que je t'aime tant et de telle façon que pas de lettre ne m'empêche pas de communiquer merveilleusement avec toi. Ensuite parce que je suis un amoureux fou et que rien ne compte, bonheur ou chagrin, dès qu'il s'agit de toi.

Mais ton ennemi d'aujourd'hui, c'est le golf. Oui, je vais taper neuf trous ! Quand ce sera fini le dernier courrier sera parti. Aussi je préfère jeter ces lignes à la boîte tout de suite. Je n'écrirai rien qui vaille, je ne dirai rien qui t'émeuve, sinon les seuls mots qui me racontent, à moi, cette histoire de vie et de passion que je connais <u>par cœur</u> : je t'aime, oh A, ton

Fr⌣nçois

504.

En-tête Assemblée nationale, à Mademoiselle Anne Pingeot,
36 rue Saint-Placide, Paris VIe 75.

Latche, 13 août 1970

J'ai donc, mon Anne bien-aimée, repris les instruments de mon supplice et tiré quarante-huit salves pour neuf trous, médiocrement visés. J'ai marché. Pour mon bien ? Je ne sais pas encore. Ce matin je n'avais pas les idées nettes. Pourtant j'ai maintenant une sorte d'envie d'écrire enfin quelque chose qui me fasse plaisir. J'ai reçu tes papiers et ta douce, si douce lettre. Et puis le téléphone, hier, a été bienveillant. Ta voix était celle qui monte au moment de la joie. Elle commence tout bas et finit dans un cri : ah ! que je t'aime, chérie chérie, quand tu touches au rivage. Je retourne maintenant à Hossegor, pour la même raison : le golf qui me casse quand même, au propre et au figuré, les pieds !

Mais jugulaire, jugulaire, mens sana in…, trouverai-je l'inspiration d'un chef-d'œuvre en arrachant une livre de gazon ? (Le vilain jeu de mots !)

Mon Anne, je voudrais rire. Te voir, t'aimer est splendeur de vivre. Noces – communion de l'être. Oh Anne. Nous sommes un. Je t'aime.

Ainsi chaque jour loin de toi je vis hors de ce qui n'est pas notre vie. Sortilège d'une très jeune fille qui venait à moi il y a sept ans moins deux jours…

Mais dans deux jours, ma bien-aimée, je prendrai à nouveau ta main et nous marcherons, nous marcherons vers tous les 15 août que Dieu fera pour nous

François

505.

En-tête Assemblée nationale, à Mademoiselle Anne Pingeot,
36 rue Saint-Placide, Paris VIe 75.

Paris, 17 août 1970

Anne ma lumière du jour et de la nuit, tu es là, sur ce quai de gare, et moi, debout, à t'écrire maladroitement j'éprouve un incroyable bonheur, bonheur au cœur serré. Au revoir, au revoir toi que j'aime de tout moi-même, j'emporte Beethoven et Saint-Benoît et ta douceur d'aimer.

Je t'embrasse. Je suis
à toi
plus que tu ne peux
croire
à toi
Anne
François
qui
t'☺ime

F

506.

En-tête Assemblée nationale, à Mademoiselle Anne Pingeot,
36 rue Saint-Placide, Paris VIe 75.

Latche, 18 août 1970

Mon amour,

Telle que tu étais, immobile sur le quai, jusqu'à ce que mon train disparaisse, je te vois. Ton visage était celui de l'amour. Je lisais en toi une ferveur que mon cœur te rendait. Alors, je pense à toi aujourd'hui avec ce mélange de bonheur et d'angoisse que crée sans doute toute vie à son sommet. Qu'y a-t-il de plus beau que ce que nous échangeons, dans ce langage indicible qui est le nôtre ; approche-t-on de plus près la communication ? Je ne le crois pas.

J'ai déjeuné chez les Destouesse, avec Paulette et Michel Barbot. Conversation légère par un bel été lourd d'orage. Nous irons bientôt, peut-être demain, faire une balade que nous comptons achever devant les assiettes, pleines, de Mme Warot.

Des orages en effet traversent le ciel d'heure en heure, brûlent la terre et l'embaument. Une couleur de blé mûr et de soufre se répand, mange les verts, tourne à l'ocre. Je suis dans mon livre, sans grande envie. On verra. L'inspiration capricieuse passera-t-elle par ici ?

On me téléphone sans arrêt au sujet de l'élection de Bordeaux. Je médite d'intervenir. Ce matin encore, grande interview de JJSS à *Sud-Ouest* reprise in extenso par *Le Monde.* J'ai fait une déclaration à *Match.* Je me demande si je n'irai pas faire une conférence de presse à Bordeaux au moment voulu. Je « sens » que le moment est proche. Vendredi ? Je t'en parlerai.

Mon amour, mon ogre de travail, dans quelle bibliothèque absorbes-tu ta dose de chinois ou d'égyptien en cet instant ? [Préparation du concours de conservateur.] Ce soir je t'appellerai avec une joie formidable ! Toi ! Toi qui existes !

Anne que j'aime. Et cet immense ciel d'unité retrouvée, et ces espaces à conquérir ! Ô ma chérie je vous embrasse, je vous embrasse, je vous attends, toujours, toujours

Ton
François

507.

En-tête Assemblée nationale, à Mademoiselle Anne Pingeot,
36 rue Saint-Placide, Paris VIe 75.

Latche, 19 août 1970

Mon amour d'Anne, je suis devenu idiot. Tout ce que j'ai écrit aujourd'hui (six heures de travail) est inutile. J'étais plus intelligent à l'époque du *Coup d'État* et de *Ma part de sournoiserie*. Je suis exaspéré. Il y a une clef que je ne trouve pas. Dans ce triste état je t'ai rédigé une lettre qui n'était qu'un long gémissement. Je la déchire et ne t'envoie que quelques lignes car de fil en aiguille il est maintenant 17 h 30.

Heureusement ta lettre à toi était si bonne, si douce, porteuse de tant de joie. Quand nous parlons tout va mieux. Je t'aime, je t'aime.

Mais je suis tellement en colère contre moi.

Je vais manger les tonnes de papier que j'ai devant moi, arrosées d'un peu de cyanure.

Je vous adore, avec un ☺ (lui aussi, mal fait !). Oh A

François

508.

En-tête Assemblée nationale, à Mademoiselle Anne Pingeot,
36 rue Saint-Placide, Paris VIe 75.

Latche, 20 août 1970

Mon amour chéri, les bruits de la politique viennent maintenant jusqu'à moi. Le téléphone crépite plus qu'il ne conviendrait soit au travail soit au repos (original téléphone cassé pour l'appel – manette bloquée – et vibrant d'activité pour l'écoute !). *Sud-Ouest* me demande une interview sur l'élection de Bordeaux, *L'Humanité* me prend à partie. Estier s'inquiète. JJSS lance des ultimatums en tous sens. Je ne sais pas si je dois me rendre demain à la conférence de presse de notre candidat conventionnel, Taix. Radio Monte-Carlo me relance. Non que je sois si nécessaire, mais c'est le jeu qui les amuse.

J'ai quand même écrit trois pages hier. À la lecture, ce matin, elles ont besoin de corrections mais pourront s'insérer dans le tout. Ouf ! Je suis quand même loin du compte. Je devrais aller infiniment plus vite et ce blocage continue de m'inquiéter. J'y mets une application rare et plus de méthode que tu ne crois. C'est bizarre, tout de même ! Je t'apporterai ce que j'ai fait. Quand ce sera « tapé » j'y verrai plus clair.

Chaque jour, chaque heure peut-être, a son rythme, sa musique. C'est fou ce que c'est long, un jour, ou bref. Je t'ai quittée lundi dans un éclaboussement de soleil intérieur. Le lendemain tu sentais ma voix comme posée par un magnétophone avec ce filet artificiel de l'attention forcée. Aujourd'hui tu me dis « Je n'aime pas les habitudes. J'étais presque contente que tu ne m'appelles pas ». Et cependant l'amour est le même avec sa force et sa fraîcheur. Et moi, de mon côté, je suis heureux ou triste selon les raisons que je me trouve à moi-même, ou pis, selon la géographie des humeurs. Étrange chose que l'absence. Plus que jamais j'évoque la théorie de l'éveil. L'amour est comme la musique ou la marijuana. Un grand bonheur, une profonde souffrance fouettent cette pauvre âme, aussi faible que le corps. Ou bien l'amour est comme un gardien de phare : la tempête oblige. J'apprends tous les jours, surtout depuis ce dernier mois, à lui donner un autre sens et une autre valeur : qu'à chaque instant brûle en moi une flamme. Merveilleuse discipline. J'y parviens imparfaitement. C'est aussi une ascèse. Veiller à l'aigu de ma réflexion, à la pureté de mes sentiments, attacher aux choses, aux objets, aux gestes ordinaires un prix infini. C'est cela : je recherche (bien mal, mais j'essaie) l'infini des choses mortelles. Il me semble qu'ainsi je reste proche, vigilant, attentif, disponible. Mon Anne très chérie, t'aimer est pour moi une leçon de vivre. L'amour entretient une vie haute. Mais une vie haute porte l'amour au seul niveau qui lui convient. J'écris cela en me sachant tellement lourd de sommeil, même à ton égard, même dans l'élan qui m'unit à toi, et me pique, et m'aiguillonne.

Il y a une école où il faut apprendre à lire, et on ne sait jamais assez, si l'on veut atteindre l'amour d'un être.

Ô philosophie ! Mais surtout, oh A, que j'aime t'aimer !

Je t'embrasse comme je t'aime, chant profond, violence, feu – même si je chante faux, si je laisse des cendres, et si la violence me brise. Il reste au fond de moi cet inaltérable diamant, né sans doute de l'écume de mer, un 15 août

François

509.

En-tête Assemblée nationale, à Mademoiselle Anne Pingeot,
36 rue Saint-Placide, Paris VIᵉ 75.

Latche, 21 août 1970

Mais que je t'aime
Oh A !

F

510.

En-tête Assemblée nationale, à Anne Pingeot,
36 rue Saint-Placide, Paris VIᵉ 75.

Paris, 22 août 1970

Bonjour encore ma petite Anne du mardi matin.
Je t'aime de toute mon âme

François

511.

En-tête Assemblée nationale, à Mademoiselle Anne Pingeot,
36 rue Saint-Placide, Paris VIᵉ 75.

Latche, 25 août 1970

Ma très chérie, je ne parvenais pas ce matin à dissiper ma nostalgie de toi. Les pensées noires m'envahissaient. Toi ! Perdre de toi la moindre part de ce qui fait mon ciel et ma terre à moi ! Oh Anne tu es mon amour si précieux. J'ai de la peine à secouer cette brume de l'âme. Vers midi l'extérieur m'a apporté un divertissement : la télé est venue m'interroger sur Bordeaux et autres affaires politiques. Cela a duré jusqu'à maintenant. Et me voici de nouveau tout près de toi. J'y reviens avec joie. J'ai l'impression de retrouver les heures profondes où la vie de lumière est en nous.

Étonnant mélange de sentiments contradictoires qui n'ont en commun qu'un amour merveilleux ! La tristesse et l'exaltation du bonheur se mêlent et s'organisent autour de toi. Je te vois. Mes mains saisissent ton visage, l'approchent, mes lèvres s'unissent aux tiennes. Quand mon corps se lie au tien j'entends ton cœur battre à grands coups : j'ai envie de toi, j'ai besoin de toi. Ces trois jours de silence dans Paris m'ont encore plus enraciné <u>en nous</u>. J'ai cette angoisse installée au plexus qui m'étreint à tout moment. Anne où es-tu ? Que fais-tu ? Comment vivre hors de l'échange ? Arrête-t-on un fleuve à sa vallée ?

Je t'ai appelée ce matin de façon inopportune, mais que ta voix m'a fait du bien ! Chérie, pardonne cette lettre qui va dans tous les sens. Tu es Anne. Tu existes : Bonheur. Tu es Anne et nous sommes séparés : comment vivre ? Sept ans de tendresse, de passion et d'amour ont occupé mon être au point que mes réflexes me conduisent toujours vers toi. Mon beau souci, mon cher souci !

Ma bien-aimée je vous embrasse lentement, lentement, je bois à votre gorge, je regarde vos yeux du matin. Premier regard d'hier : peut-être n'ai-je jamais été davantage

<u>François</u>

qui t'aime.

512.

En-tête Assemblée nationale, à Mademoiselle Anne Pingeot,
36 rue Saint-Placide, Paris VIe 75.

Latche, 26 août 1970, 0 h 30

Ma pensée ne t'a pas quittée, mon Anne bien-aimée. Je t'aime à en avoir mal. Il est tard. Je vais dormir. Je veux auparavant te dire bonsoir. T'imaginer comme ces jours du mois d'août où le bonheur m'a été donné de refermer mes bras sur toi, de t'emporter dans le sommeil. Je suis si passionnément amoureux de toi. Je me raconte une si belle histoire vécue depuis le premier instant, ce bouleversement de ma vie, cette attention émerveillée avec laquelle je t'ai regardée devenir qui tu es, semblable et différente, mais fidèle à la plus pure recherche de nous-mêmes. Il y a les gestes, les besognes, les actes machinaux qui portent bien leur nom : on avance le pied, on allume la lampe, on change de polo, on observe le ciel où passe un avion, on écoute la nuit, on ferme sa fenêtre, on prend son stylo pour écrire ou ne pas écrire. Eh bien ! même ces gestes, ces actes-là sont imprégnés. Il serait excusable d'oublier, le temps qu'il faut, pour accomplir la vie obscure : pourtant je ne peux t'oublier.

Moi aussi je prête à la moindre de mes pensées la marque de notre amour. Je suis en toi. Voilà ma révélation à moi, ma nouvelle naissance. L'alchimie intérieure d'un homme ne tient pas à un événement particulier, à l'histoire ou à la géographie de son corps. Je n'ai pas de 29 juin en référence. D'où vient donc cette pénétration de l'être qui m'a lié, chair et esprit, à toi comme si tu m'avais déchiré pour me prendre ?

Oh Anne mon possesseur ! Il n'y a pas un mouvement, un froncement, un sourire, un geste du petit doigt qui ne me forcent à m'interroger. Tu es mon archipel. Des milliers d'îles inconnues m'attendent. Et je ne connais pas si peu les autres terres où je suis venu, où j'ai dormi, où j'ai rêvé, Anne endormie près de moi, Anne nue, Anne ouverte, Anne serrée et me serrant, Anne cercle, Anne source secrète, Anne lac des profondeurs, Anne brûlante, les îles que j'ai visitées sont comme des mondes dans l'espace où jamais il n'y eut de chemins, je ne sais plus, je ne sais rien.

Je t'embrasse, mon amour, et je respire l'odeur de tes cheveux. Ton épaule cette nuit sera ma sûre amie.

12 h 15

Il fait très beau, très chaud. Le soleil donne aux herbes l'odeur du feu. Tout de même il y a dans l'air un attendrissement de septembre. Une couleur plus vive, ou plutôt, plus riche de nuances, quelque chose qui annonce un déclin. Les mouches bourdonnent comme si elles l'ignoraient mais elles savent. Les asters attirent les papillons bruns, blancs, jaunes tout simples qui s'enivrent jusqu'à tomber soudain de côté. L'alcool des pistils ! À ce moment ta lettre m'arrive. Je la lis. Je suis heureux que tu m'aies écrit et je ne suis pas vexé du tout de ton humeur mont Lozère. Oui je suis un privilégié. Méprise-moi ! Un petit appel en moi me dit que j'ai encore une certaine liberté de m'évader de tout. Mais tu crois que ce petit appel lui aussi est un luxe. Tu ne me fais grâce de rien. Eh bien ! on verra.

Cette lettre (la tienne !) est tendre, pas trop. Elle me raconte ton besoin de soleil, de ciel bleu, de vent d'été. Mon amour seras-tu jalouse de moi ? Moi je le suis de toi, de ton ciel gris, de ton goudron et de tes cheminées. Je suis heureux dans l'univers où tu es.

Je t'aime et je t'aime, Auvergnate-comptable. Le renouveau que tu désires (mais non, je ne ris pas) c'est vrai qu'il n'est pas dans ce superficiel ésotérisme de la révolution hippie. Le hippy révèle que le besoin de sortir de soi (pour y mieux revenir), de rentrer en soi (pour mieux comprendre et conquérir), de se placer en harmonie avec le mouvement cosmique (qui a peut-être un sens), de donner sans idée de recevoir, d'accepter le sacrifice pour aimer davantage, de chercher ail-leurs que dans les privilèges de la société la joie quotidienne (eh oui !), que ce terrible besoin qui nous habite (pas toujours ! il y a aussi le salut sur la terre : Saint-Benoît, La Loubière et ce regard au réveil du 24 août…) d'aller ailleurs de (mourir à soi pour vivre) que là où nous porte l'habitude prise des pas tout faits et des épaules courbées, le hippy nous révèle que sa démarche, et que son voyage, que son besoin (Katmandou, la barbe, les signes peints sur le visage, l'explication vide de sens, riche de mots sans suite, la musique belle mais qui crève les tympans, la verroterie dans les doigts, les vêtements chatoyants, sans rien qui serre, le dédain de l'eau sur le corps, le sommeil sur la plage, l'amour-sexe-élément, le sourire aux fantasmes, le côté scout et bon garçon d'une révolte qui n'est que l'expression d'un manque et non la volonté d'une création) n'ont pas rencontré Jésus-Christ et ses béatitudes, l'éternelle vérité qui ne l'est peut-être pas. Tout d'un coup j'y pense : et si l'Évangile aussi était une drogue ? Il n'y aurait plus qu'à étouffer toute la nuit, nuit de la vie, nuit de la mort.

Pardonne-moi, mon Nannon-comptable, de t'avoir écrit une page, la précédente, sans articulation grammaticale sérieuse. Je parlais en rêvant. Peu importe le style, les que, les de, les infinitifs, les paren-thèses en trop. Je sais ce que je veux dire mais je le dis mal. Mes lettres ne sont pas faites pour paraître chez Denoël ! Heureusement ! Je ne pourrais plus rien écrire.

C'est un brouillon de ce que je sens, qui trouvera un jour son expression. Et cette expression n'a rien à voir avec la littérature.

Je lis précisément *Mon nouveau testament* de Simone (je t'avais fait lire *Sous de nouveaux soleils*). À Vézelay ou à Paris dimanche je t'en donnerai des passages. Interrogation sur Dieu et la mort, à quatre-vingt-seize ans. Cela commence ainsi : « Puisque la mort momentanément m'oublie, puisque quelques jours, oserai-je dire quelques mois, me sont encore impartis, je cède au besoin d'une dernière confession. Non par désir de prendre à témoins ceux qui me liront mais par volonté suprême d'y voir définitivement clair en moi, de nommer, définir et reconnaître les croyances et les négations qui se sont partagé mes élans durant cette longue vie. »

J'ai envie de tout avec toi, de partager autant les recherches de l'esprit que les accomplissements du corps (ils ne sont pas si étrangers que ne le prétendent tes sept arrière-grands-mères), de faire un long, long, long voyage avec toi, de m'étonner de tout et de m'émerveiller. J'ai envie de la sainteté avec toi et aussi du bonheur. J'ai envie de vivre en t'aimant et de mourir en t'espérant. Et le pire est que je m'en sens capable ! (Mon comptable auvergnat lisant ces lignes a le coin des lèvres retroussé par un sourire sardonique, reflet d'un âpre désespoir…) Est-ce un défaut de mon esprit, un arrangement avec moi-même ? La découverte de toi à travers la plénitude de l'amour et le cri de ta gorge communiquant soudain avec un autre monde m'ont fait avancer sur le chemin de la connaissance. Ton corps que j'aime est comme la clef d'un langage.

16 heures

JJSS vient de m'appeler. Il est au Pyla, veut dîner avec moi, propose d'envoyer son avion. Je lui réponds qu'il peut venir ici par le même moyen ! Il rappellera.

Le beau soleil est devenu plomb et cendres. Un orage guette à l'ouest. Pas un frémissement. Il sautera comme un cheval cabré, et ce sera le galop sur la cime des forêts.

Je vous aime. Anne tu es mon amour. C'est un délire de passion. Ton front qui se plisse pour lire et je fonds comme neige à midi. Tout est merveille dans tes mains.

Je t'embrasse, forces revenues, avec ce désir de connaître, les approches de Tolède. Haut rempart, pierre dure, ors de la journée d'été, parfum des thyms, Anne profonde, ah la nuit tombe et la mer s'ouvre devant ses deux nageurs. Silence. Toi. Je t'adore, bouche d'ombre dans la lumière de l'océan

François

513.

En-tête Assemblée nationale, à Mademoiselle Anne Pingeot,
36 rue Saint-Placide, Paris VIe 75.

Latche, 27 août 1970

Mon amour d'Anne, un journaliste de *Sud-Ouest* (jeune cadre pensant) m'a pris tout mon temps depuis le début de l'après-midi pour recueillir mes aphorismes ! Résultat je n'aurai que la portion congrue de mes pensées à communiquer au musée du Louvre. Je vous aime, voilà trois mots qu'il suffirait après tout d'écrire puisqu'ils disent tout. Mais l'amour c'est aussi la une façon de plisser le nez et de faire des fotes d'orthographe (exemple : je veux ne s'écrit pas je veus). J'ai moi-même un accent d'écriture qui tisse la longue toile de nos lettres : je vous aime a besoin de se raconter. Si je ne le peux pas aujourd'hui pardonne-moi mon cher amour. Le courrier ne m'attendra pas. Mais sache que je vis (et non je vix) dans le merveilleux climat (joie et chagrin, sérénité + angoisse) qui est le nôtre et qui passe par toutes les latitudes sans jamais s'arrêter au point zéro. Je suis amoureux, pis, amoureux de toi, pis de toi qui ? de Nannon ! Ô A, je suis à toi et j'ai bien envie de toi ! Le sang, la vie, le grand soleil qui m'éclabousse, et, l'ombre dissipée, voir tes yeux qui s'ouvrent et tes bras m'entourer
quelle force
j'aime ta bouche aussi
quand tu m'aimes – j'aime
j'aime,

nne
François

514.

*Papier bleu correspondant aux enveloppes bleues utilisées
quatorze fois, à* Mademoiselle Anne Pingeot, 36 rue Saint-Placide,
Paris VIe 75.

Latche, le 28 août 1970

Lettre écrite sur mes genoux. Lettre écrite sous la pluie d'orage. Odeur de Pâques.
Ô A

Je ne t'ai pas appelée ce matin, mon amour, et j'en suis tout désemparé. Tu n'aimes pas les habitudes. Moi, j'aime les bonnes. Mais je suis peut-être tyrannique ! Aussi quand le réveil a sonné, à 8 h 20, après le coup au cœur de joie : « je vais retrouver mon Anne », je me suis dit « c'est peut-être ça la tyrannie » et je n'ai pas demandé Littré.

Tu es bien l'Auvergnate-comptable, sur tes vieux jours, ô Collangette ! Tes deux dernières lettres (et un peu le téléphone) se font accusatrices.

Mes lettres sont « trop belles » et j'en prends pour mon hiatus ! Hum, l'air des voyages t'éloigne déjà de moi, semble-t-il !

De mon côté, ça se gâte dans l'autre sens. Une demi-journée sans que je sache où tu es, ce que tu fais, sans signe sensible, me laisse malheureux. Mais attention à la trop belle lettre ! Je m'arrête.

Demain matin je serai près de toi. Aujourd'hui comme hier je ne puis qu'écrire que je t'aime – passionnément – que j'ai besoin de toi – que le bonheur précaire de ces trois jours qui viennent m'émerveille et me désespère – que je t'appartiens – que je te respire déjà. Tu vois ! Je t'aime de mal en pis,

François

515.

En-tête Assemblée nationale, à Mademoiselle Anne Pingeot, 36 rue Saint-Placide, Paris VIᵉ 75.

Latche, 1ᵉʳ septembre 1970

Je vous aime, mon Anne. Je t'ai vue sur le quai partir avec les Soudet, t'éloigner, chère tache rose, j'ai suivi avec une tendresse étranglée les mouvements de ta démarche, et quand la courbe des rails m'a ôté ce dernier bonheur j'ai longuement rêvé aux images de ces jours, revécus comme chaque fois, instant par instant, gravés dans ma mémoire. J'ai assez bien dormi, enveloppé dans ma couverture, comme tu sais. Aujourd'hui il me semble aller et venir dans un état étrange. J'ignore quand et comment je te reverrai. Je n'ai pas le désespoir affreux, insupportable de juillet car j'ai en moi la grâce des semaines passées, la grâce de ton amour dont j'ai senti la force. Mais j'éprouve une nostalgie poignante. Je t'aime tant, ma très chérie. Es-tu proche, lointaine ?

Je ne doute pas que tu sois proche et n'ai pas le droit d'en douter. Mais j'ai de la peine de vivre avec un tel amour au cœur et
cette incertitude devant moi. Tout de même, un coin de ciel : la
confiance de Vézelay, ou plutôt l'unité des jours d'absolu, celle
de Cordes, de La Loubière, de nos nuits, de cette matinée d'hier
où nous avons accompli en nous-mêmes un si grand voyage. Que
tu m'as comblé, mon amour ! Je crois à la lumière de l'âme parce
que tu me l'as apportée. Je crois au bonheur surnaturel conquis à
force d'aimer – parce que ton amour et le don de toi m'appellent
à te comprendre, à t'aimer davantage. Je te dois le meilleur : oh !
Anne, sois-en sûre.

J'ai avancé ma lecture des *Camisards*, très instructif et bien composé, lu un article de Genet dans l'*Observateur*, sur les mouvements
révolutionnaires des Noirs d'Amérique, écrit une page du livre. Il est
5 heures. Le temps est beau, avec un voile d'automne qui tamise le
soleil, et un parfum de forêt mouillée. Je suis dans ton rayonnement,
à l'intérieur d'une vie mystique que nous partagerions pleinement.
Cette lettre n'est qu'un moyen de te parler, parmi ceux qui établissent
entre nous cet échange profond et constant qui nous unit, je crois.
Je t'aime, Anne. Tout est dit dans ces trois mots. Ou bien dans ces
quatre.

Je suis à toi

<u>François</u>

516.

En-tête Assemblée nationale, à Mademoiselle Anne Pingeot,
36 rue Saint-Placide, Paris VIᵉ 75.

Latche, 2 septembre 1970

Mon amour d'Anne,

Citation de Fléchier : « Si les femmes de Clermont sont laides
on peut dire qu'elles sont bien fécondes et que si elles ne donnent
pas de l'amour elles donnent bien des enfants. » Ce Fléchier a certainement confessé des Collangette, mais je le crois tout de même
injuste. Les femmes de Clermont ne sont pas toutes laides et il arrive
qu'elles donnent bien de l'amour. Encore faut-il savoir où les trouver.

Il semble même que l'une d'entre elles en donne trop si j'en juge par cette réflexion d'un charcutier de Soustons, hier, qui m'a dit « vous n'allez pas vivre vieux, vous avez bien mauvaise mine » sur le ton de l'aimable compliment.

De ce week-end je commence à classer mes souvenirs. Je m'en veux toujours de mes accès grognons. Mais je regrette surtout de n'avoir pas fait avec toi la promenade de Vézelay. Je nourris de formidables projets de marches pour cet automne. Je respire déjà à pleins poumons le bonheur que j'imagine. Mon amour d'Anne ce serait bon de reprendre le fil des vendredis d'autrefois. Je me sens t'aimer avec autant d'enthousiasme. <u>Envie de t'aimer.</u> Comme à Chantilly ou Auvers.

Le soleil brillait ce matin. Une vapeur peu à peu enveloppe le ciel. Tout devient différent. Le silence s'approfondit. La saison change. Il faudra vivre bientôt avec soi-même. Je me suis assoupi un moment sur l'herbe. L'image de toi qui m'occupait l'esprit était celle que j'aime infiniment : les cheveux un peu flous, ou plutôt gonflés sur le côté droit du visage, serrés derrière, mousseux à la nuque et aux tempes, un regard attentif, sérieux, presque froncé ; nous parlions. De la fugacité du temps, des tons, des choses nous retenions que notre amour avait assez de force pour ne plus dépendre des saisons. Nous en cherchions la cause. Il nous semblait que l'harmonie de nos corps avait une correspondance avec un autre accord, comme un reflet d'éternité, ou du moins de la durée de l'être : ~~d'un être~~ j'étais très proche de toi, l'absence et la présence n'étant plus que les deux faces d'un même état. Je peux t'aimer de cent façons pour un amour incroyablement semblable à lui-même.

J'ai travaillé avec des idées plus nettes. Qui sait ? Peut-être y arriverai-je. Le style s'assouplit. J'ai reçu un coup de téléphone de Guimard à qui j'avais communiqué mes doutes. Il prétend bien connaître cette maladie et qu'elle est guérissable !

L'affaire de Bordeaux continue de faire des ronds dans l'eau. Mes « modérés » s'inquiètent, séduits par JJSS. Mes « durs » se… durcissent, exaspérés. Saint-Périer vient d'arriver à Hossegor et déjeunera avec moi demain. Gilbert a gagné une nouvelle coupe et descend à 18 (il joue 12 à 13 !). Voici pour les petites nouvelles. J'avance aussi avec appétit dans mes *Camisards* et je rêve beaucoup. Quand nous nous retrouverons je vois tant d'occasions d'exciter cette envie intellectuelle de créer, embrumée depuis trois mois sous le coup peut-être d'une sorte de dépression. J'aime parler tout haut devant toi, conduit par le goût de te convaincre. J'aime que tu sois là. Tu me donnes envie de faire mieux.

Mon Anne bien-aimée je vous embrasse. Sous les cendres de lundi matin, la braise vit ! Que je t'aime ! De ma dent de loup je trace sur ton cou tendu la ligne droite d'un baiser et monte en moi le bonheur d'être

ton

François

517.

En-tête Assemblée nationale, à Mademoiselle Anne Pingeot,
36 rue Saint-Placide, Paris VIᵉ 75.

Latche, 3 septembre 1970

Mon amour, je suis devant ce papier l'âme absente. Non de toi, mais de tout sujet possible. De ne pas savoir si c'est ma dernière lettre avant un long voyage dans l'espace et le temps me bloque. Où seras-tu samedi ? Peut-être près de moi, peut-être si loin. Quoi qu'il en soit je sais, je sens que je t'aime dans la plénitude de l'amour. Tu m'as porté là où je souhaitais depuis toujours me rendre, dans cette région où l'être approche de l'unité. Nous avons commencé à Larressingle et à Mouchan un nouveau périple au-dedans d'un cercle enchanté. Y demeurer serait un vrai bonheur. Je t'y ai retrouvée. Tu m'y retrouveras à jamais.

Que ta lettre était celle que j'attendais ce matin ! (Et pas une faute d'orthographe ! « je ressens » s'écrit bien comme ça !) Je la lirai souvent. Elle exprime aussi une harmonie intérieure qui m'émeut. Nous avons tant à faire ensemble : déjà mon esprit me raconte les beautés et les joies simples, les recherches et les débats, l'amour et la paix de l'automne. Mon Anne, mon Nannon, ma chérie.

Je retravaille au livre. J'aimerais t'en présenter un morceau cohérent. Je me donne un mois pour y réussir. Que tu partes ou que tu restes je serai en communion avec toi et j'essaierai d'acquérir un peu plus de richesse intérieure pour t'aimer. Je t'embrasse comme tu le sais quand se déroulent nos rites. J'adore ton visage, tendu, ton corps secret. Je touche avec toi une vérité qui ne me quittera plus. Ma tristesse même est gratitude. Ô mon Anne, toi qui t'appelles Anne, je t'aime

François

518.

En-tête Assemblée nationale, à Mademoiselle Anne Pingeot,
36 rue Saint-Placide, Paris VIe 75.

Lire la lettre du 9 avant celle du 8, c'est la <u>véritable chronologie</u> du cœur.

Paris, 9 septembre 1970, 11 heures

Mon amour d'Anne,

Tu es à ton travail. Je te verrai à 17 heures. La journée s'écoulera sans autre signe. Tu en avais besoin comme on a besoin de silence. Je ne suis pas vraiment triste ce matin de cette humeur soudaine, de cette irritation à me sentir trop <u>là</u> qui t'a prise, fatiguée de ne pas maîtriser ton temps, fatiguée, fatiguée… Tout de même je sentais que tu voulais en même temps me dire autre chose, qui était ta tendresse. Cela me fait réfléchir. Nous n'avons pas assez organisé notre vie par rapport à ce qui est pour deux mois, <u>l'essentiel</u>, ton concours. Ou plutôt, ma présence dans ta vie te désorganise. Tu aimes et tu en souffres. Tu ne sais comment concilier. Il faut donc que je te comprenne, que je t'aide, que notre amour soit un élément de confiance en toi, de joie au travail, de joie tout court. Pour cela je fais déjà de grands projets, en souvenir de l'époque du Père Auto et des Essarts. Ayons l'intelligence d'orienter l'emploi du temps, les conversations, les promenades autour de ce seul souci : arriver en bonne forme intellectuelle et physique en novembre. Tu as besoin de rester de longues heures sur tes livres ? Hier j'ai bien travaillé de mon côté, et pourtant j'étais au 36 et je ne crois pas t'avoir vraiment dérangée (cette fois-ci !). S'en inspirer. Ne pas transformer notre présence commune en divertissements ! Je t'assure que j'y veillerai. C'est une affaire de climat. Je vais m'y mettre et tu verras que ça ira mieux, que ça ira bien ! De même, il faut que tu respires la nature, les arbres, les fleurs, que tu marches. Pour que tu sois plus ouverte aux textes que tu lis. Il faut que nous entrecoupions les heures ou les jours d'étude par de faciles « prises d'air », jardin de Saint-Cloud, Bagatelle, parc de Versailles, presque scientifiquement deux heures de marche rapide, rêverie, conversations. Limiter les spectacles enfermés, type cinéma, les week-ends trop fatigants ou trop absorbants, prendre par contre de bons samedis soirs et dimanches avec au bout un émerveillement : la beauté des choses, l'élan de notre entente, la lecture de textes graves. Veux-tu me faire confiance ?

Au fond je serais heureux de t'être utile, de composer avec toi un monde à l'intérieur duquel tu rempliras tes tâches selon le goût que tu en as.

16 heures

J'ai déjeuné au Récamier avec Paul Guimard. On a parlé Bretagne, édition, politique, Balzac. Et on a dévoré un bon canard nantais. J'ai reçu ce matin Hernu puis Hovnanian, qui ont des états d'âme côté JJSS. J'ai, au propre, le chapitre De Gaulle, élagué, épuré. Ça devient lisible, ça s'inscrit dans le « mouvement recherché » (tout est musique au fond, en prosodie, tout obéit à un nombre d'or vers lequel chacun tend ou que chacun exprime en tâtonnant – rythme cosmique, référence éternelle ?)

Je vais te voir dans un moment puis partir pour Caen. Je lirai dans le train *Le Spectacle intérieur* de Jean Anchois (Pommier). J'essaierai d'écrire une page de mon avant-propos (De Gaulle et moi).

Voilà mon amour chéri une lettre qui sera moins encombrante que ma présence réelle demain matin… Je te l'écris par nécessité intérieure, pour que tu reprennes courage aussi, et calme profond. Je suis ton
<u>François</u>
sans réserve, dans la totalité de l'être, et mon bonheur est d'avancer auprès de toi
car je t'aime

F̲

8 septembre 1970

Mon amour,
Il est 10 h 30. Je t'ai quittée il y a deux heures, à peine. J'ai besoin de

te retrouver. Tu m'habites et tu es loin. Nous sommes unis et séparés. Nous avons dormi ensemble et pas communiqué. Et pourtant tu n'es que douceur avec moi. D'où vient ce malaise qui m'envahit ? (Non, qui m'a envahi, au passé composé, d'un coup je m'en sens libéré, sans plus de raison apparente, compréhensible que lorsqu'il est venu.) Il me semble que tu as éprouvé cela. C'était peut-être cette impression qui te faisait toujours douter, rechercher, découvrir en moi le moindre mot, l'attitude, le geste qui justifiaient ton doute. Une soif d'absolu non étanchée. Un refus de partage avec même les nécessités. C'est une souffrance que de vivre avec cet animal qui ronge au-dedans de soi-même. Comme une instabilité organique. À moins que ce ne soit l'inquiétude qui suit les grandes fatigues, le sentiment d'un décalage avec les couleurs, les sons, les mouvements. Comment t'exprimer ? Je t'aime de toute mon âme, moi aussi j'ai envie de la plus merveilleuse union qui soit. Je te suis attaché par toutes les fibres. Je ressens tout. Ou bien il faut que je tombe dans un puits, comme depuis trois jours, impuissant même à crier. Alors je dors au fond de mon puits ! Il me semble que je devrais être plus digne de ce que le bonheur m'accorde. Regarder les yeux plus ouverts ton visage en sommeil, tes bras autour de mon corps, ton corps qui se meut, tu t'habilles, tu te coiffes, tu cherches quelque chose dans le placard des vêtements, tu mets du sent-bon, la chemise de nuit abaissée sur ta gorge, tu entres dans notre chambre avec le petit déjeuner, tu souris, tu as envie d'être nette, de travailler, tu as la cheville bandée, je t'aime, je t'aime, mais je n'ai pas les yeux assez ouverts, et ne vois pas ce que je dois voir, je suis infirme, je suis épais, mon amour est là, ma grâce, ma vie, mon Anne, joie, non, je reste affalé, une main invisible m'écrase sur ce lit, je suis une sorte de mort, je sais ce qu'est l'amour-merveille, l'amour-miracle et je ne dis que des choses vaines, je m'en veux, je souffre, je veux exprimer, le rond de lumière ~~au bord de~~ le puits est trop haut pour que je l'atteigne, je suis dans le noir et ma main ne peut soulever le rideau qui me sépare du jour. Je sais, dans cet état, que je t'aime, qu'il y a Anne et justement elle est là, elle me dit que ces heures sont belles, qu'elle est heureuse, pleinement. Que dit-elle ? Se moque-t-elle ? Veut-elle se convaincre ? Non, elle est toujours vraie. Alors, ce doute ? Le mien ? Que signifie tout cela ? Je retourne à mon obscurité. Étrange crise. On devrait écrire un roman : *Le Voyage roumain* en serait le titre. Il n'y aurait ni voyage ni Roumains dans ce roman. Mais une extraordinaire histoire. C'est sans doute cela les complexes, ou l'état second. J'ai besoin de toi, de toucher à nouveau le fond de toi. Tu ne peux comprendre sans doute pourquoi je suis ainsi et tu me renvoies avec un beau sourire. Sur ce sourire-là je bâtis de nouvelles raisons d'angoisse. Eh quoi ! Il me faudrait donc du Shakespeare à chaque petit déjeuner ? J'accrois aussitôt une timidité. Je meurs d'envie de déjeuner avec toi. Je redoute comme l'éruption du puy de Dôme que tu me dises non. Je n'ose pas. Je pars avec mon besoin rentré. J'ai peur d'être abusif mais je regrette de ne pas l'être. On aurait été si bien à flâner autour d'un épinard, l'esprit en feu, libre, l'âme raccordée. Bien. On ne déjeunera pas ensemble. Je me console en pensant que c'est mieux pour ton travail, que c'est ce que tu penses et donc que tu m'aurais dit non. Un non tendre, gentil, un non désolé d'être non, un non Chaudessolle, courageux, laborieux, simple, un non abonné à la cantine, c'est mieux ainsi, un non désintéressé, logique, un peu martyr jusqu'au moment où le martyre ça fait mal, pas trop, un peu, tu aurais dit non et j'aurais été désespéré.

Mais tu n'as pas dit non puisque je n'ai pas proposé ! Je suis quand même désespéré. Ô mon Anne bien-aimée. Pourtant depuis ce matin un retour de grâce est entré en moi. Le ciel vire à la tempête, moi au beau temps. Je suis amoureux de toi, un peu endolori par mes maladies intérieures, mais amoureux, amoureux. À toi de me tendre la main.

Un poème de Mauriac : « La chair encore endormie – je pars au petit jour sombre – sans pouvoir sortir de l'ombre – que ton corps fait sur ma vie. »

<u>F</u>

519.

Grande feuille blanche, à Mademoiselle Anne Pingeot,
36 rue Saint-Placide, Paris VIᵉ 75.

Bordeaux, le 14 septembre 1970

Je t'écris de Bordeaux, mon amour, comme tu le vois, où je discute depuis une heure avec les conventionnels du cru, y compris Taix, tous un peu perdus, ne comptant que sur moi. Je leur ai refusé un meeting pour les raisons que tu sais. Les journalistes, évidemment prévenus, assiègent la rue. Mais, pour l'instant, bouche cousue ! Je donnerai une interview à *Sud-Ouest* où j'essaierai de poser les problèmes comme je les vois.

Je pense à toi, ma grâce tendre ! Je t'ai fait perdre deux à trois heures ce matin. Impardonnable ! Je prends égoïstement le bonheur que tu me donnes. J'y ferai attention. J'aimerais tant retrouver le « compagnonnage » du temps du mémoire, ô Anne de Chastellux ! Je vais m'y mettre, tu peux être sûre.

Je jette ce mot à la boîte avant de quitter Bordeaux pour qu'il t'arrive demain. Il t'apportera un peu, si peu de cette force qui m'habite et qui m'émeut parce que je suis amoureux de toi.

Je t'aime

François

520.

En-tête Assemblée nationale, à Mademoiselle Anne Pingeot,
36 rue Saint-Placide, Paris VIe 75.

Latche, 16 septembre

> Oui, évidemment a deux m
> excitant, avec un c
> pot avec un t, nourrice avec deux r.

Mon amour, mon amour, je pourrais écrire toute cette lettre comme ça. Ne rien dire de plus. Fermer les yeux. Construire par la pensée la vie que nous aimons. Moi, je n'ai pas besoin d'un regain pour savoir que tu es mon Anne. Je te mêle au ciel que lave le vent du nord. La lumière donne à chaque feuille, à chaque herbe, à chaque surface offerte un bonheur particulier, champ immense où chacun vit au-dedans de soi plus intensément parce que le soleil, comme un dieu, crée à foison et pour un moment des millions de destins épanouis. Je te mêle au nuage clair frangé de noir qui passe afin de souligner une gloire éphémère, reflet d'une pureté qui fait trembler le cœur. Je te mêle aux impressions du jour changeant, aux mouvements des cimes, au bruit lointain de l'océan ? Anne aimée, mon panthéisme. Je t'aime à travers la passion des choses. Tu m'apparais, fleur d'été, avec tes cheveux bouffants sur le côté et ta nuque mousseuse, et ta démarche pareille au balancement d'un navire, à la voile gonflée qui épouse le vent. Je t'aime thym, odeur de thym, quand je bois ta gorge, je t'aime menthe et je t'aime varech, odeurs d'amour.

Ah ! si tu m'aimais !

Je me suis réveillé avec le doute. Je t'ai appelée, la poste m'a dit « pas de réponse ». Il était 8 h 30. J'ai insisté à 8 h 45. Tu m'as parlé. Mais ce quart d'heure ! Je t'accusais de m'avoir préféré tout le reste du monde. Tu penses ! Pas un signe depuis hier matin ! Il est vrai que tu m'as conseillé de me faire désirer, beau programme ! J'ai commencé en ne t'écrivant pas hier. Résultat : je me suis moi-même puni. Je suis heureux avec toi, et me priver de toi, de te parler, de t'écrire, suis-je bête. Il le faudrait pourtant si je veux que tu me re-aimes. Oh A !

J'ai reçu donc hier le journal *Sud-Ouest* auquel j'ai confié l'interview ci-jointe. Du coup les sollicitations affluent. Télé deuxième chaîne. Europe 1. Luxembourg. Europe 1 sera pour demain soir, 19 heures. Je reviendrai par un avion de Bordeaux, qui s'envolera vers 15 heures. JJSS a parlé hier soir, ce soir Marchais. Je fais la clôture. Tu as vu ce déchaînement soudain contre Jean-Jacques ! Renversement subit et classique. Je n'aime pas hurler avec les loups. Aussi ai-je adouci mon propre ton. Si l'intéressé atteint 25 % il renverra la balle durement et comme toujours se lancera dans une nouvelle épreuve avec le risque maximum. Ce n'est pas « politique », c'est irritant, c'est même dange-reux pour les autres, je veux dire pour ceux qui préfèrent le travail au fond de la mine, mais j'aime mieux le courage que la niaiserie ou que l'horrible « sournoiserie » (eh oui !) des partis. Comment conduire son chemin au milieu de tout cela ? Plus que tu ne le crois tu m'aides. Avec toi je me sens plus sûr. Tu as l'instinct des purs.

Tu serais libre demain soir pour l'émission j'en serais très heureux. Penses-y.

J'éprouve le goût de lire et d'écrire. Par exemple j'ai rédigé les douze feuillets de l'interview en quatre heures, d'une coulée. L'idée d'un livre joue le rôle de frein. Je crois que ce frein se desserre.

Je pense à toi, mon poisson des grands fonds, avec l'envie d'un silence partagé.

Oh ! gestes, regards, union impalpable et parfaite, oh ! élément, cinquième élément, mon amour. Maintenant j'ai acquis la grâce qui me manquait pour t'accompagner durant ces deux mois qui viennent, en harmonie avec ce que tu sens nécessaire. J'ai une envie merveilleuse d'être celui dont tu as besoin pour atteindre ton rythme de croisière. Tu ne le crois pas ? Tu me vois toujours agité dans les mouvements du désir ou de la curiosité ? Tu verras bien que j'ai plus d'un tour dans mon sac… pour t'aimer ! Pour t'aimer comme tu le rêvais sur la route qui nous ramenait du premier Cordes, avec les fleurs séchées.

Mon Anne je vous embrasse avec ferveur, les lèvres lentes, secondes d'éternité. Je suis auprès de vous par tout ce qui m'appelle au meilleur de moi – et pour toi – pour toi que j'aime – tant pis pour la littérature – passionnément, ton

François

521.

16 septembre 1970. Enveloppe bleue vide, à Mademoiselle Anne Pingeot, 36 rue Saint-Placide, Paris VIe 75.

522.

Carte postale, Montagnac (Hérault), l'église, à Anne Pingeot, 36 rue Saint-Placide, Paris VIe 75.

Le 30 septembre 1970

De Lodève à Montagnac, entre l'étang de Thau, le Causse du Larzac et les canaux de Sète je parcours les chemins et je dessine les itinéraires futurs. Chaque village raconte une vieille histoire – et nous invite. Ô A.

F

523.

5 octobre 1970. Carte de visite blanche accompagnant des iris.

François

524.

Carte postale, Trébeurden (22), le port et l'île Milliau,
à Anne Pingeot, 36 rue Saint-Placide, Paris VIe 75.

Le 9 octobre 1970

Que de terres et de mers à voir
Que de pensées pour vous

<u>F</u>

525.

En-tête Assemblée nationale, à Mademoiselle Anne Pingeot,
36 rue Saint-Placide, Paris VIe 75.

Paris, 12 octobre 1970

Mon amour,
Je ressens l'automne. Celui d'aujourd'hui affiche un air vainqueur qui trompe. Le cri des enfants du collège Bossuet monte à mes fenêtres et je l'écoute, écho désolé qui se meurt. L'or et le sang du parc se défont. La splendeur du moment me laisse une impression d'angoisse. Après ton départ du Sainlouis j'ai rêvé immobile. Tout l'amour de la terre dans le cœur et le bonheur d'une présence, la tienne, évanoui avec ta robe bleue j'ai pensé aux heures bénies qui nous ont réunis là ou ailleurs et ce matin encore et pour ce repas aussi. Mon Anne. Pour vaincre la mort et l'absence il faut d'abord vaincre la vie. Je t'ai aimée pendant ces trois quarts d'heure comme on résume une existence. Tu étais belle à la manière dont j'aime que tu sois belle. Oh mon amour qui coule dans mes veines, qu'on irrigue, mon sang ! J'étais ému de retrouver le rite de ces déjeuners rapides mais pleins, lisses et vraiment partagés. Ému de ta main, de tes yeux, des bondissements d'âme qui transfiguraient tes traits. Ma richesse, tu es joyau.
Demain matin je ne t'aiderai pas à refaire ton lit. La concierge te donnera cette lettre. Tu partiras pour le Louvre. Je ne quitterai pas l'image-icône de mon Anne quotidienne de ma bien-aimée. Ainsi passera la matinée, la journée. Je refuse l'automne en moi avec son

drôle de silence. Mais je le vois. Et je te serre dans mes bras, arbre vivant, sève chaude, été.

Je t'aime

François

526.

En-tête Assemblée nationale, à Mademoiselle Anne Pingeot,
36 rue Saint-Placide, Paris VIe 75.

Latche, 13 octobre 1970

Mon Anne chérie,

Le silence qui m'enveloppe n'est rompu que par les coups mats d'un pic-vert sur le tronc d'un pin, par le bourdonnement d'une mouche, par le tic-tac du réveil. J'entends même la plume de mon stylo crisser sur le papier. D'être revenu là me bouleverse car je retrouve intacts mes sentiments de la mi-juillet, qui m'attendaient avec une égale violence. Je ne puis voir ta sanguine et le Jésus de Nabinaud consolant les filles de Jérusalem sans que mon cœur se serre et qu'un désespoir informulé me creuse la poitrine. En même temps j'éprouve l'émotion de tes lettres, ton visage qui me hantait, fixé à jamais dans ma plus profonde mémoire, l'obsession de cet être aimé avec passion et qui me laissait voyager de l'autre côté du monde, esprit mort. Je revis ma douleur, mes remords, mon besoin de donner plus que j'avais refusé ou plutôt négligé, ma découverte d'un amour fou, intransigeant et ma misère de te l'avoir mesuré. J'écrirais encore aujourd'hui : « Pour les fleurs que tu n'as pas reçues, pour les livres que je ne t'ai pas lus, pour les pays que nous n'avons pas vus, pour les bonheurs perdus… » Je t'aime gravement, intensément. Je retrace l'itinéraire de ces trois derniers mois, j'essaie de cerner les taches d'ombre, mes faiblesses, mes oublis, j'aperçois les élans, les progrès de notre entente, l'affinement de ma tendresse, l'attention intérieure que je te porte, presque incessante. Je fais un bilan. Des bouffées d'amour tendent mon corps, exaltent mon âme. Tu es Anne. Tu me possèdes et tu ne le sais pas. Et moi qu'ai-je consenti pour toi, ô mon amour ? Je te dois une forme de salut, un besoin d'aller au-delà de moi-même, une tendresse pour les choses, je te dois tant, je te dois tout si tout est l'essence de la vie, l'appel vers une perfection, peut-être un nouveau courage. « Deviens ce que tu es. » Je suis quelqu'un qui naît quand tu m'aimes. Si à chaque détour de notre marche en commun il y avait toujours la halte de Mouchan ! Ma merveille ! Ta main sur la mienne, la table ronde, la toile cirée, la fenêtre sur le jardin, les bruits étouffés de la cuisine, le soleil dru sur la route, nos cœurs éblouis, le silence vainqueur, la communion intense de nos regards, ton visage que je lisais, le foie gras, les rires, l'extase d'aimer, l'espérance revenue, la route blanche, toi, Anne, toi, Anne, toi, Anne. Mon amour est ordinateur puisqu'il s'agit de toi. Rien n'a été perdu depuis les Trois-Poteaux jusqu'au mouvement de ta robe bleue devant le 36, hier soir. J'étouffe d'amour de toi. Je crierais et ne dérangerais que le pic-vert ! Les mots peut-être monteraient au ciel et seraient entendus de l'espace. La force de l'esprit qui sait domine le temps de vivre et franchit les distances. Je ne suis qu'apprenti. Quelle joie d'acquérir cette puissance nouvelle : ton âme et la mienne mêlées, unies à ne plus jamais s'éloigner et chaque appel intérieur ressenti comme un langage à la résonance infinie ! je me crois capable de t'aimer toujours plus et mieux. Sept ans n'ont pas épuisé un milligramme de cette énergie dont la violence m'a surpris un jour d'août 63 et ils m'ont apporté un désir sans limites. Mais il faut que chaque jour soit un pas sur la route. Mon Anne, au bout, je serai là.

J'ai petit-déjeuné et déjeuné chez les Destouesse, flâné dans la forêt, claire, ensoleillée, embaumée et ne suis arrivé à Latche qu'à 11 heures. Je suis seul et je voudrais faire de cette solitude un moyen de m'approcher de moi. J'irai dans un moment à Soustons, pour la poste, puis à Hossegor, pour le jardinier. Je passerai la soirée comme ça, à écrire, je l'espère. Ces lieux me plaisent et m'effraient. Tu ne devineras jamais l'agonie que j'y ai vécue. J'avais perdu mon âme et mes sens. Ils sont revenus en moi : il faut que je justifie cette grâce. Ô Anne je t'aime passionnément. Je ne sais pas encore comment je partirai et donc je ne sais pas quand. L'avion de Biarritz demain à 17 heures ou le train à 23 h 20 ? J'ai déjà hâte de te serrer dans mes bras, de me nourrir de ce bonheur dévorant que tu me donnes. Pour ~~dimanche~~ le week-end je crois qu'il sera possible de se retrouver soit samedi soir à Montargis (si tu le peux) soit dimanche matin assez tôt dans la forêt de Fontainebleau. Ce serait formidable (c'est-à-dire : samedi soir à Montargis, puis balade dans la forêt dimanche matin. La réunion de Nevers dimanche est sans importance). Je pense à toi, ma bien-aimée. Je t'appellerai ce soir. J'ai fini dans le train *Mémoires d'une jeune fille rangée*. Les dernières pages m'ont ému... « J'ai pensé longtemps que j'avais payé ma liberté de sa mort » (celle de son amie Zaza) « les mains aux longues griffes pâles, croisées sur le crucifix, semblaient friables comme celles d'une très vieille momie »... Je vais me mettre à *Love Story*. Je rêve de toi comme d'une tâche essentielle, exaltante. Je suis à toi, ma très chérie

François

527.

En-tête Assemblée nationale, à Mademoiselle Anne Pingeot,
36 rue Saint-Placide, Paris VIᵉ 75.

Paris, 16 octobre 1970

Mon amour, je te souhaite une bonne journée d'herbe, d'air pur, de vieille demeure, de parquets craquants, d'odeur de cire, de lecture, de travail, de balade, de paix, de rêve, je t'aimerai comme aujourd'hui, passionnément, et si proche de toi par l'esprit, je t'embrasse avec tant d'amour

François

528.

En-tête Assemblée nationale, à Mademoiselle Anne Pingeot,
36 rue Saint-Placide, Paris VIᵉ 75.

Latche, 2 novembre 1970

Mon amour d'Anne,
J'ai voyagé en bavardant avec Oliver... de cuisine, de livres de cuisine, de restaurants etc. puis, après Bordeaux j'ai plongé dans *Ni Marx ni Jésus* de Revel. Michel Destouesse m'attendait à la gare. J'ai dormi chez lui, Latche n'étant pas chauffé pour cette nuit et, ce matin, par une lumière qui jouait avec un bonheur fou dans la brume, avec de larges rayons irisés sur chaque feuille, je suis arrivé. Je t'ai appelée au téléphone. La voix que j'aime et sa

clarté et la joie d'une entente si profonde, tout cela est entré en moi soudain.

Anne comme je t'aime !

La journée est celle d'un très bel automne. Presque insolent tant il dure. Luxe qui exalte la vie et conduit la pensée vers la mort. Comment ne pas songer à ceux qui ont perdu à jamais la lumière... à moins que Dieu, à moins que le monde éclaté soit le soleil d'une autre vie.

Je vais vite à la poste. Saint-Périer est là. Je suis très proche de toi, ma merveille. Hier est aussi un doux souvenir. Je pense à ta bouche, de profil, sur fond de jardin de Versailles. Je pense à tes yeux abolis dans la contemplation d'une beauté qui nous racontait sept ans d'amour.

Je t'embrasse avec ferveur et je suis ton

<u>François</u>

529.

En-tête Assemblée nationale, à Mademoiselle Anne Pingeot,
36 rue Saint-Placide, Paris VIe 75.

Latche, 3 novembre 1970

Anne,
Tu as gardé tous tes prestiges.
Tu t'appelles Anne et je t'aime

<u>François</u>

530.

Carte de visite blanche, chrysanthèmes.

Lundi 9 novembre 1970, première épreuve du concours de conservateur de l'État : « La vie religieuse en Gaule aux Ier et IIe siècles. »
Mardi 10 novembre 1970, deuxième : le Bauhaus.
Jeudi 12 novembre 1970, enterrement de Charles de Gaulle.

531.

Papier bleu de Latche, à Mademoiselle Anne Pingeot,
36 rue Saint-Placide, Paris VIᵉ 75.

Latche, le 16 novembre 1970

Mon amour d'Anne, je vis dans un climat intérieur où reviennent en foule les images les plus douces, les plus chères de notre amour. Notre joie du pont du Gril, aussi claire que l'eau, aussi pure que la lumière était de la même trame que nos bonheurs de Saint-Illide ou de Nabinaud. Les années ont passé sans altérer cette faculté d'être unis par le meilleur, et le plus exaltant, faculté que nous avions découverte dès les premiers jours (rappelle-toi le « je suis heureuse, heureuse, heureuse » de Marnes-la-Coquette) ou le mur droit du cimetière d'Auvers).

Dans le train j'ai lu *Le Mas Théotime* où la terre, le symbole, le temps et un grand amour douloureux (avec des personnages soumis, spectateurs du destin, époux des choses et du rythme éternel, faits pour naître et mourir comme le blé, la vigne et les fleurs saisonnières) s'accordent pour une ample symphonie. J'en avais la tête et les oreilles pleines au point de ne plus savoir, sur le quai de Dax, où j'étais.

J'avais oublié ma casquette, dans le compartiment. Un voyageur aimable a dû me la jeter par une fenêtre. Un employé de la gare m'a dit « Vous avez l'air tout étourdi ». Une tristesse étrange m'étreignait. J'ai fini le livre au lit. Ah ! que j'ai pensé à toi, à nous, à moi ! La paix qui s'emparaite de ces êtres séparés lorsqu'à la fin ils se laissent aller selon la loi de Dieu me semblait plus déchirante que la douleur.

Ce matin, au téléphone, tu as été mon Anne aimée, tant aimée. Tu es ma source ô mon amour.

Ici il pleut d'une belle et douce pluie. On est comme dans la mer. Pas un souffle de vent. Les couleurs se séparent, vert, rouge, gris. Je travaille. Je suis avec toi, en toi, être mystique relié à cet autre être qui est toi.

Ô mon Anne je vous aime comme jamais, comme toujours, feu de mon âme, vie subtile, et je vous embrasse avec ferveur

François

532.

Papier bleu de Latche, à Mademoiselle Anne Pingeot,
36 rue Saint-Placide, Paris VIe 75.

Latche, 17 novembre 1970

Mon amour, je vous aime.

Votre lettre m'a donné la joie. Elle me disait que vous étiez heureuse et je l'étais en vous lisant. L'invisible trame des cimes nous relie. Je vous vois, mon Anne, et je baise vos mains. Ce matin le soleil était là qui jouait avec la brume, et l'aspirait dans son ciel. Plus la moindre trace de nuage. La forêt sent une odeur poivrée. La lumière crée des couleurs, les change et voyage avec elles.

J'écris, un peu, en dépit de vos sombres pronostics. J'avance au millimètre mais la patience vaut des kilomètres ! S'il faut que j'arrive au bout pour que vous m'aimiez je veux bien accélérer le pas ! Je n'écris au fond que des œuvres sur commande.

Je pense à vous, amour, Anne, tout le temps. Hier soir, bien sûr. Et ce soir ! Et je vous imagine tête laborieuse dans vos bibliothèques. J'évite par contre de me complaire à rêver de votre chambrette. Ne réveillons pas l'aspect Gédé de votre riche nature !

J'espère voir Philippe. Nous pourrions nous rencontrer à mi-chemin si je prends l'avion. Sinon j'essaierai une halte à Jarnac.

Je lis le soir dans mon lit *La Chute de la IIIe République* de William Shirer. Mais je suis encore sous l'impression du *Mas Théotime*. Je ressens le chagrin de vivre dans l'accomplissement serein des humbles tâches mais je comprends la force de la terre où s'engloutit, pour renaître, toute vie. Je ne pourrai jamais, me semble-t-il, consentir au cycle tranquille des saisons, ~~comme si~~ je ne pourrai me soumettre à rien qui m'enferme dans ma condition d'homme. Ô révoltes ! Ô refus ! Suis-je si loin de la sagesse ?

Mon Anne bien-aimée je vous embrasse. Déjà je sais qu'en moi court le désir de vous. Vous êtes mon amour

François

533.

Papier bleu de Latche, à Mademoiselle Anne Pingeot,
36 rue Saint-Placide, Paris VIᵉ 75.

Latche, 26 novembre 1970

Mon amour d'Anne,

Que tu as été douce de te promener avec moi hier après-midi malgré ta fatigue et de me raccompagner si loin ! Je t'ai regardée plusieurs fois pendant que tu allais vers Saint-Placide et j'aimais tes cheveux, ton pas un peu lent, ta démarche. J'avais de grandes bouffées d'amour tendre.

J'ai reçu mon visiteur nivernais puis j'ai rejoint le bureau politique avant de dîner près de l'Odéon avec deux députés socialistes. Gilbert est passé me prendre au restaurant et m'a conduit à la gare, non sans que je m'habille en tenue de campagne ! À 10 heures je t'ai appelée mais Florence ou Jacqueline m'a dit que tu n'étais pas rentrée. Je t'ai souhaité dans mon cœur une bonne soirée tant je te sentais proche, tendre, pure et je t'aimais. J'ai vite dormi, pas assez cependant pour n'être pas en demi-sommeil depuis ce matin. Le temps est admirable. Mon blouson de cuir est trop chaud. Un bon pull (le bleu) suffit. L'air est d'une étonnante douceur et la lumière délicate, sensible, à la limite, triste de quitter les derniers rivages de l'été.

Je te téléphonerai vers 7 heures. J'ai déjà hâte de t'entendre. Tu es mon Anne, mon amour. Chérie chérie je t'embrasse ! Comme c'est bon de t'aimer corps et âme, en paix, moments suprêmes dans l'espace et le temps, approche rare du sublime, accord parfait. Je m'en veux cependant de te manquer. Et rien ne peut faire que tu ne me manques au plus profond de moi.

Je vous aime, Anne de mon bonheur

<u>François</u>

Mercredi 2 décembre 1970 : 13 heures, admissible au concours.
Lundi 7 décembre 1970, grand oral.
Mercredi 9 décembre 1970, reçue deuxième. Roses rouges.

534.

En-tête Assemblée nationale, à Mademoiselle Anne Pingeot,
36 rue Saint-Placide, Paris VIe 75.

10 décembre 1970

Mon Anne,
   Je suis très fier de toi

<u>François</u>

Vous n'étiez pas ravi de cette indépendance. Elle me donnait un statut social et un moyen d'existence. Mon père entretenait (strictement) cinq enfants et j'en ai abusé jusqu'à l'âge de vingt-sept ans. Mais surtout, j'entrais dans le royaume merveilleux des musées. Ce fut la plus grande joie de ma vie – avec la naissance de Mazarine – après tant de solitude et tant de travail pour l'oublier.

535.

En-tête Assemblée nationale, à Mademoiselle Anne Pingeot,
10 rue de l'Oratoire, Clermont-Ferrand, Puy-de-Dôme 63.

23 décembre 1970

Mon amour,
  « N'oublie jamais, jamais, jamais… »
  Je t'imagine en 2 CV sur les routes glacées, ô équipage d'un autre monde ! Ma merveille, ton bonnet, ton rire et cette gravité d'un regard qui m'émeut, voilà mes viatiques à moi qui rêve dans les rues de Paris, chaussures noires et rondes aux pieds, coiffe suédoise sur le crâne.
  Je t'aime, mon Anne. Bon Noël. Je serai près de ton cœur à minuit, sous les voûtes de Vic.
  Tu es mon amour

Ton <u>F</u>

536.

En-tête Assemblée nationale, à Mademoiselle Anne Pingeot,
10 rue de l'Oratoire, Clermont-Ferrand, Puy-de-Dôme 63.

Latche, 25 décembre 1970

Mon Anne chérie,

À minuit j'ai pensé à toi, avec précision. Je t'ai imaginée dans l'église de Vic-le-Comte, recueillie, heureuse d'être parmi les tiens, proche de moi, attentive au rite intérieur. Ici le ciel était pur, le temps froid, sans excès, la nuit vaste. Je t'ai aimée, je t'aime, je sens que nous ne sommes pas séparés. Ce matin le froid gagne. Je ne suis pas allé jouer au golf avec Robert. J'avais envie de solitude et de chaleur. Les chasseurs guettent les vanneaux, les poules d'eau, les bécassines, les grives. La forêt pétarade. J'ai marché jusqu'à une palombière qui donne vue sur un immense paysage de brume et de vallonnements en direction des Pyrénées que le vent du nord dissimule. Je suis vêtu de ma veste de cuir, d'un gros pull-over, de la casquette californienne, des chaussures florentines, cadeau de mon Anne [19-22 décembre, Florence par le train de nuit]. Je lis et termine *Sélinonte*. J'ai dans l'oreille ta voix reçue au téléphone et dans la tête le souvenir multiple de notre dernier voyage. Et je suis sous le charme de mon amour. Des chiens aboient, et suivent un coup de feu. Des rouges-gorges distraits ne s'inquiètent pas pour autant et surveillent mes moindres gestes, prêts à voleter pour m'accompagner en forêt. Ce sont des amis délicieux. Ils gonflent leurs plumes, étalent leur emblème, couleur de sang vif ou de fruit mûr.

Les nouvelles concernant Martine ont dû bien t'émouvoir, ma chérie. Je pense à toi ~~avec~~ d'un cœur si tendre ! Tu es Anne.

Cette lettre ne te parviendra pas avant lundi : je la continuerai ce soir ou demain matin car il serait inutile de la mettre à la poste aujourd'hui. Je t'embrasse avec ferveur ô ma bien-aimée du premier jour.

Samedi

Journée paisible. Le soir je suis allé à Moliets voir les Destouesse et les Barbot et suis resté chez ces derniers longuement. J'y ai même regardé les informations télévisées, avec commentaires ! Michel Zeboce se plaint du massacre des arbres auquel Paulette l'a contraint mais je crois qu'elle a eu raison. Je les reverrai aujourd'hui. Hier j'ai calé pour le golf mais j'ai joué huit trous avec Robert cet après-midi. Je ne savais comment frapper la balle ! Bonne promenade tout de même entre une ondée de neige vite effacée et une gentille pluie. Partout les oiseaux arrivent, volant à peu de hauteur pour chercher une nourriture que la neige et le froid leur refusent à l'intérieur des terres. C'est un spectacle extraordinaire ! Une troupe d'environ cinquante grives est venue se poser à mes pieds. Les palombes passent par milliers, les canards sauvages dessinent des figures géométriques changeantes. Le temps est assez doux du côté de la mer. Sur les dunes une armée de chasseurs attend et tiraille, heureusement sans grand succès. Ce matin j'ai été heureux par la grâce d'une voix, la tienne mon Anne, qui avait les sonorités de la joie grave, celle qui te raconte le mieux à moi. Quand tu me racontes l'Oratoire des jours de fête, j'imagine et je me crée un monde où j'aimerais pénétrer. Ta lettre portée par le courrier de midi m'a rendu à Florence, à ta présence de chaque instant. Moi aussi, j'ai besoin d'allonger le bras et de saisir ta main.

Ô Anne, mon amour. Je t'embrasse avec désir. L'absence n'a pas encore mordu sur le bonheur vécu. Je t'embrasse et je t'aime et je me complais en toi et je suis ton

<u>François</u>

537.

En-tête Assemblée nationale, à Mademoiselle Anne Pingeot,
10 rue de l'Oratoire, Clermont-Ferrand, Puy-de-Dôme 63.

Latche, 28 décembre 1970, midi

Mon Anne,

Quand je t'ai obtenue ce matin au téléphone le soleil éclairait les sous-bois. Ses rayons frappaient les troncs d'arbres et donnaient aux fougères un bel éclat roux. Maintenant le ciel est gagné par le couvercle noir des temps de neige, et la neige tombe, large, douce, épaisse. Ciel noir, terre blanche.

Tout s'est refermé sur soi-même. Et moi je suis à cette image. Je t'ai appelée avec encore ta voix heureuse d'hier dans l'oreille, je t'ai quittée avec le sentiment de quelque chose d'assoupi, un écho lointain, toi derrière les murs de l'Oratoire, fenêtres sur un jardin clos, famille repliée comme aux heures de l'enfance, conversations étouffées. Comment franchir tant de frontières ? Mon projet vichyssois semblait d'un coup plus audacieux qu'une expédition au Tibet, ô Anne Dalaï-Lama !

J'ai donc le cœur triste. J'ai quelque peine à changer de climat, à quitter celui de Florence pour retrouver l'hiver des amours endormies.

J'ai lu ce matin une enquête du *Figaro* sur l'enseignement secondaire (trois articles d'une page) et du *Monde* sur l'Université (quatre articles). Je suis plongé dans des textes syndicaux pour mieux discerner en quoi la politique officielle s'égare. Je pense à deux séquences pour le film qui devraient déjà me donner quatre minutes (j'ai à ma disposition une bonne documentation qui devrait me mettre au point pour le débat mais qui ne m'avance pas pour le film). Hier j'ai fait une marche de trois heures avec Jean Munier, mon ami de Tahiti, de passage en France. L'air était incroyablement léger, les couleurs du ciel et de la forêt d'une finesse extrême, le sol souple, les parfums de résine plus pénétrants que certains mois d'août. Beaucoup d'oiseaux chassés de l'intérieur des terres. Une sensation de terre vierge. L'après-midi j'ai travaillé d'arrache-pied. D'autant plus que Michel Barbot, vu chez lui juste avant déjeuner, m'avait rapporté ta supplique « Dites-lui de travailler, il ne fait rien ! ». Paulette et Michel nous ont réinvités avec insistance à Nantes. J'irais avec plaisir dès que l'hiver cédera. Quelles belles balades en perspective. M'aimeras-tu en février ?

Ça y est, le temps mue encore. Une brume très dense bouchait l'horizon et voilà que le soleil, qui ne parvient pas à la traverser, l'illumine comme un drap d'argent. Le paysage se fait japonais.

Je prendrai l'avion de 17 heures à Biarritz avec Robert. Je travaillerai demain avec Jean-Pierre Gallo, mon réalisateur, et je déjeunerai avec Dayan et trois autres membres de la Délégation pour l'union des socialistes qui ont le soir même une séance, j'espère t'obtenir de Paris au téléphone et te retrouver rassurée au sujet d'Hervé [bloqué plusieurs jours sur l'autoroute du Sud par la neige].

Avant de m'endormir j'ai repris hier le livre de David Flusser sur Jésus. C'est vraiment passionnant. À propos d'évangile as-tu vu Régis Debray à la télévision ? Je n'ai pas aimé son faux bégaiement d'intellectuel et ses redites semblables à celles du jeune garçon du *Genou de Claire*. Robert me disait « Plutôt qu'une manie gauchiste, c'est un style jésuite ».

Mon Anne, mon Anne d'Auvergne et de glace, je vous aime. Et pardon si ces trois mots troublent la paix de l'Oratoire.

Tu es A. Voilà tout. Et moi, ton

<u>François</u>

538.

En-tête Assemblée nationale, à Mademoiselle Anne Pingeot,
10 rue de l'Oratoire, Clermont-Ferrand, Puy-de-Dôme 63.

29 décembre 1970

Ô femme de peu de foi !

Mais mon Anne je vous aime même si je pense avec nostalgie à la forêt de Randan.

J'ai beaucoup travaillé aujourd'hui.

Je suis amoureux de toi. Eh oui !

<u>F</u>

539.

En-tête Assemblée nationale, à Mademoiselle Anne Pingeot,
10 rue de l'Oratoire, Clermont-Ferrand, Puy-de-Dôme 63.

Latche, 31 décembre 1970

Mon amour,
Bonne année.
Je pense à toi
je t'aime.
Tu es ma grâce.
J'aime tant que tu m'aimes.
Un beau soleil éclaire la feuille
sur laquelle j'écris.
La lumière de mon Anne
éclaire mon cœur.
Je te vois

<u>François</u>

1971

540.

S.d. Feuille coupée Assemblée nationale, mot en rouge.

ODIEUSE.

541.

En-tête Assemblée nationale, à Mademoiselle Anne Pingeot,
36 rue Saint-Placide, Paris VIᵉ 75.

5 janvier 1971, 15 heures

Ma chérie,

Il fait si froid. Dehors et au-dedans de moi. N'est-ce pas ma première lettre de 1971 ? N'était-ce pas notre premier déjeuner, et, hier
soir, notre première union ? Et voilà que tout change d'éclairage, de
sens, de vie. Ce premier déjeuner je te l'ai pris de force alors que tu
désirais un autre lieu et d'autres personnages, cette première rencontre de nos corps, tu ne la souhaitais pas, je l'ai, elle aussi, forcée !
Tout change, espoir, joie, paix. Au moment où je t'écris je songe avec
détresse au bonheur que tant d'années m'avaient donné, à cette explosion constante d'amour (toi, moi, séparés, retrouvés), à cette puissance
de vie en nous qui resplendissait sur toute chose, sur tous nos actes,
Annefrançois transfigurés.

S'il n'y avait la promesse de Larressingle je ne t'appellerais pas à 6 heures. Non pour marquer je ne sais quel point dans un obscur combat ou pour répondre coup pour coup – oh non, mon Anne ! Mais je ne t'appellerai pas demain, ni plus tard jusqu'à ce que tu fasses le signe qui guérira, si jamais tu fais ce signe, ô Saint-Benoît désespéré. Comment imaginer que depuis ton retour je t'ai <u>contrainte</u> ! Mot atroce. Avons-nous à composer, à mesurer ? Quand tu m'aimes rien n'est jamais assez, rien n'est trop. L'excès est notre raison de vivre.

J'ai si froid et je suis si triste. Les jambes coupées, comme toi vers les Trois-Poteaux, mais sur ton chemin de retour. Te laisser cette semaine faire ce que tu préfères, c'est-à-dire ce qui n'est pas nous serait un abandon. Mais te forcer est pire car c'est changer de plan. Pour la première fois depuis janvier 1964 tu vas durablement essayer sans moi, essayer de respirer, de rire loin de moi, et non pas contre moi, tu seras Anne sans François.

Je pense au Sainlouis de joie et d'unité. J'en étais si proche tout à l'heure. Je pénétrais dans le cercle sacré où tous deux nous sommes rois. Et soudain ce cercle tu l'as brisé. Tu n'y pouvais rien, tu n'y peux rien. Je ne te reproche pas d'avoir envie d'échapper à ce qui est notre univers.

Mieux vaut un autre que moi, pour la promenade de dimanche, mieux vaut ou valait un autre que moi pour ton repas d'aujourd'hui, mieux vaut, demain soir… Mais non, ce n'est pas cela : tout vaut mieux que moi qui t'enferme. Avec moi tu étouffes et tu t'éloignes donc je le vois bien, même si je le vois trop tard pour t'épargner l'impôt d'hier soir et l'impôt du Sainlouis que je suis venu collecter sans comprendre…

Ô Anne, mon amour, ces termes ne sont pas les nôtres et je ne les reconnais pas. Je t'aime et je possède dans mon cœur la jeune fille des premiers vendredis, la jeune femme de Chênehutte et des matins de Gordes. Je t'aimerai toujours, vieille chanson pleine de jeunesse, vieille chanson des printemps toujours neufs. Seulement il y a le chagrin, la douleur dans laquelle soudain on chavire et cette douleur est là et je vais chavirer.

Que j'ai eu mal sur ces 500 mètres du parcours identifié à tant de souffles confondus, qui va de la rue Saint-Placide à la rue Guynemer ! que j'ai mal. Extraordinaire communion vécue sept ans, beauté du monde pénétrée ! J'ai froid dehors. J'ai froid dedans. Mon Anne, mon Anne.

J'ai pourtant tellement envie de rendre à notre vie sa densité, son perpétuel étonnement, son ravissement sans cesse renouvelé, son élan. Comme nous y sommes bien dans cette vie-là ! J'ai envie de parler, de raconter, d'échanger, de prendre, de donner. Pas de forces ! Nous étions parvenus à un point si haut d'accomplissement. Il faut certes toujours se garder soi-même et j'y parviens mal et je suis défaillant.

Et je ne t'apporte pas ce dont tu as besoin. Mais je t'aime et le plus souvent je crois t'aimer bien. Horrible sensation que de t'entendre dire ce que tu dis. Horrible sensation : peser trop lourd sur toi, être rejeté de toi. L'amour est plus léger que l'air. Dès qu'il pèse il n'est plus amour mais habitude.

18 h 05

Je viens de faire Littré 10.77. Étrange impression que de composer ce numéro, de se rendre compte soudain qu'il signifie un lien précaire. Et tu n'es pas là ! Inutile de décrire mes suppositions : elles sont mauvaises, injustes. C'est comme ça. Je t'aime de façon très intolérante et je comprends que tu t'en plaignes. Mais quelle contradiction ! Je décidais il y a trois heures que mieux valait ne pas t'appeler ce soir, et je t'appelle avec une heure d'avance (à tout hasard j'ai téléphoné à 5 heures !) ! et je proteste maintenant parce que tu ne réponds pas ! Je suis idiot. Ô Anne si tu pouvais me sourire, me re-aimer le temps d'un clair regard.

Ces douze jours nous ont séparés d'une belle période d'amour heureux. Avec Florence pour point d'orgue. Quel trimestre d'harmonie, d'équilibre ! Ai-je tort de goûter cet état ? Et de me sentir dépossédé et si déchiré de le perdre ? Avec toi je me sens si fort (bêtement. Les jours passent ~~qui~~ qui m'ôtent ~~sans doute~~ évidemment une part de ce que je suis).

Mon merveilleux amour. Un silence dans l'ombre du Sainlouis, quelques mots sur un trottoir, et plus loin en toi le vide d'aimer que j'entends comme si le vide résonnait, et me voilà tout seul.

Il n'y a pas d'explication, j'écris par envie de crier, de cogner sur le mur. Toi, Anne. Moi, François. Nous. Langage simple qui me crève le cœur.

Mon Anne je vous aime.

F

542.

5 janvier 1971. Carte de visite blanche accompagnant des fleurs.

543.

En-tête Assemblée nationale, à Anne.

5 janvier 1971

Anne, ne t'y méprends pas, je t'aime de toute mon âme ! Je ne me raconte pas un roman. Tu n'es pas un personnage-objet dans une histoire close quand le livre est fermé. Je t'aime avec ma chair, avec mon sang, eh oui ! avec ma vie et, bien que tu en doutes, avec mon esprit plein d'exigence, avec l'espérance secrète et dominante qui commande ma destinée et qui tend à m'accomplir <u>autrement</u> que tu n'imagines quand tu me vois tel que je suis dans le cadre établi d'une existence définie, certainement plus étroite qu'il ne me convient à moi-même, certainement trop étroite pour qu'elle me convienne durablement. Je t'aime à en crier de douleur et de joie. La seule grâce que j'attende de toi est que tu veuilles bien m'entendre même quand je parle à voix basse, que tu veuilles bien te pencher vers moi pour le temps qui commence et qui m'attire à lui jusqu'à l'éternité, celle de la vie, celle de la mort, je ne sais.

Tu es mon bouquet de fleurs claires. Bouche en forme d'iris, rire au chrysanthème d'or simple, gravité de la tulipe noire, ô mon front de lilas, ô mon corps de varech, mon amour à l'odeur de violette et de mer. Je te vois comme ce matin, profil triste et perdu sous le foulard qui me prive de ta nuque. Tes yeux sont tristes maintenant quand ils veulent me parler. Une immense douceur me possède, un désir infini de pénétrer en toi par le cœur, de ta main aussi, loyale et ferme, de tes bras pareils à ceux de Saint-Benoît, de ton langage au ton mystique des nuits sereines. Aie confiance, mon amour. Aie confiance en moi. Je t'aimerai au-delà du temps et n'ai pas besoin de le jurer. Paradoxe ! Je suis parfois comme un enfant que tu aurais fait. L'inceste encore ! Qui a l'avantage sur tous autres vices de durer, lien de chair plus subtil que les liens du cœur. Tu es, tu es mon amour, j'ai pour toi la vertu des commencements : à peine éprouvé-je la tristesse ou la lassitude de la fin du jour je frotte mes paupières et passe de l'eau fraîche sur mon front et voilà que l'aube naît, voilà qu'Anne resplendissante annonce que le soleil se lève. Tout commence, tout recommence, tout est neuf, ô ma fatiguée ! fatiguée du toujours-pareil, fatiguée de « la voie sans issue », fatiguée de cet homme qui encombre alors qu'apparaissent ces autres-là riches de nouvelles vies, et d'inconnus du lendemain, fatiguée d'avoir de la peine, fatiguée. Et tu prends soin de moi, et tu préfères te taire comme si je ne devinais pas. Sept ans d'amour et de grâce m'ont au moins appris à lire, à déchiffrer, à connaître mon Anne. Je serais bien indigne autrement ! C'est tout simple à écrire, ma chérie : tu es, tu as été, tu seras, donc tu es (le présent seul est perpétuel), tu es l'amour de ma vie.

Je ne veux pas écouter de trop près cette peine déchirante qui gémit en moi. J'évite d'y coller l'oreille. C'est toi ma bien-aimée que je veux écouter parce que c'est toi qui importes. Je t'aime plus et mieux, je le crois, plus et mieux que naguère et pourtant comme je t'aimais ! L'as-tu perçu ? Peut-être pas Auvergnate fabriquée pour le mariage dans le commerce, l'agriculture et l'industrie ! Injuste sort que cet amour de Cordes à Gordes, au lit de lupin et de menthe ! Injuste sort, ma fille tendre qu'éblouit un enfant et si je laisse là le ton du sourire aux yeux baissés que j'emploie depuis sept lignes c'est pour te dire que ma façon d'aimer trouve sa raison d'être dans un désir inexplicable de t'aimer par-dessus tout, fidélité profonde, pureté retrouvée de ma jeunesse remise à neuf au-dedans de moi-même parce que tu es venue à moi.

Non ! tu ne sais pas comme je t'aime, combien je t'aime ! Je me sens comme un soldat de première ligne quand le feu crache ma patrie, ma terre, ma femme, mon bien, Anne. Mais la mort (réelle ou symbolique) est mieux encore marque d'amour. Anne, Anne, Anne, Anne.

Déchiré, brûlé, dévoré. Je suis tout cela à la fois. Mais pas comme en juillet, triste juillet. Il n'y aura pas de rupture, horrible, horrible mot, qui me casse, qui me livre au désespoir. Il y a que tu m'as fait grâce et que nous sommes allés à Larressingle, que j'ai bu, brassé ton corps dans cette première nuit retrouvée (Cordes !), que nous nous sommes arrêtés pour contempler la beauté du versant, à La Loubière, que la joie fut ivresse, sommet d'extase et de partage, blanc, champagne, amour, et le grand lit de triomphe, à l'Oratoire illuminé pour nos fêtes secrètes.

Nous sommes passés près du désastre puisque tout n'était, dans ces jours de défaite qui ont précédé le repas de Mouchan, qu'éloignement, silence vide, et ce poids de plomb qui nous serrait aux tempes.

Ce n'est pas pour se laisser couler à nouveau, pierre au cou et mains enchaînées ! Je t'aime dans le rayonnement de tes prestiges intacts ô mon Anne du premier jour ! C'est ainsi que je t'aimais tout à l'heure rue d'Assas, rue Guynemer, rue Bonaparte. Quel remords en moi ! Comment ? tant de lumière, tant de dons reçus par l'amour, tant d'éblouissements et qu ils n'obtiendraient en partage que l'allure lassée d'un couple en demi-teinte ?

Je vous embrasse l'épaule et le genou, je baise le dos de votre main, je m'éloigne et te regarde et je dis « Mon Anne il nous faut réussir. De la manière que tu voudras. Mais réussir, sûrement. Être dignes de la beauté et de l'échange, de l'espoir et de l'amour, être dignes de nous. Humble merveille. Je suis à toi. Fais de moi ce que tu voudras. Jamais je ne délierai le vrai serment, celui qui me scelle à toi plus qu'un sacrement, la promesse de Saint-Benoît, ou si tu veux le chant du matin de Cordes : n'oublie jamais, jamais, jamais ».

J'ai vécu cet après-midi avec toi, soit à t'écrire, soit à rêver. Tu m'es incroyablement présente. Je ne sais d'où me vient cette disponibilité qui m'attache à toi et à toi seule parmi tous les êtres du monde, Tristan après le philtre.

Ce que je peux t'aimer sans te rendre heureuse ! Idiot ! Mais tu peux être sûre en tout cas que j'appartiens à ton domaine. Je suis à toi.

Je comprends ce que signifie donner, se donner (je comprends d'autant mieux que je le fais très mal et que je mesure l'abîme à franchir pour atteindre le seuil où mon amour sera justifié).

Mais je t'appelle au téléphone… Cette lettre doit finir… elle, oui mais le reste est en moi et vivra avec moi

François

544.

En-tête Assemblée nationale, à Mademoiselle Anne Pingeot,
36 rue Saint-Placide, Paris VIᵉ 75.

20 janvier 1971

Mon Anne bien-aimée,
J'ai besoin de toi, de ton climat, de ta présence, de tes objets, de ta voix, d'un certain ciel par-dessus nos têtes, d'un grand silence d'après-

midi, de la paix des nuits, des enchantements de toujours. J'ai besoin d'aimer, de rêver, d'espérer, d'admirer, de rire. J'ai besoin de te regarder. Je sens soudain un grand vide. Je suis très triste de repartir, très triste. Tu m'as reçu avec tant de tendresse que je ne pouvais m'arracher à cette halte. Départs déchirants alors que nous savons où se trouve notre joie, notre équilibre intérieur.

Nécessité des communions où se rejoignent nos êtres. Je souhaite un chemin clair de campagne sous un horizon plat qui se perd dans l'infini et nous, marchant en harmonie avec les choses et nous-mêmes. Ou bien le chemin de Saint-Benoît qui allait de notre chambre au porche de l'église.

Je t'envoie cette lettre juste avant de prendre le train. Je suis un peu las. Tu m'es si précieuse. Cette absence me fait mal. Vite dimanche oh A !

Mon amour je vous embrasse et vous espère tellement

François

545.

En-tête Assemblée nationale, à Anne.

3 février 1971

Mon Anne,

Au fond, il n'y a qu'une réponse aux cent questions que je me pose : l'amour. Aimer mieux, aimer davantage. Peu importe le reste s'il n'est visité par la seule lumière qui justifie de vivre. Il n'y a vraiment aucune autre réponse. À quoi sert de chercher à lire dans tes mots, tes inflexions, tes attitudes, au risque de m'y tromper et même si je ne m'y trompe pas, c'est à moi qu'il revient d'apporter ce qui manque, de combler les vides qui se creusent, de créer les raisons de croire quand il semble qu'elles manquent. Or, je t'aime. À peine raccroché le téléphone de ce matin j'avais mal partout. Comment ? j'avais dormi dans une demi-somnolence tout occupée par la passion de toi, par le regret de ne pas avoir tendu la main, rétabli l'harmonie, gâché un peu de ce qui devait être un beau soir, une joie merveilleuse m'habitait comme si tu revenais de Sirolo après le malentendu des lettres (septembre 1964 !), et voilà que je tombe sur ma cheftaine (je connais tellement bien ta voix, moi aussi, que je discerne un paysage intérieur sous le déclic d'un instantané !) pour qui tendresse est faiblesse, ma cheftaine vichyssoise toute fière de son « arbeit macht frei » et de ses résonances « travail, famille… », mon Anne depuis plus d'un mois à la conquête d'une indépendance-fondée-sur-le-mérite… Suis-je bête ! Cette cheftaine-là m'aime peut-être encore… à sa manière. Laissons-la donc aimer comme elle veut… et si elle ne m'aime plus ce n'est pas en grognant : « Encore une porte fermée » qu'elle m'aimera de nouveau, qu'elle refera avec moi la route enchantée qui nous ramena de Corrèze vers la gloire de l'Oratoire, par un beau jour d'été. Oui j'ai mal au cœur, au ventre, aux jambes, et les tempes oppressées. Je t'aime si fort, de façon si nécessaire (pour moi), mais je m'en veux d'être un endolori plutôt qu'un combattant. Combattre pour t'aimer mieux te fera m'aimer mieux. Eh oui ! C'est aussi simple que cela. Aussi simple !!

J'ai pour toi la tendresse totale que veut sans doute notre bizarre condition : l'inceste absolu. Ma fille, mon amante, ma femme, ma sœur, mon Anne, mon toujours et mon à-jamais, ma source du fond des âges, ma claire jeune fille au péplum rouge, ma joie, ô carquois si complet qu'après tout si je n'étais aimé et percé de toutes les flèches à la fois il me resterait encore assez de force pour lécher les blessures et désirer recevoir de toi le baiser de ton goût, le signe impalpable, le sceau qui marque l'indissoluble (et que nul ne voit alors qu'il donne au monde sa vérité l'amour de l'âme) il me resterait assez de force pour t'aimer en silence.

Les heures passent depuis mon appel de ce matin mais si lentement. J'ai hâte de te revoir. Tout est dans le cœur des choses et des êtres et ce cœur même ne vit qu'ouvert à la lumière de l'éveil ou bien il meurt à la beauté, à l'amour, à l'espoir. J'ai recours souvent à ce que tu me dis de l'explication hindoue – le sommeil nous clôt les paupières et cimente l'esprit, pierre au cou nous sombrons jusqu'au creux de la terre. L'éveil a couleur de ciel bleu et de soleil d'or (l'éveil de vie, l'éveil de mort, lui, va vers le pourpre et je ne sais quel noir somptueux – s'il est vrai que l'on meurt pour connaître : alors la lumière est semblable à celle que décrit Giono parlant de la Camargue vue de son Haut Pays).

Bref je t'aime et je veux être en éveil, toujours, pour que cet amour te soit force et soutien, et pourquoi pas, joie de ton être pour le destin que Dieu te fait. Je vous embrasse chère Anne et irai goûter à votre cuisine en savourant déjà la paix de votre présence

<u>François</u>

546.

En-tête Assemblée nationale, à Mademoiselle Anne Pingeot,
36 rue Saint-Placide, Paris VIe 75 *(sans timbre).*

4 février 1971

Mon amour,

Il y a combien d'années ? nous étions au parc de Saint-Cloud, au bas des fontaines et je te racontais l'accident du 4 février…

Ce jour-là une histoire pouvait finir à peine commencée, une histoire, la nôtre. J'y pense avec force aujourd'hui, la tête et le cœur et le corps pleins d'amour et de fidélité. Tu es mon Anne bien-aimée.

Tout à l'heure un peu de brume peut-être a légèrement étouffé la lumière qui m'illuminait depuis l'éclair, l'orage, le bonheur d'hier. Saint-Sulpice, livres, joie intime, profonde, avec cependant ton visage si sérieux, ayant peine à refléter les élans intérieurs. Mon Anne je pars pour Caen. Mot jeté pour toi, mot d'amour. Lis-le ainsi.

Tu es ma merveilleuse fille et je t'appartiens

<u>F</u>

Au revers :

5 février 1971, 11 heures

J'arrive, mon Anne bien-aimée, de la gare Saint-Lazare. Un besoin irrépressible de te voir, de t'entendre. J'aime ce Paris gris et tendre qui sent l'approche du printemps. Je le redoute aussi. Toi, au centre du cercle qui s'appelle ma vie, toi venue avec la mer et son flux, toi mon soleil levant. Je t'aime et te le dis avec la maladresse de qui aime. Et l'angoisse inséparable du bonheur. Quel bonheur, oui, puisque tu existes ! Je rêve à toi, à ton corps de l'autre soir, à cette étreinte, à ce sourire sur tes lèvres qui répond au voyageur de l'autre rivage. Je rêve à ton visage penché lorsque la joie l'habite (hors quelques instants si fugitifs je ne l'ai pas vue ni lue, cette joie, dans ton regard depuis trop longtemps. Si, dimanche, pendant la promenade de Rambouillet). Quoi qu'il advienne mon Anne du fond des âges, ma lumière d'avant tout, ma force et ma tendresse, j'ai appris par toi une vérité, une pureté dont je ne pourrai plus me déprendre. Mais comme je voudrais t'aimer toujours, comme je voudrais en être digne ! Je n'aurai pas assez de temps pour te rendre le bonheur et la foi dans la vie que je te dois. Et puis c'est comme ça : je suis terriblement amoureux de toi

<u>F.</u>

547.

En-tête Assemblée nationale, à Anne.

6 février 1971

Mon amour,

Quelle journée ! quelle journée triste, déchirante et belle et merveilleuse aussi !

Tu es ma bien-aimée, mon Anne. Inscrivons ce 6 février avec son snack-bar, ses arcades de Rivoli, son jardin des Tuileries, et plus tard, son tendre dîner au fromage, son intense retour du soir, inscrivons notre langage d'âme à âme. J'inscris en plus cette lumière que j'ai reçue de toi, cette communication intense, cette approche de l'indicible. Ô Dieu, comme il faudrait que tu existes !

Anne je t'aime. Je voulais tracer ces mots avant de m'endormir. Je te respire.

7 février

Porter la douleur en soi qui gêne, tiraille, ralentit chaque mouvement, qui fait grincer toutes les portes intérieures. Ô Anne.

8 février

Je t'ai attendue toute la matinée. J'avais le cœur serré ~~et~~ mais il a suffi que tu viennes pour qu'une sorte de ciel s'ouvre pour nous deux où le triste et le grave avaient le même son assourdi que la joie. Petit bar soudainement entré dans notre vie à l'heure où elle se joue ! Les Aigles ! je l'aime bien tout de même. À cause de ton visage d'aujourd'hui surtout. Je te sentais en possession d'une force (fragile sans doute) intérieure que ton visage m'expliquait. Ce visage-là me ferait choisir Dieu et ses anges. Comme je préférerais en certaines heures qu'il me damne ! Tu es mon merveilleux amour. L'exaltation du sacrifice pour l'être aimé qu'est-ce que c'est ? Auprès des lentes éternités de la séparation ? Pardonne ma faiblesse, mon angoisse. Je suis comme après une grande fièvre traitée aux sulfamides.

Tu vaux tant que je t'aime tant. Que quelque chose ou quelqu'un soit entré dans le cercle où nous campions depuis sept ans me déchire la gorge. Il y a ce qui était nous. Ô, mon amour.

Je pense à toi tout le temps. Tu n'as pas eu tort de me parler. Il faut toujours que nous parlions afin de vaincre les noirs sortilèges. La fièvre m'a pris, insidieuse. Cela tremble en moi. J'aime ton regard du petit snack. J'aime… j'aime… mots simples miraculeux encore.

19 heures

Je n'ai pu m'occuper. Qu'à de petits gestes matériels, comme le maniement de mes livres et leur mise en fiches. J'ai appelé Guimard, Dayan. Je suis allé chez Caplain-Dol, le libraire pauvre de la rue Saint-Sulpice. Je n'arrive pas à déplier mes jambes pour le souple goût de vivre. Je te revois comme tu étais à midi t'apprêtant à traverser les clous, vers moi, un beau sourire, mais ce qui tremblait au-dedans ! Mon Anne j'aime tout de toi mais je suis blessé comme quand on sent ~~que~~ la douleur sous la douceur des coups. L'essentiel est pourtant de t'aider, toi, et c'est encore cela qui me passionne. Ah ! si tu pouvais m'enrôler toute ta vie pour un combat où je donnerais tout, je serais capable d'atteindre, j'en suis sûr, le bonheur du renoncement, donne-moi l'envie de te plaire en créant.

Je suis très préoccupé du temps immédiat. Comment faire pour ne pas avoir constamment un voile entre nous ? Comment faire pour demeurer vrais et confiants ? Là aussi nous devrons nous entraider avec l'attention des soirs de Saint-Benoît, quand le bonheur nous distribuait ses délicates merveilles.

Je suis souvent visité par l'idée du refus. Tout me heurte comme une agonie commencée dans un corps plein de vie. Mais je ne veux pas me battre contre toi, je veux me battre pour toi : tu ne peux imaginer ton importance, ni mon amour.

Ce soir les deux Michel nous attendent à Bougival. Je n'en aurai pas le goût : je goûte avec ferveur chaque instant de toi et de moi. Ô mon Anne je t'embrasse éperdument

<u>François</u>

548.

En-tête Assemblée nationale (sans enveloppe).

9 février 1971

Mon amour,

Le soleil m'a soudain donné l'impression d'une victoire sur un trop long hiver, et j'ai regardé le ciel clair comme si le matin se levait sur un jour de bonheur. Il y a une cruauté de l'espoir. Cet admirable jour me raconte trop d'histoires qui chantent dans ma tête. L'envie d'aller au carrefour de nos fêtes, ici ou là, dans le Paris de nos amours, à Saint-Sulpice ou au Père Auto, au Luxembourg ou au jardin de Saint-Cloud, me prend, avec sous le bras le bras de ma Nannon, qui pèse doucement et parfois son visage collé à mon épaule. Rêve, rêve ! Et puis je te vois mon amour, mon amour d'hier soir, dans le silence retenu, mes mains heureuses de toi, douceur de tes cheveux, mon amour endormi. Ainsi vont et viennent les pensées, suspendues au rythme du temps où je ne démêle plus le présent.

Je t'aime, mon Anne. Ma journée a été chargée. Je te la raconterai ce soir. Mais tu étais là, ma compagne. Songe que depuis plus de sept ans on pourrait compter sur les doigts les jours où il n'y eut pas de signe entre nous ! Pensée constamment, passionnément attachée à une autre pensée, images entrecroisées, émotions confondues, attentes, cris. Difficile d'imaginer la fin d'un privilège lié à la naissance, la nouvelle naissance, sceau de la vie enfin vivante. Je pense à toi tout le temps, voilà tout.

Nous sommes imbriqués bien au-delà des gestes de l'amour. Il me semble que si tu fronces les sourcils loin de moi je le sais.

Et je sens ce qui t'émeut.

Mais que les heures sont longues aujourd'hui. À 12 h 30 je suis passé par le Carrousel, le cœur battant. À 5 heures je t'ai appelée en vain il est 18 h 45 et tu n'es pas encore arrivée au 36. Que je m'ennuie de toi ! Voilà encore une lettre amoureuse... faut-il demander ton pardon ?

Vous êtes mon Anne et moi votre

François

549.

Papier bleu de Latche, à Mademoiselle Anne Pingeot,
36 rue Saint-Placide, Paris VIe 75.

Latche, le 22 février 1971

I love you, Anne chérie. Et j'aime vous le dire. Vous n'aurez pas de belle lettre puisqu'elles vous déplaisent. Vous aurez celle-là, bleu ciel, avec le soleil déjà rasant d'un milieu d'après-midi. Votre voix est venue ici, tout à l'heure. Elle était semblable à la voix d'amour de la nuit d'amour. Ô continuité ! Peut-on être à ce point fidèle et inconstante ? That is the question of Pingeot's Annanon ?

Je vous embrasse. Entre deux marches dans les chemins de la forêt et deux lectures du bouquin de Cassou.

Vous êtes mon amour d'Anne. Assez pour aujourd'hui ! Et moi je suis votre

François

550.

2 mars 1971. Carte blanche de fleuriste, à Mademoiselle Pingeot,
36 rue Saint-Placide. Roses rouges.

551.

Carte postale, Baden-Baden, Heinrich Hetzbold von Weissensee.

20 mars 1971

Nous nous réveillons au 36 après une douce nuit.

Mais quelle Anne au petit matin ! Brr !!

J'étais comme le pauvre sanglier mordu, piqué, tranché, morfondu de l'image.

Un demi-soleil sur la route, avec de la lumière bleue et du ciel noir a alterné nos heures. Un déjeuner à La Courte Paille et l'odeur du Morvan ça fait du bien ! Oh A !

552.

Carte postale, Château-Chinon, hôtel Au Vieux Morvan.

20 mars

Nous débarquons à Château-Chinon. Je réunis mon conseil municipal qui m'élit maire. Long bavardage après dîner au Vieux Morvan avec toi, les Chevrier, Saury. Nous dormons ensemble numéro 15. Douce nuit. Le matin je m'occupe de la ville. Nous partons assez tard pour arriver vers 7 heures à Paris. Je vais aux divers postes de radio et télé commenter les résultats. Tu es lasse et tu restes au 36. La route était belle et nous a réunis. Mais nous avons quelque peine à tenir en équilibre.

553.

Carte postale, Château-Chinon (Nièvre).

21 mars

Le Château-Chinon de ta balade d'hier soir et dont le maire t'attend toujours avec bonheur.
Ô citoyenne bien-aimée !

554.

Carte postale, Baden-Baden, margrave Otto de Brandebourg.

22 mars

Soirée heureuse. Dîner aux Innocents avec Bibiche et toi. L'éclat de tes yeux.
Rencontre comique : la petite Américaine et son flirt à la table d'à côté.

Nous étions liés et repartis pour le rêve à la fois léger et profond. Ceci aussitôt après mon jeu de dames avec Peyrefitte à Radio-
Europe.

Nième débat sur les élections municipales !

Il est temps de passer à la suite.

Mais, comme j'aimais ta main confiante.

555.

23 mars 1971. Carte blanche de fleuriste, à Mademoiselle Pingeot,
36 rue Saint-Placide. Tulipes et iris.

556.

Carte postale, jardin du Luxembourg, la fontaine de Carpeaux.

Mardi 23 mars

Journée politique. À 11 heures je reçois l'aile gauche du Parti socialiste, et pour déjeuner, l'aile droite ! Nous jouons à cache-cache et
réussissons mal à nous retrouver. Le soir, téléphone que j'aime.

Tu restes travailler (enfin !) au 36 et je te sens heureuse (malgré
tout) d'une soirée pour toi toute seule.

557.

Carte postale, la place de la Concorde et la Seine,
les hôtels de Gabriel, la rue Royale et la Madeleine.

Mercredi 24 mars

Encore une journée un peu difficile. Nous nous voyons vraiment
très peu, trop peu. Je le sens et j'éprouve un grand besoin de plongée
avec toi dans notre univers.

Déjeuner chez Magnus avec Jean Marin, Hernu, Badinter, Friedmann etc. Le soir, bureau politique puis « Cercle Montaigne », étrange réunion au premier étage d'un café sorti de la fin du XIXᵉ siècle. Survivance sans intérêt d'un type d'assemblée solennelle et dérisoire. Cela nous a tout de même fait manquer notre soirée.

558.

Carte postale, Vache, *Alexander Calder.*

25 mars 1971

Acheté cette carte près de l'Odéon. Journée commencée sur une idée de bonheur.

Mais je te manque au téléphone le matin. L'affaire du *Journal du Centre* me bloque à l'heure du déjeuner chez toi. J'arrive en retard. La tristesse, la colère et tout est raté. Retour à 18 h 30 devant l'Odéon, puis passage au 36, mais la journée s'achève sur l'idée de malheur. Voilà ! La faute à qui ? à nous deux, dis-tu, qui sommes arrêtés sur le fil et que n'entraîne rien. Moi je t'aime, mal peut-être. Toi aussi, qui ne peux dépasser les mouvements premiers. Tu sors ce soir. Je vais à la gare de Lyon avec les Guimard. Je lis *Burgaud des Marets*, harcelé par les appels contradictoires de Nevers.

Il est 23 h 30. Dormir.

559.

Carte postale, carrefour et église Saint-Germain-des-Prés.

Vendredi 26 mars

Nous nous sommes vus à midi sous la pluie, à l'abri d'un porche de la rue Guynemer. Mais déjà tout allait mieux. À 14 h 15 je t'ai appelée au musée. J'étais triste encore que tu ne balaies pas tes obligations du soir afin de me retrouver. Ce n'est qu'à 22 heures, au sortir d'une conférence rue de Varenne, que tu m'es revenue. ~~Mais~~ Nous sommes allés à Saint-Germain boire un chocolat et un grog. Quel besoin de se défaire de l'inutile, et du reste, pour revenir sur les chemins de Saint-Benoît.

Bonsoir, amour, bonsoir mon Anne.

Rue de Vaugirard sur ton vélo rentrant chez toi ton petit signe de la main a guéri bien des blessures.

560.

Carte postale, Auxerre, la cathédrale Saint-Étienne.

Samedi 27 mars

Le soleil revient de loin et je te revois avec un merveilleux goût de printemps. Nous allons visiter l'exposition Foltis, galerie Raspail, et j'achète trois tableaux de ce bon peintre nivernais. L'après-midi, groupe permanent de la Convention, et le soir, après un rapide dîner avec sept ou huit de mes amis Chez Fernand rue Guisarde je te retrouve devant le 36 et t'emmène à Auxerre... où nous rencontrons à nouveau le bonheur d'être ensemble.

561.

Carte postale, Pontigny, intérieur de l'abbaye.

Dimanche 28 mars

Je t'ai quittée vers 10 heures. Tu étais au lit. Je t'aimais, avec ton visage reposé et tes lèvres ourlées. Château-Chinon, où j'ai déjeuné. Puis retour vers toi.

Pontigny, pierres de lumière, ample démarche. Seignelay, Appoigny, Saint-Julien-du Sault où nous grimpons jusqu'à la chapelle qui domine « la vallée heureuse ».

Le soir au 36, cri et paix.

562.

Carte postale, La Sainte-Chapelle et le Palais de Justice.

Lundi 29 mars

Je t'ai quittée le cœur, le corps pleins et riches de toi. J'ai dormi et je t'ai retrouvée à midi avec une joie profonde. Mais j'étais fatigué, très. Nous nous sommes promenés au Luxembourg. Tu n'étais que douceur et tendresse. L'après-midi tu devais aller à la Sainte-Chapelle avec Bibiche et compagnie. Je t'ai revue le soir avant ton dîner avec Diesel où je ne t'ai pas rejointe tant j'avais besoin de sommeil, j'ai déjeuné avec l'aile extrême gauche du Parti socialiste, le CERES. Puis débattu du livre à écrire sur l'Éducation nationale.

Je ne suis pas très en forme.

Mais tu m'es si précieuse

563.

Carte postale, l'esplanade des Invalides vue depuis le pont Alexandre-III.

Mardi 30 mars

Encore une journée à petit feu. Je n'ai pas récupéré. Mais mon Anne est là, présente, fervente. Petite balade Luxembourg. Tout l'après-midi se passe en réunions bavardes sur l'unification socialiste.

Tendre visite au 36. Je te quitte tôt pour dormir.

564.

Carte postale, vieux chameau.

Mercredi 31 mars

Je te retrouve à 12 h 30, rue de Fleurus. Le vent a légèrement tourné ô profil serré ! Pourquoi ? Je traîne un peu ma journée. Le bureau politique m'occupe, me distrait. Je te retrouve à 20 h 30. Nous allons voir *Bof* au Bilboquet. Bon film, aigu et nonchalant. Nous revenons à pied par la rue de Rennes après un malheureux arrêt à la vitrine des Deux Magots. Justification de l'image d'aujourd'hui !

Ô Anne tu me rends en humeurs les joies que je ne te donne pas. Il me faut rentrer en moi-même et mieux dominer ma vie intérieure. C'est facile puisque je t'aime. Encore dois-je le faire !

565.

Carte postale, Paris, place Furstenberg.

Jeudi 1ᵉʳ avril

Je t'ai bien peu vue. À 12 h 30 je t'ai conduite au pas de chasseur à l'expo Michaux, rue Cardinale. Mais les portes étaient fermées. L'après-midi je me suis essoufflé sur une interview à *L'Express*. Thème : « le malaise ». Cela m'a mis en retard pour te dire bonsoir au 36. Tu dînais chez Régine. Que je t'aimais dans ton ensemble noir ponctué d'or. Encore difficile mais un quart d'heure à écrire la fin de l'interview, assis à ta table de travail, sous ta lampe m'a rendu une certaine image du bonheur, du bonheur à notre portée. Il suffit au fond, de savoir aimer.

566.

Carte postale, le Palais-Bourbon illuminé.

Vendredi 2 avril

Tu es mon A. Voilà, je suis amoureux. Transi, donc irritant. Notre petit déjeuner au 36 était grave et bon. Pourquoi ce froncement soudain. Bof ! Je suis amoureux de toi.

Rentrée parlementaire. Fauteuils épais, moelleux. Finie l'austère banquette qui excitait l'éloquence. Je suis rentré à pied. Soleil caché, lourd. Tête lasse. Cœur de passion. Tu pars ce soir pour Dijon. Moi pour Bayonne.

Ô lentes heures, manque, recherche aveugle pour toucher un mur.
Je t'aime.

567.

Carte postale, paysage automnal.

Samedi 3 avril

Couchette tranquille : je suis seul dans mon compartiment. Michel
Destouesse m'attend à la gare de Dax. Matinée à Latche. Déjeuner à
Moliets. Après-midi à Hossegor où Gilbert arrive avec un camarade
en fin de journée. Ciel noir, parfum vert du printemps. Je t'écris une
lettre. Tu occupes terriblement ma pensée. J'étais triste hier de ne pas
te dire au revoir. C'est peu de chose, peut-être. Mais j'ai l'impression
que tu m'es arrachée. Tu es à Dijon. J'évoque pour moi nos nuits,
nos joies. Tu es, profondément, mon Anne.

568.

Papier bleu de Latche, *à* Mademoiselle Anne Pingeot,
36 rue Saint-Placide, Paris VIe 75.

Le samedi 3 avril 1971, 11 heures

Mon Anne chérie,
Je suis arrivé à Dax à 9 heures. Michel Destouesse m'y attendait.
La pluie aussi, drue, chaude, odorante, qui venait d'un ciel noir. Nous
sommes allés à Azur chercher la Méhari entreposée dans une scierie,
propriété de Michel. Michel est parti pour Bayonne. J'ai pris un petit
déjeuner ~~dans~~ à l'auberge du coin avec *Sud-Ouest* en prime. Tuf-tuf,
la Méhari m'a conduit à Latche. J'ai ouvert mon « parc », respiré
l'odeur fermée. Des camélias sont fleuris. Le reste a été retenu dans
la gangue de l'hiver, plus froid que d'habitude. Je me suis lavé, rasé,
passé sur le visage notre lavande des pins. Un tour au « parc-garage »
en construction : les ouvriers prévenus de mon arrivée étaient là…
pour la première fois depuis mon précédent séjour ! La nuit, j'étais

seul dans mon compartiment-couchette. À Bordeaux un monsieur poli est entré, a lu *Le Figaro*. J'ai continué de somnoler jusqu'à Morcenx. À tout moment cette pensée remontait en surface : « Où est mon Anne, que fait mon Anne », ce matin, elle revient, alterne le chaud et le froid, la douceur et l'inquiétude. Où est mon Anne ? ~~Elle~~ Anne rit, regarde les objets d'un musée, songe peut-être à moi. A-t-elle reconnu nos pas dans ce Dijon que nous avons ensemble parcouru ? Je l'aime passionnément. Je contemple le chemin de croix de Nabinaud, la sanguine, je retrouve la sensation d'une grande douleur, la force d'un grand amour. Je me dis « voici venue l'heure du soir ». Le ciel continue d'inonder la terre, de l'envelopper de ses brumes couleur d'espace sidéral. Voici venue l'heure du soir. Ma radieuse fille aimée me donne joie et souffrance mêlées, comme de juste ! Mais elle est source de lumière, sa lumière éclaire ma vie. Aller vers toi, m'y préparer par les chemins de vérité que l'on connaît depuis l'enfance sans oser trop s'y aventurer. Vie intérieure à reconquérir pour lui rendre sa densité – et faire de chaque geste un acte d'amour.

16 heures

Je suis à Hossegor. Coup d'œil sur Lohia : Gédé n'est pas encore arrivée. Le lac laisse traîner des sables où picorent les mouettes. Je vais acheter mes journaux puis rentrer à Latche où j'habite tandis que Gilbert et l'un de ses amis, qui doivent toucher au port avant la nuit, coucheront à la villa. Je veille à leur installation et viens de faire remettre le chauffage en état. Tu vois que je me méfie des belles lettres : tu n'as droit qu'à une narration descriptive (ou presque) !

Ce soir je lirai et préparerai une intervention à l'Assemblée sur le Code nouveau du service national dont on débat à partir de mardi.

Court toujours ma pensée vers toi, fugitive, voix embrouillée du quai de gare, vers toi que j'aime oh A !

Tu auras cette lettre lundi matin. Elle me précédera de peu. J'espère pouvoir te dire bonjour à 12 h 30 et te voir longuement le soir.

Je t'embrasse et je t'aime

François

569.

Carte postale, Hossegor, le canal.

Dimanche 4 avril

Les Rameaux. Je me lève tard à Latche où je suis seul. J'ai le spleen de toi. Mais le soleil est là qui donne à la forêt et au ciel la fraîcheur des saisons où l'on naît à soi-même. Je vais déjeuner à Hossegor avec Gilbert et son ami. Neuf trous de golf : 45. Honnête. Juste avant déjeuner je suis allé surprendre à Lohia Gédé, ta grand-mère, Agnès, Gérard et Dominique. Rendez-vous pris pour 16 heures. Je passe là un bon moment, sur la terrasse agrandie. Le lac est un peu nostalgique. Nous sommes contents de nous retrouver. Ta grand-mère m'invite à Louvet, Agnès part pour Ávila, Gédé me montre les mimosas en fleur.

Je rentre à Latche. Je me promène et respire. Je pense à toi intensément j'espère t'avoir au téléphone avant de m'endormir.

570.

Carte postale, avion Nord 262.

Lundi 5 avril 1971

Je quitte Latche avec Gilbert qui me conduit à l'aéroport de Bordeaux. Nous déjeunons à Podensac, chez les parents d'Anne-Marie Dumas. Belle maison blanche dans un parc. Pays d'eau et de vignes.

L'avion part à 15 heures environ. Quelques cumulonimbus secouent la « caravelle ». Orly, nouvelle aérogare de ~~Paris~~ France-Inter. J'ai l'impression un moment de rêver comme si je m'étais trompé. Où suis-je ? à Amsterdam ? à Bruxelles. Nous nous retrouvons le soir.

J'en suis très heureux. J'ai besoin de te retrouver. Heure douce au 36.

571.

Carte postale, Paris, la flèche de Notre-Dame.

Mardi 6 avril 1971

La Seine, sous toutes ses coutures ! Nous nous apercevons en fin de matinée. Le soir tu sortais avec Diesel. J'ai studieusement participé au débat de l'Assemblée sur le service national et suis intervenu dans la discussion générale. Ton humeur continue d'être grise. Nous pensons aux vacances comme au retour nécessaire sur nous-mêmes. Bonheur d'aller sur un chemin parmi les premiers amandiers en fleur !

572.

Carte postale, Notre-Dame et les sept ponts.

Mercredi 7 avril 1971

Journée un peu morne sans toi. Je siège sans arrêt à l'Assemblée pour le débat sur la codification du service national. Longues conversations avec Fillioud, puis Jaquet sur le futur congrès socialiste.

Le soir par contre nous sortons et après avoir manqué le spectacle de La Vieille Grille nous nous glissons à grand-peine dans la salle du Café de la gare, où, en compagnie de Pierre et Laurence Soudet, nous assistons au spectacle de Romain Bouteille. J'en sors déçu, toi pas. Nous nous sentons bien dans la nuit de Montparnasse et aimons la vue insolite de ce quartier à deux faces. Pierre nous ramène. Place Saint-Placide tu files sous la pluie.

Anne irréductible !

573.

Carte postale, jeu d'eau d'une fontaine de la place de la Concorde.

Jeudi 8 avril 1971

On ne se voit pas beaucoup aujourd'hui. Je fais des courses, toi aussi. L'après-midi, je vais à Saint-Cloud jouer au golf. Nous dînons ensemble chez toi. Dans la grâce retrouvée. Il pleut. Tu es fatiguée. Nous attendons ce séjour à Gordes avec impatience. À noter : prendre garde à préserver des soirées de lecture et de travail en commun nous y tissons des liens imperceptibles mais peut-être les plus solides.

574.

Carte postale, Gordes.

Vendredi 9 avril 1971

Nous aimons le Mistral depuis le fameux voyage triste, heureux, passionné de ce dernier juillet. Le matin se traîne vite, partons !

Je passe te prendre avec Marie-Thérèse Eyquem et nous arrivons gare de Lyon avec une avance royale. Le train s'ébranle. Ô joie !

Et voilà. Je lis *Avant une guerre* de Roger Grenier, toi *Le Voisinage des cavernes* de Cassou. Quand nos yeux se lèvent sur le paysage c'est pour trouver que tout est beau. Lyon, Valence, Avignon. Laurence nous attend. Gordes. Dîner. Notre chambre. Paix.

575.

Carte postale, L'Isle-sur-la-Sorgue.

Samedi 10 avril 1971

On se lève tard. La lumière est brumeuse, blanche. Visite de Cavaillon l'après-midi nous allons à L'Isle-sur-la-Sorgue, à la foire de la brocante où nous découvrons Rosine et Jolaine. Nous y passons un bon moment. Nos deux amies viennent dîner avec nous à Gordes. La conversation traîne après minuit et je dors debout. Que c'est bon de dormir dans tes bras.

576.

Carte postale, Roussillon,
l'entrée des galeries des anciennes carrières d'ocre.

Dimanche 11 avril, Pâques

Nous nous réveillons après la nuit heureuse qui nous a réunis. Tu vas à la messe. Je lis *La Polka des canons* d'Armand Lanoux. La lumière dehors, est voilée.

Nous déjeunons à Roussillon. Rencontre pittoresque avec Savary. À la Rose d'or, toi, les Soudet, la sœur de Laurence. L'après-midi promenade aux gorges du Régalon, puis par « le Trou du Rat » sur les hauteurs du Luberon jusqu'à ce que le soleil disparaisse dans une brume de lumière. Nous dînons à Gordes, un peu étourdis par le grand air, les senteurs violentes, la joie de vivre.

Pâques ensemble mon Anne.

577.

Carte postale, Provence.

Lundi 12 avril 1971

J'aime cet accord entre nous. Ce matin Martine, Hervé et Bertrand arrivent de Gardanne. Tu vas te promener avec eux. Je lis mon bouquin de Lanoux sur la Commune qui m'accroche beaucoup. Nous allons tous les cinq chez le potier puis au-dessus de Saint-Saturnin. Une demi-heure de retard pour le déjeuner-paella nous vaut la mauvaise humeur de Pierre. Repas (moralement !) assez froid. Dans la seconde partie de l'après-midi, après une visite faite avec Laurence chez Simone Penaud, nous partons rejoindre Pierre et toute une smala au Contadour. Arrêt à Saint-Christol, achat de miel, d'hydromel, de gelée royale. Visite de l'église avec ses colonnes sculptées (vues à la lueur de la lampe électrique d'Hervé). Arrêt aussi à Notre-Dame de la forêt d'Albion. Enfin, le Contadour. Nous faisons tous les deux une belle promenade dans le champ vert qui domine l'église. La nuit tombe. Nous distinguons la montagne de Lure sous la neige.

Et nos cœurs communient.

578.

Carte postale, Avignon, le pont Saint-Bénézet vu de nuit.

Mardi 13 avril 1971

Quelle journée ! J'en ai le cœur tout à la fois endolori et heureux. Au réveil tu étais mon Anne aimée contre moi et tu m'as appartenu. Tu avais ouvert les volets. Le beau matin clair entrait par les fenêtres. Un je-ne-sais-quoi pourtant assombrissait ton visage. Nous sommes allés voir la borie. Tu étais incertaine. J'ai lu dans la terrasse du haut tandis que tu prenais le soleil, étendue sur le mur en bordure du chemin. Déjeuner. Cette moitié d'après-midi avant le départ était bien un peu lugubre !

Laurence m'a accompagné chez Manuel. Au retour je t'ai cherchée. Tu te promenais seule dans la jolie ruelle qui passe devant chez les Vincent que tu étais triste ! Enfin, tu sais le reste…

À Nîmes je ne pensais qu'à te revoir après ce regard douloureux du quai de la gare d'Avignon.

Oh comme je t'aimais mon amour. J'ai pris l'avion et à minuit nous étions de nouveau réunis.

Je t'aime de toute mon âme.

579.

En-tête Assemblée nationale, à Anne Pingeot.

Mardi, 23 h 45

Je suis à Paris.
J'avais du chagrin de
te quitter et du chagrin
de ton chagrin
Je suis au feu rouge-vert
de la rue du Cherche-Midi
Ne t'inquiète pas
J'ai un avion pour
demain matin
Je t'aime.

F.

Je te mets ce mot à 23 h 45.

580.

Carte postale, Hossegor, le soir au bord du lac.

Mercredi 14 avril 1971

Je suis arrivé à Orly avec une bonne demi-heure d'avance. À noter ! Tout embué de toi après cette nuit partagée.

À Biarritz Gilbert m'attendait. J'ai sans le savoir voyagé avec Saint-Périer. Nous en avons bien ri cet après-midi. Latche était tout silence. Les camélias rouges sont au zénith de leur splendeur. Les fleurs de tulipiers s'entrouvrent. J'ai appris la mort de Jean-Luc Bernigaud. Il me faut rentrer d'urgence dans la Nièvre.

Aperçu Diesel, vu Gédé (visite du jardin) et Dominique.

Je t'appelle le soir. Ta voix me pénètre. Sommeil dans la forêt.

581.

En-tête Assemblée nationale, à Mademoiselle Anne Pingeot, 36 rue Saint-Placide, Paris VIe 75.

Hossegor, 14 avril 1971

Mon amour, mon amour,

L'avion m'a bien posé à Biarritz. Me voici à Hossegor. Endolori, mais avec dans le cœur une folle tendresse. Je t'aime de passion. Tu m'as rendu hier, même désespérément triste, un vrai visage, ton visage, celui du wagon n° 11 (ô comme il m'émeut), je lisais sur lui au-delà des masques, je lisais la douleur et la vérité. Pourtant tu te trompais. Ta peine s'était nourrie de rien. Mais elle était ta peine et je suis donc coupable. Mon cœur adorable, ma merveilleuse fille. Inutile de résister : il me fallait te revoir tout de suite. Le bel avion qui m'a mené à toi ! Je ressens par le souvenir ma joie de l'envol, l'anxiété de l'arrivée, pas de taxi, si, un taxi de hasard que je partage avec un autre voyageur, la rue Guynemer, la rue Saint-Placide, les quatre étages, le mot mis dans la rainure, rédigé à la hâte en bas, souffle battant et toi qui viens tout aussitôt, mon Anne tant aimée, avec ta longue démarche d'abandonnée, et de nouveau ce visage bouleversé qui dit « pourquoi, pourquoi » et ta chambre et notre nuit et ce terrible arrachement-attachement.

Depuis je te cherche le prix d'un vrai visage ! Le tien se ferme trop souvent, se gendarme, gueule de CRS ou plutôt bal de tête où tu fais le gendarme. Ô Anne ta puissance quand je lis ta clarté. Et tes soucis ! Vraiment pour rien, rien du tout. Mais ça c'est secondaire. L'important c'est ton regard, et tes mains et mon amour de Saint-Illide rendu.

J'ai déjà vu Gédé, apporté le livre et rêvé dans ta chambre, respiré les fleurs d'Éphèse, caressé l'oiseau, aimé, aimé, aimé. Il faut donner sa vie. Rien ne vaut, donner, donner on peut toujours tout accomplir.

Laisse-moi t'embrasser tout le long du corps, amoureusement, et surtout baiser ta bouche de ce matin tendre, ne sachant qu'aimer, incapable des mots, fleur, douleur, rire, espoir.

Ton François

582.

Carte postale, Bordeaux, l'église Sainte-Croix.

Jeudi 15 avril 1971

Les Landes sont dorées de soleil à peine le brouillard dissipé. Une heure trente de route jusqu'à Mérignac. Voyage rapide par Caravelle. À Orly mon chauffeur m'attendait, chaleur torride. En route pour Magny-Cours je m'arrête à Bifur, me change et avale un steak maison.

L'église de Magny-Cours – émotion déchirante. Et la campagne douce et verte autour du cimetière. Je reste deux heures au Bardonnay puis rentre à Château-Chinon. Nuit au Vieux Morvan, la tête pleine de songes.

583.

Carte postale, le Morvan.

Vendredi 16 avril 1971

Matinée de travail à la mairie avec mes adjoints et secrétaires de mairie. Déjeuner avec deux Neversoises au Vieux Morvan. Visite des chantiers jusqu'à 5 heures. Puis retour par Planchez, Moux, Dun-les-Places où je m'arrête pour voir les uns et les autres.

À Paris peu après minuit. Je t'ai manqué au téléphone.

Tu reçois au 36 tes amis du Louvre. Je pense à toi et te sais proche.

584.

Carte postale, vue panoramique sur la montagne Sainte-Geneviève,
Saint-Étienne-du-Mont et le dôme du Panthéon.

Samedi 17 avril 1971

Première rencontre : le Luxembourg avec les fleurs et le soleil par un matin doré.

Deuxième rencontre : déjeuner au 36 avec mon Anne des merveilles.

Troisième rencontre : vers 5 heures je m'installe au 36, je m'incruste, je travaille et je dors !

Dans les intervalles, coiffeur, journaux, et je conduis Christophe à Orly, en partance pour Alger. Je lis Lissagaray, ou plutôt, je dévore.

Et l'éclatante lumière d'un amour achevé !

585.

Carte postale, Portrait du père Lacordaire, *Théodore Chassériau.*

Dimanche 18 avril 1971

J'ai choisi cette carte sans autre raison que celle-ci : j'aime le tableau de Chassériau et j'ai toujours été sensible au personnage de Lacordaire. Ceci pour illustrer une journée de paix, de silence, de réflexion, d'amour. Nous nous sommes réveillés ensemble et avons vécu ensemble jusqu'à la fin de l'après-midi. J'ai lu *Les Huit Journées de mai* (1871) de Lissagaray, écrit mon discours de mardi à l'Assemblée et le début d'un article pour *Preuves*. Tu as lu un livre sur les églises du Nivernais et de basse Bourgogne et travaillé ton mémoire.

Nous étions bien. Heureux.

Et ce soir je t'aime dans une profonde joie retrouvée.

586.

Carte postale, le jardin du Palais-Royal.

Lundi 19 avril 1971

Merveilleuse balade au Palais-Royal sur le coup de midi.
Considérations sur la nécessité des parcs et jardins fermés.
Nous avons l'amour inscrit sur le visage.
Après-midi laborieux. Je prépare à la fois mon intervention à la chambre et mon article.
Nous dînons ensemble avec une joie profonde.

587.

Carte postale, l'Assemblée nationale illuminée.

Mardi 20 avril 1971

Journée remplie par le débat à l'Assemblée nationale. Nous nous apercevons à midi. J'interviens à 22 heures. Tu es dans les tribunes. J'aime savoir ta présence. Tard, je vais à la réunion du club CERES je dors à... 2 heures du matin.

588.

Carte postale, La Grande Baigneuse, *Dominique Ingres.*

Mercredi 21 avril 1971

Journée parlementaire.
Je prépare le matin mon intervention sur la motion de censure, ou plutôt mon explication de vote, que finalement je retire, pour ne pas abuser de la tribune.
Débat l'après-midi. Chaban-Delmas très offensif.
Bref déjeuner auparavant avec Maurice Clavel et Henri-François Rey. Je t'ai aperçue à midi.

Le soir, bureau politique de la CIR.

Je te rejoins au 36…

D'où l'image de cette carte postale..

589.

Carte postale, la Comédie-Française.

Jeudi 22 avril 1971

Jour… sans toi évidemment, ou presque. Le matin tu m'annonces superbement que ne pas se voir serait original… Je ne suis pas tout à fait du même avis.

Longue réunion chez Dayan.

Émission avec Peyrefitte à France-Inter, à 13 heures, à RTL, à 19 heures. L'après-midi je joue au golf à Saint-Cloud.

Déjeuner avec Joxe et Benassayag. Je ne te téléphone pas.

Nous nous retrouvons à 20 heures à l'Orangerie. Belle et bonne balade autour de Saint-Sulpice. Tu vas au concert.

Je dîne chez ma nièce Catherine Sarrazin.

590.

Carte postale, Paris, l'ensemble Maine-Montparnasse.

Vendredi 23 avril 1971

On se retrouve rue de Fleurus, sous la pluie et nous nous promenons au Luxembourg. La joie nous habite pleinement. Déjeuner rue du Dragon, au Sainlouis. Que nous y sommes bien, que tu m'es proche, mon amour.

Après-midi studieux, séchant sur mon article de *Preuves*.

Le matin je reçois Fuzier qui m'apporte la motion « Savary-Mollet » pour le Congrès.

Dîner avec M.-Th. Eyquem et Estier.

À 22 h 30, rue de Vaugirard, retrouvailles ! Nous allons dans le quartier Montparnasse et prenons un grog et un bouillon chaud (ce sont les giboulées !) à La Palette, historique restaurant !

Nous rentrons dans l'unité.

591.

Carte postale, Nevers, basilique Saint-Cyr.

Samedi 24 avril 1971

Petit départ parmi tant de départs : train de 7 h 50 pour Nevers. Je reçois au conseil général des délégations, des collaborateurs. Déjeuner avec les représentants de la chambre d'agriculture. Puis en route pour Château-Chinon. Réunion des sociétés de la ville pour l'utilisation du gymnase, du conseil municipal pour le vote du budget primitif. Visite de quelques chantiers. Dîner à Corbigny chez le conseiller général (médecin) avec le maire. Retour dans la nuit, tard, à Château-Chinon.

Toi tu es en balade avec ta société d'art.

Je t'imagine parmi de vieilles pierres avec un désir fou de respirer le printemps.

592.

Carte postale, Nivernais-Morvan, sous-bois en automne.

Dimanche 25 avril 1971

Réveil au Vieux Morvan. Je t'appelle. Ta voix m'émeut. Je te reconnais proche et tendre. À 10 heures, commission administrative de l'hôpital. À 11 h 30 monument aux morts (rare concession !) pour les déportés. Deux vins d'honneur à digérer ! Je déjeune ensuite à Dommartin, 9 kilomètres de Château-Chinon avec trente conventionnels de Saône-et-Loire et de Nièvre + Mermaz qui vient de Vienne pour me voir.

Longue promenade avec lui dans la bourrasque froide.

Retour à minuit, endormi, un peu las.

Je t'aime, mon Anne.

593.

Carte postale, La Chambre de Van Gogh, *Van Gogh.*

Lundi 26 avril 1971

Journée de travail en cellule. Je ne bouge que pour te voir à 12 h 30, Orangerie (oh les verts tendres du Luxembourg !), déjeuner avec Pisani au Coupe-Chou, acheter quelques vieux bouquins sur la Commune, te revoir au 36 vers 21 heures. Chez toi, deux heures penchées sur mon article *Preuves* qui ne t'enchante pas.

Le matin j'ai reçu Savary, l'après-midi, ses adversaires du Parti socialiste, Jaquet et Pontillon. Je commence à sentir un peu de fatigue.

Mais toi tu es ma merveilleuse fille.

(La chambre de Van
Gogh et ta chambre
du 36... et nos
souvenirs d'un admirable
jour.)

594.

Carte postale, Paris, la gare de Lyon.

Mardi 27 avril 1971

Conseil général de la Nièvre. Il n'y aurait rien à raconter si tu n'étais venue me chercher gare de Lyon. Les traditions, c'est bon !

Mais nous étions l'un et l'autre fatigués et nous sommes bien vite allés dormir. Tout de même, je t'ai vue.

Journée sauvée.

595.

Carte postale, plaques de rues de Paris.

Mercredi 28 avril 1971

J'annule tous mes rendez-vous. Motion d'abord ! Cela me met un peu de mauvaise humeur. De plus tu ne peux me voir avant dîner. L'après-midi je vais au bureau politique CIR et je te retrouve pour aller voir Bernard Haller au café de La Vieille Grille. Quel beau spectacle ! Tu es (à peine) maussade. On a l'impression cette semaine de s'être perdus de vue. C'est bon après tout d'être si sensible aux moindres variations. Nous sentons tout l'un de l'autre.

Mais, que tu es mon Anne !

Je suis passé rue de Seine, ô rue de nos amours.

596.

Carte postale, jardin et palais du Luxembourg.

Jeudi 29 avril 1971

Encore un jour presque « sans ». Je travaille d'arrache-pied et renonce au golf. Dommage, par ce beau soleil ! À 12 h 30, Orangerie, Luxembourg, rue Mazarine où nous nous retrouvons à 18 h 15 afin de visiter les expositions Fred Zeller et Claude Verdier. Le soir tu dînes avec deux invités. Je reçois de mon côté Mauroy et Jaquet, leaders de la tendance modérée du Parti socialiste.

Je vous embrasse, ma chérie.

597.

Carte postale, Bourges, vue aérienne sur la cathédrale.

Vendredi 30 avril 1971

Toi, à 9 h 30, rue de Fleurus, toi, à 12 h 15, rue de Fleurus, balade chez Loliée où je présente le livre de Bertrand.

Au début de l'après-midi je pars avec Hernu pour Châteauroux. Dîner-débat de cent quatre-vingts convives. Fatigue. À minuit Laignel, notre candidat d'Issoudun, me conduit à Bourges, hostellerie du Grand Argentier… où tu es arrivée, venant de Paris, peu avant moi.

Avec Hernu nous avons pris la route de Sologne Orléans-Romorantin : merveilleuse route de parfum et de poésie. À Romorantin j'ai pensé à mon père qui a vécu là son enfance.

598.

Carte postale, Bourges, la nef de la cathédrale Saint-Étienne.

Samedi 1ᵉʳ mai 1971

Réveil dans tes bras.

Mon Anne.

J'étais bien fatigué par la journée d'hier. J'étais content de t'apporter un beau bouquet de muguet des bois.

Nous avons visité la cathédrale (pour la cinquième fois ?), la crypte (quel beau gisant de Jean de Berry !). Puis nous nous sommes arrêtés à Plaimpied pour l'église romane, simple et droite, à Véreaux, pour les colonnes-statues.

Le temps était gris, nos cœurs tendres.

Château-Chinon, visite de chantiers, travail avec mes adjoints autour d'une tasse de thé (avec toi).

Nous dînons tous les deux avec Mme Bondeux… et nous dormons séparés toi au 18, moi au 15. Zut !

599.

Carte postale, Neuilly (58, Nièvre).

Dimanche 2 mai 1971

Tu vas à la messe à la chapelle de l'hôpital. Nous partons pour le canton de Brinon. Trois communes à visiter : Vitry-Laché, Beaulieu, Neuilly. Tu m'aides à enregistrer les requêtes. J'aime t'avoir avec moi.

Nous déjeunons à Brinon et rentrons peu après 17 heures.

J'ai de la peine de te quitter.

600.

Carte postale, la fontaine Médicis dans les jardins du Luxembourg.

Dimanche 2 mai 1971

C'est presque une autre journée qui commence quand je te retrouve à 18 heures à l'Orangerie après t'avoir ramenée de la Nièvre.

Aussi je t'écris cette carte qui te rappellera notre promenade par la fontaine Médicis.

Nous allons boire un bol de cidre au Manneken-Pis.

J'ai une tristesse indéfinie à te quitter encore. Je t'appelle pour te dire bonsoir. Tu me manques durement.

601.

Carte postale, la fontaine Saint-Michel.

Lundi 3 mai 1971

Encore un petit tour au Luxembourg. Tu n'aimes pas les parterres de tulipes rouges et de tulipes jaunes et tu es un peu grognon. Ton travail aux Bernardins te rompt. Je te retrouve à 18 h 15 et t'emmène rue des Canettes voir l'exposition Magnelli. Nous allons ensuite aux Argonautes où j'achète cinq livres de la collection « Du monde entier » (Gallimard) en traduction originale. Tu dois aller à un concert, moi, rejoindre quelques camarades de mon Kommando de Schaala, qui dînent au Lutetia.

Il fait encore froid. Nous avons l'âme à l'unisson : frileuse ! Mais tu avais juste à la surface, venue de loin, une petite lumière sur ton visage. J'aime ainsi penser à toi.

602.

Carte postale, les bords de Seine.

Mardi 4 mai 1971

Téléphone du matin, douce, chère habitude. Tu réapparais à l'angle de la rue de Poissy, avec ton tablier bleu délavé et crasseux à souhait venu des limbes de ton enfance, et solide au poste. Nous avons déjeuné chez René. Le « Kir » t'avait rosi les joues et chaviré le cœur ! Je suis rentré en flânant. Ai acheté *Lettres à Kugelmann*, classique du marxisme (Marx, Jenny Marx, Engels).

603.

Carte postale, jardin et palais du Luxembourg.

Mercredi 5 mai 1971

Tu es fatiguée et pourtant que tu étais belle ce matin avec ton tailleur rose des fiançailles de Martine et tes cheveux comme je les aime. Nous avons bavardé, assis près des balustrades du Luxembourg, et nous étions au-dedans de nous-mêmes.

L'après-midi, Assemblée, longue conversation avec Maurice Faure en faisant les cent pas boulevard Saint-Germain, puis bureau politique.

Je t'ai rejointe à 20 h 30, rue Saint-Placide, et t'ai emmenée au théâtre La Bruyère, voir *Le Gobe-Douille* (Dubillard). Je t'aimais. Tu étais tellement mon Anne des premiers jours, adorante, adorée.

Nous serions bien restés l'un près de l'autre au 36, mais une lumière sous la porte…

Oh A. : tu es mon amour.

604.

Carte postale, bouquinistes des quais de la Seine.

Jeudi 6 mai 1971

À midi, choc : notre rendez-vous de la rue des Bernardins s'achève sur une dispute. Ô le profil indigné de la classe ouvrière ! Je déjeune

avec Dayan chez Georges [Charles, son fils. Georges est mort en 1970] Gom-
bault. Puis golf. Je joue bien. Retour à toi le soir. Nous dînons au 36.
Climat retrouvé. Je vais finir la soirée... chez les postiers socialistes.
Mais en moi, quelle joie. Tu es à moi.

605.

Carte postale, cathédrale de Bayeux.

Vendredi 7 mai 1971

J'étais triste de ne pas pouvoir te voir. Mais nous avons déjeuné
ensemble au 36. J'ai pris ensuite le train pour Caen. D'abord une
réunion sous les voûtes de la cave du château-mairie de Creully-en-
Bessin, puis voyage par la route, direction Cherbourg. Nous nous
sommes arrêtés à la cathédrale de Bayeux.

À Cherbourg je t'ai téléphoné. Ô ma voix intérieure que j'ai
besoin d'entendre de si loin. Meeting. 1 500 personnes. Retour à Caen
(120 kilomètres). Coucher à 3 heures du matin. Je marque le coup.

606.

Carte postale, Caen, église Saint-Étienne.

Samedi 8 mai 1971

Je dors à Caen, arrivé à 3 heures du matin, exténué. Le matin début
avec quatre-vingts conventionnels à Mézidon. Puis déjeuner. Nous
avons rendez-vous à l'abbaye aux Hommes à 16 h 30.

Tu viens. Joie. J'ai préparé un circuit par le Cotentin, côté nord.
Beauté de Saint-Vaast-la-Hougue et de Barfleur. Mais tu sais tout
cela. Nous sommes heureux. Nuit au Sofitel de Cherbourg.

607.

Carte postale, Cherbourg, le port de pêche et le quai de Caligny.

Dimanche 9 mai 1971

Notre fenêtre sur la rade, les bateaux, la course de voiliers, la ville à l'horizon, notre douceur de vivre, la télé, le soleil par la fenêtre. Notre amour.

La Hague. Le nez de Jobourg. Le déjeuner à quatre autour de la table ronde. Notre promenade parmi les flancs noirs de la côte, parsemés de fleurs bleues, roses, jaunes, blanches. Je vous aime. Coutances, Lessay.

Arrêts radieux. La route. Toi. Les champs dans la nuit avec leur parfum, les oiseaux, les crapauds, la chouette.

Et toi mon Anne endormie.

608.

Carte postale, Paris, la tour Saint-Jacques.

Lundi 10 mai 1971

Coup de chaleur. L'été écrase les passants. On cherche l'ombre. Je me sens fatigué. Mais tu apparais près de la tour Saint-Jacques, radieuse et belle sous ton pull noir. Je t'aime. On boit un verre. On ne se voit pas ce soir : tu es de sortie oh A traîtresse !

Je reçois. Trop. Politique par-dessus la tête. Hier fut un grand rêve vécu. Quel bonheur.

À déjeuner des journalistes dont Barillon. J'ai envie d'un peu de paix.

609.

*Carte postale, Paris, place des Pyramides
et statue de Jeanne d'Arc (E. Fremiet).*

Mardi 11 mai 1971

Ce matin, première leçon d'anglais… Je ne te l'ai pas dit mais je veux m'y remettre. Plus tard nous ferons cela ensemble. À 12 h 30 rendez-vous rue de Rivoli. J'adore ton visage aujourd'hui.

Déjeuner avec les industriels laitiers, chez Fischoff, mon compagnon de Londres et d'Alger, devenu puissant agent de publicité financière. J'ai déposé une question orale avec débat sur la crise monétaire.

Je te revois à 19 h 30 au Petit Luxembourg. Tu allais dîner chez Nicole Hébert. Soirée paisible. Je pense à toi. Je te dois une paix profonde. Ô mon Anne chérie.

610.

Carte postale, avenue des Champs-Élysées.

Mercredi 12 mai 1971

Je te fais une brève visite au 36. Le temps de t'embrasser mais quelle joie ! Je déjeune avec Bourgine (*Valeurs actuelles*, *Le Nouveau Journal*) et ses collaborateurs au Cercle Interallié. Milieu d'extrême droite qui montre patte blanche. À l'Assemblée je demande un débat sur la crise monétaire. Giscard accepte.

Bureau politique de la CIR.

Je te rejoins au cinéma Paramount Champs-Élysées. *Le Chagrin et la Pitié*. De premier ordre, un peu partial, l'Histoire telle qu'on l'écrira au siècle futur. Nous rentrons tard et sommes fatigués. Je t'attends devant le 36 où tu arrives à vélo.

Bonsoir mon Anne.

611.

Carte postale, tapisserie, La Dame à la Licorne *(détail).*

Jeudi 13 mai 1971

Bon anniversaire, mon amour. La licorne. Cluny. Ton travail. Tes rêves. Et revoici un 13 mai. Je te donne maladroitement à midi, dans un café de la place Saint-Sulpice, un gadget pour minicassette. On se quitte en déséquilibre. Tu déjeunes avec N. Barbier. Je vais au golf. Je me sens très fatigué mais la marche me détend en dépit de l'orage. Je respire l'air lourd des premières touffeurs. Et je tape la balle, ma foi, plutôt bien.

Nous dînons Diesel, Bibiche, toi et moi, au Pactole boulevard Saint-Germain, je n'aime pas ce genre de boîtes à la cuisine tarabiscotée. Nous rentrons B., toi et moi à pied. Détente, douceur. Ta main dans la mienne ô, bon anniversaire, mon amour donné, mon Anne pure, ma bien-aimée.

612.

Carte postale, Paris, chevet de l'église Saint-Germain-des-Prés.

Vendredi 14 mai 1971

Anglais le matin.

Nous nous voyons à 12 h 30 chez le vendeur de disques et de dicta-phones de la rue de Babylone qui t'apprend à faire marcher l'appareil « contesté ». Je déjeune avec ma nièce en quête d'enfant adoptif. Je suis très fatigué et vais tout de même chez un cardiologue.

Après dîner (tu reçois Ch. C. au 36 et tu me racontes ensuite, de fort bonne humeur, ce bout de soirée agité) nous allons l'un vers l'autre rue de Vaugirard, nous nous baladons vers Saint-Germain et achetons mes médicaments au drugstore. Tu es toute douceur pour moi. Te quitter demain m'inquiète.

613.

Carte postale, Ambérieu-en-Bugey (Ain).

Samedi 15 mai 1971

Train de 8 h 15 pour Laroche-Migennes. À la même heure tes amies viennent te chercher pour t'emmener à Orléans. Je préside le centre social de Montsauche. Intéressant. Pauvreté et courage des infirmières. Je déjeune au Vieux Morvan. Travail de routine. Je reprends la route de Chalon-sur-Saône, Bourg, Brou, Ambérieu. (Je me souviens des pages d'Aragon dans *Les Voyageurs de l'impériale* et j'aime les collines du Bugey.) Réunion très vivante. Puis dîner au bord de l'Ain. Je couche là dans une sorte de « Routier ». Ma pensée te cherche à Saint-Benoît.

614.

Carte postale, Vienne (Isère), hôtel de ville.

Dimanche 16 mai 1971

Journée nationale de la Convention. Sans doute la dernière. Nous avons tous la gorge serrée. Les débats sont d'un bon niveau. J'interviens deux fois, le matin pour une analyse politique et l'après-midi pour l'adieu final. Dans l'intervalle nous avons déjeuné… à Condrieu ! Le reste, classique. Bouts de conversations, promenades à quelques-uns autour de la mairie. Il fait un temps admirable. J'envie ceux qui peuvent s'attarder, respirer, marcher dans cet éblouissant printemps.

Retour par le Mistral avec Dayan, M.-Th. Eyquem, Gourdon (père de… Sophie !). Mais ma vérité est celle qui me conduit toujours vers toi.

615.

Carte postale, Paris, le Grand Palais.

Lundi 17 mai 1971

Ah ! ce coup de téléphone ! Te réentendre après ce week-end séparé ! Tu es là, présente, aimante. Je t'aime.

J'ai à me battre contre la fausse nouvelle de ma candidature à la Présidence de la R. Radio sur radio ! Je peux quand même te rejoindre pour déjeuner au 36. On se raconte nos journées. Tout de même il y a me semble-t-il une buée sur notre miroir.

En fin de journée nous allons à Europe 1 où Georges Leroy et Michèle Cotta m'interrogent. Nous marchons Champs-Élysées. Désir profond, violent. Mais je dois dîner chez Claude Imbert, rédacteur en chef de *L'Express*.

J'y rencontre les Bettencourt, Rothschild, Frossard, etc.

Je me sens totalement déshabitué de ce Paris-là.

616.

Carte postale, Paris, l'Auberge du Vert Galant.

Mardi 18 mai 1971

Je commence ma journée avec une leçon d'anglais. Je reçois Abelin, leader centriste d'opposition. Dayan, Joxe, Estier, M.-Th. Eyquem viennent débattre de la procédure du congrès. Mais je te manque à 12 h 30 à l'Orangerie. Ça me donne un coup de cafard. Déjeuner au Vert Galant avec Jean Daniel, Hector de Galard, Marcelle Padovani du *Nouvel Observateur*. Après-midi très chargé. Je te retrouve à 19 heures au 36 ☿. Mais après m'avoir reproché mes fleurs, tu me reproches quoi ? L'amour ? Peine et grisaille. Corrigées par Raymond Devos au Bobino, en compagnie de Laurence. Petit retour à pied sous la pluie.

617.

Carte postale, le Louvre.

Mercredi 19 mai 1971

Vague à l'âme. Nous nous voyons peu. Je travaille sans lever la tête de peur de penser à autre chose qu'aux affaires de la politique. Je reçois Fuzier, Chevènement (socialistes de tendances adverses), je donne une interview à RTL sur la lettre du pape. Bureau politique.

Avant d'aller dîner chez Jean Marin, toi.

Au dîner : Dayan, les Cazaux et un ancien recteur de l'université de Rennes, Le Moal. J'ai mal de toi. Mon Anne t'aimer mieux serait un si beau programme.

Cette carte postale du Louvre est très laide et le Palais sous cet angle ne vaut pas mieux.

618.

Carte postale, Paris, la gare d'Austerlitz.

Jeudi 20 mai 1971

L'Ascension. Fête des hautes herbes et des couleurs tendres. Le cœur peut partir droit comme l'alouette. L'amour se fait pur et riche de silence.

Ce matin nous nous promenons au Luxembourg. Quand j'arrive au 36 pour déjeuner tu es irritée, de nouveau divisée. J'apporte quelques objets de chez Hédiard. Le ciel s'éclaire pour nous à mesure que les heures passent et nous lient. Derrière les volets clos nous nous aimons ô ! deux soleils, éclatants. Et la douceur de ton regard.

Je te quitte pour attraper mon train à Austerlitz. La Puerta del Sol qui me dépose à Dax avec près d'une heure de retard. Je lis deux bouquins sur la Commune et *Le Passé composé* de François-Marie Banier.

Les Landes me reçoivent avec une explosion de parfums fous parmi lesquels domine l'odeur des acacias.

619.

Carte postale, Soustons, vue sur le lac.

Vendredi 21 mai 1971

Réveil au chant des oiseaux. L'herbe mouillée par l'orage sent le soufre. Matinée de repos. Je lisotte : *Venise*, très bonne édition du Seuil achetée dans une petite librairie de Soustons. Toi au téléphone vers 17 heures. Dîner chez les Destouesse. Ciel lourd ; roses rouges, rhodos clairs, eau et terre. Je t'aime.

620.

Carte postale, le Morvan.

Samedi 22 mai 1971

Journée nivernaise. Je te vois quelques instants (visite chez Loliée) avant de partir avec Saury pour Clamecy. Là, déjeuner avec les deux adjoints et, au café, le maire.

À 16 h 30 réunion de la commission administrative de l'hôpital de Château-Chinon qui reçoit le médecin-directeur régional de la santé. Dîner à Saint-Saulge ou plus exactement Montapas chez le conseiller général. Maison bourgeoise 1925, belle campagne emplie par le chant des rainettes. Étoiles parmi d'épais nuages noirs. Nuit forte de parfums. On parle de choses pratiques avec évocations de voyages.

23 h 30 retour à Nevers.

621.

Carte postale, Nevers, rue de la Parcheminerie.

Dimanche 23 mai 1971

Réunion des conventionnels de la vallée de la Loire, à la Maison des syndicats (la laideur et la sottise triomphantes que tout voyageur reçoit en pleine figure en traversant le pont de Loire). Cela me mène jusqu'à midi. Je déjeune à Château-Chinon avec les cadres de la Convention.

À 4 heures visite des chantiers. Le brouillard a cédé. Une belle lumière donne aux ombres leur forme.

Vers 5 heures je pars pour Montargis où tu m'attends. Je pense à toi. L'odeur des acacias me fouette le visage.

Quelle émotion ! Toi. Ta fraîcheur, ta tendresse, mais aussi le récit de Fontainebleau.

Oh A. tu es moi.

Grave cérémonial de l'amour рç.

622.

Carte postale, Montargis, Grand Hôtel de la Poste.

Lundi 24 mai 1971

Nous nous réveillons dans cet hôtel, chambre 28, après une nuit étonnamment pleine d'accords profonds. Encore me réveilles-tu à 5 heures de peur de n'être pas exacte à Cluny ! Retour, le cœur pénétré de gravité et de passion. À 9 h 30 je te dépose devant la statue de Montaigne…

Mais nous ne pouvons nous séparer. J'arrive en retard au rendez-vous devant la statue de Montaigne et te rattrape place Saint-Placide. Quel tendre déjeuner au 36 ! Après-midi de travail paisible.

Le soir cinéma, au Bonaparte pour *Taking Off* et petit dîner Chez Fernand.

Nous n'en finissons pas de nous dire au revoir.

623.

Carte postale, Nevers, le pont sur la Loire.

Mardi 25 mai 1971

Je pars pour la Nièvre, heureux du fond de l'âme de notre soirée d'hier. Dans le train je lis les mémoires d'un « conspirateur Bonapartiste » en 1871 [Jules Amigues]. Dès mon arrivée je suis happé par le conseil général. À midi réception d'une jeune Nivernaise championne du monde de précision en parachutisme. Déjeuner chez le préfet. Trop long, trop lourd. L'après-midi, toi au téléphone et ta voix m'est si douce. On travaille tard. Je te rappelle mais l'oiseau n'est pas rentré au nid ! Je reçois rendez-vous sur rendez-vous. Ensuite, on dîne à six conseillers et on bavarde jusqu'à minuit (au restaurant où Jongkind a vécu, ou est venu pendant quinze ans). Coucher à l'Hôtel de Diane (avec lecture de *France-Soir* !) après retour à pied et bon bol d'air frais du pont de Loire à la vieille ville.

624.

Carte postale, Nevers, église Saint-Étienne.

Mercredi 26 mai 1971

Heureusement que je t'ai obtenue au téléphone à mon réveil. Je sortais d'un rêve que je t'ai raconté : toi debout, sur une photographie tête levée et embrassant… mon frère Jacques en bel uniforme (la scène se passant à Louvet devant le haut mur couvert de vigne vierge [erreur, c'est de l'ampélopsis]).

À la préfecture discussion sur diverses constructions, débats interminables sur l'aide aux petites communes. On déjeune très tard, la session close. À huit nous allons à Pougues, La Courte Paille. Puis retour en voiture. Je pense à toi. Étrange impression : passer à Montargis si proche encore du souvenir.

Toi, je te retrouve à 20 h 15 devant le Lutetia. Longue marche, rue Dauphine ou de Seine, quais, rue du Bac (arrêt au Bar Bac), rue Saint-Placide. Tu portes le manteau de Constantinople.

Je te regarde.

625.

Carte postale, Paris, le Luxembourg et ses jardins.

Jeudi 27 mai 1971

Encore le Luxembourg, que ces cartes montreront sous toutes ses faces, au gré de nos promenades. Nous y sommes allés précisément ce soir, à la nuit tombante. Tu t'inquiétais du silence de B.-L., du dîner raté. Tu étais tendre pourtant. Nous aurions été heureux si. Nous l'étions peut-être. Par moments je l'étais. Nous avions déjeuné ensemble au 36. Combien de temps durera cette joie, cette vie ? Mon cœur se serre. Il ne faut pas penser. Il le faudra. J'ai mal souvent et m'efforce de ne pas le montrer. Je ne suis pas allé au golf cet après-midi. Au dîner j'avais le père Delobre et ma sœur Geneviève. « Seul l'amour éclaire, sauve, crée » répète Delobre. Oui. Seul l'amour.

626.

Carte postale, Moulins-sur-Allier.

Vendredi 28 mai 1971

Le matin mon cours d'anglais m'abrutit. « It's time to go » « Can I do for you »… Quelle joie de te voir au 36 juste avant déjeuner dans l'attente… vaine de Gédé. Bibiche est là. Je vais déjeuner, invité par les conseillers d'ambassade au Bistrot de Paris, rue de Lille. J'ai un grand bonheur de t'aimer.

À 15 h 30 Savary vient me voir. Langage incertain. Il est lié par le groupe Mollet et n'ose se dégager. Nous n'avons rien à nous dire.

À 16 h 45, rue de Rennes, mon Anne. Nous partons pour Moulins. Serons-nous éternellement ces amoureux des Trois-Poteaux ?

Nuit. Passion. Violence. Douceur. La nuit de Moulins, encore, encore. Étrange amour dans cette ville rose et close.

627.

Carte postale, Château-Chinon.

Samedi 29 mai 1971

10 h 05, 10 h 10 devant la gare de Moulins, cela nous ramène aux premiers émerveillements, aux premières attentes, aux premiers chagrins de la séparation. Ce matin était comme cet avant-hier d'il y a sept ans, aussi frais que l'aube de notre amour. Je suis allé à Château-Chinon par un beau temps fort, pensant à toi, dans ton Bourbonnais.

Une révélation : mon musée. Les deux premières salles sont très réussies. Déjeuner avec l'Académie du Morvan ! et... très bon déjeuner fignolé par Chevrier.

Après-midi de travail sur mes chantiers. Figure-toi que mes architectes ont peint la cheminée du gymnase en damier rouge et orange ! Ta voix au téléphone : bonheur ! J'ai traversé le Morvan par une belle (aussi !) soirée et suis arrivé à Cluny vers 20 h 30.

628.

Carte postale, la roche de Solutré.

Dimanche 30 mai 1971

J'ai commencé ce jour dans la splendeur d'une Pentecôte pareille à celle que suppose la venue de la lumière sur le monde. Longue marche avec M.-Th. Eyquem, Gourdon, Hernu, repos dans un champ où chaque herbe était une fleur, poèmes, rêveries, soleil brûlant. J'ai pensé à mon Anne, à La Loubière, au retour du nez de Jobourg. Déjeuner à Solutré.

De nouveau, balade sur les hauteurs du Mâconnais. Je te savais ou te supposais à Charade. Mais quand je t'ai appelée, le soir, vers 21 h 30 j'ai reçu un terrible choc ! Ainsi en ce jour de splendeur je m'enfonçais dans ton passé. Je t'aime, Anne. J'ai mal, tu le devines. Mais ta voix se voulait proche, était proche. Ah ! non je n'étais pas étranger ! La gorge serrée. Douleur et confiance en toi.

629.

Carte postale, Cluny, abbaye.

Lundi 31 mai 1971

Je me suis couché hier soir aussitôt après notre coup de fil. Lenteur de la nuit pour une solitude. Je pense à toi, à toi, à ces questions aussi qui se posent à toi, cœur à cœur. Je voudrais tant que rien ne divise ce bloc Annefrançois qui porte mon amour. Ce matin petite promenade dans Cluny, la pluie en suspension. J'appelle l'Oratoire. Diesel me répond. Tu fais « une ascension » ! J'ai devant moi ton visage sérieux. J'approche de ta lumière intérieure. Je te respecte et je t'aime.

Déjeuner près de la belle église de Chapaize et visite de Taizé. J'ai pensé au petit pot ramené en 1964. J'ai longuement songé à toi, à nous, au ciel noir devant moi.

J'étouffe de cet impossible qui m'étreint.

Rentrée difficile par l'autoroute bloqué au péage à 1 h 30, encore !

630.

Carte postale, Taizé, église de la Réconciliation, vitrail des chouettes.

Taizé, 31 mai 1971

Anne, je t'aime.

631.

Carte postale, église de Chapaize.

Chapaize, 31 mai 1971

Anne. Je t'aime.

632.

Carte postale, Taizé, église de la Réconciliation, vitrail.

Mardi 1er juin 1971

Je commence ce mardi avec ma leçon d'anglais mais j'ai peu dormi et la tête embrouillée ça me fait tout drôle de te revoir au 36 pour déjeuner avec toi, Gédé et Bibiche. Ces deux jours de Clermont me rongent. Mais ton regard est tendre et le repas très savoureux, avec un luxe de fromages : saint-nectaire, et deux hollandes !

Après-midi de réceptions en vue du congrès. Vers 7 heures je suis de nouveau au 36. Montée des joies, retour en nous-mêmes, lumière ☿.

Je te trouve mieux, toujours mieux que je ne crois. Comme je te dois un vrai amour !

633.

Carte postale, Pézenas (Hérault).

Mercredi 2 juin 1971

Avion à 7 heures pour Nîmes. Là je vois le petit groupe des amis de Dayan. À midi, Pézenas. Déjeuner-débat avec quatre-vingts personnes. Il fait très chaud. À 6 heures réunion à Bollène dans le Vaucluse. Dîner, tard, avec Rosine Grange, Mireille Roclore, Merli, Leccia. Je respire nos parfums de Haute-Provence. Carpentras, Le Barroux, Malaucène. À Carpentras la pizza où nous dînons fleure l'oignon et la lavande.

Je ne puis t'appeler aux heures qui te conviennent.

C'est long un jour sans toi.

Je rentre à Marignane à 2 heures du matin.

Enfin, dormir !

634.

Carte postale, aéroport de Marseille-Marignane.

Jeudi 3 juin 1971

Mon avion part à 8 h 40. Je flâne dans l'aéroport de Marignane après une courte nuit au Novotel. Je pense à nos charmants motels américains. À Paris je vais directement chez Dayan, rue de Rivoli, où j'ai une conférence de travail avec Defferre. Cela fait je te rejoins au Palais-Royal.

Douce promenade. Arrêt devant les plans des halles qui sont exposés dans une boutique là.

Après-midi, golf. Je joue parfaitement sans le moindre entraînement et très fatigué. Bizarre ! Je reçois les douze dirigeants de Démocratie et Université. Après dîner brève rencontre avec mon Anne et
balade autour du quartier.

635.

Carte postale, Paris, l'île de la Cité, le Pont-Neuf,
le Palais de Justice, la Sainte-Chapelle et Notre-Dame.

Vendredi 4 juin 1971

Ça m'ennuie de ne plus t'appeler le matin. Les heures deviennent
interminables et quand nous nous retrouvons il faut refaire connaissance. J'ai commencé ce jour avec l'anglais, rue de Berry, reçu les
socialistes du CERES, visité mon Anne au 36 une petite demi-heure,
parlé à la Chambre sur les départements d'outre-mer, suivi le procès Edern Hallier et Dominique Grange au Palais de Justice, reçu
d'autres groupes que le prochain congrès met en folie. Puis je t'ai
revue avant dîner chez toi. Nous étions bien, mon amoureuse fille.
À 11 heures je t'ai prise à l'Orangerie et nous sommes allés chercher
Gédé gare de Lyon. Tu es mon Anne.

636.

Carte postale, le Morvan, l'aqueduc de Montreuillon.

Samedi 5 juin 1971

Départ pour la Nièvre à 7 heures. Il s'agit de descendre quelques
kilomètres du canal du Nivernais avec des journalistes de la région
Bourgogne, à des fins touristiques. Je vois un très beau spectacle.
Étangs de Baye. Eau, voiles, soleils. Amphis. Déjeuner champêtre.
   Après-midi à Château-Chinon. Je reçois un rallye automobile du
personnel du métro.
   Travail classique, inspection. Le temps écrasant change soudain.
L'orage, des orages trouent un ciel devenu noir. De la grêle par

énormes paquets. Ça craque de tous les côtés. Cela me retarde sur la route qui me mène à Auxerre, où je te retrouve, heureux et las.

Douceur de mon Anne.

637.

Carte postale, Auxerre (Yonne).

Dimanche 6 juin 1971

Dormir, se réveiller à Auxerre, près de toi. Te sentir, te voir, t'aimer. C'est ce que j'ai vécu ce matin.

Je t'ai laissée à l'hôtel de Normandie après le petit déjeuner et je suis parti pour Saint-Saulge où se tenait le congrès d'unification de la Nièvre. Tout s'y est passé normalement.

J'ai pu t'appeler à 18 h 30 et t'entendre encore avant ton départ pour Turin.

Je suis maintenant revenu à Paris, fourbu, mort de sommeil. Je t'embrasse.

638.

Carte postale, Hossegor, le lac.

Lundi 7 juin 1971

Quelle bonne surprise, ta lettre au courrier de ce matin ! Il y a si longtemps que je ne connaissais plus cette joie. J'ai décidé de partir travailler mon intervention de politique étrangère à Latche. J'ai donc pris l'avion pour Biarritz. Il pleut. Tout est gris. Mais je respire bien. Et je peux dans la solitude élaborer mes plans.

J'ai déjeuné à Hossegor, jeté un regard d'amitié sur Lohia.

Et puis j'ai écrit une page pour mon discours. Ce n'est pas assez pour aujourd'hui et cela m'inquiète.

Et toi, ma chérie. Turin, les Papini, les chartreuses.

Je suis sûr que ta pensée est proche et je t'aime.

639.

Carte postale, les lacs landais
(le lac Noir, le lac Blanc, le lac de Soustons).

Mardi 8 juin 1971

J'ai dormi à Latche. La nature chante avec les oiseaux, avec les grillons. Un petit soleil donne au ciel un air tendre. J'ai surtout travaillé mon intervention sur la politique étrangère. Defferre m'a téléphoné pour me demander de parler une demi-heure, aucun socialiste ne s'étant inscrit. Je dois donc étoffer mon texte. Je vais quand même me promener, en quête de champignons, et je trouve quelques girolles. Les Destouesse sont à Bordeaux et je ne les verrai pas.

Journée tranquille. Je me couche tard, penché sur mes écritures. Je pense à mon absente aimée.

640.

Carte postale, aérodrome de Biarritz-Bayonne.

Mercredi 9 juin 1971

J'ai pris l'avion de 7 heures à Biarritz et maintenant je tombe de sommeil ! Toute ma matinée a été consacrée à ma préparation. À 15 heures, séance. D'abord Maurice Schumann. Je parle vers 17 h 30. Ça marche. Giscard intervient. Je retourne à l'Assemblée après dîner... jusqu'à 2 heures du matin et rentre dormir par des rues pluvieuses. Christophe est revenu d'Algérie pour les vacances. Au courrier une vraie joie (devenue rare !) : une lettre de toi.

Ta présence m'inonde. Tu me racontes si bien l'appartement des Papini. Tu m'es proche.

Je t'aime, mon Anne !

641.

10 juin 1971. Télégramme, à Anne Pingeot, chez Papini,
via Napione 8, Torino.

PARIS TRISTE SANS VOUS ENVIONS TURIN PENSERONS ANNIVER-
SAIRE RAMBOUILLET 12 JUIN — FRANÇOIS CORDIER

642.

Carte postale, la place de la Concorde.

Jeudi 10 juin 1971

Anglais,
Rendez-vous sur rendez-vous pour ce fichu congrès.
J'essaie toujours en vain de t'obtenir à Turin.
Pas de golf, mais j'en aurais besoin.
Oh A. !

643.

Carte postale, La Marseillaise, *Rude. Arc de triomphe.*

~~Jeudi~~ Vendredi 11 juin 1971

Le chant du départ !… pour Épinay-sur-Seine où commence ce
matin le congrès socialiste dont je pense, tu le sais, qu'il peut changer toute la politique française. J'arrive au centre Léo-Lagrange vers
11 heures… et j'y reste toute la journée, sauf déjeuner chez Hovanian,
à Saint-Gratien.

Il fait un froid de loup. J'ai essayé de t'atteindre au téléphone mais
l'aimable Mme Papini m'a indiqué que tu « faisais le tour du Pié-
mont » et que tu étais déjà en route. Je pense à toi, mon absente chérie. Tu es dans ma vie et ne pas te voir est comme une gêne, un mal.

Reviens vite !

644.

Carte postale, L'Absinthe, *Degas. Au dos :* (Deux congressistes
socialistes dans un café d'Épinay.)

Samedi 12 juin 1971

Le congrès. J'y vis assidûment. Assis parmi les délégués de la
Nièvre je ne quitte pas ma chaise. Il me faut éviter l'agitation et les
épuisants conciliabules avec les journalistes. Le débat se fixe sur le
mode de scrutin pour l'élection au comité directeur. La proportion-
nelle intégrale est votée, rebondissement stupéfiant qui nous sauve.

Le soir dans mon hôtel de Montmorency, L'Orée du bois, je rencontre les minorités (Defferre, CERES, Mauroy, CIR) et nous convenons d'unir nos suffrages.

Mais comment faire pour le texte d'orientation politique, avec nos
contradictions de fond ?

Il est tard, 3 heures, je reste à l'hôtel et me couche, épuisé.

Étrange chambre presque vide avec deux lits étroits et une fenêtre
sans volets ni rideaux. Le soleil me frappe en plein visage et me
réveille vers 6 heures. Je change de lit. Il me rattrape. Je rechange de
lit. 7 h 45. Lever. Il me faut parler et convaincre 1 000 délégués en
trente-cinq minutes trois heures plus tard !

645.

Carte postale, peinture de Moser.

Dimanche 13 juin 1971

Mon discours lie et emporte le congrès. Mouvement d'une rare
intensité. J'étais pourtant très fatigué. À peine dans l'action tout est
devenu facile. Je ne déjeune pas et ne dîne pas.

Tout l'après-midi sera d'une tension extrême et deviendra dramatique quand le débat se~~ra~~ résumera en deux motions finales que rap-
porterons Savary et moi. 91 000 votants. Ma motion distance l'autre
de 2 200 voix.

C'est gagné. Donc, les difficultés commencent. Je rentre à 2 heures.
Envie de penser à autre chose. De l'eau qui descend en torrent sur la

roche. Du ciel profond. Toi près de moi, marchant parmi les herbes-fleurs de juin.

Ton beau regard vert. Et la passion, le plaisir, la paix d'un après-midi de bonheur. Cette carte postale exprime (oh ! art abstrait !) ma journée.

646.

Carte postale, La Joute, *Marca-Relli.*

Lundi 14 juin 1971

Je me lève tard. Vers 10 heures je t'appelle aussitôt à Cluny. Tu es revenue ce matin et je n'ai pu aller te chercher ! À ta voix je sens que tu en as de la peine et de la colère.

Nous nous voyons à 12 h 30 devant la statue de Montaigne et déjeunons à La Bouteille d'or. Tu es aimable comme je n'aime pas. Je te raconte. Tu t'animes. Mais tu ne reviens pas tout à fait de ce voyage sans moi. Je me sais lié à toi entièrement.

Après-midi consacré à des rendez-vous de préparation au comité directeur de mercredi.

Nous nous retrouvons après dîner, nous nous promenons dans les rues de Montparnasse et devant une glace et un viandox, dépouillons la presse du jour. Arrêt tendresse sous un parapluie, carrefour Raspail-Vaugirard ! Bonsoir.

647.

Carte postale, peinture de Bernard Buffet (La Cité).

Mardi 15 juin 1971

Leçon d'anglais. Je reçois mon équipe, toujours en vue du fameux comité directeur. Je t'appelle vers 11 heures et nous annulons le rendez-vous prévu pour 12 h 30, Orangerie : tu veux faire développer tes photos d'Italie. Journée un peu longue, remplie. Je rentre au groupe socialiste de l'Assemblée !

Curieuse rencontre ! Petit passage dans les couloirs : l'affaire d'Épinay semble avoir beaucoup marqué.

Toi, pour dîner. Au 36. Nous nous réunissons peu à peu.

Et c'est la possession. Ton beau visage gonflé par le plaisir.

Je te sens comme étonnée devant moi. Je t'aime, tu sais, mon Anne, domaine fort de ma vie.

648.

Carte postale, Paris, carrefour Rochechouart, rue des Martyrs.

Mercredi 16 juin 1971

Je vous aime, mon Anne. L'emploi du temps ne me permet guère de vous le dire ! Je ne vous vois pas à midi et ne vous récupère que la journée finie, après un déjeuner au Crillon avec Motrivo, ancien ambassadeur d'Espagne à Paris et de multiples rencontres politiques qui aboutissent à la réunion décisive du comité directeur du Parti socialiste élu dimanche soir.

Auparavant, bref entretien avec Savary dans le petit café d'angle photographié sur cette carte postale. Après mon élection au premier secrétariat je passe te chercher rue Saint-Placide, douce et bonne balade autour du quartier. Arrêt devant le 104 de la rue de Vaugirard. Symbole ! Et je vais rejoindre mes compagnons dans un bistrot du boulevard Saint-Germain.

649.

Carte postale, Paris, Maison de la radio et de la télévision.

Jeudi 17 juin 1971

Je commence ce jeudi avec ma leçon d'anglais et la poursuis en rendant visite à Guy Mollet. Commentaire sur le kriegspiel ! À 12 h 30 merveilleux Luxembourg et joie au cœur, tous les deux. Interviews à Europe 1, RTL, France-Inter, Télé I, Télé II, *L'Express, Le Nouvel Observateur, Le Provençal* !!!

Nous dînons au 36, mon amour, je me repose près de toi. À 11 heures je prends Paul Guimard chez Lipp, je rentre et je corrige pendant une heure l'interview pour *L'Express*. J'ai drôlement sommeil.

650.

Carte postale, Utrecht, cathédrale Saint-Martin.

Vendredi 18 juin 1971

Anglais, fidèlement.

Puis je vais à Neuilly saluer Nicole Questiaux qui a présidé la Délégation nationale pour l'unité. Protestante aimable et réservée. Visage de foi. Je déjeune avec toi au 36. Je trouve dans notre climat une vraie force.

À 18 heures je pars avec Joxe pour Orly. En route et à l'aéroport nous réglons dix dossiers ! Le travail est comme une montagne devant nous.

Boeing pour Amsterdam.

Mauvais temps. Je me rappelle un autre voyage. Celui d'un premier amour toujours recommencé.

Dîner avec mes conseillers généraux. Puis on va coucher à Holiday Inn (souvenir aussi !) à Utrecht.

Cette photo est celle du dôme d'Utrecht que je suis allé visiter.

651.

Carte postale, Utrecht, cathédrale Saint-Martin,
à Mademoiselle Anne Pingeot,
36 rue Saint-Placide, Paris 75, France.

19 juin 1971

?

652.

Carte postale, Rotterdam, Euromast, Rôtisserie.

Samedi 19 juin 1971

De ce restaurant à mi-hauteur d'une tour de 120 mètres et où j'ai déjeuné on voit Rotterdam, premier port du monde, monstre qui mange l'océan. La « Meuse endormeuse » de Péguy est ici vierge d'airain, corsetée de béton, proue d'acier.

Visite du port, balade en bateau le long de quais hallucinants.

Après-midi plus douce, pour Delft, où soudain le ciel est redevenu vieil or, comme pour nous, comme pour Vermeer aussi. J'ai retrouvé Grotius mais n'ai pu visiter le tombeau de Guillaume le Taciturne (heure trop tardive).

Traces si vives du souvenir. Ô Anne chérie. Le soir, Amsterdam, le Quartier rouge (malfamé) spectacle fou. Et retour pour la nuit à Utrecht.

653.

Samedi 19 juin 1971. Carte postale, Rotterdam, Euromast.

654.

Carte postale, Rotterdam, statue De verwoeste stad.

Samedi 19 juin 1971

De Zadkine
La Ville dévastée
à Rotterdam.

655.

Carte postale, Delft, église Nieuwe Kerk.

Delft,
    Notre Delft.

656.

Carte postale, Amsterdam, Quartier rouge.

Deux heures au Quartier rouge d'Amsterdam nous ont valu des images dont celle-ci n'est que l'image diurne, et un peu affadie.

657.

Carte postale, Amsterdam, Leidsegracht.

Je me balade le matin à Utrecht puis notre car nous ramène à Amsterdam. Nous déjeunons dans un petit restaurant super-mode et de là je vais rejoindre le président du groupe socialiste hollandais (Parti du travail), sorte de Guy Mollet batave, qui m'accueille, assez contraint me semble-t-il, à l'Apollo Hotel… (voir carte suivante)

Amsterdam, ô longue halte, derrière nous le musée, ses Rembrandt, ses Hals et ses Vermeer, devant nous le canal et ses saules pleureurs, en nous la vie montante.

658.

Carte postale, Amsterdam, Apollo Hotel.

Dimanche 20 juin 1971

Ma première rencontre internationale au titre de mes nouvelles fonctions.

Je n'arrive pas à prononcer le nom de mon correspondant hollandais, Joop van Lizut… et mon anglais n'est pas encore au point…

L'effarement que me montre ce Joop m'amuse.

On m'invite à la prochaine conférence des Partis socialistes des pays du marché commun. On m'y attend avec des bâtons dans le dos !

659.

Carte postale, Amsterdam, aéroport de Schiphol.

Dimanche 20 juin 1971

Départ d'Amsterdam-Schiphol.
Temps bouché. Voyage tranquille.
Je pense à toi.

660.

Carte postale, Paris, Notre-Dame.

Lundi 21 juin 1971

Je reviens de Hollande, toi de Belgique. J'arrive en retard à notre rendez-vous de 12 h 30, devant la statue de Montaigne, et je vois tout de suite que tu rognes. Tu es enrhumée ce qui ne te rend jamais aimable ! Mais ce n'est qu'une ride et nous déjeunons avec joie au Notre-Dame, petit bistrot rive gauche sur le quai. L'après-midi je vois Descamps à la CFDT square Montholon. Puis se tient le premier bureau politique de 18 h 30 à 21 h 30. Petit dîner rapide avec Dayan,

Joxe et Fillioud à Saint-Germain et je vais te chercher sous les voûtes de l'Odéon sur le coup de 10 h 15, à la fin de ton dîner avec Diesel chez Maître Paul. Quelle bonne promenade qui nous ramène rue Saint-Placide ! Nous avons ce soir notre douce musique intérieure.

661.

Carte postale, Paris, l'Arc de triomphe.

Mardi 22 juin 1971

Je ne te retrouve que le soir mais je t'appelle le matin chez toi, l'après-midi au musée. Après mon anglais je reçois rue Guynemer puis je déjeune avec les dirigeants de la Bonne Presse et de *La Croix*, rue Bayard.

Travail sur mon intervention de demain à l'Assemblée : sujet, la loi sur les associations.

Ratage pour notre rendez-vous de 18 h 15 : je t'attends devant le 36 et toi devant le Lutetia ! Je suis dans mon tort ! Tu manques la réception de mariage de Marie-France Dulac. Un peu de brume.

Débat avec Leroy à Europe 1. Puis dîner aux Innocents, quartier Champs-Élysées, avec Diesel, Bibiche, Hernu, Dominique Tetreau. Nous rentrons au 36 avec un double et clair ☿.

662.

Carte postale, Paris, place Pigalle illuminée.

Mercredi 23 juin 1971

J'ai travaillé tout le matin sur mon discours « Droit d'association ». Quinze pages écrites un peu à la hâte ! Je passe l'après-midi à l'Assemblée. Mais le gouvernement qui redoute le débat s'arrange pour changer l'ordre du jour et reporter la discussion à la séance de nuit.

Le temps passe et les conciliabules s'organisent entre le ministre de l'Intérieur [Raymond Marcellin] et sa majorité réticente.

On dîne ensemble, mon Anne. À La Croque au sel. Qu'on y est bien. Qu'on est bien !

Belle soirée d'un des jours les plus longs. Je t'aime…

Et je replonge dans l'Hémicycle dont je ne ressors, discours prononcé, qu'à 5 heures du matin…

663.

Carte postale, Paris 1900.

Jeudi 24 juin 1971

Pluie de la Saint-Jean. Ô feux d'autrefois sur les collines de Touvent ! Journée sans toi. C'est rare et je n'aime pas. Journée sans rien je me repose de ma nuit. Je vais cité Malesherbes.

Et je pense à toi, et je pense à toi.

664.

Carte postale, Moulins (Allier), la cathédrale.

Vendredi 25 juin 1971

Anglais, travail le matin chez moi.

À 12 h 15 je te retrouve à l'Orangerie et nous allons – ô joie – dans notre cher quartier. J'achète un bouquin de Drieu la Rochelle chez Loliée. Je suis heureux d'être avec toi.

Déjeuner avec Riboud, tu sais, celui de l'OPA sur Saint-Gobain. L'un des plus modernes patrons d'envergure. Après-midi à la cité Malesherbes et article pour *France-Soir* sur la loi qui modifie le droit d'association.

À 17 h 45, rue de Rennes, toi. En route pour Moulins.

Nous y arrivons après un voyage de paix et d'entente.

Et le soleil nous réunit ϕ.

665.

Carte postale, Dun-les-Places, monument élevé à la mémoire
des Fusillés martyrs du 26 juin 1944.

Samedi 26 juin 1971

Je te quitte à Moulins, à la gare exactement, lieu de nos amours, de nos départs, de nos retours. Je t'aime du fond de l'être. Je n'aime pas te quitter. Je vais vite et suis une heure et demie plus tard à Dun-les-Places. Cérémonie d'usage au monument, au cimetière, à la mairie. Déjeuner chez l'ancien maire Emery, fils du maire fusillé en 1944. À 3 heures j'arrive ~~au~~ à Château-Chinon où m'attend un petit groupe ami. Je visite deux chantiers. Il pleut à verse. Le brouillard monte. Le soir tombe et je vais à Clamecy pour la soirée de mariage de la fille du sénateur. Images (compassées, un peu ridicules) de la province d'autrefois. Je suis étourdi et dois m'asseoir. Une fatigue. Pourtant je rentre à mon volant – je suis à Paris à 1 h 30 du matin.

666.

Carte postale, musée de l'Affiche et du Tract,
la Seconde République, Paris, le 25 février 1848.

Dimanche 27 juin 1971

Je pars pour Lille avec Joxe et Dayan, vers 10 heures. Mais je t'entends d'abord au téléphone. J'aime ta voix claire qui dit la joie.

Réception à la permanence socialiste puis déjeuner à Phalempin. Fête populaire. Palais de la bière, discours politique, show François Deguelt... au milieu d'une belle forêt de chênes, à 15 kilomètres au sud de Lille.

On parle beaucoup des ancêtres et de la République ! Vers 18 heures Vincent (un ex-CIR) m'emmène au Quesnoy où je vais dîner et dormir. Assez exténué.

667.

Carte postale, Paris, église Saint-Germain-des-Prés, *Marion Girard.*

Lundi 28 juin 1971

Ce dessin de Saint-Germain est le résultat de mon effort désespéré pour trouver une image… du Nord. J'ai cherché en vain une carte postale représentant Le Quesnoy ou Cambrai mais, pas de café, le vent, la pluie, les maisons hermétiques ! Je suis donc revenu par l'autoroute, à mon volant, après avoir dormi au Quesnoy sur le rempart de Vauban. J'ai déjeuné à Fontenay-sous-Bois, chez André Jeanson, ancien président de la CFDT. Puis j'ai siégé cité Malesherbes, reçu chez moi Louis Vallon, et bavardé avec mon ami Pierre Merli, le nouveau maire d'Antibes. J'ai sommeil !

Eu Gédé au téléphone… à ta place ô Nannon qui te promenais sur la montagne Sainte-Victoire !

(C'est dans un stand Esso à Bapaume que j'ai trouvé ce chef-d'œuvre.)

668.

En-tête Assemblée nationale, à Mademoiselle Anne Pingeot,
~~aux bons soins de Monsieur Maucout, avenue Mistral, Gardanne 13.~~
36 rue Saint-Placide, Paris VIᵉ 75.

29 juin 1971

Mon amour,

La route chaude, le mariage au bord du Doubs, Tournus, saint Philibert et la chambre à odeur de cuisine, le bel été, la Saône, château Saint-Jean, et le retour d'orgueil, de joie, l'orage, toi.

Mon Anne bien-aimée ces images anniversaires sont celles qui m'émeuvent et m'émerveillent, semblables à ce jour, le premier.

Tu es dans le soleil et la beauté. Je pense à toi. Je t'embrasse comme j'aime

parce que je t'aime.

François

669.

Carte postale, Paris, la gare du Nord.

Mardi 29 juin 1971

Journée à Bruxelles, pour le Congrès des Partis socialistes du marché commun. Aller et retour par le train TEE.

Je reçois beaucoup de journalistes belges et anglais qui me tirent dans tous les sens. Télé. Radio. Débat avec le leader socialiste belge Simonnet, député de Bruxelles.

Discours l'après-midi, après le leader allemand Wehner.

Je trouve ces gens ternes et petits-bourgeois. Je me souviens de notre balade sur la place du Marché et d'un dîner... minable, mais portugais je crois.

Je pense à toi.

670.

Carte postale, Paris, la Conciergerie, Notre-Dame et la Sainte-Chapelle.

Mercredi 30 juin 1971

Après un déjeuner avec un certain Jurazinski, grand patron de Radiotechnique et du groupe Philips, je passe ma journée cité Malesherbes où se succèdent les réunions. On se met en place. Le soir j'appelle Gardanne. J'obtiens Gédé et Martin qui me précisent l'heure de ton départ de Marseille. J'irai te chercher demain.

671.

Carte postale, Paris, la Seine au Pont-Neuf.

Jeudi 1er juillet 1971

En allant gare de Lyon j'ai vu des pêcheurs à la ligne et j'ai pensé que cette journée importante pour moi avait moins de prix qu'un goujon.

Je me lève à 6 heures pour aller te chercher à la gare à ton retour de Gardanne. Je suis si heureux de te revoir.

Nous nous retrouvons pour déjeuner. Au 36. Je suis ému de revoir ta chambre, ces objets. Mais il faut se dépêcher. Je fais ma conférence de presse à 3 heures rue d'Athènes et je vais chez le coiffeur auparavant.

Conférence de presse. Deux heures durant.

Puis réception des dirigeants conventionnels à La Tour-Maubourg. C'est un au revoir qui serre un peu le cœur.

Tu m'attends devant La Coupole et nous allons au cinéma des Ursulines voir l'admirable *Mort à Venise* de Visconti.

On est bien. Mais je te sens raidie. Tu me dis « C'est ma crise bourgeoise » !

672.

Carte postale, le théâtre de l'Opéra.

Vendredi 2 juillet 1971

Nous nous voyons deux fois, à 12 h 30 au Luxembourg, belle promenade par un ciel éclatant. Mais tu es refermée sur toi-même.

Le soir, au cinéma Danton. J'arrive en retard. Tu as ton air des mauvais jours. Le film est lent et beau [Le Guépard de Visconti, 1963]. Nous faisons un rapide dîner au Manneken-Pis : brochettes et crêpes (hmm !!).

Je ne parviens pas à détendre ton profil serré, style Maucout (mère).

J'ai déjeuné avec Ambroise Roux, l'un des grands et plus intelligents patrons français.

Et vu, revu après deux ans et demi, la petite Valérie Green que nous avons connue à Cornell College (« Sous le pont Mirabeau »...). Avec son fiancé, barbu roux. Venant tous deux du Togo. J'ai pris un verre en leur compagnie au Café de la paix. Easy rider !

673.

Carte postale, Nevers.

Samedi 3 juillet 1971

Micheline « Bourbonnais ». Demi-sommeil. Beutin m'attend à la gare et m'emmène à Château-Chinon.

Là-bas, travail à la mairie, visite des HLM.

Déjeuner au Vieux Morvan, avec Mme Bondeux et Poirier. Rapide. Il faut être à Pougues-les-Eaux pour le colloque cantonal. Tout l'après-midi par une chaleur écrasante j'écoute les rapports. Je regarde un tilleul énorme, puissant, odorant. J'évoque des souvenirs d'étés d'autrefois.

À 19 h 30 Saury et moi allons à Châtillon où l'on désigne les dirigeants du Parti socialiste nivernais. Enfin, je te rejoins (retard coupable !) devant la collégiale Saint-Martin de Clamecy. Nous dormons à l'Hôtel du Cygne à Auxerre. Joie et si intense soleil ☼.

674.

Carte postale, Saint-Révérien (Nièvre), route de Crux
et carrière de Magny.

Dimanche 4 juillet 1971

Modeste carte postale d'une modeste bourgade. Mais nous y étions ensemble, ce dimanche et en compagnie de solides Nivernais nous avons banqueté à l'Hôtel de la Perdrix. Nous avions auparavant visité des communes du canton de Brinon : Champallement, Bussy-la-Pesle, Chevannes, Changy, Authion. Temps très beau. Tu es restée à Champallement avec Paule Saury.

Retour à Château-Chinon, visite du musée.

Nous dînons à Alligny-en-Morvan où nous attendent… soixante-dix convives ! Auparavant petite halte en haut Morvan parmi les marguerites et les digitales. Je suis écrasé de fatigue.

Nous rentrons il est minuit. Hôtel Normandie à Auxerre. Sommeil profond par une nuit trop chaude, trop lourde.

675.

Carte postale, Auxerre (Yonne),
la cathédrale vue des bords de l'Yonne.

Lundi 5 juillet 1971

Tu me réveilles en sursaut : il est 7 h 30 alors que nous devions nous lever une heure plus tôt afin de te déposer à Cluny à 9 heures pile. Cela suffit pour te donner ce visage de bois que je n'aime pas. Nous roulons en silence pendant 20 kilomètres puis ta main se pose sur mon genou droit... Quand nous arrivons nous sommes tristes de nous quitter.

Je déjeune avec Charles Hernu et Clairette Sarrazin qui part dans son Jura.

Après-midi chargé. Le Parti socialiste m'absorbe trop et le temps me fatigue.

Je te retrouve le soir. J'aime notre paix. Mais tu gardes, toi, une inquiétude. Mon Anne chérie toute cuirassée contre moi !

676.

Carte postale, Paris, vue du Palais-Royal :
la colline de Montmartre et la basilique du Sacré-Cœur.

Mardi 6 juillet 1971

Matinée, cité Malesherbes. Je te rejoins au Palais-Royal. Ravissement. Tu es près de la fontaine, au soleil. Je déjeune avec mère Marie-Yvonne, bénédictine, chez un ami, charentais, Wiehn.

Toi, de nouveau. Le 36. Longue conversation. Je t'aime.

677.

Carte postale, Paris, la place du Théâtre-Français.

Mercredi 7 juillet 1971

Encore le Palais-Royal à 12 h 30. Encore une grande joie par toi. Je déjeune.. avec Wildenstein, l'homme au Vélasquez de 3 milliards.

Il n'a sur ses murs que des croûtes à la signature d'or. Très mauvais goût.

Le matin a été occupé par notre rencontre avec le PC.

Flashes, journalistes, comediante, tragediante. Marchais nerveux.

Petits-fours staliniens !

L'après-midi rencontre avec les radicaux, place de Valois. Amabilités. Cela m'amène tard à toi et pour pas longtemps. Je dîne avec Dayan et François Dalle. Toi tu invites au 36. Et je pars pour les Landes par le train de nuit.

678.

Carte postale, Soustons, le lac.

Jeudi 8 juillet 1971

Journée de repos, de sommeil. Je ne bouge pas. Torpeur. J'ai un besoin terrible de relâcher mes nerfs. Pourtant je ne puis ôter de mon esprit que tu es loin. J'aime ton visage grave. Je pense à toi.

679.

Carte postale, Bayonne.

Vendredi 9 juillet 1971

Voici la vue de Bayonne que j'ai de l'avion qui m'emporte vers Orly à 7 heures ~~de~~ ce matin.

À mon bureau, Paris me happe.

Toi à 12 h 30.

Après-midi cité Malesherbes puis rue de Solferino, à la Fédération de l'Éducation nationale où je me trouve devant d'incroyables fossiles. La fin d'une certaine république. Les profs ! Ridicules, peureux, éloignés des sources de l'esprit dont ils se réclament.

Bureau exécutif du Parti socialiste jusqu'à 11 heures.

Mais tu m'attends. 36. Petit dîner ; ton sourire. Et ☿.

Oh ! A.

680.

Carte postale, Saint-Père-sous-Vézelay (Yonne),
portail d'entrée de l'église Notre-Dame (détail).

Samedi 10 juillet 1971

Toute ma journée est occupée par le comité directeur du PS qui commence à 9 heures et s'achève… à 18 heures. Je te quitte au 36 après une nuit tendre et tendue. Je t'aime, mon Anne.

Débats épuisants, faits d'arrêt destruction. On voit à l'œil nu ce qu'est l'approche de la mort lente. Et je dois réveiller cette masse inerte, méchante d'avoir, si je réussis, à vivre.

Nous partons, le soir tombant, pour Saint-Père où nous avons pu obtenir une chambre. Nous y arrivons exténués par la chaleur mais heureux d'être réunis.

Et cette fois-ci, nous dormons !

681.

Carte postale, Vézelay, la cathédrale.

Dimanche 11 juillet 1971

Nous nous réveillons à Saint-Père et allons faire notre visite d'amour et de courtoisie à la basilique Sainte-Madeleine, que le Roy Louis nous manque !

Ceci dit, travail ! Je visite Dompierre-sur-Héry, Michaugues, Moraches, Héry, tu vas à la messe à Brinon et nous pique-niquons à Dompierre de charmante façon. Quelle chaleur. Été, ô juste Été. Nous rentrons par Lormes où je m'arrête chez Barreau. Puis l'autoroute, sortie à Courtenay, nez cassé sur l'Hôtel (complet) de la Poste à Montargis et coucher à Nemours.

Nous sommes bien, très amis. C'était sympathique ce pique-nique en sous-bois d'autrefois avec ses chapeaux de paille, ses poulets en gelée, ses tartes, ses clafoutis.

682.

Carte postale, Nemours, hôtel de l'Écu de France.

Lundi 12 juillet 1971

Se réveiller près de toi. Il est 8 h 30 quand il faut sauter brusquement du lit après une nuit très calme et très heureuse. Nous arrivons au musée Rodin à 10 heures précises. Tout va bien.

Je reçois Roger Louis. J'écris à Lecanuet. Je te retrouve à 12 h 30 pour déjeuner à La Croque au sel. Notre entente est si bonne.

Après-midi torride à la cité Malesherbes.

Malheureusement le soir nous nous voyons très peu. Laurence et moi te conduisons rue du Sahel chez Frèches [reçu premier au concours de conservateur de 1970], où tu dînes et nous allons, avec Pierre et Marie-Pierre Landry, à la brasserie Fernand.

Douceur de t'aimer.

683.

Carte postale, l'avenue des Champs-Élysées.

Mardi 13 juillet 1971

Anglais, le matin. Je perds un peu le fil, faute de laboratoire. À 11 h 30 rendez-vous à la CFDT. Intéressant. Je manque notre rendez-vous du carrefour Croix-Rouge. Après-midi de travail.

Discussion avec Marcelle Padovani, journaliste au *Nouvel Observateur*.

Et le soir nous allons au cinéma, Champs-Élysées, voir *Le Messager* de Losey.

Très bon film, plusieurs crans au-dessous de *Mort à Venise*.

Et nous dormons ensemble au 36.

684.

Carte postale, côte atlantique.

Mercredi 14 juillet 1971

Je t'écris cette carte au lendemain du 14, de ce 14 juillet éclatant comme la vague du bel été. Symbole de mon amour, chaud des plus tendres souvenirs. Père Auto. Nous y avons déjeuné en effet. Que nous étions émus. Ces lieux nous guérissent de tout.

Anne merveilleuse de tous mes jours. Nous avions bien dormi ensemble et pourtant, ☿ accompli, de peur de ne point respirer la forêt tu boudais. Un petit tour à Ville-d'Avray a suffi et ce petit restaurant des premiers bonheurs. À 18 h 05 tu me disais un long au revoir sur le quai d'Austerlitz. Je me repais du geste de ta main, de ton corps immobile. Amour. J'ai lu dans le train *Le 4 septembre* d'un acteur de l'événement, É. de Kératry, passionnant, et je suis arrivé à Dax.

685.

En-tête Assemblée nationale, à Mademoiselle Anne Pingeot, 36 rue Saint-Placide, Paris VIᵉ 75.

Latche, le 15 juillet 1971

Tu es mon amour, Anne.

L'été a l'odeur d'herbe soufrée de mon enfance. Un peu d'enfer dans le ciel embrasé. Je te vois, mon image d'une beauté secrète. Les heures lentes sont autant de saisons. Et puis je dors. Les rêves aussitôt ramènent Touvent et l'espoir des libellules sur la Dronne. Fraîcheur et pureté des ailes qui battent bleues, parmi les joncs. Fraîcheur des ablettes à l'ombre du courant. Tout le reste est torride et torpeur.

Je t'aime. Je t'ai quittée hier et je t'attends. Ma grande fille pure et chaude, fruit d'été, toi aussi.

J'ai lu un bon livre dans la Puerta del Sol : *Le 4 septembre* de Keratry qui fut le préfet de police de la République naissante. Bien écrit, avec des lueurs qui éclairent vivement ces jours obscurs. Il faisait dans ce train la sale chaleur moite. Mais quel spectacle sur la Touraine et le Poitou, je regardais la rive gauche du fleuve descendant et je m'émerveillais des profondeurs changeantes de la lumière.

Aujourd'hui je regarde encore, mais immobile. Je t'aime surtout.

La sanguine et le chemin de croix sont là qui me rappellent qu'il y a du sang et qu'il coule par tant de blessures.

Mais je t'aime ô mon Anne avec passion

<u>François</u>

686.

Carte postale, le Super-Hossegor (au fond, l'océan).

Jeudi 15 juillet 1971

Ma main tremble : j'ai joué au tennis pour la première fois depuis treize ans ! Je n'ai pas forcé et mon corps respire. Ce matin je me suis réveillé avec les oiseaux. Une brume de chaleur met un voile sur le matin le soleil l'emporte vers 11 heures et c'est une orgie de chaleur.

Je suis allé voir Gédé, à Hossegor, j'ai mangé le saint-nec et bu le moscatel. Devant le lac. Ô je t'aimais mon Anne. Autrement j'ai lu les journaux et commencé *Le ~~Soleil~~ Sang noir* de Guilloux. Impossible de t'appeler pendant la journée, circuit occupé. Mais à 10 heures, bonheur de t'entendre. Nous avions tous deux le cœur bondissant.

687.

Carte postale, Soustons, la rue principale.

Vendredi 16 juillet 1971

Les journaux donnent une grande place à la polémique socialiste communiste. On apprend aussi que Nixon irait en Chine. Ça bouge ! Je t'ai appelée à mon réveil, ô ma voix douce. Et l'un et l'autre disent : « Si tu savais. »

J'ai rencontré Diesel sur la route de Tosse alors que j'allais à Lohia et je lui ai remis ta lettre oubliée hier. Il avait l'air fatigué. Je lis *Le Sang noir*. Jaquet et Estier m'appellent de Paris à cause d'une déclaration à faire sur l'Indochine. Un orage trouble le ciel un moment. Mais la soirée est maintenant admirable, dorée, caressante. Je t'aime, Anne, d'un cœur passionné. Tu es pour moi l'harmonie et la vérité comme autour de la table cirée de Mouchan.

688.

Carte postale, paysage du Morvan.

Samedi 17 juillet 1971

J'arrive par l'avion de Biarritz. Je t'appelle. Tu viens rue de Fleurus. Que tu sembles heureuse !

Je pars pour Château-Chinon et toi avec, la GS, à midi, pour Louvet.

Déjeuner de l'Académie du Morvan à Ch.-Ch. Papotages peu savants, visite du musée.

Travail à la mairie.

À 18 heures mariage de Cuniac à Brinay.

Je suis fatigué et rentre au Vieux Morvan avec les Saury et Léon Boussard.

Je t'appelle à Louvet.

J'imagine la chambre rose, le vase de Mende, l'odeur de la nuit. Cela m'émeut.

689.

Carte postale, Saint-Révérien (Nièvre), église.

Dimanche 18 juillet 1971

Levé à 8 heures je pars pour mes communes : Taconnay, Corvold'Embernard, Chazeuil, Saint-Révérien. De là, je déjeune à Donzy, chez Clément. Puis après-midi avec Jean Bernigaud, à Magny-Cours. Château-Chinon s'est réveillé dans un épais brouillard, après un violent orage nocturne. J'ai retrouvé un beau et rude soleil dans la plaine.

Et toi, à Nevers, retour de Clermont, à 7 heures. Nous sommes revenus par le Berry et Saint-Benoît. Nous avons marché dans « notre chemin » et médité à l'heure de la prière. Paris, peu après minuit. Le 36. J'aime dormir avec toi.

690.

Carte postale, Nature morte à la commode, *Cézanne.*

Lundi 19 juillet 1971

C'est boulevard Raspail, devant Gallimard, que nous nous rencontrons. J'en profite pour acheter quelques livres. Nous avons le cœur léger, heureux.

Je déjeune à la banque d'Indochine, invité par René Bousquet, l'ancien ministre de l'Intérieur de 1941.

Après-midi studieux. Chandernagor vient me voir. Longue conversation.

Apparition de Laurence, retour provisoire de Gordes.

Il fait très chaud. On rêve de fruits fondants !

Et nous sommes rompus de fatigue ! Tu as quand même le courage de descendre du 36 et de faire à 9 heures le tour du quartier avec moi (on passe devant le 104).

Et tu as ton sourire de lumière. Je vous aime.

Ô A. !

691.

Carte postale, Aita Parari (Annah la Javanaise), *P. Gauguin.*

Mardi 20 juillet 1971

La journée s'achève au 36 avec un charmant dîner tardif et un tendre et profond sommeil – illuminé par ☿.

Avant nous nous sommes vus vers 12 h 30, boulevard Saint-Germain devant chez Julliard. Balade d'amoureux émerveillés d'être amoureux.

Je déjeune chez Marius, rue de Bourgogne, avec Patrice Pelat et Jacques Piette, l'un de mes opposants du PS (l'ami intime de Guy Mollet).

Après-midi attristant : visite aux hypocrites FO et aux cyniques CGT ouf ! Et il fait toujours aussi chaud.

Je suis las. Mais tu es au bout de ce jour et tu t'appelles Anne.

692.

Carte postale, Paris, la place Edmond-Rostand,
la rue Soufflot et le Panthéon.

Mercredi 21 juillet 1971

Nous nous voyons la première fois au Luxembourg où nous nous promenons longuement. Il fait beau. Je me sens très proche de toi et c'est bon de t'aimer. Une deuxième fois, le soir, pour dîner à La Croque au sel, avec Laurence. Tu arrives tard, nous respirons avidement l'air frais qu'apporte la nuit et nous accompagnons Laurence à la gare de Lyon d'où elle part pour Gordes.

Nous rentrons à pied par la rue Mouffetard, la Contrescarpe et le Panthéon admirable sous le ciel noir. Tu as une robe longue à dominante vert et qui est belle. Je suis fier de marcher auprès de toi.

J'ai déjeuné avec Bettencourt. Travaillé cité Malesherbes et rue Guynemer. Je suis un peu surmené. J'éprouve une grande joie de notre solide et profonde entente.

693.

Carte postale, Paris, la place du Théâtre-Français.

Jeudi 22 juillet 1971

Anglais. J'ânonne. Il s'agit de gens qui prennent le bus... Cité Malesherbes on reçoit la Jeune République et l'après-midi on va voir la Ligue des droits de l'homme. Qu'ils sont embêtants ces ratiocineurs ! La barbe ! J'ai envie de respirer dehors. Je t'aime, heureusement, à 13 heures au Palais-Royal, avant de déjeuner avec Christopher Soames à l'ambassade de Grande-Bretagne. Repas dans le jardin, soleil, détente, rires vigoureux.

Rencontre avec Abelin, toujours sympathique mais si seul. Avec Harris qui monte après *Le Chagrin et la Pitié* un film sur de Gaulle et souhaite mon concours.

Nous dînons ensemble au 36 et restons la nuit.

Douceur et paix.

694.

Carte postale, Paris, la gare d'Austerlitz.

Vendredi 23 juillet 1971

Anglais, coiffeur, menus achats de vacances.

Marie-Thérèse Eyquem vient me voir.

Je vais te chercher à l'heure rue Saint-Placide. Austerlitz – orage violent. Histoire d'amour, de cape et d'épée dans un train : Anne et moi remontant les wagons du Sud-Express, j'y vois un beau sujet de poème.

Voilà, tu es partie, un trimestre, une année s'achèvent. Tu portais ton long corsage irisé de couleurs vives, à dominante orange et rouge, et la jupe rouge clair que j'aime. J'adorais ton visage.

Vu Robert, le soir.

Toi tu dors à Lohia.

Mon amour.

695.

Carte postale, hôtel Trianon Palace, Versailles.

Samedi 24 juillet 1971

Matinée à la maison.

Je déjeune à Versailles où ont lieu les fiançailles de ma filleule Françoise Munier. Trianon-Palace, relations gourmées. Douze invités. Je reviens vers 10 heures. Juste le temps de faire ma petite valise et de prendre le train à Austerlitz.

Dans la Puerta del Sol je lis *Fiesta* de Villalonga. Un beau portrait de reître espagnol. Tête un peu lourde. Je regarde avec tendresse le Poitou précéder la nuit. Puis Dax, la forêt, Latche. Je pense à toi, si proche.

696.

Carte postale, Hossegor.

Dimanche 25 juillet 1971

Je t'aime, mon Anne.

En fin de matinée je cours à Lohia. Déception, tu es partie pour la plage ! Je me console avec Gédé, le moscatel et le saint-nec. Je reviens dans l'après-midi. Il fait un soleil éclatant. Nous restons sur la terrasse. Nous sommes comme intimidés l'un par l'autre.

Je vais ensuite à Moliets où je visite et les Destouesse et les Barbot. On parle de toi : je suis heureux d'entendre ton nom.

Toujours difficile cette harmonie dans les Landes. Faire ensemble. Mais là nous sommes séparés par les épaisseurs des usages, des habitudes. J'ai avec moi un bouquin de Pablo Neruda. Pour te lire. Mais nous n'avons pas une minute ensemble.

697.

Carte postale, Nogaro, le cloître.

Lundi 26 juillet 1971

Je passe te voir. Tu n'es pas là mais avec Bertrand, au manège de la poste. Je t'achète un bouquin d'Oraison pour ta fête… et un Picasso qu'il me faut rendre au libraire, désavoué. Je t'aperçois avant de partir pour Nogaro où je déjeune.

À Nogaro je rencontre les leaders nationalistes basques exilés, de Monzón et… Mengni.

Leur vie est consacrée à l'indépendance de leur pays. Chaque mot dans leur bouche est une arme de combat. Le Gers a des horizons effilés qui m'émeuvent. Les maisons sont semblables à celle de Touvent.

Retour. Je viens te revoir. Quand j'arrive tu traverses le lac à la nage. Premier mouvement, tout de tendresse. Ensuite le courant a peine à passer !

Après dîner me voilà de nouveau à Lohia. Tu langes Denis. Tu m'expliques si mal ce que tu ressens !

Et je pars très triste.

698.

Carte postale, Hossegor, le lac.

Mardi 27 juillet 1971

J'étrenne le golf. Dix trous avec Diesel. Je joue 50. Pas mécontent après une si longue inaction. Diesel ne manque pas l'occasion de me prendre une balle. Mais ce petit jeu dissimule l'autre, le vrai : je t'attends et tu ne viens pas. Je rage et je suis triste. Je passe à Lohia vers 12 h 30. Justement arrive Hélène Cousy. Que tu es mondaine dans le sang. Ta voix se fait parfaite. Et moi je dois partir.

Il faut que cette Hélène s'en aille avant que je montre le nez. Pas de chance vous en êtes aux adieux quand je réapparais. Il est 18 h 30. Je fais un tour. Me revoilà. Tu n'es pas contente. Tu as cru que je disparaissais. Et, miracle, le climat que nous aimons se recrée autour de ta cheminée. Mon amour comme il faut vivre ces jours avec force ! Je sens le temps me brûler les doigts.

699.

Carte postale, Moliets (Landes), le lac.

Mercredi 28 juillet 1971

Quelle belle promenade ! Nous sommes allés, les deux Michel, toi et moi, de la forêt à la plage et retour à Moliets, sur 12 kilomètres. Le soleil brillait, brûlait, nous étions bien. Nous avons vu pêcher de

longs poissons couleur d'or pâle, nous avons parlé, respiré, marché
jusqu'à la fatigue.

Nous avons ensuite déjeuné sous forme de pique-nique chez les
Barbot. Là aussi tout était harmonie. Saint-Périer a raconté des histoires. J'ai joué avec Caroline. Tu as bu le soleil.

Après quoi, sur la route d'Azur, les fougères, la haute cime des
pins et ϕ: nous.

700.

Carte postale, Nevers, le bord de Loire.

Jeudi 29 juillet 1971

Saint-Périer me conduit à l'aéroport de Biarritz. Avion de 7 heures.
À Orly mon chauffeur assure le relais. Chaleur accablante. Je me
change dans la voiture en marche. Drôle de gymnastique. J'arrive
à la cathédrale de Nevers in fine, c'est le cas de l'écrire. Cimetière.
Discours sous le soleil qui nous cuit (un discours de Benoit, hors de
toute grammaire, un discours d'un général plus bête que nature) c'est
fait. Robert Valette exit. Je rencontre mon pauvre ami Bernigaud,
proche de ces jours graves et ridicules.

Remontée sur Paris dans la folie de la circulation. On passe par
Courtenay et on s'en tire bien.

Paris. Étrange impression.

Dîner avec Paul Guimard et retour vers Biarritz.

Vers les Landes. Vers toi.

Mon amour.

701.

Carte postale, Landes, « La Côte d'Argent »
(poème de Jean-André Jeannin).

Vendredi 30 juillet 1971

Je n'ai pas choisi cette carte pour le triste quatrain ci-dessus mais
parce qu'elle évoquera pour toi notre promenade de cet après-midi,

de la plage des Casernes vers le nord. Un oiseau, coureur à pied, deux tonneaux rouges, la puissance glauque de l'océan, quelques pêcheurs ont été notre paysage. J'ai vécu ce moment avec une joie intense. J'avais rarement vu tes yeux aussi verts, aussi clairs. Ton visage bruni, doré et ta hanche douce à ma main.

J'étais déjà venu te voir le matin et le soir nous avons dîné aux chandelles sur la terrasse de Lohia. Avec Saint-Périer et les Barbot, Agnès, l'Espagnole, Martine et Hervé, Diesel, Gédé. J'étais assis près de toi et j'aimais et tu m'aimais. Saint-Périer un peu gris a laissé sa Rolls et je l'ai ramené avec la Méhari.

702.

Carte postale, côte de l'Atlantique, les pins maritimes.

Samedi 31 juillet 1971

Petite déception : tu n'es pas au départ du golf ce matin quand Gilbert, Saint-Périer et moi y arrivons. Diesel non plus. Il y a maldonne : quelqu'un s'est trompé sur le rendez-vous. Mais au trou 5 joie : tu apparais avec Bertrand. Que tu es belle par cet été doré, mon amour. Tu nous quittes un peu plus tard. Tu vas à la mer. J'aime que tu sois heureuse et il me semble que tu l'es.

Je déjeune au Tuyau de poêle à Hossegor et reviens te voir à Lohia. Nous convenons de nous retrouver avec les Maucout, Bertrand, Gédé sur le chemin de nos amours en forêt de Seignosse, à 6 heures. Beauté du soir, lumière d'or et de sang. Nous marchons et ramassons des pignes. Émotion de mettre nos pas dans nos pas des premiers rendez-vous.

703.

En-tête Assemblée nationale, à Mademoiselle Anne Pingeot, 36 rue Saint-Placide, Paris VIe 75.

Latche, 31 juillet 1971

Mon amour,

Il faudrait exprimer. Mais comment ? Tant d'événements occupent ma pensée dès qu'il s'agit de toi. Tu es toujours au centre du drame, objet du rêve, symbole poétique, signification première. Les grands problèmes passent par la façon dont je t'aime : la mort, la beauté, le temps, l'amour, l'espoir. Je te regarde avec une attention incessante. Je lis ton visage et, sur ton visage, le reflet des choses. Ainsi ce soir en surimpression il y avait d'abord la forêt, évidemment, mais une forêt traversée par un chemin qui lui-même s'identifiait à d'autres promenades, dans un temps à la fois passé et présent, avec une halte heureuse et rituelle et un ciel de hautes futaies, des courses rieuses, des étreintes graves, la bruyère et les fougères droites sur leur pied, raides, nos conversations d'une année à l'autre, nos cœurs serrés, l'angoisse des départs, le retour de l'été. Quelle souffrance. Quel bonheur. C'est sur ce chemin qu'en septembre 1965 nous avons su que nous étions le couple que nous pressentions. Là tu as été jalouse un 9 août. Là tu as boudé, crié, ri, aimé. Oui, quelle souffrance, ces saisons qui nous tuent.

Avons-nous vieilli, moi plus vite ? Pourtant j'avais aujourd'hui le même élan et la même angoisse. L'horreur de te perdre. Une infinie envie de t'être tout. Une sensibilité intacte au désir. Une paix de te savoir à moi et belle comme je t'aime. Oh Anne, je t'aime, je t'aime.

Faut-il exprimer ? Il n'est que des symboles pour cela. Je veux donc raconter le sens de chaque chose qui te raconte elle-même. Tu es poésie et peut-être t'aimé-je parce que tu fais naître en moi des poèmes. Non : parce que cet amour est poème.

Mercredi 4 août 1971 [Papier bleu]

Mon amour, je te vois telle que tu m'es apparue lundi matin, à notre réveil dans le train. Ton corps était beau. Tu regardais par la fenêtre, tu t'es retournée et j'ai vu dans tes yeux la douceur d'aimer. Notre vie était soudain riche, forte, féconde. Ah ! ce climat d'Auvers et du nez de Jobourg ! Eh bien, le voilà retrouvé. Sur la route entre Limoges et Sore j'ai suivi nos traces, respiré notre air. La gare de Limoges, la chaleur, le curé… près de Thiviers le petit pont sur la Dronne naissante… À La Coquille le souvenir de mes retraites d'enfant quand j'étais à Saint-Paul… à Périgueux la cathédrale et la belle église des faubourgs (Saint-Jean ou Saint-Michel ?)… le long de l'Isle les panneaux indicateurs : Ribérac 26 kilomètres, les maisons avec leur toit bâti comme celui de Touvent, les bois de petits chênes, et ceci le jour même de l'anniversaire de la mort de ma grand-mère, qui inspira pour moi ces lieux, la veille de l'anniversaire de ma tante (l'an dernier), témoin de cette enfance passée entre les Bouèges et le moulin de Vigeraud… à Créon « notre place » puis notre route sinueuse, paresseuse jusqu'aux Landes… à Sore, le pont, les hautes herbes, et nous il y a cinq ans, couple cloué par le plaisir et la passion dévorante comme le feu.

Je n'ai pas arrêté de chanter le refrain de nos belles amours. Avec un enthousiasme qui t'aurait fait sourire. J'étais d'humeur à visiter avec toi tous les trésors de la terre et à rêver de tous les royaumes du ciel.

Ce matin, ta voix a été mon bonheur. Oui, bonheur. Tu me disais tant d'amour et tant de pudeur et tant de confiance.

Je suis allé au golf rejoindre Saint-Périer, vers 11 heures. Je me racontais ce coup de téléphone et ses merveilles et je pensais : ô Anne je suis heureux. Résultat : malgré un socket et un air-shot 43 au 9. Je jouais comme un miraculé.

Une lumière florentine (rappelle-toi notre fenêtre du Lungarno) resplendit sur chaque feuille. Le bleu du ciel est aussi blanc que bleu à force d'être lavé des miasmes.

Mercredi dernier ! Nous quittions les Barbot et tu étais à moi. À moi ô mon amour. Je t'attends maintenant à Orly samedi, 8 h 20, Orly-Ouest.

Je t'aime, je t'aime, je t'aime.

Mon été, mon jour et ma nuit

François

704.

Carte postale, Hossegor, Golf Club.

Dimanche 1er août 1971

J'ai joué au golf pour la troisième fois depuis longtemps neuf trous. Avec Saint-Périer. Auparavant j'étais allé t'embrasser à Lohia où je suis revenu pour déjeuner. Cette table, dehors avec le ciel bleu très clair, les géraniums, les conversations passionnées et décousues, toi à côté de moi, cela me donnait du bonheur. Nous sommes restés comme cela, toi étendue sur la terrasse, moi lisant près de la télé. Nous nous sommes dit au revoir dans ta chambre. J'ai respiré cet air de tant de joies. Respiré, oui, toute la journée l'air subtil des vacances. Ce soir nous partons pour Paris. Je pense à toi qui dois avoir de la peine. À tout à l'heure mon Anne. Puissé-je t'aimer <u>bien</u>.

705.

Carte postale, le Morvan, le Chalaux.

Lundi 2 août 1971

Pour la postérité il faut savoir que le Belge Eric Leman a gagné le criterium cycliste de Château-Chinon. Par un temps magnifique. Bon. Le matin nous avons débarqué à Austerlitz après un ☿ noir et splendide. Que nous avons bien dormi. D'un coup notre climat, celui de notre vie profonde, est revenu. J'ai lu un poème de Pablo Neruda. Nous avons bu un délicieux café place Saint-Placide. Ta voix me chantait l'amour que nous aimons. Mais nous devions nous séparer. J'ai donc fait mes 280 kilomètres dans les encombrements. Horrible ! Déjeuner avec une douzaine d'amis morvandiaux + Hernu : sympathique ! Enfin avant de rejoindre Limoges et la maison de ma cousine j'ai pu t'obtenir au téléphone du Terminus de Nevers. Que je t'aime !

706.

Carte postale, Linards (Haute-Vienne), étang de Crorieux.

Mardi 3 août 1971

Réveil dans cette maison de pleine terre qui sent l'herbe après l'orage. Une tornade a passé par là cette nuit, cassant les branches, arrachant les arbres mais j'ai dormi sans rien entendre. Dans la matinée je suis allé voir Antoine Blondin dans sa maison de Salas mais je ne l'ai trouvé qu'au bistrot à l'enseigne de Jadis, à Linards (d'où cette carte). Nous avons déjeuné chez ma cousine : gigot et cèpes. Et tarte aux abricots !

J'ai pris la route ensuite, conduit par un ami d'Antoine qui se rendait précisément à Hossegor. Sur cet itinéraire que de souvenirs. Mon Anne, tu m'habitais, je t'aimais violemment. À Créon j'ai salué « notre place », à Sore j'ai pensé à notre retour de Pâques 66. Enfin je t'ai appelée dès mon arrivée. Je me sens tout drôle sans toi. Ô mon renard qui me ronge le cœur, ô mon âme !

707.

Carte postale, Périgord, l'abbaye de Chancelade.

Mardi 3 août 1971

Paysage de Dordogne. Tant d'images d'antan qui remontent à la mémoire.

708.

Carte postale, côte landaise, mais qui ne représente qu'un rectangle bleu.

Mercredi 4 août 1971

Ce jour était si beau, d'un bleu si pur, avec une lumière si légère, d'un dessin japonais voulu par un dieu si tendre pour sa création, qu'il n'est pas d'autre façon de l'illustrer.

Je suis allé au golf ce matin. J'ai joué et j'ai gagné : 43 aux 9 !

Au déjeuner, des cèpes rapportés du Limousin. Succulence ! Je t'ai écrit avec au cœur un amour chaud comme le soleil d'aujourd'hui.

Il ne s'est pas passé grand-chose sinon que t'aimer est une délicieuse occupation.

On « communique ». Vive mon Anne !

709.

Carte postale, Saint-Girons plage, à Anne Pingeot,
36 rue Saint-Placide, Paris VIe 75.

Le 5 août 1971

Ce n'est pas Saint-Jean-de-Monts mais Saint-Girons. Peu importe.
Je parcours en esprit et par le cœur un itinéraire fameux, qui mène
à un grand fleuve paresseux, colérique, avec des bleus inimaginables
et une rose thé… Vie au sommet des sommets, regard vert, soleil du
matin, A.

F.

710.

Carte postale, Saint-Girons plage.

Jeudi 5 août 1971

Notre anniversaire. J'ai eu le bonheur de ta voix ce matin et de
ta lettre. Je sens la profondeur de nos liens et je m'émerveille de cet
accord que le temps n'a pas altéré. Pourquoi le temps nous attein-
drait-il ? Il n'existe pas. Nous fabriquons notre vie chaque jour et
chaque jour crée pour nous de nouveaux joyaux. Golf avec Saint-
Périer : pas mal. Déjeuner à Saint-Girons avec les deux Michel et
Guy de Saint-P. Foie gras, canard aux cèpes, médoc… Mon Nannon quels délices ! Et la chaleur de l'autre côté des volets clos et la
douceur des choses et ma pensée si souvent proche de toi. Je voyais
ton visage.

Anne, mon Anne je caresse ton front, tes épaules et je sais que
Chênehutte reste la vérité des grands fonds, les nôtres.

711.

Carte postale, Moliets (Landes), sortie du courant d'Huchet.

Vendredi 6 août 1971

Je suis allé cet après-midi chez les Barbot. Long bavardage. Évidemment Michel Destouesse était là. Günther nous a invités à un voyage inaugural d'un DLG à Vienne. Il pleuvait. Ciel d'orage bas. Vent froid. J'aime. Je grelotte bien un peu dans la Méhari.

Je suis resté à Latche le reste du temps. Je t'ai téléphoné ce matin et j'ai commencé la suite interrompue depuis trois mois de mon article pour *Preuves*. Écrit deux pages. Ce soir tu dînes chez Régine. Demain matin je serai près de toi.

Je me couche tôt car je dois me lever à 7 h 30.

Bonsoir, ma chérie.

712.

Carte postale, Saulieu, Hôtel de la Côte d'Or.

Samedi 7 août 1971

L'avion me dépose à Orly-Ouest. Tu es là et tu es belle comme j'aime. Je te pose aux Archives (émotion de revoir les Blancs-Manteaux) et te retrouve à la statue Montaigne à 12 h 30.

J'ai auparavant reçu quelques visiteurs.

Nous déjeunons chez Lipp et partons pour Château-Chinon. Je travaille à la mairie. Tu vas au Calvaire, au musée, à l'exposition (piètre) de peinture. C'est à l'Hôtel de la Côte d'Or que nous dînons et dormons. Petite balade nocturne vers l'église et le buste de Roclore. Un dîner chez Dumaine !...

Et la nuit pour nous deux ; je crois bien que nous nous aimons beaucoup.

713.

Carte postale, Saulieu, Le Taureau.

Dimanche 8 août 1971

J'ai assisté à l'inauguration de ce taureau auprès d'Édouard Herriot et de Marcel Roclore. Herriot avait raconté qu'il avait connu ce taureau à Lyon où Pompon l'avait pris pour modèle...

Quelle matinée tendre ! Mais je dois partir pour Saint-Brisson où je visite le maire et me promène dans le village. Les contours du Morvan sont bleus, verts, noirs. Je te retrouve à la Côte d'Or. Nous visitons le cimetière, la tombe de Pompon, celle de Roclore, l'église et nous regardons l'admirable vue sur les toits de Saulieu avec l'Auxois au fond.

Déjeuner à La Courte Paille de Rouvray. Nous avons envie de rire. Imprudents !

À toute allure je te conduis à Paris où j'ai quelques rendez-vous chez moi. Et nous passons la soirée et la nuit au 39, offert à nos amours par Régine.

714.

Carte postale, Soustons (Landes), le lac.

Lundi 9 août 1971

Quelle soirée au 39 ! Quelle nuit ! Quel petit matin ! Crise. Cette fois-ci sur une humeur voici de nouveau le drame réel qui resurgit. Je suis exaspéré et tellement triste. À Orly je t'ai donné *Ennemonde* pour notre anniversaire du 5 : j'avais le cœur en peine. L'avion, le lent avion de Biarritz. Les Landes avec la brume déjà fraîche. La question lancinante en moi, le désarroi. Je t'ai écrit. Je pense à toi.

Le soir je suis allé à Soustons où les fêtes annuelles se déroulent. Jean Rigaux était du spectacle ! Je l'ai ramené à Latche pour la nuit. À l'affiche : Polnareff. Admirable. Trois fois je t'ai appelée et entendue. Ô Anne.

715.

Papier bleu de Latche, à Anne Pingeot,
36 rue Saint-Placide, Paris VIe 75.

Le 9 août 1971

Voici, mon Anne, la lettre bleue. Que te dira-t-elle ? D'abord que je t'ai quittée dans un grand désarroi. Je ne m'habitue pas à cet étrange état. Deux jours d'été, ensemble, avec pour compagnons les blés mûrs, la ligne noire et bleue de l'Auxois, la brève mais bonne promenade de Saulieu, la joie de la première nuit, l'anniversaire à fêter, le cœur heureux de l'autoroute… c'est à n'y rien comprendre. J'avais une telle réserve de tendresse, mal employée sûrement. Chaque instant, chaque détail des choses qui composent notre vie m'est source de foi et d'amour. Et là, d'un coup, ce visage fermé, ces paroles dures, comme nous n'en avions pas connu depuis Larressingle (à la nuit du 36 près, horrible nuit qui m'avait laissé sur le trottoir de la rue Saint-Placide. Colère, humiliation, détresse) !…

J'avais apporté des poèmes, j'avais la poésie de notre amour en moi, quand elle crée, j'avais composé en esprit notre belle deuxième soirée, celle du 39 retrouvé, j'avais à te lire « nos » pages d'*Ennemonde* et de Saint-John Perse et quelques découvertes chez Pablo Neruda. Inutiles regrets. Comme on chante mal si dès la première note la voix est mal placée, j'aurais dû à mon arrivée à Orly te donner d'un coup le plein de mon amour et tu aurais bondi dans le ciel des beaux jours – mais je ne sais pourquoi j'ai donné à mes mots de bienvenue ce ton que je déteste parce qu'il égare et joue et nous n'avons su en sortir. L'amour que j'éprouvais c'était le cri d'adoration qui montait en moi… et que j'ai retenu. Nous étions dès lors dans la cérémonie des jeux d'amour et de hasard.

J'aime tes lèvres chaudes, et tes yeux au réveil, tout près des miens, et tes seins dans le creux de mes mains et ta jambe contre la mienne et nos bras enlacés et l'amitié et la passion de l'amour fou. J'aime rêver avec toi, parler, voir, écouter, imaginer, j'aime vivre par toi.

Voilà ce que je me répète en ce début d'après-midi qui me saisit, pétrifié. 9 août. C'est aussi un anniversaire, quatre jours après Chênehutte ! Croyons aux signes… En vérité tu peux m'aimer ou non, je réagis six ans après comme si tu venais de me reprocher l'accident de voiture, comme si tu sortais ce soir avec ~~Christia~~ T…

Mon amour d'Anne, je suis à ma table de travail, je vais écrire deux pages pour mon article, je vais t'aimer aussi par ma façon d'être <u>ton</u> François. Une certaine façon d'être moi-même – et autre que moi-même parce que tu existes.

Longue journée cependant que celle qui me sépare du coup de téléphone de ce soir. Dans l'avion j'ai lu *L'Express* et l'*Observateur*, noté des motifs d'intervention (hausse des prix des tarifs publics, crise des syndicats de police, affaires immobilières, tenue du franc, etc.). Le temps s'embrumait à mesure qu'on filait vers le sud. Il fait ici chaud et froid avec un fond d'orage.

J'ai encore le cœur interdit. J'aime tellement t'aimer. Mais ces reproches, ce reproche de n'être pas parti plus tôt… Oh A !

Je vous embrasse mon aimée… d'avant-hier, je vous embrasse mon aimée de la dernière minute à Orly, toute droite et les yeux verts de nos chers pâturages, je vous embrasse.

François

716.

Papier bleu de Latche, à Anne Pingeot,
36 rue Saint-Placide, Paris VIe 75.

Latche, le 10 août 1971, midi

Mon amour, ce cordon ombilical qui nous attache l'un à l'autre, si on le coupe ça fera mal ! Eh oui, malgré ta philippique reçue ce matin, malgré mon côté peau blanche de bibliothèque ignorant la morsure du soleil comparé à ton côté visage au vent du large ! L'été nous sépare ? En hiver rentrée de janvier, tu dis tout aussi bien : « L'hiver nous éloigne. » Restent le printemps et l'automne. Combien de temps leur faudra-t-il pour tomber de nous, et ton amour avec eux, comme des vêtements usés ? Ça fera mal pourtant quand nous serons nus de tout ce passé, et de ce rêve d'avenir contenu dans la fureur du présent quand le couteau tranchera mon bel amour, ma vie profonde et fera de toi autre chose que nous… « seule, bien, libre ».

Je reconnais qu'il y a beaucoup de vrai et de bien vu dans ta lettre. Je suis coupable. Mon corps plaide quand même devant l'accusation de n'aimer plus ~~son~~ le goût d'expansion. Mais à quoi bon ? Tes mots sont de liberté pour toi, donc de lassitude à mon égard. Cette impression d'échec me navre au fond de l'âme. À moins que ce ne soit une réussite que d'avoir contribué à t'apprendre à toi-même que tu étais toi-même. Fût-ce à mon détriment. Détriment ! Le mot baroque ! Il fait tout petit et bébête. Dès qu'il s'agit de toi je ne connais que bonheur, désespoir, angoisse, sang, violence, beauté, couleur, eau profonde. Sans doute parce que je t'aime. Je t'aime ? C'est à la fois idiot et merveilleux.

Ceci dit cela me plaît que tu m'écrives ainsi, librement, comme tu le penses, comme tu le sens. Et tant pis pour moi. J'aurais dû mieux savoir me faire aimer. Trop tard pour méditer là-dessus. C'est la première fois que ces mots sont tracés : « Ce qui commence à nous séparer... » Ils sont de toi. Ils sont lettres de feu sur mon mur.

15 h 50

Mon amour voici une réponse hâtive. Je t'ai appelée ce matin. J'ai lu *Ce que je crois* d'Edgar Faure – rédigé une page de mon article. Téléphoné une lettre ouverte à Chaban sur la hausse des tarifs publics. Déjeuné avec Guy de Saint-P. et les deux Michel, encore à Saint-Girons.

Je t'aime... comme au lendemain du 9 août 1965

Ton François

717.

Carte postale, Saint-Paul-lès-Dax, église Saint-Paul.

Mardi 10 août 1971

Reçu ta lettre. Dure. Vraie souvent. Pour la première fois ces mots : « C'est ce qui commence à nous séparer. » Je te réponds en te donnant raison mais en sachant que la douleur est là.

Journée sans relief apparent. J'écris une page. Je lis *Ce que je crois* d'Edgar Faure. Je reçois Marcelle Padovani du *Nouvel Observateur* qui vient pour une interview et vais la chercher à la gare de Dax. Connaissais-tu cette belle église de Saint-Paul ?

Je travaille toute la soirée à l'interview et me couche maintenant. Il est minuit. J'ai déjeuné avec les deux Michel et Saint-Périer à Saint-Girons. Je t'ai appelée ce matin et ce soir : tu avais au 36 T. et Ch. J'ai eu droit à ta voix aimable. Seule joie : une merveilleuse photo de toi prise par Guy le jour du pique-nique chez les Barbot.

718.

Carte postale, Dax (Landes), le pont sur l'Adour.

Mercredi 11 août 1971

Ta voix à mon réveil. Quelle attention passionnée je prête au moindre son. Toute notre histoire toujours suspendue à la sensibilité d'un moment.

Que de questions nous assaillent. Et quel amour en profondeur de tout cela. Je vous aime mon Anne, voilà de quoi nous préoccuper.

J'ai travaillé tout le matin, pendant un déjeuner sur le pouce et au début de l'après-midi avec Marcelle Padovani.

Je l'ai conduite à Dax que je n'ai jamais tant vu (d'où la carte) et je m'y suis trouvé en panne ! J'ai ensuite repris la raquette de tennis. Qui sait si je ne te battrais pas ? J'essaie de me remettre à mon article pour *Preuves* mais c'est poussif. Et puis ce soir à 21 h 30, ta voix de nouveau.

Douleur, bonheur, chants mêlés.

719.

En-tête Assemblée nationale, enveloppe bleue de Latche,
à Anne Pingeot, 36 rue Saint-Placide, Paris VIe 75.

Latche, 12 août 1971

Je voudrais commencer cette lettre en prenant au soleil un peu de sa lumière, au ciel un peu de son grand silence, à la terre sa profusion, à l'eau sa force vive et t'envoyer à toi mon Anne, mon Anne triste, mon Anne divisée, mon Anne aux pieds nus sur le carreau rouge, mon Anne au regard tendre des matins heureux, tous les trésors de Saba.

Je t'imagine au bord de ton jardin cherchant la paix des choses ou bien donnant au travail l'attention qui fixe la pensée hors de ses chemins d'inquiétude vie absurde, disais-tu. Absurde toujours quand on en perd le sens. Tout est en nous, tu le sais bien ?

Retrouver l'étoile dans le vaste espace où le monde continue de jeter les premiers feux de la création ce n'est pas commode. Regardons ma chérie, avec quatre yeux, les nôtres, et bien ouverts, et nous verrons qu'il existe un grand domaine clos, un domaine que l'on croit perdu et où un peu d'amour nous ramène aussitôt, et que les routes qui y mènent nous les avons déjà parcourues, assez du moins pour en connaître les passages.

Je vous aime de toute mon âme, Anne très aimée. Prenez ces mots comme je les écris. Croyez-moi, je n'obéis guère à l'habitude en vous les destinant. Je serais même plutôt sensible à ce qui change, ô mon point fixe, et voilà que j'aime par-dessus tout venir vers vous.

Je vous embrasse comme j'aime et vous aime

François

720.

Carte postale, paysage de France, des rayons et des ombres...

Jeudi 12 août 1971

Aujourd'hui la forêt était celle du 9 septembre 1964, à notre retour (ébloui, éblouissant) d'Yons. Lumière dorée, rouge par endroits, douce. Cette splendeur suscite une angoisse : on sait que sa fragilité mourra avec la nuit. Je t'ai téléphoné deux fois, le matin et le soir sans grand succès. Tu as dîné avec B.-L. et regardé des photos de Roumanie.

Heureusement j'ai pu t'obtenir à 11 h 30 et malgré nos angles aigus il m'a semblé que tu étais contente de m'entendre.

Le reste du temps j'ai écrit. Lu.

Beaucoup d'immobilité, une demi-heure de tennis. Le soir je dormais debout. Pas de lettre de toi. Celle que tu m'annonces est paraît-il désagréable.

Dure semaine !

721.

Carte postale, paysage landais, le courant d'Huchet à Pichelèbe et floraison extrêmement rare de l'hibiscus.

Vendredi 13 août 1971

Je rappelle à mon réveil. Anne je t'aime. Mais le contact est difficile à rétablir. Je flâne un peu le matin. Gilbert révise ses cours de droit avec moi. Un saut à Soustons. Un socialiste ancien rédacteur en chef du *Journal du Centre* vient déjeuner.

L'après-midi je vais deviser à Moliets avec les Barbot. Longue détente. On parle de toi. J'aime ça. On évoque le voyage à Vienne. On parle amicalement. On cueille des fleurs. J'emporte un œillet d'Inde (selon toi) (je le respire en cet instant et m'envahit l'odeur des soirs de plénitude).

Je demande Littré. Tu es là.

Plus proche.

Le soir j'écris deux pages. Et maintenant je vais dormir.

Demain il faut se lever tôt !

722.

Carte postale, Paris, les Invalides.

Samedi 14 août 1971

Toi, à Orly. Que j'aime te voir ainsi ! Je te conduis aux Archives. Rendez-vous à 12 h 15 à la statue Montaigne. Nous allons à France-Inter où Yves Mourousi m'interviewe. Soudet nous y rejoint et nous déjeunons au restaurant du Marché. Longue conversation autour de la mort de Frédérique Vincent. Mais le soleil de Gordes et la douceur de vivre effacent un moment la présence du drame.

Nous allons tous deux au 36 et commence un rite lent et admirable d'harmonie ☿.

Tout est bien ainsi… malheureusement M. Lenoir intervient un peu tôt, l'animal !

Je travaille ensuite rue Guynemer avant de te récupérer. Bonne balade du côté de la Mosquée en attendant Soudet et Claude Lévy qui viennent avec nous au spectacle de La Vieille Grille : Bonino et son langage.

Le 36, notre nuit, je t'aime.

723.

Carte postale, Auxerre (Yonne), fontaine et statue de Saint-Nicolas.

Dimanche 15 août 1971

Nuit au 36. Non sans peine, avec l'arrivée inopinée des Lenoir ! Mais ils vont à la messe… et nous partons. Petit accrochage entre nous : nous ne nous sommes pas rencontrés rue de Vaugirard et tu arrives rue Guynemer en pestant !

Autoroute du Sud. 15 août. Souvenir. Mon amour si clair qui allait au bord de la mer, mon amour qui m'éblouissait, Anne droite, dorée, Botticelli aux couleurs du jour naissant.

Déjeuner à La Courte Paille de Cussy-les-Forges, Morvan, Arleuf. Auparavant une délicieuse promenade dans la forêt de Saint-Agnan. Que je t'aimais sur ce chemin brûlé par le soleil que nous nous sommes promis de reprendre…

À Arleuf, spectacle Polnareff, vie de vacances dans ce village simple où l'été ne dure qu'un mois.

Nous rentrons dormir à Auxerre. Annefrançois 🜨. Je te prends avec une sorte de passion désespérée. Ô mon Anne. Les feux couchants me brûlent et j'aimerais mourir avant la nuit.

724.

Carte postale, La Moisson, *Camille Pissarro.*

Lundi 16 août 1971

Notre nuit à Auxerre, très douce, très bonne, notre réveil à 7 heures avec par la fenêtre l'entrée soudaine d'un matin clair, notre petit déjeuner rapide à l'Hôtel de Normandie, le retour sur l'autoroute où l'on sentait l'allégresse de l'été, où tu t'émerveillais de la fraîcheur des choses, ne me laissaient pas prévoir cette chute brutale, le soir, au bistrot de la rue de l'Exposition où nous avons dîné avec Pierre Soudet. Pour la première j'ai senti, comme un courant négatif d'électricité, un reflux violent au cœur, et une solitude neuve, douloureuse. Tu refusais pensais-je de m'apporter, de me donner ce qui fut l'aliment de ma vie, mon Anne, mon amour.

Étais-je fatigué ? Oui, très, nerveusement, après ma conférence de presse (hausses des tarifs publics, crise monétaire) et l'achèvement de mon article pour *Preuves*. Ma chérie, ma chérie, cette lassitude que tu montres je ne parviens pas (et tu accuses ma faiblesse !) à l'intégrer à ce qui fut, depuis la naissance de notre union, un si beau, un si profond espoir. Tu es l'amour de ma vie et tu ne le sens pas.

725.

Carte postale, Soustons, restaurant Le Pot de résine.

Mardi 17 août 1971

Mon amour c'est la première fois que je déjeune de la saison, au Pot de résine. Mais je m'étais trompé de jour : les amis nivernais qui m'avaient invité ne m'attendaient que demain. Du coup j'y suis resté quand même ! Pourquoi te parler tant du Pot de résine ? Parce qu'il fait partie de notre histoire. (Ah ! ce dîner avec Gédé, les Grandury et je ne sais qui — et ta fugue vers la forêt !) J'ai reçu ta lettre d'avant le week-end. Je suis bouleversé de tendresse et de tristesse. On imagine ce qu'est une rupture, comme ça, de loin. Mais la vivre ! Tu es l'amour de ma vie, de mon cœur. Qu'est-ce que je prends ! Le fer rouge.

Je suis tout surpris de n'avoir rien à faire après la semaine folle qui s'achève. Je t'écris. J'écris à Salzmann, à ma sœur Antoinette pour le voyage dans les Cévennes. Je dépouille aussi les journaux sur ma conférence de presse.

Je t'ai appelée hier soir, non sans hésiter. Ta voix était douce.

Mon Anne.

726.

Papier bleu de Latche, à Anne Pingeot,
36 rue Saint-Placide, Paris VIe 75.

Latche, le mardi 17 août 1971

Mon Anne que j'aime,

Tu le vois, je manque de bon sens et de finesse puisque je t'écris aujourd'hui. Mais je le fais : si tu es libre d'y trouver de nouveaux thèmes pour « La chronique d'un agacement » (j'ai lu en arrivant ta lettre de la semaine dernière : cela m'a permis de rester dans le ton de notre conversation de ce matin), je ne suis pas libre du besoin de toi et de t'aimer ou non sur commande.

Peu avant Biarritz l'avion est entré dans un ciel de coton et sous ce ciel la terre d'ici halète, animal privé d'eau mais écrasé de chaleur moite. J'ai dépouillé *Le Figaro, L'Aurore* et *Combat* (+ *L'Équipe*) et écrit un petit poème pour toi, que m'inspiraient sans doute ma position élevée et l'approche des nuages.

Les journaux, plutôt aimables pour ma conférence de presse. J'ai évité de mêler mes sanglots à ceux des sportifs pleurant sur Helsinki. J'ai feuilleté avec un bout de pauvre joie revenue le beau bouquin sur les Causses et les Cévennes. M'ont assailli les souvenirs (ah ! tu voudrais qu'on les chasse et voilà qu'ils m'ont pris pour gibier, aventure tragicomique !) accrochés à ces lieux, depuis Rieutort-de-Randon jusqu'à l'odeur des cèpes sur les pentes de l'Aigoual. Anne aimée, parfait amour, merveilleux « amour contre nature » (« contre nature » !), je rêvais de pierres à découvrir, de prières à réciter, d'enchantements tirés de la beauté du monde, de paroles montant d'un cœur grave. Et je me confiais, comme ça, pour moi-même qu'il me restait assez d'amour pour aimer.

Examen clinique : facile à voir. Les causes : pas difficile à deviner. Les remèdes : il n'y en a jamais eu qu'un seul. C'est une grande aventure que d'aimer. Encore faut-il avancer toujours. Il ne faut pas craindre sa fatigue – et apprendre à dormir debout tue plus sûrement qu'une balle à bout portant. J'ai dormi debout (couché parfois) plus souvent qu'à mon tour d'homme au souffle court, comme tous les hommes, ou presque, dont la machine tousse en grimpant. Bref je ne suis pas tendre pour moi si j'ai tant de tendresse pour toi.

Le mot bonheur de ta dernière lettre est entre guillemets. Ce qu'il peut y avoir de souffrance dans les guillemets ! Ô parenthèse essentielle ! Souffrance-bonheur-indifférence : chacun de nous navigue comme il peut d'un bord à l'autre de l'océan. Il coule, il rêve, il divague, il [illisible] touche au port. Un nouveau monde vient devant nous. Qu'allons-nous faire ?

Tu es mon Anne. Ôte le possessif, si tu veux. Tu es Anne et je t'aime. Je me répète ? Les litanies ce n'est pas si mal pour soutenir la pensée de Dieu.

Si j'étais meilleur tu m'aimerais davantage et pour longtemps (je ne dis pas : « Tu resterais à moi », c'est une autre affaire et tu as sûrement compris que je ne pensais pas à cela). Il importe donc que je devienne meilleur. Tu n'y crois pas ? J'entends la description de mes faiblesses que tu faisais à Pierre Soudet ! En tout cas, j'essaierai.

Mon « esprit de sacrifice » prête à sourire, ma chère impitoyable ? J'essaierai quand même. C'est bien tard, c'est trop tard ? J'essaierai quand même. Ça ne t'intéresse pas, ça ne t'intéresse plus ? J'essaierai de justifier ton amour passé si je puis mériter ton amour d'aujourd'hui. Ce sera une excellente façon de payer un peu ma dette.

L'expansion du corps ? Il me semble que tu te trompais. Certes je ne traverse pas le lac d'Hossegor à la nage et je me méfie du soleil sur la nuque mais gare à toi sur un court de tennis et même pour une longue marche ! Pour le reste, qui est le principal, ce partage qui est le nôtre, possession où le sang brûle sur tous les bûchers du plaisir, tu sais bien que nous l'avons conquis et que nous l'avons gardé, partition de musique jouée à quatre mains, chantée le cœur en fête, murmurée près des lupins de Saint-Benoît. Là n'est pas le problème. Mais l'expansion de ce que je n'ose appeler l'âme, de peur de parler de ce que je ne connais pas, mais l'harmonie sublime, l'enchantement des premiers vendredis, l'odeur de cire de Vézelay, le cœur fou des retours, ton attente un soir à Louvet, les émotions indicibles, je n'en suis pas digne. Pour demeurer au niveau des sommets, quel effort – mais quel bonheur sans guillemet ! Digne de ce bonheur-là, digne en profondeur, et non par à-coups, par surprise, sous la bouffée d'un instant, je veux l'être.

Je ne t'empêcherai pas de vivre selon ta loi mais je sais qu'une victoire (non sur toi mais sur les échecs de la vie, sur la pesanteur quotidienne) dure à gagner comme toute victoire, et la seule qui vaille, nous réunira – celle que fugitivement nous avons entrevue le jour de Larressingle.

La sainteté est souvent sécheresse – oui. Et je suis le contraire d'un saint. Mais ce n'est pas de sécheresse que naît mon mal (pas de ma sécheresse). Je me suis reposé, voilà tout. Et qui s'arrête est condamné dans le désert ou dans la neige, qui s'arrête perd son combat contre le froid, ou le feu, ou la mort ou l'amour.

Voilà, je réfléchis moi aussi. Il faut mériter selon un barème qu'on ne trouve pas sur les foires et marchés.

Je t'aime et je t'aimerai. Je ne demande rien, à toi, mon Anne, que tous les prestiges d'un 15 août et de tous les 15 août entourent à mes yeux de tant de grâce, non je ne te demande rien (que la patience de me lire). Peux-tu m'interdire de t'aimer ?

François

727.

Carte postale, la Côte d'Argent au coucher du soleil.

Mercredi 18 août 1971

C'est une soirée comme celle que veut représenter cette carte. Deux personnages. Ils me font penser à ce que j'ai perdu. La douleur est au bout de tout. La mort serait-elle donc la paix ? Reçu ta lettre d'hier. J'aime sa franchise mais comment ne pas souffrir à crier quand j'imagine les jours si proches de notre joie ?

Je t'ai écrit aussi. Je t'aime. Il faut que j'aie le courage de te quitter.

Je lis un peu mais surtout je reste là à regarder passer le jour, qui est beau. Je n'ai envie de rien. Je t'ai eue au téléphone, assez mal. Ce soir, tu sors.

Comme tu t'éloignes vite, mon Anne.

728.

Papier bleu de Latche, à Anne Pingeot,
36 rue Saint-Placide, Paris VIe 75.

Latche, le 18 août 1971

18 août. Je me répète ce chiffre et ce mois. 18 août. Reviennent en foule les images de ce que fut ma vie, ma vie bénie par notre amour.

Hossegor presque toujours à cette époque, les premiers temps, puis Louvet, les grandes, les bouleversantes balades à travers l'Auvergne, le Bourbonnais, les Cévennes, les longs retours d'amour fou par le Languedoc... Mais cessons de penser. Rangeons nos souvenirs. Je viens de lire ta lettre. Son ton est celui de la vérité : c'est vrai que l'année dernière tu ne serais sans doute pas partie, c'est vrai que quoi que je t'apporte le temps est venu où ce qui est nouveau t'attire davantage. Pour savoir. Pour changer. Pour s'affirmer. Fût-ce au prix des douleurs et surtout des regrets. Après tout c'est assez normal. Où ai-je lu qu'après sept ans de mariage, il y avait cette crise ?

Histoire des couples — et de l'amour qui ne survit que dans la lutte — ou qui doit se donner ses propres chances de renouveau : des enfants, des voyages, des œuvres. Peut-être ai-je négligé (c'est trop bête, j'en étais capable) de créer <u>avec</u> toi : écrire, sculpter, t'intéresser à mes <u>actes</u> politiques, t'y mêler davantage.

Peut-être, |si| notre amour devait surmonter la vague de fond qui t'envahit, devrions-nous songer à cela sérieusement et s'organiser en conséquence. Nous avons besoin d'œuvres, mon Anne.

Mais je n'y crois guère. Je ne te brusque pas. Et je t'estime profondément. Parler comme tante Suzanne est une sottise. La souffrance et l'espoir mêlés, aussi bien que le bonheur ne se résument pas par des formules, des comportements, des choix tout faits, préfabriqués.

Tu es en lutte avec toi-même. Et tu as plus d'obligation vis-à-vis de toi que vis-à-vis de moi. Il ne s'agit pas d'avoir ou non des remords (à quelques violences verbales près, inutiles, et qui frappent au visage quelqu'un qui ne veut pas rendre les coups). Peut-être m'aimes-tu plus que tu ne le crois. Mais tu ne le sais pas et tu ne sais pas comment le savoir, sinon en sachant autre chose. Tout ceci est déchirant, me déchire (le mot exprime bien ce que je veux dire : une vie qu'on déchire, comme ça, en morceaux, après quoi...). Mais je ne suis ni idiot ni sordide (enfin, il me semble) et je manque seulement de courage. Je devrais te libérer complètement. Te laisser à ce que tu souhaites et qu'à l'évidence j'embarrasse. M'abandonner à ce sentiment, celui de me taire, de partir (de ton univers) je vais sans doute le faire. Parfois, souvent, je me révolte et j'ai envie de combattre.

Par exemple accepter que tu ailles en Roumanie me paraît intolérable (intolérable d'accepter). Je pensais même ce matin que si l'année dernière j'avais <u>inventé</u> ce voyage en Égypte pour t'empêcher d'aller ailleurs sans moi, <u>j'aurais bien fait</u>.

Sans scrupule. ~~Dans~~ Quand on aime on n'a que le scrupule d'aimer et donc de posséder, quel qu'en soit le prix. Eh bien, je ne sais plus s'il est utile à notre amour que je me batte.

Alors quoi ? les diversions classiques ? une Agnès pour une Anne ? tout serait si commode, si agréable, hélas <u>pour nous deux</u>, si je n'étais amoureux de toi.

Il fait un admirable temps, tu sais, cette lumière tremblante qui annonce septembre, qui serre un peu le cœur, car le cœur, lui, devine que la splendeur est la façon, pour l'instant fugace, de simuler l'éternité. Tout me ramène à toi, mon amour, pauvre amour. Mais j'ai dit (à ta suite) : rangeons les souvenirs. Quand ils auront jauni tu pourras, ma chérie, ouvrir le tiroir oublié. Maintenant il reste à regarder, les yeux sans paupières, à s'en brûler la vue, il reste à regarder ce qui approche.

Il y a des moments où je voudrais tout te raconter, les détails et les ensembles. Aujourd'hui c'est la paix de la terre qui donne au moindre bruit valeur de personnage : quelqu'un qui bêche, un oiseau qui chante bas, comme pour lui-même, des insectes qui cognent aux vitres, ma plume sur ce papier, un canard qui bâille. Contraste des valeurs et des signes de toujours avec la folie de mon âme. Ô sagesse de t'aimer en renonçant !

Mon Anne, préservons au moins notre pacte, et que ce qui habite l'un soit visité par l'autre. Toi, tu me parles avec vérité (attention quand même au grégarisme) mais peut-être as-tu besoin de savoir que je suis encore celui auquel tu peux confier tes bonheurs et tes angoisses. Aussi dure que soit pour moi cette vérité, qui transparaît dans chaque ligne de ta lettre, j'aime que tu demeures telle qu'un soir, le premier soir de Saint-Benoît. Et moi, jusqu'ici j'ai manqué de courage. Oh ! c'est si difficile, si difficile

François

729.

Carte postale, Soustons, nénuphars sur le lac.

Jeudi 19 août 1971

Journée difficile et silencieuse. Je ne t'appelle que le soir tard. Tu dînes avec B.-L. Hier tu es sortie avec C. Mais je te sens plus proche.

Je suis resté à lire, à réfléchir. Et puis vers 18 h 30 je suis allé jouer neuf trous à Hossegor.

Il y a eu un violent orage.

Le soir est revenu à la lumière.

Je me suis couché tôt et ai commencé *Le Chien des Baskerville* prêté par Michel Barbot. Je donne mon avis aux amis restés à Paris sur une déclaration publique à propos du dollar.

Je suis comme un boxeur « sonné ».

730.

Carte postale, Hossegor-Capbreton, les plages et le port.

Vendredi 20 août 1971

Matinée à visiter des amis à Capbreton où je n'étais pas allé depuis le début des vacances. Foule débraillée, laides constructions : je n'aime pas ces lieux.

Je lis Conan Doyle et me repose. Guy me conduit à Bordeaux dans sa Rolls. Petit dîner au restaurant de l'aéroport. L'avion. Bordeaux-Lyon. À Bron je t'attends dans le hall. Un formidable accident sur l'autoroute te met une heure en retard. Mais je t'attends avec joie. Te voilà. Nous partons avec la DS que tu as amenée de Paris (avec C. pour compagnon !).

Nuit à La Cardinale de Baix. J'aime ton corps en harmonie.

731.

Carte postale, Cruas (Ardèche), partie supérieure de l'église.

Samedi 21 août 1971

Baix. Nous avons bien dormi à La Cardinale, le matin est beau, la terrasse où nous prenons notre petit déjeuner est inondée de soleil.

La route. Arrêt à Cruas où nous visitons les ruines du château, puis l'église. La route encore. L'Ardèche, Villeneuve-de-Berg, Aubenas.

À Vernon nous faisons, comme prévu et désiré, le déjeuner-type. Tu vas sur les pentes de Vernon avec les enfants. Je bavarde avec ma sœur [Antoinette Signard]. L'ambiance paisible de vacances nous rend la joie des années passées.

Route encore. Alès, Anduze, Saint-André-de-Valborgne, deux auto-stoppeurs que nous laissons sur le flanc de l'Aigoual, aux Rousses, Massevaques enfin.

Dîner, soirée, amitié. Nous rentrons tôt dormir à Gatuzières, près de Meyrueis.

732.

Carte postale, les gorges du Tarn, Meyrueis.

Dimanche 22 août 1971

Douce et fraîche nuit de montagne dans une maison pauvre où nous sommes heureux. Petit déjeuner dans la cuisine cévenole. À 9 h 30 rendez-vous à Cabrillac avec les Salzmann. Quelle merveilleuse promenade le long de la [blanc : la Jonte ou le Tapoul ?] puis sur la draille. Nous sommes dans un brouillard qui noie les lointains. C'est une autre beauté plus proche peut-être de la vérité de ce pays.

Nous marchons trois heures et arrivons chez Mme Ansot avec un fort appétit que justifient les saucissons, les pâtes au roquefort et les cèpes !

Après-midi : retour à pied à Massevaques, lecture chez les Salzmann, longue conversation au dîner à Cabrillac, où nous dormons (ô ta visite nocturne et ta chère et douce mauvaise humeur !).

733.

Carte postale, Mâcon, la gare mixte Rail-Route.

Lundi 23 août 1971

Nous partons des « Hauts de Hurle-Vent » vers 8 heures et prenons, sur les conseils de Mme Ansot, la route Cabrillac – Saint-André de Valborgne par un admirable itinéraire sur le flanc nord-est de l'Aigoual.

Arrêt photo sur l'arête des deux versants. Lumière-joie.

Tu es saisie par la beauté, les formes et je te sens très proche. Anduze, Alès, Bagnols, Pont-Saint-Esprit, l'autoroute. Je te pose à Lyon où tu visites le musée et je vais déjeuner en Beaujolais chez Riboud, l'homme de l'OPA Saint-Gobain. Temps admirable. Les Cévennes, le Beaujolais, que d'émotions pures. Je t'attends à la gare de Mâcon longtemps car tu as manqué le train. De nouveau, autoroute. Nous sommes à Paris à 11 heures et dormons au 36. Comme tu sais ϸ:.

734.

Carte postale, coucher de soleil.

Mardi 24 août 1971

Que nous nous aimons ce matin, tout éblouis d'un plaisir grave. Tu m'accompagnes à Orly et nous avons un peu de peine à nous quitter. Voyage toujours long en Viscount. Je lis et achève *Le Chien des Baskerville*. Hernu m'attend à Biarritz, se trompe de chemin, ce qui me permet de visiter un coin de Chalosse.

L'après-midi je ne bouge pas. Je suis assez grippé et mal fichu. Des amis de Grenoble, les Jouhanneau, sont arrivés pour un séjour rapide. Nous bavardons. Le soir je t'appelle. Tout va bien. Je suis heureux de t'entendre me raconter ta journée. Et après un bon grog je m'endors, bonnet malien sur le crâne !

735.

Carte postale, Nogaro en Armagnac (Gers), la porte de l'église.

Mercredi 25 août 1971

Je t'ai aimée ce matin au téléphone. J'étais grippé, et mal en point. Et puis, ta voix ô mon amour.

Matinée tranquille. À 11 heures je suis parti pour Nogaro où j'ai déjeuné chez le maire qui avait invité pour le café une trentaine de socialistes et sympathisants du coin. Drôle d'équipe, réactionnaires de mauvaise qualité. Enfin, j'ai plaidé en dépit de la fièvre !

Retour. Panne d'essence. J'ai marché dans la soirée sur une belle route solitaire et respiré à grandes lapées. Je t'ai de nouveau entendue : vraiment, mon Anne, je suis heureux de cet élan, pareil à celui « des plus beaux de nos jours ». Maintenant je me couche tôt. Je t'embrasse.

Reçu une lettre de toi. Tu me fais tant de joie.

736.

Carte postale, Hendaye, la Corniche, à Anne Pingeot,
36 rue Saint-Placide, Paris VIe 75.

Jeudi 26 août 1971

Un signe
Comme la draille
protégée par les
brumes et plus
civilisée qu'une allée
de Versailles
Un signe

F.

737.

Carte postale, lac landais.

Jeudi 26 août 1971

Louis XVI écrirait : Rien. Mais ce ne serait pas exact. Je traîne mon rhume, qui s'allège. Je termine *La Vie amoureuse de Karl Marx* qui contient des lettres très intéressantes, notamment sur le mariage (au milieu du XIXe siècle). Je ne bouge guère. Un bonheur qui m'émeut avec une force toujours neuve : ta voix au téléphone le matin et assez tard le soir. Tu es au 36, tu refuses de sortir avec qui le propose. Ô conventine sage (assagie ?). En fin d'après-midi je joue une demi-heure au tennis il fait beau. Les lacs landais prennent leur allure orientale.

J'apprends son cours de droit du travail à Gilbert, qui manque de méthode et qui a besoin de dialoguer sur un texte.

Dîner au Pot de résine.

738.

Carte postale, Biarritz, le Port des pêcheurs.

Vendredi 27 août 1971

Je me réveille pour t'appeler. Tu n'es pas là. Je comprends que tu vas revenir. Et je t'obtiens avec joie. Petit tour à Soustons, pour les journaux. Le ciel est sombre mais la tempête tourne autour de ce petit coin de terre sans s'abattre. Travail avec Gilbert : les conventions collectives. Mes amis de Grenoble partent. Je commence à penser à mon article sur le bouquin de Viansson-Ponté. À midi je vais à Moliets où Michel Barbot vient d'arriver. Nous sommes heureux de nous revoir. Le carré de fleurs de Paulette reste très beau, très vivant. Saint-Périer me conduit à l'aéroport. Nous bavardons.

Vite l'avion traverse les nuages. Je vois par les brèches du ciel, la côte basque. Je pense à toi qui m'attends à Orly (je t'écris de 4 000 mètres d'altitude). Nous devons dîner et dormir au 36.

739.

S.d. Carte de visite blanche épinglée à un bouquet de fleurs.

740.

Carte postale, Cortone, Palais communal.

Samedi 28 août 1971

Une nuit encore à nous. Matinée chez moi. Travail avec Joxe et Laurence, qui me conduit à Orly pour l'avion de Rome. Admirable temps. Du Boeing je vois le Mont-Blanc, de Nevers jusqu'au cap Corse. À Rome il fait très chaud. Mes amis m'attendent et me conduisent à Cortona. Deux heures et demie de route. À Cortona c'est la fête. Je retrouve mes Château-Chinonais. Une épreuve passionnante : concours de tir à l'arbalète. D'une extraordinaire précision. Deux flèches sur dix iront dans une cible de 3 centimètres… tirées de 36 mètres ! Couleur locale, gaieté souple.

Petits discours, gerbes aux deux monuments aux morts.

Banquet long et ennuyeux. Mais la nuit est si belle en Toscane. Je rentre coucher à la campagne, chez le comte Morra.

741.

Carte postale, Cortone, place Garibaldi.

Dimanche 29 août 1971

Le comte Morra est un célibataire de soixante-cinq ans environ qui aime sa maison et son enfance. Il n'a rien changé à sa maison telle que la lui a laissée sa mère. Je dors sur un lit haut et dur. La chambre est vaste, meublée simplement. Les fenêtres donnent sur un ample feuillage. C'est un coq qui me réveille. Très vite les pétarades des chasseurs assurent le relais. Lever à 7 heures.

Petit déjeuner avec mon hôte. Partout des livres et des revues, en tas. Un vieil et grand air de civilisation.

De nouveau en route pour Rome. L'avion. Toujours le beau temps et, à Orly, <u>toi</u>.

Que c'est bon ce repas de Chailly-en-Bière – et cet après-midi au ☿ éclatant.

On sort au cinéma, voir *Les Proies* (Bonaparte) et on rentre heureux de comprendre et d'aimer.

742.

Carte postale, aérodrome de Biarritz-Bayonne.

Lundi 30 août 1971

Je me réveille près de toi. Paix d'une nuit profonde. Je regarde ton visage et je reconnais la petite fille des premiers jours. Mais il faut partir. Petit déjeuner. Halte rue Guynemer. Orly. Tes lèvres chaudes d'un beau moment. Ciel de suie, orages, on est un peu secoués, et Biarritz, si souvent vu par en dessus, cette année !

Journée de spleen. Je t'écris. Je t'appelle après dîner mais tu es sortie.

Je lis le bouquin de Viansson-Ponté et sèche sur la préface.

Il pleut jusqu'au soir ~~puis~~. Maintenant l'odeur de la forêt monte vers moi.

Je pense à toi et je suis triste.

743.

Papier bleu de Latche, à Anne Pingeot,
36 rue Saint-Placide, Paris VIᵉ 75.

Latche, 30 août 1971

Cette fois-ci, mon amour, c'est la tristesse qui l'emporte, le spleen, ou, comme on disait au collège, le cafard. J'ai le cafard de t'avoir quittée, le cafard de ce mois qui commence et de ces séparations, le cafard des ciels entrevus et de la vie quotidienne. Je vous aime mon Anne mais je m'aperçois que j'aime en même temps une certaine façon d'être, celle qui fut la nôtre ces sept années, et qui suppose l'enthousiasme des joies indicibles, la recherche des approfondissements, la curiosité de l'esprit, l'équilibre du corps. J'ai été si heureux que j'aime être heureux.

Le voyage dans l'Aigoual m'a rendu, sans jeu de mots, les sommets, le week-end d'hier et avant-hier m'a restitué les plaisirs aigus de l'amour fou et les promenades-déjeuners si claires, si douces. Et voilà que le temps qui passe nous éloigne à nouveau. Oui, j'ai le cafard.

Je lis Viansson-Ponté pour écrire sa préface. Difficile exercice. Il pleuvote. Le voyage en avion a été un peu secoué, pas trop. Je t'avais en moi, mon Anne, corps et âme et tu me manquais déjà.

Je vous embrasse et je vous aime, ton

François

744.

Carte postale, forêt de pins vue de la dune.

Mardi 31 août 1971

Je t'appelle en me réveillant mais tu n'es pas là. Matinée calme. Je me repose avec le sentiment d'en avoir besoin. Je travaille aussi avec Gilbert : toujours les conventions collectives. À 12 h 30 arrivent huit visiteurs de Toulouse, conventionnels qui viennent débattre de notre plan d'action. Nous déjeunons à Azur. À 17 heures nous sommes encore là !

Le soir je dîne à Hossegor à L'Océanic, partager le plat de moules avec les Vinson (il fut et sera député du Rhône), qui partent cette nuit. Un peu de mélancolie. La mer bat le rivage avec un commencement de colère, comme si l'équinoxe était là. Je t'ai obtenue au musée Rodin. Hier soir tu dînais avec B.-L. et ce matin tu faisais tes courses.

Je sens le mal de toi.

745.

Carte postale, le désert des dunes.

Mercredi 1er septembre 1971

Je ne bouge pas de Latche jusqu'à 18 heures. Il fait assez beau. Mais je me sens fatigué. Je lis le Viansson-Ponté, j'écris une page sans envie. Je me distrais en coupant des ronces et me blesse la main ! Je pense à toi. Il n'y a pas un contact comme j'aime entre nous. Ce soir tu dînes avec ton ami Ch. au 36. Et pourtant vit cet amour tenace qui nous lie. Il nous blesse dès qu'on veut l'arracher.

Le soir pour voir Claude Léglise je vais enfin à Hossegor où je fais neuf trous. Stupeur : 41. Un jeu sans bavure, comme si l'état de grâce me visitait ! Je rentre. La nuit est étoilée, profonde. Elle m'émeut et je lui parle. Je me couche tôt. Oh mon Anne comment faire, j'ai tant besoin de toi.

746.

Carte postale, Salzbourg.

Jeudi 2 septembre 1971

À 6 h 15 Saint-Périer me conduit à Biarritz. Un matin pur, beauté des formes dessinées par le soleil levant. Voyage sans histoire mais j'ai mal dormi et la tête douloureuse. Tu m'attends à Orly et j'ai le coup au cœur : que tu es belle mon amour ! Mais vite tu deviens désagréable, insupportable. Je te dépose au musée Rodin et nous nous séparons en désaccord. Tu dois partir demain soir par la route dès ta sortie de Rodin pour Louvet, avec C. pour passager. Tu n'es pas contente de toi : raison de plus pour m'agresser. À 12 h 20 quand je te retrouve boulevard des Invalides après une matinée passée cité Malesherbes, tout est changé. Une Anne de tendresse déjeune avec moi à La Coupole ! Et quelle grâce dans tes yeux et quelle entente entre nous ! Nous voici de nouveau pleinement amoureux ! Mais je maintiens le programme décidé. Tant pis pour la nuit manquée. Tu iras à Louvet dès demain et tu me rejoindras à Nevers dimanche après-midi.

Réunion de travail avec mes amis sur nos problèmes de presse, puis à 17 heures je pars avec Pontillon prendre l'avion de Munich. Un Boeing. Mon mal de tête s'accroît. À Munich je rencontre Harold Wilson et nous nous embarquons en voiture pour Salzbourg. Long bavardage. Il me raconte une partie des *Souvenirs* qu'il vient de publier en Angleterre.

Salzbourg. Réception par Kreisky, chancelier d'Autriche. Il y a là Olof Palme, Premier ministre de Suède. On se couche tard. Il faut dormir.

Bonsoir mon Anne.

747.

Carte postale, Salzbourg, hôtel Saint-Rupert.

Vendredi 3 septembre 1971

Vue de l'hôtel Saint-Rupert où j'ai dormi cette nuit et d'où je t'ai téléphoné.

748.

Carte postale, Salzbourg, ville de Mozart.

Vendredi 3 septembre 1971

Réveil à 8 h 15. Je t'appelle aussitôt. Voix d'alliance et de tendresse. On part pour le château Hellbrunn où se tient la conférence. Salzbourg est comme une reine d'été et de splendeur par cette lumière dorée. On siège. Kreisky commence. Je continue. Puis Wilson et Helmut Schmidt. Débat sur l'intégration européenne et la crise monétaire. Olof Palme, le Premier ministre suédois, pose le problème idéologique : tiers-monde et socialisme des pays industriels. On déjeune dans un autre château, habité par Hitler et Eva Braun, naguère. Larges pièces claires, équilibre, lignes du XVIIIe siècle.

On revient à la conférence : les Irlandais accrochent sur l'Ulster. Wilson répond. On s'intéresse beaucoup aux positions françaises et l'accueil est vraiment ouvert !

De nouveau Munich par une autoroute qui traverse les Alpes bavaroises. Voyage facile. Orly. Je rentre assez las tout de même.

Les journaux. Une pensée pour toi. Sommeil.

749.

Carte postale, aéroport de Munich-Riem.

Vendredi 3 septembre 1971

Vue de l'aéroport de Munich d'où je me suis envolé ce soir pour Orly.

750.

Carte postale, Montsauche (58, Nièvre).

Samedi 4 septembre 1971

Je ne t'appelle pas ce matin, de Paris, car je te suppose arrivée tard hier soir à Louvet. Mais je dois me contraindre à ne pas faire le numéro… Je règle mon courrier et reçois Pierre Joxe. À midi je prends la route de Montsauche où je dois présider la réunion du syndicat d'électricité. Arrêt-buffet à La Courte Paille de Cussy-les-Forges. À Montsauche tout va bien. Je gagne Château-Chinon où j'ai convoqué mon conseil municipal. Nous discutons de nos affaires jusqu'à 9 heures. Auparavant j'ai visité les HLM. Je dîne au Vieux Morvan avec quatre conseillers et je me couche tôt.

J'ai eu la joie ce matin de relire ta lettre qui me fait un grand bien. À vrai dire j'avais un besoin profond de te retrouver.

Maintenant je pense à demain.

751.

Carte postale, Ouroux-en-Morvan (Nièvre).

Dimanche 5 septembre 1971

Je passe ma matinée à Ouroux et visite le bourg… par une tournée dans les quatre bistrots ! Le Morvan est lumineux. Ce soir je te vois. Ça va mieux !

Je déjeune à Langy, chez les Maringe, où je ne suis pas allé depuis longtemps. Le vent du nord s'est levé mais ne trouble pas le ciel pur. Je me promène dans le parc. À 4 h 30 je pars pour Nevers. Un peu de retard. Tu es là, posée près du Terminus et tu m'appelles « François ». Bonheur. Et ta voix est celle que j'aime.

Nous roulons vers Montargis.

Au début tu crains de rencontrer C. que tu as déposé à la cathédrale de Nevers… tu es belle et joyeuse. On mange allègrement des mirabelles.

À Montargis nous allons respirer l'air de la forêt. Pleine lune. La nuit tombe. Nous marchons en silence. Un bon dîner (écrevisses, truite au bleu) et notre chambre. Anne 𝒫.

752.

Carte postale, Montargis, Grand Hôtel de la Poste.

Lundi 6 septembre 1971

Réveil dans cet hôtel, qui nous plaît, où nous accueillent de beaux souvenirs. Petit déjeuner après une nuit lente et douce. La GS, comme d'habitude ici, se refuse à partir. Nous allons devenir légendaires ! Tu redoutes d'arriver en retard à Paris mais la circulation est fluide et tu me poses à Orly en temps voulu. J'ai de la peine de te quitter. Cette semaine m'angoisse. Il y a beaucoup d'amour dans l'au revoir. Voyage facile. Guy m'attend à Biarritz.

L'été reste roi longtemps cette année. Je ne bouge pas de la bergerie. Mais j'écris peu. Je t'appelle alors que tu dînes au 36 avec B.-L.

753.

Papier bleu de Latche, à Anne Pingeot,
36 rue Saint-Placide, Paris VIᵉ 75.

Latche, 6 septembre 1971

Il y a quelque chose de brûlant, à la manière du soleil d'aujourd'hui qui sèche l'air et ronge les couleurs, dans l'amour que je rapporte de ce dimanche, de son jour, de sa nuit. Je me sens l'âme dévorante, avec la soif des mots et des choses qui évoquent la mer au-dessous du volcan, l'eau claire du torrent sur l'âpreté des rocs. Pourtant il y a quelques douceurs du souvenir : le « François » entendu à Nevers, ta bouche ouverte de la promenade en forêt, ta jambe douce dans le sommeil, et peut-être ton au revoir de l'aéroport.

Je te cherche presque machinalement comme si j'étais subitement étonné, dérangé par l'absence de toi ou plutôt par l'approche d'une absence. Je vois ton profil de la voiture sur l'autoroute. Un profil vraiment c'est un objet, un dessin, une image de pierre découpée par un dieu, c'est un portrait détaché du temps. Que penses-tu, que veux-tu, qui es-tu ? Anne, je sais. Anne, je t'aime. Anne qui tourne la tête et pose son regard sur le mien oui : tout d'un coup je sais qui j'aime, qui est celle que j'aime. Vite fermons les yeux, emportons ce bonheur, gardons-le à jamais : Anne de face devient le cœur des choses, le cœur vivant d'un univers l'univers de nos lieux préservés, magie de Saint-Benoît, de Larressingle, de La Loubière et de l'Aigoual, lumière sainte.

Je vous aime ma bien-aimée.

Maintenant j'écris l'article en question. Avec quelques pages écrites pour mon propre livre je peux esquisser une première partie convenable que je te lirai mercredi. Je pense à toi. L'intensité est douloureuse, on le sait bien. Je pense à toi intensément.

Bonne journée mon Anne. À mercredi. Je t'embrasse avec un violent goût de possession

François

754.

Carte postale, peinture de Bernard Buffet (rivière).

Mardi 7 septembre 1971

Je passe ma journée dans le Gers. Quels mots décriront la splendeur de l'été ? Je suis dans un petit village qui domine la rive sud de l'Adour. Un immense horizon de collines élancées. Treize clochers et, signes plus modernes, les châteaux d'eau ~~aussi~~ nombreux apparaissent dans les lointains. Le temps se déroule lentement puisque les heures du jour commandent, et non l'action des hommes. Seul le mouvement intérieur précipite la vie vers la mort. Le mouvement cosmique ne pose pas ces questions.

Déjeuner où foie gras et cèpes disent qu'on est en Languedoc, dans une salle à manger aux meubles cirés et emplie d'ombre. Je m'étends sur l'herbe, à plat, sur le dos, le ciel dans la figure. Je pense à toi mon Anne devenue incertaine, ô ma pierre angulaire ! Aire-sur-l'Adour est à quelques kilomètres, dans la vallée. J'aimerais voir sa cathédrale qui figure parmi les « oubliées » et qui est belle, paraît-il. La nuit d'étoiles impose le silence dans la voiture du retour.

755.

8 septembre 1971. Carte de visite de fleuriste,
à Mademoiselle Pingeot, 36 rue Saint-Placide. *Somptueux et coloré.*

756.

Carte postale, Paris, le parc Monceau, la Naumachie.

Mercredi 8 septembre 1971

Anne à Orly, visage heureux, a longtemps regardé les avions se poser, s'envoler. Elle ne m'a pas vu arriver. Je la cherche. La trouve. Joie. On y pensera souvent à nos petits rendez-vous du matin d'Orly-Sud !

Matinée chez moi. Une page et demie au point. Tu viens à l'Orangerie à 12 h 30. Promenade au Luxembourg. Un beau soleil. Que j'aime ces balades de la vie quotidienne.

L'après-midi est tout entier consacré à la cité Malesherbes. Je siège sans discontinuer de 15 à 21 heures !

Après quoi je file vers la rue Saint-Placide où je suis invité à dîner en compagnie de M.-F. et son mari inconnu. Quel mari ! Je dois tenir la conversation pour sauver une ombre de dialogue. M.-F. et toi ajoutez charme et gentillesse. Mais on n'arrive pas à dégeler le personnage. Quand il part nous poussons ensemble un ouf ! de délivrance.

Et puis, et puis, nuit au 36 et ⚥.

757.

Carte postale, Paris, panorama sur les sept ponts.

Jeudi 9 septembre 1971

Voici un bel et tendre anniversaire. La plage d'Yons. La mer. Le soleil et sa lumière rouge. Toi étendue, corps dur et fort. Et l'ablution hymne à la beauté des choses il y a sept ans de cela. Et je sens revivre dans leur fraîcheur de l'instant les heures de cet après-midi.

Ce matin, le jour dans ta chambre, nos baisers, notre paix d'être ensemble. Je te quitte pour travailler et à 11 h 30 je vais au palais d'Orsay où se tient l'Union interparlementaire socialiste.

On déjeune (finir le poisson préparé la veille !) tendrement.

Beaucoup de visites cité Malesherbes. Et de nouveau rue Saint-Placide où je te prends pour dîner à La Croque au sel.

Quel dîner d'amoureux ! Nous rentrons à pied au 36 où la nuit nous accueille avec une infinie douceur.

758.

Carte postale, Grenoble, le Palais des sports.

Vendredi 10 septembre 1971

Nous nous sommes réveillés ensemble avec un étrange, triste et heureux amour. Je t'ai regardée te lever. J'inscrivais dans ma mémoire chacun de tes gestes. Petit déjeuner. Tu étais à ta porte tandis que je partais. Oh ! cet au revoir !

Un peu de travail chez moi avant de partir pour Orly où je prends avec Chevènement l'avion pour Grenoble. Voyage un peu agité. Orages sur les Alpes. Je suis happé par un emploi du temps implacable.

Déjeuner avec les dirigeants du stage des Jeunesses socialistes, objet de mon voyage. Débat de deux heures au stage. Je réagis sur les propositions monétaires du gouvernement et de Mendès France ainsi que sur l'allocution télévisée de Chaban-Delmas. Rencontre à la mairie avec Dubedout qui semble pencher vers nous.

Réception au Palais des sports (ci-contre). Réunion avec les militants socialistes de Grenoble. Visite à un responsable victime hier d'un accident d'auto. Enfin dîner chez Jouhanneau avec un professeur de droit (Mossé), deux journalistes et quelques leaders soc. Je m'endors vers minuit. Comment ne pas penser à toi ?

759.

Carte postale, Taizé, église de la Réconciliation, vitrail des Chouettes.

Samedi 11 septembre 1971

Jour attendu et redouté. Je choisis cette image que tu connais déjà mais qui signifie aujourd'hui le couple que nous sommes, que nous étions ce matin avant de nous séparer, si tendre, si aimant et si frileux devant le lendemain qui vient noir et bleu, et jaune vitrail avec la lumière du dehors qui traverse à peine le verre et nous laisse dans l'ombre où nous veillons, où nous prions, où nous craignons.

Je t'aime Anne. Tu m'as accueilli à Orly à mon retour de Grenoble et tu étais belle comme j'aime que tu le sois. Café noir et croissant à l'aéroport, autoroute, union des mains et des regards, douceur tremblante de ta voix, contentement de faire aujourd'hui selon ta volonté, angoisse d'une première fois contraire à toutes les premières fois depuis huit ans.

Tu pars pour Bucarest à midi.

Laurence te conduit. J'ai mon comité directeur du PS qui dure jusqu'à 8 heures. Je l'interromps pour déjeuner dans le quartier, pour recevoir le secrétaire général du Parti socialiste chilien et le sénateur US McGovern, candidat à la Présidence. Déclaration télé sur la crise monétaire. Dîner chez Lipp avec Dayan. Je suis seul sous ma lampe. Où es-tu ? Anne.

760.

Carte postale, aéroport de Paris-Orly.

Samedi 11 septembre 1971

Orly,
Je crois que notre mois d'août
devra porter ce nom
dans nos souvenirs
comme naguère l'Alagnon.
Orly,
J'y ai débarqué ce matin

et tu étais là,
et puis tu es partie
d'Orly
pour ce voyage,
mer, mur entre nous
et pour combien de temps
Seigneur souffrirons-nous ?
Je reviendrai
à Orly
et je ne te verrai pas.
C'est toi
l'absente.

761.

Carte postale, Le Portrait de François Ier, *Jean Clouet.*

Dimanche 12 septembre 1971

Ce portrait de François Ier n'est pas qu'une fine allusion au personnage lointain que tu as quitté hier matin sur le trottoir de la rue des Martyrs. Il t'apprendra que je suis allé en Charente et dans sa ville natale. Le mariage du fils de Philippe s'est déroulé hier sans moi. Je viens aujourd'hui voir les survivants. Ils sont nombreux. Arrivé par le train en gare d'Angoulême vers 13 heures j'ai déjeuné à Saint-Simon avec une masse de frères, sœurs et neveux. Il faisait un temps doux, un peu triste. J'ai fait ensuite un tour en Charente-Maritime avec Antoinette et Jacques. Saintonge discrète aux églises que tu connais, aux coteaux de vignes, de prés, de bois de chênes. Gilbert m'a ramené à Latche, tard. J'ai acheté du miel chez un merveilleux Saintongeais qui prononce comme un maître de notre langage les J qu'il ne prononce pas du tout, sinon comme un H extraordinairement aspiré.

J'avais quand même le cœur dolent.

762.

Carte postale, Cognac (Charente),
les vieilles tours ou porte Saint-Jacques.

Dimanche 12 septembre 1971

La Charente avec un air de mon enfance !

763.

Carte postale, la forêt landaise.

Lundi 13 septembre 1971

Surprise ! Je reçois une lettre de toi postée d'Orly (Orly aura joué un grand rôle dans notre vie, cette année !). Inutile de te dire ma joie. Où es-tu ce soir ? je n'essaie pas de répondre à cette question. Je pense à toi, comme ça, à partir de souvenirs anciens ou récents. Et j'ai nos photos, qui se révèlent bien précieuses.

J'ai écrit pour mon article du *Monde* qui prend forme. Je n'ai pratiquement pas bougé de Latche où Colette est arrivée le matin et Robert le soir avec son fils Maxime. Le temps est doux, timidement ensoleillé. Je lis cent pages du *Talleyrand* de Jean Orieux. Je travaille un peu avec Gilbert qui le matin part à la chasse dès 6 heures et reste planté au même endroit (qu'il aime) tout le matin. Attaque de *L'Aurore* contre moi à propos d'un communiqué du PS sur la menace de grève d'un syndicat de police. Je téléphone à Dayan pour qu'il colmate. Un sondage du *Figaro* me maintient à 44 % des interrogés comme en juin. Chaban : 49 %, Giscard 48 % (ce dernier, en progrès).

764.

Carte postale, Hossegor, le lac marin et la plage Blanche.

Mardi 14 septembre 1971

Cette carte parce que je suis allé à Hossegor à deux reprises. Pour jouer au golf en fin de matinée avec Robert et Gilbert. 45 aux 9.

Je me défends ! Puis le soir pour dîner à L'Océanic (spécialité les moules). Le reste du temps j'ai écrit ou plutôt rêvé sur mon papier. Mais j'ai beaucoup travaillé avec Gilbert sur les comités d'entreprise. Michel Destouesse est venu. On a bavardé. Ses enfants partent tous à l'université de Bordeaux. Mélancolie. Le temps est admirable. Un soleil brûlant a précédé la nuit pure et fraîche. Robert qui vient de repartir pour Paris m'apprend qu'un aérolithe de 350 kilos, le plus beau connu en Europe est tombé à 800 mètres… de Touvent. Il venait d'un système plus lointain que le Système solaire. Cher voisin ! J'ai tout de même paressé aujourd'hui. Pas envie de bouger, d'agir. J'ai envie par contre de penser à toi et de te parler. Te parler ?

Ça me manque. Ô mon Nannon de chaque jour !

765.

Carte postale, Paris, église Saint-Eustache.

Mercredi 15 septembre 1971

J'ai quitté Latche à l'heure matinale : 5 h 30. Cette fois-ci c'est un Viscount qui m'emporte à Paris et le voyage dure deux heures. Je trouve à Orly… M. Duret. De la poésie à la prose. Les rues bourdonnent. Pas moyen d'avancer. Attention à l'impatience, maladie des villes. Et tu n'es pas là. J'ai envie de te téléphoner à tout moment. Passer près de la rue Saint-Placide sans regarder vers le 36, comment faire. Tu es ma compagne des bois et des rues, et des grands silences, et des nuits lentes avec leurs incendies.

À 14 h 30 je vais voir les dirigeants du CNJA (jeunes agriculteurs) puis je siège sans arrêt comme tous les mercredis au bureau du PS. Ça s'arrête à 21 heures. Il fait froid sous le vent de septembre. Je marche. Dîner avec Christophe et trois de ses amis chez René, boulevard Saint-Germain). Une femme très, très belle, émouvante de beauté, soupe avec un garçon.

Une carte de toi, de Zagreb. J'aime.

766.

Carte postale, Paris, l'église Saint-Germain-des-Prés.

Jeudi 16 septembre 1971

Journée de négation.

Déjeuner avec Patrice Pelat et Christophe, qui part demain pour l'Algérie.

Cité Malesherbes rencontre avec les étudiants de Démocratie et Université.

En moi-même tout le reste du temps qui n'est pas occupé par les mots et les gestes, j'expulse le souvenir des merveilles.

Négation. Recherche d'oubli.

Que faire ?

767.

Carte postale, Le Violon rouge, *Raoul Dufy.*

Vendredi 17 septembre 1971

Journée sombre. Un violon rouge abandonné n'évoque même pas la musique. Cordes de chat qui grincent.

Matinée rue Guynemer. Je débats avec quelques amis de la Convention du moyen utile pour maintenir un lien entre nos anciens adhérents. Après-midi, cité Malesherbes. Tout de même, l'ironie : je reçois ton ambassadeur, celui de Roumanie, qui m'invite là-bas.

Je découpe pour toi des articles ou des images qui pourront t'intéresser à ton retour. Une admirable interview de Smorsky, le compagnon de Dubček à Prague qui dénonce le régime tchèque (il vit toujours dans son pays) dans *Le Monde*.

Je suis triste. Sans toi, de quel côté basculer ? Avec toi j'ai marché sur un fil aérien. Ce dont j'ai le plus besoin : les valeurs que tu représentes pour moi. Si elles n'étaient plus tiennes il ne resterait rien… qu'un fil cassé sur le vide. Et la chute. Oui, de quel côté ?

768.

Carte postale, Nevers (Nièvre), le Palais ducal.

Samedi 18 septembre 1971

Rituel : départ pour Nevers par le Bourbonnais. Je me lève à 7 heures et j'attrape le train de justesse. Lecture de journaux. De quelques notes. Enfin *Talleyrand*. Je suis dans la brume (intérieure). À Montargis, comment ne pas rêver ? On traverse la gare en ralentissant, et je recompose le passé.

Toute la matinée chez le préfet à débattre des dossiers (lotissements, HLM, regroupement de communes, etc...).

J'ai invité à déjeuner sept conseillers généraux. Ils racontent leurs vacances, on parle de nos affaires.

Château-Chinon. Longue marche dans tous les sens, pour me dérouiller et pour voir. Le Morvan continue de vivre sous un soleil de majesté. Assez tard, réunion du bureau du Parti socialiste, à la mairie. Mais je dois encore me rendre à Corbigny où la « jeune chambre économique » discute gravement de projets farfelus. Cela me tient jusqu'à minuit. Retour à Ch-Ch avec le sommeil dans les membres.

Mon Anne, Mon Anne.

769.

Carte postale, Nevers (Nièvre), avenue du Général-de-Gaulle.

Samedi 18 septembre 1971

Ce coin de rue sans grâce mais qui évoque notre dernier voyage, à ton retour de Clermont, Louvet.

Tu venais d'arriver et tu as appelé « François ! ».

770.

Carte postale, Gouloux (Nièvre).

Dimanche 19 septembre 1971

Chambre 15, Vieux Morvan.
Toi.
Je me réveille tôt. Dehors un clair soleil. Je pense à ce qui nous sépare. Je ne puis plus suivre ta trace. Ne rien échanger m'est très dur. Plus l'esprit que le corps. Nostalgie.

Je lis *Talleyrand* dans ma chambre, longtemps. Petit déjeuner de travail avec mes adjoints et Saury.

Je déjeune et passe l'après-midi à Gouloux – conseil municipal. Promenade à pied dans tous les coins du village. Partout des fleurs, celles que nous aimons avec déjà les splendeurs rouges, jaunes, violettes de l'automne. En fin de journée il fait froid. On frissonne. Je ne me dégorge pas d'une sorte d'absence. Ai-je mal ? Un mal d'indifférence, plutôt. Ce qui se passe en moi m'est lointain. On visite les travaux des Settons, on s'arrête à Lormes, on part pour Paris, on « bouchonne » sur l'autoroute et les Saury me déposent sur mon trottoir.

771.

Carte postale, Bayonne, la rue Port-Neuf et la cathédrale.

Lundi 20 septembre 1971

De nouveau, Orly sans toi. J'attrape mon avion de justesse. Un ciel d'orage nous surprend au-dessus des Landes. Plongée. Puis tout va bien.

Christophe s'était arrêté ici et m'attend à Biarritz. Il traverse l'Espagne et le Maroc à son volant pour regagner El Oued, à la frontière tunisienne. On achète cartes et livres à Bayonne. Il part.

Journée paisible. Je ne bouge guère. Tes photos sont devant moi. Celle de cet été, chez les Barbot, celle de Chênehutte, celle de Venise. Aussi, la petite chouette céramique bleue venue de Minerve. J'ai écrit une question parlementaire au ministre de la Justice sur le cas d'un coureur cycliste victime d'arbitraire. Le soir j'ai regardé le duel « À armes égales » Chirac-Marchais. Personne ne convainc personne, quel que soit le talent, par l'argument de la parole ! La conviction naît dans les régions profondes. Ici la Roumanie a du succès : un reportage dans *L'Express*, un reportage dans *Le Monde*.

Mais toi ? et toi ? Tes photos, je n'avais pas voulu les regarder jusqu'ici : tu n'étais pas encore absente. Maintenant...

772.

Carte postale, Montmaur (Hautes-Alpes),
château de la colonie de l'UNIPOL.

Lundi 20 septembre 1971

Une amie m'a envoyé cette image du château où vivait Antoine Mauduit, mon ami des années 1942-43, mort à Bergen-Belsen, camp de déportation, et qui fonda ici le premier maquis. J'ai connu une étonnante communauté d'hommes qui croyaient possible la communion du travail, de l'espoir, de la fraternité.

Tous ceux qui vivent encore se souviennent de Montmaur. Mauduit était à la fois héros et saint. Donc simple. Je t'ai raconté sa mort angoissée.

773.

Carte postale, coucher de soleil sur l'océan.

Mardi 21 septembre 1971

Ce n'est pas tout à fait ce coucher de soleil là qui tombe sur la mer aujourd'hui ! Mais il y a de la gloire dans le ciel quand même. L'orage gronde, troue l'espace, déverse d'énormes pluies rageuses et laisse pour peu de temps place à la douceur d'un soleil tendre qui fait tomber des épaules les lourds vêtements d'automne. Je me promène, je rêve, je reprends un contact nourricier avec les plantes de la forêt.

Cela sent le vent des grands espaces qui court les océans. Mon Anne je m'inquiète de toi, de nous. Un lien si profond m'attache à ce qui n'est peut-être pas notre passé. Tu es vie pour moi, mon amour. Ô bonheur de vivre !

Je lis toujours mon *Talleyrand*, qui est énorme. Je porte ton polo bordeaux. Je le porte souvent. Il m'est très bon de coller à lui. J'ai besoin de toi par les mots et pour les choses simples. Notre marche sur la draille de l'Aigoual est le symbole de ce qui forme et scelle un couple : agir ensemble, la tête et le cœur enivrés par la beauté et par l'amour.

774.

Carte postale, Jarrasse, l'écailler de Paris, Neuilly-sur-Seine.

Mercredi 22 septembre 1971

J'arrive à Orly. Un regard que tu imagines sur l'ombre du souvenir. Ma journée se passe en rendez-vous : Borker, le missionnaire communiste qui me tâte et cherche (sur ordre) l'apaisement, Mermaz, retour des États-Unis, Michèle Cotta, ventre en avant. Déjeuner utile avec l'industriel chez lequel j'avais fait un tour au retour de l'Aigoual tandis que tu visitais les musées de Lyon. Après-midi, le rituel du mercredi consacré aux réunions des dirigeants du Parti socialiste.

Je dîne à Neuilly au restaurant Jarrasse où j'allais beaucoup jadis. Et je participe à un bout de soirée chez Robert pour son anniversaire.

Une lettre m'apprend la mort de Mme Vrojet, à quatre-vingt-neuf ans, cette couturière de Touvent que nous avions visitée tous deux à Petit-Bersac.

En lisant *Talleyrand* (j'en suis à la page 300... sur 800) j'ai découvert qu'Eugène Delacroix était sans doute le fils de l'évêque d'Autun qui avait succédé au ministère des Relations extérieures du Directoire au père... supposé du peintre. Petite Histoire !

Enfin c'est l'automne. Avec ponctualité l'orage et la tempête sont venus et les feuilles mortes jonchent le sol.

775.

Carte postale, Trois Hommes qui marchent, *A. Giacometti.*

Jeudi 23 septembre 1971

Trois personnages. Deux se tiennent par la main. L'autre arrive. Qui est-il ? Celui qu'on aime et qui revient prendre son bien ? celui qu'on n'aime pas mais qu'il faut suivre ? Ballet. Ballet où les cœurs souffrent d'angoisse et d'amour, où tête renversée les yeux regardent la vie basculer. J'ai reçu ta lettre de Roumanie, la seule (et c'est normal et je le comprends : la poste des marécages du Danube paysan n'est sûrement pas quotidienne !) et la précieuse. Je la relis et je la pose le soir sur ma table de nuit pour avoir ce signe de toi près de moi. Évidemment, je t'attends. Nous sommes incrustés l'un en l'autre. Comment imaginer la déchirure ? Pourtant... je m'attendais à l'idée de ta grippe et ton nez bouché.

Ici j'ai rencontré ce matin la plus puissante organisation agricole, la Fédération des syndicats d'exploitants (Michel Debatisse). Reçu une envoyée (agaçante et pimbêche) de JJSS. Déjeuné avec Gérard Jaquet, secrétaire du PS, travaillé cité Malesherbes. Reçu les dirigeants de la Drôme en vue d'une élection partielle.

Et te voilà qui m'occupe toujours, au centre, au cœur de tout.

776.

Carte postale, les Champs-Élysées et l'Arc de triomphe.

Vendredi 24 septembre 1971

Je travaille chez moi avant de recevoir un Noir du Cameroun, leader de l'UPC, parti révolutionnaire. Puis Marc Ullmann, l'un des principaux rédacteurs de *L'Express.* Je déjeune chez Lipp avec M., personnage hors série, de plume et de pensée, boiteux, tordu, qui en est à son troisième mariage à moins de quarante ans avec une très belle fille (les autres l'étaient aussi). On discute beaucoup de nos projets de presse. Il a des idées. Et il est passionné. Beaucoup de rendez-vous avec les responsables des secteurs d'activité au PS

l'après-midi. Laurence vient avec Chevènement. Elle s'occupe de nos
« Rencontres nationales ». Je fais sauter l'ambassadeur de Yougosla-
vie qui m'attend à son bureau et que je n'ai pas le temps d'aller voir.
Enfin je vais au cinéma ! Avec une amie que tu ne connais pas. *Le
Sauveur*, au Concorde, en bas des Champs-Élysées.

Mme C., divorcée de juillet et mère de quatre enfants, est déjà
remariée et, comme on dit, fort bien !

Reçu lettre intéressante de Harold Wilson.

Je t'attends avec en moi de drôles d'impressions. Qui seras-tu
dimanche. Et puis, le dernier jour d'une longue attente, on ne sait
plus rien sauf que tu seras là, au Bourget, et que c'est un peu Apollo
sur la Lune.

777.

Carte postale, Nevers, la porte du Croux.

Samedi 25 septembre 1971

J'ai toutes les chances d'être cassé, épuisé, insensibilisé, au Bourget.
Voilà mon emploi du temps d'aujourd'hui :

Lever 7 heures. Le Bourbonnais. À Nevers j'entre aussitôt dans
la grande salle du conseil général où se tient l'assemblée annuelle du
syndicat départemental d'électricité.

Ça se termine à 13 h 15. Je pars pour Clamecy. Déjeuner express
avec le maire et les deux adjoints. À 15 h 30 je suis à la préfecture
d'Auxerre : les deux conseils généraux de la Nièvre et de l'Yonne se
rencontrent (pour la première fois !) afin d'étudier en commun leurs
problèmes routiers. À 19 heures j'arrive au Vieux Morvan où je reçois
mes adjoints. Et à 20 h 30, Autun !

Réunion du comité socialiste de Saône-et-Loire. Dîner avec le Collectif national des GAM (groupes d'action municipale) – type Dubedout à Grenoble, forme moderne d'approche des problèmes concrets
et rêves, utopie de l'agitation permanente (teintée de christianisme
social).

Je ramène le principal animateur, Robert de Courmont, dans ma
voiture, à Paris. Nous parlons, nous dormons rue Guynemer : il est
2 h 45.

778.

Carte postale, Paris, la butte Montmartre vue du palais du Louvre.

Lundi 27 septembre 1971

Je me suis réveillé après une nuit de calme et profond bonheur. J'ai rêvé longuement du baiser que tu m'as donné sans y faire attention au milieu du sommeil. Au matin le désespoir m'a envahi.

Tu m'as dit « Nous nous verrons ce soir ». Quelqu'un me dévore le cœur.

Rentré rue Guynemer j'ai reçu ~~Andrée~~ Marcelle Padovani, de *L'Observateur*, puis deux amis.

Je ne savais où aller à midi. J'ai avalé un demi-plat chez Dayan et je suis revenu à pied. Promenade en des lieux où chaque mètre évoque notre souvenir. Les Tuileries, ton bureau du Louvre, les quais, rue Bonaparte, Saint-Sulpice.

À 17 heures conférence pour Angela Davis. À côté de Marchais et de Séguy !

Le soir retour au 36. Ton regard. Ton amour. Folie !

Nous avons dormi ensemble avec tous les dons du bonheur.

Que faire ?

779.

En-tête et enveloppe Assemblée nationale (sans suscription).

27 septembre 1971

Mon Anne bien-aimée, il est 10 heures, je t'ai quittée avec déchirement – on se verra ce soir. Dans une éternité. J'essaie de saisir mes impressions pour te les dire. J'ai vécu quinze jours d'une certaine sécheresse. Je ne pouvais t'imaginer : c'était commode. Ni les êtres ni les lieux. Et puis c'était une coupure nette. Et il y avait l'espérance, tenace, accrochée au cœur, au ventre, vitale. Je pensais à toi et désirais n'y point penser. Tu étais en vacances, en vacances de moi. Mais en vacances seulement. Dont on revient. J'ai eu mal quand même, évidemment. La sensation tant redoutée de l'étouffement. J'étouffe sans nous, j'étouffe sans l'air de Larressingle et la lumière de Saint-Benoît, j'étouffe hors de ta vue, j'étouffe quand je sens ton amour distrait.

Le corps, l'âme : par lequel des deux monte l'asphyxie ? L'âme je crois. Quand on se raccroche à l'idée qu'un bonheur va soudain vous rendre les grands espaces est-ce le corps qui s'exalte ? oui, mais après coup. Ah ! solitude ! L'atroce, l'amère. Elle t'a visitée, je le sais, elle t'a menacée, tu l'as vue « laide et vieille ». Moi je l'ai devant moi. Comment vaincre, vivre, espérer mourir savoir mourir ? Ah ! solitude ! je te serrais cette nuit et tu me serrais dans un mouvement parfait. Deux vivants endormis dans la nuit et qui défiaient le temps et le reste. Tes lèvres un moment m'ont baisé si doucement le cœur. J'étais heureux, si heureux. Et si malheureux au réveil.

Ton retour. Au Bourget en une minute, mon Anne souveraine. Et ne t'y trompe pas : <u>celle que j'aime</u>. Ton regard était celui de la joie. Tes mots ont tout dit : mon crème, joie, intacte, on a parlé mariage, il est là, c'est mieux, ta voiture, heureuse du voyage, heureuse de te voir…

Toutes les contradictions du monde résolues par l'amour, le courage et la pureté. Tu as des défauts. Certains me déplaisent. Tant que tu seras celle qui courait vers moi à 12 h 55 au Bourget, le 26 septembre 1971, je saurai que mon grand amour est justifié. Et pourtant c'était difficile comme jamais.

On ne résoudra rien par le bas. Essayons par le haut. On ne résoudra peut-être rien non plus. Mais on sera dans notre ligne et notre vie aura mérité son 15 août, son 5 août, Saint-Illide, la première montée de Gordes et la draille de l'Aigoual. Par le haut, cela veut dire savoir aimer, savoir comprendre. Il y a la jalousie, l'amour-propre, l'égoïsme, la paresse, le laisser-aller des sens… bon, je n'en suis pas indemne. Il y a autre chose qu'il faut que tu retiennes jusqu'à ton dernier souffle : mon amour est vrai, je t'ai aimée, je t'aime. <u>Moi aussi</u> je t'aime assez pour que tu aies <u>ta</u> vie et pour que tu la construises. Je bronche cependant quand tu tranches avec arbitraire et un peu de méchanceté : construire <u>ta</u> vie c'est <u>me</u> quitter.

Imagine le mal que tu me fais, et l'injustice que tu commets : j'ai l'orgueil de nous. Ce n'est pas vrai que rien n'ait construit ta vie depuis nos Trois-Poteaux. <u>Ta</u> vie c'est aussi cet éveil, ces délires, cette entente, cette plénitude que nous avons en nous sans lesquels tu construirais <u>moins bien</u> aujourd'hui, avec ou sans moi.

Midi

Je reprends cette lettre après avoir reçu Marcelle Padovani, du *Nouvel Observateur*, et Alain Gourdon. Je les ai écoutés comme derrière une vitre embuée. Je t'écris sans préparation, sans corrections, au fil de la plume et donc au gré de mes impulsions. Style et récit sont dans le désordre. Tant pis pour la logique.

J'ai un grand, très grand mal de toi. Mais si je me plains pour des détails (exemple : jamais naguère et jadis, nous n'aurions passé notre première journée de « retrouvailles » sans nous revoir une, deux, trois fois, absurdement, passionnément) je ne me plains pas pour la façon dont tu poses notre problème de vie. J'ai donc de la peine parce que tu as préféré faire autre chose plutôt que de m'apercevoir à midi (Luxembourg aimé, Saint-Sulpice, rue de Seine, ô ! nos pas enchantés !) mais je la domine parce que je sens que nous sommes placés devant un choix d'une telle ampleur ~~que tout reste~~ qu'en regard tout est secondaire, que notre amour doit commander ~~que~~ et le respect que j'ai de toi ~~est aussi~~ devient aussi source de force.

Toi ! cet éclair qui m'a pénétré, bouleversé. Toi revenue. Anne. Je ne veux pas vivre sans ton aide. Celle que tu voudras. Mais ton aide. Les signes. Une marche en avant qui resterait commune. N'importe quoi qui ne soit pas ce silence, cette mort. Que faire ? J'ai basculé entre le reniement, la négation, l'oubli semblable à la mort – et le courage, l'abnégation, la perfection du cœur et de l'esprit. Seul je suis peu capable du mieux. Si tu veux bien m'aider sans que cela t'empêche de vivre, peut-être, peut-être tomberai-je du bon côté.

Du tien.

Je suis bête de côtoyer à ce point la détresse. C'est comme ça huit ans après ! Ah si j'avais su te désaimer ! Tu es ma passion dans le vrai sens du mot. Amour, souffrance. Tu m'as donné tant de bonheur ! Et je suis là, à te récrire pour la centième fois la même lettre. À ceci près que celle-ci, ou que cette fois, arrive l'heure.

15 h 15

Je relis. Comme toujours je trouve ça incohérent. Mais je préfère t'écrire ainsi plutôt qu'une composition française. Je suis allé déjeuner chez Dayan. Très vite : en trois quarts d'heure. Je suis revenu à pied rue Guynemer. Ça me faisait drôle de me balader avec cette peine au cœur, guetté à chaque coin de rue par un cortège de souvenirs. Rue de Rivoli, Les Aigles ; aux Tuileries, ton ancien bureau du Louvre et mes stations près des guichets ; rue Bonaparte, Saint-Germain (La Hune !), rue Bonaparte encore, Saint-Sulpice... Un beau soleil des plus beaux jours et le vent d'automne qui vous caresse le visage cela compose un paysage de tragédie.

Il faudrait hurler, se battre, haïr. Ne pas se laisser aller ? Hurler, se battre, haïr quand même (haïr ? pas toi mon cher, mon cher Amour, haïr l'absurde fin et la vie morte qui s'annoncent. Je suis fait, tu vas rire, pour l'amour éternel. Et je vois le couteau qui va couper le lien).

Je pensais en marchant : « Voilà bien mon égoïsme et sa solitude, je ne lui parle que de moi alors qu'elle se débat elle-même dans l'angoisse, alors qu'elle-même a tout donné à son amour. » Voilà pourquoi je te parle maintenant de toi. Toi à qui je dois tant et d'abord la grâce.

Tu as fait une expérience. Au fond, elle a réussi. Tu as été heureuse sans moi. Certes il y a de l'artifice dans la couleur locale et dans la liberté d'un voyage. Tu le sais mais tu ne peux mesurer la part qui leur revient. Alors ce qui était possible avant ton départ devient probable à ton retour. T'es-tu éloignée de moi dans le secret de ton cœur ? Pas tellement. Mais tu t'es rapprochée de l'existence vers laquelle te portent mille raisons, bonnes ou futiles, ~~mais~~ dont les plus profondes en tout cas sont vraies et sans doute décisives. Tu vas me quitter. Ces quatre mots, Anne, mon Anne, je viens de les écrire et j'ai si mal. Ils sont les plus graves depuis mon enfance.

Je suis lucide. Je crois que je ne suis pas malhonnête. Tes chances de bonheur ou du moins d'équilibre sont grandes avec B.-L. On sent qu'il est solide et bon. Est-ce suffisant pour toujours, et ta vie amputée de moi ? Le présent ne peut répondre à cette question. Quelle brûlure et quelle plaie, aussi. Et moi qui respirerais loin de toi ! est-ce possible ? Mais non, je ne suis pas lucide puisqu'une part de mon être se révolte. Il y aura donc un « après » ? Je n'en supporte pas la pensée. Alors quoi ? une part de mon être ? Ô Anne je suis ton François. Le sang brûle. J'entends « Je suis heureuse, heureuse, heureuse ». Marnes-la-Coquette, nom assez ridicule pour avouer un amour. Je te vois, je te prends et je t'aime. Il n'y a pas d'être divisible. Et c'est là toute notre affaire. Comment vas-tu me garder et me perdre à la fois ? N'est-ce pas une illusion ? Tu vas me perdre, je vais tout perdre. Ne dis pas des mots tout faits « ta carrière, ta famille, tes passions… ». N'essaie pas de me consoler. Et cesse de croire que l'amour d'une jeune fille de vingt ans ~~a~~ avait plus de force et de vérité que l'amour d'un homme déjà engagé sur l'autre versant, cesse de croire que ta pureté était plus pure que mon émerveillement, cesse de croire mon espérance moins vaste que la tienne.

Oui comment vas-tu me garder ? Et le veux-tu ? Ne suis-je pas un embarras ? Je me raccroche ? Et si l'on essaye de résoudre par le haut, comment faire ? Préserver le meilleur de notre intimité ? Se voir beaucoup, dans la confiance mutuelle, approfondir l'échange, vivre dans l'une étroite symbiose ? ~~de ceux qui~~ Dépasser les usages, les petitesses, les conventions ? Aimer lire, voir, commenter les mêmes choses ? Rechercher les mêmes chemins de perfection ? Quoi qu'il advienne que tu me quittes ou non il faudra bien prendre cette direction. Un amour est un être vivant et réclame qu'on le nourrisse. À ne pas oublier, ma bien-aimée, demain. Vivre un amour, fût-il sacrifié, chaque jour je comprends mieux que c'est faire son Bernard Palissy. Mes meubles je peux les jeter au feu. Tu en doutes, et pour cause. Mais je suis moins vieux et sclérosé que tu ne crois. Je sais en toute certitude que notre vie ne vaudra que par sa qualité de don et d'amour. Je tremble et recule peut-être au combat mais je suis quand même volontaire pour le groupe franc !

28 septembre, 9 h 20

Je rentre avec 100 kilos (de plus) dans les jambes. Je rentre d'où ? d'une admirable nuit où le temps était plein. Encore un 36 avec un ☿ intérieur qui valait bien (pour moi) le soleil d'or. Ton visage d'hier soir ! Le rêve revenu quand tu m'aimes et que tu veux bien le montrer, quand tu as ce visage-là, un bonheur fou s'empare de moi je suis amoureux, amoureux, amoureux de toi.

Belle nuit. Ton corps, ses pleins et ses creux, tes mains, nos mouvements de nageurs. Sais-tu que ce trésor rend insensible aux fatigues du temps ? Éternel tour du monde pour trouver ce que ~~nous avons~~ déjà nous possédons. Je n'ai pas compris l'éloignement du matin. Quoi ? L'agacement de la femme pratique irritée de ne pouvoir faire tout ce qu'elle a à faire ? Tu es à cet égard une Marthe parfaite. Ce qui déroute avec toi : la minute d'avant, c'était Marie. Oui, allez comprendre. Et pourtant je devine que cette contradiction supplémentaire reflète notre état présent on n'y peut rencontrer que les extrêmes. Des remords par rapport à B.-L. ? Déjà ? De la colère contre moi parce que cette nuit, ce matin sont arrachés du calendrier, dissimulés, bref parce qu'ils ne sont pas une nuit, un matin de notre vie commune ? une nuit un matin merveilleusement ordinaires ? Dans d'autres circonstances j'aurais ri de tes reproches : pas un cillement de mes paupières n'avait de chance de trouver grâce ! Anna furiosa ! Eh bien le cocker lève encore la patte (de devant !) et vous fait signe qu'il a le cœur gros. L'idiot ! Justement, tandis que tu t'habillais j'avais une formidable bouffée comme aucun cocker (je suppose) n'en a eu. Pardonne le mot : j'admirais la femme que j'aimais. Je te voyais en analyse spectrale. Je me disais que jamais je n'avais détenu le bonheur d'aussi près, ~~parce~~ que jamais je n'avais connu pareille communion, que nous avions un grand, un bel amour, que tu valais tous les choix.

Tu sais bien que je n'abandonnerai pas mon amour, quoi que tu en fasses. Et moi je sais que de toutes tes forces tu as désiré (tu désires peut-être encore) le vivre avec moi – s'il répond à ton besoin fondamental d'être toi-même (un enfant, une maison, ô Anne, c'était dans ta bouche, comme le début d'un cantique). Je crois que tu m'en veux d'être contrainte de choisir contre moi. Cette contrainte oubliée ou vaincue, alors, c'est le visage d'hier soir, et que je t'aime !

780.

Carte postale, Homme couché, *B. Buffet.*

Mardi 28 septembre 1971

Même étape qu'hier. Cette larme que j'aime soudain ! Peine affreuse d'un réveil déchiré parmi tant de merveilles. Nous avons si bien dormi, en paix, engrenés, comme des nageurs. Silence et rythme. Tout est fou, contradictoire. Je te quitte en traînant la patte. Je pèse 500 kilos. Heureusement, rendez-vous sur rendez-vous. Le plus intéressant : Eugène Descamps. Je te retrouve à 12 h 30 place Saint-Sulpice. Que tu es belle sous ta pèlerine incommode ! que je t'aime, mon Anne dont le nom me fait trembler de douceur. Cela dure... cinq minutes, et le soir, quand je te téléphone, ta voix n'est que tendresse pour évoquer la lettre que je t'ai remise aujourd'hui avant de se durcir quand je te demande rendez-vous pour demain. « Ce harcèlement. » Détresse. Tu dînes avec B.-L. au 36. Je ne veux pas davantage te diviser contre toi-même.

Ô Anne.

781.

Carte postale, Kerdruc, Névez (Finistère), auberge Tal Moor.

Mardi 28 septembre 1971

Une image d'un bonheur entrevu. Que j'aurais aimé t'emmener dans cette Bretagne où le silence donne à l'âme sa véritable résonance. Je mets cette carte dans le lot quotidien, comme ça, parce que je rêve et que j'ai mal.

Mal, tu ne peux pas savoir.

782.

Carte postale, musée de l'Affiche et du Tract,
la Seconde République, Paris, 3 mars 1848.

Mercredi 29 septembre 1971

Matin studieux. J'essaie de bloquer les issues ! Une mauvaise mer presse mes digues qui ne sont guère solides. Je reçois Fournier, conseiller d'État, n° 3 du Plan, sur les transferts sociaux, Mme Questiaux, sur la communauté européenne, A.-Marie Houdbine.

Triste, si triste rendez-vous de nous deux, ma chérie. À 12 h 30 dans les allées de l'Observatoire. Il fait beau, quelle lumière. Mais en nous quelle nuit. Je t'accompagne en direction du boulevard Saint-Michel. Tu as ton vélo, et ta sale figure ennemie.

Mon procès. Ah ! comment peut-il y avoir procès entre nous ! Je te quitte, l'âme fendue… et j'arrive très en retard chez Dayan où déjeunent les pontes de la sidérurgie.

Mercredi : réunions sans fin cité Malesherbes. Nous devons sortir avec les Soudet pour entendre Reggiani au Bobino. Je suis recru de fatigue. Tu es douce soudain j'entends ta voix : « Tu veux me quitter ? » – petite voix qui me déchire. Accident, avenue du Maine. Tu es là présente, aimante. Reggiani nous émeut. Et nous dormons ensemble dans un étrange accord et la paix de nos ☿.

783.

Carte postale, Dijon (Côte-d'Or), la faculté des Sciences.

Jeudi 30 septembre 1971

Étrange nuit de bonheur absolu. J'ai dormi avec toi, navire à haute voile, corps enroulé, naissance, naissance, naissance. Ô mon Dieu ayez pitié de nous.

Tu avais le sourire de Saint-Benoît dans ton sommeil. Tu es redevenue songeuse, un peu lointaine comme chaque matin. Et plus encore quand nous nous sommes liés.

Mon amour je t'appartiens.

Ne t'éloigne pas ainsi. Mon être est pris d'un grand froid.

De retour rue Guynemer j'ai reçu Poperen, qui prépare une histoire de la gauche, et Barillon avec lequel j'aurai un « entretien » pour *Le Monde*.

Ensuite Dijon, pour le conseil de l'université. J'étais obsédé par toi. Lumière intérieure.

Gare de Lyon. Petit quiproquo !

Te voici. Ah je suis fou d'amour et de douleur. Nous rentrons à pied et je t'accompagne rue Saint-Placide. Nous nous séparons là, comme j'aurais aimé partager à nouveau ta nuit !

784.

Carte postale, Dijon (Côte-d'Or), l'église Saint-Michel.

Jeudi 30 septembre 1971

Ta voix est redevenue dure, lointaine. Je te rappelle au téléphone. Je te sens épuisée physiquement, moralement. J'insiste bêtement mais je ne veux pas, je ne peux pas couper ce mince fil de nos merveilleuses habitudes. Je ne dors pas de la nuit. J'étouffe. Je me lève pour fuir je ne sais où. Qu'importe puisque le mal est en moi-même. J'ouvre les yeux avec désespoir sur le ciel tranquille de Paris.

Je me couche, je rêve, je râle. Je brise mes forces à tenter de soulever le couvercle qui m'oppresse. Amour, mon amour, au secours ! Ô mon Anne, que je ne puis arracher de ma pensée ni de ma fièvre. Au matin j'avais besoin de ta main sur mon front, de ce geste que parfois tu me donnes. Je suis dans une sorte de mort vécue.

Je n'ai pas connu d'épreuve pire, sinon celle de juin et juillet 70. La même.

785.

Carte postale, Hossegor, le lac marin, la forêt,
l'océan et la chaîne des Pyrénées.

Vendredi 1ᵉʳ octobre 1971

Journée d'épreuve, oui, je touche le fond, pourquoi t'avoir encore appelée ce matin ? Parce que je t'aime et que je suis perdu. Je m'en rends compte ! Tu m'as si durement demandé le silence. Je me tairai maintenant. Peut-être, mon Anne, sentiras-tu plus tard qu'il n'était pas nécessaire de donner à notre grand amour cette fin. Un droit : souffrir… et la suite [c'était votre formule pour les femmes : « Un devoir : souffrir, un droit : en silence » !]. Tu me l'as dit. Je ne peux l'oublier. J'ai pris l'avion pour Biarritz. Temps tragique à force de beauté. Je n'ai pas dormi et je suis épuisé. Je traîne ainsi d'heure en heure. Le soir ne viendra donc pas ? je téléphone à Laurence et je lui parle un peu de nous. J'ai besoin d'une voix. Cette remise en question de notre vie me fait basculer dans le vide.

Je n'ai pas bougé d'un pouce depuis huit ans sur cette passion qui m'habite : toi.

Je ne t'ai pas donné le bonheur que tu désirais, mais Dieu, je t'ai tellement, tellement aimée !

786.

Carte postale, Vienne, musée Kunsthistorisches,
Portrait de John Chambers, *Hans Holbein.*

Samedi 2 octobre 1971

Journée atroce. Une angoisse folle me ronge. Je me sens vidé de forces. Évidemment je ne t'appelle pas à mon retour de Latche. Orly-Ouest sans toi !

Laurence m'y attend. Je lui parle un peu. Matinée chez moi. Je compte les heures : elles sont interminables. À bout de souffle je déjeune avec Gilbert et Dayan rue Guisarde. Je n'ai pas de voix pour parler et mon cœur bat fort. Que fais-tu ? Ah ! je sais ! tu déjeunes avec B.-L., tu photographies des chapiteaux, tu passes avec lui ton après-midi. Et cet après-midi est extraordinaire de beauté. J'écris. Je t'écris. Je fais un saut à l'Assemblée nationale qui ouvre sa session. Je reviens rue Guynemer, désemparé. 6 heures sonnent à Saint-Sulpice. Ô les bonheurs de nos bonheurs ! Je tombe de fatigue et d'émotion en t'attendant avec un taxi à 18 h 45 au bas de chez toi. Je monte enfin au quatrième. Tu me souris. Une gêne. Je descends ta valise. En route pour Orly ta main s'approche de la mienne. Dans l'avion tout se dénoue. On loge au Capricorno. Anne, tu sais : cette merveille ☿.

787.

Carte postale, Vienne, musée Kunsthistorisches.

Dimanche 3 octobre 1971

Nuit de bonheur, d'entente parfaite, de passion. Ce réveil où nos mains tout de suite se croisent ! Anne ! « N'oublie jamais, jamais, jamais, jamais, jamais… »

Petit déjeuner avec les Barbot.

Le matin : visite du musée. Foison de chefs-d'œuvre. Tu me conduis, tu me parles, tu ris, tu es sérieuse comme un pape… Tu es mon Anne. On est quand même las de piétiner et on va déjeuner assez tôt dans une auberge pas mal.

L'après-midi, Schönbrunn.

Visite détaillée. Promenade dans les beaux jardins, montée à la Gloriette.

Deux photos de nous. Pourvu qu'elles soient bonnes ! Une lumière poudreuse dore les frondaisons d'automne. Le temps suspendu ! Nous marchons en étroite union.

Retour en ville par le tram.

On est bien ! Avant dîner petit repos. Tu lis *La Folle de Chaillot*. Je t'embrasse… Délicieuse soirée dans un « Heuriger ». Ah ! ce chant des Japonais ! Et la nuit et la folie heureuse ☿. Je suis amoureux.

Amoureux.

788.

Carte postale, Vienne, cathédrale Saint-Étienne.

Lundi 4 octobre 1971

Ma fête.

Anne tout est amour. Ce voyage me bouleverse au-delà de l'imaginable. L'âme déracinée je l'avais rejointe samedi et voilà que nos mains liées du retour se font prière. Je t'aime, je t'aime.

Mais racontons : on se réveille au Capricorno. Ou plutôt j'ouvre l'œil sur toi et… je vois que tu me regardes. Vite nous sommes dans mon lit étroit, pressés de tendresse, d'émotion.

On se lève, on prend le petit déjeuner avec les Barbot et on part visiter Saint-Étienne. Avec toi mon guide chéri, un vrai bonheur !

De là nous allons à la Hofburg et nous restons toute la matinée au musée du « Trésor » des Habsbourg. Ah ! la toison d'or et les armes de Charlemagne ! On rentre à l'hôtel à pied – belle et tendre balade.

Je voudrais retenir ces instants d'incomparable joie, ces instants miraculeux.

Nous déjeunons chez Georges l'ami de Günther. On est un peu las. On se repose dans notre chambre. En allant à l'aéroport on s'arrête au cimetière central sur les tombes des musiciens. L'avion. Nous. Notre amour et Notre douleur. Mais Nous.

789.

Carte postale, place de la Concorde.

Mardi 5 octobre 1971

Tout est pareil aux plus beaux de nos jours, comme si tant de douleurs et d'angoisses étaient imaginaires. Ce matin je me lève et j'ai envie de crier de joie. Hum ! Un petit choc tout près du cœur me dit qu'il faut prendre garde à ne pas se laisser porter par le rêve ! Ma matinée est remplie de travail après un appel téléphonique au 36 et ta chère voix si proche – on parle avec les élus des Hautes-Alpes de l'élection de Gap, avec Poperen de l'*Histoire de la gauche*… Je te retrouve derrière le Petit Palais où tu m'attends. Comment exprimer cette passion qui m'occupe corps et âme. Bonheur cette marche, cette traversée (périlleuse) de la Concorde (tu tiens ton vélo à la main), bonheur ce déjeuner aux Marronniers, boulevard Saint-Germain, bonheur ce climat entre nous. L'après-midi je vais un peu à l'Assemblée, je reçois le MODEF (agriculteurs communistes) cité Malesherbes. Tu dois dîner avec B.-L. au 36. À la dernière minute il doit se décommander. Tu restes avec Bibiche et j'irais bien te rejoindre comme tu m'y invites si je ne devais faire avec Gilbert « son droit du travail ».

Vienne, quelle chance et quel amour !

790.

Carte postale, panorama au pont Alexandre-III.

Mercredi 6 octobre 1971

Le 6 octobre : quel beau livre de Jules Romains. L'un des meilleurs romans de notre époque. Le 6 octobre je réapprends la joie, je retrouve mon Anne. Nous nous voyons à 12 h 30 à l'Orangerie et nous nous promenons dans notre cher quartier Saint-Sulpice. Nous nous voyons le soir, tard et rejoignons les Salzmann au Sainlouis. Petit dîner puis cinéma Bonaparte *Un dimanche comme les autres*. Quelle bonne, quelle douce soirée qui s'est achevée chez Lipp. Nous étions tous les quatre à l'intérieur d'un cercle enchanté. Et je t'aimais, mon Anne, passionnément.

Le matin j'ai reçu Maurice Faure qui prépare son Congrès radical. J'ai déjeuné avec les dirigeants des professions du Bâtiment. Halte chez le coiffeur. Et ça a été le mercredi devenu classique de la cité Malesherbes : réunion ininterrompue jusqu'à 8 h 30. J'étais assez fatigué en arrivant au 36 et la grève du métro n'arrangeait pas les choses.

Tu as été mon Anne et la fatigue a disparu. Le bonheur sauve.

791.

Carte postale, place de la Concorde.

Jeudi 7 octobre 1971

Téléphone matinal : l'appel du cher bonheur quotidien. Je te sens triste. Nous nous donnons rendez-vous pour midi carrefour Croix-Rouge. Je reçois Charles Hernu et vais voir les dirigeants de la mutualité agricole.

De là je vais t'attendre devant ta banque. Tu arrives tard. Je t'accompagne en vitesse jusqu'à la rue Saint-Placide.

Je déjeune à l'ambassade d'Allemagne. Intéressant contact, précis, assez dur. Je rentre un bon bout de chemin à pied par la Concorde : la grève dure.

Nous devions dîner avec Grossouvre. Il a dû rentrer à Meillard en catastrophe. Il craint que sa femme ait un cancer. Tu m'invites. Nous restons peu de temps ensemble (une heure et demie) mais nous nous sentons très proches bien que tu sois, en profondeur, bouleversée. Je ne puis me défaire de ce visage longuement attentif dans l'embrasure de ta porte tandis que je te quittais. Nous nous séparons pour trois jours. Ce n'est pas drôle.

792.

Carte postale, Metz (Moselle), la cathédrale.

Vendredi 8 octobre 1971

Quand je me suis trouvé sur le quai de la gare de l'Est ce matin à 8 h 20 j'ai dû appliquer toutes mes forces pour ne pas te téléphoner. J'en avais tellement envie et je suis malheureux d'un jour privé de tout signe entre nous ! Mais tu m'avais dit un si tendre au revoir hier soir, simplement par ce regard noyé que je connais, que j'aime, qui me raconte tant de choses, que j'ai préféré le silence. Ainsi trois jours passeront. Tu es à Lille, en Belgique, avec ce compagnon auquel tu donnes ce que tu me retires : l'émotion d'un départ vers la beauté d'un jour qui sera riche d'images et de joies. Je pense à nos voyages, à nos week-ends, à nous. Je t'aime et j'ai mal.

À côté de Metz, un centre de formation de cadres. C'est là que j'ai planché tout l'après-midi avec les cinquante dirigeants de la métallurgie CFDT (125 000 adhérents). Puis j'ai participé au congrès de la Fédération socialiste de Moselle. Le brouillard, un air d'étrangeté, la présence lourde de l'Allemagne donnent à Metz un caractère fermé qui me convient fort bien pour aujourd'hui. Je n'ai que le goût de rester en moi-même.

793.

Carte postale, Barbizon, la chapelle.

Samedi 9 octobre 1971

Je vis dans un état bizarre. Tout le long du jour je pense à toi. J'évoque notre bonheur, je t'imagine là où tu es et je suis comme sorti de moi-même. Je suis passé devant les panneaux « Chilly-M^{in} », j'ai aperçu nos chemins de la forêt de Fontainebleau, je suis passé devant la halle de Milly. J'ai eu soudain un terrible besoin d'être auprès de toi dans l'ombre de l'église Saint-Sulpice, comme parfois aux messes du soir. Notre vie intime, profonde, aujourd'hui si disloquée et qui m'apparaît comme la seule réussite qui mérite d'être tentée.

Donc, cet après-midi, mariage civil à Boutigny, mariage religieux à Barbizon, dans l'église ci-contre. Je suis rentré vers 20 h 30. Seul, assez triste et las. Et je pense à toi mon Anne, mon amour. Ce matin, interminable comité directeur du PS avec séance levée… à 13 h 45. Je n'ai pas déjeuné. Je n'avais pas dîné non plus hier soir. Un samedi soir à Paris, c'est rare pour moi. Oh ! ma chérie, ma bien-aimée !

794.

Carte postale, Furnes (Belgique).

Dimanche 10 octobre 1971

Je pars très tôt pour la gare du Nord. Je vais à Dunkerque via Arras où on vient me prendre en voiture. Toujours cet étrange état :

je pense à toi sans cesse, lié par une force intense et cependant tu es comme un arbre dans la brume du matin. Je te devine, je te cherche, je vais à toi, tu t'éloignes à mesure. C'est ce qu'on raconte des mirages.

Réunion à Coudekerque, banlieue de Dunkerque. Du monde et une bonne ambiance. Déjeuner commun. Marie-Pierre passe sa journée à Furnes, chez Delvaux, à 20 kilomètres du lieu où je suis. Je décide d'y aller et j'en suis récompensé. Le soleil sur cette petite ville secrète, à 3 kilomètres de la mer, un béguinage, deux églises et la maison de Delvaux, son atelier (minuscule et ça surprend), ses dessins, ses tableaux.

Je regagne Lille où le train me conduit (lentement) à Paris. Gare du Nord pas de métro évidemment, pas de taxi. Je rentre à pied. Tu me rejoins mon amour devant Ruc, Théâtre-Français et nous marchons, toi ton vélo à la main. Tu me demandes de dormir au 36. Bonheur. Mais le demi-fou Lenoir est là. Rien ne va. Non. Rien ne va.

795.

Carte postale, Paris, la gare Maine-Montparnasse.

Lundi 11 octobre 1971

Douce matinée. Ta voix au téléphone. Je te retiens à déjeuner. Tu hésites, tu acceptes, et nous sommes tous les deux à 12 h 15 au carrefour Grenelle-Invalides. Je te sens épuisée mais j'aime ta confiance. Longue conversation à La Croque au sel, comme si souvent. Je t'aime, mon Anne, je t'aime tant.

Après-midi cité Malesherbes, beaucoup de travail, surtout sur les affaires de presse. Le PC durcit le ton. Marchais fait une déclaration violente contre nous.

Ensuite commence une pénible Odyssée : pour aller gare Montparnasse où nous avons rendez-vous à 7 h 45 traverser Paris devient une épreuve irréelle. J'arrive à 8 h 30… Duret avec la voiture, que j'ai quittée à bon escient, y parviendra à 9 h 10.

Deux heures et quart ! un record. J'avais rêvé de cette soirée à Viroflay dans la maison prêtée par Laurence. J'ai manqué d'intelligence du cœur. Pardonne-moi si c'est pardonnable. Nuit près de toi, contre toi, en toi et soleil noir ☾.

796.

Carte postale, Assemblée nationale, le Palais-Bourbon.

Mardi 12 octobre 1971

Le coup de poing, la meurtrissure, l'absence. Ce matin mon corps n'est qu'une plaie intérieure. Je ne sens pas mon âme.

Interminable journée.

Deux visites le matin : Robert Buron et le jeune avocat de Lyon, futur député du Rhône, André Soulier. Je déjeune à l'Archestrate qui a remplacé l'Auberge franc-comtoise avec quatre députés socialistes. Je siège au début de l'après-midi à mon banc. Débat sur la fusion des professions judiciaires. À 18 h 30 je te téléphone. C'est l'heure dite. Mais tu es partie. Je sais que tu vas à un cours d'allemand rue Serpente. J'y vais mais je ne te vois pas arriver. J'y retourne vers 20 h 30… et tu n'en sors qu'à 22 heures. Je suis ivre de fatigue mais l'toute ivresse est source d'énergie. Nous rentrons à pied. Tu me fais lire sans me la donner une lettre de rupture. Tu as des mots de cruauté. « Annefrançois ça n'a jamais existé. » Je te raconte le projet mis au point depuis quinze jours. Enfin, nous parlons.

12 octobre 1971. Lettre non envoyée :

« Si l'"amour libre" me prive de maison, d'enfant, d'espoir, de calme, de sécurité, de dignité, il doit au moins… rester libre.

Non je n'ai pas de devoir envers toi. Je t'ai appartenu de dix-neuf à vingt-huit ans. Il me semble que c'est assez pour se rendre compte de l'impasse.

Il y aura toujours une intervention, une élection, ou un congrès dans l'air. Moi j'ai la fatigue, l'inquiétude quotidienne. Si tu m'aimes, tu dois essayer de me rendre heureuse. Et me rendre heureuse c'est t'effacer. Je sais bien que les actes d'héroïsme sont plus faciles à exiger que ceux de renoncement. Il faut pourtant, puisque tu réfléchis souvent à ta vie, que tu mettes enfin en pratique tes plus belles pensées.

Si je te fais mal c'est qu'on ne peut se détacher de quelqu'un qui vous tient les poignets qu'en mordant.

Essaye de comprendre. Nous luttons chacun pour notre vie, et puisque nous ne pouvons lutter ensemble, je te demande de me laisser choisir. »

Vous m'apprenez, le mardi 12 octobre 1971, votre départ pour l'Inde.

797.

Carte postale, Lens (Pas-de-Calais.), la gare.

Mercredi 13 octobre 1971

Nous n'oublierons jamais ce retour de Viroflay, notre silence, le petit train, notre erreur de parcours qui nous dépose aux Invalides, la marche vers Montparnasse, la peine, la mésentente, le dialogue impossible. Désastre, ô mon amour des jours heureux !

Il faut continuer la vie quotidienne. Je reçois Abelin, l'inspirateur du Centre démocrate, Joxe à qui je parle de mon intervention parlementaire du 22, Jamet, médecin en quête de candidature pour les législatives à Mont-de-Marsan. Nous nous retrouvons à 12 h 30 au Luxembourg. Tu es de nouveau présente. Ton bras sur le mien. Ô mon Anne.

Déjeuner avec Rolland, ancien préfet, de bon conseil, et J. Pierre Chevènement. Je m'alourdis et m'abrutis de petites obligations. Je me force à ne pas téléphoner. ~~Jusqu'à 18 h 30 heure qui j. J'appelle et tu n'es pas là.~~ Avec Estier je vais à Lens où se tient ce soir un meeting. Deux heures et demie de route, brouillard. Accueil chaleureux. 2 500 personnes. Le Pas-de-Calais s'infléchit vers notre majorité. Si cette place forte tombe le reste suivra. Je suis éreinté. Je rentre dans la nuit. Cœur lourd et cette douleur qui tient au ventre. Je t'aime tant, je t'aime tant.

798.

En-tête Assemblée nationale, à Anne Pingeot,
36 rue Saint-Placide, Paris VIe 75.

13 octobre 1971

Ma chérie,
Voici deux notes, l'une sur mon calendrier d'ici le 28, l'autre, copie de ma lettre en Autriche.

Mon amour, mon amour,
Anne, mon terrible et tendre amour, ma passion, ma chair, mon cœur, Anne que j'aime tant et tant, je pense à toi de tout mon être

F

MON CALENDRIER

Samedi 16 : Nièvre
Dimanche 17 : Retour de la Nièvre dans l'après-midi
Lundi 18 : Déjeuner et dîner libres

Mardi 19 : Dîner, soirée libres

Mercredi 20 : Déjeuner, soirée Theodorakis (si ça te plaît en privé avec Theodorakis qui jouera de la musique)

Jeudi 21 : Dîner, soirée libres

Vendredi 22 : Débat Assemblée. Dîner, soirée libres

Samedi 23 : CD du P. socialiste

Dimanche 24 : Caen

Lundi 25 : Libre

Mardi 26 : Nevers (conseil général)

Mercredi 27 : Foi et Politique soir, déjeuner libre. Dîner aussi

Jeudi 28 : 12 h 30 environ. Départ

799.

Carte postale, Nevers, maison mère des Sœurs de la Charité.

Jeudi 14 octobre 1971

Mauvaise nuit. Viennent du dedans les angoisses originelles. Je pars pour la cité Malesherbes où je fais une conférence de presse avec une tête enfumée ! Et il faut traverser Paris bloqué par la grève du métro ! En dépit de cette absence de moi où je me fige, le mécanisme fonctionne bien. Ah ! la machine ! Les journalistes, très nombreux, radio, télévision. Ça ne m'intéresse pas mais par un curieux dédoublement mes réponses sont plus claires et plus précises que d'habitude.

Je t'ai parlé au téléphone avant de partir. Tu m'as dit « Entre nous la communication ne cesse pas ». Onde de joie.

À peine la conférence finie j'ai filé sur Nevers où j'ai présidé le syndicat intersyndical d'électricité puis la section socialiste locale.

À 21 h 05 « notre » Bourbonnais. Lu quelques pages des *Cinq Communismes* de Gilles Martinet. Tu m'attendais gare de Lyon où tu étais venue à vélo. J'ai ramené mon Anne et Pégase en GS. Tu sais le reste, l'unité revenue, la gravité, la confiance.

800.

Carte postale, « La guerre est finie si vous le voulez ».

Vendredi 15 octobre 1971

À mon réveil je t'appelle. De nouveau la lumière. Un peu tremblante, certes. Tu as une journée chargée mais nous nous verrons ce soir. Je ne cesse de penser à toi. Avec un peu de délivrance : la fièvre qui ne m'avait quitté, qui me serrait les tempes, cède. Le beau temps aussi est revenu, mais a ramené le froid. Je travaille chez moi le matin. Je commence à réunir les matériaux pour mon duel avec Chaban.

Déjeuner avec des invitées de Gilbert : deux belles Américaines. Je les trouve jolies : ça va donc mieux ! Après-midi cité Malesherbes. Marchais parle à radio Europe. Ton dur. Attaques systématiques. L'offensive se développe. Je suis Joffre avant la Marne ! et je dois encaisser en attendant une ouverture !

Je dîne avec toi au 36. On parle à mi-voix, comme étonnés d'être réunis. Tu es fatiguée. Tu meurs d'envie de dormir. Nous nous enlaçons pour la nuit et ne nous séparons pas d'un millimètre. Je me lève (tu me fais lever) tôt.

J'ai lourde peine à te quitter.

801.

Carte postale, Decize (Nièvre), école des Minimes, ancien cloître.

Samedi 16 octobre 1971

Je te quitte sur la pointe des pieds. Il est 7 h 15. J'aime dormir près de toi. Je suis tout chaud de ta chaleur. Dehors, la voiture refuse de partir : elle a froid, comme à Montargis. Je ne puis rattraper le train. Je décide de prendre le Paris-Laroche de 12 h 20 et de me faire récupérer en voiture là-bas. Du coup matinée paisible et de travail. Je t'appelle à Cluny et j'entends la plus douce des voix ravies, surprises. Rayon de grâce.

A lieu à Decize le congrès du Parti socialiste de la Nièvre. Rien de particulier. Je vais visiter Jean Bernigaud à Magny-Cours. Il est au lit. Bientôt la fin. Nous parlons. Il me semble qu'un moment de paix le pénètre. Je dîne chez les Maringe, à Langy. Et je vais me coucher vers minuit au Vieux Morvan, non sans t'avoir entendue. Bonsoir, mon Anne, ma bien-aimée.

802.

Carte postale, Château-Chinon, HLM du Champ Mazet.

Dimanche 17 octobre 1971

Soleil sur le Morvan quand j'ouvre ma fenêtre. Nuit dure avec cette horrible sensation claustro. Travail. À 10 heures, commission administrative de l'hôpital. Visite de chantiers. L'infrastructure routière des HLM est terminée. Je m'occupe de l'implantation de la gendarmerie. Déjeuner avec quatre conseillers municipaux et les Saury. En vitesse car je veux atteindre Paris avant le grand flot des retours du week-end. Mal calculé : il faut une heure vingt pour faire le péage – porte d'Orléans. Je te téléphone aussitôt. Tu es sortie à Fontainebleau avec B.-L. ce matin. Nous nous donnons rendez-vous à N.-D.-des-Champs. Je t'y rejoins. Tu es près d'un pilier à droite. Foulard de Cordes (?) sur les cheveux, imperméable blanc. Je te regarde longuement. Un petit signe sur le bras. Tu me souris. Je t'ai apporté des petits chrysanthèmes rose pâle. 36. Petit dîner très doux. Auparavant nous avons parlé, nous nous sommes aimés ☿. Un grand soleil de plénitude. Mais tu es lasse. Il faut que tu dormes. Bonsoir, mon amour, mon Amour.

803.

Carte postale, Paris, carrefour et église Saint-Germain-des-Prés.

Lundi 18 octobre 1971

Je m'ennuie de toi. Tout le temps. Maladie du cœur, pluie rongeuse au-dedans de soi. Le matin, j'appelle. Toujours aussi le même espoir et la même anxiété. La couleur du jour dépend du son de ta voix. Ce matin, l'espoir l'emporte sur l'ennemi ! Je travaille et reçois. À 12 h 30 je t'attends à la librairie Gallimard. Je t'apporte les deux tomes xviiiᵉ siècle du Hautecœur et suis heureux de savoir que tu les attends avec joie. Tu arrives, essoufflée. Tu avais confondu avec Julliard ! J'achète deux originales de Robert Pinget. Nous marchons jusqu'à Saint-Germain-des-Prés. Je voulais te garder à déjeuner mais t'ai prévenue trop tard. Zut !

Après-midi cité Malesherbes. Puis Christian Blankaert vient me voir chez moi. Il me raconte son histoire d'opération et de mariage. J'aime me souvenir de la façon dont nous l'avons connu ensemble, à la conférence Olivaint.

Je vais te chercher rue Saint-Placide à 20 h 45 et nous passons la soirée chez les Soudet. Tu étais réticente mais nous avons été très heureux. Cependant je m'inquiète de ta fatigue.

804.

Carte postale, Paris, fontaine Saint-Michel.

Mardi 19 octobre 1971

L'appel du matin. Il est 9 h 20. Je t'aime. Rendez-vous seulement le soir. C'est long. Ah ! Que je m'ennuie de toi ! (refrain). Un médecin me vaccine contre le choléra. Anne-Marie Houdbine m'apporte des informations sur le camp. Je déjeune avec Dayan et Salzmann chez Badinter, avenue Foch. Salzmann me ramène. Nous admirons la lumière. Nous respirons l'odeur des feuilles. Nous évoquons Masse-vaques. Y retournerons-nous ? J'aime notre vie.

Réunion du groupe parlementaire, conversation dans les couloirs avec JJSS. Discours de Giscard d'Estaing sur le budget. Je reviens travailler chez moi à mon intervention de vendredi. En fin de jour-née, nos commissions de travail du PS se réunissent avec le groupe au Palais-Bourbon. J'y passe un moment. Retour rue Saint-Placide. Tu reviens de la rue Serpente. Bonheur de t'attendre. Mais nous sommes fatigués, nous dînons au 36 et le miracle se produit. Étendu sur le plancher, tête sur ta planche à dessin je te vois et je te respire. Ô ton visage tendre ! Nuit si belle ! si profonde !

805.

Carte postale, le palais du Louvre et les jardins.

Mercredi 20 octobre 1971

Journée vide jusqu'au soir : un bref appel le matin et le silence. Journée cruelle quand arrive le moment attendu : je te retrouve rue Saint-Placide. Nous allons entendre Mikis Theodorakis chez un de ses amis, rue du Général-Foy. De nouveau les mots qui déchirent. Nous sommes deux boxeurs vidés, recrus de fatigue au bord du ring après le dixième round. T'appellerai-je demain. Je sens une immense détresse. Tu me le demandes cependant. Curieuse impression : je t'aime du même amour. Mais la souffrance pour l'instant recouvre tout.

Que s'est-il passé du côté « mécanique » ? Cité Malesherbes, débat interminable. Je déjeune avec Badinter et Fillioud. Je passe plusieurs fois par les jardins du Louvre, tout me blesse.

Mais quelle force a donc l'amour ?

806.

Carte postale, le dôme des Invalides, vu de la place Vauban.

Jeudi 21 octobre 1971

Je suis venu déjeuner près de ce dôme des Invalides… et donc près du musée Rodin. Cet automne radieux m'angoisse de plus en plus. J'ai pensé à toi avec douleur.

Ce matin, après mon appel téléphonique j'ai longuement entendu résonner en moi ta voix d'indifférence. Oui, j'arrive au bout de moi-même. Et soudain « Mademoiselle Breauté » [nom de code utilisé pour mes appels] me demande. Tu m'as fait plus de bien que tu croiras jamais. J'avais fait moi beaucoup de chemin.

J'ai travaillé à mon texte de demain, reçu Séveno, l'ancien speaker de la télé (révoqué après Mai 68), déjeuné (voir plus haut) à l'ambassade de Pologne. Visite des lieux, petite aubade de chants folkloriques, un breuvage à noter : le miud, sorte d'hydromel alcoolisé, une merveille.

Je suis venu au 36 te rejoindre. Tu m'as serré tendrement dans tes bras. Nous avons écouté *Eupalinos*. Belle soirée qui donne le regret de notre dispersion de ces derniers mois.

Nous étions unis par le meilleur. Je sentais que notre chance de vivre et d'aimer était là.

807.

Carte postale, Assemblée nationale, le Palais-Bourbon.

Vendredi 22 octobre 1971

Matinée passée à préparer mon intervention de l'après-midi. Je vais te chercher près de l'Institut d'art à midi. Je t'attends longtemps et je m'inquiète. Tu vas voir Marie-France Dulac, à la clinique. Et, miracle ! La joie bouleversante qui s'abat sur nous, qui nous accompagne rue Mouffetard, par un soleil tendre qui nous installe dans un petit restaurant à couscous. Nous parlons. Retour aux heures du Père Auto !

À la Chambre tout va bien. Discussion serrée avec Chaban-Delmas sur la hausse des prix des services publics. J'interviens deux fois. À 8 h 30 a lieu, à l'hôtel George V, l'émission « Club de la presse ». Laurence nous y conduit. Étienne Mougeotte, René Andrieu, Roland Faure, Michel Bassi, Bernard Lefort me pressent de questions. Je crois que ça va bien. Je me sens solide et calme. Et tu es là, ma bien-aimée ! Nous rentrons, nous dînons au 36. Dormir ensemble est ce soir un cérémonial de merveilleux amour, avec nos rites et nos fêtes.

808.

Carte postale, Pacy-sur-Eure, hôtel-restaurant L'Étape.

Samedi 23 octobre 1971

Quelle nuit merveilleuse, nuit d'unité, de paix. Et de passion, tu le sais bien (ce réveil où nous cherchions à nous confondre davantage).

Le médecin est arrivé en même temps que moi pour le deuxième vaccin choléra. Je suis ensuite allé cité Malesherbes où se tenait un comité directeur spécial pour l'étude du programme. Journée studieuse, coupée par le déjeuner au Petit Marguery boulevard Trudaine où nous avons pris l'habitude de rassembler les dirigeants de notre tendance.

Je suis parti vers 17 h 30, coup de téléphone de Gilbert, de Cluny, qui me raconte son voyage.

Je te rejoins à 6 h 15 rue de Rennes et nous prenons la direction de Pacy-sur-Eure. Je t'y dépose et dîne chez Barillon à Lommoye.

Je reviens à minuit. Un chien aboie. Tu me souris. Tu es belle. La nuit nous réunit à nouveau dans une chambre simple et spacieuse. Bonheur ineffable. Je ne me lasse pas de contempler ton visage. Nous dormons enfin emmêlés.

809.

Carte postale, Pacy-sur-Eure, l'église.

Dimanche 24 octobre 1971

Gaieté du matin dans une chambre heureuse. Un air de Constantinople cinq ans après. Et toi, profonde, donnée. Petit déjeuner en bas. Les Soudet arrivent. Nous faisons une splendide promenade dans la forêt de Couches. Lumière incomparable dans d'irréelles allées de chênes, de bouleaux, de hêtres. Des chasseurs courant le cerf. Nous prenons la route des écoliers, par Broglie et Livarot. Nous achetons des provisions pour pique-niquer. Encore un moment sublime dans ce champ lumineux avant Saint-Pierre-sur-Dives. Pierre, Laurence, toi et moi. Nous avons dix fromages en réserve qui empestent ! et nous rions comme si…

Ô mon amour, mon amour enchanteur ! Enfin, Caen. Visite de la Foire… Et de l'abbaye aux Hommes. Débat sur le XIIIe et le XIVe siècle ! Tu gagnes (adversaire : Michèle Philippe). Je clos la conférence agricole de Caen et nous revenons par la route.

Toi. Toi. Toi.

810.

Carte postale, Versailles, le Grand Trianon, Salon des Glaces
(en l'honneur de Brejnev !!).

Lundi 25 octobre 1971

Je t'appelle et te retrouve telle que tu étais hier. Nous nous donnons rendez-vous librairie Gallimard. Le matin je reçois la CGT avec Séguy. Étrange conversation pateline. Les mots sont irréels ! Nous déjeunons ensemble au Sainlouis. Que j'aime ! Je te sens si proche, frémissante. Tu fronces le visage à la moindre intonation et le ton de ma voix t'engage du côté de la joie ou du chagrin. Je t'aime, je t'aime mon Anne.

Retour cité Malesherbes. Emploi du temps classique. Et l'automne toujours rutilant, immobile ! je reviens dîner avec toi. Une émotion violente nous étreint. Nous écoutons « notre disque » Ferré-Aragon. Tu es assise sur le tabouret moi dans le fauteuil bleu. Tu me serres dans tes bras, visage contre ma poitrine nous nous unissons à vouloir nous incruster. Ah ! devenir bronze, pierre, unis à jamais, et même statues de sel !

Je te quitte le cœur plein, exalté, douloureux, heureux.

Pour mon anniversaire tu m'offres un petit miroir convexe et une jolie chemise Lacoste bleue que je mettrai toujours. Je l'aime presque autant que toi !

811.

Carte postale, Nevers, auberge Saint-Louis.

Mardi 26 octobre 1971

Mon anniversaire ne m'émeut qu'autant qu'il m'éloigne de toi et des rivages du bonheur et de l'unité où Annefrançois se sont tant aimés. Je pense à toi et la passion m'habite, identique, intégrale. Seulement l'inquiétude du temps qui m'emporte alors que tu es là, que tu vis, mon amour. Je suis à Nevers tout le jour. Je pars avec le Bourbonnais et je travaille avec le préfet dans le train.

Séance. Déjeuner avec dix conseillers généraux à l'Auberge Saint-

Louis. Séance à nouveau. Je t'appelle à Rodin. Merveille : ta voix, ta chère et tendre voix. Je reprends le train, cette fois-ci avec Benoist, le député-maire de Nevers. Je m'endors.

Gare de Lyon, toi – ô ma chérie, bonheur ancien, bonheur nouveau ! Nous rentrons en métro. Tu es triste sans trop le montrer. Je te quitte à regret mais – Ô faible nature ! – je tombe d'un bloc dans un sommeil profond.

812.

Carte postale, l'obélisque de la place de la Concorde.

Mercredi 27 octobre 1971

Tout le jour sans toi. Tu l'as décidé. Moi je travaille cité Malesherbes. Déjeuner curieux chez Edmond Tenoudji, avec Dayan et l'ambassadeur d'Israël, Ben Nathan. En fin d'après-midi réunion avec les groupes parlementaires au Sénat.

Nous avons rendez-vous rue de Vaugirard. Je t'emmène à « Foi et Politique » chez Alain Guichard qui reçoit Mgr Riobé, évêque d'Orléans. Débat intéressant après avoir traîné dans les sillons de la religion pour philosophie mondaine.

Riobé remarquable. Toi tu me parais lointaine. Je te sens un peu hostile. Au retour tu me le confirmes : « Il faut se séparer. » Et voilà que tu m'invites au 36.

Je t'aime, mon Anne, mais quels chocs ! Nous nous prenons lentement et je demeure en toi : je lis sur ton visage une volonté passionnée ☿ et la nuit nous rend à nous-mêmes.

813.

Carte postale, Paris, la place des Vosges.

Jeudi 28 octobre 1971

Étrange journée. Tu me dis de venir te chercher boulevard des Invalides. Je t'y attends le cœur en fête. Il fait un temps ébouriffant. Tu arrives à 12 h 30. J'aime ta démarche. Tu me souris. Nous allons acheter le cadeau de mariage de Marie-France Dulac… qui vient d'avoir une fille, Marie. Au BHV, visite. Nous en sortons en riant. Déjeuner dans une taverne proche de la place des Vosges. Tu t'émeus de ce retour dans le quartier de notre première année. Nous évoquons notre bonheur. Et puis tu t'assombris. « Il faut se séparer. » Tu le dis sèchement. Quoi ? est-ce fini ? j'oublie le merveilleux week-end normand, ton amour fou, déchirant. Je te pose au musée Rodin. Pas un regard. Je reste dans la voiture, contre un trottoir une heure à reprendre le souffle. Je suis écrasé de tristesse. Puis je vais prendre un café avec Paul Guimard. Un saut à l'Assemblée. Et l'après-midi s'écoule, mortel, cité Malesherbes. Je t'avais proposé d'aller au théâtre Montparnasse, voir *C'était hier* de Pinter. Tu rechignes. Bon. Tu te décides. Je passe te prendre. Au théâtre ton bras épouse le mien. C'est la paix, et la paix heureuse. Nous rentrons au 36. Petit dîner. Et la nuit la plus tendre, la plus unie commence ☿. Étrange journée !

814.

Carte postale, tête égyptienne, IVe dynastie c. 2700 av. J.-C.

Vendredi 29 octobre 1971

Réveil confiant. Il est tard. On a si bien dormi ! On s'entend si bien dans l'inconscience heureuse de nos corps enlacés. Je baise tes lèvres qui ont la forme d'un sourire. Je te quitte – et j'oublie mon imperméable. Prétexte tout trouvé pour te rappeler. Du coup, rendez-vous à 14 h 45, au 36, pour ton départ pour Clermont, avec Bibiche. Tu déjeunes en compagnie de l'efficace C. Moi, avec Jean-Jacques Servan-Schreiber, chez Dayan. Ma lettre, en réponse à la sienne, a paru dans *Le Monde*. Début de conversation un peu tendu, puis plus facile. J'arrive à l'heure dite et nous passons deux heures délicieuses en attendant ton frère. L'enchanteresse Anne ! Comment ne pas t'aimer ? tout est fou. À 5 heures grands au revoir dans la 2 CV. Que je t'aime !

Avant dîner, visite à Jean Bernigaud qui va mal. J'emmène sa femme dîner chez Lipp avec mon frère Robert. Je pense à toi, à ta joie, à ce jour de bonheur fragile.

815.

Carte postale, Lyon, basilique Saint-Martin d'Ainay.

Samedi 30 octobre 1971

Je meurs d'envie de t'appeler à Clermont, savoir si ton voyage a été bon, t'entendre… je ne le fais pas, par discipline (imposée) ! J'attrape mon avion de justesse pour Lyon où j'arrive à 11 heures. Visite à l'hôpital cardio-vasculaire le plus moderne d'Europe. Déjeuner chez Brunet, tout petit bistrot, merveilleusement bon. Je vois mes amis Vinson, Soulier, futurs députés du Rhône. On bavarde, on se promène dans la brume dorée de la ville mystique. J'achète des livres, des chaussures. Dîner à Saint-Laurent-de-Mure, chez des amis d'autrefois. J'ai voulu voir le père Delobre, à la « Jésuitière » de la rue Sala, mais il était à Genève. Il fait beau et froid… et je sens un rhume venir. Quel mauvais malade je fais, habitué que je suis (jusqu'alors) à ignorer les microbes !

Où es-tu ce soir Anne mauvaise ?

816.

Carte postale, abbaye cistercienne de Sénanque.

Dimanche 31 octobre 1971

En fin de matinée, après un saut à l'hôpital, je pars pour Gordes. Un coup de cafard. Où es-tu ? j'ai besoin de voir des lieux que nous aimons. Ça va vite sur l'autoroute. J'arrive vers 2 heures, bon pour la paella servie dans le jardin, par un soleil de mars (tu te souviens ?). On déjeune. Pierre a le visage long, en colère contre sa belle Michèle. Dans l'après-midi balade avec Mermaz, Nisa Chevènement, Michèle, un professeur de droit, Herrera dans la garrigue au-dessous de Murs. On va ensuite à Sénanque où Herrera est en séminaire international. Belles pierres ordonnées. Images de nous, naguère. Émotion. Dîner chez Rosine et Joëlaine. Merveilleux décor, musique, douceur, alacrité de la conversation. Je me retire avant les autres, vers minuit. Dormir ! la Haute-Provence a son parfum des ombres.

Et j'ai vu le Luberon !

817.

Carte postale, le puy de Dôme.

Lundi 1ᵉʳ novembre 1971

Le soleil de Gordes, au petit matin. Mes volets s'ouvrent, la clarté entre. Il est 7 heures. Je prends la route pour Clermont, vers toi. Il fait beau jusqu'à Valence, le ciel clair réapparaît au col de la République. Il est d'une admirable pureté à Ceyssat où je retrouve la famille P. pour l'escalade du puy de Dôme. Le long du chemin, les cimetières, les cargaisons de chrysanthèmes, la foule noire tout autour. Et là-dessus l'or et le pourpre de l'automne. J'arrive au col de Ceyssat avant vous. Ah ! que je t'aime quand je te vois noire et jaune aux armes d'Auvergne ! On monte bien jusqu'au haut, sans fatigue. Et on repart ensemble pour Montargis où nous dormons.

Le climat du bonheur. D'où vient-il ? d'une belle et riche histoire et d'un amour vivant. Je suis possédé par une passion heureuse qui se révolte contre la douleur. Et toi tu es mon Anne, si belle, si tendre, si vraie.

818.

Carte postale, Montargis, Grand Hôtel de la Poste.

Mardi 2 novembre 1971

Cette carte postale revient à l'ordre du jour : nous avons passé une si bonne, si heureuse nuit qu'il faut bien en retenir l'image ! Petit et bon retour sur Paris. Je te pose directement au musée Rodin… où je reviens te chercher, après m'être changé, lavé, frotté, sur le coup de 12 h 15. On déjeune au 36, je fais quelques emplettes (des coquillages que tu fais cuire !) et tout va bien.

Tu vas à ton travail, moi à l'Assemblée où on doit débattre de l'apparentement des radicaux au groupe socialiste. Ensuite, cité Males-herbes. C'est ton dernier jour à Rodin. Je ne cesse de penser à toi. L'amour a de profondes racines toujours neuves. Le 36, derechef. Dîner. Sommeil partagé, douceur, harmonie. Tu veilles un peu tandis que je t'attends. Enfin, mon Anne.

819.

Carte postale, Paris, la rue Norvins à Montmartre.

Mercredi 3 novembre 1971

Tu commences une nouvelle période de vie : te voici au Louvre, aux peintures. Rodin, exit. On ne se voit pas de la journée. C'est normal… mais c'est long. Il y a eu tout de même le réveil tendre. Je vais visiter les dirigeants de la Confédération des cadres. Messieurs étonnamment réactionnaires, peu représentatifs de cette nouvelle couche sociale.

Mon après-midi est celle de tous les mercredis. De 3 heures à 9 heures secrétariat puis bureau exécutif. Cela me lasse et un petit rhume contracté à Lyon prend de l'ampleur.

Je te téléphone vers 9 h 30. Tu es fatiguée et tu te couches aussitôt. Tu as une toute petite voix mais douce, douce. Je t'aime, décidément.

820.

Carte postale, la Seine au pont Alexandre-III, la tour Eiffel.

Jeudi 4 novembre 1971

Je te téléphone au réveil. Tu es très bloquée par ton nouveau travail et je le comprends. On ne se verra donc pas avant dîner. Si, pourtant je fais un saut au 36, par surprise, à 1 h 30 et je t'apporte pour t'amadouer un bel éclair au chocolat. La ruse réussit ! Merveilleuse demi-heure ! Le matin j'ai reçu Yves Cazaux qui me présente son dernier livre sur les Mémoires de la reine Margot, Thérèse de Saint Phalle qui s'inquiète de mes… futurs bouquins.

L'après-midi petit tour au golf de Saint-Cloud. Six trous. Temps doré. Je vois Rousselet et Robert. Après quoi, cité Malesherbes, une rue des Martyrs en gloire. Je rapplique au 36, après quelques petits malheurs dus aux coups de téléphone de Marie-Jacqueline. Le poulet fricoté depuis le matin est délicieux. On dîne. On dort. J'ai deux rêves d'angoisses. Je te serre dans mes bras splendeur de ton corps. Je t'adore.

821.

Carte postale, Assemblée nationale, le Palais-Bourbon.

Vendredi 5 novembre 1971

Réveil. Beauté de mon Anne. Je te regarde nue, lisse et je t'adore. Mais je ne te retrouve que le soir. C'est long. Je reçois Pierre Leri, faiseur de programmes, Anne-Marie Houdbine. Je déjeune chez moi avec des journalistes. L'après-midi je vais à l'Assemblée puis cité Malesherbes. J'ai envie de toi, de te parler, de t'écrire. Aussi je t'envoie une lettre pour que ce 5 novembre soit comme tant de jours de notre vie, notre fête.

On se rencontre avec Bibiche et Monique Salzmann au cinéma Saint-André-des-Arts où nous voyons un film remarquable *La Salamandre*. Après quoi, souper à la brasserie Muniche. On parle. On est bien. Mais tu t'endors un peu. On rentre je ne dors pas avec toi tant je suis embrumé par mon rhume. Quel regret ! Sous la pluie enfin revenue tu m'accompagnes rue Guynemer.

Je te regarde partir vers Saint-Placide et j'ai le cœur gonflé d'amour.

822.

En-tête Assemblée nationale, à Anne Pingeot,
36 rue Saint-Placide, Paris VIᵉ 75.

5 novembre 1971

Mon Anne bien-aimée,
5 novembre. Ce n'est l'anniversaire de rien que je sache, en vérité. J'ai pourtant envie de t'écrire comme s'il s'agissait de célébrer la constance des années autour d'une fête qui serait la nôtre. Car même sans que la mémoire eût retenu quoi que ce fût d'un 5 novembre, celui-ci est le neuvième de notre histoire. Au début de ce mois, en 1963, je t'emmenais aux quatre coins des plus beaux vendredis, en commençant par les allées aux feuilles mortes de Chantilly. 1964, nous allions aux Essarts-le-Roi. 1965 j'arrivais épuisé dans la chambre du 39. 1966… Anne, tu as été mon amour invariable, le grand vent de ma vie, tu l'es. De cette nuit je suis revenu ébloui, possédé, rentré au plus profond de moi.

L'heure qui suit n'est pas tolérable et je m'effraie de cette joie qui me dévore en cet automne qui nous ressemble. Splendeur, oui. Mais l'hiver ? Oh, tu es, bien-aimée, ma saison de toujours. Je te serre à pleins bras, je m'émerveille de ton corps lisse et vivant, j'écoute ton souffle du sommeil, je guette ton regard et j'adore en silence. Plus je vis près de toi plus je t'aime. Un couple. Un cercle. Toi, moi. Menteuse : Annefrançois cela existe.

Nous serons tant séparés en novembre !

Peut-être voudras-tu que ce soit à jamais.

Enfin d'une certaine façon : je vivrai en toi à la vie, à la mort, si j'ai une âme elle me le dit. Je te bénis, je t'embrasse, je te prends, je baise tes mains, je te respecte, je veux que tu sois celle que tu es.

Il n'y a pas de mots, pas de gestes. Je commence à t'aimer plus que moi. J'ai envie de dire des choses futiles : ma délicieuse, ma musique, ma chérie pour taire les choses graves qui m'occupent, ô ma grâce et ma lumière.

Voici un bonjour pour ton courrier du 6 novembre. Bonjour donc mon Anne bien-aimée

$\boxed{\text{Ton}}$ François

823.

Carte postale, Paris, la Maison de la radio.

Samedi 6 novembre 1971

Tiens, ta voix accroche ! Compris : tu es fatiguée tu as peu dormi, tu râles ! Horrible Anne ! Mais ce n'est qu'un soupçon de colère Chaudessolle. On se donne rendez-vous pour le soir. Je vais au colloque socialisme et culture, salle des Chemins de fer, près de la tour Eiffel, tu vas en bibliothèque en compagnie de ton ami C. C. Pour moi j'écoute le matin un débat sur la télévision et les mass media, l'après-midi sur le livre et la création. Déjeuner en commun (Guimard, Françoise Giroud, Theodorakis).

Je viens au 36 vers 7 heures. Qu'on est bien ! Qu'on est heureux ! Je me couche presque tout de suite après un bon petit dîner. Tu me choies. Commence alors le rite majeur. Longue possession lucide avant d'aborder l'autre rivage qui nous laisse pantelants, liés dans la nuit de grâce. Tu as gardé tous tes prestiges ô mon a-Amour du premier jour.

824.

Feuille de Notre-Dame-des-Champs pour le trente-deuxième
dimanche ordinaire, 7 novembre 1971,
« Il n'est pas le Dieu des cadavres, mais des vivants ».

Annoté :

Je veux que tu ne meures pas. Tu seras toujours ma lumière. Ne l'éteins pas non plus !

825.

Carte postale, Chez Francis, place de l'Alma ;
grand texte de Jean-Jacques Chaplin.

Dimanche 7 novembre 1971

Douce, merveilleuse matinée près de toi. Nous nous levons tard puis je descends chercher la GS, que je te laisse pour la journée. Tu vas à Versailles avec Ch. C. moi au colloque socialisme et culture. Là je rencontre Paul Guimard et Edmonde Charles-Roux avec lesquels je vais dîner chez Francis. L'après-midi je fais un laïus sur la culture… et je reviens au 36 après t'avoir retrouvée à la messe de N.-D.-des-Champs.

Encore une soirée de tendresse. Bibiche et Laurence passent. Nous dînons, nous nous endormons : l'amour fou.

826.

Carte postale, Paris, place de la République.

Lundi 8 novembre 1971

Je ne te vois pas beaucoup aujourd'hui. Je te le fais remarquer au réveil et tu me réponds : « Et maintenant ? »

Aimable Nannon pourtant on s'entend très bien et nous sommes tout occupés par notre amour.

Je déjeune chez J.-P. Chevènement avec un diplomate, Jurgensen.

L'après-midi Grossouvre vient bavarder avec moi cité Malesherbes. Je reçois également les organisateurs du prochain colloque de Lyon sur « La région ».

Et je passe au 36 avant dîner. Que je te trouve belle ! Et que je t'aime !

De là je monte rue Lepic où je suis invité par Élisabeth Bernigaud avec… Chalandon. Petite conversation prudente de part et d'autre. Je ne rentre pas trop tard. À demain ma bien-aimée.

827.

Carte postale, Paris, la Conciergerie,
Notre-Dame et la Sainte-Chapelle.

Mardi 9 novembre 1971

Matinée studieuse, après notre cher appel quotidien. Je reçois un jeune écrivain politique, médecin à Lyon, Jean Carral. Je t'aperçois, vais à ma leçon d'anglais pour reprendre contact, assiste à la réunion du groupe parlementaire, et monte cité Malesherbes où je reçois Michel Rocard et une délégation du PSU.

Quand je te retrouve au 36 tu me prépares un bon dîner et nous restons dormir ensemble. Douce, bonne, chère nuit. Au petit matin, dans un demi-sommeil pâmé : ϸ⹀. Et nous nous quittons engourdis d'amour.

828.

Carte postale, « Le canard »
(détail de la tapisserie Ferme ton armoire)*, Jean Lurçat.*

Mercredi 10 novembre 1971

En vue de mon départ pour le Chili j'ai beaucoup de petites choses à faire. Dont le coiffeur ! Je vois Saury pour les problèmes de la Nièvre. Et Anne-Marie Houdbine pour le futur voyage.

Nous nous retrouvons. Joie, joie mon amour – derrière le BHV où tu faisais tes achats. Quel bon déjeuner dans ce self-service de la rue du Temple, et quel tendre, tendre au revoir. Nous nous aimons, voilà la forte, la simple vérité.

L'après-midi, petit train-train du PS jusqu'à l'heure de rejoindre Orly. Je passe chez moi prendre mon bagage et je retrouve Gilbert, Robert et Arlette Mitterrand aux Trois Soleils à Orly. En route. Un avion de la ligne chilienne nous emporte. Je pense à toi. Je pense à toi. Je pense au petit canard notre premier ami, qui jamais ne t'a quittée. Et je t'adore.

829.

Carte postale, Santiago, place Italia.

Jeudi 11 novembre 1971

Dans la matinée nous avons fait escale à Rio et à Buenos Aires. Un peu de brume à Rio nous a empêchés de voir la baie des Anges dans sa splendeur. C'était la première fois que je pénétrais en Argentine. Buenos Aires au bord du Río de la Plata est une ville plate, géométrique, immense. J'ai été sensible à sa forme de beauté toute cernée d'immensités. Nous sommes arrivés à Santiago vers 13 heures (17 heures en France) après avoir traversé la cordillère des Andes sous une lumière de précision photographique. Nous avons frôlé l'Aconcagua, 7 300 mètres d'altitude. Les pics étaient couverts de neige. Au-dessous la roche était rouge et grise, d'une violente fierté.

À Santiago, ça a été interminable avant de se trouver à table et de prendre un peu de repos. Journalistes, politiques, conversations arrachées à la chaleur et à l'incompréhension du langage.

À 19 h 30 réception chez Allende, avec Fidel Castro, au palais (vieille Espagne coloniale) de la Moneda. Fidel, jeune, rieur, en uniforme propre, barbe en avant, sympathique. On s'est ensuite promenés avec Estier et Defferre dans la ville en fête. Tu as toujours été proche de moi.

830.

Carte postale, Santiago, colline San Cristóbal.

Vendredi 12 novembre 1971

Nous avons d'abord visité le marché. Je commence presque toujours mes approches par là. J'ai mangé un oursin lavé dans l'eau sale d'une échoppe indienne et une poignée de fèves. Déjeuner chez le président Allende, avec les ministres de l'Économie, des Affaires étrangères, de l'Agriculture, de l'Intérieur, deux généraux et l'ambassadeur de France. On a beaucoup parlé, et utilement, de l'expérience politique en cours. Allende a de loin le physique de Queuille et de près la fermeté de traits d'un conquérant. Il poursuit sa révolution avec une audace tranquille et se protège en respectant la loi traditionnelle du Chili – ce pays formé par des juristes.

En fin d'après-midi je suis allé voir le camarade d'autrefois, Jean Musard, qui était à Polytechnique avec Robert. J'ai retrouvé un bel et triste démocrate-chrétien, féru de progrès et effrayé de celui qui se fait sous ses yeux. J'ai profité dans son jardin de la douceur du soir. Avant dîner (on dîne à 21 h 30 – 22 heures) long débat au ministère de l'Économie avec le ministre Vuskovic, un professeur aux allures d'ouvrier manuel. Je nourris mes dossiers. En rentrant au Sheraton, San Cristóbal, j'ai longuement pensé à ma clarté de Saint-Benoît.

831.

Carte postale, Valparaíso.

Samedi 13 novembre 1971

Mon amour tu es, je le pense, dans le Nord pour le mariage d'Alain Portmann. Tout le jour je me reporte vers toi et je t'imagine. Rieuse, grave. Habillée comment ?

Moi j'ai passé une journée de détente. Nous sommes partis assez tôt pour Valparaíso et Viña del Mar, sur la côte du Pacifique.

Deux heures de route. Visite de Valparaíso. Port, rues populaires, musée municipal. On a déjeuné à Zapallar, admirable corniche enfoncée dans la mer. Un Pacifique furieux. Des rochers sombres, un ciel bleu. On était chez un ambassadeur du Chili à Genève, M. Santa-Cruz. Jolie maison au toit de chaume, aux murs de verre, encore abîmée par un récent tremblement de terre. Partout des massifs de fleurs : capucines, géraniums. De grands et beaux arbres, surtout les eucalyptus. On était dix. On est allés chez un architecte voisin. Longue maison de même style. Piscine. Beaux tableaux, beaux objets. Femmes racées. On a pris là du soleil et les embruns.

La route du retour, par le soleil couchant nous a offert un spectacle grandiose. Des cirques de montagnes brunes, rouges, les flancs couverts de fleurs jaunes. Au fond, à l'est, la barre des Andes et ses hauteurs neigeuses.

On était quand même fatigués. Mais on était invités à dîner chez le ministre de l'Agriculture Jacques Chonchol, de la gauche chrétienne, l'un des plus remarquables leaders du gouvernement et le plus en flèche. On l'a interrogé, mis sur le gril, pour connaître méthodes, réformes, objectifs puisqu'on procède à grande allure à l'expropriation des latifundias de plus de 80 hectares. On a discuté tard. Je t'écris avant de m'endormir et il faut se lever à 7 heures pour prendre l'avion, direction le sud.

Je t'embrasse mon Anne bien-aimée.

832.

Carte postale, Chili, volcan Calbuco.

Dimanche 14 novembre 1971

Départ très tôt, en avion, pour Temuco, en pays araucan, dont j'apprends avec surprise qu'on y tirait encore au fusil entre Indiens et Blancs il y a cinquante ans après la conquête théorique qui ne date que de 1880. C'est à 800 kilomètres au sud de Santiago. Pays et climat très différents de la capitale. La Cordillère et la mer enserrent cette belle province qui ressemble à la Savoie. On a été reçus dans une propriété récemment collectivisée. On y a vu des vaches (hollandaises), des cochons, des prairies. On y a déjeuné au son des guitares et d'un groupe de paysans locaux. Partout des Indiens. J'ai évidemment acquis un poncho d'origine. Vu aussi le musée indien de Temuco, cette petite ville où se connaissaient les deux Prix Nobel de Poésie de l'Amérique latine : Gabriela Mistral et Pablo Neruda. Ce paysage fort plonge dans les abîmes du temps. Au retour nous avons longé la Cordillère éclatante sous les rayons du soleil couchant, survolé d'immenses lacs. Je suis maintenant un peu « sonné ». J'ai lu le bouquin de Régis Debray sur Allende et le Chili… et en me promenant dans la campagne araucane j'ai regardé tes photos.

833.

Carte postale, portrait d'un Indien araucan.

Dimanche 14 novembre 1971

Ce visage est celui que je rencontre en pays araucan où vivent les indomptables Mapuches qui n'ont été réduits (mais pas assimilés) qu'il y a une demi-génération. Ils sont encore 600 000.

834.

Carte postale, Chili.

Lundi 15 novembre 1971

Matinée chargée. D'abord une visite au Parti communiste dont le leader adjoint, Volodia Teitelboim, est l'un des plus écoutés de la IIIᵉ Internationale. Ensuite à la gauche chrétienne qui a Jacques Chonchol (l'homme de la réforme agraire) à sa tête.

On déjeune à l'ambassade de France, avec à peu près les mêmes. Vieille maison espagnole, jets d'eau, gazon, piscine. La télé française vient m'interviewer. Retour au Sheraton. Un coup de fil inattendu de Gisèle Halimi qui arrive à Santiago pour un congrès de juristes. Je vais lui dire bonjour à son hôtel. On va voir enfin le Parti socialiste. Ennuyeux et solennel. Mais surprise, le président Allende nous fait savoir qu'il nous attend au palais de la Moneda. Entrevue longue et grave. Il nous expose les périls que court son régime. On se sépare avec amitié.

Dîner chez le ministre des Affaires étrangères, futur leader du gouvernement. Maison simple, bonne chère mais je m'endors !

835.

Carte postale, Santiago, place Baquedano.

Mardi 16 novembre 1971

Je dis adieu aux journalistes par une conférence de presse, au Sheraton, à 9 h 30. Auparavant je prends le petit déjeuner avec un ancien camarade de Saint-Paul d'Angoulême, perdu de vue depuis…

Radio, télé, questions de toutes sortes.

On part pour l'aéroport en s'arrêtant dans les boutiques du centre pour quelques achats. On nous propose l'échange de dollars pour un tiers du prix. Mauvais signe pour le régime.

Et voilà. L'avion, le même Boeing 707, la cordillère des Andes, sous les nuages cette fois-ci.

Buenos Aires, Rio, Madrid.

Je lis et termine l'énorme *Talleyrand* d'Orieux, une parution de *La Nef* sur les révolutions du tiers-monde.

Je t'écris et rêve longuement à toi.

Rio est d'un dessin admirable dans la nuit. Je sais que je t'aime.

(Cette carte est courte mais je t'écris aussi une longue lettre.)

836.

En-tête Assemblée nationale (sans enveloppe). Chili.

[16-17 novembre 1971]

Il est près de 17 heures. Je suis assis dans le premier fauteuil de droite de la rangée de gauche, donc près de l'allée centrale, du Boeing 707 qui nous ramène du Chili. Nous survolons la côte est du Brésil légèrement au-dessus de la frontière uruguayenne. Il fait très chaud. À côté de moi Gaston Defferre dort. Dans l'autre rangée Estier écrit. Je porte ta chemise Lacoste bleue que j'avais déjà sur moi en visitant la province de Cautín, à 800 kilomètres au sud de Santiago, terre des Indiens araucans, qui se trouve à la latitude du Cap et de Sydney. J'ai encore mes chaussures que je quitterai après l'escale de Rio. J'ai parcouru *Match* et *Elle* qui figurent parmi les lectures offertes par la LAN Chile, lu les articles de *La Nef* qui concernent le Chili, dernière parution de cette revue à éclipses. Les stores sont baissés pour ne pas laisser le soleil des Tropiques envahir la carlingue.

Non. Il est près de 9 heures. Tu sors de la rue Serpente où vient de s'achever ta leçon d'allemand. Tu rentres à vélo rue Saint-Placide il fait froid. Tu pédales vite. Tu t'es habituée à mon absence. Mais j'arrive demain et ton cœur bat sans que tu saches exactement de quelle nature est l'émotion. Tu vas travailler et d'abord tromper ta faim. Tu montes les quatre étages. Mes fleurs sont fanées. Le petit canard attend sur la table de chevet. Tu es seule et tu as le temps de penser. Une semaine de séparation, sans un signe, sans un mot a son importance. Paris, la nuit. Anne là-haut, moins haut que moi avec mes 10 000 mètres dans l'atmosphère. Anne songeuse que j'imagine en bleu couleur de son fauteuil, couleur de ma chemise.

J'ai regardé tes photos. J'ai un faible pour celle de Florence avec ton visage un peu déformé par l'objectif et tes grands yeux tristes, avec le fond doré, et ocre, flou, de la rive gauche de l'Arno. La plus classique est celle que Saint-Périer a prise à Moliets chez les Barbot. Je m'arrangerai pour que tu l'aies dans ton musée salle F. M. Une heure après avoir été fixée telle que je puis la contempler à 14 000 kilomètres de toi, je te prenais, près des fougères. Je m'en souviens avec plus d'exactitude que la photo ne le pourrait. Je me souviens de ma violente sensation de tes traits gonflés, de ton sourire au ciel des pins. Mais l'image d'ici est sage, attentive, plutôt intellectuelle. Évidemment la photo historique, pour parler comme un socialiste-marxiste-léniniste, celle de Chênehutte-les-Tuffeaux, reste à la base de tout le processus. La rose thé, l'Anjou bleu, et mon amour, ah ! mon amour, toi, mon bel, irremplaçable amour, les traits tirés, ce coup-là, par la longue et l'unique veille, le corps tendu et puis fondu de la première fois composent le spectacle à partir duquel commence une vie, la nôtre. La photo de Salt Lake City me fait rire. Elle raconte un bonheur. Elle est très chaste et me donne une violente envie de toi. La photo des planches de Deauville a quelque chose d'une trahison. D'abord le bonnet de vison roumain, ensuite tu étais de méchante humeur. Normal que le destin ait choisi la colle à papier pour te couper la figure en deux comme une épée de Genelon. Enfin la photo de Schönbrunn, je la trouve parfaite. Tu y es belle et moi pas mal. On a fait l'amour la veille, et l'avant-veille, et on l'a fait tellement bien que l'âme en a traversé le corps. Être toi, j'aime, comme diraient les snobs parisiens des années 50.

Taisons-nous. Je t'ai tant aimée à Vienne. Je t'aime tant où je suis, pas loin de Rio je crois, dans un ciel qui ressemble à la mer Morte (que je ne connais pas. Si on allait y voir ?).

Peut-être es-tu à un concert italien, rue de Varenne. Peut-être es-tu chez toi mais pas seule, avec Bibiche ou plutôt avec Ch. Peu importe. Nous avons atteint cette zone du monde où l'esprit a rejoint l'esprit, où l'amour, de toute façon, est le vainqueur.

Je suis amoureux de ton front et de ton regard. Je suis amoureux de ta bouche que je bois, qui me boit. Je suis amoureux de tes cheveux et de ta nuque. Je suis amoureux de ta gorge, de tes épaules, amoureux, si amoureux de tes seins sur lesquels s'arrondit ma main. Je suis amoureux de ton flanc courbe et de ton ventre convexe. Je suis même amoureux de tes genoux. J'adore tes longs doigts, tes sourcils tracés au cordeau, ton nez de race fière, tes oreilles mieux faites encore que les miennes, le tressaillement de ton être à la moindre caresse, le goût de varech du plaisir, le cri qui te délivre. J'adore aussi ma joie, qui me vient de toi, ô ma souveraine. Et le long voyage qui nous emporte ensemble, Dieu sait où.

Me rendras-tu la possession de ces merveilles ? Une semaine. Un jour. Une heure. La mort appartient au temps. Qui es-tu ce soir, ma sœur Anne ? Et pourtant, en dépit du rêve, de la douleur, du sang qui menace à tout moment de se perdre, sang séché, sang de terre, boue, vie oubliée, vie minérale, éternelle indifférence de la poussière sidérale, et pourtant, j'en suis sûr, toi et moi, dans le bien ou dans le mal, dans l'allégresse ou dans le chagrin, nous avons atteint, il faut le répéter, la région où l'esprit rejoint l'esprit, où l'amour est vainqueur.

Quand étions-nous unis, la dernière fois ? Cela se précise dans ma mémoire. Mardi, non, mercredi matin. Tu dormais. Nos corps se sont organisés comme un jeu de construction, creux et bosses en ordre. Tu étais chaude et forte et douce sous moi. Délicieuse confusion : Anne s'éveillant aux sources profondes. Je suis à toi, reine tendre du matin tranquille. Depuis ce moment j'attends le retour dans mes jardins d'orangers. Je suis roi quand je suis là, roi par ta grâce. Mon sang me brûle qui n'a pas coulé depuis lors. Mais lui aussi je l'oublie. L'esprit a rejoint l'esprit et je t'aime sans réponse, sans question, je t'aime absolument. N'est pas héroïque qui veut. Une semaine comme ça me suffit. Envisager celle qui vient, volontairement bloquée, me serre déjà le cœur. Et les deux autres, si lointaines ! J'aime mon Anne de chaque jour. Le matin est une surprise, et la nuit qui nous sépare une déchirure. Le jour au Louvre me paraît long. Je ne t'accorderais pas de grandes vacances ma bien-aimée ! Je ferais un très bon mari espagnol. Je te l'ai dit : on annonce qu'on se sépare pour l'éternité et au bout d'un quart d'heure on ne peut pas le supporter.

J'écris à mon Anne de toujours. J'écris à mon Anne inconnue. Comment aime-t-on à vingt ans, ou à trente ? Comme je t'aime aujourd'hui. L'espace abolit le temps. Je reviens vers toi à l'allure du Boeing qui fonce sur sa montagne. Planète vierge prise sans fin dans le cycle immuable. Et puis le ciel éclate. Où vont les âmes douloureuses ? Si l'enfant-fœtus pouvait imaginer son changement d'état, sa naissance, note Jean Guitton, il l'appellerait mort. Vive la mort, alors, si notre amour est renaissance perpétuellement désirée. Ma chair se révolte à l'idée de te perdre. C'est elle, la pauvre, qui refuse le changement, qui s'installe et se complaît dans la durée, qui n'accepte point de partage, ~~elle que~~ c'est elle l'entêtée ! L'horreur d'être divisée ! Elle pourrait donner des leçons à ce petit diamant, à cette pointe dure, taillée pour survivre, l'âme ! Je ne ramène pas la sagesse des bords du Pacifique. Je ramène l'amour. Tel quel. Ô ! A. Mais ne t'inquiète pas. Mon esprit a pour toi le sourire du dieu complice. Que tu sois Anne est l'essentiel. Être le jardinier de cette fleur unique, rose-iris, c'était bien mon métier.

837.

Madrid, aéroport de Barajas.

Mercredi 17 novembre 1971

Je me réveille à Madrid après une nuit brève puisque nous allions à perdre haleine à la rencontre du soleil. Petit tour à l'aéroport, pendant l'escale – j'achète mes premiers journaux français. Mais quel mauvais goût ces boutiques de colifichets pour touristes : poupées, faux habits de toréador, dagues de Cordoue !!!

J'aime par contre la couleur de la terre quand nous reprenons notre vol : ocre sensible et tourmenté.

À Orly, la télé, qui me prend quatre minutes d'interview. Je ne me sens pas fatigué. Je t'appelle… tu n'es pas au 36. Je te rappelle au Louvre à 2 heures : mon petit fonctionnaire modèle n'est pas là. Enfin, je t'obtiens et ta voix est heureuse. Bonheur aussi pour moi. Je vais au débotté au bureau exécutif du PS et à 20 h 30 j'arrive, le cœur battant, je frappe au carreau, tu m'ouvres, tes yeux rient. On dîne. Comme

toujours tu cherches à me retrouver… comme si j'étais encore absent !
On donne à notre vie un nouveau ϸ:. Je te garde en moi.

838.

Carte postale. Vauclaix (58, Nièvre).

Jeudi 18 novembre 1971

Humble image de l'humble village où j'ai déjeuné dans la Nièvre
avec une dizaine d'amis. Il y a trop longtemps que je ne suis venu
dans mon département. Aussi ai-je pris la voiture ce matin. Arrêt à
Clamecy où j'ai tenu une permanence, si fréquentée que je ne suis
parti qu'à 13 h 30 pour Vauclaix. À l'aller, sur l'autoroute, j'ai travaillé une interview pour *Le Nouvel Observateur*, sur le Chili. Après
déjeuner, Château-Chinon. La tempête se lève. Le Morvan mérite
son nom : forêt noire, pays noir. Conseil municipal. Vieux Morvan.
Je continue l'interview. Le retour est très difficile sous la bourrasque.
Je te téléphone d'Avallon pour t'informer de mon retard.

Mon Anne est déjà redevenue lointaine.

Au 36, à 11 h 30. Dormir avec toi ! Je reste. Tu grognes. Je gêne
ton sommeil. Bref j'ai eu une mauvaise idée. Mais ton corps est si
doux et parfois je sens que tu m'aimes.

839.

Carte postale, Jeux, *Albert Monier.*

Vendredi 19 novembre 1971

Nous avons eu le réveil prévu avec ton profil de la mauvaise
humeur, ton regard absent, ton silence maussade. Dommage. Je me
suis retrouvé dans la rue sous un début de pluie, le cœur triste. J'ai
travaillé chez moi le matin, reçu des amis, dont Anne-Marie Houdbine. Elle est restée déjeuner ainsi que Robert Badinter.

Au début de l'après-midi, visite insolite d'Edmond Maire, le nouveau secrétaire général de la CFDT, accompagné de Detraz et de
Pierre Lavau. Je n'aime pas beaucoup ces gens fumeux et compliqués.

Un saut cité Malesherbes. Vu Sarre, Chevènement, Florian. Je passe te prendre devant le 36 à 6 h 30 et te conduis à Europe 1 où je dialogue avec Georges Leroy et Ivan Levaï sur le Chili. Débat vivant. Beaucoup de jeunes dans le studio.

Nous dînons tous deux aux Innocents. La grâce. L'entente. Je te ramène rue Saint-Placide. Nous nous embrassons comme au temps du 39 devant la pharmacie !

Bonsoir, mon Anne.

840.

Carte postale, Paris, la rencontre des parallèles, *Albert Monier.*

Samedi 20 novembre 1971

Dieu que j'ai bien dormi et que j'en avais besoin j'ai traîné un bon bout de matinée après t'avoir téléphoné. Je suis allé ensuite rue de Rennes pour une réunion d'anciens conventionnels. Je t'ai récupérée au Grand Palais où nous avons visité l'exposition Francis Bacon avant de déjeuner au self-service. Nous étions heureux. Je te trouvais belle, on s'entendait comme les complices d'un beau coup de vie. Tu as pris ton vélo, moi la GS et en route toi pour une bibliothèque, moi pour rejoindre mes amis au Procope, rue de l'Ancienne-Comédie. Nouvelle réunion rue de Rennes, après-midi. Elle m'a fatigué et irrité. Je suis resté dans le quartier avec Leccia, Dayan devant un thé aux Deux Magots. Puis je suis revenu au 36 où nous avons passé une soirée délicieuse. Musique (Mahler, airs chiliens), soufflés au fromage, lecture, bouton à coudre et un magnifique et tendre ϸ:.

841.

Carte postale, Lyon, la primatiale Saint-Jean.

Dimanche 21 novembre 1971

Départ d'Orly pour Lyon à 9 h 25. Au Palais des congrès a lieu notre « rencontre socialiste » sur « La région ». De sages commissions siègent la matinée et je prends part à leurs travaux. Je déjeune dans ce merveilleux petit restaurant Chez Brunet où je laisse mon appétit aller à sa guise. On reste là à deviser à quelques-uns tandis que le vent froid balaie, dehors, la rue et le quai du Rhône. L'après-midi séance plénière. Je parle longuement. Journaux. Télésradios. Mais il faut rattraper le Viscount qui ramène à Paris. Gaston Defferre m'accompagne. Nous sommes invités par un petit groupe d'amis communs parmi lesquels F. Giroud, Georges Izard, Beuve-Méry et nous restons assez tard ensemble… avec la participation de JJSS !

Curieux assemblage. Roger Priouret me ramène chez moi.

Et toi ? je t'ai imaginée à Versailles. Ton image m'habite.

842.

Carte postale, Espalion (Aveyron), le Vieux Pont.

Lundi 22 novembre 1971

Je t'aurai bien peu vue aujourd'hui. À 12 h 45, un quart d'heure, où je t'attendais, métro Croix-Rouge. Nous avons pris un verre à la taverne de la rue du Sabot. Tu m'as raconté ton équipée du parc de Saint-Cloud avec Ch. C. Tu semblais bouleversée et j'en étais bêtement attendri. On s'est embrassés rue Cassette et il a fallu partir.

J'ai pris l'avion pour Toulouse, rédigé un article pour *France-Soir*, frété un Piper Aztec pour Rodez. Tempête de neige, verglas au sol, le vol n'a pas été agréable. J'ai d'abord tenu une réunion à Espalion, au pied de l'Aubrac, puis après un dîner rapide j'ai parlé à Rodez devant 1 200 personnes. Ça a duré longtemps et j'étais fatigué. Je suis reparti avec le même avion vers 1 heure et me suis endormi à l'hôtel des Comtes de Toulouse que tu connais une heure plus tard.

Ce que je sais c'est que j'ai constamment pensé à toi avec une grande tendresse.

843.

Carte postale, Toulouse, église et clocher des Jacobins.

Lundi 22 novembre 1971

Nous y sommes allés, ma chérie. Et je me souviens du ciel clair, ce jour-là.

844.

Carte postale, Metz (Moselle), la gare.

Mardi 23 novembre 1971

Je me suis levé à 6 heures pour reprendre l'avion Toulouse-Orly. Voyage sans histoire. À Orly je t'ai appelée. Ma joie de t'entendre est semblable à celle du premier jour. Triste nouvelle en arrivant chez moi, j'ai appris la mort de ma belle-mère. Je l'attendais. Rien n'est moins normal que cette chute normale de la vie. La mort, cet autre état plus étranger et plus lointain que la plus lointaine planète.

J'ai pu te voir et déjeuner au 36. Ton visage clair et ta douceur profonde ont pour moi le sens d'un appel, comme l'écho d'une vérité dont le signe est l'amour.

L'après-midi je suis parti pour Metz par le train. J'ai fait un meeting à Jœuf, dans le bassin minier. Et je suis rentré tard coucher dans un hôtel minable proche de la gare de Metz. Cela m'a rappelé l'hôtel Cécilia où j'ai été arrêté, après ma deuxième évasion, il y a presque exactement trente ans.

845.

Carte postale, Mirmande (Drôme).

Mercredi 24 novembre 1971

Lever dans l'hôtel borgne d'une ville noire, à 6 heures ! L'avion part dans la neige mais là-haut il fait beau et le soleil se lève, rouge.

Bref passage rue Guynemer et nouveau départ, cette fois pour

Lyon. Une voiture m'attend et nous fonçons vers Puygiron petit village proche de Montélimar où nous déjeunons. Je visite ensuite trois communes, Montboucher, Mirmande (très beau village) et Loriol. La réunion du soir à Montélimar rassemble une énorme foule.

Ça se termine à minuit et je rentre à Lyon où je m'arrête pour reprendre demain matin le train pour Cluny.

Je peux t'entendre au téléphone de Montélimar.

Je te sens si aimante. C'est dur d'être ainsi séparés.

Mon Anne, mon Anne chérie.

846.

Carte postale, Cluny (Saône-et-Loire), musée du Farinier.

Jeudi 25 novembre 1971

Journée triste. Cimetière sous un beau soleil de novembre, sans bruit. Christophe a pu venir d'Algérie.

Au téléphone, le soir, ta voix.

847.

Carte postale, aéroport de Marseille-Marignane.

Vendredi 26 novembre 1971

Je suis revenu de Cluny pour te voir. Tu me manques tant. Heureusement nous avons pu déjeuner ensemble au 36. Tu m'as délicieusement reçu. Mais je sentais en toi la tristesse de mon prochain départ. Moi aussi je suis très très triste. Comment faire ?

Je t'ai gardée en octobre parce que je t'ai dit que je te donnerais le temps de réfléchir trois semaines, un mois.

Et voilà qu'au moment de te quitter pour la dernière fraction du temps promis il me faut appeler tout mon courage à la rescousse. Et mon courage contre toi ! Paradoxe ! Je suis allé et je suis rentré dans l'après-midi et la soirée de Nyons où j'ai assisté notre candidat à l'élection de dimanche. À Marignane l'odeur de Provence. Ô Gordes ! Ô Anne ! Ô mon amour !

848.

Carte postale, Tête rouge, *Amedeo Modigliani.*

Samedi 27 novembre 1971

Cette carte j'ai failli te l'adresser d'Orly mais j'ai pensé que cette
« tête rouge » ne convenait pas pour l'au revoir. Hier, quelle peine !
Je t'ai si peu vue le matin du 36 au quai Voltaire pour chercher ton
vélo, posté au Louvre. Tu as voulu que je te laisse au milieu du pont
Royal et tu m'as supplié de ne pas t'appeler jusqu'à sept heures. Le
soir tu as refusé de dîner avec les Soudet et moi. Tu es venue quand
même quand Pierre t'a obtenue tandis que j'étais à la Mutualité. Ô ma
joie de te voir soudain. Mais tu en as douté et tu t'es refermée. Souffrance. Souffrance du trop-Amour qui accuse tout, vit et meurt aux
moindres souffles contraires. Je n'ai pu faire mes courses pour mon
voyage. J'étais terrassé. Une fatigue ! Je suis resté à mon bureau, chez
moi, presque immobile, la tête en feu oui, c'est le mal de l'amour fou.
On brûle les meubles pour entretenir le feu. Ô mon chéri, veillons
sur nous !

849.

En-tête Assemblée nationale, à Anne Pingeot.

27 novembre 1971, 19 h 15

Mon cher amour,
    Il faut que tu le saches enfin, je t'aime et je t'aimerai jusqu'à mon
dernier jour. Tu es mon amour, mon amour, mon seul amour.
    Ce soir je suis perdu, comme toi, que je vois, que j'entends, dans
ta chambre, notre chambre, étouffée de détresse. Ah ! si tu avais pu
dominer assez ta peine pour m'aider moi aussi ! Je suis dans le piège :
il y a un mois tu me suppliais de te laisser assez de temps pour réfléchir. Je me suis battu, battu, battu contre toi. Et puis j'ai vu Viroflay,
j'ai vu la rue Serpente. Parce que je t'aimais, je n'ai pu supporter cet
affreux chagrin que t'imposait ma présence. J'ai mendié alors. J'ai
mendié du temps. Tu me l'as accordé. En échange, faute de courage
pour vivre près de toi à Paris sans te voir, j'ai cherché un but pour
que cette période de séparation soit à la fois supportable et, pour

nous deux, féconde. Et voilà, nous y sommes ! je me crois engagé moralement envers toi. Non pour te quitter. Toi seule le désires (moi, jamais). (Et je comprends que tu puisses le désirer. Et cependant je ne doute pas que tu m'aimes de toutes tes forces.) Je suis engagé « moralement » envers toi dans la mesure où tu m'as donné ces merveilleuses quatre semaines <u>parce que je t'avais confié que je partirais loin</u>. Maintenant je ne sais pas quoi faire, je suis désemparé, oui, comme toi, en détresse. SOS !

Pourquoi n'ai-je pas fléchi, alors que tout m'y pousse ? 1) Je risque de te perdre. 2) Je n'ai pas envie d'aller là-bas. J'ai envie de me reposer, de te retrouver, de rire, d'aimer. 3) Je te fais encore un immense chagrin. Mais si je reste et si l'heure revient de tes reproches, comment pourras-tu me croire désormais ?

J'avais imaginé – j'imagine trop – que nous unirions notre chagrin de la séparation et que les murs ne monteraient pas jusqu'au ciel. J'avais préparé les petits achats à faire ensemble. Je nous rêvais en profonde communion. Et demeurant douze jours (puisque je rentre le 10 décembre au matin) loin l'un de l'autre ~~certes~~ par la géographie mais proches en esprit.

Ton refus de me revoir ce soir, de m'ouvrir ta porte, oh Anne est-ce bien conforme à ce que nous sommes ? Mon plus cher désir est de gagner ton estime et de garder ton amour, de te garder, mon cher, mon cher amour. Il n'y a pas autre chose. Je tremble de te perdre tant tu es liée à moi, tant je suis lié à toi. Mais cette liberté que tu revendiques ne doit-elle pas se nourrir d'actes et d'offrandes ? Je suis vraiment désespéré – de mon mal et du mal que je te fais. Je suis à toi. Je ne suis qu'à toi. Tout m'émerveille qui porte ton nom. Ma bien-aimée il faut que tu le saches enfin.

Quelle journée nous avons vécue tous les deux aujourd'hui ! Je n'ai rien pu faire, englué dans une lassitude extrême.

Je vais monter cette lettre au 36, la glisser sous ta porte, essayer de résister à l'envie de sonner deux coups. J'irai rejoindre les Soudet qui ne savent rien. J'irai à la Mutualité à 9 heures, mécaniquement et pas longtemps. Et demain je ne sais si je pourrai m'empêcher de t'appeler.

Si tu as changé d'avis, si tu acceptes un signe, je serai à 9 heures demain au café de l'angle rue Saint-Placide, place Saint-Placide côté rue du Regard. Je t'attendrai un peu. Si tu ne viens pas je t'embrasserai par la pensée comme je t'embrasse ce soir, avec amour, passionnément. Mon avion part à 13 h 10, Orly-<u>Ouest</u>, pour Rome. Je change là-bas pour Calcutta. Mon adresse sera : aux bons soins de Léopold Jalais, 2 Middle Road, Hastings, Calcutta 22, Inde. On me fera suivre. L'autre destination étant : Mahabir Asthon Lane, P. O. Berniyad Gong, Shergatti Bihar, Inde (le Bihar est un État au nord de Calcutta).

Je suis déchiré de partir. Tu ne peux pas savoir, enfermée que tu es dans ta propre peine. Je t'aime, je t'aime, je t'aime.

Mon Anne.
     François

850.

Carte postale, aéroport de Paris-Orly, à Anne Pingeot,
36 rue Saint-Placide, Paris VIe 75.

Orly, le 28 nov. 1971

Je pense à toi et j'attends le retour

F

851.

Carte postale, aéroport de Paris-Orly,
l'horloge astronomique d'Orly-Ouest.

Dimanche 28 novembre 1971

Je t'ai téléphoné à 8 h 45. Tu avais ta toute petite voix. Tu as accepté de me voir. Nous nous sommes retrouvés à 9 h 15 devant le Lutetia et nous sommes dirigés vers le drugstore de Saint-Germain pour mes achats. En route tu as voulu soudain rentrer au 36, me quitter tout de suite. Il pleuvotait, le ciel était gris sale. Nous nous sommes arrêtés dans un bistrot rue du Four et avons récupéré chaleur et tendresse. Tu m'as accompagné rue de Vaugirard, par des détours. Tu étais silencieuse mais présente et je t'ai embrassée. Tu ne t'es pas retournée. Tu étais habillée de noir. J'avais le cœur serré et je t'aimais de toutes mes forces.

Les Soudet sont passés me prendre. Ils t'ont appelée. Littré ne répondait pas. Tu n'as pas voulu. À Orly nous avons insisté. Rien non plus. Anne ! Anne ! Je t'appelle !

Je suis dans l'avion entre Rome et Karachi. Je pense et je souffre. Toi aussi là-bas. Je suis celui qui t'aime et que tu aimes, Anne, n'oublie pas.

Sèche tes larmes. Nous sommes les amoureux de Saint-Benoît.

852.

Carnet de bord. Lettres rassemblées et transmises au retour du voyage.

Dimanche 28 novembre 1971

Inutile de te raconter l'attente au téléphone, la sonnerie inutile du 548.10.77. Je l'ai recommencée cinq fois, de Paris d'abord, puis d'Orly. Mon avion était appelé (un Alitalia) que j'étais encore devant la machine bleue à sous, mon ultime recours ! Tu n'étais pas là, ou tu ne voulais pas répondre. Les Soudet qui m'avaient accompagné ont insisté. En vain. J'ai pensé que tu étais à la messe. J'avais le cœur tordu par l'idée de ton chagrin, et par le mien. J'avais envie de faire demi-tour. Où était le courage, et l'amour ? Une panique m'a pris. Je voyais en esprit mon Anne toute droite partant rue de Vaugirard vers Saint-Placide. Tu es mon seul débat. Partir, rester, c'est autour de toi que je tourne, ô mon seul méridien.

Le temps était très mauvais. On ne s'est envolés qu'avec une heure de retard. À Rome c'était pire. L'eau ruisselait. Il pleuvait par toutes les gouttières de l'invraisemblable aéroport Da Vinci. Nouveau retard. Par la porte 11, d'où se triaient les voyageurs en direction de Bombay, de Koweït et de Tokyo, j'ai fini par descendre vers le BOAC (anglais), celui de Tokyo, qui m'emmène à Karachi. Je t'écris de la place 3 près de l'allée centrale. La petite lampe du plafond m'éclaire. Les gens commencent à dormir. Trois Britanniques parlent à voix basse et fument. Les moteurs ronflent en forçant chaque fois qu'ils traversent une zone rebelle de nuages. Je ne sais pas où nous sommes. Entre Grèce et Liban peut-être. Nous nous arrêterons à Karachi, seule escale, et nous arriverons à Calcutta vers 7 heures (locale) c'est-à-dire vers 2 heures du matin à ta montre (si elle marche). On va à la rencontre du soleil et la nuit sera courte. L'hôtesse m'a donné des chaussons que je te rapporterai. Je bois du thé et du bitter lemon. Je ne connais personne et puis m'abandonner au silence.

Entre Paris et Rome et pendant l'arrêt au Vinci j'ai lu tout le bouquin de Charles Tillon *Un « procès de Moscou » à Paris*. Tillon a été le chef de l'organisation militaire du PC pendant la Résistance. Il a été exclu en 1952 et raconte la parodie de procès que lui ont faite ses camarades du secrétariat. À frémir ! Encore cela se passait-il à Paris, loin de la corde et de la balle dans la nuque. Pour piquer mon intérêt je commence *René Leys* de Victor Segalen, grand écrivain méconnu, qui mourut en 1919. C'était un médecin. Il voyagea en Chine, qu'il raconta dans deux livres que l'on découvre maintenant. Son style est d'une rare modernité. J'ai en réserve *Belle du Seigneur*, énorme livre de Cohen, qui a de quoi m'occuper là-bas et pendant le retour.

L'avion est naturellement plein de Jaunes de tous les tons, et de Noirs variés. Japonais stricts, Indiens barbus, Arabes maigres. De temps à autre l'équipage annonce des choses auxquelles mon anglais ne me donne pas accès. J'ai l'air d'être très loin de toi et pourtant je me sens comme enfermé avec toi. J'aime cela. Bien que je t'entende me maudire et que rien ne m'émeuve plus que ce désespoir qui ravageait tes traits hier et ce matin Anne, ma petite Anne du 15 août, mon amour. Je ne m'intéresse qu'à nous deux. Je me raconte notre histoire. Y plongent mes racines. Je t'aime.

J'ai pris la décision de rentrer dimanche prochain tout cela est trop bête. Amour-propre et logique de l'honneur ne valent pas un milligramme d'humilité. Humblement, je reconnais, persiste et signe que rien ne vaut la joie dans tes yeux, que l'or et le diamant sont nos corps réunis. Cette fois-ci je comprends que le compromis est vertu. Je te fais souffrir, et comment ! moi ! Et je ne vaux guère mieux. Et ceci au milieu d'une paix d'amour comme nous n'en avons sans doute pas connu. Oui, c'est trop bête. Je n'ai pas voulu reculer de peur de perdre ta foi en moi. Une bonne explication aurait lavé tous nos recoins. On se serait dit : « Tu pars ? Je ne veux pas » et « Veux-tu que je ne parte pas ? » et tout était réglé, dans le cercle magique de nos bras enlacés. Une bonne explication ! Leçon à retenir, que nous n'avons pas répétée autant qu'il aurait fallu pour la savoir par cœur.

Je te vois, en cet instant qui nous éloigne physiquement à mille à l'heure, comme tu étais ce matin dans le bistrot de la rue du Four. Ta main s'était réchauffée, ton visage adouci. J'ai rencontré enfin ton regard. Ô mon Anne sois bénie pour l'amour qui t'habite, pour la pureté de tes yeux. Je voudrais embrasser tes doigts un à un. Tu as beau douter, et vouloir me chasser, je t'appartiens et je bois à la petite fontaine, tout au creux de ta main.

Lundi 29 novembre 1971

Eh bien ! nous n'avons pas atterri à Karachi mais à Bombay, à cause du mauvais temps. Résultat, quatre heures de retard à l'arrivée. Ce voyage aura été presque aussi long que celui du Chili. J'ai lu à m'user les yeux. Tout Tillon, tout Segalen. Et commencé Albert Cohen, qui heureusement a huit cents pages en petits caractères. Récompense, le lever du jour à Bombay. Un ciel immense d'un rouge intense aux bords dorés. À l'horizon une colline noire. Quelques oiseaux en vol, traits mouvants. Les formalités ont été rapides à Calcutta. J'avais regardé la ville de mon hublot, bâtie à l'anglaise, sans limites, avec de grands espaces verts et, tout autour, des banlieues entassées sous des toits gris, plate au milieu de sa plaine, faite elle-même de terre et d'eau. Un fleuve dispersé et chargé d'alluvions, des canaux, tout un jeu d'eaux lourdes, étincelantes sous le soleil de midi. J'ai déjà plongé dans la masse humaine plus compacte encore que le grain des choses. Je me suis promené ce soir dans le quartier où j'habite. J'ai marché dans les rues étroites, grouillantes, peu éclairées et que j'appelle rues faute d'un autre mot. En terre battue, bordées de maisons basses (un étage est la gloire), dont beaucoup sont en paille ou en toile, des gens qui chantonnent accroupis et qu'on voit à peine dans l'ombre, des enfants qui courent, qui jouent, qui pleurent, des échoppes misérables et animées, des artisans assis sur leurs talons, grattant, récurant, taillant, généralement une pièce unique et des matelas qui attendent les dormeurs, des lampes à acétylène bougeant au moindre souffle, pas de tout-à-l'égout, des vaches songeuses cherchant leur bien dans les tas d'ordures, des moutons, des chèvres, libres d'aller à leur guise, et paisibles, des chiens actifs, une odeur poivrée, pas répugnante. Nulle part la solitude pour personne. De jour j'étais allé dans le centre commercial, reste de la splendeur anglaise mais abandonné, écaillé. J'avais retenu ma place dans l'avion BOAC de samedi soir prochain. Obtenir un billet est œuvre de patience infinie. Je t'avais aussi télégraphié. Je rectifie à tout moment les heures pour imaginer où tu es. Par exemple il est maintenant 22 h 30, donc 6 heures à Paris, et tu quittes le Louvre. Que vas-tu faire ? J'en ai bien un peu mal au cœur.

J'ai été accueilli par Léopold Jalais, vingt-cinq ans, en Inde depuis quatre ans, marié avec une jeune fille de vingt-six ans elle-même venue assister dans son « slum » le père Laborde, depuis trois ans, après avoir abandonné l'enseignement en France. Le mariage date de quinze jours. Le père Laborde vit en « slum » (colossal bidonville où il n'y a aucune infrastructure) depuis sept ans, n'est revenu en France qu'une fois, entend rester là autant que Dieu le voudra. Jalais est fin, réfléchi, s'occupe de tout, appartient à Frères des hommes. Sa femme, Françoise, pour se reposer, est partie au Bihar, à 600 kilomètres, où elle travaille autant, pour quelques semaines mais en milieu rural et donc peut respirer. Elle est venue comme ça, par décision personnelle, sans organisation, après avoir rencontré le père Laborde à Paris. Elle va continuer. Le père Laborde a peut-être quarante-cinq ans, est maigre, à forte mâchoire, des cheveux gris bien peignés, un rire frais, presque enfantin, des lunettes de fer. Il ne se déplace qu'à bicyclette, à distance raisonnable, ou en train, et il faut voir ce que sont les transports en commun ici !

Il sait tout faire et n'est qu'humilité. J'irai demain m'installer avec lui dans son cagibi du slum et je suis déjà embauché pour aider un jeune médecin libanais qui soigne comme il peut. À la maison de Hastings, où je suis, quartier suburbain de Calcutta, habitent encore un « Frère des hommes » anglais, vingt-cinq, vingt-six ans, une jeune Indienne, le cuisinier indien. Sont de passage deux volontaires indiens, l'un cadre, l'autre pauvre, qui donnent leurs vacances à leur ami Jalais. On a déjeuné et dîné à des heures impossibles, agréablement. Le repas retrouve son temps : rompre le pain en commun.

Je suis quand même ensommeillé. Je vais essayer de rattraper cette nuit. Je suis habillé ainsi : pantalon léger marron avec lequel je venais à Paris en août, chemisette bleue sans manches et depuis une heure, la fraîcheur tombant, ton polo rouge. J'ai dans mon sac ta chemise Lacoste. Tes armes ! Il y a des moustiques… et une moustiquaire. Jusqu'à la nuit les oiseaux, charognards et corbeaux ont assourdi le voisinage. Ils dorment enfin. Ma chambre est comme tu penses, murs à la chaux, pavé lisse, éclairage grossier, plafond haut. J'écris sur une petite table à côté du lit. Voici bien des détails. Je te les livre. Tu sauras mieux ma vie de cette semaine. On part demain à 7 heures. Tu es ma pensée obsédante. Je ne voulais pas te faire de chagrin je ne voulais pas ma bien-aimée. Je t'ai écrit. Je suis à l'intérieur de notre monde et cela me met à l'aise avec ce monde que j'approche : ils sont de même essence, crois-le. Au fond tu ne m'as jamais fait que du bien.

853.

Carte postale, Bombay, temple Mahalaxmi.

Lundi 29 novembre 1971

Mauvais temps. On évite Karachi et on glisse sur Bombay, puis on revient à Karachi. Le jour se lève. Aurore pourpre. On arrive à ~~Bom~~ Calcutta avec quatre heures de retard, vers midi heure locale (8 heures à Paris). J'ai fini le bouquin de Segalen et commencé *Belle du Seigneur*. À l'aéroport je te télégraphie après m'être renseigné sur l'avion de retour pour samedi prochain. On entre dans Calcutta, ville alanguie et fiévreuse à la fois. Des installations militaires, des canons antiaériens, des mouvements de troupes. Un camp de réfugiés de 300 000 habitants. Et la ville elle-même proche des descriptions classiques.

Je fais connaissance avec mes hôtes. Léopold Jalais, à Hastings, « Frère des hommes », vingt-cinq ans. Le père Laborde, quarante-cinq ans, ordre du Prado, au slum du nord de Calcutta.

854.

29 novembre 1971. Télégramme de l'aéroport de Calcutta,
à Anne Pingeot, 36 rue Saint-Placide, Paris.

WELL ARRIVED RETURN SUNDAY NEXT SWISSAIR 10 O'CLOCK PLEASE COME ORLY LOVE YOU — FRANÇOIS

855.

29 novembre 1971. Télégramme de l'aéroport de Calcutta,
à Anne Pingeot, 36 rue Saint-Placide, Paris.

CONFIRMATION ORLY SUNDAY TEN O'CLOCK VIA ZURICH SWISSAIR ANCHOIS HOPE SEE YOU AIRPORT VERY MUCH — FRANÇOIS

856.

Enveloppe par avion, quatre timbres indiens,
à Mademoiselle Anne Pingeot,
36 rue Saint-Placide, Paris VIe 75, France.

Lundi 29 novembre 1971

Mon amour,
Je t'ai télégraphié tout à l'heure pour te dire
1) que je suis bien arrivé (mais avec quatre heures de retard en raison du mauvais temps)
2) que je rentrerai dimanche prochain.
(J'arriverai à Orly à 9 h 45 par la BOAC, compagnie anglaise de Calcutta à Zurich, et par la Swissair, de Zurich à Paris. 9 h 45 du matin, évidemment, heure de Paris. Je serais si heureux que tu viennes m'y chercher – tu trouveras des autobus aux Invalides –, seule, de préférence, pour la joie que j'en aurai.)
Je suis déjà dans le « circuit » prévu. Pendant quatre jours je vivrai à l'intérieur d'un « slum », bidonville de 52 000 habitants démuni de toute infrastructure, comme... aide-infirmier (!!!!) avec un jeune médecin libanais. Il y a le camp des lépreux (ce n'est pas contagieux, ma chérie) et le camp des réfugiés. Je reviendrai passer un jour dans un village rural, pour connaître les mœurs, les usages.
Mon Anne bien-aimée je pense à toi intensément, passionnément. Mon bien précieux, mon cher amour. Je t'ai fait trop de chagrin et je regrette de ne pas avoir compris que ce départ t'avait bouleversée. J'étais si fort à cause de ce merveilleux mois que j'en avais oublié le risque d'un contresens. Il n'y a pas de contresens : je t'aime. C'est tout.
Calcutta, je te raconterai. Je note chaque fois et te donnerai le document. Il fait beau. Les grands oiseaux sont dans le ciel et jettent des cris gutturaux.
Les hommes...
Il faut vite mettre cette lettre à la poste sans quoi elle te parviendra trop tard. Le courrier n'est pas rapide me dit-on.
J'ai tes photos. Et ton image dans la tête, dans le cœur et je pense sans cesse à toi, petite Anne, mon âme.
Je vous embrasse et vous me manquez durement

François

857.

Carte postale, site de Mohenjo-Daro.

Lundi 29 novembre 1971

Maison accolée à un énorme quartier pauvre, grouillant, sous-équipé. Notre abri est simple mais correct et agréable.

Je t'ai écrit. Je pense intensément constamment à toi. Vivre serait se nourrir ensemble des choses du monde et des hommes, et peut-être chercher au-delà l'aliment. Je me suis promené seul dans le quartier. Réflexion. Communion. Cette nuit je rédige mon « carnet de bord » pour toi, je prends plaisir à ce joyau : la solitude (que troue l'aboiement d'un chien et des voix confuses, une rumeur).

Mon amour, je ne me suis pas éloigné de toi. Je te retrouve même par ce grand détour.

858.

Carte postale, Calcutta, pont de Howrah.

Mardi 30 novembre 1971

J'ai franchi ce pont deux fois aujourd'hui. Il sépare Calcutta d'Howrah. J'allais voir le père Laborde. Ce que j'ai vu dépasse l'imagination. Je te raconte ailleurs l'installation du père. Ensuite je suis allé vers les camps de réfugiés proches de la frontière. Je n'ai pas envie de décrire : il faut assimiler. J'ai voyagé dans un camion préhistorique par des routes cabossées. Je suis fourbu. On est revenus par le camp de réfugiés des abords de Calcutta, le plus grand. Ce camp est installé dans l'enceinte de ce qui devait devenir une cité satellite non encore construite mais dotée de ses équipements, à peine ébauchés. Un décor fou !

Finalement j'ai eu un terrible coup de barre, une fièvre violente, et je me suis couché mal de partout, touchant le fond. (Encore ne suis-je que spectateur !)

859.

Carnet de bord.

Mardi 30 novembre 1971

Je suis mal en point. J'ai pris froid, par esprit de contradiction, car il fait très chaud, sauf la nuit. Je tousse j'ai la fièvre. Or la journée a été rude. Lever à 7 heures. On est allés d'abord chez le père Laborde dans son slum de Howrah, qu'on prononce Aoua'h, ville jumelle de Calcutta, de l'autre côté du fleuve qui s'appelle Hooghly et qui est en réalité l'un des bras du delta du Gange.

Quel spectacle ! J'en ai encore le cœur soulevé.

Le père habite une minuscule chambre, la moitié de la tienne, dans un ensemble de bâtisses innommables donnant sur des égouts à ciel ouvert. La foule partout. Les animaux. Une formidable saleté. Mais les enfants propres avec de beaux saris. On m'a réservé une chambre du même ordre, à 300 mètres, que je ne puis décrire. De plain-pied aussi, au fond d'une courette sur laquelle débouche une ruelle où l'on ne sait comment poser les pieds. Je fais le dégoûté, mais le père est là depuis plusieurs années ! Chez lui une table, un crucifix, pas la place d'un matelas. Il a aménagé tout à côté une chapelle où il dort, sur une natte fine à même le ciment. Le saint sacrement, une petite lampe rouge, une table de bois pour autel, pas de chaises le tout un peu plus grand que ta pièce du 36. Chaque jour à 6 heures il dit sa messe (le soir) devant des fidèles entassés. Il préférait sa chambre précédente qui avait ~~pour lui~~ à ses yeux l'avantage d'être sur la rue (2 mètres de large) et surtout m'a-t-il dit d'être toujours ouverte, ce qui a limité le temps de suspicion.

Ensuite nous avons visité un camp de réfugiés au nord, proche de la frontière, et un hôpital de campagne. Nous avons transporté un enfant mourant. Je suis resté longtemps à l'infirmerie tenue par une jeune fille anglaise et une sœur de charité indienne. On a déjeuné dans un séminaire en pleine campagne, le séminaire catholique du Bengale-ouest. Deux jésuites belges à qui j'ai parlé. Un supérieur indien sang-mêlé qui se nomme… M. de Lastic ! J'ai dormi une heure. Par la fenêtre un paradis : des champs de riz, des vaches presque grasses, des hommes rieurs, un parfait tableau de Breughel heureux. Brève oasis. Nous sommes rentrés par le camp de Salt Lake, 300 000 réfugiés, les baraques en copeaux de bambou, toits en toile plastique, les hôpitaux ou dispensaires indescriptibles. Je me suis attardé aux soins pour enfants. Là une jeune religieuse, belle, vêtue d'un sari, laissant apparaître à la ceinture une large bande de chair blanche : une Basquaise d'Ustaritz ! Tout près, une fumée noire nous retombait dessus : la cheminée du crématoire. Moment paisible : la maison (tenue par un jeune Anglais très sympathique) pour enfants de lépreux, souvent lépreux eux-mêmes. La lèpre les exclut de toute vie sociale. Un enfant dit à l'autre « Et toi, ta mère n'a plus de nez » pour clore une dispute. Cet Anglais, James, vit là, seul responsable depuis deux ans. Un beau sourire sur des dents parfaites. Il a vingt-six ans. Il nous a fait jouer avec une portée de six chiots qu'il vendra bien 20 roupies chacun.

La roupie ? 8 pour 1 dollar. 0,75 franc. Moyenne de salaire par jour pour un homme : 3 roupies (quand il travaille), 2 pour une femme. Les timbres pour une seule lettre adressée en France : un trésor ! Aussi faut-il un cachet mis à la poste pour qu'une lettre parte avec chance d'arriver : on vole souvent les timbres et le cachet fait foi. Sur les murs d'étranges plaques ovales et striées, collées de bas en haut. Partout : ce sont les excréments des vaches qu'on fait sécher ainsi et qui servent de combustible.

Je suis rentré exténué, incapable de reprendre souffle. On suppose de l'asthme mais je suis sûr qu'il s'agit tout bonnement d'une grippe. Le voyage s'est fait dans un camion jeep sur des routes ravinées. On saute à chaque tour de roue. Mes reins ont mieux résisté que mes poumons et que mon nez trop délicat !

C'est dommage d'être diminué pour la suite : la tête me brûle. J'ai quand même lu ce soir cent pages de *Belle du Seigneur*. Il a fallu attendre car il y a des exercices de couvre-feu. La presse annonce que Jessore, au Bangladesh (Pakistan) a été prise par les partisans. On sent la guerre. Des files de réfugiés, paquets sur le haut du crâne.

Je pense à toi ma bien-aimée à nos balades d'Hossegor. Je me dis que j'ai de la chance : tu existes.

860.

Carnet de bord.

Mercredi 1ᵉʳ décembre 1971

Quelle terrible nuit. Malade à crever. Je ne me sentais pas bien mais au moment de me coucher j'ai été emporté par une tornade de fièvre. Je ne savais plus où j'étais sinon que mon domaine intérieur était à l'encan. Je m'accrochais à toi. Mais le tour pessimiste de mes pensées te rendait hostile, fermée. J'avais mal partout. J'ai vomi. Tout brûlait. Je ne me suis donc pas levé ce matin et suis resté dans le même état avec des phases d'abattement et de délire jusqu'à 13 heures. Pour me forcer j'ai participé au repas. J'avais les yeux et les oreilles comme bouchés et n'ai pu proférer une phrase organisée (surtout en anglais !). J'ai bu, pas avalé une bouchée. Et je suis retombé jusqu'à 21 heures dans ma douloureuse torpeur. Il paraît que ça arrive : les miasmes, la chaleur moite, le choc des images, les odeurs, le sentiment d'un désespoir absolu. Peut-être étais-je déjà fatigué de mes derniers voyages et ai-je trop voulu forcer la machine. À quoi s'ajoute l'ambiance de notre séparation à Paris. J'ai besoin de toi pour aller de l'avant. Or, je ne sais où tu en es, ou plutôt je redoute de le savoir, ô mon absente aimée.

Maintenant j'essaie de veiller pour avoir envie de dormir. Je veux aussi t'écrire ces lignes. Je tousse moins. Mais pas un muscle, de la tête aux pieds, qui ne soit révolté. J'ai bavardé avec Léopold Jalais, « Léo ». Il m'a montré les photos de sa femme et de son mariage. Un nouvel Anglais, Mike, a grossi la bande. D'une rare beauté. Anthony Perkins en mieux. Il ira à Delhi pour deux ans. Lui aussi a vingt-cinq ans. Une Indienne, avocate, du même âge, qui était dans le groupe, rentre par contre à Bombay. Très fine, intellectuelle. Tous ont une impression d'impuissance devant le mal, représenté par ces millions d'hommes dont la vie ne sert qu'à tenter de survivre. Mais ils ont une foi. Des femmes passent leur journée à ramasser, décortiquer, moudre une sorte de mil, tombé des charrois. Quand c'est fait elles ont de quoi apporter à leurs enfants, la valeur d'une poignée ! Elles recommencent le lendemain. Dans les camps c'est pire. C'est la géhenne.

Pour l'instant trois de mes amis d'ici jouent aux cartes. Je t'écris, assis au bout de la grande table où nous prenons nos repas. J'ai mon petit monde à moi, qui m'est plus cher que jamais : photos (oh A), chemise Lacoste et polo qui me viennent de toi, le contenu de ma serviette noire. Je t'aime du fond de l'âme. Mon Anne, ma chérie. Je te vois bien un peu en infirmière ce soir ! Nécessité oblige ! Comme ce serait bon ! Quel mois de bonheur nous venons de vivre. Quelle entente enfin, terre promise, atteinte.

C'est un défi à la marche du temps et des hommes que le bonheur d'un couple. Mais j'ai aussi des vagues de tristesse : par exemple je pense que tu ne seras pas à Orly dimanche matin. Je devine ma peine : elle me ronge déjà. Joie ou chagrin, je m'aperçois que je suis, en vérité, occupé de toi, de toi seule.

861.

*Carte postale, Ajanta, représentation d'une procession royale
sur une paroi des grottes.*

Mercredi 1ᵉʳ décembre 1971

Ma journée a été simple : je suis resté au lit, avec une fièvre dévorante, sans notion du temps, le sommet des poumons douloureux tant je tousse. Je me suis levé pour les repas, et pour faire bonne figure, n'ai pas avalé une bouchée. Toute la nuit j'ai vomi, déliré et j'arrive au soir, un peu mieux mais le corps brisé. C'est malin ces gens qui présument de leurs forces ! Je m'en veux de ce fléchissement. Demain je me forcerai à coucher au « slum ». Pour dire vrai, je le redoute. De nouveaux volontaires anglais et indiens sont là. Inutile de te dire les images folles qui ont traversé mon esprit pendant cette nuit. J'avais besoin, tellement besoin de ta main sur mon front. Mais que fais-tu ?

862.

Carte postale, Ajanta, grotte décorée.

Jeudi 2 décembre 1971

Toujours groggy. Mais je réagis. J'accompagne Léo dans ses courses à travers les quartiers pauvres et ses démarches administratives. Et l'après-midi je vais au slum de Pilkhana. La caméra de Louis Malle a choisi ses images ici. Avec Laborde et un jeune médecin franco-libanais de vingt-trois ans, Christian, j'ai arpenté ce terrible cercle d'enfer. Pas d'air, pas d'arbres. Des maisons basses. Des milliers de gens dans la rue. J'ai assisté aux soins de Christian et l'ai suivi à la messe du père. Ce soir dans ma petite chambre d'étrange allure je pense à toi avec l'amour des jours d'été.

863.

Carnet de bord.

Jeudi 2 décembre 1971

Ce soir, mon amour, je suis si fatigué que je ne sais si je pourrai te raconter ma journée. Tout m'est effort. Enfin, voici. Nuit difficile, tempes battantes, moiteur. Longtemps les chiens ont hurlé à la lune. Sous ma moustiquaire je cherchais l'air. Ma matinée a été consacrée aux joies de l'administration de Calcutta. J'ai accompagné Léo dans son « jeep » qui voulait me montrer comment M. Le Bureau gère la ville. D'abord par le bakchich. Léo s'y refuse. Il faut donc savoir attendre. Il désirait obtenir un permis pour un camion destiné au ravitaillement des réfugiés.

Dans sa main, treize pièces déjà établies, tamponnées. Nous avons fait sept bureaux, obtenu deux autres pièces et nous avons dû partir deux heures plus tard sans le tampon final. Les bureaux ? D'incroyables capharnaüms pleins de monde croulant sous les papiers qui sont même suspendus au plafond. Partout des files d'attente. Des enfants passent avec des gobelets pour vendre du thé. Les fonctionnaires supérieurs sont condescendants, pachas faméliques. Nous sommes revenus par un quartier que je ne connaissais pas. Spectacle maintenant familier de la misère. J'ai déjeuné avec trois jeunes Anglais. Mais j'étais assommé. Je me suis étendu. Je n'avais le cœur à rien. J'ai l'impression d'être dans l'un des cercles de l'enfer. Quel dommage, mon amour, que ce départ douloureux de dimanche. J'ai vraiment besoin de toi, de ta pensée.

Ce que j'ai vu cet après-midi est plus tragique encore et d'une certaine façon plus réconfortant. Je suis au slum de Pilkhana, dans Howrah. J'y dors. Je t'écris de ma chambre. Toute petite évidemment. Une table et deux chaises de bois. Un lit étroit. Une petite fenêtre qui donne sur la rue – ou plutôt sur une ruelle qui n'a pas de nom : sente boueuse où passent hommes, femmes, chèvres, vaches, coupée de rigoles d'immondices. Il y a une courette pour entrer chez moi et dans la courette trois portes. Trois chambres. Trois familles. Des latrines et une fontaine en commun.

L'accueil reçu est touchant, discret. Ce sont des membres de la communauté chrétienne. Je suis allé avec le père Laborde visiter tous les centres de la Seva Sang Sanity, l'organisation d'entraide à laquelle il appartient. Comment décrire ? et comment imaginer ? Le plus grand centre a quelques mètres carrés. Avec nous, Christian, Franco-Libanais de vingt-trois ans, père professeur de chirurgie, mère la plus célèbre cantatrice du Liban, études à Montpellier. Il vit comme tous dans sa cambuse, juste la place du lit et de la table. À côté, sa salle d'opération (il est aussi chirurgien), même gabarit. C'est un catholique fervent. Il me dit qu'autrement ce serait l'absolu désespoir. Il aime un Dieu vivant et en parle doucement. Il est seul, avec Laborde dans cet immense slum, à n'être pas d'origine indienne. Il m'explique que chaque famille compte plusieurs tuberculeux, pourris, moribonds. Qu'un sur cent des habitants d'ici est lépreux. Encore ne le disent-ils pas avant que ce ne soit évident de peur de perdre leur travail et d'être placés dans le quartier spécial où nous irons demain. Je suis allé avec Christian chez un mourant de tuberculose. Une pièce toute noire. Quatre personnes dedans dont un bébé. Pas de lumière. Christian a fait une perfusion par piqûre intraveineuse à la lueur de ma lampe électrique tandis que le patient geignait sourdement. Si je n'avais été là une petite Indienne qui veut être infirmière l'aurait aidé. Trouver la veine dans ces conditions, piquer, mesurer le liquide… ce n'est pas une petite affaire. Selon Christian la moyenne de vie est de trente ans. Il soigne des gens dans la rue, amassés le long des rigoles. On sent en lui une profonde pitié. J'ai suivi mes deux amis à la messe que célèbre Laborde chaque soir. Une trentaine de fidèles dont cinq hommes. Messe en hindi, évangile en anglais, manières d'un curé de campagne mystique. Des assistants récitent des prières. Beaucoup de recueillement. Presque tous ont communié. Tout ceci au milieu d'un puzzle de religions. Ce soir, fête musulmane dans un coin ; j'entends les mélopées. Dans de nombreux carrefours prières hindoues. Comme il y a un étang tout près le chant des grillons (ou des grenouilles) monte jusqu'à moi. Mes impressions se mélangent. J'ai une sorte de nausée, je me force terriblement, je n'ai pas la vocation du malheur.

À tout moment par un réflexe de sauvegarde je me reporte vers toi. Aujourd'hui, signe dominant, La Loubière. Par contraste sans doute. Ô la lumière, la beauté de l'été, les monts à l'horizon, et ma bien-aimée, ma grâce. Et puis je te voyais arrivant à vélo au 36, montant les quatre étages, seule toi aussi. Ô mon amour, mon amour ne brisons pas le miracle d'un 15 août. C'est ma force de vivre. Ma source claire. Mon Anne, que je t'ai fait mal. Dimanche dernier encore. Que tu étais bouleversée !

Et je t'ai laissée partir sans crier, rue de Vaugirard !

Mon Anne, mon petit, je ne voulais pas être faible. Que c'est bête. Cette expérience peut-être était-elle nécessaire. Mais elle est difficilement supportable sans ton consentement.

Je suis brisé de toutes parts et ton corps ne me manque pas. Ce dont je souffre n'est pas charnel. Vraiment c'est un amour d'âme. Anne, mon âme, le pire mal.

864.

Carnet de bord.

Vendredi 3 décembre 1971

Il est 13 heures. Ma porte est ouverte, de plain-pied sur la courette. Juste devant une femme est accroupie avec deux paniers de boules noires à vendre : des excréments que l'on voit ramasser, pêcher, partout dans les égouts. Combustible. À côté un tas de bouses de vache séchées. Combustible aussi. Voilà mon paysage. Si je regarde par la petite fenêtre qui est derrière moi et dont le lit me sépare je vois le lac et sur l'autre rive (100 mètres environ) des gens étendus sans bouger, d'autres qui se lavent. Dans l'étang affluent les ordures. Des canards, de jolis canards s'ébrouent sur l'eau. En bordure une mosquée. Le muezzin chante aux heures dites. J'ai vécu une nuit d'étranges contractions. Il n'a pas été facile de s'endormir. Les bruits de l'immense ville traversent nos pauvres murs. Les artisans travaillent tard. Les animaux aboient, meuglent, caquettent. Des solitaires psalmodient. Vers 4 heures complainte à la mort de tous les chiens du voisinage. À 5 heures vacarme du découpage d'acier, qui commence sans souci des commodités dès que les artisans se réveillent et la journée ne leur rapportera que les 3 roupies d'usage… Après cela je suis tombé dans le nirvana et me suis retrouvé dans le plus beau des rêves. Touvent, un Touvent magnifié, maison semblable mais plus haut placée, dominant à pic la rencontre de la Dronne large, claire, verte et bleue et d'un nœud de ruisseaux « inconnus ». La splendeur des arbres, la paix des chemins, l'amour en soi, et sur le perron Anne, et nous faisions notre grand tour des allées fruitières et du raidillon. Quelques coups frappés par le père Laborde à mon panneau m'ont sorti de là. Il partait pour Calcutta. Christian viendrait me chercher dans un moment. Je me suis levé, me suis lavé (avec quelle eau ? hum !) et Christian était là. Avec son infirmière (son nom chrétien est Lucie, son nom hindi quelque chose comme Bachrini.) Elle est petite, toute droite, un visage pur, une grande beauté qui vient de l'intérieur et qui éclaire ses traits. Elle est aussi pauvre que les autres. Elle a décidé de consacrer sa vie aux siens, indistinctement. Laborde m'a dit qu'elle avait une tuberculose ganglionnaire, qu'elle le savait. Elle sourit) avec son infirmière donc (elle a tout appris toute seule) nous avons traversé Pilkhana, passé par un large pont branlant qui surplombe les voies ferrées, longé un autre quartier : l'horreur. Un long chemin avec d'un côté les cahutes grouillantes et de l'autre (2 mètres de large) un large égout, ouvert comme tous où flottent viscères, étrons, linges, rats morts, enfin tout ce qui sort du ventre des villes. Le long de l'égout avec des pelles ou à la main chacun cherche un bien, retire et dépose en tas les matières suffisamment solides.

J'ai remarqué que les chiens reniflaient et n'insistaient pas. Dès qu'un pêcheur abandonne un autre le remplace et trie sa misère comme il peut. En face les enfants jouent, apprennent le Coran (le quartier est surtout musulman), rient, des vieillards considèrent le spectacle de leurs jours. Au bout du dédale beaucoup d'échoppes de « médecins » locaux pour lesquels la mort travaille bien. Et l'horreur continue. On rencontre lépreux, tuberculeux, galeux. Ceux-là ont attendu en vain l'espoir et ont cessé d'être propres. De ruelle en ruelle (où poser le pied ?), le dispensaire. 4 mètres carrés. Nous sommes cinq dedans. Christian assis avec une petite table devant lui encombrée de médicaments (qu'il tient des sœurs de charité de Calcutta ; pas d'envois d'Europe ou d'Amérique). Il examinera soixante-trois personnes avant de partir à l'autre dispensaire, celui de Pilkhana. Les tuberculeux, les lépreux on leur donne des pilules pour dîner : impossible de les envoyer à l'hôpital. Ils ne seraient pas reçus. À l'hôpital : il y a deux, trois malades par lit, quelles que soient les maladies, homme ou femme, vivant ou mort.

Il n'y a aucune chance pour personne. De plus les mœurs n'arrangent rien. Les médecins indiens n'examinent jamais le corps d'une femme. Christian parvient, lui, à loger le stéthoscope sur la deuxième côte. Pas question de descendre plus bas. Pour le dos c'est plus commode : il suffit de soulever le linge qui laisse les reins nus.

Beaucoup d'enfants au ventre ballonné. Une otite ? deux pilules. Cent autres personnes attendaient. Ce sera pour demain. Tout de même cela sert à quelque chose. Un baume. Des piqûres utiles. Des débuts parfois stoppés.

Je suis revenu dans ma chambre d'où je t'écris ces lignes.

Laborde, Léo, Christian sont venus déjeuner avec moi. Je n'ai pas mangé depuis mardi. Cette fois j'avale trois petites patates, un yaourt et une banane. On bavarde. Laborde est vraiment d'une rare qualité. Ils ont besoin de voir parfois des gens de l'extérieur. Je les sens contents de ma présence au slum. C'est une femme chrétienne qui nous sert. Elle veut absolument me servir de l'eau à boire qu'elle a puisé… je résiste comme je peux ! Pour le reste, les petits soins. Laborde avait même apporté un savon et une serviette et Léo un thermos.

Leo m'a ensuite ramené à Calcutta. Indira Gandhi est en voyage officiel ici. Tout est bloqué. On met deux heures pour traverser le pont d'Howrah. Des centaines de milliers, des millions de vivants dans les rues, chaque jour. Une impression de folie. Il n'y a de place nulle part qui soit libre. Des files de charrettes tirées à bras par des hommes condamnés à mourir très vite tant la charge est lourde. Partout des camions en panne. À côté de nous un vieillard descend à chaque arrêt pour caler les roues d'un camion avec une grosse pierre : pas de freins.

J'éprouve une colère, un mépris contre cette grotesque sagesse, prétendue, des Hindous et plus encore contre ce misérable respect dont nos jobards d'Européens les entourent. Voilà ce que ça donne leur sagesse ! La lèpre, institution nationale ! Figure-toi de plus que nul n'est jamais seul. Jamais. Toute sa vie. La nuit, le matin, le jour. Jamais. Toujours la foule agglutinée. Reste le sommeil, avec dessus, dessous, auprès, d'autres sommeils.

Ô solitude !

Eh bien moi je suis seul dans ma chambre de Hastings et c'est à Anne que j'écris. Tu t'appelles Anne et je t'aime. Pourquoi cette panique, mon amour, à la veille de mon départ ? Tu aurais dû m'aider. Mais t'ai-je moi-même secourue quand tu en avais besoin ? Jamais moi je ne te quitterai. Si tu me quittes, toi, ce sera pour vivre une vie que je comprends. Mais nous avons un pacte, rappelle-toi : l'intolérable c'est le silence entre nous. N'oublie jamais, jamais, jamais. L'intolérable, ô quelle souffrance ! À quoi penses-tu quand nous sommes séparés ? Moi, c'est simple, à toi et tout le temps. Vivre notre amour c'est au moins ne pas consentir à l'intolérable. N'établis jamais ce silence du vide entre nous, ma bien-aimée. Je t'en prie, t'en supplie. Y penser me déchire. J'ai si mal. Nous avons charge d'âme : moi, toi. Ô Chênehutte.

Dès que j'imagine au contraire l'échange sans fin, jusqu'à la mort, merveille ! naissance perpétuelle ! Cela fait quinze jours que nous ne nous sommes pas appartenu. C'est tout de même un sacrifice ! Mais je souffre profondément à la pensée (constante) que tu pourrais cesser l'autre échange, celui du cœur et de l'esprit, celui qui permet de vivre. J'ai envie de crier de douleur et d'abandon. Mon cher soleil, ma douce lumière, Anne de profil à Notre-Dame-des-Champs, ma brassée de fleurs. Quelquefois aussi il me semble que je ne dois pas douter de toi. Alors ma pensée rencontre la tienne. En cet instant – j'arrête d'écrire et je ferme les yeux. Oui, la distance n'existe pas pour ceux qui s'aiment. Et je crois, lueur, fulgurance, à la communion spirituelle. Nous avons vécu un mois de bonheur accompli. Pourquoi ? parce que nous avons parlé et quand nous préférions le silence c'était celui de la plénitude. C'est cela la noblesse de l'amour. Ah ! l'intolérable absence !

865.

Carte postale, temple de Dakshineswar.

Vendredi 3 décembre 1971

Au réveil je me frotte les yeux ! Il y a de quoi. Je venais de rêver à Touvent. Tous les bruits de la ville, d'une ville d'angoisse, avaient évidemment traversé mes maigres murs et m'avaient longtemps empêché de dormir. Christian est venu me prendre à 8 h 30 et je l'ai accompagné à l'un de ses dispensaires par un itinéraire dantesque que je te raconte dans mon bloc-notes. Le coup en pleine poitrine !

Rien ne peut être comparé, sinon les camps de déportés de la dernière guerre. Encore les gens d'ici sont-ils déportés à travers les siècles. On a déjeuné dans ma petite pièce avec Léo, Laborde et Christian et on a devisé paisiblement. À la porte, assise, une jeune femme gentille avec des paniers d'excréments en boulettes à vendre !

Retour insensé. Indira Gandhi est aujourd'hui à Calcutta. La guerre est imminente. Des millions d'hommes dans la rue. Hastings m'apparaît comme la félicité – et pourtant !

866.

S.d. Télégramme de l'aéroport de Calcutta, à Anne Pingeot,
36 rue Saint-Placide, Paris.

SORRY WILL ARRIVE ONLY MONDAY BECAUSE LOCAL CIRCONS-
TANCES — FRANÇOIS

867.

Carnet de bord.

Samedi 4 décembre

Mon amour d'Anne quel bonheur soudain et pur que ta lettre reçue
en fin de matinée. Ton écriture. L'histoire de ton lundi, de ton mardi,
ça me faisait un bien fou. Du dimanche, je n'ai rien su... Oh A ! Je
ne te raconterai pas grand-chose ce soir – je le ferai demain – parce
que je suis fatigué et que je me lève très tôt.

En effet, c'est la guerre. Du coup l'aéroport est fermé. Des avions
militaires s'y envolent vers le Bangladesh et les autorités d'ici redoutent
un bombardement, à mon avis à tort. D'où couvre-feu. Insensée Calcutta de cette nuit toute noire où l'on avance tous en aveugles. Un
silence lourd. Mais laissons la politique bien qu'elle soit coupable de
ce troisième câble que j'ai dû t'envoyer pour décommander les deux
premiers. Je devrais à l'heure présente somnoler dans mon BOAC ! Et
demain matin découvrir mon aimée à Orly ! J'essaierai d'attraper à la
première heure un avion intérieur pour Bombay et de là, puisque je serai
sur la côte Ouest, m'évader du couple infernal dont on peut attendre un
formidable déchaînement de massacres, Hindoustan-Pakistan. Sinon
je tenterai la traversée de l'Inde en train, car l'auto-stop... Mais il me
faudra deux à trois jours pour cette expédition. Enfin, va pour demain,
au petit jour ! Le père Laborde m'accompagnera à l'aéroport pour les
explications en langage local. Léo est parti, désemparé, voir sa femme
qu'un début de tuberculose vient d'expédier à l'hôpital – à 700 kilomètres à l'ouest au nord-ouest, et quel hôpital, on le devine !

J'ai rencontré pour la première fois un journaliste, Jean-Claude
Guillebaud, de *Sud-Ouest.* J'en ai pris l'initiative en cas de besoin, car

par le télex il peut communiquer avec New Delhi et avec la France, ce qui peut me devenir utile. La guerre paralyse déjà tout. C'est idiot.

J'ai dîné avec le père Laborde et il y a une douzaine de volontaires pour les camps qui dorment dans la grande salle sur leurs sacs de couchage. J'ai fait ce matin quelques achats en me baladant pour mieux voir le spectacle des mendiants. La règle est de refuser : ce serait sans fin. J'ai quand même donné une roupie à un enfant de sept à huit ans. Il ne voulait plus me lâcher, me souriait, me faisait des gestes tendres et m'a quitté en agitant ses bras à perte de vue. Une joie merveilleuse. Demain je te parlerai de la situation politique et de tout ce qui me passera par la tête. Ce soir, je dors !!

868.

Carte postale, Calcutta, New Market.

Samedi 4 décembre 1971

Aujourd'hui la guerre. Le couvre-feu. L'aéroport bloqué. Le départ annulé. Je t'envoie un troisième câble ! Mais merveille, une lettre de toi au courrier. Je t'ai vue. Et je t'aime.

Achats au nouveau marché. Très vivant et typique. Le soir tout s'est gâté avec la nouvelle du conflit ouvert.

Rencontré le journaliste Guillebaud au Ritz-Continental. Un lien possible avec la France ! Léo est parti voir sa femme au Bihar. Tuberculose, hôpital ! Il voyage toute la nuit en train. Moi j'essaierai Bombay par ce qui reste, s'il en reste, des lignes aériennes intérieures. Sinon, moi aussi le train pour traverser le continent !

Dîner avec Laborde. Conversation détendue. À ma chérie merci aussi.

869.

Carnet de bord.

5 décembre 1971

Je suis à Bombay, dans un hôtel plutôt malpropre où j'attends l'heure de retourner à l'aéroport où je compte prendre le BOAC

Téhéran-Zurich. Ça s'est fait au mieux. Un seul avion intérieur, ce matin et je l'ai eu. Sinon… on a traînassé beaucoup à Calcutta. Exercices aériens militaires et avec les supersoniques on est… à cinq minutes des combats du Bangladesh. Précautions pour notre avion qui se trouve… à distance égale d'éventuels Sabres pakistanais ! Enfin, Bombay. Continent indien vacillant de chaleur humide. Laborde m'a quitté à la dernière minute. On était un peu tristes ! Il m'a donné une lettre pour ses parents. Pour la première fois de ma vie j'ai rencontré un saint, un vrai.

Je suis en pittoresque compagnie, ceux qui associent les guerres et les voyages : un jeune Belge venu d'Afrique du Sud par l'océan Indien, un ingénieur argentin qui vient de passer un an, seul, dans une station de recherche, pétrole je pense ~~dan~~ sur les dernières terres mourantes du golfe du Bengale, dans la boue de Hooghly river, paysage bas, immobile, sauf quand surviennent typhon ou raz-de-marée. Il raconte la folie montante. Du Pierre Benoit (et c'est un compliment) !

Deux petites histoires : le permis pour le camion de Léo ne sera remis que dans quinze jours (tout étant apparemment réglé !).

Une secte se promène dans les rues le nez sous un tampon. Je croyais qu'il s'agissait, comme en Chine, de se protéger des miasmes. Et il y en a !! Eh bien non ! C'est pour éviter d'avaler des moustiques ou des fumerolles parce que la secte en question est végétarienne. Ah ! ces sages Hindous !

Ici, hystérie guerrière. L'Inde a voulu la guerre, ça me paraît clair. Mais on nage dans l'hypocrisie et ce ne sont qu'invocations : Dieu, la patrie, l'honneur, la démocratie. On est prorusse, antiaméricain, antichinois. Les Pakistanais en Bangladesh vont se faire anéantir. Ils sont naturellement encerclés. Et on comptera encore un bon petit million de victimes. Mais les Pakistanais de l'Ouest sont en meilleure posture, et vigoureux. De ce côté, surprise possible.

Quel pays et quel climat ! Il faut se rendre compte que des malheurs de la guerre, le génocide etc. ce n'est rien auprès de l'état social, physique et moral _normal_ de ce peuple. Bien pire à supporter que la mort. La guerre va donc dériver les esprits. Mais l'infâme réalité quotidienne (les riches Indiens qui en vivent et qui jonglent avec le spiritualisme sont à mes yeux plus répugnants que les soldats de Yahya Khan) personne ne la voit plus. C'est l'habitude rien à redire ! Ce décor planté d'hommes et de femmes gris de poussière squelettiques, amoncelés ~~ou~~ comme des déjections et dans la déjection, et qui finissent par ressembler à du bois sculpté on n'y fait plus attention du tout, je t'assure, si on ne s'y force. Et ils sont des millions, des millions. Or le Bengale est riche. L'homme n'est pas victime de la nature mais de l'homme.

5 décembre. Dimanche. 22 h 40

L'avion BOAC décolle de Bombay. Fin de l'épisode. Je t'aime.

870.

Carte postale, Bombay, la Porte de l'Inde.

Dimanche 5 décembre 1971

Ça a marché. L'avion de Bombay est parti... après hésitation ! Laborde m'a fait de grands adieux. J'avoue que j'étais content de sortir de ce pays terrible et que j'ai eu un peu de chance. Deux heures et demie plus tard, Bombay. Autre énorme ville plus importante encore que Calcutta. La BOAC nous a logés dans un hôtel minable où nous avons pu quand même nous reposer. Toute la journée s'est passée en transactions pour obtenir un billet, fixer des heures, toujours changées, etc.

J'ai renoncé à Air India via Tel-Aviv et Rome pour BOAC via Téhéran et Zurich. Avec les Anglais le départ sera mieux assuré. Il faut voir l'Inde la nuit tombée avec ce couvre-feu de guerre ! Presque comique !

Enfin à 22 h 40, envol. Je pense à ce monde de feu et de sang et de mort. Malédiction sans mesure.

871.

Carte postale, Zurich.

Lundi 6 décembre 1971

Longue nuit. Bombay. Téhéran. Zurich. Orly. Je reste longtemps à Zurich pour la dernière escale. C'est de là que je t'appelle et que je te réentends. Je t'obtiens. Il est 7 h 30. Tout de suite ta voix, ton émotion. Laurence est à l'aéroport. Je suis très las. Nous déjeunons ensemble au 36. Mon amour, grave et heureux.

L'après-midi je me couche. Je n'ai pas repris et sens une grande fatigue. Nous nous retrouvons pour dîner... à Orly où tu es venue avec Diesel. Petit repas sympathique. On revient ensemble, très, très tendrement. Je te raccompagne rue Saint-Placide. Curieuse journée. Le médecin m'ausculte, me demande de prendre des précautions. J'ai aimé ton visage, mon Anne, ton visage de mon retour.

872.

Carte postale, l'église Saint-Germain-des-Prés.

Mardi 7 décembre 1971

Journée de quasi-repos. Je peine et mesure mon souffle ! Je vais un peu à l'Assemblée. Bref exposé au groupe sur le Bengale. Le reste du temps je lis, consulte mes papiers, flâne. Je te vois au déjeuner. Au 36. Bon moment de paix. Je t'ai apporté des litchis. Nous célébrons leur saveur. Tu es tendre, présente, attentive. Tu dînes avec B.-L. que tu reçois. Aussi je t'accompagne rue Serpente et nous faisons une douce balade dans le quartier Saint-Germain – Buci. Une bolée de cidre au Mazet. La joie de marcher bras dessus bras dessous dans nos petites rues de bonheur.

Nous nous retrouvons à l'intérieur de nous-mêmes et c'est bon.

873.

Carte postale, quai des Tuileries.

Mercredi 8 décembre 1971

Appel du matin. Douceur. Je travaille chez moi. Long entretien avec les dirigeants de Démocratie et Université, ancien groupe étudiant de la Convention. Je les quitte en catastrophe pour te rejoindre à Versailles. Tu m'attends dans un bistrot près du château et je t'emmène déjeuner au Père Auto. On s'y attarde avec bonheur.

Vite, il faut te déposer au Louvre ! On rentre et il est… 14 h 30 (oh A) quand je te jette quai des Tuileries. Je rentre rue Guynemer, puis monte cité Malesherbes. Le rythme du mercredi reprend : secrétariat d'abord, bureau exécutif ensuite.

Je viens dîner avec toi au 36. Quelle émotion, lenteur du temps. Union ☿ mystique. Tu me raccompagnes peu avant minuit.

874.

Carte postale, Paris, la Maison de la radio et de la télévision.

Jeudi 9 décembre 1971

J'ai passé ma matinée à enregistrer pour les radios et les chaînes télé quelques passages de ma déclaration à faire l'après-midi.

Et l'après-midi j'ai tenu mon troisième « Entretien avec la presse » suivi d'interviews avec Europe et Inter et d'une conversation avec Jean-François Kahn.

Je ne t'ai vue que le soir au 36 et pas très longtemps. J'étais « out ». Il me faut reprendre le dessus.

Avec ma chère Anne que j'aime, si proche, si proche, vivre est si fort.

875.

Carte postale, la place Furstenberg.

Vendredi 10 décembre 1971

Toi au réveil. Cher coup de téléphone matinal. Quand je ne l'ai pas je sens comme un manque d'oxygène. Je ne respire pas à fond.

Je vais à l'Assemblée participer au débat sur la commission d'enquête affaires immobilières. J'y retourne l'après-midi et j'interviens sur le conflit indo-pakistanais. Après quoi je monte cité Malesherbes où je travaille jusqu'à 19 h 30. Je rappelle au 36. Tu viens d'y arriver. Nous nous donnons rendez-vous rue de Sèvres où j'arrive par le métro. On se balade à pied.

Nous nous arrêtons dans une crêperie de la rue du Château. Buvons du cidre et mangeons des crêpes. Un berger des Cévennes chante de jolies vieilles chansons. Ton regard est toujours aussi clair ô mon Anne. Nous rentrons. Je te quitte boulevard Raspail : j'ai eu le désir de rester, de venir au 36. Hésitation. Ride. Je te rappelle : il est 11 heures. Et ta voix et ton cœur guérissent tout.

876.

Carte postale, Paris, brasserie Lipp.

Samedi 11 décembre 1971

Nous prenons notre petit déjeuner ensemble rue de Médicis et revenons par le Luxembourg. Je vais ensuite au comité directeur du PS qui me prend toute la matinée. C'est chez Lipp que nous déjeunons avec les Soudet. Tu arrives en retard, je me fâche… et nous passons un merveilleux moment ~~ensemble~~.

C'est l'heure de partir pour la Nièvre. M. Beutin m'attend avec la DS. À Nevers j'ai une réunion avec les membres de la commission élue pour s'occuper des regroupements de communes. Cela me retient tard et je ne peux rejoindre mes amis de Ch.-Chinon avec lesquels je ne dîne qu'à 9 heures. J'ai ma claque et je rentre à 11 heures, heureux de retrouver la chambre 15. J'ai pu t'entendre vers 21 heures. Ô mon Anne, ma chère Anne aimante.

877.

Carte postale, Château-Chinon (Nièvre), place Notre-Dame.

Dimanche 12 décembre 1971

Je me lève paresseusement. Il est 11 heures quand je retrouve les Saury et mes adjoints pour étudier les dossiers de la commune. J'ai pu t'avoir au téléphone à 8 h 30. Tu fais une promenade avec B.-L.

J'ai le ventre creux et la tête en feu. Vers 12 h 15 je pars pour Langy où je déjeune chez les Maringe. Le temps est doux, lumineux. Je regarde les horizons avec une joie intense. Déjeuner bon et sympathique, avec un rien de nostalgie. À 2 h 30 nouveau départ, cette fois-ci pour Clermont où je dois participer à la clôture du congrès des Jeunesses socialistes. J'y suis à 16 h 30, j'y parle une bonne heure, je vais boire un verre à la mairie. Avant de regagner l'aéroport je fais un tour rue de l'Oratoire je sonne. Je rêve. J'aime ces lieux de ton enfance. Tout m'y émeut. Avion. Tu es à Orly. Nous dormons au 36 ϕ et nous nous aimons.

878.

Carte postale, église Saint-Germain-des-Prés.

Lundi 13 décembre 1971

Encore Saint-Germain. Nous faisons deux balades aujourd'hui. Le matin avant déjeuner, vers la rue de Seine, chez Loliée, où j'achète les originales de *René Leys* et d'*Amers* (Saint-John Perse). On goûte aux charmes de naguère. Il faudra recommencer. Je déjeune avec Saint-Périer et Magnus. L'après-midi est occupé par la visite d'une délégation yougoslave. Je la reçois et discute avec elle trois bonnes heures. Ceci avant de te rejoindre rue de Sèvres. Nous marchons et nous retrouvons rue de Seine et entrons au hasard dans un petit et médiocre restaurant vietnamien, Xuan. Mais nos cœurs sont libres. Et je t'aime. On en rentre pas trop tard. Dormir, dormir !

879.

Carte postale, Paris, place de l'Opéra.

Mardi 14 décembre 1971

Tous les jours je passe devant ce bâtiment. Il faut bien le placer dans la série de ces cartes ! Le matin je reçois Alain Duhamel, tout chaud de l'incident Clavel à « Armes égales » d'hier. Je vais ensuite cité Malesherbes : on y reçoit une délégation yougoslave qui nous retient de 16 à 20 heures ! C'est ennuyeux ! Et on ne dit pas grand-chose.

Ma petite lumière : rue Serpente, à 20 h 40 (du retard). Anne chérie m'attend particulièrement. Nous marchons (elle tenant sa chère bicyclette). Et nous nous arrêtons pour un sobre dîner dans un petit restaurant libanais de la rue des Boulangers. Après quoi je participe à une assemblée de l'Union des écrivains, salle Jussieu.

880.

Carte postale, Icare, *Henri Matisse.*

Mercredi 15 décembre 1971

Longue journée sans toi, avec cependant la voix du matin je pars cité Malesherbes, tôt, car le Secrétariat national aborde pour la première fois l'examen du programme. Utile début. À 12 h 30 je file à Saint-François-Xavier. Je déjeune avec divers grands patrons, dont F. Michelin. De là je vais à la Closerie des lilas où les parlementaires socialistes ont invité la délégation yougoslave. Interminable ! De là je saute rue Guynemer pour voir M.-Th. Eyquem.

Puis difficile discussion avec les députés sur le programme.

Ils sont en majorité très anticommunistes, très modérés. Ils s'auto-excitent. J'arrive quand même à les calmer. Enfin, petit arrêt à la réception du questeur-sénateur Minvielle boulevard Saint-Michel. Defferre me ramène rue Saint-Placide.

Nous dînons mon amour (pâtes vertes, tarte aux pommes) et c'est le grand ☿ inattendu et odorant.

881.

Carte postale, Béziers (Hérault), l'hôtel de ville de nuit.

Jeudi 16 décembre 1971

Il fait froid quand je te retrouve à l'Orangerie ! On va vite s'abriter dans un snack près du Sénat et nous buvons deux bons Viandox.

Avant, j'ai passé deux heures embêtantes avec les coopérateurs de production. Après je suis allé déjeuner chez Riboud l'homme de chez Schlumberger.

Après-midi, départ pour Marignane. Une voiture m'y attend qui me conduit à Béziers où j'arrive à 20 h 30 devant l'hôtel de ville. Réunion importante. Discours. Questions. Le maire-sénateur, Pierre Brousse, me reçoit chez lui : foie gras à gogo. Puis à Pézenas, l'un de mes amis a préparé un dîner froid. Conséquence : je m'endors à Saint-Privat chez Manceron où je loge, petit village accroché au-dessous du Larzac, à 3 heures du matin.

882.

Carte postale, Montagnac (Hérault), l'église Saint-André.

Vendredi 17 décembre 1971

Je me lève tard, fais un petit tour dans le village en espalier. Et vais déjeuner avec les responsables départementaux du Parti socialiste à Gignac. Déjeuner-débat assez long. On passe à Montagnac. D'où cette photo.

883.

Carte postale, Sète (Hérault),
le mont Saint-Clair et le théâtre de la mer.

Vendredi 17 décembre 1971

Réunion à Sète à 11 h 15. Auparavant je vais au cimetière marin d'où j'aperçois la vue au verso. Je rends visite à Jean Vilar puis à Paul Valéry.

Balade sur le quai.

Je m'attarde à la criée des poissons. Spectacle pittoresque, vivant. Visite à la mairie.

Et de nouveau la foule, les questions… et la fatigue.

Petit dîner. Huîtres de Bouzigues. Et toi au bout du fil.

884.

Carte postale, Montpellier (Hérault), l'arc de triomphe.

Vendredi 17 décembre 1971

Montpellier, 21 heures, le Palladium bondé, enfumé, bruyant. Quatre heures de débat assez vite agité. Je rentre exténué à l'hôtel Maguelone. Il est 1 h 15. Je pense à toi, mon Anne. Vite dormir.

885.

Carte postale, Paris, Notre-Dame-de-Lorette et le Sacré-Cœur.

Samedi 18 décembre 1971

Malgré le brouillard l'avion se pose à Orly. J'ai peu dormi. Je me lave, me change. Ouf ! mais je dois rejoindre Montmartre où la majorité se réunit autour du projet de programme. Discussion ardue. Déjeuner rapide dans le quartier tandis que tu es à ~~Versailles~~ Pontoise.

Tout l'après-midi est consacré au comité directeur pour la discussion générale.

Cela me conduit assez tard dans la soirée. Je vais dîner avec toi et… je sors derechef pour un nouveau débat avec la majorité. Ma petite Pénélope m'attend. Je la retrouve à minuit et demi. Qu'elle m'est douce et patiente ! Et nous dormons heureusement.

886.

Carte postale, Paris, Montmartre.

Dimanche 19 décembre 1971

Paresse ce matin. Et notre ☿ éclatant.

Du coup je n'arrive cité Malesherbes qu'en fin de matinée. Tu déjeunes à Versailles. Moi, avec quelques amis, rue Dancourt. Toujours les pentes de Montmartre. Comité directeur, déclaration à la presse, il est 19 heures. Tu es allée à la messe à N.-D.-des-Champs. Nous dînons au 36. Soirée douce. Nous écoutons « Le masque et la plume ». Je suis assis dans le fauteuil bleu. Tu es devant moi, tu couds. Nous nous regardons. Nous nous parlons peu. Nous nous aimons.

Bonne, forte soirée.

887.

Carte postale, Paris, la gare de Lyon.

Lundi 20 décembre 1971

Non je n'ai pas pris le train, gare de Lyon. Mais j'ai revu ce soir notre gare en allant dîner avec les Ropagnol À Sousceyrac. Dîner sympathique, raffiné, qui m'a rappelé un déjeuner à Sousceyrac aux temps de Saint-Illide.

Auparavant je t'avais aperçue trois quarts d'heure, rue de Sèvres, où nous avions pris un verre dans un café simple avec Laurence. Seule éclaircie « Anne » de la journée. Trop studieuse tu n'as pas voulu quitter le Louvre à midi. Le matin j'ai reçu Séveno, l'ancien speaker télé révoqué après Mai 68.

L'après-midi j'ai travaillé sur le programme, entendu Mme Daniel Mayer me parler de l'anniversaire de Léon Blum et fait un tour chez le Syndicat des instituteurs.

888.

Carte postale, Paris, la fontaine de la place Saint-Michel.

Mardi 21 décembre 1971

C'est l'hiver. Le temps est si doux que j'en défaille. Je reste rue Guynemer où je reçois Pierre Uri comme toujours passionnant (mais pas très sympathique).

Et je rencontre mon Nannon devant sa banque, à Croix-Rouge, avant d'aller déjeuner pour un repas d'amoureux au bistrot de la rue du Sabot. On se quitte à regret. Je remonte à Montmartre. Travail habituel. Réception de trois jeunes de l'ENA qui adhèrent. De là je saute à deux réunions malencontreuses, l'une près de l'Étoile, « Socialisme et Société », l'autre rue du Louvre. J'arrive exténué à notre rendez-vous. Mais quelle joie. Balade quartier Saint-Michel. Dîner au Navigator près de Saint-Séverin et cinéma pour le très beau film de De Sica *Le Jardin des Finzi Contini*.

Nous rentrons très unis.

889.

Carte postale, Paris, la place des Pyramides et la butte Montmartre.

Mercredi 22 décembre 1971

Je commence ma journée… avec une piqûre. Je vais ensuite visiter les dirigeants des coopératives de consommation. J'oublie mes lunettes dans un taxi… on me les rapporte un peu plus tard. Nous avons rendez-vous place Beauvau. Nous sommes tous deux en avance. Il n'y a pas d'expo Pierre Bettencourt. Nous allons à celle de Bellmer. On déjeune chacun de son côté.

Après-midi rituel cité Malesherbes. Je suis exaspéré par les neutralisations réciproques. J'éclate d'énervement au restaurant À Souscey-rac où nous nous retrouvons avec les Soudet. Je t'aime, mon Anne. Malheureusement nous ne pouvons dormir ensemble.

890.

Carte postale, série de plaques de rues de Paris.

Jeudi 23 décembre 1971

Nous prenons notre petit déjeuner rue de Fleurus. Un choc de joie : te voir. En rentrant j'apprends la mort de Jeannot Bernigaud. Auparavant j'ai pu t'entendre au Louvre. Je voulais te dire mon amour, ô ma chère voix. Je vois Anne-Marie Houdbine. Et je vais cité Malesherbes. Débat sur le titre du journal. On choisit « L'Unité » en gros, « socialiste » en petit. Je déjeune ensuite rue de Montpensier avec Pierre Mauroy. Je marche rue de Rivoli. Taxi. Guynemer. La quatrième chaîne télé me prend six minutes pour une émission de fin d'année. Rendez-vous divers. Je fais ma petite valise. J'irai te chercher rue Saint-Placide à 19 heures.

891.

Carte postale, Orléans (Loiret), cathédrale Sainte-Croix.

Vendredi 24 décembre 1971

On a eu de la peine pour arriver à Orléans, c'est-à-dire pour ne pas arriver à Nançay ! Panne sur panne avec la Morris [de Laurence], pluie, bas-côtés de boue… Enfin l'hôtel des Arcades nous accueille.

Et pour quelle nuit !

Avec une matinée de langueur heureuse ☿ et ☿ et toi, toi, toi, Anne, Animour, mon Anne.

892.

Carte postale, Bourges (Cher), nef de la cathédrale Saint-Étienne.

Vendredi 24 décembre 1971

Comment passer à Bourges sans s'arrêter à « notre » cathédrale ? Nous retrouvons nos heures profondes.

Auparavant bout de route par Mehun-sur-Yèvre, puis brève halte à l'église de Chalivoy.

À Saint-Pierre-le-Moûtier je te laisse au bord de la route et vais à toute allure à Magny-Cours. Je vois Jean Bernigaud sur son lit de mort.

Et c'est le dernier tronçon vers Aulnat. L'envol du petit avion. Toi. J'emporte en moi un visage très tendre et très aimé.

893.

Carte postale, Chalivoy-Milon (Cher), l'église.

Vendredi 24 décembre 1971

Nous avons aperçu les fresques. Trop tard et trop vite. Mais nous avons connu là un moment semblable à nos plus beaux moments.

894.

Carte postale, lac des Landes.

Samedi 25 décembre 1971

Longue nuit à Latche. Je me lève à 11 h 30 et t'appelle aussitôt. Voix claire, radieuse de mon Anne. J'ai besoin de repos et d'air.

Dans l'après-midi je vais à Moliets avec Hernu. Les deux Michel nous conduisent à Herm. Balade dans la forêt de fine lumière. Je rentre. Je travaille d'arrache-pied le programme en comparant projet communiste et projet socialiste.

Les heures passent. La nuit tombe. Je te rappelle à Clermont en vain. Tu es à la gare, me dit-on, avec Agnès. Je lis et rédige jusqu'à minuit. Peu de vent. Des oiseaux au coucher du jour. Un ciel pur avec des traînées de brume au-dessous de l'étoile du Berger.

Je salue le Baudrier d'Orion, le T de Thérèse de Lisieux que j'avais aimé retrouver en Chine comme jadis à Touvent.

Bonsoir mon Anne aimée.

895.

Carte postale, Soustons, le lac et le Pavillon landais.

Dimanche 26 décembre 1971

Encore le lac de Soustons ! Mais je me souviens de l'avoir vu couleur d'or pâle, semblable aux images d'Orient, en compagnie de Diesel et Gédé. Je suis resté ici toute la journée sauf un saut à Soustons (près du lac) pour les journaux.

J'ai reçu Beauchamp, maintenant installé à 40 kilomètres, vers le sud, dans un joli village, Saint-Barthélemy. J'ai bien travaillé « le programme ». Hernu est parti ce soir. J'ai regardé la télévision. Il est 23 heures. Il faut se coucher. Je me lève à 5 h 30. Gilbert a gagné la coupe de golf d'aujourd'hui. Je ne suis même pas allé à Hossegor ! Le ciel est clair.

On respire.

Et toi mon Anne, à 10 et 19 heures, toi au bout du fil et j'imaginais la Sola [Lassolas], le soleil or et noir, Louvet…

896.

Carte postale, Paris, la gare de Lyon.

Lundi 27 décembre 1971

Lever à 5 h 30. La nuit est claire. Mon avion, un Viscount, voyagera sans embarras. À Orly, Beutin m'attend et nous partons à toute allure pour Magny-Cours.

À l'église, la foule, silencieuse, recueillie. Je prononce quelques mots au cimetière. Exception voulue par la famille de Jean Bernigaud. Je reste à déjeuner au Bardonnay. Puis à Nevers café avec quelques amis de Château-Chinon.

De nouveau, la route.

Montsauche. Réunion des maires du Canton, réunion du Syndicat d'électricité.

À 17 h 30, mon Anne arrive de Clermont. J'aime te voir. Et la course contre le temps recommence. Avec la petite Morris de Laurence et sous la pluie nous tenons bon. Orly : 20 h 35. Je te vois toute droite et je te trouve si belle ; au revoir mon amour.

Dans l'avion du retour je rédige une question écrite pour Chaban.

Biarritz, Latche – sommeil.

897.

Carte postale, les Landes, le désert des dunes.

Mardi 28 décembre 1971

Calme et repos.

Occasion de veiller en moi-même sur nous, de répéter nos litanies. Je vis aussi du rythme de la nature. J'ouvre les yeux sur la simple beauté des choses vraies. Je ne bouge guère.

Il y a bien quelque mélancolie dans ce Latche, tu le sais. Ta force présente, ce don, cette grâce de ton être et la façon dont nous avons traversé l'épreuve m'ont donné cependant une certitude : j'aime savoir que je t'aimerai à jamais et que ton âme sera toujours présente.

898.

Carte postale, les Landes, un sous-bois en automne.

Mercredi 29 décembre 1971

Je t'appelle les yeux mal ouverts. J'aime commencer ainsi ce jour. Je travaille au programme et de temps à autre je respire.

Saint-Périer est arrivé.

Je déjeune avec un ami de Toulouse, Luc Soubié. Destouesse vient me voir. Un autre ami, le docteur Sauvonat, de Poitiers, qui a acheté un appartement au Pénon. Il fait un tendre soleil. Gilbert joue au golf. Moi... le programme encore et toujours. Je te rappelle, mais tu es sortie... Tu dînes chez Rosenberg. Hum !!

Et je t'embrasse avant de dormir.

899.

Carte postale, Paris, l'arc de triomphe du Carrousel.

Jeudi 30 décembre 1971

Tu viens me chercher à Orly où j'atterris dans le brouillard et la neige. Délices des petits matins au bar d'en bas devant un café noir !

Je te conduis vers ton Carrousel où je te récupère à 12 h 20 pour aller dîner au bistrot de la rue du Sabot que nous commençons à aimer.

Je te raccompagne et je passe le reste de ma journée cité Malesherbes où m'attend un arbre de Noël (!). Le soir on dîne délicieusement au 36. On s'aime ! Je retourne… au programme.

Je rentre à 1 heure près de toi. Douceur. Bonheur. Sommeil. J'aime, j'aime tes bras, ton souffle.

« Un jour ne plus entendre auprès de mon oreille… » [Cocteau.]

900.

Carte postale, Paris, les chimères de Notre-Dame,
« Le Rongeur ».

Vendredi 31 décembre 1971

On se quitte à 9 heures. Tu es fatiguée mais si douce avec moi. Je te rappelle au Louvre pour t'entendre. Travail rue Guynemer.

Déjeuner au Récamier avec le Pr Luchaire et Pierre Joxe.

Après quoi je me balade dans la voiture d'Hernu et vais visiter une vieille amie, Mme Verdier, puis les parents du père Laborde auxquels je remets la lettre du père. Ils sont touchants de vérité. Il fait nuit, je rentre, je liquide mon courrier, je reçois Fillioud.

Je t'obtiens à Littré. On va se rejoindre dans un moment mon Amour.

Deux animaux de
pierre veillent sur
l'arrivée de l'an nouveau.

1972

901.

Carte postale « I love you ».

Samedi 1er janvier 1972

La bonne année nous a rattrapés dans notre sommeil au 36, noués, liés, heureux. Nous avons balbutié des vœux. Le matin était peut-être gris peut-être clair. Nous ne l'avons pas su. Nous sommes restés l'un près de l'autre, heureux encore de n'avoir rien d'autre à faire que de s'aimer.

Tu m'as donné tant de joie, tant de peine, tant d'amour.

Anne de ma vie. Je t'ai quittée pour faire toilette et bagage rue Guynemer. Tu m'y as rejoint. Avec la voiture de Laurence nous sommes allés gare d'Austerlitz. Long adieu au revoir sur le quai jusqu'au départ, après le départ. Oh A.

Ma merveilleuse. J'ai lu les journaux et cent cinquante pages de *Belle du Seigneur*. Je t'ai appelée peu après l'arrivée.

C'était drôle, étrange tous ces kilomètres entre nous et pourtant cette union !

902.

Carte postale, Soustons, restaurant Le Pot de résine.

Dimanche 2 janvier 1972

Je t'entends avant ton départ pour la messe. Nous nous entendons si bien. Il pleut ici. J'hésite et me décide quand même à aller au golf pour la première fois depuis août. Je fais 52 aux 9. Pas trop mal, mais très mouillé ! M'obliger à l'exercice physique est un bien. Je respire mieux. Déjeuner tardif et je te manque avant ta balade à Meudon. Après-midi tranquille. Le soir je vais à Moliets avec Saint-Périer, chez les Destouesse, où viennent nous rejoindre les Barbot. Hélène et Michel entament le dialogue aigu coutumier. Dîner ensuite au Pot de résine. Je pense à ta sortie fameuse du dîner Grandury ! Et je pense à toi avec une grande douceur. De là je t'appelle. Mon amour chéri.

903.

Carte postale, Super-Hossegor, contre-jour sur le lac.

Lundi 3 janvier 1972

Au téléphone mon Anne est de triste humeur. Je la rappelle une heure plus tard au Louvre. Je voudrais qu'elle n'ait pas de peine parce que j'aime le bruit de la pluie sur le toit ! Gilbert part pour Paris. Michel Destouesse vient et reste une bonne heure. On marche par une éclaircie.

Déjeuner chez Dalleau, à Azur, petite auberge excellente et pas chère. Jean-Paul Martin rentre par le train d'après-midi à Paris. Je visite une maison abandonnée près de Castets. De retour je me mets à l'article que je dois aussitôt téléphoner à Mlle Papegay et qui paraîtra demain dans *France-Soir*. J'y arrive de justesse en une heure et demie ! Toi, de nouveau, au 36. J'écoute les nouvelles à la télé et regarde un feuilleton sur un certain Schulmeister, l'espion de l'Empereur ! Et me voici prêt au sommeil. Je t'aime.

904.

Carte postale, Paris, la tour Eiffel vue du pont Alexandre-III.

Mardi 4 janvier 1972

Lever connu des départs de Biarritz : 5 h 30 ! Brouillard. On atterrit quand même à l'heure. Je te téléphone et on se donne rendez-vous à l'Orangerie. Bref, mais doux rendez-vous. Quelques minutes de bonheur. Moi je déjeune chez Lipp... sans toi. Absorbé par l'étude du programme je ne décroche pas du quartier Montmartre. Mais le soir je vais t'attendre à la sortie de ton cours d'allemand. Il fait froid. On a un terrible élan l'un vers l'autre. Rue Saint-André-des-Arts. Errance dans notre beau quartier. Et dîner dans un petit restaurant algérien. Médiocre couscous. Tendre soirée. Tu rentres. Un taxi me ramène à la Cité.

Je me couche à 1 h 30.

905.

Carte postale, Paris, l'Opéra et le Café de la paix la nuit.

Mercredi 5 janvier 1972

Que ce ☼ de midi était beau. Je t'ai rejointe au 36. Nous avons déjeuné et nous avons partagé la plus parfaite joie. Le matin, l'après-midi, le soir, nous ne nous sommes pas vus autrement : le programme socialiste m'a gardé... jusqu'à 3 h 30 du matin. Vers 11 heures j'ai fait une déclaration à la presse. Bref casse-croûte : onze heures de travail consécutives. Mais nous avons tenu parole : le projet de programme est achevé. Toi tu dînais chez Laclotte et tu as été par la pensée... et par le téléphone mon Anne délicieuse.

906.

Carte postale, Paris, fontaines sur la place de la Concorde.

Jeudi 6 janvier 1972

Je suis rompu après cinq pauvres heures de sommeil. Mais je dois donner des interviews aux deux chaînes de télé à 11 heures. Nous nous retrouvons à l'Orangerie. Petite dispute. Je veux te retenir à déjeuner. Tu préfères la cantine du Louvre. Je vais regarder mes émissions. Je te rejoins. Un peu de bouderie. Je te trouve si belle ! Je reçois cité M. Offredo, leader PS en Essonne, jeune catholique de valeur. L'architecte (que je pressens médiocre) qui réaménage notre minable siège central. Et je corrige les épreuves du programme sur deux points, affaires étrangères et enseignement. Je dîne avec Grossouvre. Et nous gagnons lui et moi par la rue Vavin, toi à vélo, la terrasse de La Coupole. Nous revenons tous deux. J'aime ton visage et je sens à nouveau ta tendresse.

907.

Carte postale, le Morvan, le mont Beuvray.

Vendredi 7 janvier 1972

Nous prenons notre petit déjeuner ensemble, rue de Fleurus. Douce demi-heure. Je travaille chez moi et je pars à 10 heures pour Château-Chinon, avec Saury, aux obsèques de mon ancien adjoint, Lucien Germain, mort à Moscou. On déjeune au Vieux Morvan avec l'équipe Dussert, Chevrier, Poirier... Puis la visite à la maison mortuaire, puis l'enterrement civil, les discours. Il fait un beau soleil. Je reprends le chemin de retour aussitôt pour te prendre devant le Lutetia et t'emmener à Radio-Europe où j'ai un débat sur le programme socialiste avec Georges Leroy. Nous nous séparons : toi tu passes la soirée à la réception Huchard et moi je dîne avec JJSS et Abelin chez Pierre Uri. Conversation banale et qui ne sert à rien. Je me couche tard. Je t'aime.

908.

Carte postale, Paris, panorama sur les sept ponts.

Samedi 8 janvier 1972

Matinée de travail. Vient me voir un jeune dirigeant de Toulouse. Je vais à la Rencontre socialiste sur le tiers-monde, salle des Chemins de fer.

Nous déjeunons au 36. Tu me soignes si bien. Oh ! la bonne tarte au citron ! Je reste pour rédiger mes textes et nous sommes studieux, chacun à sa table.

Je retourne à la Rencontre et reviens avant dîner. Nous avons quelque peine à attendre la nuit... je te quitte pour passer rue Guynemer. Je vois Gilbert, j'écris des lettres. J'arrive vers 9 heures chez mon neveu Ivaldi, aux Blancs-Manteaux (je range la voiture devant l'église !) où ma sœur Antoinette fait ses adieux de Parisienne puisqu'elle s'installe à Vernon, il ne manque que Marie-Josèphe. Kyrielle de neveux. Du bruit. De la mélancolie. De l'affection. Et je rentre au 36 où tu m'attends.

909.

Carte postale, Nivernais-Morvan, route du Haut-Folin.

Dimanche 9 janvier 1972

Tendre réveil ? Eh bien non, un peu difficile. Je suis rentré tard : 1 heure. Tu étais triste. Nous avons un peu dormi puis un grand ☿. Tu as peu dormi, moi très bien. Je t'ai quittée pour la Rencontre socialiste sur le tiers-monde. À 12 h 10 on se retrouve rue de Rennes. En principe tu allais à Fontainebleau. Devant l'hôtel de Londres tu te ravises. En route pour Château-Chinon ! le ciel est plus clair, vraiment. Les chemins du Morvan sont beaux. Tu fais une promenade vers la chapelle du chêne. Je participe à la fin du banquet des pompiers. On rentre vers 18 h 30. Et à 22 heures je suis dans « notre » lit, comblé. Je dîne. Toi. Douceur. Tendresse. Nuit profonde et paisible. Ainsi va le monde !

910.

Carte postale, Paris, place du Tertre.

Lundi 10 janvier 1972

Volets clos du 36. Toi et moi embrassés. L'heure soudain qui commande on s'en va on ne se reverra que le soir. Longue journée entrecoupée de petits appels au téléphone.

Je reçois trois cadres importants de Boussois qui veulent adhérer au PS.

Travail l'après-midi cité M.

Discussion intéressante avec Harris et Sédouy qui préparent leur plan sur « de Gaulle » ou « les Français ».

Je te retrouve pour un de ces moments bénis, qui sauvent.

Au carrefour Cherche-Midi d'abord. Nous nous arrêtons au Twickenham, rue des Saints-Pères. Qu'on est bien ensemble. Je te sens donnée. Tes lèvres sont ourlées, comme après l'amour.

911.

Carte postale, Nevers, auberge Saint-Louis.

Mardi 11 janvier 1972

Le Bourbonnais, le préfet dans le train, l'examen des dossiers, le chauffeur à la gare, la brève séance du matin du conseil général, le déjeuner avec quelques amis à l'Auberge Saint-Louis, une inauguration, des séances de commissions, de longs débats, le dîner tardif et… léger au Terminus. Voilà un menu bien traditionnel de mes voyages nivernais.

Je ne t'en ai pas moins aimée et je sens ces journées, physiquement, comme je les sentais en 1964, terrorisé de cette absence de deux jours qui annonçait la plus triste des éternités…

912.

Carte postale, Nevers, tour sud de la cathédrale.

Mercredi 12 janvier 1972

Anniversaire de la mort de ma mère à Jarnac, là où tu as vu une petite croix blanche de nacre incrustée dans la boiserie.

Travail au conseil général. Je pars vers Paris à 15 heures seulement après un arrêt buffet à La Courte Paille.

J'arrive directement cité Malesherbes où se tient le bureau politique consacré aux documents annexes du programme.

Offensive de mon opposition !

Cela m'empêche d'aller te voir. Je te téléphone tu es si proche, si aimante et tu m'aides. À 11 heures petit dîner hâté rue des Martyrs avec mes amis du secrétariat. Je suis quand même fatigué.

913.

*Carte postale, Paris, perspective de Chaillot
à travers les arches de la tour Eiffel.*

Jeudi 13 janvier 1972

Petit déjeuner rue de Fleurus avec toi : c'est un instant royal.

Commencer ainsi la journée nous unit très profondément. Ensuite il faudra attendre le soir, à La Croque au sel, où tu viens avec Laurence et où je te rejoins après une réception à la mairie de Suresnes. Quel bon dîner (mais court) – Et nous voilà à la télé, à Cognacq-Jay, pour une émission « Italiques ».

J'y interviens sur le livre de Robert Aron *Le Socialisme français face au marxisme* et sur le livre de Segalen *René Leys*.

Tu es là. J'aime te sentir proche. On y retrouve Guimard et Blondin… et Françoise Hardy. Je termine la soirée chez Lipp avec les deux premiers hommes… seulement.

Auparavant j'avais déjeuné chez moi avec Mauroy, Dayan, Jaquet et reçu Dominique Pado, de *L'Aurore*, pour envisager une interview dans ce journal.

914.

Carte postale, Paris, le Sacré-Cœur.

Vendredi 14 janvier 1972

Nous nous sommes vus deux fois aujourd'hui. À 12 h 30 quai Voltaire avec balade rue de l'Abbaye. À 20 h 15 au 36. J'arrive las, je me repose, nous parlons, tu m'as préparé la salade cuite et les œufs au lait, on est bien, on se retrouve. Tu me raccompagnes et à l'angle des rues Vaugirard et Madame un passant nous croise : Rosenberg.

Je t'appelle ensuite et te dis bonsoir et maintenant je t'écris et je t'aime.

Ce matin j'ai eu une rencontre sur l'informatique appliquée à notre action. J'ai déjeuné rue du Mail avec deux braves importuns et je me demandais ce que je faisais là. L'après-midi, cité Malesherbes, beaucoup de travail… et toi enfin.

Ô Ah ! Mon grand amour.

915.

Carte postale, Don Quichotte, *Daumier.*

Samedi 15 janvier 1972

Je passe ma journée à Suresnes où se tient la Convention nationale du PS consacrée aux structures. C'est la barbe ! On s'ennuie ferme et la majorité des délégués me regarde d'un mauvais œil – sans oser bouger toutefois.

Je déjeune au Petit Marguery rue La Fontaine avec Guimard et Benoîte. La bonne chère !

Après-midi à Suresnes.

Quand je viens au 36 en fin d'après-midi je suis las.

Je m'étends dans ton lit…

Mais on parle…

Nous sommes comme intimidés.

Je t'aime.

916.

Carte postale, Trois Tilleuls, *Albrecht Dürer.*

Dimanche 16 janvier 1972

Nous avons décidé de nous promener au parc de Saint-Cloud. Joie de revoir nos chères allées, nos arbres. Je te prends devant le Lutetia à 9 h 30 et pendant près de deux heures nous marchons à bonne allure. Bras dessus bras dessous.

Je te laisse pour aller à Suresnes tandis que tu visites le musée de Sèvres.

À mon assemblée des élus tout va bien. Déjeuner en commun. Discours, l'après-midi. Ça dure quand même longtemps et je n'arrive au 36 que vers 20 heures. Nous dînons. Bonne lassitude du grand air. Et c'est un bien tendre ☿ qui nous unit.

917.

Carte postale, Dijon la nuit, la gare SNCF.

Lundi 17 janvier 1972

Lever 7 heures. J'attrape de justesse le train de Dijon. Je lis *L'Express,* l'*Observateur, Le Figaro, L'Aurore, Combat. Le Figaro* m'apprend qu'un sondage me donne 41 soit un progrès de 6 points. Ainsi va le vent !

Séance à la préfecture avec le superpréfet, les préfets, les présidents des conseils généraux, les maires des chefs-lieux. On examine le plan. Je reste déjeuner avec les mêmes. On plaisante. Chamant me propose de me ramener en avion. J'accepte. On voyage avec J.-P. Soisson, l'un des poulains de Giscard, maire d'Auxerre, et le préfet de la Nièvre. J'ai un peu une impression de vacances d'arriver à Paris à cette heure imprévue.

Je signe du courrier. Et à 19 h 30 je viens au 36. Je te montre le livre envoyé par S.-John Perse. On dîne à la chandelle. Que tu es belle en bigoudis, ma belle Anne, ma grande Anne.

918.

Carte postale, Paris, église Notre-Dame-de-Lorette.

Mardi 18 janvier 1972

Bonjour, ma chérie. On se verra peu aujourd'hui. Je travaille chez moi. Je reçois un reporter de *Jeune Afrique*. Déjeuner ardu et ennuyeux. Je fais un exposé à cinq cents frères : petits commerçants, hommes d'affaires pittoresques mais sans relief. Dans les salons Vianney ! Auparavant je te fais une brève visite au 36 à 12 h 30. Tu t'apprêtes à te rendre à Versailles. L'après-midi cité Malesherbes. Gilles Martinet vient me dire qu'il adhère au PS. Intéressant mais remuant compagnon qui m'a toujours tiré des lances ! Je vois M.-Th. Eyquem. Puis je vais à Socialisme et Société rue du Louvre (j'y rencontre J.-F. Kahn).

Vingt minutes en taxi pour te conduire chez Cuzin, porte de Saint-Ouen, sont vingt minutes de joie intense. Tu es fatiguée et si tendre, si douce…

919.

Carte postale, Paris, la rue des Martyrs et le Sacré-Cœur.

Mercredi 19 janvier 1972

Je t'appelle au 36. Ta voix est un peu rêche. Je te rappelle au Louvre. On s'embrume d'amour ! Voilà notre vie !

Je reçois ce matin Pierre Weill, patron de la SOFRES, puis Thérèse de Saint Phalle qui me talonne pour mon bouquin Flammarion.

Je te rejoins sur le pont des Arts. Ô délices du passé mêlé au présent l'un et l'autre vivaces !

Je déjeune chez Pablo Neruda. Force de la pensée, finesse de la poésie. Après quoi, cité Malesherbes, « Entretien avec la presse », classique, avec télé, radio.

Secrétariat, bureau exécutif, toi au téléphone. Tu dînes avec Cuzin. Rendez-vous à 22 h 20 à l'angle Cherche-Midi. Ma merveilleuse Anne. On va trois quarts d'heure au 39 chez Régine, où se trouve déjà Bibiche.

Je t'accompagne au bas de ta porte. Je t'aime.

920.

*Carte postale, Paris, perspective des Champs-Élysées
depuis le sommet de l'Arc de triomphe.*

Jeudi 20 janvier 1972

Matinée chargée. Les dirigeants du Syndicat national des institu-teurs viennent me voir. Ils me parlent longuement. Je les écoute avec attention car je peux par leur canal modifier le rapport de forces au sein de la Fédération de l'Éducation nationale dont la direction m'est hostile (Savaryste !). Ensuite Maurice Faure qui peut être un allié utile au moment des élections. J'ai avec lui d'amicales relations.

Je déjeune avec Françoise Giroud.

À 15 h 45, rue de Fleurus, mon Anne qui va à l'Institut d'art. Pluie. Vélo. Bonjour !

Je te retrouve devant le Lutetia à 19 h 30. Tu es de mauvaise humeur. Je n'ai pu avoir de taxi et tu me reproches mon retard !

On va directement au Biarritz où nous attendent les Salzmann. On voit *Rendez-vous à Bray*. Et quel bon souper au Val d'Isère, ensuite. Nous rentrons en taxi. Ta tête sur mon épaule.

921.

Carte postale, Moulins, le Triptyque *du maître de Moulins.*

Vendredi 21 janvier 1972

Le téléphone du matin, un ciel clair, ta voix du tendre repentir ! Je reste travailler chez moi pour mettre au point ma « lettre aux militants » qui doit servir d'introduction au programme.

À midi, le coiffeur.

Je déjeune chez l'ambassadeur russe Abrassimov, qui était à Prague lors de l'entrée des troupes soviétiques en 68.

Longue, étonnante, cynique conversation (avec caviar, vodka, bli-nis, du classique quoi !).

À 5 h 45 je te récupère rue de Rennes, un peu mécontente du retard. Route coulante avec inauguration de la 1100 Spécial ! Il fait froid. Mais tu as le visage que j'aime. Nous arrivons à Moulins et dormons au Dauphin.

Vite le ☿ mais un peu de fatigue, ô mon Anne de la nuit. Je vous aime.

922.

Carte postale, Clamecy (Nièvre), les bords du Beuvron et la collégiale Saint-Martin.

Samedi 22 janvier 1972

On se réveille à 8 heures. Tu n'as pas bien dormi. On se presse. À la gare il fait froid. Sur le quai j'ai une bouffée très forte d'amour. J'aime ton museau sous cette toque de fourrure. L'autorail s'en va dans le brouillard. Je sens un poème en moi pour dire nos départs.

Je prends le thé en face, puis je file vers Decize, Clamecy.

À Clamecy, deux heures de permanence.

Déjeuner à Tannay.

Après-midi à Ch.-Chinon, je vais à l'hôpital. Je bavarde avec les Saury et je t'appelle à Clermont. J'ai besoin de ta présence, mon amour.

Dîner chez le docteur Signé, conseiller général. Cérémonieux. Bourgeoisie guindée de province mais ils ne sont pas mal et connaissent beaucoup de choses.

Je rentre à minuit et demi.

923.

Carte postale, Château-Chinon, hôtel Au Vieux Morvan.

Dimanche 23 janvier 1972

Nuit au n° 15. Réveil : le ciel est admirable. Je paresse et lis le journal au lit sans oublier une rubrique ! Au petit déjeuner mes adjoints. On examine les dossiers. Je monte à la mairie saluer les donneurs de sang.

Déjeuner à Lormes chez le pharmacien Paul Barreau, conseiller général. Et je reprends la route, blanche, suspecte. Le temps s'assombrit à mesure que j'approche de Paris. J'arrive à la réunion du CERES alors qu'elle s'achève. Je peux quand même parler aux journalistes.

Robert vient me chercher. On dîne brasserie Fernand (avec Gilbert, Maxime et un ami). À 23 h 10 : ton train arrive gare de Lyon. Bonheur de te voir. Mais tu es triste. Je te ramène au 36. Je t'aime.

924.

Carte postale, la place du Carrousel et le palais du Louvre.

Lundi 24 janvier 1972

Petit téléphone. Tu vas au Louvre. J'aurais tant désiré le croissant de la rue de Fleurus ! Je vois Dayan, Saint-Périer. Nous avons rendez-vous à 12 h 30, église Saint-Roch. Je t'y retrouve. J'apprends à admirer les formes baroques. Celles-ci sont amples, structurées. Saint-Roch a une odeur de vieille et grande histoire. Je vais ensuite déjeuner avenue de Villiers. De là je passe à la banque, je fais une visite à Badinter qui me prépare un dossier pour la commission d'enquête sur les scandales immobiliers. Cité Malesherbes. Je vois les secrétaires nationaux : Joxe, Sarre, Estier, Chevènement.

Soirée douce au 36. On travaille tous les deux. Je suis amoureux de ton cou. Très amoureux. On se sépare vers 23 heures. Avec regret !

[Trois roses.]

925.

Carte postale, boulevard Saint-Michel.

Mardi 25 janvier 1972

Quel beau ciel sur Paris, je le respire avidement. Je travaille le matin et l'après-midi à mon article pour *L'Unité*. Rousselet vient me voir. On bavarde. Il y a longtemps que nous n'avions parlé. À 12 h 30 je vais te chercher à ta banque. Nous prenons un oxtail à la Taverne de la rue du Sabot et nous nous aimons bien. Je déjeune chez moi avec Guérin et Pado, de *L'Aurore*. Je les convaincs d'une interview prochaine ! Petit tour vers 5 heures rue de Seine, rue Saint-Sulpice. L'église est chaque jour plus belle... À 20 h 15, rue Serpente, j'ai la joie de te voir. On marche boulevard Saint-Michel avec l'allégresse d'aimer. Tu dînes avec Diesel rue Monsieur-le-Prince. Moi j'écris.

Tu es A.

926.

Carte postale; Boulogne-Billancourt, ensemble Samson.

Mercredi 26 janvier 1972

Quelle âcre voix ce matin, mon Anne ! On raccroche de mauvaise humeur... Et on rappelle au Louvre où la voix soudain se fait tendre.

Vu : Georges Sarre et une journaliste autour d'un livre sur la condition de la femme.

À midi je file voir l'exposition Knoll où tu me rejoins. J'ai noté quelques meubles pour plus tard. Et j'ai aimé les merveilleux tissus, leurs couleurs.

On était heureux aussi.

Déjeuné chez Egal, un conseiller d'ambassade qui habite au Point du Jour (les immeubles de Pouillon) avec deux autres invités, Michel Rocard et J.-P. Chevènement. Retour cité Malesherbes pour le mercredi classique jusqu'à 21 heures. J'arrive au 36. Soirée paisible douce. Tu arranges un sous-verre. Tu me fais l'incomparable soupe de tomates de Louvet. Je lis dans le fauteuil bleu.

927.

Carte postale, Stockholm, la cité ancienne.

Jeudi 27 janvier 1972

Je te prends quai Voltaire. Tu es sous un porche et tu regardes en l'air. J'ai un coup d'amour à te voir si belle sous la toque roumaine. Nous allons à Orly d'où part l'avion de Stockholm. Petit repas troublé par une dispute (enfin, depuis si longtemps !) : je voulais aller aux Trois Soleils et toi au snack. Au revoir mon Nannon. L'avion s'envole. Tu rentres à Paris avec la 1100. À Stockholm je vois le soir même le Premier ministre Olof Palme. Conversation dans son bureau suivie d'un dîner dans un restaurant à la campagne. Nous sommes une douzaine. Table simple. Bougies. Bavardage après dîner dans une petite pièce chaude. On se quitte vers minuit.

J'habite à l'hôtel Reisen. Je découvre la ville que j'avais mal comprise naguère. Elle est très forte et belle. Le temps est clair. L'eau appelle au mouvement. La Baltique !

928.

Carte postale, Stockholm, hôtel de ville.

Vendredi 28 janvier 1972

Je me réveille pour t'appeler. La voix de Saint-Placide m'atteint et m'émeut. Dès 9 heures je suis mobilisé par une série de rencontres : Mme Myrdal (désarmement… et culte), le secrétaire d'État à la Défense nationale, le ministre des Affaires sociales. Au déjeuner organisé par le ministre des Affaires étrangères il y a le ministre du Plan, le président du groupe parlementaire, de hauts fonctionnaires. La neige tombe. Le soleil réussit cependant à percer : Stockholm de lumière. À 3 heures je donne une conférence de presse. Ça dure longtemps et je manque de rater mon avion.

Voyage sans histoires mais un peu traînard, avec escale à Copenhague. À Orly, Anne. Nous rentrons au 36. Où nous restons. Anne tendre, donnée, cercle enchanteur. Et ϕ⠢ suivi d'un beau sommeil.

929.

Carte postale, aéroport de Copenhague.

Vendredi 28 janvier 1972

Escale à Copenhague.

930.

Carte postale, Stockholm, hôtel de ville, à Anne Pingeot,
36 rue Saint-Placide, Paris VIe 75, France.

28 janvier 1972

Une pensée venue du Nord.

F.

931.

Carte postale, Ouroux-en-Morvan (Nièvre), la Grande Rue.

Samedi 29 janvier 1972

Nous nous dénouons. Il est 8 h 30. Je passe rue Guynemer. J'y retrouve Beutin qui me conduit à Château-Chinon. Là je déjeune avec le conseil municipal et les employés de la ville. Cérémonieux. Et à la coupe d'asti, ma première adjointe chante des airs d'opérette. L'après-midi je vais à Luzy pour une permanence. Les cinéastes Harris et de Sédouy m'y attendent. J'y reçois quelques pauvres hères sous les sunlights.

Retour à Château-Chinon. Dîner à Ouroux avec les maires de mon canton, toujours sous le regard de la caméra. Je prends place dans un fauteuil près de la cheminée où flambe du bois et deux à trois heures passent. Je réponds aux questions qu'on me pose sur trente ans d'histoire. Nous rentrons dormir avec les Saury, par une route craquante de gel. Et je dors chambre 15.

932.

Carte postale, Ouroux-en-Morvan (Nièvre), panorama.

Dimanche 30 janvier 1972

Je visite trois communes, Cervon et Anthien, près de Corbigny, Moissy-Moulinot, la plus petite de la Nièvre, avec ses 26 habitants dans le canton de Tannay. À Anthien un grand crucifix noir domine la salle des délibérations de la mairie.

J'arrive au palais de Chaillot où déjeunent les congressistes de la Gauche européenne vers 15 heures. Conférence de presse que je préside aux côtés de six représentants des pays du Marché commun.

De là je vais à Suresnes, près du Mont-Valérien. S'y tient l'Assemblée de la métallurgie du PS. Enfin je cours à Cachan, pour la fête de la fédération du PS de Val-de-Marne.

Je ne te rejoins qu'à 20 heures. Tu es allée à une exposition, puis à la messe. Tu travailles. J'aime ton visage. Nous dînons et restons un moment. Mais je suis écrasé de fatigue. Tu m'accompagnes dans le froid vif. Au revoir Anne, mon amour. Tu te retournes. Au revoir. À demain.

933.

Carte postale, Paris, la Maison de la radio et de la télévision.

Lundi 31 janvier 1972

Que j'ai sommeil ! Cette nuit j'ai sombré ! Je ne te verrai pas beaucoup aujourd'hui. À 12 h 30 je participe à une émission de France-Inter. Tu ne peux pas m'accompagner. J'y vais avec Gilbert qui ne connaissait pas les studios. On me pose des questions sur la Suède. Auparavant je reçois Roger Priouret qui veut une interview pour *L'Expansion*, et Georges Dayan. L'après-midi, cité Malesherbes. Visite d'un maire de la Nièvre qui souhaite que j'intervienne auprès de Sékou Touré en faveur d'un Français interné depuis deux ans et dont on n'a pas de nouvelles. Alain Duhamel vient me proposer un « À armes égales » pour juin ou octobre. Avec Debré peut-être.

Je vais au 36 le soir. On travaille. Moi sur mon article pour *L'Unité*. B.-L. te téléphone. Tu acceptes d'aller au ballet Béjart. Ô notre cercle si bien fermé !

934.

Carte postale, l'hôtel de Cluny vu du square Paul-Painlevé.

Mardi 1ᵉʳ février 1972

L'image de cette carte n'a aucun rapport avec mon emploi du temps de ce jour. Mais comment faire pour que notre cher hôtel de Cluny soit dans la série ? Tu n'y vas plus guère. Il faut donc intégrer ici nos souvenirs.

Je suis malade ! J'ai pris froid à Luzy, samedi, et ma tête est brûlante, par esprit de contradiction.

Je te vois à 12 h 30, à l'église Saint-Sulpice, près du combat de Jacob et de l'Ange [Delacroix]. Délice : quand tu viens vers moi la même émotion me surprend toujours.

On va prendre un Viandox au Café de la mairie, sur la place. Il fait froid. Je suis de mauvaise humeur. On se querelle un peu.

Je déjeune avec Marcelle Padovani (de l'*Observateur*) au Muniche. J'écris mon article et le termine.

Le soir je dois te retrouver mais il faut que je me couche pour stopper la grippe. Je n'aime pas ce vide entre nous.

935.

Carte postale, la basilique du Sacré-Cœur
et le funiculaire de la butte Montmartre.

Mercredi 2 février 1972

Remontons à Montmartre : de 15 à 22 heures je reste vissé à ma chaise dans la salle de délibération du Parti socialiste. De l'abus, vraiment ! Je suis un peu grippé et cela me met d'humeur triste. Le matin j'ai passé deux heures à la commission d'enquête sur les scandales immobiliers. Débat très vif. Je leur ai dit que je n'acceptais pas leur convocation et que je voyais dans leur attitude un chef-d'œuvre d'hypocrisie.

Déjeuner avec Clairette Sarrazin. J'ai toujours un vrai et grand plaisir à la voir.

Et toi ? je t'ai vue, aperçue au photomaton du boulevard Raspail et nous avons réalisé une belle photo en couleur du couple Anne-françois… Pour le reste, rien silence. Si, nous avons petit-déjeuné ensemble rue de Fleurus. Le soir tu es sortie avec B.-L.

936.

Carte postale, Paris, les Invalides, la place de la Concorde,
la basilique du Sacré-Cœur.

Jeudi 3 février 1972

Rendez-vous avec Force ouvrière ce matin. Pénible ! Ça dure des heures et pour rien.

Je déjeune avec Mauroy, Jaquet, Dayan. C'est mon aile droite. On se met d'accord… tous les huit jours. Visite l'après-midi de Le Chevallier qui avait quitté la Convention parce qu'elle avait décidé de créer le nouveau Parti socialiste. Il se rallie et adhère : c'est l'assurance d'une forte fédération « moderne » en Maine-et-Loire.

Le soir, tous deux, au 36. On dîne on s'aime ☿.

Je prends à 23 h 40 le train pour Dax. Plein de toi.

937.

Carte postale, Bordeaux, le Grand Théâtre.

C'est l'anniversaire de Gilbert… et de mon accident <u>d'il y a huit ans.</u>

Vendredi 4 février 1972

Je débarque à Dax, vers 8 h 30. Michel Destouesse est là, fidèle. Il m'emmène à Moliets. Délicieux petit déjeuner surveillé par Hélène. Ensuite, Latche. Un temps merveilleux, gris tendre et parfois un soleil qui d'un coup lave un ciel immense. Je respire avec un vrai bonheur physique.

Déjeuner à Moliets, retour à Latche et à 16 heures on part pour Bordeaux.

Je tiens là la réunion des cadres du PS de la région Aquitaine. Ça dure jusqu'au meeting qui a lieu à l'Athénée. Y sont 2 000 personnes. Chaude et bonne ambiance. On se sépare à minuit et demi, dans l'euphorie. Mes amis me gardent, pour bavarder plus d'une heure encore. Et je me couche, exténué, la voix rauque, un peu dans un état second.

938.

Carte postale, Lyon, statue équestre de Louis XIV, Frédéric Lemot.

Samedi 5 février 1972

Lever à 6 heures. Avion Bordeaux-Orly. À Paris on se voit. Joie. Je te prends rue de Rennes et tu m'accompagnes à 10 h 45 (de nouveau je m'envole !) via Orly, pour Lyon. Des amis m'attendent à Bron je déjeune avec eux chez Brunet.

À 16 heures réunion régionale de travail à Saint-Fons avec les responsables du PS. Les adversaires ne désarment pas. Il faut lutter pied à pied. Petite conférence de presse avec des journalistes particulièrement idiots.

On va, à une dizaine, boire un verre Chez Georges près de Perrache. Il est tard. Je dors à l'hôtel Terminus.

À 20 h 30 je t'appelle au 36.

J'aime ce lien.

939.

Carte postale, Fontainebleau, le palais, l'escalier en fer à cheval.

Dimanche 6 février 1972

Je quitte Lyon par le train de 8 h 10. Deux dames d'âge canonique dans mon compartiment m'entretiennent aimablement de leurs problèmes ménagers. Je lis. Je dors. Et je trouve à la gare mon Anne, rouge vêtue. Nous partons pour Chailly-en-Bière mais le restaurant de notre amie est fermé. On se pose à Fontainebleau où un peu de calme nous reçoit dans un vieil hôtel abandonné par la foule des familles du dimanche. Déjeuner rapide. Puis promenade, longue promenade. Nous nous égarons. On était fatigués. L'air nous ravit, nous guérit. On revient plus heureux d'être ensemble. Tu me fais dîner (au lit) au 36, on écoute la radio. Quelle détente ! Et tu es douce mon aimée.

Maintenant, après t'avoir appelée au téléphone, je vais dormir. Dans la rue Saint-Placide près de ma voiture tu étais toute droite, longue et belle sous la capuche bleue.

940.

Carte postale, Paris, place Denfert-Rochereau et le Lion de Belfort.

Lundi 7 février 1972

Journée sans relief ou qui l'aurait été si je n'avais fait une curieuse expérience en allant visiter le XIXe arrondissement, Denfert-Rochereau, avec arrêt dans deux bistrots et réunion pour finir. Beaucoup de monde, sous la pluie, bonne humeur, flashes, des dizaines de photographes, les radios, la télé. J'en étais très surpris. Je suis ensuite allé chez toi. On a travaillé. On a bavardé et je suis rentré assez tôt.

Le matin et l'après-midi visites et articles.

941.

Carte postale, Nudo, *Pierre Bonnard, 1930,*
Museo d'Aosti di San Paulo, Brasile.

Mardi 8 février 1972

Nous nous sommes vus à 12 h 30 et c'était merveilleux. Rendez-vous devant la statue d'Henri IV [Lemot], au pont Neuf. Balade dans la pointe de l'île. Émotion neuve, toujours neuve. J'allais ensuite déjeuner au Vert Galant, invité par Jean Daniel. J'avais rencontré le matin Mermaz puis Saint-Périer. Je suis rentré du Vert Galant avec Dayan, à pied. Après-midi consacré à mon article pour *L'Unité*. Titre

« Le malheur des autres ». Le soir nous dînons. Je travaille près de toi. Tu es maussade. Grippée. Je dicte la fin de mon article depuis le téléphone du 36. Tu trembles. Bref quand nous ☿ tu es triste. Refus. Offrande. Union. Vague à l'âme. Tendre visage tourné !

Je t'aime.

942.

Carte postale, Paris, le Panthéon.

Mercredi 9 février 1972

Ta voix maussade m'a accueilli ce matin. Ah ! ces microbes anti ! J'ai beaucoup travaillé aujourd'hui. Reçu successivement les trois dirigeants du CERES, Sarre, Chevènement, Motchane, puis Michèle Cotta, Enock, l'un des dirigeants savarystes, enfin, Campana, pour une future émission « À armes égales ».

J'ai déjeuné avec Henri Flammarion qui attend son bouquin sur l'Éducation nationale, le pauvre ! Auparavant nous avons fait une bonne promenade au Luxembourg jusqu'à la place Edmond-Rostand. Je t'aimais avec tes sourcils songeurs. Tout l'après-midi s'est déroulé cité Malesherbes. Nous avons dîné ensemble au Saint-Louis. Intime joie des lieux, de nos lieux saints.

J'ai fini ma journée à la réunion générale du PS de Paris.

943.

Carte postale, Paris, Saint-Germain-des-Prés,
peinture de B. Buffet.

Jeudi 10 février 1972

Tu n'as pas le temps de me voir dans la journée. Je te surprendrai cependant à 15 h 45 en t'attendant près de ton vélo au Louvre. Une minute de joie intense, tes yeux de lumière, ton étonnement ravi. C'est ça le salut ! Nous nous retrouvons le soir avant que j'aille au dîner rue de Babylone, des anciens de l'ENA qui ont adhéré au PS. On boit un verre à Sèvres et tu m'accompagnes sous la pluie.

Le matin : M.-Th. Eyquem, Raymond Tournoux. Déjeuner chez Robert. Cela me fait plaisir. Après-midi cité Malesherbes. Je rentre tard après dîner. J'ai écouté et vu le débat Giscard d'Estaing à propos des histoires fiscales. Tu es toujours un peu grippée. J'espère que demain tout ira bien. On en a tellement besoin.

944.

Carte postale, Châtillon (Hauts-de-Seine),
Maison des jeunes.

Vendredi 11 février 1972

On ne se verra que ce soir. Je travaille le matin chez moi jusqu'au moment où je pars pour « Les Metz », à Jouy-en-Josas pour faire une visite à Mme Léon Blum. Intéressante conversation. Souvenirs. On décide de se revoir. Je reviens par les quartiers neufs de Châtillon-sous-Bagneux. La ville gagne. Quelle victoire ?

Déjeuner avec l'équipe de *La Vie catholique*, avenue de Villiers. Long débat sur les sujets habituels. Auparavant Rosine Grange est venue me dire bonjour. L'odeur de Haute-Provence et le charme ambigu de la combe de Ragan.

Épinay, inauguration d'une école, réception à la mairie, réunion au gymnase Jean-Jaurès.

Tu m'y rejoins nous partons peu après minuit pour Pacy-sur-Eure. Enfin, le repos, la paix et toi.

945.

Carte postale, Sées (61), intérieur de l'église.

Samedi 12 février 1972

Matinée lente et l'éblouissement (tardif) du ☿. Nous déjeunons à l'Étape et allons vers Le Mont-Saint-Michel. Belle, belle route, tendre et forte. On s'arrête à l'église de Rugles, à Sées, qu'on visite. On achète des bottes à Domfront. On retrouve l'air des vacances. Il pleut. On aime. On arrive tard du coup au Mont. On a une chambre de justesse à l'hôtel Du Guesclin. Petit dîner aux huîtres et aux crêpes. Et on dort. Le vent souffle en tempête. Une bonne marche vers les hauteurs du Mont et tout autour nous a réveillé le sang, fouetté le visage. On marche l'un contre l'autre. Tu es heureuse de cette beauté.

Et quelle nuit profonde !

946.

*Carte postale, Le Mont-Saint-Michel (Manche),
église abbatiale.*

Dimanche 13 février 1972

On se lève assez tôt pour visiter l'église, les remparts, la « Merveille ». La violence du vent donne à ce moment une force évocatrice des temps où l'on criait, où l'on priait. On rentre et on décide de marcher sur la digue. Le vent est si violent, la pluie cinglante qu'au bout d'une demi-heure nous avons le visage strié, coupé, glacé. Et nous sommes trempés.

Je m'étends dans notre chambre. Je lis *Le Jardin des Finzi Contini* pendant que tu assistes à la messe conventuelle de midi. À ton retour on déjeune au Du Guesclin. Sur la route, dans la tourmente, on se sent chauds, unis. On arrive à Pacy sans s'être aperçus de la longueur du temps. On se met au travail. Moi mon article, toi ton cours de l'École du Louvre. Petit dîner, comme hier. Et de nouveau la nuit parfaite.

947.

Carte postale, Le Mont-Saint-Michel vu d'avion.

Dimanche 13 février 1972

Le Mont tel qu'on l'a vu sur la route de Pontaubault.

948.

Carte postale, Pacy-sur-Eure, hôtel-restaurant L'Étape.

~~Vendredi~~ *Lundi 14 février 1972*

Je rature et j'écris « lundi » faute d'avoir pu acheter une autre carte en partant de Pacy. Nous nous sommes réveillés en pleine paix. À 8 h 45 nous regagnons Paris. On respirait si bien ce matin. Sur Mantes déjà les fumées collaient au brouillard. Je t'ai déposée à 10 heures au Louvre, fier de mon exactitude.

Chez moi j'ai continué mon article et reçu Dayan avant de venir au 36 où nous avons ~~fait~~ partagé le plus tendre repas du monde.

Maintenant Pierre Saury est là qui vient me chercher pour la Nièvre.

Arrivé à Ch.-Chinon je promène Titus au stade et j'en profite pour respirer.

Dîner au Vieux Morvan avec quelques amis. Sympathique. Je monte au 15 assez tôt car je dois poursuivre mon article pour *L'Unité*.

949.

Carte postale, Bazoches-du-Morvan (Nièvre),
intérieur de l'église où se trouve le tombeau de Vauban.

Mardi 15 février 1972

Lever tôt, mon article. Puis visite de trois communes : Bazoches (l'église, Vauban et nous, rappelle-toi, au château), La Maison-Dieu et Metz-le-Comte. Je reste déjeuner chez des amis agriculteurs de Champagne, où j'ai habité. Et je repars pour Paris dans l'après-midi : pour terminer mon article je reste longtemps rue Guynemer et ne viens dîner au 36 que vers 9 heures. Je te trouve triste, désemparée de la rupture de climat après Le Mont-Saint-Michel.

On travaille en silence. On est bien. Je te quitte pour dicter mon article à Estier.

950.

Carte postale, Paris, avenue de l'Opéra.

Mercredi 16 février 1972

Matin chez moi. Rendez-vous avec Vivier, sénateur d'Eure-et-Loir, ma sœur Colette.

On se retrouve pour déjeuner rue du Dragon où l'on nous sert une bonne paella. On se sent proches. On n'a pas envie de se quitter. Je vais à mon anglais.

L'après-midi se déroule en conformité avec ce qu'un premier secrétaire du Parti socialiste peut attendre d'un mercredi.

Je passe te prendre rue Saint-Placide. Nous dînons avec les Soudet et Elina à La Croque au sel. On y retrouve le charme subtil de tant de nos soirées communes.

Nous nous embrassons devant la pharmacie de l'angle Cherche-Midi. Oh ! nos vertes années !

951.

Carte postale, Portrait d'Henri II, *François Clouet.*

Jeudi 17 février 1972

Nous commençons cette journée en allant à la gare d'Austerlitz pour tenter de récupérer tes chaises et fauteuils. C'est bon ce matin tranquille du Paris des petites gens. On passe un bon moment et je suis ravi de cette balade.

On se revoit le soir au métro Croix-Rouge, on se promène sous la pluie, tu me raccompagnes rue d'Assas. Tu sors avec B.-L. mais pour une fois la mauvaise conscience te rend tendre, tendre…

J'ai déjeuné avec Sarre, Chevènement, Motchane, les dirigeants du CERES, vu Roland Dumas, Saint-Périer, Hernu.

L'après-midi reçu une délégation de la CFDT conduite par Maire. Je n'aime pas ces dirigeants incertains et fumeux.

J'ai choisi cette carte en l'honneur de l'école de Fontainebleau et c'est un si beau portrait.

952.

Carte postale, l'Arc de triomphe et les Champs-Élysées illuminés.

Vendredi 18 février 1972

On fait ce matin une bonne promenade au Luxembourg. Tu vas ensuite à l'Institut et moi à la Conférence des Partis socialistes européens qui a lieu précisément au Sénat.

Je déjeune chez Wildenstein, au milieu de ses vilains tableaux. Personnage sans intérêt. L'institut est à vendre !

Anglais : séance pénible.

Cité Malesherbes l'après-midi. J'y reçois les anciens « Conventionnels » de Paris qui forment un groupe uni et actif.

Je passe te prendre rue du Cherche-Midi et nous rejoignons les Salzmann devant le Fouquet's. Cinéma L'Avenue. *Les Camisards.* Voir les Cévennes, quelle joie !

Pour le reste, assez ordinaire, souper dans un bistrot anglais rue François-Ier. On se couche tard ! Mais je te sens proche.

953.

Carte postale, Paris, le jardin du Palais-Royal.

Samedi 19 février 1972

Ce matin, comité directeur du PS. Organisation de la Convention de mars. On continue par un déjeuner avenue Trudaine.

Je t'attends au Palais-Royal. Il fait froid. On se réchauffe dès que tu arrives en marchant sous les galeries. Tu es aussi maussade que le temps mais plus imprévisible, avec éclaircies soudaines !

On achète des livres chez Stock. Visite ensuite d'une exposition autour de Van Gogh, rue de Lille [Institut néerlandais]. Je participe à une réunion de la majorité. Cela me préoccupe. Je ne désire pas m'enfermer dans une tendance.

Je te rejoins tard au 36, et fatigué. On dîne (oh ! la bonne crème anglaise sans rhum !).

Bonne soirée. Et nous dormons ensemble.

954.

Carte postale, Paris, boulevard du Montparnasse.

Dimanche 20 février 1972

Je me réveille près de toi il est 7 heures peut-être. Ton corps est lisse 🜨 dans l'harmonie. Ton sourire vainqueur ! Mais je vais parler au colloque « Socialisme, Science et Technique » et tu sors te promener avec B.-L. Déjeuner chacun de son côté. Je reste avec mes savants, assez tard. Tu es rentrée, tu couds et fais deux jolies robes.

Nous nous retrouvons devant N.-D.-des-Champs, boulevard Montparnasse. Cette église évoque les fleurs que je t'apporte parfois, la fraîcheur, une mystique de la terre. Nous rentrons, dînons, nous étendons l'un contre l'autre et vivons une merveilleuse soirée. Je te quitte pour prendre mon train à Austerlitz. Demain, les Landes.

955.

Carte postale, coucher de soleil sur une rivière.

Lundi 21 février 1972

Je débarque à Dax à 9 heures. Le brouillard léger laisse percer le soleil. Je petit-déjeune à Moliets. J'écris pour *L'Unité*. Des amis du Lot-et-Garonne, de Gironde et des Pyrénées-Atlantiques viennent partager le repas de midi. On va à Azur (foie gras, pibales, confits !). Longue conversation.

Je me promène deux heures en polo et veste de cuir. La forêt est admirable. Le soir arrive. Je suis toujours penché sur mes textes. Dîner au Pot de résine avec des socialistes des Landes. La nuit sent bon. On voit les étoiles. Je travaille encore un peu. Et je me couche vers 11 heures. *Le Figaro* a publié un sondage : Giscard 59, Chaban 47, moi 45, puis 30 et au-dessous. Petit instantané, fragile, de la vie politique.

956.

*Carte postale, Paris, l'arc de triomphe du Carrousel
et les* Trois Nymphes *de Maillol.*

Mardi 22 février 1972

L'avion de 7 heures, à Biarritz. Orly dans un brouillard épais. Paris gris. On ne se voit pas jusqu'au soir. J'écris pour *L'Unité*, pensum du mardi. Je déjeune avec Maurice Faure et Dayan, on examine la situation du Parti radical. Il pourra nous aider au bon moment.

Je ne te récupère que tard, au 36 où sont déjà Bibiche et Gédé. Oh ! les crêpes et la tarte Tatin de mon Anne. Je te trouve très jolie. Tu grognes et tu souris, mon adorable giboulée.

957.

Carte postale, Paris, le Luxembourg et ses jardins.

Mercredi 23 février 1972

Mon chéri un peu lointain. On se verra si peu aujourd'hui. J'écris toujours. Maintenant c'est la présentation des options du programme. Je reçois Fabre, député de l'Aveyron, radical hostile à JJSS, prêt à une action autonome.

À suivre de près.

Déjeuner avec des socialistes ex-conventionnels, dont Dumas. Je fais annuler mon anglais pour écrire. Mais avant le repas je t'ai aperçue mon amour. À l'Orangerie, avec balade au Luxembourg (d'où cette vilaine mais sympathique carte) et lecture de mon article pour *L'Unité*.

Ensuite je suis absorbé par les travaux du mercredi et le soir, après un rapide dîner avec Defferre et Merli (maire d'Antibes) je fais une réunion à la conférence Olivaint. Je t'y attends. Tu n'y viens pas. Je rentre à 1 heure du matin. Peut-être était-ce mieux pour toi qui n'aimes pas veiller.

958.

Carte postale, Paris, la gare Maine-Montparnasse.

Jeudi 24 février 1972

J'ai travaillé ce matin avec Benassayag – à mon livre sur l'Éducation nationale. J'avais auparavant terminé ma présentation du programme et je m'étais levé très tôt pour cela. Je manque de sommeil ! J'ai déjeuné avec l'état-major socialiste afin d'examiner ce qui se passera à la suite de la Convention de mars, notamment la négociation avec le PC.

À 13 heures j'ai participé au journal parlé de la télé pour commenter les images du jour sur le voyage de Nixon en Chine.

Après-midi, 15 h 45, porte de Fleurus, mon adorable Anne. Tu me révèles la raison de ton absence d'hier soir : tu es sortie avec B.-L. Tu es ennuyée aujourd'hui par une histoire de clef du 36.

Je vais cité Malesherbes.

On se retrouve. Marche vers chez Le Roi du couscous où nous dînons avec Gédé. Et retour de même pour Montparnasse.

959.

Carte postale, Nevers, intérieur de l'église Saint-Étienne.

Vendredi 25 février 1972

Deux rencontres. L'une tranquille heureuse, à 12 h 30, à l'exposition de Thévenet, place Dauphine. Temps diaphane. On aimerait marcher ensemble. J'achète un dessin, le château de Bazoches. Le soir, gare de Lyon, où je pars pour Nevers, tu arrives à la dernière minute, et on se sépare, interdits. Après dîner tu vas au théâtre Hébertot, voir *Capitaine Shell, Capitaine Esso*. Je donne une conférence à Nevers sur le Chili et le Bengale.

Le matin j'ai reçu Roger Priouret qui me demande une grande interview pour *L'Expansion* sur les chapitres économiques du programme. Puis Séveno, l'ancien présentateur de la télé qui souhaite être candidat aux législatives.

Déjeuner avec les animateurs de Démocratie et Université, notre relève. Tous étudiants et professeurs formés à la Convention et qui restent mon vivier pour l'encadrement du Parti socialiste.

960.

Carte postale, le Morvan, le barrage de Pannecière.

Samedi 26 février 1972

Nuit à Château-Chinon. Je flâne et continue les *Finzi Contini*. Je t'appelle aussi et nous nous donnons rendez-vous pour la nuit au Chapeau rouge à Avallon. Tu me raconteras ensuite que tu t'es arrêtée à Fontainebleau et à Joigny – que la journée n'était qu'une merveille heureuse. Moi j'inaugure une maison de retraite à Cercy-la-Tour où je prends part à un « repas gastronomique ». Je reviens à Château-Ch. où m'attendent quatre étudiants de Dijon qui enquêtent sur « le parc régional ». Ensuite, réunion de la section de Ch.-Chinon sur « le programme ».

À 18 heures départ pour Louhans. Je fais une réunion où la foule se presse. J'ai eu le temps d'avaler un poulet de Bresse ! Il est très tard quand je viens vers toi. Je suis à Avallon vers 2 heures. Fatigué mais tu es là, mon doux corps chaud.

961.

Carte postale, Auxerre (89, Yonne),
la cathédrale Saint-Étienne.

Dimanche 27 février 1972

On se réveille à Avallon dans notre chambre de mauvais goût, où l'on est bien et où l'on s'aime, avec un grand ☿ et un petit déjeuner !

On part sur une belle route par Cure et Corbigny. Visite de trois communes : Cervon, Chaumot, Flez-Cuzy. À Chaumot, rencontre à travers le temps de Jules Renard. On déjeune avec les Saury à

Auxerre, sur le quai d'Yonne. On y voit Clavreuil, notre libraire. Beau retour. Le soleil s'éclipse dans la brume, disque jaune pâli.

On monte au 36. On dort. Ah ! la fatigue heureuse ! J'écris pour *L'Unité*. Tu restes auprès de moi après un petit dîner succulent où règne l'artichaut.

Je te quitte vers 11 heures. Une Marie-Thérèse en peignoir s'évanouit à ma vue.

Bonsoir mon Anne déjà d'ailleurs, visage clos et clair.

962.

Carte postale, Paris, la tour Eiffel,
la Seine et le palais de Chaillot.

Lundi 28 février 1972

Comme Louis XVI je noterai aujourd'hui : rien. Ou presque. J'écris mon article hebdomadaire pour *L'Unité*. J'évoque Jules Renard à Chitry et Chaumot ainsi que la mort devant chez Renault de René [Pierre] Overney.

Déjeuner avec Saint-Périer.

Anglais.

Après-midi d'écriture.

Je vais au 36. Petit dîner. Conversation. Paix entre nous.

Un peu de spleen d'avoir à se séparer demain.

963.

Carte postale, Toulouse (Haute-Garonne), hôtel de Bernuy.

Mardi 29 février 1972

L'avion que j'ai pris pour Toulouse me pose dans le printemps ! Je respire à pleins poumons. Une voiture m'attend. Un professeur de médecine de Paris la conduit. Il vient chaque mois dans son pays, Gimont (Gers) où nous nous sommes arrêtés avec Martine en revenant de Sète. Il m'a montré sa maison, au-dessus de Gimont, longue ferme simple aux odeurs de poussière et de cire. Dans le jardin j'ai cueilli pour toi une violette.

Arrêt à Auch, déjeuner à Nogaro chez le maire-conseiller général, le docteur Dupuy, avec le secrétaire fédéral du PS, un « mollétiste » que je veux amadouer.

On rentre par Auch. Puis on va à Colomiers, rive gauche de Toulouse. Je rencontre les ouvriers de la SNIAS.

Réunion le soir. Nid d'intrigues à l'état-major socialiste. Bon climat à la base. Je dors à Toulouse.

964.

Carte postale, Auch, la cathédrale Sainte-Marie.

Mardi 29 février 1972

Cathédrale d'Auch.
La trace de nos pas,
De nos joies.

965.

Carte postale, aérogare de Toulouse-Blagnac.

Mercredi 1er mars 1972

Brouillard, Caravelle, Orly, schéma connu. Je lis en avion mes *Finzi Contini* qui m'accrochent vraiment beaucoup.

On m'attend déjà quand j'arrive chez moi sur le coup de 11 heures. Deux journalistes. J'ai envie de flâner. J'ai senti le printemps en Languedoc. Je t'ai appelée de l'aéroport de Toulouse. Je te vois au 36 où nous déjeunons ensemble. Je m'émeus à te voir belle de la beauté que j'aime. Leçon d'anglais. C'est dur. « I'm looking forward to… » la cité Malesherbes du mercredi…

On dîne avec les Soudet, y compris la vraie Mme Soudet [la mère de Pierre Soudet], à Sousceyrac.

Bonne soirée… et on s'embrasse dans la voiture devant le 36, comme…

966.

Carte postale, Nevers, le Palais ducal.

Jeudi 2 mars 1972

Matinée paisible.

On se retrouve à l'Orangerie et on fait une belle promenade à travers le jardin. J'aime tes couleurs et (eh oui) ta douceur attentive.

Déjeuner rapide. Je fais un saut au golf. L'air est limpide. Une giboulée troue le ciel, soudain. Je travaille cité Malesherbes.

Deuxième rendez-vous, au Jardin des Plantes. Le noble endroit on admire les bisons et on s'étonne des premières pousses du printemps. Ton bras est chaud et s'appuie sur le mien.

On va à pied à la gare de Lyon.

Mon amour.

Je lis dans le train, à Nevers réunion publique pour l'élection partielle du conseil général. Je me couche tard.

967.

Carte postale, Paris, basilique du Sacré-Cœur.

Vendredi 3 mars 1972

Lever à l'Hôtel de Diane. Train de 8 h 33.

J'arrive vers 11 heures rue Guynemer. Je suis endormi ! La fin de matinée passe doucement. Yves Luchaire m'accompagne jusqu'à Croix-Rouge et je retrouve mon Anne et les Barbot attablés chez Sainlouis. Leçon d'anglais, petits progrès d'adaptation.

Cité Malesherbes, Montmartre. Je reçois Pierre Weill, de la SOFRES, qui me parle évidemment sondages.

Traversée de Paris. Il pleut. C'est mars !

Le 36, une bonne et douce heure ensemble. Tu dînes avec B.-L. et son prêtre. Je règle mes papiers. Marie-Pierre passe. Je regarde un bout d'émission à la TV (sur l'enseignement) et… je t'écris.

968.

Carte postale, environs de Corbigny, le canal du Nivernais.

Samedi 4 mars 1972

J'ai repris le Bourbonnais ce matin. Terminé les *Finzi Contini*. Rêvé. J'aime le train. Je me souviens des longs parcours d'Angoulême à Paris. J'absorbais le paysage « coupé en deux », les yeux noyés d'images.

J'ai reçu d'abord à Nevers un maire, celui qui a restauré la petite chapelle d'Hubans que je dois te montrer. Ensuite réunion de la commission d'élus pour le regroupement des communes. Nous avons reçu le préfet qui prétendait nous fournir lui-même son « groupe de travail » !

Ça a été vite expédié.

J'ai déjeuné chez les instituteurs de Magny-Cours et fait une visite à Jacqueline Bernigaud.

L'après-midi, convention départementale du PS à Corbigny.

Fin de la journée à Château-Chinon. Dîner chez le notaire, avec le médecin. Cinquante ans en arrière : Jarnac de ma première enfance. Que de sociétés s'entrecroisent encore dans notre siècle – fin d'un temps !

969.

Carte postale, Corbigny (Nièvre), place de l'Hôtel-de-Ville.

Dimanche 5 mars 1972

C'est exactement dans cette mairie que j'ai siégé toute la journée. Et le perron que tu vois à droite est celui du docteur Berrier. Assemblée socialiste studieuse. Moins nombreuse que prévu à cause du temps. Je me suis réveillé dans un Château-Chinon plaqué sous la neige et la route était difficile. J'avais pu t'entendre au téléphone. Ta voix, vraiment je l'aime.

Lunch chez les Berrier.

Votes le soir, favorables, évidemment. À Nevers a lieu l'élection partielle au conseil général pour remplacer Jean Bernigaud. Benoist est candidat. J'attends les premiers résultats avant d'aller te rejoindre à Auxerre où j'arrive vers 9 heures. Tu es belle douce. On se retrouve bien. Je travaille un peu. Du lit tu fais mon portrait en sanguine.

L'un près de l'autre, voyage, beau voyage. Tu es mon Anne.

970.

Carte postale, environs de Corbigny (Nièvre),
Chitry-les-Mines, maison de Jules Renard.

Dimanche 5 mars 1972

Jules Renard et la maison de son enfance. Son père s'y tua d'un coup de fusil. Sa mère se jeta dans le puits. Il y écrivit beaucoup de pages de son très remarquable journal.

971.

Carte postale, Dijon (Côte-d'Or), place François-Rude,
statue du Bareuzai, *bronze de Girard.*

Lundi 6 mars 1972

De retour le matin par notre chère autoroute je repars à midi pour Dijon. Je continue mon article pour *L'Unité* dans le train, un TEE ultra-rapide.

À Dijon séance inutile pour la préparation du Plan régional. Deux ministres et moi y perdons notre temps, à faire pleurer les Français !

De nouveau le train, la pluie, la lecture.

Le Bareuzai qui est sur cette carte je l'ai regardé en allant à la gare.

Duret m'attendait à Paris. Je suis rentré pour une demi-heure. Je t'ai téléphoné (tu préparais ton cours de demain) et je me suis rendu à la Mutualité pour le meeting sur les « milices privées » à la suite de l'assassinat d'Overney.

Après le meeting station au Muniche avec Sarre, Chevènement, Guimard.

972.

Carte postale, Paris, la cathédrale Notre-Dame,
le chœur et la nef centrale.

Mardi 7 mars 1972

On se voit deux fois. D'abord rue Saint-Sulpice et rue de Seine, à midi. Cette église m'émeut de plus en plus. Tu n'y es pas pour rien. La carte choisie aujourd'hui représente N.-D. de Paris. On n'y va jamais. Mais ce serait dommage de ne pas avoir cette nef dans notre collection.

Le soir on a dîné avec Grossouvre au Muniche.

Autrement, article de *L'Unité*. Rencontre avec le maire de Roanne qui me demande un bon candidat député. Je pense à Baboulène.

Déjeuner avec Olivier Chevrillon dans mon futur quartier Maubert.

Acquisition de la rue de Bièvre : c'est vous qui vous rapprochez de N.-D. de Paris.

973.

Carte postale, Paris, vue du Palais-Royal sur la colline
de Montmartre et la basilique du Sacré-Cœur.

Mercredi 8 mars 1972

Coup de téléphone quotidien, qui manquerait à notre équilibre si nous le délaissions.

Je donne à 11 heures une conférence de presse sur les événements de Tchécoslovaquie. Nombreuses questions. Interview à la première chaîne télé.

Fureur de Marchais.

Toi au Palais-Royal à 12 h 40. Soleil. Tu es fatiguée. On marche. On s'aime.

Je déjeune avec Barillon, Laurens, Pfister, Antoine Blondin, Guimard, Dayan. J'apprends l'enlèvement par les marxistes d'un cadre de la Régie Renault. Rude histoire. Leçon d'anglais. Une petite fille, son chien, son ballon.

Après-midi au secrétariat du PS. Tard. Puis courrier.

Quand je t'appelle vers 9 heures à ton retour d'Orly où tu as dîné avec Diesel et Bibiche tu es épuisée. Moi, pas vaillant non plus. Je dois écrire aussi ma « Présentation du programme ». Je m'y mets.

974.

Carte postale, Les Peupliers, *Paul Cézanne.*

Jeudi 9 mars 1972

J'échappe à la session extraordinaire du conseil général. Trop de travail ici.

Petit déjeuner rue de Fleurus, l'une de nos plus chères habitudes. Nous organisons nos vacances de Pâques. Tu es très, très grippée. Mais si douce. Je travaille sans arrêt à ma « Présentation ». À 11 heures je reçois Paillet. On discute socialisme, bureaucratie, technostructure, sens ou plutôt non-sens de l'histoire. Déjeuner rapide avec Gilbert et Laurence. Laurence est d'accord pour Gordes. Par ce magnifique soleil, tentation du golf. J'y vais. Je joue plutôt bien. Surtout je respire. De l'air, des arbres, du vert, du ciel ! Je recommence, le soir, à bûcher mon texte. Après dîner toi et moi rue d'Assas, un petit bistrot nouveau, je t'accompagne au 36. On a besoin de se sentir unis.

Et je reste à ma table de travail au-delà de minuit.

975.

Carte postale, le palais du Luxembourg.

Vendredi 10 mars 1972

Eh bien non le Luxembourg n'était pas comme ça ce matin quand je t'ai attendue porte de Fleurus à 10 heures, à ta sortie de l'Institut d'art je crevais de froid. C'était bon quand même de te voir arriver à vélo.

Un petit bonjour. Et tout allait bien. J'avais auparavant reçu Fischoff qui sous le nom de La Foux avait été mon compagnon de voyage en 1943 entre Bristol, Gibraltar et Alger puis mon compagnon de chambre à Alger. On y avait contracté la gale !

C'est maintenant un puissant homme d'affaires dans la publicité financière.

L'après-midi, mon anglais. Une éclaircie ! Je comprends de quoi on parle !

Enfin je travaille sans relever la tête, au document que je dois présenter à la Convention de demain. À 21 heures on se retrouve rue de Vaugirard, on va rue de la Gaîté, avec le chien Titus dans nos jambes. Et je travaille encore fort tard.

976.

Carte postale, Paris, la Seine au pont Alexandre-III,
la tour Eiffel, le palais de Chaillot.

Samedi 11 mars 1972

Convention nationale de Suresnes. J'y arrive à 9 h 30 et y siège le matin. Déjeuner avec les amis les plus proches à la Cascade du bois de Boulogne. Je te rejoins au 36 pour travailler à l'énorme document que j'ai entrepris. J'écris dix pages dans l'après-midi. Mon record ! Je reste avec toi deux heures et reviens tard pour dîner.

Je rentre à Suresnes.

Commission des résolutions jusqu'à 3 h 30 !

Je suis vidé et je dors mal.

Et toi je te sens triste.

Vite, Pâques !

977.

Carte postale, Elvira, Modigliani.

Dimanche 12 mars 1972

Évidemment un congressiste de Suresnes serait surpris que la carte du jour ne représente pas une image locale : la Seine vue de haut, la statue de Jaurès, ou le dernier rang de vigne du coteau célèbre ! Mais ce Modigliani symbolise l'heure précieuse que toi seule connais et le ☿ qui nous a réunis au 36, le soir.

Je suis arrivé vidé par ma journée, le discours du matin, les rencontres multiples, l'anarchie du temps dans ce genre de cérémonie. Toi tu étais triste, de me voir si peu, de n'être pas à Suresnes, de mon prochain départ, de ta fatigue persistante. Et pourtant nous nous sommes bien retrouvés. Tu m'avais conduit le matin au congrès, tu étais allée à Versailles, nous avions déjeuné chez les Soudet, à Viroflay, avec Mermaz (très agréable déjeuner, avec le délire particulier de mars à Gordes, tu te souviens). J'aime beaucoup ton visage grave. Il m'interroge, je le sens.

978.

Carte postale, Paris, la Maison de la radio,
la Seine et la tour Eiffel.

Lundi 13 mars 1972

Je t'appelle ce matin pour entendre ta voix claire et qui s'accorde tellement bien au soleil que je vois au-dessus du Panthéon, au ciel léger pour inviter à l'allégresse.

Je commence mon article pour *L'Unité* qui sera bâclé cette fois-ci. Je suis un peu mou après ces journées. À 12 h 30, rendez-vous Croix-Rouge. Ton visage qui me ravit. J'achète (quoi ?) chez Arnys. Je vais à la Maison de la radio pour l'émission de France-Inter.

Après déjeuner petit tour à ma leçon d'anglais. Je marche sur les Champs-Élysées. En clignant les yeux devant ma liberté d'une demi-heure. Je retourne à mon article.

À 20 h 30 je te prends rue Saint-Placide. Nous dînons chez les Soudet avec Françoise Giroud et Alex Grall. Bonne soirée. Je pars demain. J'ai l'image de ton profil (gauche) que je vois de mon siège de conducteur et le poids de ta tête sur mon épaule (droite) et je t'aime.

979.

Quatorze cartes postales dans une enveloppe Assemblée nationale.
Jérusalem, vieille ville, mont des Oliviers.

Mardi 14 mars 1972

Je t'aimais à ce petit déjeuner, sous ce beau soleil du matin. Je t'ai dit au revoir le cœur tendre, je t'ai remis tes gants oubliés dans la voiture et je t'ai vue partir rue de Vaugirard sur ton vélo.

Mon avion : TWA, Boeing 727.

En première. Confort. Arrêt trop long à Rome, cause de sécurité. Arrivée en fin d'après-midi (une heure de décalage vers l'est).

Aussitôt, à l'aéroport de Tel-Aviv, conférence de presse dans un désordre extrême. On me reproche une inoffensive déclaration faite il y a quelques jours sur « le fait palestinien ». Je suis accueilli par le secrétaire général du Parti socialiste, Yeschua.

On prend la voiture et on monte vers Jérusalem. Je suis très ému, cette ville est si belle, si forte ! Cependant je suis très fatigué et à l'hôtel (merveilleux hôtel Intercontinental sur le mont des Oliviers face à la vieille ville, c'est-à-dire le Golgotha, le Mur des lamentations, les remparts turcs, la mosquée d'Omar), je me couche très tôt et je lis… *Ô Jérusalem.*

980.

Jérusalem, Via Dolorosa.

Mercredi 15 mars 1972

Golda Meir, Premier ministre, nous reçoit à 10 heures. Elle nous retient une heure et demie. Soixante-quatorze ans. Robuste. Vive. Catégorique. Elle est de la première génération des fondateurs de l'État. Visite ensuite à la Knesset, la Chambre des députés. On assiste à un petit bout de séance auparavant on est allés au Mémorial de l'Holocauste (les Juifs massacrés en Allemagne). Déjeuner à la Knesset. J'y vois le fameux Begin, chef de l'Irgoun, aujourd'hui député nationaliste qui réclame « le Grand Israël ». L'après-midi, Jérusalem, le Saint-Sépulcre, la ville arabe (avec la voie sacrée). J'aimerais m'attarder mais on me presse. Devant moi la vallée de Josaphat, le rendez-vous des ressuscités de trois religions.

981.

Jérusalem, Mur des lamentations.

Mercredi 15 mars 1972

Le spectacle du Mur est l'un des plus extraordinaires que j'aie jamais vus. Des groupes de juifs religieux, vêtus de lévites noires, coiffés du chapeau noir à large bord, psalmodient, chantent, crient, implorent l'Éternel, en se balançant de gauche à droite ou d'arrière en avant. Une foi, un fanatisme, un absolu suffocants. Je peux entrer dans les fouilles du Temple. On y distingue les fondations du premier temple et du deuxième (celui de Salomon). Si nous y allons un jour (ce que je souhaite beaucoup) tu ne pourras voir qu'un pan du mur : les femmes ne peuvent approcher.

982.

Embouchure du Jourdain et de la mer Morte.
Là, saint Jean a baptisé Jésus.

Mercredi 15 mars 1972

Après Jérusalem nous descendons vers la mer Morte. Descendre est le mot : 400 mètres au-dessous du niveau de la mer. Beauté de cette frontière du monde, grandeur. L'eau très salée (on ne peut s'y noyer !) poisse les mains. Je ramasse pour toi un caillou veiné de rose et de jaune dans l'eau. On traverse Jéricho, sur le Jourdain, légèrement au nord, et on bute sur le fameux pont Allenby qui séparait Israël de la Jordanie avant la guerre des Six-Jours (qui séparait aussi jadis la Judée et le pays de Moab).

On revient à Jérusalem par la vallée du Samaritain (le bon), à côté du mont de la Tentation. Collines dénudées, de formes nobles où j'aimerais marcher avec toi tout le jour. Après dîner rencontre chez lui avec le ministre des Affaires étrangères Abba Eban.

983.

Jérusalem, mont des Oliviers, à Anne Pingeot,
36 rue Saint-Placide, Paris VIᵉ 75, France.

15/3/1972

Ce que je vois de ma fenêtre.

F.

984.

Tel-Aviv, place Dizengoff.

Jeudi 16 mars 1972

On part tôt de Jérusalem. Il pleut. J'aime voir ce ciel. Sur la route on s'arrête. L'eau court dans le fossé pierreux. J'y trempe les mains. Revient le sens des récits bibliques. L'eau, la pureté.

On va à Tel-Aviv. Entretien avec plusieurs professeurs de l'université sur les problèmes du Proche-Orient. Puis avec Ben Aaharon, le patron de l'Histadrout, puissant syndicat ouvrier. Déjeuner invité par le MAPAM, parti de gauche de la coalition gouvernementale composé de gens des kibboutzim, absolus, intransigeants.

L'après-midi je passe à l'Ambassade. L'ambassadeur Huré me tient au courant de la conférence de presse de Pompidou et de l'annonce d'un référendum.

Balade dans les rues de Tel-Aviv. J'achète des disques. Il pleut toujours. Dîner avec le MAPAM, ou Parti socialiste du travail, celui qui gouverne. Débat. Coucher tard à l'hôtel Sharon.

985.

Kiryat Gat.

Vendredi 17 mars 1972

On se lève à 6 heures. Le vent souffle avec fureur. Je loge au neuvième étage de l'hôtel Sharon et j'entends une tempête monstrueuse. La mer est belle, noire, ourlée de blanc.

On part en hélicoptère et on se pose d'abord à Kiryat Gat (la vieille ville de Samson) partie d'un kibboutz il y a vingt-cinq ans, aujourd'hui centre important. Ensuite, Gaza, ville arabe, non assimilée où la révolte couve. Nous avançons sous la garde des mitraillettes en constant éveil.

Départ pour le canal de Suez. On fait l'essence à El-Arish, seul point d'arrêt de la côte du Sinaï.

On arrive au canal en voiture, on laisse l'hélicoptère à 30 kilomètres. Spectacle étonnant que cette frontière entre deux continents, entre deux mondes, entre deux guerres. La ville d'El-Kantara, où nous sommes, est détruite.

On regarde de l'autre côté. Les soldats égyptiens nous crient bonjour.

986.

Mont des Béatitudes et lac de Tibériade.

Vendredi 17 mars 1972

Les troupes israéliennes sont dans des fortins et casemates comme les soldats des tranchées de 14. Mais au soleil !

On revient par la même route des airs et après avoir fait le plein à Tel-Aviv on gagne la Galilée. Je suis très ému, très tenté. La Galilée qu'on dit si belle et qui nous raconte notre propre histoire spirituelle ! On y arrive de nuit. On habite à l'hôtel du kibboutz Genossan (ou Génésareth). Le lac de Tibériade est là. Je le vois, sous le ciel le plus pur qui soit, avec les constellations du Christ.

On dîne, invités par Ygal Allon, membre du kibboutz et vice-

Premier ministre, le vainqueur de la guerre d'Indépendance d'Israël en 1948. Beau type d'homme, pionnier des anciens âges et des terres et des idées modernes. Très intéressant. Je suis passé par le mont des Béatitudes « Heureux les cœurs purs ». Je pense à toi, mon Anne.

987.

Hôtel-restaurant Nof Genosar, lac de Tibériade.

Vendredi 17 mars 1972

L'hôtel de mon kibboutz. J'habite chambre 63. La Galilée, Génésareth, un grand beau ciel de nuit.

988.

Mont des Béatitudes et lac de Tibériade,
couvent de sœurs franciscaines.

Samedi 18 mars 1972

Je me promène avant le petit déjeuner au bord du lac de Génésareth. Je vois la Galilée, pareille à ce que l'imagination avait déjà construit. Une Toscane aussi découpée, de formes moins aiguës. De vastes échappées et « la mer de Galilée » immense, bleue, où des pêcheurs jettent leurs filets de barques semblables à celles de deux millénaires.

Je pars pour le Golan, hier syrien, haut plateau sur la route de Damas.

Je côtoie le mont des Béatitudes, qui tombe juste sur le flanc nord du lac. Mais j'ai pu m'arrêter à Capharnaüm (Kefar Naum, le village de Naum).

989.

*Tabgha, église de la Multiplication des miches
de pain et des poissons, mosaïque byzantine.*

Samedi 18 mars 1972 (suite 1)

À Capharnaüm existent encore des mosaïques de l'église byzantine du ive siècle. Des vestiges importants de la synagogue d'où Jésus chassa les marchands.

La maison (supposée) de Pierre qui en tout cas était pêcheur dans ce village.

990.

*La chaîne de montagnes du Golan,
le village des Druzes Majdal Shams, versant du mont Hermon.*

Samedi 18 mars 1972 (suite 2)

Le Golan surplombe la vallée du Jourdain, à l'est. On traverse le fleuve (très étroit) et on est ~~dans~~ en Syrie. Avant 1967 les Syriens pouvaient mitrailler à leur guise les kibboutzim d'en face. Immense paysage. Le Liban est à 15 kilomètres. Le Golan a été le lieu d'une des plus dures batailles des Six-Jours. Les Juifs n'ont pu déloger les Syriens qu'à la grenade et à la baïonnette. J'ai visité les fortins, les abris. La guerre est proche. On doit faire attention où on met le pied : il y a des mines magnétiques partout.

Sur la hauteur de Galilée, qui se trouve au niveau du Golan, est le kibboutz de Christophe. J'y vais et j'y suis accueilli de grand cœur. Je me balade dans les champs, j'inspecte la bergerie. On discute de leur vie communautaire. Il y a là un groupe de pionniers d'espèce rare.

991.

Vue pastorale du lac de Tibériade.

Samedi 18 mars 1972 (suite 3)

Par ces routes je reviens vers Tiberias, je longe le lac. Je tourne à l'ouest vers Nazareth, qu'on atteint en franchissant le rempart des collines. Tiberias est à 200 mètres au-dessous du niveau de la mer. Nazareth à 400 au-dessus. Les traces de Jésus tout le long du chemin. Elles invitent. Je voudrais marcher là (je le redis mais c'est lancinant) avec toi.
La route passe par Cana.
Pas loin, Naïm.

992.

Nazareth, vue partielle avec l'église de l'Annonciation.

Samedi 18 mars 1972 (suite 4)

À Nazareth le site vaut le rêve. Mais le tout petit village de Joseph et Marie est devenu une ville de 50 000 habitants. Les constructions s'étalent. L'Église vient de bâtir une église monstrueuse sur le lieu où l'on situe la maison de Marie (donc de l'Annonciation).

993.

Mont Thabor.

Samedi 18 mars 1972 (suite 5)

Je rentre de Nazareth par la vallée de Gezraël. Je vois le mont Thabor. Belle tête ronde comme le Beuvray. Mais chauve.
Un peu plus de 100 kilomètres et j'arrive vers 18 h 30 à l'hôtel Sharon (au nord de Tel-Aviv, pas loin de Césarée, au bord de la mer).
Dîner à l'ambassade de France.

994.

Nice, la Promenade des Anglais et le mont Baron.

Dimanche 19 mars 1972

Nice est la seule escale du retour qui se passe sans histoires sur un Boeing d'Air-France. Il fait beau, plus beau qu'en Israël. J'ai quitté Tel-Aviv à 9 heures. J'arrive à Orly attendu par les journalistes qui me pourchassent rue Guynemer. Je dois faire déclaration sur déclaration, première et deuxième chaînes TV.

Je t'appelle à 17 h 30. Hum ! Anne a gagné du terrain sur la voie de l'indépendance ! Cl. Estier m'attarde. Je m'impatiente. Enfin le 36.

Je te trouve très jolie pour tout dire. Je te raconte mon voyage. Tu ne me racontes rien et c'est 🜔 . Moi je suis heureux et très proche, on rentre à pied. J'adore ton pull violet, ton pantalon blanc, tes sandales jaunes, ton sac en bandoulière. J'aime être près de toi et je te le redis au téléphone.

995.

S.d. Note.

Mon Anne
Mes cent jours
avec toi

F.

En plus des quatorze cartes postales d'Israël, remise de cent autres composées depuis le 20 mars 1971.

996.

Sur une nappe en papier de bistrot.

Rue Dauphine 21 mars 72

Flamme rouge
et droite,

flèche qui vibre
au point qu'on la croit immobile
où montes-tu ?
Vois le ciel du printemps
qui ressemblerait à l'été
Si ce n'était son bleu tendre,
tendre bleu.
Une musique grecque
raconte Nafplion
Ô mon oursin
pique-moi
feu, brûle-moi
Bientôt, c'est Pâques.

F. M.

997.

S.d. Coupure de nappe de café.

L'apologiste de
l'union libre
Conférences en province
par
la Dame Patronnesse
Anne Pingeot

998.

Carte postale, Bucarest, Musée du village roumain, à Anne Pingeot,
36 rue Saint-Placide, Paris VIᵉ 75, France.

4/5/72

Sur vos pas.

F. M.

999.

Carte postale, Genève, vue aérienne.

14/5/72

De mon aéroplane, le souvenir.

F. M

1000.

Carton du conseil général de la Nièvre, le président,
à Mademoiselle Anne Pingeot,
36 rue Saint-Placide, Paris VIᵉ 75.

30 mai 1972

Mon amour, que c'est bête de ne plus s'écrire ! J'aime te le dire. J'aime t'envoyer cette carte. Je t'aime. En te téléphonant ce matin j'étais habité par une insolite allégresse. Eh bien, puisqu'il fallait dominer l'action et le temps de vivre, que ce serait bon d'essayer, d'essayer avec toi. J'ai écrit un bout d'article pour *L'Unité* où se mêlaient du coup des images de marche en forêt, applicables aussi bien à Rambouillet que dans les Landes ou du côté d'Alligny-en-Morvan. Je te sentais auprès de moi. J'en étais inspiré. Qu'il y a de belles choses à faire, à connaître. Simplement il faut en garder le goût. Je te voudrais au Père Auto. J'aimerais regarder tes yeux clairs quand ils sont habités par la joie.

Je travaille. Je reviendrai demain. Je pense à toi. J'aime vraiment beaucoup t'aimer

François

1001.

En-tête Assemblée nationale, à Anne Pingeot,
36 rue Saint-Placide, Paris VIe 75.

7 juillet 1972

Tu es ma clarté. Où la trouver sinon dans ce regard que j'aime ?
Ne te fatigue pas trop mon amour.
Je serai là demain. Chérie, ma chérie, je t'embrasse

François

1002.

En-tête Assemblée nationale, à Anne Pingeot,
36 rue Saint-Placide, Paris VIe 75.

Latche, 17 juillet 1972

Mon Anne chérie,
Le soleil, comme hier, après une matinée de brume, un petit avion
qui tournoie au-dessus des arbres, la chanson des mouches dans la
bergerie, l'odeur du bois devant moi, à gauche la station des « filles de
Jérusalem » volée [par moi] à Nabinaud et ta gouache, non ta sanguine
femme nue, sur ma table, la chouette bleu ciel de Minerve, c'est bien
l'été, l'absence, le cœur interdit, toi encore proche visage renversé,
regard dans le ciel et ton corps. Je n'aime pas ce rythme qui vient,
fait de pleins et de vides à heure fixe. Le plein tout de même m'exalte
car il ressemble aux vendredis. On part, on voit des paysages, on entre
dans des églises nouvelles, on s'émerveille, on a l'air de Saint-Benoît
dans les veines, on rentre, avec un peu de chance « Le masque et la
plume », on s'aime, on dort. Vive Saulieu, et Vézelay et Chateloy
et vive le Montrognon. Mais il y a le lundi ou le mardi matin, et ta
semaine de travail, tes soirs partagés entre l'ennui et l'envie de m'oublier, mes promenades songeuses, l'attachement des premiers jours, sa
pureté, sa violence, sa claustro, ses remords. Mon Anne de plénitude
tu es la trame de ma vie et pourtant je cours après ton image comme
si le rêve t'emportait toujours hors de portée. Je compose tes gestes, ta
descente du train gare d'Austerlitz, ton visage de juillet doré, les flics

polis, la voiture, le 36, le vélo, le Louvre et maintenant que je t'écris, le catalogue, ton petit monde qui m'est fermé, avant que tu reviennes dans le décor que je connais, où je pénètre avec la même joie, un peu de regret pour le fauteuil bleu disparu, cassé, nos déjeuners, nos objets, ton lit, ma paresse. Ô paresse !

J'ai acheté *Malevil* de Robert Merle. Pas de goût pour écrire l'article de *L'Unité*. Demain Hélène Vila de Radio Monte-Carlo vient me débusquer pour une interview.

Est venu ce matin un certain Lapeyronnie qui a travaillé pour mon grand-père Lorrain entre 1912 et 1917 ! qui se souvient très bien de ma mère jeune, qui a accompagné deux fois mon grand-père à Londres etc. (une sorte de garçon de courses, Rouletabille, qui ensuite s'est fait marin avant de prendre sa retraite à Pontonx, Landes).

J'ai dormi sur l'herbe. Collé au sol, sans prise sur les choses autre que le mur d'autrefois.

Je voudrais lire… et continuer « Kerenski c'est parti ». Lecanuet et Abelin sont allés plus vite que moi et ont écrit à Pompidou la lettre ouverte à laquelle je songeais sur les institutions ! Il faut que je pense à un autre système.

Mon amour je ne me suis pas frotté depuis hier. Je t'aime et la passion est là à fleur de peau et dans les tréfonds. Rien n'y fait. Mon chéri, mon bel oiseau de mer, mon souffle. Je t'embrasse, et comment ! Je ne suis pas près d'oublier ce feu qui court en moi et me brûle le sang depuis, depuis…

Depuis longtemps ? Non, hier après-midi, un éternel après-midi. Je suis à toi

François

1003.

En-tête Assemblée nationale, à Anne Pingeot,
36 rue Saint-Placide, Paris VIᵉ 75.

Latche, 19 juillet 1972

Mon amour,

Je peine sur mon article dont je tortille la dernière phrase avant de la dicter à Paris. Je suis assis à ma table de la bergerie depuis le début de la matinée. L'inspiration dort. Je mets, au moins, la mécanique en marche. Si Pascal a raison les idées viendront à la suite. J'ai reçu ta carte. Ton nom je l'aime. Dit, écrit. Je l'embrasse même sous sa forme brève : ☺. Hier soir je n'étais pas content de ma conversation, toi de ma voix. Sensibilités échangées, téléphone plus subtil que l'autre. J'avais trop envie de te rappeler. Par égard pour tes compagnes absentes j'ai bloqué cette envie. Heureusement le Louvre a été complice ce matin. Et j'ai dans l'oreille un peu de Saint-Benoît.

Temps couvert. Ça vaut mieux pour mes épaules que tu découvriras dimanche rose bonbon, peau grattée au soleil de la semaine dernière. Je me réveille tout juste de la fatigue accumulée depuis Pâques. Une journaliste de Monte-Carlo envoyée par Claude Estier n'a tiré de moi que le vin de la banalité. Mais je sens que le goût d'agir rapplique à hauteur du plexus. J'ai toujours le remords de t'avoir mal aimée (beaucoup, beaucoup pourtant) vendredi et samedi et même dans le train de famine de jeudi, ajouté au remords de te laisser seule à Paris.

Résultat je t'aime comme il faut, avec un rien d'angoisse qui me tracasse fort la nuit puisque la claustro reparaît. Ah ! que ce sera bon Paris en chaleur et nous derrière les volets clos ! Pensée morose dirait saint Augustin.

Je voudrais avoir ta bouche à portée de la mienne, respirer tes cheveux, baiser le creux de ta main, t'entendre, mon amour,

François

1004.

En-tête Assemblée nationale, à Anne Pingeot,
36 rue Saint-Placide, Paris VIe 75.

Latche, 20 juillet 1972

Ma chérie,

Ma main tremble un peu car elle s'est cramponnée sur le guidon du vélo que j'ai enfourché ce matin pendant 10 kilomètres. Et les muscles de mes jambes (ou certains d'entre eux, ceux qui se sont livrés à ce travail inhabituel) en font autant. L'émulation du Tour de France aidant je recommencerai demain.

À déjeuner est venu ce M. Lapeyronnie qui habite Pontonx et qui à l'âge de douze ans est entré au service de mon grand-père en 1912. Il aimait beaucoup ma mère, était à Jarnac quand je suis né, est allé à Londres avec mon grand-père qui achetait là chevaux, moutons et porcs d'élite pour sa propriété de La Treille. Il m'a raconté un tas d'histoires émouvantes. Mon grand-père enfermé dans son bureau et pleurant parce que ses deux chevaux étaient réquisitionnés pour la guerre, ou veillant au confort des ouvriers agricoles (« C'est le premier du pays qui a fait plâtrer les pièces où nous dormions et qui augmentait les salaires sans attendre le gouvernement »), s'intéressait à tout, très gentil pour tous, mais très ferme quand il avait pris une décision. Ce Lapeyronnie trouvait ma mère très douce (elle l'avait amené à la maison, où il couchait, et s'occupait de ses vêtements et de ses « galoches ») et ma tante très « officier à l'armée ». Il s'est ensuite (pendant ou plutôt à la fin de la guerre) engagé comme mousse dans la marine marchande et a bourlingué quarante ans sur toutes les mers, y compris dans l'océan Arctique sur le *Pourquoi pas ?* du docteur Charcot (des grandes expéditions polaires). Il a gardé de son passage à Jarnac un souvenir très profond. Tu imagines, ce monde des miens, il y a soixante ans ! J'ai surtout noté les détails de la vie quotidienne. Les drames (la guerre des hommes) s'inscrivant en toile de fond.

Dayan m'a envoyé un sondage du *Figaro* par la SOFRES. Le programme commun ne m'a pas fait autant de tort qu'on le dit : je passe de 40 à 44 et Marchais de 13 à 17 tandis que JJSS descend de 32 à 30. Ça vaut ce que ça vaut mais l'indication n'est pas négligeable.

Temps beau, fond de l'air frais, pas d'orage, une lumière dorée vers 5 heures. Tu vois que le microclimat joue son rôle ! Je me repose, je dors… et je singe les Poulidor ! J'avais besoin de ce répit. Mais je me réjouis déjà à la pensée de dimanche. Je suis toujours anxieux et troublé lorsque je te retrouve.

Et je t'aime tant.

Je t'appellerai ce soir. J'ai très envie de « notre paix ». Quel égoïsme, mon Anne chérie, forçat de l'État et de l'Esthétique (officielle) ! Je t'embrasse comme j'aimerais le faire – très fort

ton

F

1005.

En-tête Assemblée nationale (sans enveloppe).

31 juillet 1972

> Je t'aime.
> Merci
> d'être
> Anne

<u>F</u>

1006.

En-tête Assemblée nationale, à Anne Pingeot,
36 rue Saint-Placide, Paris VIe 75.

31 juillet 1972

[Pour une fois Latche n'est pas mentionné. Ma peine aurait-elle enfin été comprise ?]

Le ciel était nuageux, mon amour, l'avion a traversé des orages légers, j'ai lu les journaux, les hebdos, j'avais l'impression triste de quitter l'univers arrondi (angles rognés) que forment tes bras la nuit, ou plutôt le petit matin, autour de moi. Je suis resté comme ça et maintenant que je suis arrivé ton visage habite mon regard et du bout des doigts je caresse le creux de ta hanche, galet poli, frais comme la mer, pur comme la chair d'une jeune fille endormie, une Anne par exemple, au temps du rude apprentissage, du merveilleux espace, lignes horizontales, éléments confondus, Yons.

Je veux me mettre au travail. Je crois que je te ferais plaisir en écrivant mes pages quotidiennes [La Rose au poing]. T'offrir au moins cela, fleurs de chardon peut-être, qui ont griffé les mains, t'offrir tout mot, toute chose créée. Je t'aime, mon Anna Moore, roman de vie, de sang, de rêve et de silence à Saint-Benoît (il faudra y passer cet été, ô pèlerins d'un passé présent futur fort comme les colonnes du porche). Bonne journée ma tendre aimée, ma bien-aimée.

> Je suis votre
> François,
> mon Anne.

1007.

En-tête Assemblée nationale, à Anne Pingeot,
36 rue Saint-Placide, Paris VIe 75.

1er août 1972

Tu avais une toute petite voix ce matin, mon Anne. Une toute petite voix de tendresse ou de tristesse, des deux peut-être, ou simplement de confidence. Mais je l'aimais, je t'aime. Une journée a passé avec nous au réveil, ensemble, et puis un bon bout d'espace entre nous et l'imagination, la mémoire du cœur pour tout lien. Je me suis mis au travail ce matin. Deux pages écrites pour la présentation du programme commun dans l'édition actuelle. Trois pages à écrire pour le bouquin promis. Le soleil est revenu, il apparaît au bord de gros nuages passagers ou bien au milieu d'un ciel bleu immense et que l'on sent précaire. Je ne bouge pas. J'attends de créer un rythme d'écriture. Si ça va je ferai un saut au golf demain pour faire bouger le sang, du côté du cerveau surtout. Ce serait opportun. J'ai lu, dévoré *Le Meurtre de Roger Ackroyd* d'Agatha Christie. Tu sais que je n'apprécie pas les romans policiers. Celui-là est une œuvre de choix. Je m'y suis passionné et bien que couché tôt j'ai veillé au lit assez tard.

J'ai avec moi un tas de textes, articles, documents pour mon bouquin. Je voudrais vraiment avoir avancé samedi. Quand ce ne serait que pour l'honneur.

Mon Anne aimée j'ai vécu sept nuits heureuses et des soirs d'harmonie et de si bons petits déjeuners ! Mais j'aime penser avant toute chose à ton visage grave, un peu perdu, que je surprends au moment de brûler moi-même à ce feu qui va t'emporter

François

1008.

En-tête Assemblée nationale, à Anne Pingeot,
36 rue Saint-Placide, Paris VIe 75.

2 août 1972

Mon Animour,
J'écris pour la postérité et pour contenter Flammarion, ou plutôt

j'essaie d'écrire dans ce noble et double dessein, avec tant d'application que j'ai laissé passer l'heure d'une plus longue missive. Je rature la cinquième page du préambule du bouquin, indéfiniment. Il faut que je franchisse ce barrage ! Je te dirai ce soir si j'y suis parvenu. Hors cela le soleil, très doux, caresse les toits, les champs, les cimes.

Je retrouve mon côté cap Ferrat. Mais de temps à autre pour respirer je marche sur les chemins voisins. Je pense à toi, mon bel amour. Je t'aime. J'aime mon Anne et mon cœur bat plus vite.

Tu es A., ma chérie, quelle force pour moi. Je vous embrasse comme vous savez que j'aime

F

1009.

En-tête Assemblée nationale, à Anne Pingeot,
36 rue Saint-Placide, Paris VIe 75.

3 août 1972

Mon amour, hier soir j'ai travaillé jusqu'au-delà de minuit. J'ai écrit mon pensum et recommencé ce matin. Je crois que j'arriverai aux quinze pages prévues pour samedi.

Avant dîner j'ai enfourché mon vélo, pour me dégourdir. J'ai respiré les odeurs changeantes selon le voisinage des maïs, des pins, des jardins potagers, des chênes, le long de la route d'Azur, celle des environs qui compte le moins de côtes. Cela m'a fait du bien. Aujourd'hui j'irai au golf, m'essayer à nouveau. J'ai déjà rédigé une page et demie. Il est 4 heures. Un soleil chaud invite à la paresse. On entend bruire les insectes.

J'ai reçu ta lettre. Je l'ai aimée en dépit des soupçons qu'elle contient ! Merci de ne point m'avoir déjà trompé. Mais quand ce mot te parviendra en sera-t-il de même ? Le temps fuit ! Dans deux jours je serai près de toi. Je ne songe pas à me renouveler pour te plaire. Simplement garder la disponibilité d'esprit, ou l'accroître pour que « toutes choses rares et belles » [P. Valéry] soient pour nous moyen de communiquer. Pour le reste, confiance à l'amour ! Et lui, veille.

Mon conservateur chéri tu me racontes un Paris bien triste. Ne te laisse pas envahir. Il est vrai que travail (boulot) et vélo ne font pas un bonheur. Tu ne dors jamais si bien que près de moi.

Parfois je me surprends à écouter ton souffle. Rien ne m'effraye plus que la fausse accalmie… [Cocteau] Non. Mais je me passionne pour ton visage clos.

Je t'aime Anne, je t'aime et je te souhaite. Je t'embrasse, tu me manques

François

1010.

En-tête Assemblée nationale, à Anne Pingeot,
36 rue Saint-Placide, Paris VIᵉ 75.

8 août 1972

Mon amour chéri,
Le livre est ennemi de ma correspondance.

1) J'ai écrit mes trois pages. Mais il est près de 17 heures. Il ne me reste que peu de temps pour aller à la poste.
2) Je t'ai appelée à 10 heures. Comme presque toujours depuis août le Louvre n'a pas répondu.
3) J'ai dormi à poings fermés.
4) Le voyage a été assez agité. Ce matin, ici, soleil de plomb.
Maintenant l'orage arrive. La forêt plie.
5) Je me sens d'attaque pour écrire encore d'ici à ce soir.
6) Je m'émerveille de mon Anne.
7) Je t'aime de toutes mes forces.

À demain

François

1011.

En-tête Assemblée nationale, à Anne Pingeot,
36 rue Saint-Placide, Paris VIe 75.

9 août 1972

T'écrire pour si peu de mots ?
Mon amour, je vous aime.
Après tout, pourquoi pas ? c'est déjà un vaste programme.
Le livre avance. L'orage a éclaté. L'eau du ciel triomphante.
L'odeur de la terre monte. Je pense à toi. Tu es mon Anne que j'embrasse et que j'embrasse

F

12-15 août 1972, Massevaques chez les Salzmann.

1012.

En-tête Assemblée nationale, à Anne Pingeot,
36 rue Saint-Placide, Paris VIe 75.

Latche, nuit du 15 au 16 août 1972

Mon amour, mon amour,
Mon amour, mon amour,
Voilà. Je suis arrivé. Il était minuit environ. J'ai pensé à toi dans l'avion, à la gare, dans le train. Je t'ai appelée et tu étais encore et toujours mon miracle du 15 août. Neuf ans comme ça. Tu es mon Anne. Et je nous souhaite un anniversaire pareil à l'éclaboussement du premier, celui des Trois-Poteaux. Je ressentais tous mes bonheurs dans les rues du Port. Je te trouvais si belle mon amour, avec en plus l'émotion et le rêve de ta jeunesse que je sens vivre là. Je t'imagine maintenant dormant dans ta chambre rose, la chambre de la tour. Mon cœur est plein, lourd de la peine que je t'ai faite, lourd des angoisses à venir, et riche riche de toi, de ta pureté donnée, de ta

totalité. Bonsoir mon Anne mon amour chéri. Tes lèvres ont le goût des fruits que j'aime et je désire. Tes yeux me regardent comme ce matin tandis que nous allions vers l'unité. Tu m'émeus. Je m'enthousiasme, eh oui ! J'ai envie de crier. J'ai beaucoup, beaucoup de peine de t'avoir quittée.

Amour

15 heures

J'ai travaillé ce matin. Une page et demie. Pas très cohérent. Mais j'avance. Je t'aime passionnément. Ton visage, ton corps, tes mouvements, ton silence attentif me bouleversent. Ne pas t'avoir à côté de moi tapant mes notes à mesure, c'est un bonheur ôté. Il faudra recommencer. Ensemble, je suis bien.

J'ai déjeuné chez les Barbot. Soleil après la pluie. Chaleur. Je pense sans cesse à Massevaques et à la montagne violette. Je te vois dans la beauté et dans la force. Ah garder l'état de grâce !

Anne merci d'être cet amour. Je t'écrirai demain. J'ai tant à te dire. Je te bénis pour la lumière du monde. J'ai envie de tenir ta main. Bref. Je suis amoureux et amoureux de toi

François

1013.

En-tête Assemblée nationale, à Anne Pingeot,
36 rue Saint-Placide, Paris VIe 75.

Latche, 18 août 1972

Mon amour chéri,
Hier journée en demi-teinte. Travail régulier d'écriture. Ciel gris, bleu, gris. Je pensais à toi à tout instant. J'étais sur nos chemins de l'Aigoual. Je savais qu'il y avait une force. En toi, en nous, dans le monde. Je m'y appuyais.

Le soir j'ai eu cette fatigue. Système sympathique, je pense. Tension, électrocardiogramme à Bayonne, oui, fatigue. Rien de sérieux. Mais j'ai manqué le téléphone !

Ta lettre était merveilleuse ce matin. Je n'ai pu résister à la bouffée d'enthousiasme (le mot revient exprès sous ma plume). J'aime t'entendre. Ta voix me raconte ton histoire intérieure. J'entends battre ta vie. Je voudrais t'embrasser par téléphone. La science est en retard et ne peut compter sur moi.

T'abandonner ! Recommencer nos 15 août et nos Saint-Benoît avec Amélie et Baptistine ! Zut. J'aime mieux Anne. Tu as gardé tous tes prestiges. A ! tout tremble en toi comme une forêt en plein vent.

Mais la forêt a mille racines et le vent passe.

Tu es ma forêt dont j'aime chaque arbre.

Je t'écris sur les genoux ce qui n'est pas commode. J'ai déjà rédigé deux pages du livre. Ça avance. Que ta machine s'apprête à taper ce chef-d'œuvre. À demain mon amour.

Anne, Anne, vraiment tu t'appelles Anne et…

F

1014.

En-tête Assemblée nationale, à Anne Pingeot,
36 rue Saint-Placide, Paris VIe 75.

Latche, 22 août 1972

Petite Anne mon amour,

Ce sera une toute petite lettre mais je l'écris dans le climat que nous aimons. Quel beau voyage simple, dimanche, avec nous au bout du chemin. J'aime ton visage et cette force en toi, inquiète et sûre.

J'ai travaillé ce matin (deux pages) et j'ai mal à la tête. Je vais marcher un peu et aller à Soustons pour la poste. Je suis très amoureux de toi, ma merveilleuse Anne, à demain.

ton
F

1015.

En-tête Assemblée nationale, à Anne Pingeot,
36 rue Saint-Placide, Paris VIe 75.

Latche, 23 août 1972

J'aime ta lettre d'hier. Je n'ai pas aimé le téléphone. J'aime que tu m'aimes. Je n'aime pas que tu aies voulu partir avec Martine l'autre lundi. J'aime ta tendresse. Je n'aime pas tes vengeances. Si tu continues j'adhérerai au MLF.

J'ai écrit à force jusqu'à 2 heures du matin. Mal. J'ai un méchant bourdonnement dans la tête. J'ai envie de jeter la plume. Ce matin, pas un mot clair. Pénible. Il fait très beau. Respirer ! je n'y arrive pas. Où es-tu ? Je te sens moins présente. Il me faudrait du repos et c'est à Latche que je me plains d'en manquer. Anne mon amour, ne prends pas l'avantage insolent de m'avoir envoyé une lettre un jour où j'étais en grève ! Tu es insupportable. Tu me plais. Je t'embrasse aussi. J'aimerais t'embrasser.

Coup de fil de Grossouvre. Il viendra le 29. Je voudrais retrouver un esprit créateur. Aide-moi. Vive samedi, ma douce, ma méchante. J'ai également envie de vous

<u>F</u>

1016.

En-tête Assemblée nationale, à Anne Pingeot,
36 rue Saint-Placide, Paris VIe 75.

Latche, 29 août 1972

Tu es mon amour.
Je garde dans mes yeux ton visage d'hier soir.
Tu es tout amour.
La pluie en violence. Je me promenais. Trempé !
Mais je respire, me repose et m'endors.
J'ai écrit une page ce matin.
Je pense à toi et souhaite que ce petit mot

te rappelle la folle et douce et tendre et profonde passion de notre anniversaire des nuits d'amour.
Je vous embrasse

F

1017.

En-tête Assemblée nationale, à Anne Pingeot,
36 rue Saint-Placide, Paris VIe 75.

Latche, 30 août 1972

Cette nuit, mon amour, j'ai été bloc de pierre, gisant, enfoncé dans la terre du sommeil. Je vais mieux, retour des profondeurs. J'ai reçu deux dirigeants socialistes et donc peu écrit. Mais on m'a envoyé une bonne documentation que je vais pouvoir exploiter. La pluie tombe en fracas. J'aime cette force. Je pense à l'Aigoual (avec… gratitude). Je vais maintenant chez la dentiste de Capbreton. Si tu n'as pas le coup de téléphone ne t'inquiète pas : il est (provisoirement) cassé. Je vous aime, Anne. Vos sourcils qui se froncent m'attendrissent. Coup au cœur ! Et je vous imagine telle qu'à Auxerre. Je vous embrasse oh A, ma bien-aimée

F

1018.

En-tête Assemblée nationale, à Anne Pingeot,
36 rue Saint-Placide, Paris VIe 75.

Latche, 31 août 1972

Mon Anne chérie,
Après le coup de téléphone je n'ai plus envie de rien faire. Ailes coupées. Jambes coupées. Cette tension qui succède à tant d'autres et à un tel rythme me rend très triste et mélanco.
Lundi je sentais l'intensité de notre union.

Mardi c'était ta tendresse merveilleuse.

Aujourd'hui j'accuse le coup. Je ne t'ai jamais appelée au téléphone sans t'espérer le cœur battant. C'est ça le miracle de l'amour. Ce renouvellement de la grâce. Mais toi tu guettes l'accent d'une syllabe et ce que tu crois entendre vient le plus souvent de toi-même. Me voilà également coupable de mes « petits mots ». Moi j'aimais bien cette façon de signer chaque journée. Tant pis : cela ne correspond pas, je le vois, à ton schéma préfabriqué des vraies amours. Oui je suis très triste.

J'ai écrit deux pages et vais continuer. La plume lasse. Je m'occupe de l'industrie d'armement. Le soleil est doux, léger, délicieux. Des chiens jappent sur une piste d'animal inconnu (de moi). J'ai commencé un passionnant bouquin sur le Front populaire. Je regarde la nature sans bouger, je m'en pénètre et cherche à m'identifier. Les hirondelles font halte ici sur la route de leur long voyage hivernal. Elles tournent par centaines sur les pins en poussant de petits cris aigus. Des chauves-souris (six ou sept) se sont nichées sur le toit de la bergerie : leurs crottes entrent dans ma pièce. Elles passent à grands coups d'ailes qui font frissonner l'air. Pas le temps de les voir ou à peine tant elles sont rapides.

Bon voyage pour Orléans, mon Anne. Je t'embrasse mais j'ai comme un poing dans la gorge. Je t'embrasse aussi sans mais car tu es celle que j'aime

<u>François</u>

1019.

Carte postale, Copenhague, Langelinie,
statue La Petite Sirène, *Edvard Eriksen, à* Anne Pingeot,
36 rue Saint-Placide, Paris VIe 75, France.

12/9/72

Sirène
Bronze et granit

F

1020.

Carte postale, Etna, coulée lavique,
à Anne Pingeot, 36 rue Saint-Placide, Paris VIe 75, France.

24/9/72

F

1021.

Carte postale, panorama de Messine, à Anne Pingeot,
36 rue Saint-Placide, Paris VIe 75, France.

24/9/72

Retour en Sicile !

F

1022.

En-tête Assemblée nationale, à Anne Pingeot,
10 rue de l'Oratoire, Clermont-Ferrand, Puy-de-Dôme 63.

24 octobre 1972

Mon amour,
Il fait gris, tu es loin. Je travaille. Pas très bien. J'ai demandé à
Laurence d'aller au musée de Cluny. Elle m'apprend que Rosine est
à Paris. Miam-miam ! Je t'imagine dans ton cadre retrouvé et je pense
que tu vas t'y insérer. Coins d'ombres. Silence. Images apparemment
hors du temps. Ta maison est sûrement très belle dans son ocre. Je
suis amoureux de toi. Tout le matin j'ai composé et recomposé mon
chapitre « Nationalisations ». Maintenant je suis cité Malesherbes.
Pense à mon affiche. J'ai déjeuné avec les animateurs du CERES

(Chevènement, Sarre, Motchane). Je voudrais me promener à Louvet. Y dormir. Et manger des truffes. Voilà les idées que tu me donnes. Sans oublier le mont Redon. Ma chérie chérie je vous embrasse les yeux ouverts et je vous aime

F

25 octobre 1972

Mon Anne aimée, j'ai travaillé à mon article toute la journée et viens de le finir. Tu jugeras. Laurence m'a apporté tes notes de Cluny que j'emmènerai avec moi vendredi. Déjeuner avec Bergeron, leader de Force ouvrière, tellement anticommuniste et pro-Ceyrac qu'il m'a fatigué. Bonne conversation avec Gaston Defferre qui affrontera Edgar Faure à « Armes égales » avant que je l'imite, face à Giscard en décembre. Maintenant je vais me rendre à mon Bureau exécutif. C'est mon dernier jour avant... l'anniversaire [cinquante-six ans]. Tu es ma tendresse et ma grâce. L'Oratoire te sied bien. Je t'entoure de la poésie des voûtes et du jardin. Hier soir à la Mutualité j'ai revu Theodorakis qui me fera peut-être cinq manifestations du même type pour les élections. C'est un spectacle bouleversant. J'ai hâte de t'y accompagner. Tu verras l'un des plus beaux moments que puisse donner la création d'un art. Je t'aime. Je t'attends avec ce goût des rendez-vous, cette ferveur des 10 h 10 ou moins 10 de la gare de Moulins.

F

1023.

Papier bleu de Latche, à Anne Pingeot,
10 rue de l'Oratoire, Clermont-Ferrand, Puy-de-Dôme 63.

Le 30 octobre 1972

Mon amour
Je me suis levé assez tôt et avant de t'appeler j'ai fait un tour dans la clairière. Un admirable matin d'automne. La lumière traverse la brume de justesse et crée de nouvelles dimensions. Dans le lointain les chasseurs tirent sur un gibier qui, heureusement, vole haut. J'ai

marché avec le besoin d'étendre les muscles, de vivifier les poumons. On pensera plus tard ! J'ai ramassé des girolles. Et surtout respiré. Une heure a suffi pour me fatiguer. J'écris maintenant. La plume rouillée. De la patience et elle se décrassera bien d'ici ce soir ! Mon travail m'effraie. Il faudrait que je m'enferme dans le poêle de Descartes. Un mois seulement pour en finir [La Rose au poing].

Mon amour d'Anne ta voix était celle qui me fait trembler le cœur, de tendresse. J'aimerais aussi monter les pentes de Giroux et m'asseoir au jardin de Louvet. Et te regarder vivre.

Je vais à Soustons acheter les journaux pour m'exciter l'esprit. Je posterai cette petite lettre. Mon Anne songeuse, mon Anne grave, je t'adore dans ce cadre de l'Oratoire où je suis à la trace les pas de ton enfance. Je t'embrasse fort, fort. Je verrai les Destouesse et Barbot ce soir. Et je resterai à l'intérieur du cercle où tu es, où nous sommes

　　Je t'aime

François

Mercredi 8 novembre 1972, nommée au département des sculptures du Louvre dirigé par mon professeur Jacques Thirion. Je cherche un logement proche, grâce à l'argent de mon père et du premier de mes cinq plans successifs d'épargne logement !

1024.

En-tête Assemblée nationale, dans une enveloppe blanche.

27 décembre 1972

J'avais le cœur tout occupé de vous. Comme on peut se tromper sur les jours de miracle ! Je vous ai vue venir, mon Anne, et j'avais un coup de bonheur. Ô Luxembourg de nos amours, rompues, vivantes, vivantes et rompues, vivantes.

J'espère que la joie du retour, au 36, a effacé la peine du mien. Je vous embrasse quand même, Anne, avec le goût de vous qui rend amer ce beau ciel d'hiver. Oui, je vous embrasse fort

F

1973

3 janvier 1973, vous me donnez *La Rose au poing* entre deux taxis.

*6 janvier 1973. Floragramme envoyé de Vichy
par François de Grossouvre. Tulipes feu.*

1025.

Télégramme canadien à Mademoiselle Pingeot,
Hôtel Elgin, 100 rue Elgin, Ottawa, Ontario.

Canada, premier convoiement d'œuvres du musée prêtées à une exposition.

[7 février 1973]

SOUHAITS BONNE ARRIVÉE HEUREUX SÉJOUR ESPÈRE NOU-
VELLES FIDÈLES PENSÉES
FRANÇOIS

1026.

Février 1973. Télégramme, à Mademoiselle Anne Pingeot c/o
Madame Lamont Farmer, 260 West 72th St, New York.

HEUREUX AVOIR REÇU NOUVELLES AI ÉCRIT VOUS ATTENDS
AVEC IMPATIENCE TENDRESSES
FRANÇOIS

1027.

En-tête Assemblée nationale, à Anne Pingeot,
c/o Rosette Lamont Farmer, 260 West 72th St,
New York City, USA.

13 février 1973

Mon amour chéri,

Ombre vivante, passagère d'un espace lointain, tu es Anne et je t'aime. Ma vie est une veille perpétuelle ici. Je vais d'une ville à l'autre, sans répit. Hier c'était Belfort (avec Theodorakis !) et Besançon et, le mauvais temps aidant, nous ne sommes rentrés, par jet, qu'à 4 heures du matin. Je termine un article pour *Le Monde*. Je viens de déjeuner avec la presse anglo-américaine qui m'a abreuvé de questions. Je pars dans un instant pour Issoudun et Châteauroux. Demain pour Nîmes et je prépare le difficile débat qui m'opposera jeudi à Giscard d'Estaing. J'ai répondu à la conférence de presse de Pompidou devant une foule de journalistes. Bref tout continue, rouleau compresseur qui n'arrêtera que le 2 mars. Tu me manques par tous les pores de l'esprit et du corps. Mon Anne bien-aimée, ma petite et forte lumière. As-tu reçu mes télex ? Je voudrais tant que cette lettre te parvienne. M'oublies-tu ? Je le redoute. Ah ton visage sous la toque de la rue Saint-Placide !

Mais la dernière minute n'a pas été douce.

Reviens vite.

Reviens le plus tôt. Samedi je t'attends. Eh oui, Gérard ! Je vous embrasse mon amour. Mes lèvres ont le goût des vôtres et j'ai envie de paix, d'abandon, de ce plaisir qui se fait flamme douce après le grand éclat du feu.

Bonsoir, ma chérie, mon ☺

ton
<u>François</u>

1028.

En-tête Assemblée nationale, à Anne Pingeot,
36 rue Saint-Placide, Paris VIe *(sans timbre).*

~~19~~ *20 février 1973*

Mon amour chéri,
Je pense à ta fatigue avec ce détour par Bruxelles, et moi je suis tout déçu de t'avoir espérée puis manquée à Orly. J'étais venu dans la nuit avec F. de Grossouvre. À 8 heures tapantes je me trouvais devant l'arrivée des vols internationaux et nous apprenions cette stupide grève. Comme j'aurais aimé t'accueillir ! J'avais un cœur de Saint-Benoît (je l'ai toujours !). Heureusement j'ai trouvé ce matin ta deuxième lettre du Canada. Je t'aime. Je t'appellerai ce soir (je suis à Autun, Le Creusot et Chalon-sur-Saône) puis demain matin. On pourrait déjeuner ensemble ? Mon amour de retour je vous embrasse avec bonheur – et impatience

François

13-16 avril 1973, Massevaques.

1029.

Feuille blanche, à Anne Pingeot,
36 rue Saint-Placide, Paris VIe.

17/4/73

Anne chérie,
J'ai dormi dans le lit profond,
Seul,
J'ai vu, au matin, l'horizon précis des collines cévenoles,
J'ai attrapé au vol l'avion de Nîmes,
J'ai appelé plusieurs fois 92-49-98 sans réponse,
J'ai pensé à mon amour aimé,
Je te dépose tes tickets, dont un pour ta collection privée,
Je t'attends,
Je t'aime

F

1030.

Papier bleu de Latche, à Anne Pingeot,
36 rue Saint-Placide, Paris VIᵉ.

Mercredi 18 avril 1973

Que de lettres, mon amour d'Anne, que de lettres d'amour pour toi écrites sur ce papier bleu. L'été me monte à la figure avec ses touffeurs, ses nostalgies et ses crépitements. Tu es Anne. Partout il y a ici de petites fleurs, pâquerettes, myosotis, jonquilles, couleurs timides dans l'herbe encore mouillée. Le soleil et le vent caressent le dormeur : je suis resté deux heures allongé nez dans la terre. Un chien aboie. Je t'aime. Tu es ferveur et gravité. Je regarde ta sanguine, femme nue. Je pense à mon Anne de montagne, un peu sévère, secrète, avide de pureté.

Le dernier jour de Massevaques était un jour si beau.

Tu es à Paris, seule (avec le vélo quand même, et pour l'absent, son témoin Simca). Je t'imagine et je me vois à la gare de Dax vendredi.

Je vous embrasse, ma chérie. Ce bonjour vous surprendra, je l'espère demain. Abeille déjà tu seras.

Belle abeille des matins d'est sur les toits de goudron. Volets entrouverts sur le chant des oiseaux.

Visage clos qui s'éveille et voilà nos objets qui te reçoivent, amour.

Tu es A

et moi

F̲

1031.

Papier bleu de Latche, à Anne Pingeot,
Lohia, avenue du Tour-du-Lac, Hossegor *(sans timbre)*.

Le 20 avril 1973

Soyez, mon Anne, celle que le printemps reçoit. Il vous offrira ses gris, ses oiseaux frileux, ses ors et pourpres du soir, son grand souffle sur la forêt qui imite la mer. La langue de sable d'où nous regardions le ciel changer de course et de couleur sera fraîche, mouillée. C'est Pâques. Vous rêverez. Vous penserez gravement. Vous respirerez l'air comme on boit à la source. Soyez la bienvenue, mon Anne

F

1032.

Carte postale, Danemark, pont du Storstrøm,
à Anne Pingeot, 36 rue Saint-Placide, Paris VIe 75, France.

9 mai 73

Terre et eau
force et vie

F

1033.

En-tête Assemblée nationale, à Anne Pingeot,
36 rue Saint-Placide, Paris VIe 75.

Latche, 16 juillet 1973

Mon amour d'Anne,
Je ne suis pas ici depuis assez longtemps pour traverser l'opacité des choses. Mes sens sont en éveil et commencent à percevoir ce qui est le plus saisissable, le plus évident. Quand j'en arriverai au subtil, ou à la connaissance du silence, à l'odeur du vent, aux mutations de la lumière, c'est que je serai sorti de mon habit de ville pour m'intégrer à la nature.
J'entends la scie électrique couper les arbres abattus par le cyclone. Il y en a des dizaines tout autour. Immenses fûts droits déracinés ou têtes d'arbres cassés et aux deux tiers de leur hauteur. La saignée est terrible. Mais on sait déjà que trois saisons effaceront ces traces et qu'on oubliera ce coup de colère venu de l'océan.
Cette nuit j'ai mal dormi pendant les heures difficiles : un cau-

chemar me harcelait. Nous étions séparés et malheureux de l'être. Horrible impression de l'abîme et bras tendus sur les deux rives. Jeu de la vie, de la mort, de l'amour, jeu de toujours depuis que l'amour est conscience.

Je te, je vous aime, Anne. Le téléphone a été bénéfique hier soir. Ta voix sonnait juste et mon oreille en était amoureuse. J'aime penser à ton visage sérieux à tes sourcils qui marquent l'effroi, la surprise ou la joie d'un mouvement inimitable, exactement accordé en tout cas à ce que j'attends des sourcils d'une femme. Que nous sommes bêtes de nous faire mal quand le temps est si mesuré. Auvergnate, ne sois pas prodigue du temps !

Marcelle Padovani passera demain. Elle veut une interview pour *Le Nouvel Obs* au sujet de mes déclarations sur la monnaie et des remous qui s'en sont suivis. La majorité fait semblant de croire que je pense comme elle. Les communistes font semblant de croire qu'elle dit vrai. Chacun essaie ses armes à blanc. Mais je tire profit de l'exercice. Je commence à lire *Les Poneys sauvages* après avoir terminé *La Punition* de Xavière, prostituée de bon style qui raconte un épisode tragique de son passage dans un bordel assez spécial. Il a plu la nuit et tout ce matin, à flots. Raison de plus pour que le soleil colore d'or l'après-midi. Plus un nuage. Le cri d'un oiseau fend le ciel. La nuit tombée d'hier, les cerfs poussaient leur plainte d'amour lugubre. Je les ai écoutés le cœur serré. La lune était ronde, pleine, et bordait les nuées noires, noires et grondantes. La pluie sur un toit, quelle paix.

Gilbert est au golf. Je n'ai pas envie de bouger. Paresse qu'il faudra bien secouer. Lundi, mardi, mercredi, jeudi – et vendredi tu seras à Dax, ma merveille, mon amour, ma jeune fille aux sandales d'écume.

J'avais des chauves-souris l'an dernier sur ma porte. Maintenant ce sont des abeilles qui par un petit trou de rien ont installé sous le toit leur essaim. Elles bougent, travaillent sans relâche, fidèles à leur réputation. Leur musique me fait songer à l'odeur des tilleuls. Chacun sa madeleine. J'aimerais écrire pour toi. Tu m'inspires. Ah ! nos randonnées ! Recommençons c'est notre façon de faire notre miel.

Je t'embrasse mon cher chéri d'amour d'Anne. Je t'aime. Vivons ces jours. Tu vas bien me manquer. Tu es A, toute droite sur une plage avec l'océan qui meurt à tes pieds et ta nuque est un soleil qui boucle

ton <u>François</u>

En-tête Assemblée nationale,
à Monsieur François Mitterrand, Latche, 40140 Soustons.

Paris, le 16 juillet 1973

Amour,

J'ai pensé soudain cette nuit (ô le souvenir de ton odeur) que je pouvais t'écrire ! J'avais oublié ce mode de transport. Il est 7 h 30. Paris vrombit assez loin. Le ciel hésite, il fait froid. [...] Hier j'ai fini *Les Hauts-Quartiers*. Ce livre donne le dégoût de l'avarice, du rentable, de l'hypocrisie. [...]

Ce que je n'aime pas dans Hossegor c'est l'impression d'être enfermée. À Lohia c'est la route proche, le lac rond qui retourne sur lui-même, les habitants connus sur trois villas à la ronde.

À Louvet il y a l'échappée sur Redon sans traverser la route, mais une ferme modèle de l'Inra vient de bloquer le chemin de gazon qui mène de Redon haut à Redon bas.

[...] Hier rue U. je regardais par la fenêtre l'appartement qui se trouve en dessous de celui de Christiane de Rougemont : au moins quatre Espagnols y vivent... et je me plains de mon espace ?

Aujourd'hui je dois faire faire mon visa pour le Yémen du Nord. Je commence à redouter ce voyage. Cette affreusement longue séparation. Mais mes vacances l'année dernière : rester avec Grand-Mère en novembre à Clermont... J'aimais bien mes promenades, seule sur les montagnes, ~~mais~~ c'est austère. Hier par exemple, journée sans parole (enfin !!) chère Chartreuse, silence rompu par ton appel.

[...] Tu as raison se « laisser aller » est criminel. Nous avons tellement mieux à faire. J'aime que tu m'aides.

Tu es mon univers Anchois Pommier que j'embrasse de toutes mes forces

[À l'arrière de l'enveloppe, mémento :] Le nom du camarade Kerbellec.

En-tête Assemblée nationale,
« retour à l'envoyeur », à F. M.

Paris, le 16 juillet 1973

C'est le soir.

J'ai attendu 7 heures pour quitter le Louvre afin de ne pas retrouver cet appartement vide. Du coup c'est ma tête qui l'est !... et je n'ai pas très envie de m'y remettre. Aucun travail ne mérite qu'on s'y consacre... « rien de ce qui n'est Dieu ne peut remplir mon attente ». C'est beau ! Ciel glacé et pluie mais soudain un éclairage étonnant : Paris éblouissant, puis tout s'est éteint comme une lampe. Thirion m'a donné la notice du tombeau de Colbert à rédiger... qu'il signera !

C'est très intéressant le marché a été conservé et sa précision est exemplaire. J'irai demain voir ce que donne ce dépoussiérage. À 11 heures vernissage au musée Rodin ensuite je voudrais passer à Cluny puis au BHV chercher des photos. Je finirai par Saint-Eustache.

Mercredi je dois accompagner Gaborit à la douane.

Jeudi : *Lac des cygnes*... places offertes par M. Quoniam ! J'emmène Agnès (de plus en plus pro-America). Il faut aussi que je repasse à la Sainte-Chapelle pour vérifier mes hypothèses et à Saint-Denis.

Gros travail de mise au point, toute la bibliographie à refaire (on oublie toujours la page, le tome, l'éditeur).

Enfin ce monument immortel verra peut-être le jour. Je t'admire de t'attaquer au 2 décembre... c'est terrible l'histoire. Si on est réellement historien on n'écrit plus rien, car on se laisse absorber par le document. Si on écrit... on refait une histoire ou plutôt on se projette sur les données fournies par un roseau subjectif. Mais tu es un écrivain, un philosophe, un romantique classique (à la Stendhal) et tu sauras triturer la bouillie américanavaroluisnapoleone.

Pour qui ce besoin de s'affirmer ? De comprendre ? Si tout retombe dans la masse commune. Ne crois-tu pas à l'esprit ? Sinon à la chair qui avant d'être « pulvis eram », t'embrasse avec tout son amour.

Asinus

1034.

En-tête Assemblée nationale, à Anne Pingeot,
36 rue Saint-Placide, Paris VIe 75.

Latche, 17 juillet 1973

Mon amour chéri,

Je travaille depuis ce matin à l'interview pour *Le Nouvel Observateur*. Le temps est gris et mouillé. Je lis *Les Poneys sauvages*... et les journaux du jour. On a coupé des arbres avec Michel Destouesse. Ta lettre m'a fait beaucoup de bien. Ah ! tes lettres tant et vainement attendues de juillet 70.

Rappelle-toi Larressingle et Mouchan.

Je t'aime. Marcelle Padovani qui reprend l'avion tout à l'heure meurt d'angoisse à me voir m'occuper d'autre chose que de son papier ! Je pense à toi que j'aime et je t'embrasse très, très

François

En-tête Société des amis du château d'Écouen
« dont je suis membre actif !! ».

Paris le 17 juillet 73

Kleptomane fidèle [flèche en direction de l'en-tête].

Aujourd'hui c'était bien, car j'ai vu... le tombeau de Colbert, l'exposition du musée Rodin (exposition de sculpture sur « La musique et la danse » sans... Degas !), les réserves de Cluny.

Pour le moment beau fixe entre Gaborit et moi. Comme il est horriblement savant j'apprends beaucoup de choses.

Et puis surtout la journée a commencé par ta lettre. Chef-d'œuvre de l'écriture bleue. Que j'aime ces merveilles que tu n'écris que pour moi ! Quel privilège immense. J'ai envie de fleurs (d'où mon idée tenace de balcon). As-tu joué au tennis (n'oublie pas que tu veux perdre 5 kilos) (5 kilos de toi !) ? Pourquoi ne te fais-tu pas bûcheron ? Ça couperait court les ergotages des communistes sur les ralliements et ça fait des muscles magnifiques. Hélas les scies électriques sont inventées.

La plume que j'utilise est vraiment mauvaise mais c'est très difficile d'en trouver. Si tu reprenais un porte-plume tu verrais ce délice. Rien n'est plus rapide et moins fatigant. Et puis il y a ces temps suspendus de plume dans l'encrier.

Paris est plus vide que les autres années. Je ne m'en plains pas ! On se sent bien loin des plages encombrées !... jusqu'à cette limite désarmante, un certain être qui vous manque.

Déjeuner avec Marguerite Rebois revenue de vacances en... Lozère et Marie-Édith Girauld toujours aussi belle (amie des Ceyrac).

J'espère que le temps permettra à Noureev de danser. Jeudi soir grand gala. I am happy.

Et vendredi : toi, toi, toi. Tralalala. Marcher, marcher. Respirer les pots de résine, viser les arbres avec des pommes de pin, enfin... le bonheur recommencé.

18 juillet 1973. Enveloppe vide adressée
à Monsieur François Mitterrand, Latche, 40140 Soustons.

1035.

En-tête Assemblée nationale, à Anne Pingeot,
36 rue Saint-Placide, Paris VIe 75.

Latche, 18 juillet 1973

Tu es mon Anne aimée. Ces cinq mots diront demain matin au 36 de la rue Saint-Placide la pensée tendre d'un anchois.

Le soleil est revenu. Je me suis levé à... 11 heures. Je corrige par téléphone mon interview. Je me sens paresseux. Tu me retrouveras tout engourdi. Le courrier va partir. Quelques lignes et beaucoup d'amour. Oui tu es mon Anne très aimée

François

1036.

En-tête Assemblée nationale, à Anne Pingeot,
36 rue Saint-Placide, Paris VIᵉ 75.

Latche, 19 juillet 1973

Mon Anne chérie,

J'ai fait une grande marche ce matin sous le soleil : jusqu'à Messanges, sur une piste sablonneuse. Je lis maintenant les journaux avec une fatigue heureuse dans les jambes. L'après-midi est immobile et l'été commence à brûler. L'odeur de ce feu remonte des lointains de mon enfance. Je la hume. Elle sent l'épi coupé. Nous nous sommes promenés ensemble à Touvent du côté des Bouëges. La vie était à hauteur des haies : l'oiseau, les papillons, les sauterelles, tout ce petit monde, rappelle-toi, surgissait de mes années d'autrefois. Il y avait des fleurs très simples à l'étole blanche dont nous ne savions pas le nom. Tu comprenais tout de Touvent. Tu avais le même visage que ma grand-mère. Pour un peu tu aurais continué sa tapisserie sous les tilleuls.

Je mélange tout, le cœur en fête. Je t'aime incorporée à mon univers le plus secret et le plus cher.

Donc tu seras là demain soir. Moi aussi je t'attends, comme toujours, Anne de juillet. Je guetterai le froncement de tes sourcils et j'aurai ma bouffée d'émotion quand je te verrai, attentive, inquiète ou rieuse avec cette petite barre verticale qui remue en moi un monde fou de poésie. Mais peut-être aussi, tromperai-je toi pour toi. Oh plaisir changeant de t'aimer !

Non je n'ai pas ouvert encore *La Grimace*. Je le ferai samedi, finis *Les Poneys sauvages*, qui m'accrochent beaucoup. Je dors aussi sans retenue. 10 à 11 heures. Je reste le matin, de longs moments, les membres si lourds que je ne les sens plus, comme si j'étais l'un des quatre éléments ou les quatre à la fois, cosmos à moi tout seul.

Mais mon esprit voyage et te rejoint sur les routes de notre vie.

Une cigale et me voilà Maison Vincent ; un bourdon et la combe de Saint-Illide résonne comme un poteau télégraphique ; le vent et je me promène sur le causse ; un moteur et je me revois lisant *Ennemonde* à voix haute dans la vallée de Séderon.

Un cousin est venu déjeuner. C'est un Charentais dont l'accent est resté fidèle. Braconnier, il me raconte ses pêches en Saintonge. Il m'invite pour la grande marée de septembre. Cela me rappelle ~~que~~ un autre rendez-vous : Chausey, les Salzmann et nous. Que ce sera bon si les Yéménites ne te mangent pas avant, ou ne t'enferment pas dans un harem au jet d'eau perpétuel ~~et~~ où tu deviendras une horrible Nannon, grasse d'amandes et de dattes fourrées, et plus jamais ce froncement des sourcils qu'aimait tant ton amoureux occidental.

Ma chérie, je vous embrasse. Irons-nous en pèlerinage sous les pins de Seignosse ? Les bruyères fleurissent avec un peu d'avance il me semble. À demain. Je t'appellerai ce soir. Hier c'était déjà loin. Je t'aime et je suis à toi

François

Carte postale, Territoire français des Afars et des Issas.

2 août 1973

Escale à Rome sans permission de sortir de l'avion. On revivait Dubaï ! Arrivée à Djibouti à 5 heures du matin : 35 degrés ! Vent de sable. Éblouie par l'Afrique.

Notre schoene organisation : pas une place dans l'avion pour Taez avant... samedi. « Ils » ne veulent pas prendre le bateau craignant un coup de chaud ! J'enrage ! Mais ce soir nous irons quand même à la plage. Hôtel sordide sans eau à 100 francs la nuit : les trois filles dans la même chambre. Ville abandonnée. Bravo la France. Les Noirs d'ici sont d'une perfection physique étonnante.

La rose a eu grand succès. Je la respirais tout le temps. Elle est morte ce matin. Je l'ai ensevelie dans Proust. Que deviens-tu Cecchino ?

Pique-nique devant le port avec Françoise, la plus sympathique du groupe (travaille à l'Unesco secteur éducation). Si nous voulons arriver au bout sans mendier on devrait aller dormir demain soir sur la plage. Rencontres constantes avec les autres « groupes ». Bizarre, bizarre.

Immense pauvreté. Mendiants partout et c'est presque un département français ! Je trouve très drôle de revoir nos képis, les plaques des rues comme en France, mais pourquoi rien n'est fait pour « équiper » le pays ? J'ai trouvé une enveloppe (voilà mon oubli car je ne pouvais t'envoyer cette carte comme ça). Mon très très cher amour. Tu es encore à Paris. Quelle journée nous aurions passée. J'imagine le farniente d'un après-midi avec toi ! Problème du retour assez difficile. On est sur une liste d'attente et si nous ne rentrons pas avant le 31, le billet à prix réduit n'est plus valable ! Quatre étudiants français ont pris eux le bateau. Je les enviais ! On traîne de bistrot en bistrot. Dîner sous des arcades blanches avec gros ventilateurs au plafond poisson grillé et crevettes. Encore un jour entier à Djibouti. Le Yémen se fait désirer ! Vu un autre groupe encore plus fauché qui couche dans une école ! Sur les tables ! Douce moiteur – 50 degrés. Mais séduisante Afrique, quelle magie.

Vendredi, toute la matinée dans la mer Rouge qui est plus fraîche que l'air, miroitant argenté. Quelques lauriers-roses, des palmiers sur le sable. Demain départ à 5 heures pour l'aéroport. Retour de l'agence le vol Djibouti-Paris est confirmé pour le… 26 août. Arrivée à Orly à 6 heures du matin. Sinon pas de place avant le 13 septembre !! Et encore il faudra se battre car ils vendent plus de billets que de places pour le même jour ! Je suis dans la joie ! Je pourrai te revoir dans presque deux semaines et passer du Yémen au Paradis ! Je redoute de modifier tes plans de vacances mais ça me fait gagner une semaine de vacances ou presque et je terminerai mon mémoire avec acharnement. Demain le Yémen… désiré !

Je t'embrasse, je t'embrasse. Ce qui me manque c'est ta vision des choses. Je n'arrive plus à penser sans toi ! Merci pour les livres. J'ai attaqué Gengis Khan. Je t'aime.

Carte postale pas jolie et surtout autochtones beaucoup mieux. En réalité quelle race de dieux aux muscles longs à la peau de bronze. Les femmes ont un cou immense et des robes splendides qui font du vent. Leurs traits sont fins et pas du tout négroïdes.

Enveloppe par avion, Afars Issas, à Monsieur François Mitterrand,
Latche, Soustons 40 (Landes), France.
Sur une feuille de bloc déchirée.

4 août 1973

Voilà, j'ai trouvé du papier car le griffonnage d'à côté n'est guère lisible ! Donc si tout se passe bien :
  1. qu'on puisse trouver une place dans l'avion de Taez à Djibouti
  2. que l'avion de Madagascar du 26 ait encore les places qui nous sont réservées
Nous arriverons à Orly le 26 !!!! à 6 h 15 du matin.
Mais tous les imprévus sont prévisibles : du détournement à la panne etc. Et se tourneraient en drame si je savais que tu m'attendais ! Donc il fa vaut mieux que tu m'écrives au 36 une liste de numéros de tél. où je puisse te joindre puisque tu seras sans doute dans la Nièvre.
N'est-ce pas le week-end des Comices agricoles ?
Ainsi je t'appellerai dès mon arrivée sans bloquer ton emploi du temps.
Anchois je t'ai vu ! Dans la vitrine d'un libraire ! Joie de revoir ton visage à un détour du chemin ! Très très cher chéri. Promenade dans le quartier noir. Plein de chèvres aux cornes de gazelle, d'enfants gais et de jeunes femmes éblouissantes dans leurs vêtements aux tons assourdis.
Dieu est noir. C'est sûr. Malgré notre sous-emploi culturel nous ne réussissons pas à distinguer les Afars des Issas ! C'est dommage qu'on n'ait pas emporté de quoi faire mijoter nous-mêmes notre cuisine ! Ce voyage coûtera en tout 5 000 francs ! nouveaux ! Les autres sont furieux de rentrer si tôt. Moi je te jure que je ne le regrette pas !
Pour le moment nous n'avons rien à nous dire. Cela viendra peut-être dans la beauté suprême du futur.
Je finis cette lettre dehors, il est 7 heures du soir, il fait nuit. Mais une nuit poisseuse gluante. Heureusement il y a le vent de la mer.

Ils veulent acheter des appareils de photo ou plutôt des objectifs et des flashs super dynamiques. Ces marchandages ! Antoine est drôle, sympathique. Le reste ! hum eh bien je viens de manger un crabe digne de la madeleine de Proust pour le souvenir, digne de la mer Rouge pour la taille et la grosseur. Les autres : langoustes flambées au cognac. Le tout arrosé d'eau d'Évian importée.

Je finis cette lettre car nous partons dans quelques heures et les « filles » veulent dormir.

Amour chéri ne m'oubliez pas. Je vous embrasse de toutes mes forces, je vous aime d'un amour…

… éternel. Point final ! et quotidien sans point

ton ☺

Papier d'avion sans enveloppe.

16 août 1973

Mon Amour

Chaque jour je choisis une heure tranquille pour penser à toi. J'oublie ce pays éblouissant, je traverse beaucoup de mers et je te vois. J'imagine tellement ton visage, ta voix, ta chaleur. Je sais que je t'aime passionnément. Je suis bien… et puis un cahot de la Land Rover me renvoie au plafond et au Yémen. Pour Martin et Canard (et toi si tu as le temps !) je tiens un carnet de route : les aventures sont multiples. Pour le moment l'abcès de fixation c'est l'eau qui ne manque que pour se laver et pour boire ! Une nuit au milieu d'un oued transformé en torrent (et j'ai eu très peur) une autre ou presque dans un marécage. La montée à Chaara (3 500 mètres d'altitude), ville accessible seulement aux hommes, aux ânes et aux choucas, a été un grand moment. Accueillis comme des Martiens par les Yéménites nous avons passé de nombreuses soirées chez eux, nous y avons vécu un mariage presque en témoins directs. Nuits à la belle étoile ou sur les nattes posées côte à côte des maisons d'hôtes. Levés à 5 heures, couchés à 9 !

Je souffre de ne pas avoir de nouvelles de toi. Si j'osais, j'irais à l'ambassade pour avoir des journaux de France. Ô mon trésor, mon admirable anchois quelle folie de rester si longtemps sans te voir.

Voix brûlante et force de ta présence… si je pouvais retrouver tout cela… tu es tout mon bonheur.

Ton harem arabe qui a souhaité avec ferveur les 5 et 15 août.

1037.

En-tête Assemblée nationale, à Anne Pingeot,
36 rue Saint-Placide, Paris VIᵉ 75.

Latche, 22 août 1973

Qui es-tu, Anne de retour, parmi tant d'objets et de signes qui portent notre marque dans ce 36 retrouvé ? Qui es-tu Anne mon amour ?

À tout hasard, pour le cas où, tu trouveras ma lettre dimanche. Je serai ce jour-là à Château-Chinon. Tu pourras m'y appeler le matin jusqu'à 13 heures. Après, c'est moi qui te demanderai. J'aimerais tant te revoir, ma chérie brûlée d'un soleil lointain. Tu seras lourde, riche d'images, de sensations que nous n'avons pas partagées. Anne autonome, Anne étrangère. Tu auras peut-être un accent. Tu ne fronceras peut-être plus tes sourcils de la façon qui me fait fondre. Tu seras peut-être une autre Anne, toute pareille pour qui ne sait pas te voir. Un mois à se raconter depuis ce visage perdu sous chapeau bleu d'Orly. J'ai cru en retrouver très exactement la couleur dans une petite photo de toi, à la fenêtre de Florence, que j'ai posée chaque soir, chaque nuit près de moi. J'ai essayé de rencontrer ta pensée, bien souvent, mais une pensée sans corps, ni paysage, est aussi difficile à attraper que l'oiseau et le sel. Il y a bien eu le 5, le 9, le 15 août et leurs signes sensibles qui rendaient nos rendez-vous spirituels plus commodes. As-tu pensé aux Trois-Poteaux ? Ô jeune fille fixée sur fond de vie, soleil, péplum, sandales et le beau visage que j'aime.

Mon Anne si tu ne viens pas dimanche appelle-moi à Latche (169, Vieux-Boucau) dès lundi après-midi. Je t'attends comme tu le devines si tu m'aimes.

Je n'ose songer au goût de tes lèvres. Tu es mon cher amour

François

Carte de visite blanche : « Pour A. et F. de la part de M. et C. »

1038.

Carte postale, La Couvertoirade, le miroir des lavognes,
à Anne Pingeot, 36 rue Saint-Placide, Paris VI⁰ 75.

24 août 1973

Parti hier matin pour Château-Chinon j'ai fait halte, avec F. de G., chez Manceron, à Saint-Privat, visité le sud du Larzac et préparé notre future balade à La Couvertoirade et dans le sud des Cévennes. Le soir on a dîné à Monoblet près d'Anduze et maintenant on passe à Gordes où nous attend Laurence.

J'ai eu cette nuit le rêve classique d'une Anne retrouvée, perdue, présente, inaccessible. Je suis tout entier dans le monde qui est le nôtre, oh A...

F

1039.

Carte postale, Gordes, noir et blanc, à Anne Pingeot, 36 rue Saint-Placide, Paris VIᵉ 75.

Le 25 août 1973

Vu les Cévennes, Beaucaire, Cavaillon, Gordes. Un bel orage a noyé le Luberon. Mais notre champ sentait bon la menthe et le thym.

Tu étais là. Dernier arrêt à Vernon avant le stage de l'Ardèche. Je jette cette carte au Puy. Te souviens-tu du mariage de Dominique ?

J'y ai beaucoup pensé. À toi

F

1040.

En-tête Assemblée nationale, à Anne Pingeot, 36 rue Saint-Placide, Paris VIᵉ 75.

Latche, 28 août 1973

Ma chérie Anne,

Quel éblouissement, tu le sais, ce retour, cette soirée, cette nuit.

« Immense fut la nuit, immense notre veille... » [Saint-John Perse]. Je t'envoie ce petit mot simplement pour vous dire, ma jeune fille au collier d'ambre, que je vous aime. Ici j'ai dormi et je rêve éveillé. Le ciel est d'un bleu pur traversé de noir, par vagues venues de l'océan.

Je suis heureux de vous aimer. Vous avez le plus beau sourire quand le mystère vous saisit. Qui prendra jamais cette photo, un reflet du divin ? Je ne peux tout de même demander ce service à ton ange gardien. Maintenant je vais à la poste et je t'embrasse et je t'embrasse comme je t'aime, Anne, mon Anne

François

1041.

En-tête Assemblée nationale, à Anne Pingeot,
36 rue Saint-Placide, Paris VIe 75.

Latche, 29 août 1973

Mon Anne amour,
J'aime t'écrire ces bouts de lettre. Le courrier partira dans une demi-heure de Soustons. Il est donc près de 5 heures. L'ombre s'allonge vers l'est et la lumière vire au miel. Les sons s'assourdissent à mesure que monte le soir. Je termine la conversation d'après déjeuner. Hier c'était avec Motchane, Chevènement et Sarre, les « trois » du CERES, aujourd'hui avec Laborde, *nouveau député d'Auch*, et quelques responsables des Pyrénées-Atlantiques dont Viala, l'ami des Soudet. Commencé ma paix. Mais ce matin j'ai fait huit trous de golf et j'ai détendu mon corps par une marche rapide derrière une balle rendue capricieuse par mes fantaisies.
Je lirai les opuscules transmis par un instituteur érudit de Soustons sur les dunes, l'Adour, Vieux-Boucau et le reste. Et j'aimerai penser à toi, retrouvée, mon beau, mon tendre visage de dimanche. Je vous embrasse chérie Anne. À ce soir. Je me sens si bien près de vous, à vous

F

1042.

En-tête Assemblée nationale, à Anne Pingeot,
36 rue Saint-Placide, Paris VIe 75.

Latche, 31 août 1973

Voilà bien mon amour une lettre inutile puisque j'arriverai avant elle ou du moins dans la même foulée. Lettre forcée, naturellement, comme les autres, dictée par le sentiment du devoir qui est chez moi irrépressible. C'est mon dernier jour d'ici, ou plutôt de vacances. Plus doré que nature, en avance de peu sur l'anniversaire pourpre du 9 septembre, il s'est fait miel. Je n'ai pas bougé. Peut-être irai-je en fin d'après-midi du côté de Lohia. J'aimerais respirer l'odeur de ta chambre et saluer l'oiseau-jumeau de la réconciliation.

Partout où est ta trace je me sens heureux de l'aimer. Pour Massevaques j'en ai très envie. Nous y serions très heureux, c'est sûr, et quelle beauté en perspective. Mais quand. Le 15 (samedi) je dois être à Nevers. Le 15 au soir je puis partir pour la Lozère où nous serions dans la nuit. On y resterait le 16 et le 17... qu'en penses-tu ? Tu devrais m'y précéder, dès le vendredi soir ou samedi matin. Mais le voudras-tu ?

Je t'aime, Anne. Ton petit ton de cérémonie m'amuse, s'il ne dure pas. Au Yémen je vois que tu as appris la liberté. Je vous embrasse et j'ai envie de vous, eh oui ! Et plus encore de vivre avec toi des heures de plénitude, les plus belles, celles qui viennent à nous pour un ciel, un chêne, un clocher, un chemin

<u>François</u>

15-18 septembre 1973, Massevaques.

1043.

En-tête Assemblée nationale, à Anne Pingeot,
36 rue Saint-Placide, Paris VIᵉ 75.

Latche, 27 septembre 1973

Mon amour, je quitte à l'instant la télé où s'est longuement étalé Georges Pompidou. Ce matin j'ai marché deux heures dans la forêt ensoleillée par un chemin jusqu'ici inconnu de moi. Une lumière douce dore les sous-bois. Je lis les poèmes de Pablo Neruda. Un rouge-gorge me regarde du toit de la maison. Michel Destouesse m'attend pour me conduire à la poste. Il est près de 17 h 30. J'ai aimé te suivre ce matin et te parler. Je suis amoureux de toi ce qui veut dire qu'il y a toujours en moi ce mouvement intérieur qui change de noms :

désir, angoisse, regret, espoir, colère, jalousie, curiosité, envie de vivre, harmonie tendue à l'extrême, orgue, violon, chant profond…

Et je t'embrasse tout cela mêlé comme je t'aime

François

Feuille blanche, à Monsieur François Mitterrand,
Latche, 40140 Soustons.

27 IX 73

Tu sais que tu es le Trésor des Trésors ! Tes coups de fil du matin me rappellent le retour de… la première nuit (= celle de Nevers) et l'arrêt au long de la route pour acheter des bouquets de jonquilles à tous les carrefours !

J'aime toutes tes folies, toutes celles qui arrachent d'un gluant quotidien.

Avec toi, on ne se laisserait pas faire par ce qu'on ose appeler « la vie ».

Ô mon créateur de joie,

Je vous aime.

A.

1044.

En-tête Assemblée nationale, à Anne Pingeot,
36 rue Saint-Placide, Paris VIᵉ 75.

Latche, 28 septembre 1973

Mon Anne chérie, j'écris ton nom Anne parce qu'il me manque. Je ne l'entends ni ne le prononce et je l'aime. Je t'aime aussi. Je suis tout triste, abattu : l'appel a confirmé le jugement enlevant ses enfants à Isabelle de G. J'éprouve une profonde révolte. Ce matin j'en avais les jambes coupées. Maintenant je pense aux moyens de lutte. Le temps est fait d'une splendeur fragile. La beauté qu'on sent menacée brise le cœur. Je n'ai pas bougé de la journée. Je lis *Louis Napoléon à la conquête du pouvoir*. Je dois m'attaquer à mon livre. Les mouches bourdonnent. Je les entends cogner la vitre de la baie. Enfant elles évoquaient pour moi l'immuabilité des choses. Une saison remplie de bruit d'ailes a un air d'éternité. Je te retrouverai dimanche soir. Attends-moi au 36. Peut-être arriverai-je de Bordeaux. J'ai besoin de toi vivante et de toi endormie. Quand tu te lèves le matin je te regarde à travers mes paupières : la grâce de ton corps m'émeut. Et si l'on donne en cet instant la revue de la presse ~~on~~ j'approche du bonheur ! Mon Anne.

Je vais écrire aux G. J'ai un coin douloureux au plexus. Je vous embrasse ma bien-aimée, j'aime le creux de votre épaule

<u>François</u>

1045.

Carte postale, La Fête de mai, *Zuzana Chalupova,*
à Anne Pingeot, 36 rue Saint-Placide, Paris VIᵉ 75, France.

23/11/73

De Belgrade

F

1974

1046.

Carte postale, Égypte, Gizeh, vue aérienne des Pyramides,
à Anne Pingeot, 36 rue Saint-Placide, Paris VIe 75, France.

29/1/74

Le temps et l'espace

F̲

1047.

Carte postale, Égypte, temple de Philae, à Anne Pingeot,
36 rue Saint-Placide, Paris VIe 75, France.

31/1/74

Une journée à Assouan

F̲

Jeudi 28 février 1974 : déménagement du 36 rue Saint-Placide au 40 rue U.
avec l'aide de Choupi, de ses copains et même de tante Yvonne.
Monique Dagnaud catalyseur : avoir un enfant en même temps, elle avec mon frère

Bibiche et moi avec vous. Leur projet n'eut pas de suite, mais il m'a donné le courage d'oser.

J'avais un métier (indépendance financière), un appartement (grenier sous les toits). Vingt-quatre jours après l'installation rue U. et dix jours avant la mort de Georges Pompidou le 2 avril 1974, il fut réalisé sur la *Symphonie du Nouveau Monde* de Dvořák.

1048.

En-tête Assemblée nationale, à Anne Pingeot, 40 rue U.,
Paris VIe 75 *(première lettre adressée rue U.).*

27 *mars 1974*

Mon amour chéri,

Ta petite voix de ce matin m'a touché au cœur. J'ai essayé de l'attraper à nouveau mais le téléphone, cruel, ne me l'a rendue qu'à moitié. Ne te sens pas si seule que me le disaient tes mots de cet après-midi. Je pense à toi et j'aime ton visage de giboulées. J'y vois passer toutes les lumières de saison, pluie et soleil alternés. Ne sois pas non plus à la merci de tes mathématiques compliquées.

Il ne nous faudra pas dépenser beaucoup de patience avant d'être étonnés de n'en avoir plus besoin.

Je t'écris ce bout de lettre entre deux pages de mon article pour *L'Unité.* Je suis pour l'instant égaré entre Kissinger et Jobert. Tu vas me faire perdre mes dernières chances de retrouver une piste ! D'autant plus que dix lignes écrites sont aussitôt téléphonées à Marie-Claire Papegay, expédiées comme des pépites d'uranium, qui brûlent les mains ! Je n'avance pas vite, manque de goût, tête au repos, idées bues par les choses du lent printemps, à peine sorti des profondeurs. Je vous aime mon Anne.

Je vous embrasse. Je vous espère, eh oui !

Tu es ma merveilleuse fille et moi je suis ton F.

Zut, une tache – qui n'est pas symbolique !

1049.

En-tête Assemblée nationale, à Anne Pingeot,
40 rue U., Paris VI⁰ 75.

28 mars 1974

Anne chérie,

Je t'écris de chez les Destouesse. Cela sent la cire. Le soleil passe en biais par les fenêtres. Un peu de poussière joue dedans. J'entends les oiseaux. Nous avons Michel et moi couru les chemins de sable, longé le courant d'Huchet, dans le silence des arbres et des poissons. Les ajoncs sont fleuris. Jaune d'or comme au temps de nos promenades… pascales. On a roulé un peu au hasard, pour voir des maisons et des clairières. Il est 16 h 45. Je poserai ma lettre au retour à la poste de Vieux-Boucau.

Si tu viens dans quinze jours nous ferons de belles balades. L'air est eau fraîche. On y boit. Je ferai un peu de bicyclette avant la nuit. Pour me dérouiller les muscles. Et respirer, respirer. J'avance dans *Joseph le nourricier* de Thomas Mann, dernier des quatre volumes de *Joseph et ses frères.*

Je pense à demain soir, à toi, à notre voyage du lendemain, aux odeurs qui nous attendent. T'écrire il y a beau temps que j'en avais perdu l'habitude. Je voudrais t'embrasser à petites lapées. Tu es mon oiseau chaud et doux de la nuit.

Je t'aime

François

1050.

Coupure de papier.

2 avril 1974

Suis passé vers 21 h 15.
Dois préparer intervention.
Viens à la Lanterne à 12 h 30.
Sinon j'appellerai 14 h 30 au bureau.

F

Dimanche 5 mai 1974, premier tour de l'élection : 43,5 %.
Mardi 7 mai 1974, visite avec Victor Beyer de l'appartement de Marie Dormoy qui avait légué des petits bronzes de Maillol au musée de Strasbourg : appartement dévasté, photos jetées à terre. Personne pour recueillir sa vie. Voilà le sort de ceux qui n'ont pas de descendance – pensai-je à tort.
Dimanche 19 mai 1974, second tour de la présidentielle : 49,19 %, il vous manquait 425 000 voix. Vous ne montrez ni émotion, ni regret.

1051.

Carte postale, Porto, quartier typique, à Anne Pingeot,
40 rue U., Paris VIe 75, France.

3/7/74

Pour toi

FM

1052.

En-tête Assemblée nationale, à Anne Pingeot,
40 rue U., Paris VIe 75.

Latche, 16 juillet 1974

Mon Anne chérie,
Je dors tout le temps. La torpeur m'a envahi, gagné. Bouger une jambe, un bras m'est effort. La plume au bout de mes doigts pèse 100 kilos. Mais j'ai tellement envie que tu saches, lettre en main, que je t'aime. J'ai appelé le Louvre : on m'a répondu trente minutes d'attente. Zut. Je pense à toi. Je vois ton visage, ta bouche et suis amoureux de leur dessin. Tu es A., pardonne au sac de plomb que je suis devenu. Savoir que tu existes, la joie est là. Je t'embrasse très tendrement. Vive Gordes. Je t'aime

F

1053.

Papier carré, à Anne Pingeot, 40 rue U., Paris VIᵉ 75.

Le 18 juillet 1974

Mon amour chéri,
Je suis à Moliets. Les Destouesse discutent d'*Emmanuelle*. Je conseille
à Michel d'aller s'informer sur place. Hélène proteste et menace. Le
soleil éclaire la vigne que j'aperçois à travers les vitres de la fenêtre. Je
t'écris d'ici de peur de rater le courrier. Je t'aime. J'aimais aussi ta voix
au téléphone, à midi. Je ne bouge guère. Je récupère. Les promenades
se feront au Luberon. Ce mot sera dans ta boîte du 40 comme un petit
signe d'amour. Quand tu le trouveras je serai près de toi.
Je vous embrasse mon Anne très très fort

F̲

1054.

Télégramme, à Anne Pingeot,
40 rue U., Paris VIᵉ.

[29 juillet 1974]

PENSÉE FIDÈLE ANNIVERSAIRE VIVE CHÂTEAU SAINT-JEAN
T'ESPÈRE CHEZ GROSSOUVRE
BAISERS
FRANÇOIS

1055.

En-tête Assemblée nationale, à Anne Pingeot,
40 rue U., Paris VIᵉ 75.

31 juillet 1974

Mon amour,
Le soleil sort de l'orage qui a bouché le ciel depuis mon arrivée. À

Biarritz, à l'atterrissage, j'ai eu droit à un beau festival de la colère des dieux. Je suis, je ne sais pourquoi, fatigué.

Peut-être un peu de peine à m'insérer dans ce climat. Je dors (encore !) et bouger est effort. Il faut que je me secoue. Les nouvelles du monde me parviennent à travers un filtre de somnolence. Tout de même je suis intervenu pour essayer de sauver quatre condamnés à mort à Santiago.

Je vais me remettre à lire et je voudrais mener à bien mes différentes écritures.

Tu me manques. Physiquement même. Une présence si douce, si chaude, si attentive.

Je t'aime, mon Anne. Je pense maintenant que tu as le meilleur caractère à la ronde.

Oh mes yeux verts de bonheur et d'amour !

Tu as été merveilleuse. Dix jours comme du miel. À demain. Je t'embrasse passio. Tu es mon Anne

François

1056.

En-tête Assemblée nationale, à Anne Pingeot,
40 rue U., Paris VIᵉ 75.

1ᵉʳ août 1974

Je vous aime, mon Anne. Le soleil règne. La chaleur d'août ressemble à la chaleur d'août. Je lis *La Légende dorée des dieux et des héros*. Je m'émerveille de la chèvre Amalthée, de sa corne perdue devenue la corne d'abondance. Je ne bouge pas encore beaucoup. Je respire à petites lapées l'air profond que tu sais. J'espère que tu as passé une bonne soirée avec Gédé. Je te revois, image qui prévaut, telle que tu étais le soir à la Carelle, marchant seule dans l'allée et rêvant. Je reste à l'intérieur du cercle où nous avons vécu, dix jours durant.

J'apprends avec amusement que Giscard compte proposer un « Code des libertés » frère jumeau de ma « Charte ».

Les nouvelles me parviennent comme étouffées. Et toi mon Anne chérie, seule et sage (?) ? Je vous aime et j'ai envie de votre bouche

F

Réactions de mes parents.
Lettre de mon père auquel j'ai d'abord écrit.

2/8/74

Ma petite fille

Te dire que ta lettre reçue ce matin vers midi ne m'a pas coupé les jambes ce serait mentir.

Tu es majeure. Tu as réalisé un acte très réfléchi avec les conséquences présentes et futures que cela comporte.

Tu sais que j'aime mes enfants et mon surnom de grand-père gâteau ne fera que continuer avec le n° 4.

Je l'aimerai autant que les autres.

Je te dis dans dix jours.

Et je t'embrasse de tout mon cœur.

P. P.

Réponse de ma mère à ma lettre confiée à ma sœur Martine
qui la lui remet à Hossegor. Choc que représente
une « fille mère » dans la famille.

[S.d., août 1974]

Mon Nane chérie,

C'est sur le banc de sable devant la maison que Martine m'a dit ! Non la terre ne s'est pas entrouverte sous mes pieds !…

Mais je suis sur le haut de la dune face à la mer pour t'écrire, il me faut bien une telle force, une telle puissance pour essayer de… comprendre – seule une petite voix, toute petite comme celle d'un petit oiseau, chante dans un coin de mon cœur pour me dire que ma petite Anne est heureuse puisqu'elle a rencontré le véritable amour et qu'elle attend un bébé !

Seul le terrible contexte familial et social dans lequel je suis engluée qu'on le veuille ou non, dans un fond de province, m'épouvante car lui ne comprendrait jamais et il ne faut pas qu'il sache. Ton bonheur se moque sans doute de ces craintes… qui n'existent d'ailleurs que pour moi.

Le bonheur d'une mère c'est celui de son enfant, le tien m'est donc cher tu peux en être assurée, malgré le trouble profond dans lequel il me plonge.

Écris-moi. Tu devrais venir voir Mamé avant que cela se voie ? Ne pas te voir pendant cinq mois sera trop long et incompréhensible pour elle.

Ta sœur est merveilleuse et a su de suite me dire les mots qui réjouissent et apaisent.

Je souhaite que le ciel te récompense de ton courage et te garde tout le bonheur que tu mérites. Merci de ta lettre où tu exprimes ta confiance dans l'optimisme de Gédé, je voudrais que ce « bébé » me redonne la joie et l'enthousiasme de mes vingt ans.

C'est dans cet espoir que je t'embrasse ma petite fille chérie.

Ta maman qui t'aime

1057.

En-tête Assemblée nationale, à Anne Pingeot,
40 rue U., Paris VIe 75.

Latche, 7 août 1974

Mon amour,

Hier, j'ai dormi. Jusqu'à 7 heures environ. Puis j'ai marché par un sentier habituel. Le jour avait été d'une chaleur violente. Le soir s'est fait douceur. Tu te souviens des pins rouges de soleil d'un fameux 9 septembre. La forêt avait ce ton-là hier encore. La beauté réveille, à n'en pas douter. Elle m'a donné envie d'écrire. J'ai donc corrigé et complété après dîner de longs passages du livre en train. Il ~~m'en~~ me reste sept numéros de *L'Unité* à revoir sur cinquante-sept ! Il reste aussi à rédiger vingt à trente pages. Et ce sera fini.

Je t'ai appelée peu après 6 heures. Tu étais chez Beyer.

Ces deux nuits ont été profondes.

Merci mon Anne. Notre 5 août a été celui d'un bel anniversaire.

Tu sais aimer. Je fais le reste.

Ma rose thé.

J'espère t'obtenir demain au téléphone. Je n'aime pas les jours sans.

Je t'embrasse très amoureusement

F

1058.

En-tête Assemblée nationale, à Anne Pingeot,
40 rue U., Paris VIe 75.

Latche, 13 août 1974

Anne chérie,
Que cette ligne te dise que je t'aime.
Je pense à toi beaucoup, beaucoup.
La poste va fermer. J'y cours.
Tu étais tellement à moi sur notre colline chauve. Je t'aime et t'embrasse très fort

F

1059.

En-tête Assemblée nationale, à Anne Pingeot,
40 rue U., Paris VIe 75.

Latche, 19 août 1974

Mon amour,
Je ne sais si cela a un rapport avec la pierre sur ma tête mais j'ai une migraine lancinante. Il pleut et l'humidité m'oblige à doubler la pelure ! J'ai marché. L'odeur est bonne. L'eau du sol sent le fer ici et à 100 mètres de là le soufre. Je suis un peu endormi. Je ne vous oublie pas quand même Animour. Votre voix m'était douce ce matin. Votre cœur veille, je l'entends. Je vais essayer d'écrire pour le livre. Sans vrai courage. Les tempes me serrent le crâne un cran de trop.
Je vous embrasse mon Anne aimée. Très fort

F

1060.

En-tête Assemblée nationale, à Anne Pingeot,
40 rue U., Paris VIe 75.

Latche, 21 août 1974

Je t'aime, mon Anne. Ce n'est pas tout. Je t'aime encore. Cette double déclaration remplacera ce que je n'ai plus le temps de t'écrire avant la levée de Soustons.

J'ai la visite de Mermaz et je corrige le mémoire de Gilbert, sur les Clubs, qu'il présente fin septembre. J'ai écrit deux pages sur l'écologie. Je pense à toi, laurée sans doute ce matin d'une peau d'âne – sans allusion bien entendu – supplémentaire. Je serai très heureux vendredi.

Je vous embrasse et je vous aime

François

Mercredi 21 août 1974, soutenance de mon mémoire d'École du Louvre devant Francis Salet et Jacques Thirion : *La Sculpture décorative sur pierre au musée de Cluny de 1137 à 1314.*

1061.

En-tête Assemblée nationale, à Anne Pingeot,
40 rue U., Paris VIe 75.

Latche, 22 août 1974

Mon Anne aimée,

J'ajouterai mes éloges à ceux déjà reçus. Ce travail fini te délivre. Les œuvres d'Anne de Chastellux prennent du poids. À leur tour d'autres étudiants laborieux feront de savantes recherches sur cet auteur peu connu mais qui sait ? peut-être important de la seconde partie du xxe siècle. Vive ☺nne !

Quant à Mazarine [on ne savait pas que c'était une fille, mais c'était une condition !], lorsqu'elle apprendra sa double origine et les raisons de sa double fierté elle aura tendance à tout mélanger et recherchera chez les bouquinistes des quais l'ouvrage illustre intitulé *Ma part décorative de vérité* ou *La Vérité sur pierre de 1137 à 1314* ou *La Sculpture à Cluny et la vérité au musée.*

J'étais content de ta réception d'hier soir en dépit des projets matrimoniaux de M. X de quelque chose. J'aime le 40 vivant d'amitié (et d'amour).

J'ai écrit une page aujourd'hui. Rien hier. Mais il me reste une demi-journée. Coup de téléphone amical de Jean Daniel. La politique revient ici à pas feutrés. Je bouche encore les issues et refuse toute interview. Le soleil apparaît, timide. Une cigale crisse tout de même. Je marche pieds nus. Mon pull est gris, mes sandales de corde jaunes (quand j'en mets pour les promenades plus longues), mon chapeau de paille (eh oui !) à large bord et non acquis sur autoroute.

Peut-être jouerai-je au tennis en fin d'après-midi si Jean Munier vient.

Demain je dormirai près de toi. J'aime ma fille Anne.

F

1062.

En-tête Assemblée nationale, à Anne Pingeot,
40 rue U., Paris VIe 75.

Latche, 26 août 1974

Je vous embrasse, Anne aimée. Cette lettre vous le dira. La pluie m'a accueilli, violente. L'air est bon, comme de l'eau pour qui a soif. Je pense à toi, à ton visage donné de ce matin. Je te trouve belle

F

1063.

En-tête Assemblée nationale, à Anne Pingeot,
40 rue U., Paris VIe 75.

Latche, 27 août 1974

Amour de fille, j'ai dormi tôt hier soir. Ouf ! Non sans avoir écrit « ma page » (j'y parle des bouvreuils). Ce matin j'ai joué au golf, dix trous médiocres avec quelques éclairs de génie.

Déjeuné au Pot de résine (c'était la première fois), écrit quelques lignes du livre [La Paille et le Grain], lu les journaux. La lumière est belle, douce. J'irai à Soustons poser cette lettre. Peut-être essaierai-je le tennis. Puis j'écouterai Giscard et je passerai la soirée dans ma bergerie. J'ai des nouvelles de la clé et de mes boutons de manchette tombés sur la route devant chez mon frère et écrasés par une voiture, devenus pièces de musée, à moins qu'un bijoutier habile ne les restaure. Je pense à vous, Anne amour.

Vous me trouvez lointain ? Je vous aime, je vous regarde en moi et ne vous quitte guère

F

1064.

En-tête Assemblée nationale, à Anne Pingeot,
40 rue U., Paris VIe 75.

29 août 1974

Mon Anne, le ciel est gris et nos coups de téléphone m'ont fait presque aussi triste que lui. J'écris. Je t'ai lu une page sur Venise. J'arrive à tenir mon rythme quotidien. Cela représente des heures dans la bergerie, immobile. Alors de temps à autre je marche et le soir je joue au tennis. Peut-être ai-je trop lu avant de dormir mais je cherche le sommeil. Passent dans ma tête des mots et des images qui deviennent obsédants, comme on rabâche les leçons mal apprises. Malgré tout je respire l'air profond, l'air vivant que j'aime ici. Sois-en jalouse. Mais il n'est pas ton ennemi.

J'ai donné hier une interview de six minutes à la télévision première chaîne. Je me sentais extérieur à ce jeu auquel je me livre si souvent. Il ne faudrait pas céder à l'indifférence. Garder l'œil ouvert, attentif au mouvement des choses et de l'esprit, je m'y essaie. Mourir avant la mort est démission, je l'ai toujours su. Mais il faut pour se vaincre tant de discipline ! (Rappelle-toi mon désir de rester disponible. Je ne voulais ni d'un métier ni d'une adhésion et n'étais qu'une somme de refus.) Tu ne devrais pas, mon amour, douter de ce qui nous unit et qui reste, à travers le temps, étincelle, goût de vivre, amour d'être et renouvellement. Même au mois d'août !

Je vous embrasse Anne chérie. Le courrier ne m'apporte rien de vous cette semaine. J'aurais aimé. Je vous embrasse et je vous aime

<u>François</u>

1065.

En-tête Assemblée nationale, à Anne Pingeot,
40 rue U., Paris VIᵉ 75.

Latche, 5 sept. 1974

Mon Anne,
Je t'aime,
Demain

<u>F</u>

16-18 septembre 1974, Massevaques.

1066.

En-tête Assemblée nationale, à Anne Pingeot,
40 rue U., Paris VIᵉ 75.

26/9/74

Mon amour, tu es mon amour.
Je t'appellerai.
À dimanche le départ gare de l'Est est à 8 h 35, direction Belfort.
Tu es A

<u>F</u>

Le déjeuner était si bon !

1067.

Grande carte postale, Aranjuez, Casa del Labrador,
à Anne Pingeot, c/o Mrs Tavener, White Lodge, 242 Nether St,
Finchley Central, London N3, England.

Madrid, 16 oct. 74

—

Première halte.
Première étape vers le
retour. Vers A.
À toi, très passio

F

1068.

Carte postale, Cuba, Musée national, à Anne Pingeot,
c/o Mrs Tavener, White Lodge, 242 Nether St, Finchley Central,
London N3, England.

20/10/74

Cuba. Maza. A.

François

1069.

Auberge de la Vieille Tour, 97190 Le Gosier, Guadeloupe,
à Anne Pingeot, c/o Mrs Tavener, White Lodge, 242 Nether St,
Finchley Central, London N3, Angleterre,
réexpédié à c/o Monsieur et Madame Maucout,
avenue Jalabert, 30340 Salindres, France.

23 octobre 1974

Le Gosier. Nom de la commune où je suis, près de Pointe-à-Pitre,
dans une belle auberge qui donne sur la mer, côté mer des Caraïbes,
parmi les flamboyants et les ibiscus.

Mon amour d'Anne, je vous aime.

Je suis arrivé de Cuba hier. Aussitôt on m'a pris en charge : neuf meetings dans la journée, dont le dernier aux Abymes, devant 10 000 personnes ! Ce matin ça a recommencé. Le pays est très beau, bien entendu très chaud aussi.

Mon amour d'Anne, je vous aime.

Le voyage à Cuba a été passionnant. Six jours dont trois avec Fidel Castro. On s'est quittés la gorge serrée. C'est un de nos contemporains des plus rares — je te raconterai. Comme Régis Debray m'accompagne nous avons vécu dans l'Histoire puisque avec Fidel et le Che c'est l'Amérique latine et au-delà le tiers-monde qui ont bougé.

Mon amour d'Anne, je vous aime.

Je t'ai envoyé une carte de Madrid, une autre de Cuba (non sans peine : ça n'existe pratiquement pas, et le courrier part quand il veut. Tout autour de Cuba c'est le blocus des USA). Je pars tout à l'heure pour la Martinique. Je t'écrirai demain de Fort-de-France. On m'attend à la radio. Mais je veux absolument que cette lettre attrape l'avion. Je rentre à Paris lundi matin.

Mon amour d'Anne, je vous aime.

Tu étais si triste. Je t'imagine dans ta ville inconnue. Je pense à vous deux, mes chéries (ou chéris).

Je t'embrasse et t'embrasse. Très, très

François

qui t'aime
 ô mon <u>A</u>.

1070.

Hôtel Lido, Martinique, à Mademoiselle Anne Pingeot,
c/o Mrs Tavener, White Lodge, 242 Nether St, Finchley Central,
London N3, Angleterre, *réexpédié à c/o Monsieur
et Madame Maucout, avenue Jalabert, 30340 Salindres, France.*

Demain après-midi je pars pour la Guyane dont je reviens dimanche pour la France, avec escale à Pointe-à-Pitre et à Lisbonne.

Fort-de-France, 24 octobre 1974

Mon amour chéri, ce voyage se déroule sur un rythme qui pourrait être épuisant si je n'étais en bonne forme. La chaleur est lourde, je ne dispose pas d'une heure de répit par jour et je n'ai pas beaucoup, pas assez le temps d'admirer la beauté de la nature, qui est splendide. J'ai par exemple, sous les yeux, pendant que je t'écris de l'hôtel la mer Caraïbe, au loin de grands bateaux, près du rivage des voiles blanches, sur la moitié de l'horizon l'autre pointe du golfe (Trois-Îlets), montagneuse, parfaitement découpée sur le ciel. Il y a des fleurs partout, hibiscus (avec ou sans h ?) et bougainvillées dominant une incroyable profusion d'arbres colorés.

Ma matinée a consisté à recevoir des délégations au siège de la Fédération socialiste puis à la Maison des syndicats. De 9 h 30 à midi (il est maintenant midi et demi, alors que pour ton méridien il est 17 h 30).

Dans les rues les gens s'agglutinent par centaines, par milliers. C'est du délire. Hier un meeting a rassemblé 20 à 30 000 Martiniquais survoltés, pressés, enthousiastes. On veut me toucher. Les femmes me crient « Papa » (hum !). Les enfants courent autour de la voiture, s'infiltrent sous les estrades, s'accrochent en grappes sur les arbres. Il faut dire que les Antilles françaises vivent encore aujourd'hui sous la férule coloniale. On y tire facilement quand on est gendarme sur un ouvrier qui tient dans la rue une pancarte réclamant un meilleur salaire.

On a tué l'autre semaine un enfant qui criait un peu fort (onze ans). L'injustice est énorme, absurde, quotidienne. Je te raconterai cela en détail. Je prépare aussi des articles à ce sujet. Je vis dans l'indignation. Cela m'empêche d'écrire comme je le souhaitais les dernières pages de *La Paille et le Grain*.

Me reste l'avion ! J'ai rédigé cinq pages grâce aux longues traversées.

Pendant les six jours de Cuba il était impossible de communiquer avec l'extérieur. Je t'ai donc envoyé une carte (que j'ai mis quatre jours à obtenir) sans espoir qu'elle te parvienne avant mon arrivée ! Je t'ai envoyé hier une lettre de Pointe-à-Pitre ou plus exactement du Gosier, petite commune voisine. Le séjour à Cuba a été extraordinairement riche d'impressions, d'émotions. Le personnage Fidel Castro est hors série. De très grande qualité. On ne se quittait plus !

Et toi, mon Anne aimée ? Apprendre l'anglais en Angleterre ça me donnerait un coup terrible au moral ! Je ne suis pas sûr que tu résistes mieux que moi !

Je pense à toi, ô saint Thomas. Et je t'aime. Je te sentais si démontée. Je t'ai mal dit – ce que tu étais d'ailleurs peu disposée à entendre. C'est un moment difficile, cette séparation, dans la grisaille de Londres alors que moi je me promène sur les traces de Christophe Colomb (il a touché terre pour les premières fois à Cuba et à Capesterre, en Guadeloupe, ces îles où il n'existe pas d'animaux ou de plantes nuisibles, pas un serpent, pas une algue traîtresse). Mais nous avons derrière et devant nous tant d'amour à vivre – et à faire.

Vive Maza ! (Je me casse toujours la tête pour l'hypothèse masculine et j'ai noté onze noms, dont certains nouveaux, à te soumettre – Martin s'installe en bonne place).

Je t'embrasse, ma chérie, et je t'attends (eh oui !) avec une impatience qui trouve aussi sa source dans ce désir de toi qui est feu et violence. Avant la douceur de bientôt

ton François

1071.

Carte postale, Martinique, Morne-Rouge,
à Mademoiselle Anne Pingeot, c/o Mrs Tavener, White Lodge,
242 Nether St, Finchley Central, London N3, Angleterre,
renvoyé à 30340 Salindres, France.

25 octobre 1974

Avant de partir pour la Guyane je t'envoie cette petite carte qui te redira ma pensée et que Saint-Benoît m'est très cher. Sais-tu que les PTT de France sont en grève ? On l'a échappé belle. Vive l'Angleterre ! Ici la nature, où que l'on aille, est d'une beauté surprenante. Encore deux jours de Guyane et ce sera Paris. Puis toi. Je t'embrasse très passio. Mon A.

F

1072.

7 décembre 1974. Feuille blanche.

<u>Si par malheur c'était un garçon… mais que d'hésitations !</u>

Cosme, Just, Roch, Che
Paulien, Julien, Cyprien
Blaise, Maxence, Géraud, Claude
Laurent, Martin, Paul
Calixte, Matthias
Tristan

Mazarine, Marie, Catherine
Ariane, Aude, Reine
Clio

7 XII 1974

Mercredi 18 décembre 1974, Martine m'emmène de Salindres en Avignon.
Hésitation pour voir au passage le pont du Gard.
Je ne retrouve plus la clinique Urbain V.
22 h 10, naissance de Mazarine.

1975

1073.

En-tête Assemblée nationale, à Mazarine et Anne Pingeot,
c/o Monsieur et Madame Maucout, avenue Jalabert,
Salindres, Gard 30.

8 janvier 1975

Mon Anne chérie,

Rien à faire avec ce maudit téléphone cassé. Ah ! Pechiney ! Tu me manques et je t'aime. J'appelle matin, après-midi, soir mais en vain. Comment es-tu mon Animour ?

Pourrais-tu venir me chercher <u>vendredi</u> 10 janvier à l'avion du soir vers 21 heures qui arrive à Nîmes, comme l'autre jour ? Je passerai la nuit et repartirai samedi après-midi car je dois aller dans la Nièvre dimanche (j'ai prévu le ~~dimanche~~ retour). Je t'écris de la cité Malesherbes et on m'interrompt à tout moment. Je pense à vous deux, beaucoup, et je suis heureux de vous retrouver très bientôt. Je t'embrasse, ma très chérie

<u>François</u>

1074.

En-tête Assemblée nationale, à Mazarine *(sans enveloppe).*

7 *janvier* 1975

Mazarine chérie,
J'écris pour la première fois ce nom. Je suis intimidé devant ce nouveau personnage sur la terre qui est toi. Tu dors. Tu rêves. Tu vis entre Anne, le veilleur, et ce joli animal qu'on appelle le dormeur. Plus tard tu me connaîtras. Grandis, mais pas trop vite. Bientôt tu ouvriras les yeux. Quelle surprise, le monde ! Tu t'interrogeras jusqu'à la fin sur lui.
Anne est ta maman. Tu verras qu'on ne pouvait pas choisir mieux, toi et moi.
Je t'embrasse

François

1075.

En-tête Assemblée nationale, à Anne et Mazarine Pingeot,
c/o Monsieur et Madame Maucout, avenue Jalabert,
Salindres, Gard 30.

14 *janvier* 1975

Mon Anne chérie,
Toujours ce téléphone muet ! J'enrage ! Je vous embrasse vous qui vous appelez Anne, vous qui vous appelez Mazarine. J'ai grande envie de vous revoir. Ce que je ferai vendredi, car si les honorables Maucout veulent bien m'accueillir (encore !) je serai parmi vous pour dîner (vers 20 h 30). Ne vous occupez pas de moi ; j'arriverai de Marseille en voiture. Quelques heures, une nuit, une petite fille qui chantera ses rêves sur le mode aigu, une tendre fille Anne aux bras doux, qui se plaindra ? Je te raconterai ma vie depuis dimanche (Nièvre) et lundi (Paris).
J'ai bien pensé à mon Anne sur la route du retour, à son volant, dans sa blancheur de laine. J'étais sans doute à Paris avant que ne sur-

gissent devant elle les feux de Salindres. J'ai été très heureux auprès de vous. J'ai envie de recommencer.

Aujourd'hui j'ai donné trois interviews : l'une la première chaîne, l'autre à *Sud-Ouest*, la troisième au *Point*. Ouf ! je suis écrasé de travail. Je dîne avec Ferniot. J'ai déjeuné avec P.-P. Schweitzer, neveu de l'autre.

Demain, c'est le mercredi Malesherbes. Tout cela est, bien entendu, du chinois pour Mazarine elle le saura plus tard (la pauvre ! Elle saura aussi qu'il y a un ciel sur la terre et des couleurs subtiles en hiver).

Je t'aime mon Anne aimée et j'aime aussi celle que vous avez si bien modelée

F

1076.

En-tête Assemblée nationale, à Anne et Mazarine Pingeot,
c/o Monsieur et Madame Maucout, avenue Jalabert,
Salindres, Gard 30.

15 janvier 1975

Mon amour de fille,
Et vous la petite fille Mazarine,
Je commence par vous embrasser, pas de la même façon, mais Mazarine qui comprend tout ne saura pas cette fois-ci ce que j'entends par là. J'ai du travail, beaucoup. Je termine maintenant mon interview pour *Sud-Ouest*. Ensuite je déjeunerai (il est 12 h 20) avec les dirigeants socialistes. J'ai été réveillé tôt ce matin par les agences qui voulaient des déclarations sur la maladie de Georges Marchais. Demain j'irai dans la Marne jusque tard dans la nuit et vendredi je prendrai le cap sur... l'avenue Jalabert. Vous me verrez arriver pour dîner vers 20 h 30. Prévenez Martine et Hervé et excusez-moi auprès d'eux de mon sans-gêne.

Je repartirai dans la matinée de samedi. Mais c'est une joie déjà de penser à ces heures. Lisez-vous mon Anne ? J'ai commencé *Le Maître et Marguerite* de Boulgakov. Cela paraît très remarquable. J'envoie aussi des masses de vieux stéréotypes et dans tous les sens. J'aurai mon livre fabriqué à la fin de la semaine, émotion. J'aime l'objet.

Mon Anne aimée,
À vendredi soir,
Je vous aime

F

1077.

En-tête Assemblée nationale, à Anne Pingeot,
c/o Monsieur et Madame Maucout, avenue Jalabert,
Salindres, Gard 30.

~~19~~ 20 *janvier 1975*

Ma chérie, j'étais triste de te manquer ce matin à cause de ce fichu téléphone. Ensuite j'ai été absorbé par la télé troisième chaîne et l'interview du *Point* avec dans l'intervalle un déjeuner à l'Ambassade USA. Je viens de t'entendre. Il est 18 h 30. Je t'écris ce mot pour te confirmer vendredi à Gordes. Je te donnerai des précisions d'ici là. Mon livre est sorti. J'ai le premier exemplaire sous les yeux. Je te l'apporterai. J'essaierai d'obtenir les Dagnaud (!) qui n'étaient pas chez eux au petit jour (ou qui dormaient pesamment). Je t'aime et Mazarine est avec nous. Embrasse-la. Je t'attends avec impatience. Bonsoir mon amour d'Anne

François

1078.

En-tête Assemblée nationale, à Anne Pingeot,
c/o Monsieur et Madame Maucout, avenue Jalabert,
Salindres, Gard 30.

29 janvier 1975

Mon amour chéri,
L'avion ne va pas assez vite pour me permettre d'aller à toi, dix minutes, cinq seulement, le temps de t'embrasser, de te dire que je

t'aime, de regarder l'œil clos de Mazarine. Je saurai bien sécher, guérir ta peine. Non pas ce qui est Chaudessolle, qui appartient à l'éternel, mais ce qui est annefrançois, qui est nous, solide, enraciné et si heureux quand le ciel le veut. Je t'ai fait taper mon texte de *L'Imprévu*. Je le joins à cette lettre. Je vais le continuer. Cela m'amuserait d'aller assez loin dans cette ligne. Je suis encore dans la demi-brume du rhume romagnatois (ô Montrognon par-dessus lequel mon imagination rejoignait nos ombres grandissant sur le sol jaune et noir). Je voudrais retrouver l'esprit clair pour ce soir. Me verras-tu ?

J'ai une journée très lourde. Déjeuner avec Sallebert. Préparation du Congrès. Débats difficiles en vue. Tu me manqueras cette semaine : l'habitude était bonne d'aller vers Marseille ou Nîmes. On m'attend je me dépêche. Mon nez coule. Je t'aime. Je vous embrasse toutes les deux très fort, très tendrement

François

LES DÉS

Enfant, je ne jouais pas aux cartes et maintenant je n'y joue pas davantage. Si je pratiquais les échecs appris à dix-onze ans, c'est que mon grand-père maternel chez lequel je vivais six mois sur douze, en pleine campagne, à 3 kilomètres du premier village, n'avait qu'un partenaire disponible sous la main. Nous restions de longues soirées, la conscience du temps perdue parmi nos pièces jusqu'à la prise du roi vaincu et nous allions nous coucher la tête tout occupée de gloire ou de revanche. Le Monopoly existait déjà. Mais je répugnais à dilapider mes heures en disputant d'argent. Je n'avais pas de goûts marchands et n'en ai pas acquis. Le jeu de l'oie m'excitait davantage. La loi du hasard a le sombre attrait de la philosophie. Ce dé qui vous expédiait au cachot, en enfer, qui tout près du but vous tirait soudain vers le zéro avec le chemin à refaire ou qui traversait les embûches comme s'il avait des yeux pour les voir, j'éprouvais une délectation à le regarder décider pour moi. La sincérité m'oblige à dire que je n'imaginais pas qu'il pût tromper mes espérances quelque malheur qu'il m'arrivât, que ma confiance en lui tenait à la foi que j'avais en moi-même. De telles dispositions me destinaient, croira-t-on, à fréquenter les casinos. Eh bien non ! j'en ai horreur. Mes amis ne m'ont pas vu risquer un franc à la roulette. C'est simple, je n'y mets pas les pieds. D'ailleurs, j'ai vite cessé de jouer aux dés. L'idée seule d'en jeter sur le tapis, de dépendre aussi peu que ce fût de ce petit cube qui roule, me révulse. Je suis devenu le contraire d'un joueur, ce qui détrompera mes ennemis qui n'ont, parlant de moi, que ce mot à la bouche. Ma vie politique est ainsi faite : incapable d'avancer d'un pas sans avoir rassemblé toutes les ressources de ma raison, incapable de m'arrêter sans avoir épuisé les réserves de ma volonté. Je n'abandonne désormais au hasard que la part qui lui revient. Est-ce jouer encore ? Beaucoup le penseront qui sont les éternels traîne-patins de l'histoire. Mais aussi étranger que je sois aux jeux de hasard, je considère que l'homme d'État se distingue à sa capacité de prendre en compte les terres inconnues, une fois le reste exploré.

Ces mots tracés, je les corrige. L'inconnu n'est pas tout à fait inconnu quand je l'aborde. Quelque chose en moi m'avertit qu'on appellera l'intuition, à moins que ce ne soit une très vieille science transmise depuis que le monde est monde et qui s'inscrit dans un recoin du code génétique. Je ne calcule pas, je sens. Mais l'instrument de mesure reste approximatif surtout lorsqu'il s'agit d'apprécier la vitesse du temps. Si je me trompe de vingt ans tant pis pour moi. Diable ! aurai-je changé dans la continuité ? La formule faisait sourire, l'an dernier, quand l'exprimait un autre qui, lui, me paraissait immuable dans ses amusantes variétés. Celui que j'étais je le suis ou plutôt, pour rendre raison à Walt Whitman, je le deviens. Du petit garçon qui était moi et dont l'image visite ma mémoire à la façon de l'aiguille sur le disque rayé, glissant toujours vers les mêmes sillons qui poussent les mêmes notes, je ne sais plus grand-chose hors trois ou quatre situations fixées une fois pour toutes et dont l'éclat brille alentour. Un chemin creux que notre géographie familiale nommait le raidillon, conférant à ce diminutif une majesté singulière, une allée plantée de pommiers qui traversait des champs de blé, un mur du haut duquel, le dos sur la pierre plate, je plongeais dans le ciel, une fenêtre de grenier qui sentait le maïs et d'où je contemplais par-delà les tilleuls le paysage français qui a commandé à jamais l'idée que j'ai du paysage français. Inutile de raconter sinon pour indiquer qu'il y avait des chênes, des saules, une rivière et la vallée qui se relevait pour se fondre dans le bleu horizon, couleur de circonstance des années d'après-guerre, à hauteur assez honorable pour qu'on pût se flatter d'avoir devant soi des collines. Les conversations du soir, dans le noir, ma grand-mère immobile, les doigts noués sur son ouvrage un moment délaissé, regardant la nuit s'étendre sur le jardin et peu pressée de se lever pour allumer le manchon à gaz du plafonnier. Les paroles jaillissaient à distance avec des épaisseurs d'ombre entre elles. Elles avaient un ton grégorien. Cela finissait par des oui et des non qui ne répondaient à rien ni à personne, chacun partait en voyage sur les étriers de l'imagination et hop !, plus vite que les fusées du cap Kennedy, franchissait les frontières du temps.

Je ne cherche pas à égrener des souvenirs. Ceux que j'évoque ici me servent à cerner la vérité que m'impose votre question et je n'ai pas besoin d'en dire plus. De cette salle à manger de campagne, barque ou nacelle, où nous rêvions nos vies jusqu'à ce jour où je vous écris, dans mon bureau de Nevers, en ce samedi soir qui m'envoie les pétarades des moteurs, les annonces de la Foire-Exposition et l'Angélus électronique, s'il y a des ruptures elles n'ont touché que les surfaces. Se perpétue en moi un mouvement qui a commencé avec moi. C'est la même poussée qui me meut.

Mais vous me ramenez à la politique. Vous voulez savoir si je me voyais roi ou pape. Rassurez-vous, effrayez-vous, à votre gré. Si cette idée m'a visité elle a duré moins d'un été. Ce monde dont je ne connaissais que les villages d'une province, j'avais l'intolérable sensation de le supporter tout entier. Je communiquais tellement avec lui que je m'en attribuais la vocation sublime. Bref, j'étais plus proche de moi-même et des autres à quinze ans qu'aujourd'hui.

1079.

En-tête Assemblée nationale, à Anne Pingeot,
c/o Monsieur et Madame Maucout, avenue Jalabert,
Salindres, Gard 30.

Latche, 4 février 1975

Mon amour d'Anne,

La journée s'écoule, lente, douce, sous un soleil paisible, peut-être avec un brin de nostalgie. C'est encore l'hiver et si je vois une marguerite (une seule a survécu, pourquoi ?), un prunier sauvage fleuri, rien n'a vraiment bougé. Une gelée suffirait à brûler les bourgeons. On dirait qu'ils se méfient. Le printemps attendra d'être sûr de lui pour s'annoncer. Je suis allé à Hossegor ce matin. J'y ai acheté mes journaux et j'ai flâné sur mon ancien terrain. La maison était close.

J'ai tâté les arbres que j'y ai plantés, respiré les houx d'Espagne et le romarin. Presque rien n'avait changé. Je suis monté sur la butte d'où je t'avais regardée, allant vers la mer, en arrière de votre petite troupe familiale, image que j'ai conservée. Tu avais deux petites nattes plutôt couettes, tu marchais comme la déesse aux sandales et je t'aimais déjà. Je suis resté un long moment à rêver. Des chants d'oiseaux fusaient de partout et l'odeur de la forêt me rappelait le goût de miel propre à ce coin d'Hossegor. Anne, ma merveilleuse fille. Un jour, Mazarine, d'une allure dansante, à son tour…

Je me repose, au grand air et je réfléchis aux actions qui feront demain. J'en avais besoin. L'essentiel est de trouver le rythme du temps.

J'ai marché cet après-midi avec Titus. Julie est restée à Paris. Une fatigue un peu molle occupe mes membres signe de l'énergie qui revient. Je pense à la fin de cette semaine, à toi, aux heures à vivre ensemble. J'aime cette gravité que tu donnes aux actes essentiels.

Te retrouver c'est pour moi aussi se retrouver.

Je t'attends, mon beau regard. Je t'embrasse Anne femme, Anne aimée

François

1080.

12 février 1975.

Je suis passé à 15 h 30.

La table sera déposée vers 17 h 30 / 18 heures par un livreur.

J'essaierai de revenir vers 20 h 30. Sinon demain matin, fin de matinée.

1081.

Carte postale, Japon, le mont Fuji en été,
à Anne et Mazarine Pingeot, 40 rue U., Paris VIe 75, France.

4 mars 1975

De loin
et si près

F. M.

1082.

En-tête Assemblée nationale, à Anne Pingeot et Mazarine Pingeot,
40 rue U., Paris VIe 75.

3 avril 1975

Avant de partir si loin, sachez qu'on vous aime, et que le voyageur emporte beaucoup de vous dans les bagages du cœur. Et qu'il vous embrasse passio

François

1083.

Carte postale, Huahiné, à Anne et Mazarine Pingeot,
40 rue U., Paris VIe 75, France.

7/4/1975

Soleil, îles sous le vent et l'immense Pacifique, et moi je pense à vous et à la joie de vous revoir

F

1084.

Carte postale, Varsovie, à Anne et Mazarine Pingeot,
40 rue U., Paris VIe 75, France.

                                                            23/4/75

    Halte en Pologne,
    Pensée pour vous deux

                                                            F

1085.

Carte postale, Leningrad, à Anne et Mazarine Pingeot,
40 rue U., Paris VIe 75, France.

                                                    26 avril 1975

    De Leningrad. Cet après-midi l'Ermitage. Baisers à vous deux

                                                    François

1086.

Carte postale, Samarkand, Chah-e Zendeh,
à Anne et Mazarine Pingeot, 40 rue U.,
Paris VIe 75, France.

                                                    27 avril 1975

    Ce soir à Samarcande

                                                    François

Samedi 24 mai 1975, mort de Dany, dix-huit ans, fille de Laurence adoptée
par Pierre Soudet.

1087.

Télégramme de Bayonne, à Anne Pingeot, 40 rue U., Paris.

[24 mai 1975, 16 h 10]

PENSÉES TENDRESSE À VOUS DEUX
À DEMAIN — FRANÇOIS

1088.

Télégramme de Vieux-Boucau, à Pingeot, 40 rue U., Paris.

[24 mai 1975, 21 h 35]

VIENDRAI DÉJEUNER DEMAIN DIMANCHE — FRANÇOIS

Incinération de Dany au Père-Lachaise jeudi 29 mai 1975.

1089.

*Carte postale, Clare (Irlande), abbaye franciscaine du XIVe siècle,
à* Anne et Mazarine Pingeot, 40 rue U., Paris VIe 75, France.

4 juin 75

Des îles et vous.

F

1090.

En-tête Assemblée nationale, à Anne Pingeot,
Lohia, avenue du Tour-du-Lac, 40 Hossegor, Landes.

Latche, 18 juillet 1975

Mon amour d'Anne,
    J'aurais beaucoup, beaucoup aimé te revoir cet après-midi pour qu'il ne reste rien de ta tristesse. Je t'aime et j'ai envie de te le dire.

Je garde l'image de ton bras levé, de l'au revoir, par la portière de la DS, de ton visage de soleil ! Le bonheur, il faut l'aimer aussi avec son odeur de forêt mouillée.

Vivre, ma chérie Anne, surtout avec ce septième mois d'un bel enfant, cela vaut <u>la peine</u>. Je t'ai goûtée, odeur d'épaule au creux du cou et je n'avais pas besoin de souvenirs pour me sentir heureux. Tu es A. Ma merveilleuse fille je t'attendrai dimanche soir. Embrasse Mazarine comme j'aime l'embrasser.

Et toi,

  je suis

    ton

                   <u>F</u>

1091.

En-tête Assemblée nationale, à Anne Pingeot,
40 rue U., Paris VIe 75.

Latche, 6 août 1975

Mon Anne chérie,

Je rentre d'une promenade pieds nus. J'ai suivi un layon de forêt sans ajoncs et j'ai marché un bon moment en compagnie de Julie et de Titus. Il est 10 h 30. Le soleil est déjà rude. Je me suis protégé le crâne avec le grand chapeau que tu connais. À l'ombre la fraîcheur de la nuit avait laissé des traces de rosée. Au retour je me suis assis dehors et j'ai regardé le jour tourner sur lui-même.

Des vols d'oiseaux, d'un pignon de maison à la branche d'un arbre ou au fil téléphonique, traversaient mon bout de ciel. Des herbes hautes ont résisté aux orages et aux pas. Elles signifient l'été roux et sec de cette année 75, qui sent le feu. J'ai pensé à ton récit de Mazarine rampant vers l'escalier et repoussant les bornes de son horizon. Je percevais son air appliqué propre à ceux qui se croient la force de construire le monde. Toi je te voyais telle que tu es quand tu la nourris le matin, au lever, longue et recourbée sur son corps qui retrouve l'œuf originel et se replie. J'entends le vent qui ressemble au bruit de la mer. Mon Anne chérie la somme de tes idées générales ne vaut pas un regard d'amour. Si tout est rapport de force, ta force est là. Tu le sauras au bout du compte.

Je n'ai pas encore le courage de déployer mes livres pour attaquer le Coup du 2 décembre. Y arriverai-je jamais ? Le temps me glisse entre les doigts. Je vais m'habituer l'esprit en lisant autre chose. J'ai repris sur ma table *Le Jeune Joseph* de Thomas Mann qui m'avait jadis ébloui. Et j'en termine avec *Ma sœur, mon épouse* [biographie de Lou Andreas-Salomé] commencé l'an dernier. Il se trouve qu'est venu me voir aujourd'hui M. Seligmann (antiquaire et mari de Françoise qui travaille avec nous, place du Palais-Bourbon) qui a connu Lou Andreas-Salomé (morte en 1937). Conversation passionnante sur une société hors série échappée du conformisme bourgeois de la fin de l'autre siècle.

Il fait maintenant très chaud. La bergerie est une oasis où je respire mieux. Tout est brûlé de soleil. Mes chênes sont comme desséchés. Les premières pluies me diront s'ils ont survécu à leur première saison.

Je viens souvent vers toi, à la fois triste des pesanteurs qui nous collent trop souvent au sol et heureux de tant de sève et d'un si puissant goût de vivre dès qu'un signe, une lueur, une intonation nous révèlent la profondeur de notre amour (quel mot anglais vas-tu me jeter pour avoir osé écrire amour ?).

Je t'embrasse. J'aimais Mazarine la joue droite sur ma poitrine, si grave. Tu es mon Anne (?). Je t'aime

François

P.-S. Il y a dix ans nous passions à Aulnay. Rappelle-toi les roses thé que nous avions peine à quitter ! (Tu en as gardé des pétales.) Mazarine a parfois ce teint-là. C'est normal.

1092.

En-tête Assemblée nationale, à Anne Pingeot,
40 rue U., Paris VIe 75.

Latche, 7 août 1975

Mon Anne chérie,

L'excès de soleil a répandu une brume de chaleur qui rend le ciel gris. J'ai marché une heure ce matin, avec les deux chiens, à bonne allure pour me secouer, après avoir délibéré avec le pépiniériste sur

les mesures à prendre pour sauver les chênes brûlés. Je me suis mis
à Louis Napoléon en lisant des notes éparses. J'avive ainsi mon goût
qui s'est tout de même affadi pour écrire. La nature est en torpeur.
Cela convient à mon état. Je suis pourtant parcouru d'envies indéfinies
qui me font regarder les choses et annoncent sans doute un réveil.
J'ai fini hier soir Lou Andreas. Une visite de Lou et de Rainer Maria
Rilke à Tolstoï qui les reçoit mal, se promène avec eux et ne dit mot
tandis qu'il cueille des myosotis est assez piquante. J'étais anxieux de
t'obtenir ce matin. Mon Anne libérée par ses nouvelles idées générales
a été très bonne de me consacrer une demi-heure de son temps, entre
le service de l'État et ses projets autogestionnaires. Il y avait parfois
dans sa voix comme une faiblesse, dont il faudra qu'elle se méfie, la
faiblesse – tendresse, piège à cœurs. Je regrette Mazarine, son regard
et je ne sais pourquoi la rondeur de sa tête duvetée, si douce. Et je
serai heureux de vous voir, toutes deux, dimanche, habité par ce petit
pincement que j'ai devant les choses que nous aimons ou admirons
ensemble. Saint-Benoît guérit, exalte, apaise. Et Mazarine y fera son
premier pèlerinage.

Je vous embrasse mon Anne turlupineuse. Il y a des chemins que
nous connaissons et qui ont conduit à de grands moments de bonheur.
Je t'aime

François

1093.

S.d.

1094.

En-tête Assemblée nationale, à Anne Pingeot,
40 rue U., Paris VIe 75.

Latche, 8 août 1975

Animour,
Ce matin le téléphone était rétif. D'abord la poste m'a fait attendre, ensuite le Louvre ne répondait pas. J'espère pour ce soir. Un jour sans, c'est long. La politique m'a rejoint. Un article de la *Pravda*, sur et contre l'union de la gauche, la conférence de presse de Marchais, une demande d'interview de *France-Inter*, Georges Dayan, de retour de Corse, la place du Palais-Bourbon qui appelle pour un oui ou pour un non. Je conquiers le silence, renvoie tout à la semaine prochaine, refuse les rendez-vous. Le vent s'est levé. La journée passe d'un soleil ardent à des brises fraîches, hésite à se décider. Je n'ai pas encore bougé. J'achève mon premier livre annoté sur Louis Napoléon, paresse d'où je compte tirer une énergie nouvelle... s'il en reste.

Gilbert est rentré lui aussi de Corse et joue déjà au golf, ce qui ne me tente pas. Hier soir visite d'un député de la Gironde. Nuit chaude, réveil de quatre heures, angoisse tirée du néant, sommeil.

Je vous aime mon Anne fort mal, c'est entendu. Et vous, mon cher modèle ? N'oubliez pas que je prends le train demain soir <u>samedi</u> à 0 h 05 à Dax, ce qui m'amène vers 7 h 20 ou 30 à <u>Austerlitz</u>, dimanche. Si je ne te trouve pas à la gare j'irai rue U. partager le petit déjeuner avant d'enlever les deux complices, Anne et Maza, et de les convier à méditer sur leurs péchés, à Saint-Benoît.

Je vous embrasse, Anne chérie. Gardez-moi une pensée au milieu de vos stupres

<u>François</u>

Tu as une si belle bouche, toi, qu'elle me donne un goût de fruit.

1095.

En-tête Assemblée nationale, à Anne Pingeot,
40 rue U., Paris VIᵉ 75.

Latche, 12 août 1975

Mon Anne,

Ma matinée a été occupée par les appels de Paris, journalistes et dirigeants présents du Parti socialiste, qui s'inquiétaient de mes réactions à la suite du communiqué du Parti communiste. J'ai accepté le rendez-vous demandé par le PC. Il aura lieu demain matin. C'est Poperen et Mermaz qui s'y rendront. Mais ils seront porteurs d'une lettre que je rédige actuellement, que nous publierons à l'issue de la rencontre et qui définira notre position dans l'affaire portugaise. Ce travail m'absorbe car tu imagines l'écho qui lui sera donné ! Le texte communiste est en effet plein de traîtrises puisqu'il nous demande à la fois d'intervenir – ce qui est juste – pour freiner la violence, et de souscrire à une interprétation des faits particulièrement tendancieuse.

13 août

J'ai dû interrompre cette lettre. Tu n'as donc rien reçu ce matin. Je le regrette : j'aime que nos fils ne soient jamais rompus. Tous ces rendez-vous quotidiens qui ont rempli douze ans de notre vie nous ont apporté le sens d'une continuité sans laquelle l'amour se fait angoisse et meurt. Hier et ce matin quel travail ! J'ai mis au point le document, je l'ai corrigé et dicté. Depuis le début de cet après-midi, nous l'avons rendu public. Nos négociateurs siègent encore, après cinq heures de discussion. Ils viennent de me téléphoner pour les dernières virgules. Climat tendu. Je n'ai presque pas dormi cette nuit, pas pour cette affaire mais à cause de je ne sais quelle fatigue. Aussi ne suis-je pas très vaillant aujourd'hui.

Merci pour ta lettre si douce, si proche. Je suis tout proche de toi et j'aime imaginer mes deux amours Namazaron dans leurs échanges subtils. Je t'embrasse aussi très, très fort

F̲r̲a̲n̲ç̲o̲i̲s̲

1096.

En-tête Assemblée nationale, à Anne Pingeot,
40 rue U., Paris VIe 75.

Latche, 18 août 1975

Mon Anne chérie,
La tête me tourne un peu de ces voyages par les airs. J'ai besoin de
dormir. Le temps est gris, silencieux. J'ai dans les yeux (et le cœur)
vos images : toi et Mazaron au moment de notre au revoir d'Orly. J'ai
été très heureux avec vous. J'aime les pleurs chantants de Maza et son
sourire à peine esquissé de ~~notre~~ N'a qu'une dent-zyeux brillants. Tu
étais si proche, tout le temps de ces quelques heures. Reste ainsi mon
amour d'Anne : l'état de grâce est en nous. Je jette ces lignes sur le
papier. Je suis arrivé il y a un moment, juste assez pour déjeuner, me
changer… et t'écrire avant le courrier. J'ai l'impression que le fil qui
nous relie tient bon : le sentir m'aide à désirer ce qui est beau, fort,
pur. Tu es mon Anne.
Vite, je pars pour Soustons. Je veux que tu aies ce mot demain.
J'essaierai de récupérer cette nuit. Et déjà quelle joie d'entendre ta
voix. Je t'embrasse comme j'aurais aimé… hier soir, comme j'aimerai
bientôt. Te prendre. Être toi

<u>F</u>

1097.

En-tête Assemblée nationale, à Anne Pingeot,
40 rue U., Paris VIe 75.

Latche, 19 août 1975

Mon Anne aimée,
Des journalistes, pis, de *Match* sont venus me déranger alors que
j'allais t'écrire. Une merveilleuse lumière transfigure chaque feuille. Il
fait chaud. J'entends les deux chiens haleter. Je me suis mis à l'heure
de *La Paille et le Grain* pour raconter les grandeurs et misères de mes
enfants-chênes. Me forcer à tracer des mots sur le papier c'est déjà

faire du Platon. La bête, puis l'ange (si l'ange daigne me visiter). Dites à Mazaron qu'on la trouve belle et qu'on aime lire dans ses yeux toute la gravité du monde. Je ne bouge pas ou à peine. Aurai-je le courage du vélo ? Il le faudrait pour rompre ce corps qui tend à se souder.

Je t'aime, mon Anne, embrasse-la en lui confiant que c'est un baiser de moi – et je te le rendrai au centuple.

J'aime aussi, et tellement, le dessin de tes sourcils, surtout quand ils interrogent

ton
<u>François</u>

1098.

En-tête Assemblée nationale, à Anne Pingeot,
40 rue U., Paris VIᵉ 75.

Latche, 21 août 1975

Mon amour d'Anne,

Ta voix est celle que j'aime. L'importance de la voix ! Elle exprime le flux vital, les mouvements de l'âme autant que la force sexuelle. Par le son. Avant le sens qui, après tout, importe peu.

Je suis allé pour la première fois au golf ce matin. Pas fameux et pas trop mal. J'ai marché vite et librement par un petit temps perlé qui remplissait les poumons. Je suis revenu en forme.

Mermaz est ici pour la journée. Nous parlons politique et discutons de la suite à donner à la missive communiste. Le téléphone a tendance à me déranger. Les journalistes sont à l'affût. Je continue à lire *Dans une âme et un corps* d'Abellio, à la fois littéraire et scientifique (ce dernier aspect me déroute souvent) et je commence *Loin du paradis* de Freustié que l'on m'a beaucoup vanté mais qui me déçoit. Un peu de Freud mondain, les angoisses de la soixantaine, les amours, finalement à ras terre dans une langue élégante.

Je pense à toi et je t'aime. Sur le golf ça sentait bon l'herbe coupée.

Ton parfum, parfois. De Mazaron aussi, si proche de toutes les naissances. Je vous embrasse très fort mes A-Maza

<u>François</u>

1099.

En-tête Assemblée nationale, à Anne Pingeot,
40 rue U., Paris VIᵉ 75.

Latche, 25 août 1975

Mon amour d'Anne,

Le vent soufflait à mon arrivée, les acacias se couchaient, se tor-
daient et soudain un soleil tendrement doré s'est emparé du ciel. Je
vais lire dehors, à l'abri d'un pull-over, avec douceur.

D'abord, je t'aime. Je veux que ce petit mot soit vraiment un
messager pour toi, demain matin. Je sentais la mélancolie t'envahir.
Cœur sensible, cœur d'Anne, si peu fait pour la séparation et toujours
déchiré par mes allers-retours-départs. Je vous embrasse les sourcils,
et la bouche d'Animour, déjà si belle pour le premier 15 août.

Vite, Soustons et la poste. Mazaron est une petite fille-miracle.
Dis-le-lui.

Je t'aime, ma tendre, mon inquiète, ma passion

<u>François</u>

1100.

En-tête Assemblée nationale, à Anne Pingeot,
40 rue U., Paris VIᵉ 75.

Latche, 26 août 1975

Mon Anne chérie,

J'ai terminé tard la lecture d'un roman (le premier d'un jeune
auteur, Daniel Bertrand) *Nathalie*, et je l'ai reprise ce matin, ayant eu
l'impression de m'en être tenu aux apparences du récit plutôt qu'à sa
substance. Du coup j'ai tout relu et ne me suis levé qu'à 11 heures,
très envoûté par cette histoire. Ensuite j'ai parcouru la presse. Bref,
matinée allongée. Il fait beau. Très important. Respirer. Quand je
mourrai d'étouffement sache que je serai déjà en enfer (mon stylo
ne marche pas. Je suis obligé de le secouer toutes les trois lignes).
Dans un moment j'irai faire du vélo. Je voudrais un vrai silence pour

pomper l'humus même. J'en ai besoin. Toi, j'ai aimé ta lettre. Ne sois pas triste (mais tu es tout autant triste de nos séparations que de tes réflexions, elles-mêmes flux et reflux de nos ruptures de temps). J'ai une grande curiosité vivace et peut-être moins de réserves physiques ! (La barbe, ce stylo.)

Avec un Bic je te dirai la même chose tout aussi bien (ou mal).

Julie dort derrière moi. Elle guette chacun de mes mouvements. Le vent incline les grands pins. On sent l'automne. Un petit papillon blanc s'obstine à regarder par la vitre mes écritures. Je ne rencontre jamais ici les papillons géants, noirs et jaunes avec ailes fourchues, qui abondaient aux Bouëges de Touvent.

Mazaron me plaît. Toi aussi. Je t'embrasse et j'ai fort envie de monter avec toi les chemins qui vont au plateau par-derrière la maison de Gordes.

Tu es mon Anne
François

13-16 septembre 1975, Massevaques.

1101.

En-tête Assemblée nationale, à Anne Pingeot,
40 rue U., Paris VIe 75.

21 octobre 1975

Mon amour,

Tu es ma lumière et il n'y a pas d'éclipse. Les heures du jour sont peut-être changeantes mais c'est le jour quand même. Quant à la nuit, elle garde, tu le sais bien, ses étoiles. Guéris de ce mal, mon aimée, non point pour m'aimer moins mais pour me permettre de t'aimer plus. Je caresse ton visage. Voilà douze ans que je suis triste ou heureux selon l'image qu'il me renvoie. Je t'embrasse et suis riche de résolutions puisées dans un amour intact. Tu es A. et Mazarine est là.

Je vous adore

François

1102.

En-tête Assemblée nationale, à Anne Pingeot,
40 rue U., Paris VIᵉ 75.

Dakar, 22 octobre 1975

Mon Anne aimée,

La communication passait mal ce matin. J'entendais ta voix, un peu rauque. Maintenant, je l'interprète. Était-ce le téléphone qui déformait le son ? Était-ce toi qui ne pouvais parler ? Étais-tu, comme hier, au square, toujours bouleversée ? Ces interrogations contraires m'occupent l'esprit, me dérangent, me passionnent. J'aperçois que tout ce qui me vient de toi s'impose en absolu. Bonne ou mauvaise, heureuse ou triste, voilà une histoire d'amour dont les sources restent aussi vives que naguère. Tout au plus faut-il y retourner pour n'en plus douter. Cela me rappelle notre descente de l'Aigoual, le lit sec du Tapoul et soudain l'eau qui court.

Si mon écriture est irrégulière c'est parce que j'ai mis mon papier sur les genoux. Je suis dans ma chambre, annexe du palais présidentiel. L'air conditionné de la pièce à côté souffle stupidement. J'ai éteint le mien. En contrepartie, il fait chaud. C'est la fin de la saison des pluies et l'humidité brûle.

Je suis arrivé dans la nuit et me suis couché vers 3 heures. La matinée a été occupée par une conversation avec Léopold Senghor puis avec le bureau politique du parti majoritaire, de tendance socialiste. Je vais maintenant visiter… le musée, et, à 18 heures, je tiendrai un meeting public en compagnie du président avant de dîner avec lui. Demain je tournerai dans les communes rurales (la terre ici est collectivisée), au nord de Dakar.

Je pense à toi, très proche, en dépit de la distance que tu crois. Je t'aime. C'est plus simple qu'on n'imagine, aussi simple que les éléments ; tu es mon Anne, vivante, présente, pleine de contradictions apparentes, entière, douloureuse, forte. J'ai la tête pleine d'idées (un peu grâce à toi, qui me secoues – encore ne faut-il pas trop m'agiter !) pour que notre vie soit féconde. Par exemple j'ai déjà saisi Moati pour qu'il nous présente le merveilleux *Pain noir* qu'il a donné à la télévision en cinq épisodes : un coup d'œil jeté sur le livre de Clancier (qui a fourni le thème) m'a rappelé combien j'avais désiré éprouver avec toi les émotions déchirantes et belles que suscite cette œuvre, ce

chef-d'œuvre. Bref je suis envahi de l'envie d'être heureux avec toi
– en t'apportant davantage. Tu as raison de réveiller mon appétit
de voir et de savoir et d'échanger ; tu aurais tort de perdre courage
même si je te donne parfois l'impression de prendre le chemin de
ton faux père, vers la sclérose généralisée. Ah ! tu le regrettes ton
bel athlète blond, aux hanches étroites ! Lui serait inépuisable, assurément. Oh A !

Je vous embrasse, ô mon conservateur rétif !

Ainsi que cette petite fille qui regarde si droit devant elle, imbat-
table pour la course à quatre pattes, et qui conduit d'une main si sûre
les rênes imaginaires de son centaure favori.

Je vous aime surtout – et toi, mon Anne de toujours, je caresse tes
sourcils dont j'adore l'arc de solitude – avant que naisse le sourire de
communion

François

1103.

En-tête Assemblée nationale, à Anne Pingeot,
40 rue U., Paris VIᵉ 75.

Dakar, 23 octobre 1975

Mon amour d'Anne,

Je t'écris toujours sur mes genoux. Il y a bien un bureau dans la
pièce voisine de ma chambre mais l'air y est conditionné et je ne sais
pas comment arrêter la soufflerie. Ici j'ai tout de suite demandé qu'on
laisse la température normale et même s'il fait très chaud, je préfère.
J'arrive d'une tournée dans la région de Thiès, à l'est de Dakar. J'ai
visité une communauté rurale, une maternité en pleine brousse et
Thiès, ville de 100 000 habitants, avec de larges avenues et des fleurs
jaunes et rouges. Après un déjeuner chez le gouverneur nous sommes
revenus par un soleil d'incendie. La campagne autour était plate et
grise, plantée d'énormes baobabs dont le tronc est creux et de man-
guiers, seule tache verte. Parfois j'apercevais la mer, brillante, miroir
qui rejetait comme du plomb en feu. Arrivé ici j'ai lu et je t'écris.
Constamment je pense à toi, avec douceur, avec amour, avec aussi le
remords de n'avoir pas donné son rang à l'émerveillement de vivre

et d'être toi et d'être moi. Faut-il que je sois engourdi pour laisser perdre cette passion d'aimer qui pourtant nous habite, pour laisser ton visage se gonfler de détresse !

Alors qu'il y a tant de force en moi pour ma jeune fille du 15 août. Je ne puis supporter cette solitude que pourtant tu me dois trop souvent : notre richesse est dans la curiosité et l'échange. Sois tranquille, mon Anne bien-aimée : je le sais et je l'éprouve comme sur la route du Puy, un jour de neige et de mariage, et je me sens proprement capable de recommencer !

Je n'ai pas encore écrit le mot Mazarine (eh ! Catherine c'est si joli, également ! Tu es vraiment jalouse de rien, mon A). Je l'imagine, son bras levé vers moi et son regard dans le mien, elle me manque comme tu me manques. Dis-lui da-da. Cela lui rappellera de belles chevauchées.

Dans un moment je sortirai pour une conférence de presse, puis j'irai dîner chez le président de la République. Je dois maintenant m'habiller. Il est 17 h 45 (mais 18 h 45 à Paris, avec une heure de décalage) et j'ai profité de ce répit pour me défaire de vêtements de ville qui collent à la peau.

Je t'aime mon Anne violente, ma tendre, ma vraie et je t'en veux d'en douter.

Mais aimer de cette façon-là c'est aussi l'exigence de vivre en allant toujours plus loin. Ce n'est pas facile : donc j'aime

<u>F</u>

P.-S. Dis à Mazaron que je me surprends à chantonner *La Truite* de Schubert… et dis-lui que je t'aime.

1104.

En-tête Assemblée nationale, à Anne Pingeot,
40 rue U., Paris VIe 75.

19 novembre 1975

Mon anne amour,
J'étais si heureux de vous voir ce matin que j'éprouve maintenant

un manque. Je veux qu'en ouvrant ta boîte aux lettres demain, tu le saches. Mazarine a le front si doux contre le mien. Et toi, tu es celle que j'aime. Ô Thomas l'incrédule. Je vous embrasse. Faites votre chemin amoureux, Mazaron dans son landau et toi dans ton ciel, sous l'aile du chapeau noir qui te va si bien. À demain soir, toi

ton
F

1105.

Carte postale, Rome, Forum romain,
à Anne et Mazarine Pingeot, 40 rue U., Paris VIe 75, France.

21 novembre 75

Un jour, nous irons y rêver à la beauté des choses

F

1106.

En-tête Assemblée nationale, à Anne Pingeot,
40 rue U., Paris VIe 75.

24 novembre 1975

Tu es mon amour, Anne, Anne prolongée en Mazarine. Je garde, d'avant ce voyage des images, des sensations, des émotions qui m'accompagneront. Je te reverrai dimanche. J'ai envie de te voir, de comprendre, d'aimer avec toi.
Je t'embrasse très… (ah ! non, pas déjà !). Oui je t'embrasse

F

1107.

Carte postale, New York, Empire State Building au crépuscule,
à Anne Pingeot, 40 rue U., Paris VIᵉ 75.

28 nov. 75

De l'Amérique aux grands espaces libres, et aux villes debout, mille
pensées très

F

20-25 décembre 1975, Noël à Gordes tous les trois.

1976

En-tête Secrétariat d'État à la Culture,
Musée du Louvre, Conservation.

Lundi 29 mars 1976

« Fuir là-bas fuir – je sens que des oiseaux sont ivres... »

La chaleur pénètre les murs, la sève doit remonter dans les vieux parquets du Louvre. Je sais exactement de quoi j'ai envie : de l'herbe brillante et dormir. Sentir la terre ronde sous mon dos.

Sais-tu que je n'ai pas aimé du tout ces deux jours*.

Je sens l'odeur de la forêt et les genêts battre sur les jambes, et le sable gris s'enfoncer dans les espadrilles. C'était beau les vacances.

Et la liberté ?

Ne peut-on l'obtenir que par l'absence de désir [flèche vers « la liberté »] ?

J'en suis loin.

Esclave .

* Ils étaient « inutiles »...

1108.

Carte postale, Budapest, église Matthias,
à Anne et Mazarine Pingeot, 40 rue U., Paris VIe 75, France.

25 mai 1976

Pensée hongroise et tendre

F̲

1109.

Carte postale, Versailles, Congrès du Parlement,
à Anne et Mazarine Pingeot, 40 rue U., Paris VIe 75.

14 juin 1976

Bonjour

F̲

Message du 28 juin 1976 à Pierre Mauroy.

P. Mauroy,
Ne croyez pas que je sois de mauvaise humeur. Mais je ne veux pas céder, surtout devant de tels sophismes.
Qu'en pensez-vous ?

Réponse de Pierre Mauroy :

Nous l'avons pensé ainsi ! Nous avons une bonne argumentation : le mouvement à la base. Marchais a d'ailleurs fait allusion à l'inconfort de leurs positions.
Restez d'apparente mauvaise humeur.

Mauroy

1110.

Carte postale, Helsinki, statue Havis Amanda,
à Anne et Mazarine Pingeot, 40 rue U., Paris VIe 75, France.

7 août 76

Pensée d'où vous n'étiez pas

<u>F</u>

1111.

En-tête Assemblée nationale, à Anne Pingeot,
40 rue U., Paris VIe 75 *(sans timbre)*.

25 août 1976

Mon amour d'Anne

Nous aurions dû l'appeler Louise, Mazarine. Comme cela j'aurais un beau prétexte pour t'écrire aujourd'hui. Bonne fête, Louise, petite Louise jolie, fière et têtue. Mais il n'y a pas de Louise et je n'ai plus d'autre raison pour t'écrire que le temps trop long. Puisque tu m'as fermé porte et fenêtres et puisque tu n'as trouvé de barreaux que pour m'enfermer au-dehors de toi, je suis triste, je m'ennuie, je manque de cet oxygène, de cette nourriture qui a composé cet aliment d'amour et de vie dont je me repais depuis, depuis le 15 août aux sandales. Je devrais te féliciter pour ta persévérance dans le refus de ce qui fut Annefrançois. Moi j'en ai assez de ne pas t'entendre, de ce fil coupé, de cette chute dans le silence. Il faudra que je m'habitue à ce que non pas toi, mais vivre se retire de moi. Pas commode. L'amour vrai est fait de racines profondes.

Le jour est gris. Les orages ont crevé le ciel. J'écoute distraitement les nouvelles. Tu me manques. S'interdire ainsi l'un à l'autre ce n'est pas notre meilleur terrain. Je me sens si précaire et si fort. Lequel de ces adjectifs l'emportera ? Tu es pour moi ce qui est, ce qui explique et justifie.

Disons que j'ai un peu froid.

Je t ☹ime mon ☺nne

François

1112.

En-tête Assemblée nationale, à Anne Pingeot,
40 rue U., Paris VIe 75 *(sans timbre).*

26 août 1976, 12 h 10

Mon Anne chérie,

En appelant le Louvre, il y a un instant, j'ai obéi à une impulsion. Elle était malheureuse, je le vois. Je ne la regrette pas pourtant. J'ai entendu ta voix. C'était toi. Et c'est encore à une impulsion que j'obéis en t'écrivant. Ta décision de créer le silence entre nous fait des ronds dans notre eau profonde. Je reste dans mon propre silence intérieur pris peu à peu par le froid des choses et du monde, le froid qui précède la vie, qui règne sur la mort. Je t'aime et cela me semble une règle si évidente qu'elle commande depuis de longues années (si riches et si belles – pour moi) l'ensemble de mes mécanismes (tu traduiras : mes habitudes, et tu te tromperas).

Je ne ferai pas de romantisme et ne me servirai pas des mots : je t'aime et j'éprouve une détresse dont j'avais oublié le goût devant ce qui arrive aujourd'hui. Tu me le disais que j'étais trop sûr de moi. Oui, d'une certaine façon : j'étais sûr de ta loyauté. Mais je n'étais pas sûr de ta persévérance. Je savais que ta part était sévère et que le temps pèserait de plus en plus lourd. Simplement je croyais que nous nous aimions tant que nous serions vainqueurs au bout du compte. J'écris au passé parce que je respecte la grammaire. Mais j'éprouve cela au présent et je crois encore que cet amour existe tel qu'en lui-même Chênehutte et d'autres lieux, y compris notre dernière traversée des Tuileries, l'ont fait.

18 h 15

Troisième impulsion, sans doute moins opportune encore que les autres : j'ai sauté dans une voiture pour Bordeaux et j'attends maintenant l'avion qui me déposera une heure plus tard à Orly. Les idées s'entremêlent dans ma tête et j'ai le cœur serré. Je pense que tu me recevras mal et que cela n'arrangera rien. Mais je ne m'arrête pas à des problèmes de protocole ou de précaution. Je t'aime. Je défends cet amour. Tu ne m'en voudras pas, j'en suis sûr, un peu plus tard, d'avoir été et d'être disponible, de me battre pour ce que j'aime. J'ai tant envie de retrouver avec toi, le langage de nos merveilles. Peut-être ai-je trop somnolé ces derniers temps. Un peu de fatigue physique aussi. Tu m'auras réveillé, tant mieux. Mais au-delà s'il s'agit de ce cauchemar obsédant qui occupe tant de mes nuits, Anne absente, Anne perdue, ô mon amour dissipé, je veux le savoir. Si bête que ce soit je n'ai jamais pensé qu'il y aurait à vivre après. Du jour où je t'ai aimée (bien avant toi) c'est devenu inconcevable. C'est pourquoi mon mérite est mince d'avoir (non, je ne dormais pas !) inventé (façon d'écrire « créé ») Mazarine (dans l'autre sens je te laisse l'avantage de l'invention). Et je suis là, dans cet aéroport où j'étouffe, je suis là à trembler pour l'amour, l'essence même de ce qui m'anime, l'amour d'Annefrançois.

Donc je pense que je serai plus triste, désespéré demain. Ta résolution était inscrite dans ta voix froide et ce téléphone coupé. T'ai-je rendue si malheureuse que tu finisses par préférer ce qui ne sera pas nous ? Mais j'ai eu tort d'employer le mot : injuste. Il y a en nous, en toi, en moi, une vérité bien plus profonde que. On peut la percevoir dans les moments de grâce. Ceux-là sont rares mais tout-puissants. Ils dominent la mémoire du cœur. Et cette justice elle t'habite. Eh bien mon amour, je ne crains rien de ta mémoire.

Je t'ai envoyé des lettres de délire en janvier 64 et encore en juillet 70 : j'ai, en août 76, la même réserve d'amour et d'énergie. Tu doutes, je le sais bien. Il n'est pas d'amour qui ne doute. Et sur ce plan tu battrais plutôt des records.

19 heures

L'avion est arrivé et reparti en retard. Tout à l'heure j'écrivais, bousculé par les passagers impatients. Maintenant, mon papier toujours sur les genoux, l'avion est en l'air et bouge. L'incohérence de l'écriture s'ajoute au reste. Pourtant à mesure que je m'engage dans cette conversation, une sorte de paix s'installe.

J'ai soif autant que toi de cette région haute et pure où l'âme découvre son altitude. Tu m'y as souvent conduit. Moi, pas assez. Pour une minute tandis que la brume d'été dissimule la terre tout au-dessous de moi j'éprouve comme un bonheur de La Loubière. J'aurai plus de mal en tombant !

Si je pouvais sourire je t'avouerais que tu exerces sur moi une étonnante médecine. La déchirure du cœur, je ne te l'apprendrai pas, quelle douleur ! Elle me ravage et me voici en marche vers toi,

n'ignorant rien de ce que tu me réserves, en marche d'un pas résolu
– et allègre ! La fatigue du corps : la moitié du mal en point, avec
ces reins dans un étau – et me voici en marche vers toi, toute gêne
animale effacée, capable de monter à la tour de Babel !

Je ne m'illusionne pas plus que de raison : la vie est à sens unique
et mon parcours s'infléchit du côté que l'on sait. Toi perdue j'appro-
cherai du dernier acte. Mais comme je t'aime, Anne, comme je t'aurai
aimée, comme je suis amoureux de toi. Ton exigence ne supporte
pas les miasmes. Tu n'aimeras à jamais, tu ne pourras aimer qu'un
saint. Tu es donc mal partie. Sache au moins que j'en ai le goût. Et
es-tu sûre de m'avoir aidé de toutes tes forces ? Mon amour je suis
si heureux et si riche avec toi. Tu es mon pain. Je te mange. Le pain
n'aime pas être mangé. J'aime le pain.

Je ne t'imagine pas d'un bloc et ne résume pas cette lettre à Je. Il y a
toi. Et toi comment ignorerais-je ta capacité de souffrance ? Je pense à
toi avec amour. À tes sentiments divisés. Aux questions qui te font souhaiter le silence. Tu as mal tellement, ou si tu me cries qu'au contraire tu
te sens indifférente, c'est que tu auras plus mal encore. Je ne sais qu'un
remède : la simplicité de l'amour, la volonté de comprendre, la force
de pardonner – j'ai capacité pour les deux premiers moyens. Je n'ai
rien à te pardonner. Si tu crois avoir à condamner, tends-moi la main.

Ô mon Anne, ma bien-aimée je n'aurai pas plus au terme de cette
lettre que jamais, jamais, jamais de fin

François

1113.

Carte postale, Glen Roy (Écosse), Routes parallèles,
à Anne et Mazarine Pingeot, 40 rue U., Paris VIᵉ 75, France.

22 septembre 1976

Quatre moutons.
Je vous embrasse

F

1114.

Carte postale, Jérusalem, la Vieille Ville vue du sud,
à Anne Pingeot, 40 rue U., Paris VIe 75 *(sans timbre).*

28 octobre 1976

Pensée vers toi

F̲

1115.

Carte postale, Tolède, le Tage, à Anne et Mazarine Pingeot,
40 rue U., Paris VIe 75, France.

6 déc. 76

Tolède !

F̲

22-26 décembre 1976, Noël à Gordes.

1977

1116.

Carte postale, Corinthe, le canal, à Mazarine Pingeot,
40 rue U., 75006 Paris, France.

20/1/1977

Dis à Mamamonamoi qu'on est content de la revoir.
Je t'embrasse

<u>F.</u>

1117.

En-tête Assemblée nationale, à Anne Pingeot,
40 rue U., Paris VIe 75.

Mexico, 25 janvier 1977

Mon amour d'Anne,
Je t'écris de l'hôtel, un admirable hôtel, quatre côtés inclinés, esquissant la pyramide aztèque, de quatre étages seulement, donnant sur un immense patio d'herbe rase et de pierre ocrée, avec piscine, évidemment, d'un bleu vif.
Impression que donnent (toutes choses égales !!) les cloîtres ou les palais arabes. Tout autour par contre c'est la ville fouillis de 10 mil-

lions d'habitants, mélange terrible de béton et de taudis. Je suis arrivé hier soir (nous avons sept heures de décalage avec toi) et je vais commencer ma journée. Il est 9 heures du matin. Je rencontre le président dans deux heures et je reste au Mexique jusqu'à demain dans la soirée avant d'aller au Costa Rica.

Je pense fort à toi et à Mazarine. J'ai de jolies photos de vous et surtout des images dans la tête et des élans dans le cœur (mais où est le cœur ?). Moi, les voyages ne feront pas de moi, je le présume, une statue de l'indifférence et je serai heureux, très, de vous revoir dimanche.

Je n'ai encore rien à te raconter sinon que l'avion, un Boeing 747, a volé fermement dans un ciel clair mais agité, que j'ai lu cent pages de *L'Automne du patriarche* de Gabriel García Márquez (l'auteur de *Cent ans de solitude*) qui, précisément, nous attendait à l'aéroport et avec lequel je prendrai dans un moment mon petit déjeuner, que Régis Debray s'est joint à nous (Defferre, Jospin, Bianco, Andrieux et moi), que le steward de l'avion avait passé une soirée avec Grossouvre et moi à Téhéran lors du fameux voyage en Chine, que Mexico vue de haut est une immense fourmilière à l'intérieur et tout autour de collines aiguës, que la ville est à 2 300 mètres d'altitude et qu'elle apparaît comme un champ de pierre, une vallée de Josaphat pour vivants, que nous sommes passés par le sud du Groenland et le Labrador pour traverser les USA par le milieu, avec une seule escale, à Houston, au Texas, et que j'aime être avec toi que j'embrasse si tendrement

François

1118.

Carte postale, Venezuela, maisons coloniales,
à Anne et Mazarine Pingeot, 40 rue U., 75006 Paris, France.

28 janv. 77

Promenade au XVIe siècle.
Baisers

F

19-24 février 1976, Israël.

1119.

10 avril 1977. Pâques. En-tête Assemblée nationale (sans enveloppe).
Deux listes pour ne pas oublier.

Babar
Belle du Seigneur
Poterie d'Anduze
Peignoir
Porte-serviette
5 pellicules polaroïd / app. photo
4 flashes

LES ŒUFS DE PÂQUES, 1977

1 ds le banc de pierre
2 ds le mur principal midi
1 ds la touffe d'herbe près du mûrier sud-est
1 à droite et 1 à gauche du banc est
1 dans l'herbe à droite du banc est
2 et 3 petits sous la table
1 dans le romarin
1 dans le mur au-dessus du romarin, angle est petite maison
1 dans l'évier ouest
3 sous la brouette bleue
1 dans le 5ᵉ if

Animour
On vous aime
il y a
un besoin de lumière
au-dedans
pour éclairer toutes les sources
de la vie
de l'amour
et de lumière dans le ciel
sur la terre
dans la maison de Mazarine
partout.

On vous aime
il y a
du feu dans la cheminée
ô soleil.

1120.

En-tête Assemblée nationale, à Anne Pingeot,
40 rue U., Paris VIe 75 *(sans timbre).*

Latche, 14 avril 1977

Mon Anne chérie,
Je ne peux pas parler pour toi dont la voix était si neutre, si absente hier soir. Mais je peux parler pour moi et te dire que je t'aime. Voilà le grand mot lâché. Je t'aime. Comment ? Je sais que tu ajouteras que je t'aime mal ou pas du tout. C'est ton affaire. Mais je t'aime, même mal, même pas du tout, mais je t'aime quand même. Tu es revenue toute la nuit et c'est toi qui te promenais, qui traversais les bois, les routes et les fermes de mon cauchemar tandis que la torpeur profonde était de ton côté. Bref j'écrivais le poème et tu dormais.
J'ai renoncé à t'appeler ce matin et je déteste renoncer. La vie de notre amour a été la victoire quotidienne du goût d'aimer sur la commodité des choses indifférentes. Ton injustice a beau me retirer la plus simple des vérités pour ne m'accorder que le jeu, je sens, je vis, j'agis par la lumière d'un beau jour d'août dont l'éclat ne se dissipera qu'avec l'autre lumière, la lumière noire de la mort. Il est vrai que mon mérite diminue avec le temps qui passe et qui passe si vite.
Bien entendu, je ne crois pas à ton éloignement profond. Non par vanité mais par certitude. Ce que tu donnes, toi-même ne peux le rattraper. Mais ces à-coups finissent par nous briser le cœur. On ne lance pas impunément des pierres contre la vitre. J'avais déjà envie de t'écrire hier avant de savoir que mon appel serait si mal reçu. J'avais envie de communiquer autrement que par le téléphone. J'avais commencé et m'étais laissé surprendre par le départ du courrier. Aujourd'hui j'ai besoin de te retrouver, mon amour d'Anne, qui devinais si bien les signes. J'ai ton visage dans la mémoire immédiate

autant que dans la vie profonde et j'en distingue avec amour les joies, les chagrins, la foi ou l'anxiété.

Je pense à toi, toujours coupable de ne pas savoir te rendre aussi heureuse que peut l'être une Mazarine sur vélo rouge.

Mais je vous aime toutes les deux

<u>François</u>

1121.

Carte postale, Madrid, Plaza Mayor, à Anne Pingeot,
40 rue U., Paris VIe 75 *(sans timbre).*

9 mai 1977

À mon Anne,
En souvenir d'une balade nocturne autour de Philippe IV.
Une pensée de Madrid

F.

Toutes les cartes postales sont envoyées en double désormais. Celles de Mazarine sont réunies avec son courrier.

1122.

Carte postale, Rome, place Saint-Pierre, à Anne Pingeot,
40 rue U., Paris VIe, France.

2 juin 1977

Te souviens-tu de ces colonnes ?

<u>François</u>

1123.

En-tête Assemblée nationale (sans enveloppe).

16 juin 1977

J'autorise Mademoiselle Pingeot à prendre ma voiture (Simca-Chrysler) immatriculée 58 qui se trouve dans la cour intérieure principale du Palais-Bourbon

François Mitterrand

1124.

Carte postale, Porto, Câmara municipal, à Anne Pingeot,
40 rue U., Paris VIe, France.

24/VI/77

Cette carte ne donne pas une juste idée de Porto qui est une ville accrochée au rocher dans une belle anarchie de pierre, avec un fleuve qui la coupe en deux, le Douro, et la mer qui entre partout. Mais je t'embrasse bien tendrement et mieux encore – pour cette Saint-Jean

F.

1125.

*Carte postale, Sofia, Théâtre national Ivan-Vazov,
à* Anne Pingeot, 40 rue U., Paris VIe 75.

20 octobre 1977

Je pense à toi

F

1126.

Carte postale, Alaska, mont Susitna, à Anne Pingeot,
40 rue U., Paris VIe 75.

15/XII/1977

Le temps a perdu la boule. Le soleil se lève et se couche en désordre. Je pense à toi et je t'embrasse

F

1127.

Carte postale, Japon, un temple, à Anne Pingeot,
40 rue U., Paris VIe 75.

16/XII/77

Je marche sur tes pas

F

21-24 décembre 1977, Noël à Gordes.

1978

1128.

Carte postale, Athènes, Musée national, L'Éphèbe d'Anticythère,
à Anne Pingeot, 40 rue U., Paris VIe 75.

30 mai 1978

De cuivre et d'étain, voilà comment franchir deux mille ans et
demi – sans vieillir.
Je t'embrasse

F

Papier blanc (sans enveloppe).

[Leningrad] *6 VII 78*

« J'aime ton visage noble et sévère, et la puissante Neva qui court entre ses rives
de granit. J'aime la mystérieuse transparence et l'éclat pensif de tes nuits sans lune,
quand dans ma chambre, j'écris et je lis sans lampe, tandis que se détachent clairement
les silhouettes endormies des rues désertes et que brille la flèche de l'Amirauté. »
Ce n'est pas de moi mais de Pouchkine (traduit par le guide Nagel) ! Mais moi je suis
assise et j'écris sans lampe face à la cathédrale Saint-Isaac (la coupole dorée derrière
le cavalier de bronze) car ce sont les « nuits blanches » de Leningrad.
La nuit d'hier dans un train, genre Anna Karenine, avec rideau et samovar s'est

achevée dans les forêts du Nord (la même qu'en Norvège)… et voici Leningrad. Mon admiration ne se lasse pas. Première découverte de l'Ermitage. Il me faudra bien y retourner chaque jour pour l'épuiser. Un charmant collègue russe m'a fait visiter les réserves (je ne vais pas avoir assez de pellicules j'ai déjà pris 180 photos). Ce soir j'avais si envie de légumes frais ou de fruits que je suis allée pour la première fois au restaurant de l'hôtel, la queue partout, pour tout… On m'a placée en face d'un beau jeune homme suédois qui construit un hôtel ici depuis des mois… et je suis sagement remontée dans ma chambre pour t'écrire, au lieu d'accepter le champagne qu'il me proposait ou d'aller naviguer sur la Neva.

Les Russes sont charmants – du moins les conservateurs qui parlent un français pur et sans reproche.

Demain Tsarkoie-Selo.

Je ne sais si je vais survivre à mes marches à pied. Un visage rond « aux cheveux fous » traverse mes yeux souvent. Les baisers dans « le cou » me manquent. À Moscou la maison de Tolstoï (trouvée avec les plus grandes difficultés – les chauffeurs ne connaissent pas Moscou, et ne savent pas lire un plan… d'ailleurs ils n'en ont pas !) m'a beaucoup émue. J'ai vu aussi l'hôtel qu'il a dépeint comme celui des Rostov avec la permission de son propriétaire. Toutes ces avenues anciennes sont bordées de tilleuls en fleurs.

Vu dans le hall de l'hôtel : *L'UNITÉ* !

Mais oui ! Tout arrive à Leningrad… sauf de quoi vivre avec plaisir : s'asseoir, déjeuner, sont inconnus. Il faut ou faire la queue ou manger debout, des bouillies horribles. Vais-je attraper le scorbut ?

J'ai un avion d'Aeroflot qui devrait me conduire à Paris vers 15 heures, samedi 15. J'espère passer deux heures au Louvre et prendre le train pour les Landes vers 17 h 30-18 heures ?

Si tu étais là nous serions retombés « amoureux l'un de l'autre » comme on le dit de la mouette et du corbeau ! Il fait si beau, si bon… et le troisième élément est là : vois sur ces canaux, dormir ces vaisseaux…

Je compense par une chasse aux cariatides hardie.

TON

1129.

En-tête Assemblée nationale (sans enveloppe).

10 juillet 1978

Mon amour d'Anne,
Voici le billet Paris-Dax pour le train que tu prendras. Je t'ai retenu par précaution une couchette de nuit 15-16 juillet.
Je t'attends et je t'aime, ton

F

1130.

En-tête Assemblée nationale, à Anne Pingeot,
40 rue U., Paris VIe 75.

Latche, 12 juillet 1978

Mon amour d'Anne,

J'ai vu Mazarine ! Dès mon arrivée lundi. Elle m'attendait et avait dit à Martine : « Il faut que je sois jolie pour papa », réclamant, exigeant la robe de son choix. Quand elle est arrivée (j'étais à Lohia avant qu'elle ne rentre de la plage) elle a couru et s'est jetée, folle, dans mes bras. Je l'ai revue hier et ce matin. Elle reste là et demande l'heure en m'attendant. Lundi elle m'a entraîné au bord du lac et devant Gédé m'a dit « Rentrons à la maison pour dire des gros mots ». Gédé scandalisée ! Le gros mot est venu : c'était cacaboudin. On a joué à cache-cache. Elle a peur et aime avoir peur. « Comment s'appelle-t-il ton papa ? » « Joseph. » « Comme le papa de Jésus ? » Toutes les histoires ressortent, le pigeon, la mouette et le renard, la mouette et le chasseur, l'âne et le chien, le lièvre (lapin) et l'escargot, et même une histoire de tortue et d'escargot dont je ne me souvenais plus, avec un calisson en prime. Elle se porte bien, court, s'épanouit. « Et maman ? elle va venir ? » Je la rassure. Elle t'attend – quand elle tombe / se fait mal, elle me réclame. Quand elle s'endort ou se réveille elle t'appelle. Et va jouer ou tombe dans un sommeil paisible.

Voici quelques nouvelles qui doivent te manquer. Maintenant, on guette ton retour. Comme tu me l'as annoncé de Leningrad, dès que les Portmann t'annoncent [nous n'avions le téléphone ni à Lohia, ni à Ametza], une voiture sera mobilisée pour te chercher à Dax. Mazarine : « Quand c'est vendredi ? » Difficile à expliquer ! Elle apprécie peu ton dessin (fusain et sanguine ?) apposé sur un panneau de bois : un homme de dos, nu, un autre (ou une femme) assis (je crois) « C'est pas maman qui l'a fait. Elle fait pas des gribouillages ». Ton coup de téléphone de Leningrad, ta voix sensible, à l'autre bout, toi, mon amour ! J'ai vécu ces dix jours d'absence et de silence dans la tourmente politique. Je te raconterai. J'achève mon livre [*L'Abeille et l'Architecte*]. 400 pages sont chez l'imprimeur. J'en remettrai 80 la semaine prochaine et ce sera fini. Je manque de sommeil. Je t'aime. J'ai regardé les Trois-Poteaux (leur souvenir) avec mélancolie et une joie profonde en revenant de Lohia ce matin. Je serai très heureux de revoir avec toi le lac, les fougères, les cimes renversées, de respirer l'air de l'été. Il fait beau.

Ma chérie chérie, tu trouveras rue U. un petit mot avec billet. Il t'évitera de perdre du temps à la gare. Reviens vite. Nous t'aimons et formons Mazarine et moi un solide duo en peine du trio. Le tendre cercle, la ronde je t'embrasse (et j'ai envie de toi oh !).

ton

<u>François</u>

[Sur l'enveloppe :] « La politique obéit si souvent aux lois de la physique que j'attends maintenant du principe d'Archimède une somme égale de doutes, d'abandons et d'injures, de soumissions et de serments. »

1131.

En-tête Assemblée nationale, à Anne Pingeot,
40 rue U., Paris VIe 75.

Latche, 9 août 1978

Mon amour d'Anne,

Le 9 août 1965, je t'ai attendue une partie de la nuit tandis que tu dansais avec T… et comme je ne t'avais pas vue rentrer mille pensées de désespoir et de rage m'ont occupé le cœur. Déjà l'après-midi alors que nous cueillions des bruyères avec Gédé tu m'avais boudé, puis insulté pour un modeste choc sur la route du retour… Treize ans et je revis ces moments, je te vois, je te touche, j'admire la jeune fille (jeune femme) aux sandales et au péplum, la merveilleuse habitante des nuits de Chênehutte.

Cela dit, je vous embrasse Anne d'aujourd'hui et je vous aime, image penchée, visage clos, avec tout contre toi l'autre profil d'une petite fille, symphonie du nouveau monde.

Il fait beau. Je marche nonchalamment. Je respire l'air d'océan que le vent rabat sur la forêt. Je n'ai pas envie de travailler. Je me sens végétal.

Je vais quand même m'appliquer à la « Fortune critique ». Je ne sais pas par quel bout m'y prendre.

Je vous aime, Animour. Je jette ce mot à la poste. Il faut maintenant que je dessine un oiseau pour Mazarine.

Je suis

ton

François Ier

1132.

En-tête Assemblée nationale, à Anne Pingeot,
40 rue U., Paris VIe 75.

Latche, 23 août 1978

Mon amour chéri,

Elles sont si belles ces photos qu'elles donnent au souvenir l'éclat des heures présentes ; Mazarine est si proche, si belle aussi que le temps s'abolit et je suis auprès d'elle comme au 40, comme à Louvet ; et la lumière, et toi, faiseuse d'images, et nos lieux familiers, voilà de quoi retrouver la sensation vivante du bonheur.

Ce matin j'ai roulé 12 kilomètres à vélo et j'essaie de me secouer. Peut-être ferai-je un peu de tennis ce soir. Je me suis mis en plein dans Napoléon III. Je flâne. Et je pense à vous, mes deux amours en un seul. Je t'imagine affairée par tous les bouts : les notices, le dîner, les va-et-vient Louvre-Tokyo.

Je te téléphonerai quand même, au risque de déplaire au beau milieu de l'opération charme de ce soir.

Je pense à toi et je t'aime, je te vois dorée, longue, et le profil Fayolle, et le corps tendre, si tendre

François

1133.

En-tête Assemblée nationale, à Anne Pingeot,
40 rue U., Paris VIe 75.

31 octobre 1978

Mon amour d'Anne,
Je pars dans un instant j'ai essayé de t'obtenir au téléphone. En vain. J'ai pensé et je pense à toi, à Mazarine, au beau soleil, à notre joie. Tu trouveras ce mot en rentrant. Il t'apportera l'amour qui m'habite, pour vous deux

F

1134.

Carte postale, Canada, Horseshoe Bay, à Anne Pingeot,
40 rue U., Paris VIe 75.

4 nov. 78

Tu es A.
Je t'embrasse

F.

1135.

En-tête Assemblée nationale, à Anne Pingeot,
40 rue U., Paris VIe 75.

Latche, 26 novembre 1978

Ma chérie,
Inutile de te raconter la soirée que j'ai vécue. J'imagine, sans imaginer, la tienne et sans savoir ce qui domine en toi de la colère ou du chagrin ou de l'indifférence. Que tu m'aies fermé ta porte me boule-

verse et ouvre une blessure difficile à guérir. La première fois de notre vie. Je suis parti ce matin pour les Landes : je ne pouvais laisser quinze jeunes plants de chêne mourir près de la terre où ils devront grandir. Mais c'est fait et je rentre, incapable de supporter cette déchirure entre nous. Tu en feras ce que tu voudras : demain mardi, je serai au quart square et je t'espérerai. Nous pourrions déjeuner ensemble et parler. Sinon j'irai (je veux t'en prévenir pour ne pas agir par surprise) vers 19 heures au 40.

Je pense à toi et je t'aime. Sans doute avons-nous mal maîtrisé ces derniers mois : trop de travail (de part et d'autre), et de fatigue. Et notre Mazarine (mais c'est un bonheur quand même) qui me prend l'heure merveilleuse d'avant son sommeil, et me laisse tout étourdi quand je descends l'escalier ravi – et déjà la soirée cassée. Bien entendu affluent en moi les élans, les grâces, les joies d'un passé/ présent aujourd'hui tourmenté. Et je m'interroge sur cette tristesse qui gagne ton regard. Je sens en moi (eh oui !) des forces neuves pour t'aimer à la mesure d'un amour qui nous vaut d'être ce que nous sommes : divisés, et unis et si pauvres dès que s'éloigne sa chaleur. Je t'aime, c'est comme ça, en dépit de tes comptes. Je pense à toi. Ici un admirable jour de soleil en hiver sur des couleurs mourantes. Mais je pense à toi comme depuis la première fois (cette première fois que tu maudis). Tout de même, dis à Mazarine que je l'aime. Chaque [fois] que nous l'avons voulu nous avons éclairé nos vies, notre vie, mon Anne

Ｆrançois

21-26 décembre 1978, Noël à Gordes.

1979

1136.

Carton d'invitation au Rassemblement des socialistes européens.

25 mai 1979

Je suis passé (18 h 30). Je vous regrette ! Venez si vous pouvez.
Voici des cartes d'entrée. Je téléphonerai

F̲

1137.

En-tête Assemblée nationale, à Anne Pingeot,
40 rue U., Paris VIᵉ 75.

Latche, 11 août 1979

Mon Anne chérie,
Je suis arrivé hier plus tard que prévu, ayant flâné, musardé en
Charente par une journée grise où le passé revenait en écho avec
une étonnante précision. Je t'ai téléphoné aussitôt sans grand succès
comme tu sais. Dommage que tu n'aies pas remarqué parmi mes
papiers en désordre l'enveloppe aux photographies de mon couple
amoureux : Mazarine, Anne, Anne, Mazarine – et les petits docu-

ments tout bêtes que j'aime tant : des dessins de toi, des déclarations enflammées et toujours la dernière lettre reçue de toi qui prend la place de celle qui l'a précédée (tu ne t'es pas épuisée cette année en correspondance, du moins pour moi, chère donneuse de leçons : cette dernière lettre est datée du 6 juillet 1978 et me vient de Russie).

Ah ! Tes jugements qui se font d'un bloc, à la vitesse de la lumière et d'une lumière très obscure ! Comme tu ferais mieux de te souvenir d'une belle, riche, pure promenade derrière deux enfants sur le plateau de Gergovie, d'un regard sur un quai de gare, des douces heures partagées, de ne pas te complaire dans le noir où tu m'enfermes après t'y être toi-même close. Mon Anne chérie tu n'as pas réussi à jeter le sort du ciel de Paris sur celui d'Aquitaine : le soleil brille et joue de chaque feuille, miroirs par millions pour ciel indifférent. Je t'aime et dois te dire que j'ai envie de t'embrasser, sans crainte d'aggraver mon cas. Je te vois comme je t'ai vue ces jours d'Auvergne et ta mauvaise humeur de ce matin ne parvient pas à m'ôter du cœur et de l'esprit (il existe aussi des souvenirs du corps) la trace de mes joies. J'ai eu Mazarine au téléphone à 9 heures ; elle se réveillait et m'a dit tout de suite « Je veux voir Maman » avant de me quitter sur de longs et bruyants baisers.

Je vous aime mon Anne

F

1138.

En-tête Assemblée nationale (sans enveloppe).

28 août 1979

J'ai demandé à Mademoiselle Anne Pingeot de bien vouloir prendre ma voiture dans la cour de l'Assemblée nationale, le jeudi 30 août 1979.

Fait à Paris

François Mitterrand

1139.

Papier blanc (sans enveloppe).

17 novembre 1979

Quelle est cette folie ?

Je suis resté <u>trois minutes,</u> sans rien prendre, aux Deux Magots, et j'ai attendu vingt-cinq minutes supplémentaires, debout, sur le trottoir, épuisé, que tu arrives. J'ai téléphoné, atrocement inquiet, à Agnès. À 8 h 30 je suis rentré au 40. J'ai libéré Agnès, chanté à Mazarine, et l'ai gardée. J'étais angoissé, sans rien comprendre à ton attitude, et je craignais un accident.

C'est incompréhensible. Agnès a téléphoné, également inquiète. Elle rappellera tout à l'heure. Tu ne sais pas par quelles angoisses tu m'as fait passer. Un peu plus de confiance et nous étions en paix au cinéma à 8 heures !

J'ai vraiment trop de peine, devant cette injustice.

J'étais si heureux de te voir. Et je t'aime.

F.

C'est grave.

1140.

En-tête Assemblée nationale, à Anne.

18 novembre 1979

Je n'ai pas changé d'amour depuis le 15 août de la jeune fille au péplum. Et Mazarine en plus. Tout le reste, tes colères, tes suspicions, tes rebuffades, n'a pas compté. Mais aujourd'hui je suis frappé au plus secret. Que ce soit clair : je t'aime. Moins t'aimer serait moins souffrir. J'ai un mal atroce, moral, qui m'épuise le corps. Tu me traites comme si j'avais trente ans. Tu es ma mesure de vieillesse. Oui, je suis épuisé.

Moi aussi je sais que tu es déchirée. Je me fais bien des reproches. Je pourrais mieux t'aider. Il faut constamment se laver l'esprit et le cœur, vaincre les habitudes pour vivre comme il faut vivre. J'y manque souvent. Mais l'essentiel est là et je garde l'envie, le besoin de t'aimer pour toi-même. Cet aiguillon ne s'est pas émoussé par le temps. J'y vois la preuve d'un amour intact devant l'usure. D'où l'élan toujours renouvelé qui m'émerveille. Je t'écris recroquevillé, grelottant de fatigue. Quelle nuit ! Parfois j'avais des somnolences où mon esprit dérivait et je retrouvais soudain, pour un éclair, la saveur des jours bénis. Un coup de poing au cœur me ramenait à la réalité et la tête me brûlait. Je ne fais pas appel à l'instinct d'infirmière, d'autant plus que c'est presque risible : j'en ai saigné du nez (je me souviens de Mazarine pour une fois punie et se cognant la lèvre sur le rebord de la baignoire avec tout ce sang qui coulait).

Partir maintenant pour le Nord, dans ce climat de pluie gelée, et revenir tout aussitôt, avant d'aller à Europe 1, m'oblige jusqu'au supplice.

Je te téléphonerai vers 18 h 30 pour te demander de venir embrasser Mazarine après l'émission. Hier soir elle a posé la tête sur mes genoux et nous avons parlé d'amour, toi, moi, elle, et elle s'est endormie d'un sommeil paisible. Pour t'embrasser aussi. Je n'ai plus le goût des querelles, qu'elles soient fondées ou non, que tu aies tort, ou moi. Je n'ai plus le temps. Je n'ai pas assez veillé sur toi ces dernières semaines en dépit d'heures très belles. Si tu étais si proche de la violence hier, j'aurais dû la prévenir. Mais bêtement j'étais en paix.

J'ai pour toi un amour profond, définitif. Il durera jusqu'à la mort et non jusqu'à une terrasse de café devant laquelle je t'ai désespérément attendue. Tu ne mesures pas l'absurdité de ta disparition d'hier soir. J'étais si heureux de te voir, d'être libre avec toi. Tu étais heureuse de me voir arriver plus tôt que tu ne l'avais prévu. La jeune femme québécoise est quelque chose comme chef de cabinet du Premier ministre. Il me l'a envoyée pour avoir un message d'aide politique à la veille du référendum. J'avais négligé de la recevoir et elle part ce matin pour son pays. J'ai téléphoné de chez toi, devant toi. Je suis resté trois minutes et n'ai même pas commandé un verre d'eau. Pas une seconde je n'ai imaginé que tu ne reviendrais pas. J'ai eu peur d'un accident, de n'importe quoi, pas de ça.

Bien entendu il s'agit pour toi d'autre chose. J'aurais dû le deviner à quelques signes : le dernier quart square où tu étais hostile, le soir où tu m'as reproché de ne pas savoir faire la cuisine, le lendemain où tu m'as dit que je dînais ailleurs, tout cela entrecoupé d'élans merveilleux, de douceur, d'amour vrai qui m'ont abusé. Je n'ai pas discuté que tu étais si fatiguée, et au fond, exaspérée. Je t'ai pourtant vue chaque jour. Quand veux-tu, quand crois-tu que je travaille sinon le soir pour écluser les énormes dossiers, les interviews, les papiers à écrire (bien cinquante pages, en dix jours, sans oublier le 2 *Décembre* qui avance), les discours à préparer ? Toi qui as ~~pour toi~~ la religion du travail ! Mais moi cela n'entame pas ma joie d'être avec toi, tu m'es facteur d'équilibre et de force. Je crois te faire l'effet contraire.

C'est une histoire folle, je ne trouve pas d'autre mot, que ton refus de me parler hier soir. J'ai honte de la façon dont tu m'as chassé. Je souffre d'un mal profond. Qui m'a rongé toute la nuit. Tu m'as dit que tu ne m'avais jamais manqué. C'est sûrement vrai sur un plan. Tu m'as manqué sur d'autres, plus que tu ne le crois. J'ai pensé que quand tu reviendrais on finirait par éclater de rire. J'avais téléphoné à l'Assemblée pour prévenir que je ne passerais pas. Le temps que j'aurais eu encore avec toi me paraissait délicieux, aussi riche que toujours. Si tu veux m'appeler à mieux comprendre, à mieux aimer il existe d'autres moyens. Peut-être, d'abord, la confiance. Mais tu n'as pas confiance. En tout cas l'amour. Il a toujours répondu pour nous.

J'ai failli t'appeler te téléphoner ce matin. L'habitude, chère habitude, l'horrible vide de ne pouvoir le faire sans risque d'une nouvelle déchirure et moi, hésitant et stupide et ne le faisant pas, t'entendant à l'avance raccrocher.

Je suis comme malade. Et je ne suis pas un bon malade. Je ne pense pas ouvrir un dossier, lire une note pour mon discours de censure qui aura lieu mardi matin. Ah le devoir d'État !

Dès que tu t'éloignes rien ne m'intéresse.

Tu m'objecteras ta solitude, ta patience, ta longue espérance, ton chagrin. Et j'éprouve ta solitude, ta patience, ton espérance et ton chagrin. Je m'en veux du mal que je te fais (ce n'est pas celui que tu imagines, comme une lectrice du courrier du cœur !). Simplement tu aimes l'absolu et tu as passionnément besoin de le vivre. J'ai pourtant le sentiment de t'apporter plus que tu le dis, plus que tu ne le crois. J'ai envie de le hurler : tu sais bien que je t'aime et puis c'est tout.

Nous devrions bientôt aller à Saint-Benoît et nous rafraîchir à nos sources. Sensuel, peut-être trop, mon amour est resté pur par ses élans, par sa communication avec ce qu'on dit être l'âme. Je n'ignore pas que c'est grâce à toi. Tu es mon eau et ma lumière. Mais je n'ai pas cessé un instant de m'y sentir à l'aise.

Il pleut, il pleut à crever le cœur. C'est le moment de croire au soleil. À nous deux nous le pouvons. Séparés comment ferions-nous ?

Je ne m'occupe pas de mon amour-propre ni du tien, de t'écrire bien ou mal, je ne m'occupe de rien d'autre que d'être plus proche d'être moi et pour toi

F

21-25 décembre 1979, Noël à Gordes.

1980

1141.

Enveloppe Sofitel Thalassa, 56170 Quiberon,
à Anne Pingeot, 40 rue U., Paris VIe.

23 février 1980

Mon amour chéri,

J'ai par ma fenêtre, et de mon lit, un vaste paysage de ciel et de mer. Quand la brume se lève Belle-Île monte à l'horizon, et d'autres îles, à l'est, en chapelet. Un petit phare tourne sa lanterne et jette un feu qui se reflète sur mes vitres. Un oiseau, qui est peut-être une mésange, a pris mon balcon pour branche familière. Des mouettes lancent leur cri guttural en faisant de grands cercles au-dessus du bout de terre que les vagues, inlassablement, assaillent, roches à nu, à 100 mètres de l'hôtel. La mer est violente sous le ciel calme, traversé de nuages lents. Je suis étendu, oreillers sous la nuque. Je pense à toi, à vous. Ne pas vous entendre le matin accroît mon manque. Tout ce qui distend la communication incessante que nous avons su préserver depuis le premier jour crée en moi un malaise. Je me souviens de ces deux ou trois rendez-vous manqués en quinze ans, guère plus, et à ces bouffées d'amour qui pansaient la blessure. Là, c'est un mal plus insidieux. Je ne dis pas cela pour m'en plaindre car j'en suis responsable mais pour que tu saches que le moindre vol de mouche dans notre univers ressemble à un moteur de « jet ». J'aime que notre vie soit faite de sensibilités à ce point aiguisées ou plutôt je n'aime pas quand j'en souffre mais j'aime savoir que j'en souffre. C'est la marque d'un échange, grande affaire de notre vie.

À mon arrivée et pendant trois jours j'étais comme assoupi, avec les oreilles occupées par une petite musique monotone, grésillement de poste ~~de~~ radio installé dans le crâne. Il y a quelque chose qui surveille je ne sais quoi dans mon corps. D'où une certaine peine à extérioriser, un besoin de rester à l'abri de l'enveloppe, une crainte des sensations. J'ai gagné ici le repos qui me permet de concentrer mes forces. Mais l'inertie m'agace. Dois-je y voir un vieillissement ou une agression singulière ? Je croirais plutôt à la seconde explication car j'ai envie de mener à bien mon livre, d'écrire, mon cerveau marche à bonne allure et j'éprouve un goût extrême délicieux à savoir que vous existez. La pensée de ces trois petites filles dans le grand lit, et parmi elles, la nôtre ; de toi réduite à coucher dans le lit de Mazarine, me ravit. Et quand la presse m'imagine, penché sur le jeu d'échecs de la politique, c'est tout simplement ~~que~~ le cochon qui rit qui m'absorbe ou mieux encore les lèvres pincées de Zaza en panne des 1 qui lui apporteront la queue.

Les vacances appellent les vacances. Je rêve de nouveaux jours à Gordes, Massevaques ou ailleurs, de Mazarine, joues rouges, en liberté, de rires avec les cousins, d'Anne en paix, de longues promenades à nous deux. Mais je suis très heureux aussi de vous revoir bientôt dans ce Paris qu'il ne tient qu'à nous de rendre source et lumière. Je t'aime

<u>François</u>

1142.

En-tête Assemblée nationale, à Anne Pingeot,
40 rue U., 75006 Paris *(sans timbre).*

24 février 1980, le soir

Anne, mon Anne chérie,
Ce matin je me suis promené sous un ciel pur, léger, exaltant. Une alouette volait comme font les alouettes, battant des ailes à un rythme fou, et elle chantait à me percer le cœur. Je l'ai longtemps écoutée. Elle restait là, à la verticale. Je m'identifiais à ce cri, à cette vibration,

et ma pensée t'a rejointe. Je te mêlais à cette perfection, je me disais « Je lui raconterai ». Tu étais en moi comme tu l'as toujours été, par nécessité intérieure, et j'étais content de sentir que les années n'avaient rien usé de ce qui m'unit à toi, quelles que soient les apparences qui ce soir semblent nous dire le contraire.

Et pourtant je suis maintenant comme écrasé, à ma table de travail, les yeux piqués de sommeil, le cœur malade de tristesse. Notre rencontre d'aujourd'hui que j'attendais avec tant de gaîté a tourné sur elle-même comme les dés de Mazarine quand elle les jette et qu'ils hésitent à s'arrêter sur le chiffre espéré pour basculer sur l'autre. Mazarine me ressemble (tu m'en veux aussi de cela ?) : elle sait de quoi je parle.

Depuis bientôt quinze jours tu ne n'as pas prononcé un mot, un de ces mots qui donnent chaleur et vie, du moins pour moi. Je ne t'en fais pas un procès. C'est d'ailleurs le mien qu'on instruit et je plaide coupable ! Je me laisse sans doute emporter par le flot des choses et des jours au point de rater l'essentiel, toi et moi, nous. Mais je te l'ai répété, quoi que tu penses, je n'ai ni changé d'amour, ni partagé l'amour que je te donne, Anne incrustée, Anne plantée en moi, et qu'aucune force, fût-ce la tienne, n'arrachera.

J'étais si profondément heureux de vous retrouver ce soir, Mazarine et toi, j'avais le corps, l'esprit, si plein de vous ! Je te regardais avec amour et au début avec curiosité et un peu d'inquiétude tant tu t'es retirée en toi-même depuis, ou à peu près, notre retour de Gordes. J'ai eu beaucoup de bonheur là-haut, la main dans la main de notre petite fille, et beaucoup de bonheur avec toi, à manger ton artichaut, à te voir, te voir, à découvrir tes belles photos noir et blanc, à t'espérer. J'ai à côté de moi les 23 pages de l'interview de *L'Expansion*. Je dois la rendre demain soir. Mais je n'y mets pas les yeux. Je ne pourrais pas. C'est tellement bête de ma part d'avoir voulu travailler à ce texte, d'avoir gâché notre soirée – pour rien – les paroles que tu m'as dites – déjà entendues mais comment n'aurais-je pas perçu qu'elles étaient plus graves cette fois-ci parce qu'il n'y a plus en toi les réserves suffisantes pour m'aimer comme tu m'as aimé – tes paroles résonnent en moi, me blessent au fond, me déchirent. Comment se parler ainsi ? Mais peu importe auprès de cette réalité : te perdre c'est la vie perdue. Imagines-tu, malgré tes colères justes – ou injustes – que depuis quinze ans j'aurais pu connaître avec toi un tel échange si je n'avais été possédé par un amour, un grand amour ? Crois-tu que je t'écrirais comme je le fais cette nuit si je n'en avais pas le besoin, si je n'étais habité par toi ?

Oui je vieillis – quelle évidence ! – oui je suis souvent las et je te prive de cette marge de tendresse qui est la lumière de l'amour. Je me fatigue plus vite. C'est pourquoi je veux récupérer mon équilibre autant que faire se peut. Je veux être capable non pas de t'aimer plus mais bien de t'aimer mieux.

Je t'ai trop fait souffrir en ne vivant pas avec toi ? Tu ne le supportes plus ? Et moi qui ne supporte plus d'être chassé par toi ! De m'avoir trop aimé tu ne peux plus m'aimer ? Si tu savais comme je suis illuminé par cette jeune fille du 15 août qui, au moment où je trace ces lignes tristes, tristes, m'apparaît dans la netteté d'un amour intact, celui que j'ai pour toi. Je suis émerveillé par tout ce que j'ai reçu de toi mais cette image-là traverse comme un soleil le temps qui fut le nôtre.

Je ne m'illusionne pas. Cette crise s'ajoute à d'autres et je comprends ta lassitude. C'est trop dur d'être seule pour tant de choses importantes. Je n'ai rien à dire pour me justifier. À la façon dont tu pesais ce soir les balances de notre vie je voyais bien qu'elle ne penchait pas du côté du signe plus.

Je t'ai mal aimée toi que j'aime si fort. Mon Anne (que j'aime écrire ton nom !), Anne, mon Anne.

Demain j'irai au quart square à 12 h 40, soit avec cinq minutes d'avance. Tu ne pourras pas ou tu ne voudras pas ? Je viendrai quand même dans l'attente de toi, qui ne cessera pas. C'est à moi que j'offre la joie de t'attendre le cœur battant. Joie ou chagrin. Mais façon de t'aimer, la mienne, si fâcheuse ! Je n'évoquerai même pas Saint-Benoît sinon pour m'émerveiller qu'il ait choisi de donner son nom à la rue de l'école où Mazarine et toi apprenez les choses qui commencent.

Pour terminer une déclaration : je t'aimerai jusqu'à la mort. De 1963 à 1980 j'ai réduit le risque d'erreur et je n'ai plus guère le temps de me tromper. Je t'aime

<u>François</u>

25 février, 7 h 15

Je n'ai pratiquement pas dormi cette nuit. Deux heures peut-être, me tournant et me retournant, les mêmes images, heureuses, malheureuses, repassant dans mon esprit. Je me lève en vitesse pour déposer cette lettre dans ta boîte. Lettre où je n'ai dit qu'assez mal ce que je veux te dire. Et mon besoin de toi. Je t'embrasse ce matin : une journée commence. Une journée ! Quelle merveille ce pourrait être ! J'en ai par brassées en mémoire, par brassées que je te dois.

Je t'aime vraiment comme dit Mazarine.

Il y a tant de bonheur possible – si nous voulons. Je vais essayer de mieux vouloir. La nuit de Chênehutte n'est pas finie

F

1143.

Carte postale, Saint-Domingue, tombe de Colomb,
cathédrale Primada de América, à Anne Pingeot,
40 rue U., 75006 Paris, France.

27/III/1980

Il s'agit de Bartolomé, le fils [frère] de Christophe.
Je pense à toi

F.

30 avril-4 mai 1980, Massevaques.

1144.

Carte postale, La Réunion, le piton de la Fournaise,
à Anne Pingeot, 40 rue U., 75006 Paris.

3 octobre 1980

À demain. Joie

F. M.

1145.

Carte postale, Madrid, palais des Communications,
à Anne Pingeot, 40 rue U., 75006 Paris, France.

15 novembre 1980

Je pense à toi

F̲

1146.

Carte postale, Montagne Sainte-Victoire, *Paul Cézanne,*
à Anne Pingeot, 40 rue U., 75006 Paris, France.

9 déc. 1980

Penser à toi et te revoir

F̲

20-28 décembre 1980. Israël avec les Salzmann et Laurence Soudet.

1981

1147.

Carte postale, la Grande Muraille de Chine,
à Anne Pingeot, 40 rue U., 75006 Paris, France.

11/II/81

Une pensée de la Grande Muraille… une et mille

F

1148.

Carte postale, Rothenburg ob der Tauber, portail de l'ancienne
mairie, à Anne Pingeot, 40 rue U., 75006 France.

6 mars 1981

Une porte qui s'est ouverte sur la liberté

F

1149.

S.d. Petit papier blanc.

Je suis passé à 7 h 15. Je dois repartir car j'ai un débat sur les femmes ce soir.

Regarde ma déclaration de Nevers à la télé vers 20 heures.

Dimanche 10 mai 1981, de Château-Chinon, vous m'annoncez au téléphone en fin d'après-midi votre probable élection.

Lundi 11 mai 1981, dîner rue U. dont vous inaugurez la salle à manger avec les Salzmann, André Rousselet, Laurence Soudet.

Vendredi 15 au dimanche 17 mai 1981, Trevesse. Claude de Groussouvre a fait d'immenses bouquets dans la petite maison de la piscine, notre domaine.

Jeudi 21 mai 1981, cérémonie de l'arc de triomphe avec les Barbot et Charles Salzmann, retour en autobus à la cantine d'Orsay où nous déjeunons avec Martine et les Barbot.

Samedi 23 mai 1981, Tillard chez les Badinter.

Nous devons quitter la rue U. pour une question de sécurité. Nous nous installons dans un appartement de fonction à l'Alma. André Bousiot, avec un dévouement absolu, conduit Mazarine à l'école rue Saint-Benoît, mais elle est coupée de son entourage.

Moi je découvre la douceur de la vie en commun tant désirée. Elle suspend les lettres.

1150.

Carte postale, Montebello (Québec), Pat Hubbard,
The Manor House, à Anne Pingeot, 40 rue U., 75006 France.

20 juillet 1981

Dans ce château de bois (des cèdres noirs et rouges) une partie du monde tente de reconstruire sa tour de Babel.

Je t'embrasse très tendrement

F

5-7 septembre 1981, Massevaques.

1151.

Carte postale, Mexico, Palacio nacional,
à Anne Pingeot, 40 rue U., 75006 France.

21 octobre 1981

La ville énorme où le problème est de rester une personne
À toi

F.

9 novembre 1981. Vous m'apprenez rue U. votre cancer, ses métastases et le
pronostic « entre trois mois et deux ans ».

1152.

En-tête Le président de la République (sans enveloppe).

Jeudi 12 novembre 1981

Aujourd'hui, passé aux Assises. La peine de mort est rétablie.

1153.

S.d. En-tête Le président de la République (sans enveloppe).

« J'ai reconnu le bonheur au bruit qu'il faisait en partant »
[J. Prévert].

23-26 décembre 1981, Noël à Beauvallon chez André Rousselet avec Catherine
Thieck, Mazarine et ses amis.

1982

1154.

Carte postale, Kyoto, le temple de Kiyomizu dans la neige,
à Anne Pingeot, 40 rue U., 75006 France.

18 avril 1982

Je pense à toi

F

1155.

Carte postale, château de Fredensborg, à Anne Pingeot,
40 rue U., 75006 France.

29/4/82

J'habite ce palais du Nord où je retrouve les formes et l'harmonie
de la civilisation telle que je l'aime.
À toi

F

1156.

Carte postale, hôtel de ville de Hambourg,
à Anne Pingeot, 40 rue U., 75006 France.

15 mai 1982

Tendresse de Hambourg, ce qui signifie « ville obstacle »

F

1157.

Carte postale, Niger, berger peul de Talcho,
à Anne Pingeot, 40 rue U., 75006 France.

21 mai 1982

J'aime ces grands espaces où la vie se fait minérale… et je t'embrasse très tendrement

F

1158.

Grande feuille blanche, timbres de Côte d'Ivoire,
à Anne Pingeot, 40 rue U., 75006 Paris, France.

Le 22 mai 1982, 15 h 30, Abidjan

La chape de chaleur dégorge toute l'eau du ciel et de la mer sur les corps vivants, arbres, bêtes, hommes dont je suis. Je supporte mieux la brûlure du Sahel. Mes atavismes de petit Charentais qui ouvrait les narines sur l'odeur des marais et qui sentait ses membres devenir minéraux par les grandes chaleurs d'été se réveillent. On ferme les volets, mais si le soleil passe derrière cette barrière artificielle l'humidité poisseuse traverse les défenses et colle aux mains, au cou, les vêtements s'alourdissent, s'épaississent, font bloc.

Je ne déteste pas retrouver ces impressions vécues, jadis ou naguère. Je me souviens de ces chaussures vert-de-grisées par le temps d'une nuit, de ces cravates rendues inutilisables, décolorées, raidies, au petit matin, quand j'étais ce voyageur – avide de voir le monde, d'éprouver les saisons, de mesurer ses facultés d'adaptation plus que de résistance – d'il y a trente ans et plus. On m'objectera l'air conditionné de rigueur dans les immeubles modernes mais cette objection ne vaut rien puisque mon premier soin est de l'arrêter, ce qui, au demeurant, me pose d'infinis problèmes car je ne sais jamais quelles manettes commandent le système ni comment s'en servir. Pour rentrer ~~dans~~ à ma résidence j'ai longé la lagune immobile, elle-même pénétrée par la langueur des choses dépassées par leur propre violence, rendues à leur état d'avant la création. Y pataugeaient, quand ils bougeaient, ce qu'ils ne faisaient qu'aux premières lueurs et fraîcheurs du soir, les caïmans dont je guettais le mufle à fleur d'eau, aux alentours des années 50 et 60 [mot barré illisible].

Maintenant le quartier est trop chic pour ces pêcheurs-paysans de sauriens et la saumure de la mer est venue se mêler aux eaux dormantes et terrestres. Mais on devine que le sacre originel qui livrait aux grands animaux des époques disparues un continent entier continue d'inspirer et d'imprégner l'Afrique. L'oreille fine et la vue du second degré percent les transparences du temps présent.

J'aime m'asseoir à la table qui m'est prêtée et t'écrire.

Non que la douceur de ta voix soit depuis deux jours son caractère dominant, telle du moins que le téléphone la transporte, mais, à la limite, cela me trouble beaucoup moins que la vibration que j'éprouve parce que se mêlent en moi les sensations d'avant toi et l'émotion, pure, forte, inépuisable que je te dois, au seul rappel de ton visage, de tes gestes, et qui, au bout du compte, ne me quitt~~aite~~e pas. C'est très agréable de t'aimer, même si c'est moins agréable de m'aimer.

La façon dont je pense à toi me relie à tant d'instants vécus par toi qu'elle s'empare de moi. Tu t'appelles Anne et je t'aime.

Date mémorable. Pendant que j'accomplis mon petit quart-du-monde, Mademoiselle Mazarine apprend à souffrir en luttant contre elle-même, son pouce à l'abandon, et pourtant doigt de la main, interdit d'aller à la bouche. Je m'inquiète pour son conscient, son inconscient, son subconscient et me demande quels dégâts va causer ce doigt inemployé. Moi j'adorais ce chevreau tétant un sein imaginaire. Comme il va me manquer. Je le sucerais à sa place ! Serait-ce la fin de son enfance ? Elle ne prendra jamais d'airs plus graves, plus proches de la connaissance de Dieu, qu'elle ne les avait le pouce dans la bouche et la pensée courant à la trace de l'éternel olivier. J'espère qu'elle succombera encore assez souvent pour me laisser l'image de l'enfant qui, déjà, menace de s'évanouir et de me laisser seul avec l'amour que j'en avais.

Et vous mon orgueilleuse, ma chère Anne, Animour disions-nous quand nous nous écrivions, et vous, quelles rages et quels dédains mûrissez-vous ? Je le saurai bien assez tôt – sauf si se glisse ce regard tendre et triomphant dans vos yeux hérités d'un maréchal de France et que je connais bien pour en avoir reçu la grâce. Je vous imagine en ce samedi, au baptême, je crois, de votre grosse amie, l'odorat saisi par les herbes de mai, et Mazarine jouant à l'élastique, tandis que l'orage va fendre le ciel tendu d'un bleu insupportable. Je vous imagine le soir – il est 10 heures pour vous – au 40, avec ses carreaux, sa cire, ses portes, sa table ronde, son toit pentu de tuiles plates et je vous vois par l'esprit plus clairement qu'avec mes yeux.

J'achève la lecture des amours de Chateaubriand et vais commencer celle ~~d'un~~ de *Garibaldi*, œuvre d'un réactionnaire italien qui maudit à chaque ligne ces républicains de malheur que furent Gambetta et les autres fous de la démocratie, à l'époque des Jules.

Je serai bien content de vous voir, de te voir, heureux de refermer sur nous-mêmes le cercle des trois amoureux de Dvořák. Je t'aime. Eh oui ! Crois-tu que ce soit si facile à écrire et si facile à dire toi qui sais combien c'est difficile à vivre ? Je t'embrasse. Ni la chaleur de l'engourdissement ni les pilules violettes ni les jambes privées de l'eau de Lourdes du docteur Faucaud [frictions du Dr Foucaud !] ne m'empêchent de désirer retrouver l'aînée de mes sobêtes.

Et la cadette aussi, ma berchue, ma pensive, ma veuve de son pouce. Je vous embrasse toutes les deux que je voudrais inséparables. Je suis votre, je suis ton

F

car je vous aime.

1159.

Carte postale, Côte d'Ivoire, danseuses acrobatiques gueré,
à Anne Pingeot, 40 rue U., 75006 France.

23 mai 1982

Je t'embrasse

F

1160.

Grande feuille blanche, timbres de la République du Sénégal,
à Anne Pingeot, 40 rue U., 75006 Paris, France.

Le 23 mai 1982, Yamoussoukro

Mon Anne chérie,

C'est un petit Brasilia qui sort de terre ici. Des palais, des écoles, des églises, des mosquées, de larges avenues somptueusement éclairées, qui butent sur la forêt, des jardins, des lacs et tout cela dans un village (on l'appelle encore village) qui n'avait que 3 000 habitants il y a trente ans, et 475 il y a un demi-siècle, pour 110 000 aujourd'hui. L'architecture est belle. Rien à voir avec nos médiocres bâtiments conçus sans génie et réalisés sans moyens. Le palais où je réside et qui a presque l'importance du Trianon a été construit en dix-huit mois. Pourtant nombre d'architectes, d'entrepreneurs, de décorateurs qui travaillent à Yamoussoukro sont français. Ils ne peuvent créer que loin de France. Navrant sujet de réflexion.

Pour l'instant une formidable pluie frappe les sols de marbre blond venus d'Italie et l'orage déchire le ciel bas. On sent l'odeur de la forêt immémoriale. À quelques kilomètres à l'est coule un fleuve qui sépare deux ethnies, deux dialectes, deux petits mondes qui s'ignorent. On découvre vite la présence d'une histoire récente qui n'était pas celle d'une nation – elle se fait sous nos yeux – mais d'une société tribale. Houphouët me disait ce matin : « On a accusé la colonisation de nous avoir balkanisés. C'est le contraire qui s'est produit. L'Afrique d'avant n'était qu'une marqueterie de petits groupes ethniques. On parlait en Côte d'Ivoire soixante langues (on les parle toujours) aussi différentes l'une de l'autre que l'allemand du français. » « Que se serait-il passé si les Européens n'étaient pas arrivés ? » lui ai-je demandé. « Ce que vous avez connu en Europe. Des guerres de cent ans et au bout du compte des empires. »

On ne pense pas assez à l'Histoire qui ne se fait pas.

J'en étais là de ma lettre quand je t'ai appelée au téléphone. J'étais très heureux de communiquer avec toi. Je le suis encore, bien que, curieux mélange, j'en sois quand même très triste. Heureux, oui, simplement par ta voix et par la distance abolie. Cela me rappelle une petite anecdote que je t'ai racontée. Un camarade du 104 qui était amoureux de la sœur d'un autre étudiant et qui n'osant pas dévoiler qu'il était l'auteur de l'appel se contentait d'écouter les interjections de plus en plus furieuses de la jeune fille et même franchement grossières, l'air ravi, buvant du petit-lait sans appuyer sur le bouton du téléphone, ce qui avait le double avantage pour lui de se bercer de la voix aimée, bien présente, bien vivante et sans risque d'être reconnu – et de récupérer sans payer, la conversation à sens unique terminée, son jeton. J'étais un peu dans cette situation avec toi ce soir. Entendre parler de Mazarine, fût-ce de son chagrin, l'imaginer dormant dans la plus belle chambre de petite fille du monde, recevoir dans l'oreille le ton détaché et léger de tes premières paroles progressivement agressives mais encore familières, c'était bon. Et puis ta peine, plus que ta colère, a rempli ton cœur (et le mien) et j'étais désemparé quand tu as raccroché. Je t'ai rappelée, pas trop sûr de l'incident technique qui nous avait interrompus, et j'ai tellement senti que tu avais mal, vraiment mal, que je suis rentré en moi-même, proche, proche de toi comme tu ne peux le croire. Quand je t'ai obtenue de nouveau je souffrais de mon impuissance à me justifier de ta douleur. ~~Mais~~ Après, je suis resté longtemps immobile, incapable de me séparer de cet état où me jette ta peine venue de moi. Je t'aime, mon Anne. Toute explication serait vaine. Si je t'aimais moins je n'aurais pas le cœur de te faire souffrir. « L'horrible phrase égoïste », vas-tu dire. Réfléchis et tu sauras que ce n'est pas un paradoxe ou un défi. Je t'aime et l'idée seule de te perdre me bouleverse. C'est pour moi quelque chose d'intolérable quelque juste raison tu en aies.

Et voilà que je redeviens le camarade du 104. À mesure que je t'écris j'en éprouve un profond plaisir, ce qui ferait douter un lecteur inconnu de mon sens de l'opportunité. On s'écrivait trop peu ces temps-ci sous l'effet de la commodité des communications. Écrire oblige à réfléchir entre les lignes, à former des mots qui prennent tout aussitôt un poids redoutable. Écrire me donne envie de te parler d'un tas d'autres choses, façon de revenir aussi au principal, de te redire par un détour – oiseau, fleur entrevue, couleur du ciel, choc d'une idée, d'une sensation – l'éternel refrain (hum ! éternel !) de l'amour. (Je n'ai pas placé cette parenthèse pour que tu ajoutes ton grain de sel). Moi, il me suffit de t'aimer cinq ans, dix ans pour t'aimer éternellement. Ce n'est pas un très grand effort ! Mais toi ?)

Ce que tu m'as dit des odeurs de la campagne me remplit les narines. Une belle promenade et de l'herbe, comme cela nous ferait du bien. Pourquoi pas samedi ? Tu vois que je fais des projets à l'heure où tu me les interdis. Je reconnais que tu es plus logique que moi.

Anne chérie je déteste te faire mal et je le fais. Je ne puis rien te dire d'autre que l'amour que j'ai de ton visage dans sa gravité, celui que j'entrevois ce soir, l'amour que j'ai de toi (de vous)

François

1161.

Carte postale, Budapest, à Anne Pingeot, 40 rue U., Paris.

9/VII/82

Un Danube pas bleu mais beau avec des plaines de roseaux.
Et ma pensée vers toi

FM

3-6 septembre 1982, Grèce avec André Rousselet, Catherine Thieck, Charles et Monique Salzmann, Mazarine et ses amis.

1162.

Carte postale, Afrique, la coloration des pagnes,
à Anne Pingeot, 40 rue U., Paris, France.

8 oct. 82

Pour un major des Métiers d'art !
Pensées

F

1163.

Carte postale, faune africaine, rhinocéros,
à Anne et Mazarine Pingeot, 40 rue U., Paris, France.

8 oct. 82

Une maman et sa petite fille dans le Louvet des rhinocéros.

F. M

Dimanche 10 octobre 1982, première visite de Souzy-la-Briche avec André Rousselet.

1164.

Carte postale, le Sphinx de Gizeh, à Anne Pingeot,
40 rue U., Paris, France.

25 XI 82

Ce regard dans l'espace et y cherche le temps.
Tendrement

F

6-7 novembre 1982, première nuit à Souzy-la-Briche où nous passerons les fins de semaine jusqu'en 1995 ; premier tour de parc.

1165.

Carte postale, Inde, Krishna et Radha,
à Anne Pingeot, 40 rue U., Paris, France.

28 nov. 1982

L'attente… et l'espoir.
À toi

<u>F</u>

1166.

Carte postale, Copenhague, Gammel Strand,
à Anne Pingeot, 40 rue U., Paris, France.

4 XII 1982

Cette province de l'Europe a la noblesse, la discrétion, et la tranquillité des vieilles dames encore belles et sans regret.
À toi

<u>FM</u>

24-25 décembre 1982, Noël à Gordes.

1983

1167.

Carte postale, Togo, à Anne et Mazarine Pingeot,
40 rue U., Paris, France.

15 I 83

Je pense à vous

F

1168.

*Carte postale, Togo, chamelier entre deux dromadaires
qui se regardent, à* Anne Pingeot, 40 rue U., Paris, France.

27 I 1983

Cette image te rappellera une autre image en d'autres lieux. Les
couleurs de l'hiver ici coupent le souffle.
   Je t'embrasse

F

1169.

Carte postale, la Koutoubia de Marrakech,
à Anne Pingeot, 40 rue U., Paris, France.

28 I 1983

Trente-neuf ans après, la Koutoubia.
Je pense à toi

F

1170.

Carte postale, Berne, la tour de l'Horloge,
à Anne Pingeot, 40 rue U., Paris, France.

15 IV 83

Je pense à toi

F

1171.

Carte postale, trekking vers l'Everest,
à Anne Pingeot, 40 rue U., Paris, France.

2 mai 1983

L'horizon va jusqu'à toi

F

1172.

Carte postale, Chine, à Anne Pingeot,
40 rue U., Paris, France.

5 mai 1983

Les soldats du temps.
Je t'embrasse

<u>F</u>

1173.

Carte postale, Chine, un guerrier prêt à tirer,
à Anne Pingeot, 40 rue U., Paris, France.

7 mai 1983

Ce tireur à l'arc me fait penser par la noblesse de lignes et la pureté de ses gestes au tireur du musée d'Athènes. C'est un soldat de l'armée immobile. Saint-Benoît.

<u>F</u>

1174.

Carte postale, Virginie, Williamsburg Inn,
à Anne Pingeot, 40 rue U., Paris, France.

30 mai 1983

Je pense à toi

<u>F</u>

1175.

Carte postale, Stuttgart, à Anne Pingeot,
40 rue U., Paris, France.

18 juin 1983

Chez les rois de Wurtemberg où les pierres, les formes, la civilisation restent nobles

F. M

1176.

*Carte postale, Cameroun, monument de la Réunification à Yaoundé,
à* Anne Pingeot, 40 rue U., Paris, France.

20 juin 1983

Une sculpture, une histoire, un pays.
Je pense à toi

F̲

*Carte postale, Dun-les-Places (Nièvre), le chalet du Montal au bord
de la Cure, à Denis Maucout et ceux qui possèdent une loupe
pour me lire, 10 rue de l'Oratoire, 63000 Clermont-Ferrand.*

26 juin 1983

Kayacs sur la Cure et rocher voisin avec école de varappe !!! Qu'attends-tu pour VENIR ? La semaine culturelle : visite de l'appartement de Louis Aragon, rue de Varenne. Il n'y a pas 5 centimètres de libres sur les murs : ayant perdu sa mémoire il collait tout : photos, lettres, hallucinant. *Il Signor Fagotto* d'Offenbach une réception ensuite pour la Saint-Jean avec les chanteurs (chez Laure de Margerie), déjeuner chez S. Loste près de Milly-la-Forêt, visite des Lalanne (sculpteurs) visite de l'Ermitage de Mme de Pompadour à Fontainebleau habité par Nathalie de Noailles : folle. Élève des chats et des chiens énormes, entre des Rubens, Goya, Géricault et le plus beau des Balthus :

Marie-Laure de Noailles, sa mère. Nathalie hagarde, mèches en bataille, servie par un personnel stylé. La folie dans l'architecture de Gabriel ne va pas bien : il vaudrait mieux une ruine sur un rocher. Arrivée en hélicoptère au-dessus de Vézelay : descente dans un champ, fauché pour l'occasion, montée à pied par les remparts à la basilique, avec Charles et F. : personne, le crépuscule, l'odeur des tilleuls, les oiseaux. Quelle abside, quelle beauté.

Ce matin ponts romains sur la Cure, château de Vauban. F., pris par les cérémonies officielles, nous laisse au bord de son étang. Ce soir nous dînons à L'Espérance à Saint-Père-sous-Vézelay. Je retrouve tant de souvenirs heureux tant d'heures passées dans les herbes de juin. C'est si étrange de revenir là, dans des circonstances changées. Finalement F. nous amène à Hossegor le 8 juillet au matin (pour que Zaza… qui s'est fait couper les cheveux, toute seule chez Claude Maxime, 236 francs, puisse avoir trois semaines de M. Pingouin).

Je repartirai le lundi 11 par le train pour passer la journée à Poitiers : exp. sculpt. XIX.

En voilà un bavardage, mais je suis sur une terrasse au bord de la Cure, avec du temps. Zaza est avec Léo et Virginie à la fête de Souzy. Elle jouera une pièce de Jean Cocteau mercredi au Grand Palais dans le rôle de la « sale gamine ». Baisers à tous.

A.

1177.

Carte postale, Sfax, entrée de la médina,
à Anne Pingeot, 40 rue U., Paris, France.

29 octobre 1983

Sur la route d'Hannibal.
Je t'embrasse

<u>F</u>

23-26 décembre 1983, Noël à Beauvallon chez André Rousselet.

1984

1178.

Carte postale, Monaco, Monte-Carlo,
à Anne Pingeot, 40 rue U., Paris.

20/I/84

Une pensée de Monaco

F

Jeudi 22 mars 1984, mort de mon père à Clermont-Ferrand.

1179.

Carte postale, baie de San Francisco,
à Anne Pingeot, 40 rue U., 75006 Paris, France.

26/III/84

Lumière et pensée franchissent le temps et la distance.
Sont-elles la vie que l'on rêve ?
À toi

F

1180.

En-tête *Le président de la République,*
à Anne Pingeot, 40 rue U., EV *(sans timbre).*

Le 29 mars 1984

Mon amour,

J'ai constamment pensé à toi. Je pourrais te décrire la scène que j'imaginais, ton père pour la dernière fois dans la maison de tant d'heures de sa vie, ou bien l'église (Notre-Dame-du-Port ?) et toi et Mazarine l'une contre l'autre, l'une près de l'autre, avec votre chagrin, et ton retour en voiture, le cœur perdu, et l'arrivée dans le froid de Paris et de tes souvenirs – oui j'ai vécu chaque moment. Je t'ai appelée. Déjà tu ne voulais pas me parler. Je le comprenais. Pourquoi parler ? Mais je te sentais enfermée, murée. J'étais absent donc coupable à tes yeux en un jour si grave. J'ai essayé dix fois. Moi aussi j'avais de la peine à te dire ce que je voulais dire. L'image que j'avais de ton père et ce trait, dans mon esprit, dominant : sa bonté, sa finesse de cœur en dépit de tous ses refus, j'aurais voulu te l'exprimer. Mais tu étais plus loin que moi, en vérité. J'ai de nouveau heurté le silence de ton téléphone jusqu'à ne plus pouvoir seulement obtenir qu'il décroche.

Je t'avais écrit un mot ce matin. C'est celui-ci que je t'envoie après mon appel à Orsay et tes reproches injustes.

Je ne t'ai jamais manqué dans ton amour des autres et que de fois j'ai dû dépasser tes jugements venus de cet amour extrême qui te faisait mal comprendre tous ceux que tu aimais.

J'ai une très grande peine à mon tour, mais qu'est-elle auprès de la tienne devant cette rupture de la mort et ce vide où l'âme s'abîme ? Je ne chercherai pas à te convaincre. Je t'aime, c'est tout, comme j'aime ce que tu es – malgré tout – et ce que ta vie, depuis l'enfance, a fait de toi. Et ton père est là, au centre de ton paysage, plus que, injuste déjà, tu ne le pensais toi-même. Il y a, je le crois dans cette dissonance que tu ressens à mon égard, comme une sanction pour ce que notre amour a blessé dans l'idée que ton père se faisait de toi, autrefois. Sans doute ne le devines-tu pas – et le contestes-tu.

Je suis rentré ce matin à Paris, plein de tristesse et d'amour. J'allais te retrouver, vous retrouver ! Avec cette pudeur immense qui clôt les lèvres – mais pas le cœur.

Voilà. Je ne pouvais balbutier au téléphone que : « Je t'embrasse. »

Eh oui ! je t'embrasse, c'est un mot de passe, à la manière de « Saint-Benoît ».

Sans discours, tu sais très bien, au-delà de tes doutes et de ton chagrin que tu es

mon A.

F

27 avril-1ᵉʳ mai 1984, Grèce.

1181.

Carte postale, Oslo, à Anne Pingeot,
40 rue U., 75006 Paris, France.

16/V/84

Un bonjour d'Oslo

F

1182.

Papier bleu, Slottet, Oslo,
à Anne Pingeot, 40 rue U., 75006 Paris, France.

17 mai 1984

Je ne vous ai pas appelées ce soir, fidèle aux consignes de la Maréchale Annanon, et le cœur lourd de regrets. C'était comme un manque d'héroïne, du moins je le suppose, mais me manquaient très fort mes héroïnes à moi. Le temps d'Oslo est de soleil et de mer bleue, dans tous les sens, et partout, des voiles blanches. Là-haut je distingue la courbe lumineuse du tremplin. Il est 23 h 30 et je meurs de sommeil. Toujours debout les tempes battent fort au rythme du sang et voilà que je n'entends plus que sa rumeur. C'est agaçant. J'imagine la petite fille que j'aime et sa mère que j'aime aussi. Vendredi est si loin comment vivre quatre jours avec cette barbarie d'un téléphone qu'il suffirait de mettre en marche ? Ô vertu de l'obéissance ! Cruelle maman de Coununu !

La politique colle à mes pas. Tous les problèmes de France me cernent : usine d'Aulnay occupée, raidissement dans l'affaire scolaire, Sakharov qu'on me jette à la figure – et le reste. J'aimerais aller au Grand Nord et n'avoir plus devant les yeux que la pureté de la glace et du vent, il me semble étouffer physiquement sous le poids des étouffements de l'esprit.

Hier j'étais près de vous. Les arbres s'ornaient de la tendresse des premiers verts, gris et bleus comme sont les verts en naissant. Les oiseaux chantaient. Ils chantent ici certainement mais je ne les entends pas ou bien j'oublie d'entendre. Et surtout j'avais dans le creux de ma main un être que j'aimais, plus tendre que le printemps – pour se faire aussitôt plus odieux que le vent du sud au mois d'août.

Je vous embrasse toutes les deux, juste entre les deux yeux, et j'ai envie de dire « au-delà des nuages » pour le tango qui est le nôtre dansé par l'étoile du ballet Jacques Prévert, son impossible mère et leur ours blanc du Spitzberg.

Vous entendre ! savoir qu'on joue à la marchande dans le placard ! Et qu'on a accroché à ma place le « Bucentaure » rouge. Savoir…

Eh bien ! Je ne saurai rien avant de m'endormir. Ô ma chérie, ces silences tant désirés et qui se font si déchirants !

Je vous embrasse encore. Je serai à l'Alma vendredi. De ma tour de Constance écrirai-je « résister » ?

Résister à ma joie quotidienne d'un signe, toi, toi et moi.

Maréchale 🖎

et la petite Mazarine

Je vous aime

F̲

1183.

En-tête Ambassade de France en Suède, Stockholm,
à Anne Pingeot, 40 rue U., 75006 Paris, France.

17 mai 1984

Ma chérie,

La mort du téléphone prend une valeur mythologique : elle fait revivre l'encre sur le papier. Non sans lutte. Avoir à côté de soi l'instrument qui en deux minutes pourrait me relier au 40 et ne pas s'en servir suppose une âme d'airain que je n'ai pas. Je suis très malheureux de ce silence de quatre jours.

Mais très prudent aussi : j'entends d'ici la voix que je ne veux pas entendre et redoute encore plus de ne rien entendre du tout. Tu sais si bien raccrocher. Je suis privé de toi quand même et privé de Maza et n'ose pas imaginer que tu aies remarqué qu'il m'était possible d'en souffrir.

J'ai beaucoup marché aujourd'hui dans Stockholm par un temps admirable, refusant la voiture, pour le plaisir de sentir physiquement vivre cette belle ville, belle fille du Nord.

J'ai beaucoup parlé avec Olof Palme qui m'accompagnait. Les Suédois ont su inventer l'un des deux ou trois socialismes qui marqueront l'histoire. Ils ont une grande tradition maintenue grâce à leur sens de la durée.

Le parti social-démocrate a eu quatre leaders… en quatre-vingt-quinze ans ! Me promenant j'étais frappé par la finesse, l'éclat des coloris où l'ocre éclate comme à Venise. Mais comme à Venise aussi c'est l'eau qui donne à la ville sa grâce et sa noblesse. Je lis le soir un roman suédois très dense, *L'Enfant brûlé*, dont l'auteur qui a connu un immense succès dès sa première œuvre s'est suicidé à trente et un ans estimant n'avoir plus rien ni à dire ni à vivre.

Cette lettre arrivera après moi. Je l'écris malgré cela car je retrouve quelque chose qui a beaucoup compté pour moi : les lignes où celui qui les envoie et celle qui les reçoit savent qu'ils s'aiment. Ce que je confirme en signant : je t'aime

F

1184.

Carte postale, Moscou, cathédrale Saint-Basile,
à Anne Pingeot, 40 rue U., 75006 Paris, France.

23 VI 84

Une pensée fidèle et de belles images

F. M

1185.

Carte postale, Pétra, tombeau du soldat romain,
à Anne Pingeot, 40 rue U., 75006 Paris, France.

11/ VII / 84

Les couleurs et les formes – et la mort au service de l'art.
Pensée de

F

29 août-2 septembre 1984, Maroc. Vous êtes invité par le roi Hassan II avec André Rousselet, Catherine Thieck, Mazarine, Claude de Grossouvre, Charles et Monique Salzmann.

1186.

Carte postale, Damas, mosquée des Omeyyades,
à Anne Pingeot, 40 rue U., 75006 Paris, France.

28 nov. 84

Dans la patrie des dieux. À toi

F

1187.

Carte postale, Dublin, Ha'penny Bridge, Liffey,
à Anne Pingeot, 40 rue U., 75006 Paris, France.

4 déc. 84

I think to you

F

1188.

Carte postale, Zaïre, massif du Ruwenzori,
à Anne Pingeot, 40 rue U., 75006 Paris, France.

9 XII 84

Devant moi le fleuve Zaïre, au loin les montagnes, un continent. Vive la géographie. Mais ma pensée reste là où vous êtes

F

24-26 décembre 1984, Noël à Gordes.

1985

14-16 juin 1985, Ravenne, Venise chez Zoran Mušič et Ida Barbarigo avec André Rousselet, Catherine Thieck et Charles Salzmann (sans Mazarine).

1189.

Carte postale, Brasilia, Meteoro de Bruno Giorgi, Congresso nacional, à Anne Pingeot, 40 rue U., 75006 Paris, France.

15 oct. 1985

Géométrie et fleurs de pierre, pensée et rêve

F

1190.

Carte postale, Bogotá, musée de l'Or, à Anne Pingeot,
40 rue U., 75006 Paris, France.

19 oct. 1985

Je pense à toi

F. M

1191.

En-tête Le président de la République, à Anne Pingeot, EV.

Le 22 octobre 1985

Mon amour,

Je t'ai laissée hier soir si triste, j'ai perçu dans ton silence au télé-phone, aussitôt après, tant de déchirement et de larmes que je ne veux pas attendre ce soir pour te parler. J'étais moi-même si fatigué, à la limite, épuisé physiquement, bouleversé moralement que j'étais incapable de l'exprimer. Pourtant je t'aimais comme je t'ai toujours aimée, avec la conscience de t'avoir fait mal sans l'avoir voulu mais sans avoir assez imaginé ni accompli ce qui t'apaiserait, l'approche sensible, profonde, irréductible que nous avons vécue, que nous vivons dans les moments de grâce. Ma nuit a été difficile aussi. Je pensais à toi, voulant forcer les murs, à la manière de cette *Psyché* de Jules Romains que je lisais récemment, où l'on voit ceux qui s'aiment fran-chir par l'esprit les distances au point de matérialiser leur présence et d'abolir l'espace. J'étais habité par l'amour, par l'angoisse, par le sentiment de ma propre fin, par l'évidente injustice qui me conduit à te faire souffrir, toi dont le cœur et la vie sont pour moi la vérité et l'unité – s̶o̶n̶t̶ et le meilleur de moi. J'ai peu dormi et mon bref sommeil n'a été que la douleur de toi. Je t'aime. Constamment ma pensée revenait à toi, mon Anne bien-aimée, et à cette petite fille dans la chambre à côté, ta fille, la nôtre, petit être d'harmonie et d'eau vive – que je te dois. J'avais envie de t'écrire, de te dire que tant que je vivrai j'aurai en moi l'amour de toi. Tu en doutes souvent et ne supportes pas ce doute. Mais à d'autres heures tu sais bien que c'est vrai et qu'il faut peu de chose, un éclair de lumière dans le regard, un mot, un silence pour que nous soyons envahis de bonheur et de paix. Je trace ces lignes ce matin avant de reprendre mon travail. Puis j'irai à La Carelle. Puis je reviendrai vers toi, sans t'avoir quittée, toi qui occupes mon esprit et mon corps depuis nos vendredis qui sont notre légende et notre histoire.

Je t'aime, mon Anne bien-aimée. Tu m'acceptes et tu me rejettes, je le vois, mais je crois aussi que tu m'aimes.

Pourquoi serais-je incertain quand j'ai la certitude de n'avoir rien ni personne aimé autant que toi ? Et cette certitude ne me quittera pas.

Mon amour, je t'embrasse, très tendrement, comme toujours et pas seulement pour la rime. Je veux te retrouver par le meilleur, pour le meilleur (et c'est moi qu'il faut corriger – toi, reste, je t'en prie, qui tu es).

Tu t'appelles Anne et je t'aime

<u>François</u>

1192.

Carte postale, Luxembourg, Grand-Rue,
à Anne Pingeot, 40 rue U., 75006 Paris, France.

3 déc. 1985

Petit voyage au Grand-Duché.
Ma pensée est près de vous

F.

23-30 décembre 1985, Égypte avec les Badinter, les Salzmann, Mazarine et ses cousins Denis, Alix et le Dr Kalfon.

1986

1193.

Carte postale, La Mouleuse de café, *Vincent Van Gogh,*
à Anne Pingeot, 40 rue U., 75006 Paris, France.

La Haye, 27 juin 1986

Cette carte et ce tableau de Van Gogh, n'est-ce pas l'image idéale, le modèle que tu as encore un peu de peine à incarner ? Je t'embrasse

<u>F.</u>

27 juin-1ᵉʳ juillet 1986, Venise chez Zoran et Ida avec Mazarine, Julie Beressi, Agnès, ma jeune sœur.

1194.

Carte postale, Indonésie, à Anne Pingeot,
40 rue U., 75006 Paris, France.

17 IX 1986

Une barque sur le rivage : elle traversera les plus grands océans.
Par un chemin plus rapide ma pensée va vers toi

F

31 octobre-3 novembre 1986, Venise avec Alix et Mazarine.

1195.

Carte postale, Togo, artisanat, à Anne Pingeot,
40 rue U., 75006 Paris, France.

Le 15 XI 1986

À cette école des Métiers d'art on admire l'harmonie de l'esprit et
des mains. J'ai pensé à Cézanne et à la rue de Thorigny.
Je t'embrasse

F

1196.

Carte postale, Bamako, un guérisseur,
à Anne Pingeot, 40 rue U., 75006 Paris, France.

Le 16 novembre 1986

Chaque jour j'aime te dire que je pense à toi

FM

1197.

Carte postale, Mali, village dogon,
à Anne Pingeot, 40 rue U., 75006 Paris, France.

Le 16 novembre 1986

Avant-dernière étape et la pensée de Saint-Benoît

F

1198.

Carte postale, Haute-Volta Ouagadougou, concession traditionnelle
chez les Mossis, à Anne Pingeot, 40 rue U., 75006 Paris, France.

Le 18 XI 1986

La « concession » est un ensemble familial dans les villages mossis. Une case pour les hommes, une pour les femmes, une pour le patriarche. Quand les enfants sont petits ils logent avec le patriarche. J'ai visité ce matin l'un de ces villages-là.

Je rentre aujourd'hui et je pense à toi

F

22 novembre 1986, naissance à Souzy de Baltique, labrador noir, fille de Thélème I, labrador blanc.
Lundi 1ᵉʳ décembre 1986 : après treize ans de travail, inauguration du musée d'Orsay par le président de la République, Valéry Giscard d'Estaing, Jacques Chirac, Jacques Rigaud, François Léotard, etc.
23-27 décembre 1986, Noël au Sinaï avec les Badinter, Mazarine et Virginie Normand.

1987

25 février-1er mars 1987, Rome puis Venise, avec Zoran, Ida, Charles Salzmann, Alix et Mazarine.

1199.

Carte postale, Madrid, vue aérienne,
à Anne et Mazarine Pingeot, 40 rue U., 75006 Paris, France.

Le 11 mars 1987

L'angle en voyage aux autres angles sédentaires. Je vous embrasse

<u>F</u>

8-10 mai 1987, Massevaques avec Alix et Mazarine.

1200.

Carte postale, Venise, Ca' Leon,
à Anne Pingeot, 40 rue U., 75006 Paris, France.

Le 9 juin 1987

Voici le portrait (face au passage vers la mer) de la Ca' Leon où je loge, pleine de charme et d'histoire, sur la Giudecca.

J'y ai beaucoup pensé à toi, à vous, à nous

F

Juin 1987. Portrait de son père par Mazarine (douze ans)
en séjour en Allemagne. Est-ce lui qui le lui aurait commandé ?

Quelle chance tout de même : une mère exceptionnelle et intelligente ; un père seul au monde, qui sait se faire connaître mais qu'on ne connaît pas. Même moi sa fille. Je dois dire que personne ne connaît personne, il existe même des cas où l'on ne se connaît pas soi-même.

Mais il se connaît et s'estime, je le crois. Quelle chance d'être aimée et préférée par un père président de la République. Seule, oui je suis la seule à connaître cela en France, à connaître cette personnalité si secrète, si belle.

Il lutte la journée avec ses ennemis, et le soir il s'attendrit à me bercer.

Je le connais peut-être un peu mieux que les autres parce qu'il m'a transmis plusieurs de ses qualités et bien sûr de ses défauts, et autre chose je l'admire secrètement, disons plutôt, je suis fière de lui. Car trop fière de moi-même je ne succomberai pas à ses questions subtiles et en même temps « idiotes ». ~~Est-ce que tu m'aimes.~~ Tu n'aimes pas ce cadeau, tu n'es pas contente, alors qu'il est sûr du contraire.

Il est très rusé. J'aime lorsqu'il me raconte ses trois évasions, pendant la guerre de 1940. Lorsqu'il me dit, passionné, il fallait sauter d'un fossé à l'autre pour que les gardes de nuit ne vous voient pas. Et mon camarade et moi, après avoir marché pendant 8 kilomètres nous nous rendions compte que nous avions oublié les vivres.

Sa volonté de fer se résume à : il a fumé dix ans. En effet comment s'arrêter après dix ans alors que des personnes que je connais après un mois ne peuvent plus s'en passer.

C'est très dur de s'imaginer qu'il a fumé, lui si sûr de soi et maître de lui, si conscient des choses qu'il ne faut pas faire. Sa vie est une aventure, une aventure mémorable. Petit il appartenait à une famille de huit enfants, trois filles et cinq garçons [*non quatre et quatre*]. Il a dû aimer cette famille. Il vivait au début surtout avec ses grands-parents car les parents ne pouvaient élever huit enfants à la fois. Mais ils moururent vite et il vécut dans sa maison familiale de Touvent [*non, Touvent – à son grand désespoir – fut vendu quand il était petit*]. Il raconte ses vieux souvenirs avec joie et en même temps nostalgie. M. Dagobert qui lui faisait si peur, sa chambre dont l'ombre de la cheminée éveillait son imagination, le jour où il se tenait mal à table et où sa grand-mère l'avait emmené dans sa chambre malgré les nombreuses résistances, les peines, les joies, les odeurs, les voisins, les bruits. Tout cela est fini ; plus qu'une vieille maison habitée par des [*mot illisible*]. Mais lorsqu'il repasse devant toute sa mémoire fonctionne et le temps revient à son enfance. Il sera orphelin à trente ans, participe aux deux Guerres mondiales [*n'exagérons pas, il n'est né qu'en 1916 !*] héroïquement avec de multiples évasions, des plans complètement farfelus, des dénonciations, l'amour de son pays, la France qui sera finalement le but de sa vie puisqu'il deviendra Président. Il a tout vu : la lâcheté, la douleur, la vengeance, la brutalité, la mort, la vie, l'amour de la vie, le dégoût, le désespoir, mais m'a-t-il dit un jour « Jamais je n'ai été vraiment triste ». Il a encore un bout de balle dans son épaule. Il fut avocat et nous a dévoilé les plus mystérieuses et drôles histoires qu'il avait vécues.

Sénateur, ministre, écrivain, il a tout fait, les choses les plus intéressantes. Il me dit maintenant « Je faisais le minimum de travail pour réussir. Et avec mes amis nous avions parié que je passerais l'examen de littérature sans aller au cours mais en lisant tous les livres ». Il eut l'oral mais non l'écrit.

Ma mère dit aussi que c'est une réincarnation d'un chien [*par son goût de rassembler*], en effet son amour pour les labradors est tel qu'une fois je l'ai respiré, il sentait l'odeur de notre chienne Baltique.

Grand tombeur de femmes, il a tout pour plaire, humour, intelligence, une certaine beauté, une attirance sournoise. Il ne peut les décevoir. Personne ne peut savoir ce qu'il pense. Jamais maman n'aurait pensé qu'il aurait pu tant s'occuper de moi. Pendant vingt ans [*non, douze*], il lui avait caché ce don pour les enfants.

Il sait se faire respecter sauf avec moi où il est trop naïf, « c'est l'amour qui rend aveugle ».

Il aime la nature, les beaux paysages et contempler les arbres auxquels il a donné la vie. Il est fier et heureux. Il aime sa terre et chaque fois qu'il arrive pour un week-end à notre maison de campagne, il embrasse nos trois tilleuls dont deux qu'il a plantés la même année de ma naissance. Nous avons toujours été complices chaque fois que maman me provoquait, il me soutenait.

D'ailleurs il a toujours soutenu ceux qu'il aimait bien, même si ceux-ci faisaient une faute.

Le soir au moment de la prière jamais il ne demandait pardon en revanche il pardonnait sans qu'on le lui demande et il riait discrètement. Il est vrai que moi en tout cas, je n'avais rien à lui reprocher mais je lui fais tout de même remarquer pour avoir le dessus.

Mon père c'est un héros et un homme bon. Mais il connaît toutes les astuces de la vie. Une fois j'avais, je crois, été trop gentille avec quelqu'un, il m'avait dit que si je continuais jamais je n'arriverais à vivre, c'est la loi du plus fort, mais il le disait en riant. Il a l'air si doux, si mignon lorsqu'il est avec moi, et si féroce et juste lorsque je le vois à la télévision, il sait ce qu'il fait et travaille, mais toujours au dernier moment comme lorsqu'il avait une semaine pour faire son discours et qu'il l'a fait la nuit de la veille du grand.

Parfois on se demande s'il n'est pas fatigué mais il tient toujours le coup malgré les longs voyages qu'il fait. Personne en le voyant ne pourrait savoir ce qu'il pense à l'intérieur de lui. Maman m'a dit que la seule larme qu'elle avait vue couler de son œil était à l'enterrement de son ami Gaston Defferre.

C'est l'homme le plus intelligent que je connaisse et que je peux connaître.

23-26 décembre 1987, Noël en Égypte avec les Badinter, Alix et Mazarine.

1988

1201.

En-tête Le président de la République (sans enveloppe).

Saint-Denis de la Réunion, le 8 février 1988

Mon Anne chérie,

L'envie de t'écrire me démange – tant les heures que nous avons vécues samedi et dimanche laissent derrière elles un flot de sentiments, d'espérance, de tristesse, d'anxiété, de gravité, de confiance (de moi à toi), de vie en bref où je me débats dans les lames de fond. Alors t'écrire les détails, des faits, ceux qui remplissent mes journées sans toi, c'est comme une bouée d'où je nous regarde comme on regarde l'horizon. J'aimais ta main et la mienne, unies sur la route d'Orly – comme ce soudain besoin de se retrouver, la veille, pour le reste de la nuit, étroitement endormis, au-delà de tout, nécessaires l'un à l'autre. Je t'ai vue disparaître à l'intérieur de l'aéroport, tes deux bagages au bras ou à l'épaule, déjà tournée vers Alger. Mon cœur était plein de toi, de regrets et d'amour. Je songeais à tes pleurs réplique à peine lointaine d'autres pleurs, eux de bonheur des premiers jours. Je sentais le poids de la vie, non sur mon esprit mais sur mon corps, qu'ont attaqué les jours. Rien pourtant ne m'invitait à baisser les bras devant je ne sais quel verdict. Qu'est-ce que tu veux ? Je t'aime.

Bien entendu, après avoir visité mes malades et lu au lit, en fin d'après-midi j'ai écrit et téléphoné à Mazarine. La même petite voix claire, trop de monde aux Angles, de la grisaille, et nos skieuses n'ont pas chaussé leurs skis mais sont allées en Espagne qui semble avoir beaucoup plu au troisième angle (dans l'ordre chronologique) du triangle. Je lui ai parlé de toi. Elle m'a dit « Dis-lui que je l'aime ». J'ai dû lui préciser que ton organisation de voyage ne me le permettrait sans doute pas. On s'est fait des déclarations. Elle m'a parlé du groin et moi de Cununu. Un bonheur, une merveille à protéger du meilleur de nous-mêmes.

Le Concorde s'est envolé à l'heure dite, des turbulences sur la France, puis le calme. J'ai dormi. Dans mon rêve tu m'occupais beaucoup. Ta main, ton regard, ta peur aussi. Je pensais, je pense toujours : « Comment gagner cette ultime partie, comment gagnerons-nous ? » J'y répondais « Ensemble, en tout cas » et je retrouvais ta main, ton regard, ton amour.

J'ai débarqué à Saint-Denis avec une mine fatiguée répétait-on autour de moi. Il y avait de quoi. J'étais tellement absorbé, épuisé par notre histoire à nous. Je crois que j'ai un peu bafouillé, sous un soleil de plomb, quand il m'a fallu haranguer 10 000 personnes venues m'accueillir, champ de couleurs sur fond noir. Le maire RPR m'a reçu à l'hôtel de ville, froid, presque impoli. J'ai adopté le même ton. Les autres cérémonies n'ont pas ressemblé à celle-là et chacun s'est fait chaleureux.

Mardi 9 février

Journée très chaude. J'ai visité Saint-Paul, Saint-Pierre, Saint-Benoît, trois communes où de grandes foules m'attendaient. Un saut aussi à Mafate, cirque dans la montagne, inaccessible sauf par hélicoptère, où vivent 600 personnes environ coupées du monde, égaillées dans des zones que séparent des abîmes. On voit des blocs de basalte de 1 000 mètres de haut tombés n'importe comment à la suite d'effondrements. Les montagnes tout autour atteignent 3 000 mètres. Je ne t'ai guère quittée cependant, avec, au plexus, une angoisse. Et, la nuit, le rêve tragique qui revient depuis bientôt vingt-cinq ans. Toi, étrangère, tendre, absente, aimée, différente. T'imaginer ainsi me déchire. Mais qu'as-tu à faire d'un infirme ? On me coupe en morceaux.

En attendant je ne sais pas où tu es. Curieuse impression, ce fil interrompu (rompu ?). Mazarine et moi, hier soir, on avait le manque de toi. Je n'ai pu l'appeler aujourd'hui à cause de mon retour. Je le ferai demain. Je me cogne à tous nos souvenirs. Je t'aime imbriqué, confondu.

Oh ! Anne, Anne d'Albart.

Mercredi 10 février

Ma matinée a été classique. J. Chirac. Conseil des ministres. Rendez-vous avec cinq sénateurs américains. Puis je suis allé déjeuner à Marly avec quelques dirigeants socialistes. Le temps était beau et très froid, enfin j'en ai été saisi après les 30 degrés et plus de La Réunion, et je reste un peu recroquevillé. J'ai beaucoup pensé à toi. Je vois d'ici ton air fermé quand je t'aurai écrit que je suis amoureux de toi. Très amoureux de toi, avec une tenaille au cœur. Comme un unijambiste qui voudrait s'aligner dans le 100 mètres des jeux Olympiques. Cela m'humilie, me détruit. La vieillesse aura donc eu raison de moi. Je n'y suis pas préparé. J'en ai mal partout.

Je suis rentré à Paris dans la deuxième moitié de l'après-midi. Toujours clos sur moi-même.

J'ai travaillé à mon bureau, reçu Giscard d'Estaing, et, minute bénie, j'ai appelé et obtenu une Mazarine radieuse, les joues rouges m'a-t-elle dit, à la veille d'un concours de ski, en pleine forme, tendre juste assez et qui s'apprêtait à lire ma lettre qu'elle venait de recevoir. Elle m'a précisé qu'elle pensait à nous… mais qu'on ne lui manquait pas ! Bref, elle me faisait fondre.

Demain matin je serai à Bruxelles pour deux journées difficiles. Je t'écris de mon lit. Il est tôt, 21 heures. Je te cherche aveuglément. Question : comment un homme privé d'un flux de vie prétend-il aimer se faire aimer comme s'il n'en était rien ?

Je me détache de moi. Je me considère du dehors. Je ne veux plus de moi. Et je t'aime tant !

Je ne tolère pas cette contradiction que tu puisses ne plus m'aimer me bouleverse. Tu es le tissu même de mon corps.

J'essaie de me figurer, sans y parvenir, tes occupations algériennes. Te reposes-tu ? Sais-tu te reposer ? J'étais marri ce soir de ne pas aller à l'Alma. Alors je pense à ces choses de rien, de tout, le cristal de Venise, ses bleus, ses verts et au-dessus le portrait de Karel… et je ferme les yeux sur elles.

Jeudi 11 février

Je termine mon travail à Bruxelles. Il est près de minuit. C'est assez fatigant d'entendre pendant huit à dix heures, sans bouger, les mêmes arguments et ce soir, je suis las. Je t'ai appelée au Centre culturel de Constantine où l'on m'a dit que tu étais sortie pour tes photographies.

Ma correspondante m'a parlé de toi en de tels termes : « ... Voir un conservateur de musée, jolie, pleine de charme, agréable, aimable, cultivée etc. etc. voilà ce que j'ai vu aujourd'hui »... que je buvais du lait.

Elle m'a donné le nom de ton hôtel, ton téléphone. Je te sentais toute proche. J'ai aussi appelé, un peu plus tard, Mazarine. Elle m'attendait avant d'aller dîner au restaurant. Toujours heureuse. Elle a pourtant manqué une compétition « pour avoir raté une porte ». Elle m'a répété « je t'aime, je t'aime » et sa voix m'a quitté.

Je ne peux détacher ma pensée de nous. Je suis désemparé. Comme je suis mal préparé à quitter ce que j'aime ! Je pense que, toi, tu ne peux plus m'aimer et n'arrive pas à surmonter une peine latente, accrochée à mes plus tendres souvenirs. Ça ressemble à un chagrin d'amour, comme autrefois quand je t'attendais rue Saint-Placide. Je me reprends aussi à espérer. Espérer ! Je me moque de moi. Je ne supporte pas d'être frappé comme je le suis. Ô Philosophie !

Mon Anne, t'écrire me fait du bien. Le bonheur est un faux ami. Il rend négligent. Je voudrais t'aimer tellement mieux.

Vendredi 12 février

Ce matin, j'appelle l'hôtel Panoramic, le cœur battant, et j'obtiens le plus beau coup de téléphone depuis... quinze ans. J'étais pris dans les rets d'une incroyable nostalgie. Je redoutais d'entendre un bredouillis arabe. Ou une Anne furieuse parce que 8 heures c'était trop tôt, c'était trop tard, parce que le téléphone est un sale instrument indiscret, parce qu'on venait troubler ton évasion, parce que, parce que.

Mais ta voix était, comme celle de Mazarine, si claire, si légère, ailée, que la joie est rentrée, en bourrasque, par la fenêtre. J'espère te retrouver ce soir assez tôt pour t'entendre raconter ton voyage et me dire la beauté du pays. Plus allègre, j'ai quitté l'ambassade à pied et fait une longue promenade pour rejoindre le « Charlemagne », siège des conseils européens, vaste bâtisse sans charme, laideur du « fonctionnel ». Bruxelles s'enlaidit en s'internationalisant. Haussmann avait plus de génie à lui seul que nos urbanistes d'Europe. Le temps est frais annonciateur d'un hiver froid tardif. On respire bien quand l'espérance rentre dans les poumons.

Je viens précisément de me promener sur la Grand-Place et dans les rues voisines. Je m'émerveille de l'harmonie. C'est la Flandre (même à Bruxelles) et c'est l'Europe, fleur de la civilisation, la nôtre. L'air

m'a fouetté au visage et j'avais le sang vif – réveil utile, avec en perspective, toi, ce soir, après ces jours amers.

J'écris ces lignes dans la salle du Conseil. Autour de la table ronde,
les dirigeants de l'Europe devisent à voix basse. Mme Thatcher four-
bit ses armes. Chirac, mon voisin de droite, va et vient. À ma gauche
siège Gonzales, l'Espagnol, Kohl, qui préside, souffle un moment,
pour une brève suspension de séance. La tension règne sous cet aspect
bon enfant.

1202.

Carte postale, Bruxelles, l'Arcade du palais du Cinquantenaire
de nuit, à Anne Pingeot, 40 rue U., 75006 Paris, France.

Le 12/2/88

Je t'attends avec un arc de triomphe.

F. M.

1203.

Carte postale, Irlande, Newgrange, à Anne Pingeot,
40 rue U., Paris VIᵉ, France.

Le 26/2/88

Plus ancien que les Pyramides ce tombeau entouré de menhirs
raconte une histoire que personne ne connaîtra.

À toi

F.

Carte postale, Aachen, publicité pour un tournoi d'équitation,
envoyée par Mazarine en séjour linguistique.

28 mars 1988

Chers parents,
Petit souvenir d'Aachen (carte à la façon papa).

8 mai 1988, vous êtes réélu avec 54,02 % des voix.

1204.

En-tête Le président de la République, à Anne.

Le 16 juillet 88, 19 heures

Mon Anne chérie,
Voici deux heures que je t'espère, mais je me doutais bien que tu
ne viendrais pas. Dommage que nous ayons perdu ce soleil clair d'un
bel après-midi. J'imagine cependant que ce n'est pas pour rien et que
tu avais besoin d'autre chose.

A-t-on raison de souffrir l'un par l'autre ? Et pourquoi ? Au-delà
des mots que j'écris ici je veux seulement te dire que je t'aime.

Je n'ai pas compris le malentendu d'hier soir, du moins en tant
que tel, mais je le suppose fait d'une autre matière qu'un simple jeu
de circonstances. Je n'ai rien vu venir, si heureux de te revoir. Tant
pis pour moi.

Je viendrai te chercher demain et, sauf contre-indication, m'arrêterai pour dîner avant de rejoindre Biarritz.

Je pense à toi intensément. Les tristesses sont mêlées de souvenirs
de tant de joies. Je ressens tout cela à la fois et ne puis que répéter
sans vaine explication que je t'aime de tout moi-même

F

23-27 décembre 1988, Noël en Andalousie, invités du roi dans la maison de chasse
de Lugar Nuevo avec les Badinter et Charles Salzmann, Mazarine et ses amies.

1989

1205.

En-tête Le président de la République,
à Anne Pingeot *(sans timbre).*

Paris, le 31 janvier 1989

Mon Anne,

Le triangle était bien triste ce matin, plus triste, peut-être, que jamais. Je ne comprends pas très bien pourquoi, sinon que je pars et qu'une radio t'a peinée hier soir, sans que j'en connaisse la raison. Dès qu'un vide se creuse entre nous je perds tous mes repères. Il fait froid dehors et dedans. Dedans surtout. Même si j'en suis responsable je n'aime pas que tu aies mal. Au pire du silence j'ai envie de dire à voix basse : « Saint-Benoît. »

Ma journée s'achève, grise, dure. Il semble que rendez-vous soit pris par les fées malfaisantes. Pour tenir bon il faut en avoir le goût. Et j'ai le goût de vivre dans celui de t'aimer.

J'ai téléphoné à Mazarine cet après-midi. Que sa voix m'est douce. Comme on a envie d'être heureux. Merveilleuse inconscience ! Le temps m'échappe.

Je voudrais tant vivre intensément ce qu'il m'en reste. Et tout passe par toi, même si tu te convaincs du contraire.

Je pense et penserai à toi. Je sais que tu me rejettes et que tu m'aimes en même temps. Quel désir de te retrouver, d'effacer cette nuit mauvaise.

Baltique est partie pour Souzy, où j'irai samedi en fin d'après-midi. Auparavant je t'appellerai rue U., vers 18 heures, pour te prendre, si tu le veux, et t'emmener.

Mon Anne, comment te garder, te garder mieux. Je t'aime, t'aime, t'aime

<u>F</u>

22-24 septembre 1989, Assise, Venise, chez Ida et Zoran avec les Badinter et Charles Salzmann.
30 octobre-1ᵉʳ novembre 1989, Massevaques.
23-27 décembre 1989, Noël à Lugar Nuevo avec les Badinter, Charles Salzmann, Alix et Mazarine.

1990

10-12 février 1990, Charm-el-Cheikh, Assouan, avec Jacques et Régine Bonnot,
Charles Salzmann et le Dr Kalfon.
1-4 mars 1990, Venise chez Ida et Zoran avec Mazarine et Maya Alexandresco.

1206.

En-tête Le président de la République, à Anne.

Paris, le 6 juillet 1990

Mon Anne tant chérie,

J'achève une journée exténuante. Réunion sur réunion à Londres
autour de quelques problèmes… sérieux. Dès mon retour à Paris, le
Conseil supérieur de la magistrature, des papiers, des rendez-vous…
Mais qu'est-ce auprès de cet appareil d'aiguilles, de tuyaux, de pompes
qui s'occupent de ton corps ? Je pense à toi à tout moment. Je regarde
ta photo, toi cueillant les cerises du mois de mai à Gordes. Je t'aime
d'être qui tu es et j'éprouve une étrange fatigue heureuse de te savoir
sur la pente de la guérison. Il n'y a pas de mot pour dire.

Alors, j'éprouve, ma pensée va, mes souvenirs, mes espérances
aussi, à leur gré.

Cette épreuve précédée de si beaux jours, calmes, lumineux me lie
à toi plus encore ! Ta voix m'émeut comme jamais.

Moi aussi j'ai un grand besoin de repos, profond, vital. J'imagine
déjà nos heures à vivre à l'Alma, possesseurs de ce joyau, unique
joyau : l'amour de l'autre. Ce sera ma paix et, je l'espère, la tienne.

J'évite d'appeler Maza ce soir. Cela me coûte. Mais elle a besoin d'être elle-même, d'apprendre à vivre, par elle-même. Ce qui n'ôte rien à l'amour souterrain qui nous lie.

Je remettrai ce petit mot à Martine. Il est malhabile. Tant pis. Quelle que soit la façon d'exprimer ce qui me vient de toi, et qui m'enchante, j'en use.

Tu es ma grâce et je t'attends.

Je t'embrasse, mon amour, comme un soir, retour de la Nièvre à Saint-Benoît, toi sur le pas de la porte, et tes bras ouverts, ton visage

F.

Paris, le 8 juillet 1990

Mon Anne bien-aimée,

Ce dimanche m'est tout chose. Où sont nos longues matinées paresseuses de Souzy, les petits déjeuners partagés avec cinq (ou six) chiens, Mazarine énigmatique et souveraine, Best et Ulla qui piaffent [et sur lesquelles Alexandre Gros veillait avec amour], les petites cousines [Léonie et Louise Pingeot] toujours prêtes à se brûler les doigts, et toi, et nous… Farandole très classique des souvenirs heureux quand la solitude est venue. Je pense à toi, à tout moment, sur ton lit d'hôpital et moi, je ne retrouve rien des joies de vivre, sinon l'espoir de te revoir bientôt. Une grande fatigue me cloue sur place. Par sympathie, sans doute. Je t'écris de mon bureau de l'Élysée, dans le calme épais des matins sans personne. Baltique fait semblant de dormir sur le tapis. Elle aime la conversation et bâille de temps en temps.

Je confierai ce mot à Martine… mais ce sera le dernier car, demain matin, à 7 heures, j'embarque pour Houston où m'attendent 50 degrés de chaleur au-dehors et l'air conditionné au-dedans. Je ne me sens pas d'attaque pour supporter ces variations !

La hâte de te retrouver se fait idée fixe. Pourtant sois prudente, très. Rien n'est plus trompeur que la convalescence après une opération profonde. Domine les deux mois à venir et contrains-toi : ne pas agir, se reposer, attendre ne sont pas les vertus Chaudessolle. Au demeurant je me réjouis déjà de ton immobilité nécessaire et je me vois, avec toi, à l'Alma, dans mon beau fauteuil Charles Eames. Manquera quand même la nuque dorée de Mazarine.

Mon Anne, mon amour, je t'embrasse (passio !… rappelle-toi !).

F

1207.

En-tête Le président de la République, à Anne Pingeot,
château de Louvet-le-Sec, par Romagnat, Puy-de-Dôme.

Le 6 août 1990

Mon Anne chérie,

Hier soir, au téléphone, Mazarine, Best, Éric Navet, Milton (c'est
un cheval) et ton récit de votre promenade sur Girou(x ?) m'ont éloigné de ce que je voulais surtout te dire : « voilà, mon amour, que nos
vingt-cinq ans sont accomplis, et voilà aussi que je t'aime, avec, dans
mon cœur, la mémoire intacte de chaque instant vécu à Chênehutte,
à Chênehutte-les-Tuffeaux ».

Je me récite ces mots comme on se récite un poème que traverse-
rait soudain le petit autobus sorti du monde imaginaire pour nous
ramener dans la chambre bleue où le temps, si dense, ressemblait à
l'éternité. Je te vois, assise et la rose thé devant toi tandis que, par la
fenêtre les coteaux de la Loire, et le fleuve, complétaient l'harmonie,
bleu de ciel, bleu de terre, rêve et réalité confondus.

Depuis notre séparation de Louvet, vendredi, j'ai entrepris de
refaire mes études, afin de n'être pas trop distancé par Mazarine, et je
suis plongé dans *Les Rêveries du promeneur solitaire* que je redécouvre
d'un tout autre regard qu'au temps de mon propre bac. Il y a moins
de rêverie, dans ce livre, que de dénonciation, la société, les hommes,
le sort, tout est pour lui persécution.

Mais quel style ! « Me voici donc, seul sur la terre, n'ayant plus
de frère, de prochain, d'ami, de société que moi-même. » Et, plus
loin : « J'ai pensé quelquefois assez profondément, mais rarement
avec plaisir, presque toujours contre mon gré et comme par force : la
rêverie me délasse et m'amuse. »

Nous trouverons là de beaux sujets de discussion. Sitôt finie cette lecture, j'attaquerai *Les Confessions.* Un enfant, et la vie recommence. Neuf
ans après Chênehutte, c'était Avignon, Urbain V et toi, ma bien-aimée,
penchée sur une petite fille – la rebelle d'aujourd'hui. Je parcours en
esprit ces étapes, et chacune d'entre elles franchie, je t'en aime davantage.

Pour le reste du quotidien, le Moyen-Orient se charge de remplir
ce début de vacances. Et les orages du mois d'août, mois d'orages et
de colères. Henry Finifter, mon filleul, est mort cette nuit. Un autre
passé, celui de la guerre, ressurgit, la guerre et l'amitié.

Un vent frais s'est levé, secoue la cime des arbres, imite le bruit et le mouvement de la mer. On a envie de le boire. Je sors peu de la fatigue où je m'étais enfermé. Cependant j'ai joué au golf ce matin. Plutôt mal. Ça m'a quand même dérouillé. Baltique couche à mes pieds, halète. Elle me réveille la nuit et devient exigeante. Mais ses yeux sont si dorés et tendres !

Je t'appellerai ce soir, mon Anne dont j'aime tant le nom. Constamment, ma pensée te rejoint. 5 août 1965, mon soleil ! Je t'embrasse. Tu as l'odeur de cet été, l'été de nos amours, nos amours des quatre saisons.

François

1er-4 novembre 1990, Reggio di Calabria, Taormina, Sinaï, le moine Justin, Alexandrie avec Jacques et Régine Bonnot, Charles Salzmann, Alix et Mazarine.

1208.

Carte postale, Rome, ponts Sant'Angelo et San Pietro,
à Anne Pingeot, 40 rue U., Paris VIe, France.

Le 14 XII 1990

Vu ce matin, à la villa Médicis, une exposition consacrée à l'œuvre comparée de Fragonard et d'Hubert Robert, qui se trouvaient en même temps à Rome et dessinaient ensemble les mêmes lieux.

Façon de revenir à une lauréate à laquelle je pense beaucoup

F

1209.

20 décembre 1990. Télégramme officiel, à Madame Anne Pingeot,
40 rue U., 75006 Paris.

J'AI APPRIS AVEC BEAUCOUP DE PLAISIR QUE LE GRAND PRIX
NATIONAL DE LA MUSÉOGRAPHIE VENAIT DE VOUS ÊTRE ATTRI-
BUÉ GRÂCE À VOTRE TRAVAIL REMARQUABLE DE COMMISSAIRE
D'EXPOSITION ET À VOS NOMBREUSES PUBLICATIONS
VOUS APPORTEZ UN ÉLÉMENT ESSENTIEL À LA CULTURE DE
NOTRE PAYS
JE VOUS ADRESSE MES FÉLICITATIONS LES PLUS CHALEUREUSES
ET MES SENTIMENTS LES MEILLEURS
FRANÇOIS MITTERRAND

24-26 décembre 1990, Noël à Venise chez Ida et Zoran, avec Mazarine, Agnès, Charles Salzmann.

1991

31 octobre-3 novembre 1991, Venise chez Ida et Zoran avec Mazarine, Dominique Fargues et le Dr Kalfon.
23-27 décembre 1991, Noël en Grèce avec les Badinter, les Salzmann, Mazarine et Alix.

1992

25-27 avril 1992, Milan, Venise chez Ida et Zoran, avec Mazarine, le Dr Kalfon.

1210.

Papier blanc, à Anne Pingeot, 40 rue U., Paris VIᵉ,
(timbre non oblitéré).

Paris, le 13 mai 1992

Mon Anne chérie,
Je ne pourrais pas laisser passer ce 13 mai sans te souhaiter le « bon anniversaire » que je porte dans mon cœur, et, pas davantage, je ne voudrais que tu te sentes, surtout en ce jour, seule.

Bien au contraire, je pense à toi, sans arrêt. Ce qui me conduit à te dire, au risque d'être monotone, que je t'aime comme je t'ai aimée depuis le premier jour, avec quelque chose en plus, la force et la richesse du temps que tu m'as donné.

Je n'ai pas bien compris l'événement d'hier soir mais j'en suis bouleversé. On ne souffre, au fond (hors la douleur physique), que du manque d'amour, ou du sentiment qu'on en a. C'est donc que tu as mal de ce mal-là et je n'arrive pas à comprendre comment j'ai pu ne pas le percevoir et ne pas t'apporter ce qu'inconsciemment, peut-être, tu attendais de moi.

Mais ces impressions, ces doutes ne sont rien auprès de cette réalité : je t'aime, nous t'aimons, et les humeurs du quotidien n'ont que le poids d'un coup de vent.

Figure-toi que je t'écris cette lettre… pendant le Conseil des ministres, après lequel j'embarquerai tout aussitôt pour la Lituanie. (Mais l'ennuyeuse communication que fait en cet instant le ministre de service ne mérite pas plus d'intérêt !) On était bien tristes, Maza et moi, devant le petit déjeuner préparé par la fille de la maison. Je suis bien triste d'être éloigné de toi. Mais je t'espère, je t'attends, je rêve de ton visage (heureux). Tu es mon amour. Je m'en veux de ne pas te remettre, en cadeau d'anniversaire, la joie du cœur. Je désire tellement ton amour, à toi… et ta paix intérieure et me sens toujours disponible pour t'aimer comme si j'avais l'éternité devant moi ! Aujourd'hui est un jour couleur d'iris mauve et jaune celle des premières amours. Je suis ton

F

1211.

En-tête Le président de la République, Pour Anne.

Paris, le 5 août 1992

L'Anne à qui j'écris n'a jamais cessé d'être pour moi cette jeune fille que j'aimais, il y a vingt-sept ans, à Chênehutte-les-Tuffeaux. Je la vois bleue et or. Bleue comme la Loire, l'horizon et la tapisserie de la chambre, or comme le fond des yeux quand ils s'émerveillent, comme pourrait passer du rose thé au vieil or la rose douce et orgueilleuse de notre premier matin. La rudesse de vivre n'a rien ôté de cette révélation, de cette âme à nu, comme le corps, ~~ou~~ ni de mon bonheur de t'avoir, enfin, rejointe. Je n'ai pas vu passer les ans, ni les points de repère de l'âge, puisque tu étais là, semblable à toi-même, ma jeune-fille-jeune-femme, devant moi, visage grave et beau sourire, don d'un cœur qui ne se reprend pas.

J'éprouvais à te toucher discrètement cette nuit un bonheur, un étonnement qui n'ont pas pris une ride, une confiance de lac des profondeurs. J'épiais ton réveil. Il n'a été que tendresse, joie d'aimer.

Et si la passion a subi d'autres fièvres, celles de la maladie, de l'usure physique, et se dissimule derrière un quart de siècle et plus d'échanges quotidiens, je sais qu'elle est là, au creux de l'âme, vivante et forte, écho toujours renouvelé des heures d'intensité, tes yeux ouverts perdus dans les miens tandis que s'accomplissaient le rite et le mystère. Je veux aujourd'hui porter témoignage, à toi seule, pour toi seule, mon amour.

J'aime ton nom, ton visage, ton corps, ton cœur, ta voix, tes actes, et j'aime aussi ta fille, qui par-dessus le tout est également la mienne. Nous serons donc l'un près de l'autre ce soir, cette nuit. Je n'aurai pas besoin de te dire autre chose. Toi et moi réunis.

Le rêve nous entraînera dans le secret des choses simples. Il en est une que tu dois savoir, mon Anne de Chênehutte,

c'est que je t'aime

F

12-15 septembre 1992. Vous êtes opéré à l'hôpital Cochin. Je passe la première nuit sur une chaise près de vous, ensuite sur un matelas posé le soir contre votre lit.
20 septembre 1992 : référendum sur le traité de Maastricht, 51,04 %.
1ᵉʳ décembre 1992. Mazarine quitte l'Alma où nous restons, pour vivre rue U. avec ses amies étudiantes.
23-28 décembre 1992, Noël en Turquie, Istanbul, Antalya, Kemer, avec Mazarine et Barbara Bohac, Agnès, Charles Salzmann et le Dr Kalfon.

1993

29 octobre-1er novembre 1993, Venise chez Ida et Zoran, avec Mazarine, Barbara Bohac, le Dr Kalfon.

23-27 décembre 1993, Noël au Sinaï, Sainte-Catherine, Assouan, Le Caire, pyramide de Kheops, avec Jacques, Régine et Jacques-Emmanuel Bonnot, Charles Salzmann, le Dr Kalfon, Mazarine, Alix, Barbara.

1994

11 mars 1994, déjeuner au Train bleu. Présentation d'Ali Baddou par Mazarine.
12 juillet 1994, Mazarine est reçue 4e à Normale-Fontenay.
17-22 juillet 1994. Vous êtes opéré pour la seconde fois à l'hôpital Cochin.
Nuits près de vous.
25 juillet 1994. À Souzy nous voyons revenir Mazarine et Ali de leur voyage au Mexique :
joie.
22-27 décembre 1994, Noël à Venise chez Ida et Zoran avec Mazarine, Ali et la
famille Tarot.

1995

10-13 février 1995, Beauvallon chez André Rousselet.
23-29 février 1995, Assouan, rencontre de Saad et Maria Baddou, les parents d'Ali,
qui organisent une fête pour les 21 ans de leur fils.
7 mai 1995, Jacques Chirac est élu président de la République.
14 mai 1995. Dernière nuit à Souzy-la-Briche, dernier repas de Mme Do.
15 mai 1995. Dernière nuit à l'Alma.
17 mai 1995, première nuit avenue Frédéric-Le-Play.
Je retourne rue U. quand vous vous absentez.
30-31 mai 1995, hôpital porte de Choisy.
16-19 juin 1995, Venise chez Ida et Zoran.

1212.

S.d. En-tête Le président de la République, à Anne Pingeot, EV.

Mon Anne chérie,
Florence n'est pas qu'un souvenir !
Je t'aime

F

12 août 1995, votre dernière pêche au lac Chauvet avec Michel Charasse.
26-28 août, votre dernier séjour à Louvet.

1213.

En-tête François Mitterrand, au dos de l'enveloppe :
9 avenue Frédéric-Le-Play, 75007 Paris, à Anne Pingeot,
40 rue U., 75006 Paris *(sans timbre).*

Paris, le [18] *septembre 1995*

Mon amour,

Cela fait si longtemps que je n'ai écrit ces deux mots. Les dire est bon, mais les mettre sur ce papier pour toi me donne un plaisir si fort... que je crois bien que je recommencerai. Je suis installé dans la chambre devenue bureau. Ta présence est là. Je l'aime et je t'aime.

Mon début de matinée, après ton départ, a été occupé par les soins qui me révulsent. J'ai de la peine à maîtriser mon refus nerveux.

J'ai marché avenue Le-Play jusqu'à l'avenue Rapp. J'en suis revenu exténué. La maladie des rayons a refait son apparition. J'ai les jambes cassées et le cœur triste. Toute cette peine qu'involontairement je te cause pèse sur moi. Ah ! je rêve de ton beau visage lorsque le bonheur s'y inscrit.

Je partirai pour Belle-Île dans un moment. J'emporte un Pascal, une vie de Clemenceau, et une vie de Morny. Également mes manuscrits.

Aurai-je le courage de les poursuivre ?

Je ne sais comment je ressens cette coupure de quatre jours. Mazarine et toi habitez ma pensée. Mais toi, mon amour, comment, fatigué et las, te donnerai-je la force et la joie ? Elles sont là, pourtant, pas loin, à portée de la main tant est présent mon goût de toi, tant sont puissants les souvenirs des jours vécus, tant sont vivaces – ô paradoxe ! les espoirs. T'imaginer me ravit. Je me perds dans cette vision de celle que j'aime.

Elle éclaire mes jours.

Voici quelques lignes trop brèves. Je dois discipliner ma main peu habituée à rédiger lisiblement (depuis que je partage ma vie avec un incommode compagnon qui, pour l'instant, me tire par l'épaule, mauvais ange de Jacob).

Mon amour d'Anne, je t'embrasse et je pense à toi, ma douce endormie de cette nuit

F

1214.

En-tête François Mitterrand, au dos de l'enveloppe :
9 avenue Frédéric-Le-Play, 75007 Paris, à Anne Pingeot,
40 rue U., 75006 Paris.

Paris, le 18 septembre 1995

Mon amour chéri,

J'ai fait déposer par Rico [Sainsily] une première lettre rue U., mais je pense que cette deuxième suivra un parcours plus compliqué puisqu'elle devra passer par la poste. Je te l'envoie donc dès maintenant.

Pas de nouvelles de Mazarine. Cela me manque. Pas de toi, non plus, mais je n'ai pas voulu te déranger dans ton travail d'aujourd'hui.

Je pense à toi sans arrêt. C'est une vieille maladie à laquelle je devrais être habitué. Tu me manques tellement.

Cette lettre sera très courte. L'avion n'attendra pas. Elle contient beaucoup plus qu'elle n'a l'air. J'ai besoin de ton air pour respirer.

Je t'embrasse si, si tendrement

<u>F</u>

1215.

En-tête François Mitterrand, au dos de l'enveloppe :
9 avenue Frédéric-Le-Play, 75007 Paris, à Anne Pingeot,
40 rue U., Paris VIe.

Belle-Île, le 19 septembre 1995

Mon amour d'Anne,

Comme je serais tranquille si ta pensée pouvait quitter mon esprit ! Je ne peux me séparer de toi sans en avoir le cœur brouillé. Je connais toutes les réponses sceptiques que tu m'opposes. Moi je n'en ai qu'une, toujours la même, je t'aime. Pourtant je n'ai besoin de beaucoup d'intuition pour imaginer ton visage fermé, à tes occupations que tu m'as décrites pour cette semaine au point de ne laisser aucun moment où nous pourrions nous retrouver. Je te parle à voix basse. Le temps est doux et beau, un peu voilé le matin et en fin de soirée. J'ai terminé le livre – léger – de Françoise Giroud sur Clemenceau. Livre inutile comme beaucoup. Je vais entamer un *Beria* que l'on m'a prêté et qui lui, ne peut qu'être fort et terrible. Le plus fidèle compagnon de Staline qui aurait voulu être son successeur et qui mourra comme ses victimes, tragiquement.

Un *Morny* m'attend et hier soir, dans mon lit je me suis nourri des *Pensées* – un roi sans divertissement etc. La nuit a été assez difficile. Je m'efforce de marcher et de respirer l'air dont j'attends je ne sais quel salut.

Baltique court, se trempe d'eau de mer et de pluie me passe une large langue sur le visage. L'automne est là. Les fourrés sont mauves et violets. Baltique qui n'entend pas se piquer les pattes n'y pénètre pas mais flaire des pistes visiblement délicieuses : lapins, faisans qu'elle ne voit – heureusement – qu'après qu'ils ont pris leur course ou leur vol. Je n'ai pas envie de travailler. Je rêve. Je rêve des jours que tu pourrais m'accorder, où nous serions seuls comme au Mas de Montet [Du jeudi 3 au lundi 7 août 1995, cadeau d'anniversaire des trente ans de Chênehutte (et cadeau d'adieu) : bonheur de cinq jours, dans le pays de votre enfance, seule avec vous, près de la Dronne (avec les gardes. Patrick Baudette fait avec Mme Rolland les courses à Ribérac). Le 4 Touvent, le raidillon, Nabinaud ; le 5 château de Villebois-Lavalette, château de la Mercerie, Montmoreau, déjeuner chez le Dr Georges Dussert à Saint-Romain, Aubeterre, Saint-Privat, Saint-Aulaye, La Trappe, complies, voix pures ; le 6, M. Pichardie classe vos qualités : « courage, mémoire, amitié ». Cimetière de Petit-Bersac, tombe du marquis de Nattes mort au Mas de Montet en 1905. C'était l'adieu à votre enfance et à nous.], une ville d'Italie, une balade selon ce que tu souhaiteras. J'égrène les souvenirs : ils ont toujours porté le nom du bonheur. Mais quand seras-tu libre ? Le voudras-tu ? Je suis si pressé de te retrouver. Tu es comme une musique pour moi dont je ne peux me passer ~~quand~~ sans que les accords du ciel et de la terre s'obscurcissent. Il y a si longtemps que je n'avais repris cette corres-pondance : méfie-toi, j'y goûte ce quelque chose d'unique dont on ne se défait pas aisément !

Je pense à Mazarine, un peu inquiet de ne rien savoir d'elle. Je pense à toi, dont je ne sais rien de plus. Je t'adore. Tu en doutes. Tu en souffres. Il faut croire que je t'aime mal tout en t'aimant infiniment. Je t'embrasse et c'est plus que la tendresse

F

1216.

En-tête François Mitterrand, à Anne Pingeot,
40 rue U., Paris VIe.

Belle-Île, le 20 septembre 1995

Il est 17 heures. Le ciel lumineux. Baltique à côté de moi. Je suis dans ma chambre. J'ai regardé à la télé (en anglais) l'arrivée de l'étape du Tour d'Espagne. Le courrier, il n'y en a qu'un par jour ici, est parti à 15 heures. Ça ne fait rien. J'ai autant de joie à t'écrire même si je sais que ma lettre ne t'arrivera pas demain j'ai demandé à Paris l'enregistrement du quatrième épisode de *La Rivière Espérance*. J'ai appelé au début de l'après-midi Ali qui m'a donné les nouvelles de l'expédition en Normandie. Mais Maza n'était pas là. Je ne t'ai pas appelée non plus ne voulant pas gâcher le bonheur de t'écrire. Avoir retrouvé les lettres plutôt que le téléphone me ravit, d'autant plus que je connais vos mauvaises relations. Tout de même je pense tout le temps à toi, avec un emploi du temps assez simple : promenade sur une plage le matin, repos après le déjeuner et lecture, deuxième promenade vers 7 heures. Je suis toujours sous le coup de ces fichus rayons. Le soir je me plonge dans les *Pensées* et j'essaie de me pénétrer de quelques-unes d'entre elles. J'ai fait peu de distance sur le chemin de la philosophie ! Mais j'essaie.

Je te suppose très occupée mais j'ai su par Ali que tu avais pu dîner rue U. avec les enfants et Younès [Zrikem]. Peut-être ne m'aimes-tu plus. Moi je t'adore comme au bas de la côte d'Albart. Comment avons-nous fait pour que le concert assourdissant des insectes de Saint-Saturnin résonne encore à mes oreilles ? Je me repais de cette vie si riche d'émotions et de beauté ! Tu doutes toujours de tout quand il s'agit de moi et pourtant je me sens si plein, si riche – et j'allais écrire, si fort – de ce qui nous unit. Il est vrai que tu m'as tant donné !

J'espère que tes Danois et tes Flamands se tiennent bien. Je rentrerai à Paris samedi matin.

Je désire tellement te revoir et passer avec toi deux beaux jours. Mais où en es-tu ? Que penses-tu ? M'as-tu à ce point rejeté ? Avec toi, rien n'est jamais acquis, je le sais et cela m'angoisse.

Je t'aime, mon Anne. Tracer les lettres de ton nom (« tu t'appelles Anne et… ») m'émeut.

Je t'aime mal mon vrai, mon grand, mon pur amour mais rien ne pourra jamais m'en défaire.

J'ai peu de temps devant moi. Raison de plus pour t'aimer mieux. Ces pensées sont là, mes compagnes. Puissé-je trouver ton cœur.

Je suis ton

F.

1217.

Feuille blanche découpée, à Anne Pingeot,
40 rue U., Paris VIe.

Belle-Île, le 21 septembre 1995

Une petite joie : je n'avais plus de papier pour t'écrire et je trouve celui-ci qui me vient de toi. Journée sans signe particulier. Le ciel reste pur. Je me suis promené ce matin et j'en reste fatigué. Baltique s'en donne à cœur joie : elle court, sans succès, après les lapins qu'elle rencontre et il y en a beaucoup. Chaque fois je fredonne : « Cerf, cerf, ouvre-moi... » Mais les lapins se débrouillent très bien sans moi.

J'ai eu Mazarine au téléphone ce matin. Réconfort. Toi, je continue de ne pas t'appeler. Ah ! cet appareil qui claque à mon oreille. Je ne le supporte pas.

Et puis me confier à ce papier me plaît. Je te l'ai écrit hier : le mal des rayons m'a envahi et m'ôte mes réserves d'énergie. Mais il ne m'enlève rien, ni sentiments, ni passion, ni douleur, ni espoir qui me lient à toi. Je n'arrive pas à comprendre comment un amour peut à ce point vaincre le temps. Nous sommes victimes aujourd'hui d'un acharnement à nous nuire. Je ne pourrai même pas mourir tranquille.

J'y réfléchis beaucoup. Je veux que la paix nous soit rendue à toi et à moi. C'est actuellement ma seule pensée. Tu n'as pas besoin de m'expliquer : je comprends ce que tu ressens. Comprends-moi, toi, un peu mieux. Nous avons à nous défendre ensemble, à préserver ce lien si rare qui nous unit.

Ma vie ici est faite de choses simples. Je lis à mon réveil (ce matin Pascal... et Beria – terrifiante histoire de notre temps). Je petit-déjeune. Je me promène, toujours trop, dès que je dépasse une demi-heure. Je lis, je déjeune, sans grande envie. Je me repose et vers 17 h 30 je marche de nouveau, avant de corriger quelques pages de mon livre, ce qui me conduit à l'heure du dîner. Baltique ne me lâche pas. Les photographes sont arrivés, petite masse de voyeurs. Je ne leur parle pas. Bien entendu je pense intensément à toi, à nous. Il est, dans mon esprit, des images de toi qui me servent de référence. Tu ne sais pas lesquelles. Des images en tout cas qui ont illuminé mon existence. Qui me sauvent de tout. Mon amour chéri, je ne sais comment tu reçois ces lettres. Je te les écris avec un vrai, un grand amour, un immense besoin de toi. Quel est mon avenir ? Rien ou presque rien.

Il reste le champ de l'âme et du rêve. Tu en occupes l'essentiel. Je t'aime

François

1218.

Feuille blanche découpée, à Anne Pingeot,
40 rue U., Paris VIe.

Belle-Île, le 22 septembre 1995

Ce sera ma dernière lettre de Belle-Île puisque je pars demain matin pour Paris. Les conditions en sont encore incertaines car il y a une forte brume et le petit avion monomoteur n'est pas sûr de pouvoir décoller à l'heure dite. Je ne sais donc quand j'arriverai. En tout cas je serai à Paris avant l'heure du dîner et mon plus cher désir est de partager ma soirée avec toi. On pourrait aller au restaurant ce qui t'éviterait toute cuisine. Sinon on resterait à Le-Play et j'espère que j'aurai obtenu d'ici là une copie de *La Rivière Espérance*. Tu vois que je raisonne comme si tu avais envie de me retrouver ! Moi, j'aimerais tant.

J'ai encore eu Mazarine au téléphone, qui s'escrimait à la machine. Quelle bonne idée ! Elle a été charmante comme elle sait l'être. Quel cadeau tu m'as fait.

Ici je suis un peu en veilleuse. Le bras un peu souffrant et les forces qui se baladent je ne sais où mais qui ont délaissé mon corps. On verra bien. L'air est bon, peut-être réparateur. J'ai devant moi la mer qui se confond avec les rochers. Pas de vent. Rien ne bouge.

Ça me rend bizarre de ne pas te téléphoner. J'aime ta voix même quand elle se fait sévère. Tu as dû beaucoup travailler. Comment te retrouverai-je. J'avance tout doucement dans mes corrections. 150 pages. Manquent les idées générales. Il faut que je les insère dans le récit trop factuel et linéaire.

Dans les *Pensées* j'ai noté celle-là : « Les hommes n'ayant pu guérir la mort, la misère, l'ignorance, ils se sont avisés, pour se rendre heureux de n'y point penser. » Ou : « Quelle chimère est-ce donc que l'homme ? Quelle nouveauté, quel monstre, quel chaos, quel sujet de contradiction, quel prodige ? Juge de toutes choses, imbécile, ver de terre, dépositaire du vrai, cloaque d'incertitudes et d'erreur, gloire et rebut de l'univers qui démêlera cet embrouillement ? » Oui, tout est embrouillement. Je vois dans ma vie une clarté. Hors de toi tout s'obscurcit.

Et voilà que je ne sais plus quoi faire de moi, mon temps fini. Une vraie conjuration ! Mais je sortirai de ce bizarre état, ridicule et pittoresque. C'est déjà si difficile de connaître l'usage qu'on doit faire de sa vie ! Le reste est plus simple puisqu'il suffit de décider.

Mon bonheur est de penser à toi et de t'aimer.

Tu m'as toujours apporté plus. Tu as été ma chance de vie. Comment ne pas t'aimer davantage ?

<u>François</u>

10-12 novembre 1995, Beauvallon chez André Rousselet.
1er-3 décembre 1995, dernier Gordes.
24-30 décembre 1995. Dernier Noël en Égypte, Assouan.

2-6 janvier 1996. Nos dernières nuits avenue Frédéric-Le-Play.

Vous mourez dans la nuit du dimanche 7 au lundi 8 janvier 1996.

Lundi 14 janvier 2002, mort de Baltique.

INDEX

2 décembre, projet de livre sur le : 573, 576, 578, 637, 1134.
4 septembre, Le (É. de Kératry) : 818.
18 Juin 40, Le (H. Amouroux) : 233.

Abeille et l'Architecte, L' : 1123.
Abélard avec et sans Héloïse (G. Truc) : 577.
ABÉLARD, Pierre : 577.
ABELIN, Pierre : 787, 823, 890, 964, 1012.
ABELLIO, Raymond : 1090.
Abidjan : 1154.
Ablon-sur-Seine, Val-de-Marne : 47.
ABRASSIMOV, Piotr : 971.
Abymes, Les (Guadeloupe) : 1067.
Agde, Hérault : 571.
Agra : 172.
Agrigente : 608.
Aigle (L'), Orne : 29.
Aire-sur-l'Adour, Landes : 860.
Aix-en-Provence, Bouches-du-Rhône : 251, 616.
ALAIN-FOURNIER : 83.
Albart, Cantal : 249, 253-255, 258, 268, 276, 284, 694, 1202, 1243.
Alençon, Orne : 644.
Alès, Gard : 571-574, 849-850.
Alexandre le Grand (J. Benoist-Méchin) : 270.
Alexandrie : 40.
Alger : 773, 784, 999, 1201.
ALLEN, docteur : 484, 567.

ALLENDE, Salvador : 908-909, 911.
Alligny-en-Morvan, Nièvre : 387, 483-484, 510-511, 813, 1010.
ALLON, Ygal : 1004.
Amanvillers, Moselle : 508.
Ambérieu-en-Bugey, Ain : 786.
AMBROGGIANI, Pierre : 191.
Amers (Saint-John Perse) : 948.
AMOUROUX, Henri : 233.
Amsterdam : 176-177, 187-191, 193-194, 215, 258, 608, 695, 766, 803-806.
Ancenis, Loire-Atlantique : 178.
Ancône : 296, 302, 304.
ANDREAS-SALOMÉ, Lou : 1085-1086.
ANDRIEU, René : 896.
ANDRIEUX, Maurice : 1112.
Anduze, Gard : 574, 635, 849-850, 1044, 1113.
Anet, château d', Eure-et-Loir : 47.
Angoulême, Charente : 76, 125, 240, 378, 430, 468, 912.
Angresse, Landes : 432.
ANNE D'AUTRICHE : 436.
Année dernière à Marienbad, L' (A. Resnais) : 93.
Année politique 1958, L' (R. Trinquier) : 659.
ANSOT, Mme : 849.
Anthien, Nièvre : 976-977.
Antibes, Alpes-Maritimes : 810, 989.
Anyone who had a heart (D. Warwick) : 210, 290, 298.

Appoigny, Yonne : 761.

Apt, Vaucluse : 436, 464, 504.

ARAGON, Louis : 53, 166, 280-281, 290-291, 340, 346-347, 375, 377, 391, 459, 607, 786, 898.

Arbois, Jura : 509.

Arcachon, congrès d' (1964) : 203, 297, 299, 301, 304, 307.

Arcachon, Gironde : 366.

Arcangues, Pyrénées-Atlantiques : 581, 587.

Argenton-sur-Creuse, Indre : 239.

Argile et Cendres (Z. Oldenbourg) : 390.

Argos : 438.

Arleuf, Nièvre : 841.

ARNAUD, René : 577.

ARON, Robert : 967.

Arras, Pas-de-Calais : 887.

Assouan : 1053.

Athènes : 440, 1167.

Atlanta : 591, 608, 662, 684.

Aubazine, Corrèze : 435, 461, 607.

Aubenas, Ardèche : 848.

Aubergenville, Yvelines : 513.

AUBERT, Émile : 523.

Aubeterre-sur-Dronne, Charente : 276.

Auch, Gers : 506, 511-513, 993, 1046.

Audun-le-Tiche, Moselle : 508-509.

Aulnat, Puy-de-Dôme : 501, 954.

Aulnay-de-Saintonge, Charente-Maritime : 407, 565, 607, 624, 1085.

Aulnay-sous-Bois, Seine-Saint-Denis : 1176.

Aurillac, Cantal : 254, 264.

AURIOL, Vincent : 167.

Authion, Nièvre : 813.

Automne du patriarche, L' (G. Garcia Márquez) : 1112.

Autun, Saône-et-Loire : 219, 221, 231, 243, 263, 484, 486, 516, 607, 871, 873, 1033.

Auvers-sur-Oise, Val-d'Oise : 47, 98, 100, 119-120, 128, 145, 183, 210, 216, 226, 253, 266, 283, 346, 364, 402, 404, 607, 695, 720, 734.

Auxerre, Yonne : 76, 93, 294, 611, 761, 797, 813, 841, 873, 969, 992, 1023.

AUZAC DE LAMARTINIE, Suzanne, née PINGEOT, dite TANTE SUZANNE : 846.

Avallon, Yonne : 71, 94, 100, 175, 346, 486, 510, 567, 616, 916, 991.

Avant une guerre (R. Grenier) : 768.

Avenir de l'esprit, L' (P. Lecomte du Noüy) : 390.

Avignon, Vaucluse : 431, 437, 457-458, 501, 663-664, 768, 770, 1215.

Ávila : 766.

AYMÉ, Marcel : 607.

Azur, Landes : 295, 562, 578-579, 599, 675, 764, 826, 855, 962, 988, 1017.

BABOULÈNE : 487, 997.

BABY, Yvonne : 528.

BACH, Jean-Sébastien : 290.

BACON, Francis : 917.

BADDOU, Ali : 1235, 1239, 1243.

BADINTER, Robert : 760, 894-895, 916, 973.

Bagnols-sur-Cèze, Gard : 579, 850.

BAILLY, Auguste : 545.

Baix, Ardèche : 848.

Bal des vampires, Le (R. Polanski) : 627.

BALZAC, Honoré de : 607, 723.

BANIER, François-Marie : 788.

Bapaume, Pas-de-Calais : 810.

BARBÈS, Armand : 637.

Barbezieux, Charente : 241, 672.

BARBIER, Nicole : 785.

Barbizon, Seine-et-Marne : 235, 381, 400, 483, 887.

BARBOT, famille : 118, 272, 284, 370, 382, 398, 447, 450, 491, 543, 578-579, 619, 622, 628, 637, 654, 675, 709, 738, 740, 755, 824-827, 829, 832-833, 837-838, 840, 848, 852, 869, 883-884, 913, 955, 962, 994, 1020, 1027.

BARBOT, Michel, dit ZEBOCE, Michel : 738.

Barcelonnette, Alpes-de-Haute-Provence : 631, 634.

Barfleur, Manche : 782.

BARREAU, Paul : 816, 973.

BARRÈS, Maurice : 301.

BARRILLON, Raymond : 620, 783, 881, 897, 997.

Barroux (Le), Vaucluse : 795.

Barse, Paul : 562.

Bartók, Béla : 290, 292.

Basdevant, Jules : 484.

Bassani, Giorgio : 984, 991.

Bassi, Michel : 896.

Baudis, Pierre : 513.

Bayens, André : 117.

Bayeux, Calvados : 782.

Baylet, Évelyne : 515.

Bayonne, Pyrénées-Atlantiques : 172, 229, 344, 357, 381, 401, 462, 493, 525, 763-764, 815, 869, 1020.

Bazoches, Nièvre : 484, 985, 990.

Beaucaire, Gard : 1045.

Beauchamp, Georges : 379, 599, 956.

Beaugency, Loiret : 420, 452, 474, 490, 522, 529, 607.

Beaulieu, Nièvre : 779.

Beaulieu-sur-Dordogne, Corrèze : 265.

Beauvais, Oise : 29, 695.

Beauvallon, Var : 217.

Beauvoir, Simone de : 72, 731.

Bécaud, Gilbert : 391.

Bechet, Sidney : 536, 540.

Beethoven, Ludwig van : 375, 692, 708.

Begin, Menahem : 1001.

Béjart, Maurice : 977.

Belafonte, Harry : 654.

Belfort, Territoire de Belfort : 1032, 1065.

Belgrade : 1049.

Bellac, Haute-Vienne : 239.

Belle du Seigneur (A. Cohen) : 653, 925, 928, 932, 961, 1113.

Belle-Île, Morbihan : 1139, 1240, 1245.

Bellmer, Hans : 953.

Bellon, Loleh : 637.

Ben Aharon, Yitzhak : 1003.

Bénarès : 172.

Benassayag, Maurice : 775, 990.

Benoist, Daniel : 996.

Benoist-Méchin, Jacques : 270, 607, 899.

Benoit, Pierre : 643-644, 826, 943.

Bérard-Quélin, Georges : 405, 415.

Bergame : 648.

Bergen-Belsen : 870.

Bergerac, Dordogne : 267.

Bergeron, André : 1026.

Bergougnoux, Jean : 451, 487, 584.

Beria, Lavrenti : 1242, 1244.

Berl, Emmanuel : 653.

Berlin : 435.

Bernigaud, Élisabeth : 907.

Bernigaud, Jacqueline : 428, 995.

Bernigaud, Jean-Luc, dit Jeannot : 428, 771, 820, 826, 892, 900, 953-954, 956, 996.

Berrier, Noël : 995.

Berry, Jean de France, duc de : 26, 779.

Bertrand, Daniel : 1091.

Besançon, Doubs : 509, 1032.

Bettencourt, André : 208, 568, 584, 618, 787, 822.

Bettencourt, Pierre : 953.

Beutin : 947, 956, 976.

Beuve-Méry, Hubert : 918.

Beverly Hills : 528, 532.

Beyer, Victor : 1060.

Bèze, Théodore de : 76.

Béziers, Hérault : 950.

Bianco, Jean-Louis : 1112.

Biarritz, Pyrénées-Atlantiques : 222, 237, 431, 481, 560, 564, 574, 584, 634, 648, 691, 731, 740, 771, 797-798, 820, 826, 834, 843, 850, 854, 856, 859, 869, 882, 956, 963, 989, 1058, 1206.

Bibiche : voir Pingeot, François.

Bihar : 923, 927, 942.

Billères, René : 644.

Billy, Robert de : 172.

Blanc (Le), Indre : 125.

Blanc, Louis : 637.

Blankaert, Christian : 894.

Bloch, Pierre : 448.

Blond, Georges : 619.

Blondin, Antoine : 830, 967, 997.

Blum, Léon : 952.

Blum, Mme Léon : 983.

Bof... Anatomie d'un livreur (C. Faraldo) : 763.

Boisdé, Raymond : 166.

Böll, Heinrich : 1040.

Bollène, Vaucluse : 795.

Bombay : 924, 926, 928, 933, 941-944.

Bondeux, Simone : 779, 813.

Bonheur de Barbezieux, Le (J. Chardonne) : 241.

Bonino et son langage : 841.

Bonnefous, Édouard : 314.

Bordeaux, Gironde : 29, 127, 237, 348, 379, 390, 399, 410, 445, 451, 462, 543, 660, 672, 700, 709-710, 712, 720, 725-727, 732, 765-766, 798, 848, 866, 979-980, 1049, 1104.

Borker, Jo : 483, 871.

Bornoux, Nièvre : 438-439.

Bort-les-Orgues, Corrèze : 245.

Bosco, Henri : 734-735.

Bosphore : 607, 662.

Botticelli, Sandro : 841.

Bougival, Yvelines : 177, 323-324, 370, 520, 755.

Boulay, Pierre : 157.

Boulgakov, Mikhaïl : 1075.

Boulogne-Billancourt, Hauts-de-Seine : 51, 999.

Bourg-en-Bresse, Ain : 786.

Bourgeois de Calais, Les (A. Rodin) : 326.

Bourges, Cher : 166, 206, 324, 343, 468, 607, 779, 954.

Bourgine, Raymond : 784.

Bourvil : 576.

Bousiot, André : 1148.

Bousquet, René : 821.

Boussac, Marcel : 518.

Boussard, Léon : 820.

Boussois : 966.

Bouteille, Romain : 767.

Boutigny, Seine-et-Marne : 887.

Bouzigues, Hérault : 950.

Boysson, Guislaine de : 293.

Brantôme, Dordogne : 265.

Brasilia : 1157.

Brassens, Georges : 375.

Brassy, Nièvre : 567.

Braun, Eva : 857.

Bréauté, Élisabeth : 895.

Breughel, Pieter : 931.

Brinay, Cher : 820.

Brinon-sur-Beuvron, Nièvre : 779-780, 813, 816.

Bristol : 999.

Brive-la-Gaillarde, Corrèze : 248, 461, 547.

Broglie, Eure : 897.

Bron, Rhône : 848, 980.

Brou, monastère royal de, Ain : 786.

Brouage, Charente-Maritime : 296.

Brousse, Pierre : 950.

Brown, Pat : 532.

Bruges : 529.

Brunet, André : 980.

Brutelle, Georges : 340, 394, 400.

Bruxelles : 189, 534, 766, 811, 1033, 1203-1204.

Bucarest : 863.

Buenos Aires : 908, 912.

Burdeau, Georges : 157.

Burgaud Des Marets, Jean-Henri : 760.

Buron, Robert : 889.

Bussières, Saône-et-Loire : 134.

Bussy-la-Pesle, Nièvre : 813.

Butor, Michel : 150.

Byron, lord : 581.

Cabrillac, Lozère : 635, 639, 849.

Cachan, Val-de-Marne : 977.

Cadou, René Guy : 317.

Caen, Calvados : 618, 723, 753, 782, 891, 897.

Cahors, Lot : 371.

Calcutta : 922-924, 926-931, 935, 937-941, 943-944.

Cambrai, Nord : 810.

Camisards, Les (R. Allio) : 719-720, 987.

Campana, André : 982.

Camus, Albert : 22, 53, 194, 196, 250, 259, 695.

Cana : 1007.

Canard : voir Pingeot, Thérèse.

Cannes, Alpes-Maritimes : 151, 256, 314, 414, 418, 420, 631, 634.

Cap (Le) : 912.

Capbreton, Landes : 295, 299, 446-447, 545, 649, 848, 1023.

Capesterre : 1069.

Capharnaüm (Tabgha) : 1005-1006.

Capitaine Shell, Capitaine Esso (S. Rezvani) : 990.

Capri : 60.

CARAVAGE, LE : 375.

Carcassonne, Aude : 462.

Carmel : 532.

CARMOY : 536.

CAROUS, Pierre : 172.

Carpentras, Vaucluse : 795.

CARRAL, Jean (pseudonyme de Paul TROUILLAS) : 907.

CARVALLO, Laurence : 202-203, 293, 320, 340, 377, 436, 451, 476, 493, 499, 518, 559, 561, 581, 583, 617, 623, 627, 636, 643, 663, 706, 718, 767-770, 787, 817, 821-822, 853, 863, 873, 880, 882-883, 888, 894, 897, 906, 921-922, 924, 945, 947, 952-953, 956, 961, 967, 986, 993, 998, 1000, 1025-1026, 1044.

CARZOU, Jean : 412.

Cassis, Bouches-du-Rhône : 175.

CASSOU, Jean : 757, 768.

Castets, Landes : 962.

CASTRO, Fidel : 908, 1067-1068.

Catilina (Salluste) : 130.

Cavaillon, Vaucluse : 483, 768, 1045.

Cavalière, Var : 580.

CAZAUX : 788, 903.

Ce que je crois (E. Faure) : 837.

CÉLINE, Louis-Ferdinand : 607.

Celle (La), Cher : 340.

Cent ans de solitude (G. Garcia Márquez) : 1112.

Céphalonie : 654.

Cercy-la-Tour, Nièvre : 991.

Cérilly, Allier : 239.

Cervon, Nièvre : 976, 991.

CÉSAR, Jules : 76.

Césarée : 1007.

C'était hier (H. Pinter) : 900.

CEYRAC, François : 1026.

Ceyrat, Puy-de-Dôme : 419, 438, 512, 515-516.

Ceyssat, Puy-de-Dôme : 902.

CÉZANNE, Paul : 1190.

CHABAN-DELMAS, Jacques : 476, 700, 774, 837, 862, 865, 892, 896, 956, 988.

CHABROL, Jean-Pierre : 625.

Chagny, Saône-et-Loire : 38.

Chagrin et la Pitié, Le (M. Ophüls) : 784, 823.

Chailly-en-Bière, Seine-et-Marne : 853, 980.

Chaise (La), Nièvre : 510.

CHALANDON, Albin : 907.

Chalivoy-Milon, Cher : 954.

Chalon-sur-Saône, Saône-et-Loire : 509, 786, 1033.

CHAMANT, Jean : 969.

Chambord, Loir-et-Cher : 125-126.

Chamirey, Saône-et-Loire : 243.

Champagne, Nièvre : 985.

Champallement, Nièvre : 813.

CHANDERNAGOR, André : 150, 821.

Changy, Nièvre : 813.

Chanonat, Puy-de-Dôme : 506.

CHANTERELLE : 540.

Chantilly, Oise : 26, 59, 63, 145, 236, 251, 404, 720, 904.

Chapaize, Saône-et-Loire : 794.

CHAPUT : 576.

CHARCOT, Jean, docteur : 1014.

CHARDIER, Pierre : 638.

CHARDONNE, Jacques : 241, 667.

Charité-sur-Loire (La), Nièvre : 538.

CHARLEMAGNE : 884.

CHARLES LE TÉMÉRAIRE : 435.

CHARLES-ROUX, Edmonde : 906.

Charlieu, Loire : 522.

Charpal, Lozère : 578.

Chartres, Eure-et-Loir : 125, 160, 168, 170.

CHASSÉRIAU, Théodore : 773.

Chastellux, château de, Yonne : 508, 726.

CHATEAUBRIAND, François René de : 26, 330, 375, 607, 1156, 1214.

Château-Chinon, Hôtel du Vieux Morvan : 67, 76, 239, 242, 252, 263, 305, 405, 453-454, 482, 505, 507, 509, 670, 758, 772, 776, 786, 813, 820, 858, 869, 873, 893, 916, 964, 985.

Château-Chinon, Nièvre : 38-39, 48, 71, 76, 93, 97, 124, 155-156, 210-212, 217-218, 220-221, 230, 232, 234, 238, 243, 248, 251-252, 256, 259, 263, 294, 299, 303-304, 361-362, 380, 383-384, 387-388, 398, 400-401, 404-406, 411, 413, 438, 442, 451, 456, 482, 484, 487, 493, 505, 509-510, 559, 567, 589, 645, 703, 758, 761, 772, 776, 779, 789, 792, 796, 809, 813, 820, 830, 833, 858, 868, 916, 947, 956, 964-965, 972, 976, 985, 991, 995, 1044.

Châteauroux, Indre : 779, 1032.

Châtel-de-Neuvre, Allier : 238, 443, 446.

Châtel-Guyon, Puy-de-Dôme : 222, 229, 231, 235, 258, 355.

Chateloy, Allier : 662, 1011.

Châtillon-en-Bazois, Nièvre : 387, 813.

Châtillon-sous-Bagneux, Hauts-de-Seine : 983.

CHAUDESSOLLE, Bertrand, colonel : 520.

CHAUDESSOLLE, famille : 343, 725, 905, 1077, 1214.

CHAUDESSOLLE, Jeanne, née FAYOLLE : 447, 450, 487, 489-490, 502, 562, 597, 766.

CHAUDESSOLLE, Paul, général : 443-444, 446, 570.

Chaumard, Nièvre : 405.

Chaumot, Yonne : 991-992.

Chausey, île de : 1041.

CHAVAL (pseudonyme d'Yvan Le Louarn) : 52.

Chazeuil, Nièvre : 820.

Chênehutte-les-Tuffeaux, Maine-et-Loire : 407, 415, 452, 474, 542, 608, 640, 662, 672, 684, 691, 693, 702, 746, 832, 835, 869, 913, 939, 1104, 1124, 1143, 1215, 1226-1227.

Cherbourg, Manche : 782.

CHESTERTON, Gilbert Keith : 338.

Chevannes, Nièvre : 813.

Chevaux
  Milton : 1215.
  The Best of Ruere (poney) : 1214-1215.
  Ulla : 1214.

CHEVÈNEMENT, Jean-Pierre : 788, 862, 873, 890, 906, 917, 973-974, 982, 986, 996, 1026, 1046.

CHEVÈNEMENT, Niza : 901.

Chevenon, Nièvre : 438.

CHEVERNY, Jules : 172.

CHEVERNY, Julien (pseudonyme d'Alain Gourdon) : 172.

Cheverny, Loir-et-Cher : 125.

CHEVRIER, Jean : 758, 793, 964.

CHEVRILLON, Olivier : 997.

Chicago : 527.

Chien des Baskerville, Le (A. Conan Doyle) : 848, 850.

Chiens
  Baltique, labrador : 1210, 1214, 1216, 1242-1243, 1245.
  Julie : 1080, 1084.
  Lip, teckel : 391, 489-490.
  Orémus, boxer bringé : 377.
  Otto (chien de Bertrand Chaudessolle) : 487, 520.
  Titus : 985, 999, 1080, 1084.

Chillon, château de : 581.

Chilly-Mazarin, Essonne : 887.

Chine-URSS, la fin d'une hégémonie (F. Fejtö) : 214.

CHIRAC, Jacques : 870, 1203, 1205.

Chitry-les-Mines, Nièvre : 992.

CHODERLOS DE LACLOS, Pierre : 36, 59, 64, 607.

CHONCHOL, Jacques : 910-911.

Choses de la vie, Les (P. Guimard) : 522.

CHOUPI : voir PINGEOT, François.

CHRISTIE, Agatha : 1016.

CHRISTINE DE SUÈDE : 47.

Chute de la IIIe République, La (W. Shirer) : 735.

Cinq Communismes, Les (G. Martinet) : 891.

Cinq mars (P. Erlanger) : 600.

Clamart, Hauts-de-Seine : 513.

Clamecy, Nièvre : 75, 93, 121, 154, 212, 287, 304, 493, 668, 670, 789, 809, 813, 873, 916, 972.

CLANCIER, Georges-Emmanuel : 1093.

CLAVEL, Maurice : 643-644, 774, 948.

CLAYEUX, Louis : 618.

CLEMENCEAU, Georges : 1241.

CLERC, Michel : 446.

Clermont-Ferrand, Puy-de-Dôme, rue de l'Oratoire : 26, 41, 45, 47, 50, 57, 72, 75, 78, 85, 95, 130, 211, 213-214, 219-221, 225, 231-232, 235-239, 244, 247, 257-258, 263, 286-288, 295, 300-301, 303, 307, 324, 341-342, 346, 348, 413, 418, 438, 443, 447, 455, 464, 467-468, 501, 504, 506, 509, 516-517, 522, 547, 562, 585, 593, 635-636, 643, 695, 719, 794, 821, 868, 900-902, 948, 955-956, 972.

CLERMONT-TONNERRE, Thierry de : 117, 406.

Clos-Vougeot, Côte-d'Or : 71.

CLOUET, Jean : 126.

CLOVIS Iᵉʳ : 484.

Clubs
Atelier républicain : 434.
Cercle Montaigne : 760.
Convention des institutions républicaines : 380, 401.
Démocratie et Université : 796, 867, 945, 991.
Foi et Politique : 891, 899.
Horizon 80 : 354.
Jean Moulin : 210, 370.
Jeune République : 822.
Mouvement européen : 27, 314.
Rotary : 177.

Cluny, Saône-et-Loire : 793, 897, 920.

Coco : voir LÉGLISE, Claude.

COCTEAU, Jean : 24, 634.

CŒUR, Jacques : 343.

Cognac, Charente : 623.

COHEN, Albert : 652-654, 659, 925-926, 928, 932, 961, 1113.

COLBERT, Jean-Baptiste : 203.

COLETTE, Sidonie Gabrielle : 83.

COLLANGETTE (famille maternelle d'Anne Pingeot) : 718-719.

Colline inspirée, La (M. Barrès) : 300-301.

COLOMB, Bartolomé : 1143.

COLOMB, Christophe : 1069, 1143.

Colomiers, Haute-Garonne : 993.

Commission de développement économique de Bourgogne (CODER) : 617.

Commune, la : 769, 777, 788.

Compiègne, Oise : 333.

Condrieu, Rhône : 786.

Confédération des cadres : 903.

Confédération nationale des jeunes agriculteurs (CNJA) : 866.

Confessions, Les (J.-J. Rousseau) : 1215.

Confolens, Charente : 125.

Congrès des communes de l'Europe : 314.

Congrès des Partis socialistes du marché commun : 811.

Congrès européen : 414, 418-419.

Congrès national des maires de France : 166, 172.

Conques, Aveyron : 281, 607.

CONSTANT, Benjamin : 300.

Constantine : 1203.

Constantinople (Istanbul) : 684, 791, 897.

Contadour (Le), Alpes-de-Haute-Provence : 769.

Contre-gouvernement : 435, 439, 451, 487.

Contres, Loir-et-Cher : 125.

Conversation, La (C. Mauriac) : 637.

Copenhague : 975.

Coppet : 581.

Corbigny, Nièvre : 513, 627, 668, 776, 868, 976, 991, 995.

Cordes-sur-Ciel, Tarn : 370, 373, 392, 440, 452, 474, 490, 503, 529, 539, 600, 640, 662, 678, 683, 690-692, 695, 719, 728, 749-750, 893.

Cordoue : 648, 915.

CORNUT-GENTILLE, Bernard : 151, 314, 418, 439, 584.

COROT, Jean-Baptiste : 104.

Cortone : 853.

Corval-d'Embernard, Nièvre : 820.

COSSÉ-BRISSAC, Marie-Pierre de : 202-203.

COSTE-FLORET, Paul : 151.

COT, Pierre : 439.

COTTA, Michèle : 150, 696, 787, 871, 982.

Couches, Saône-et-Loire : 897.

Coudekerque, Nord : 888.

Coup d'État du 13 mai, Le (R. Trinquier) : 659.

Coup d'État permanent, Le : 61, 107, 110, 117-118, 121-123, 125, 130, 134-136, 139, 143-144, 147, 150, 157-158, 173, 175, 363, 710.

Courbevoie, Hauts-de-Seine : 513.

COURMONT, Robert de : 873.

Courtenay, Loiret : 816, 826.

Courthézon, Vaucluse : 501.

COUSY, Hélène : 825.

Coutances, Manche : 783.

Coutras, Gironde : 706.

Couvertoirade (La), Aveyron : 1044.

CRANACH LE JEUNE : 375.

Créon, Gironde : 829, 831.

Creully, Calvados : 782.

Creusot (Le), Saône-et-Loire : 1033.

Cruas, Ardèche : 848.

CUNIAC : 820.

Cussy-les-Forges, Yonne : 841, 858.

CUZIN, Jean-Pierre : 970.

DAGNAUD, Monique : 1076.

Dakar : 1093-1094.

DALLE, François : 815.

Damas : 1005.

DANIEL, Jean : 413, 787, 1063.

DANIELOU, famille : 228, 981.

D'ANNUNZIO, Gabriele : 61.

Dans une âme et un corps (R. Abellio) : 1090.

DANSETTE, Adrien : 1048.

DARDEL, Pierre : 172.

DARRIGADE, André : 263.

DASSAULT, Marcel : 151, 328-329.

DAUMAL, René : 560-561, 563-564.

DAVIS, Angela : 874.

Dax, Landes : 29, 143, 347-348, 445, 495, 504, 588, 672, 734, 764, 788, 818, 824, 837-838, 979, 1034, 1036, 1087, 1122-1123.

DAYAN, Georges : 228, 256, 301, 344, 379, 381, 386, 390, 394, 405, 413, 419, 487, 498, 517, 523, 568, 580, 584, 590, 631, 634, 645, 690, 696, 740, 755, 775, 782, 786-788, 795, 806, 809, 815, 863, 865, 874, 876, 880, 883, 894, 899-900, 917, 967, 973, 977, 979, 981, 985, 989, 997, 1087.

DAYAN, Jean, docteur : 301, 344, 367, 386.

De l'esprit des lois (Montesquieu) : 118.

DE SICA, Vittorio : 953, 984, 991, 993, 995.

Deauville, Calvados : 913.

DEBATISSE, Michel : 872.

DEBRAY, Régis : 740, 911, 1067, 1112.

DEBRÉ, Michel : 117, 157, 334, 977.

Decize, Nièvre : 219, 454, 632, 892, 972.

DEFFERRE, Gaston : 149, 151, 161, 183, 216, 237, 301, 304, 329, 331, 334, 369, 406, 408-409, 418, 420, 436, 456, 523, 569, 644, 795, 798, 800, 908, 912, 918, 949, 989, 1026, 1112.

DEGUELT, François : 809.

DELACHENAL, Geneviève, née MIT-TERRAND : 342, 792.

DELACROIX, Eugène : 871, 978.

DELAMAIN, Jacques : 338.

Delft : 189, 196, 226, 253, 257, 266, 283, 364, 394, 417, 419, 555, 691, 804-805.

Delhi : 933.

DELOBRE, père : 792, 901.

DELSEL, Mlle : 500, 580.

DELVAUX, André : 971.

DELVAUX, Paul : 888.

DEMAN, Jacqueline : 736.

DÉON, Michel : 1036.

DERÈME, Tristan : 648.

DESCAMPS, Eugène : 806, 879.

DESCARTES, René : 1027.

Description de San Marco (M. Butor) : 150.

DESMOULINS, Camille : 392.

DESTOUESSE, Hélène : 143, 172, 272, 284, 298, 357, 503, 526, 578, 600, 619-620, 628, 637, 654, 659, 691, 709, 731, 738, 789, 798, 824, 962, 979, 1027, 1055, 1057.

DESTOUESSE, Michel : 29, 143, 272, 284, 298, 357, 398, 430, 447, 466, 481, 488, 503, 526, 578, 588, 599-600, 619-620, 622, 628, 637, 654, 659-660, 691, 709, 731-732, 738, 755, 764, 789, 798, 824-825, 832-833, 837-838, 866, 955, 957, 962, 979, 1027, 1038, 1047, 1055, 1057.

DETRAZ, Albert : 916.

Deux Étendards, Les (L. Rebatet) : 621-622, 624-625.

DEVEAUX, Jean-Marie : 645.

DEVOS, Raymond : 787.

DI NOTA : 696.

Didymes : 464, 608, 649.

DIELH, Charles : 545.

DIESEL : voir PINGEOT, Pierre.

Digne, Alpes-de-Haute-Provence : 499.

Dijon, Côte-d'Or : 460, 615, 617, 763-765, 881, 969, 991, 996.

Do, Thi Vinh, dite MME DO : 1239.

DOLLFUS, Odette : 262, 267, 272, 295, 299, 323, 577.

Domfront, Orne : 984.

DOMINIQUE, Pierre : 577.

Dommartin, Nièvre : 776.

Domme, Dordogne : 301.

Dompierre-sur-Héry, Nièvre : 816.

Donzy, Nièvre : 820.

DORÉ, Gustave : 542.

Dornecy, Nièvre : 175.

DOSTOÏEVSKI, Fiodor : 333, 607.

DOYLE, Arthur Conan : 848, 850.

Dreux, Eure-et-Loir : 168.

DRIEU LA ROCHELLE, Pierre : 291, 514, 808.

DROIT, Michel : 298.

DUBČEK, Alexander : 867.

DUBEDOUT, Hubert : 862, 873.

DUBOUT, Albert : 52.

DUFOUR : 618.

DUHAMEL, Alain : 948, 977.

DUHAMEL, Jacques : 297, 597.

DULAC, Marie : 900.

DULAC, Marie-France : 647, 807, 896, 900.

DUMAINE, Alexandre : 833.

DUMAS, Anne-Marie, née LILLET : 580, 766.

DUMAS, Roland : 366, 413, 434, 448, 461, 476, 523, 580, 690, 986, 989.

DUMAYET, Pierre : 617.

DUMONT, abbé : 134.

Dunkerque, Nord : 887-888.

Dun-les-Places, Nièvre : 210, 212, 383, 398, 438, 493, 617, 773, 809.

DUPLAIX, famille : 263, 271, 276, 430, 497, 574, 576, 600, 606.

DUPLAIX, Paul : 271.

DUPUY, docteur : 993.

DURAND, Pierre : 851.

DURET, chauffeur : 667, 866, 996.

DUSSERT, Noël : 964.

DUTOURD, Jean : 291.

DUVEAU, Roger : 386.

DUVERGER, Maurice : 152, 413, 523.

DVOŘÁK, Antonín : 1156.

EBAN, Abba : 1003.

ÉBRARD, Guy : 562.

Écrits et discours politiques (B. Constant) : 300-301.

Éditeurs

    Denoël : 715.

    Fayard : 342.

    Flammarion : 970, 1016.

    Gallimard : 430, 462, 465.

    Le Seuil : 789.

    Mermod : 15.

    Plon : 117, 134, 139, 144.

Éduens : 76, 484.

EGAL, Georges : 974.

Église et la Renaissance de 1449 à 1517, L' : 345.

El-Arich : 1004.

ELGEY, Georgette : 342.

El-Kanttara : 1004.

ELUARD, Paul : 214.

ELUÈRE, Alfred : 619.

ÉMERY : 809.

Emmanuelle (J. Jaeckin) : 818, 1057.

Enfant brûlé, L' (S. Dagerman) : 1177.

ENGELS, Friedrich : 781.

Ennemonde (J. Giono) : 834-835, 1041.

ENOCK : 982.

Ensino : 532.

Entrains-sur-Nohain, Nièvre : 212, 252.

Épées, Les (R. Nimier) : 647.

Éphèse : 270, 616, 669, 683, 772.

Épinay-sur-Seine, Seine-Saint-Denis : 799-800, 802, 983.

ERLANGER, Philippe : 490, 600.

Ermenonville, Oise : 47, 136.

ESCUDERO, Leny : 252.

Espalion, Aveyron : 918.

Espion qui venait du froid, L' (J. Le Carré) : 402.

Essarts-le-Roi (Les), Yvelines : 663, 722, 904.

Estier, Claude : 204, 430-431, 476, 483, 487, 498, 513, 523, 584, 609, 643, 710, 775, 787, 820, 890, 908, 912, 973, 985, 1008, 1013.

Estrées, Gabrielle d' : 344.

Euratom : 552.

Ève d'Autun : voir Maucout, Martine.

Évian-les-Bains, Haute-Savoie : 671.

Évreux, Eure : 155.

Évry-les-Châteaux, Seine-et-Marne : 203.

Expositions
   Foltis, peintre nivernais (galerie Raspail) : 761.
   Knoll : 974.
   Rouault (galerie Charpentier) : 368.

Eyquem, Marie-Thérèse : 498, 768, 775, 786-787, 793, 823, 949, 970, 983.

Fabre, Robert : 272, 700, 989.

Faraldo, Claude : 763.

Farge, Martine : 561.

Faure de la Bouharderie, Eugénie : voir Lorrain, Eugénie.

Faure, Edgar : 568, 590, 837, 1026.

Faure, Maurice : 153, 191, 230, 297, 304, 314, 406, 408-409, 416, 418, 420, 568, 781, 885, 971, 989.

Faure, Roland : 896.

Fauvet, Jacques : 659.

Faux, Claude : 483.

Fayolle, Émile, maréchal : 1125.

Fédération nationale des anciens prisonniers de guerre : 301.

Fejtö, François : 214.

Ferniot, Jean : 150, 406, 458, 696, 1075.

Ferré, Léo : 327, 340, 375, 391, 459, 898.

Ferry, Ferréol de : 618.

Feu follet, Le (L. Malle) : 61.

Feuerbach, Ludwig : 669.

Fiancée du pirate, La (N. Kaplan) : 651.

Fiesta (J. L. de Villalonga) : 824.

Fillioud, Georges : 498, 584, 767, 807, 895, 958.

Finifter, Bernard : 354.

Finifter, Henry : 237, 1215.

Fischoff (dit La Foux) : 784, 998.

Flammarion, Henri : 982.

Flaubert, Gustave : 607.

Fléchier, Esprit, Mgr : 719.

Fleury-en-Bière, Seine-et-Marne : 483.

Flez-Cuzy, Nièvre : 991.

Florence : 17, 296, 300, 303, 305, 465, 519, 648, 739-740, 913, 1044.

Florian : 917.

Flusser, David : 740.

Folle de Chaillot, La (J. Giraudoux) : 883.

Fonda, Henry : 375.

Fontainebleau, Seine-et-Marne : 106, 119, 731, 790, 887, 893, 965, 980, 991.

Fontenay, abbaye de, Côte-d'Or : 607.

Fontenay-sous-Bois, Val-de-Marne : 810.

Fontevraud, abbaye de, Maine-et-Loire : 270, 607.

Fort, Paul : 31.

Fort-de-France, Martinique : 1067.

Fou d'Elsa, Le (L. Aragon) : 166, 340, 347.

Fouché, Joseph : 644.

Fouquet, Nicolas : 47.

Fourchambault, Nièvre : 212.

Fourgt : 466.

Fournier, Jacques : 880.

Fous de Dieu, Les (J.-P. Chabrol) : 625.

Fragonard, Jean Honoré : 1216.

France de Richelieu et de Louis XIII, La (V.-L. Tapié) : 506.

Francfort : 435.

François Ier : 864.

Frèches, José : 817.

Freud, Sigmund : 681, 1090.

Freustié, Jean : 1090.

Frey, Roger : 183, 185.

Friedmann : 760.

Frossard, André : 787.

Funès, Louis de : 576.

Furnes : 888.

Fuzier, Claude : 775, 788.

Gabriac, Aveyron : 578.

Gaillard, Félix : 667-668, 672.

Gainsbourg, Serge : 330.

GALARD, Hector de : 413, 521, 787.

GALLO, Jean-Pierre : 740.

GAMA, Vasco de : 634.

Gambais, Yvelines : 316.

GAMBETTA, Léon : 344, 1156.

Gand : 528-529, 534, 539.

GANDHI, Indira : 939-940.

Gannat, Allier : 398, 443, 445, 450, 454, 547, 566-567.

Gap, Hautes-Alpes : 884.

GARCÍA MARQUEZ, Gabriel : 1112.

Gardanne, Bouches-du-Rhône : 769, 811-812.

Gargilesse-Dampierre, Indre : 703.

GARIBALDI, Giuseppe : 1156.

Gatuzières, Lozère : 849.

GAUGUIN, Paul : 565.

GAULLE, Charles de, général : 31, 117, 151, 248, 408-409, 475, 629, 723, 823, 966.

Gaza : 1004.

GAZIER, Albert : 150.

GEBHART, Émile : 386.

GÉDÉ : voir PINGEOT, Thérèse.

GÉDÉON : voir PINGEOT, Thérèse.

GENET, Jean : 484, 719.

Genève : 60, 340, 518, 520, 572, 574, 577, 581, 901, 910.

Genou de Claire, Le (É. Rohmer) : 740.

GEORGES-PICOT, Léone : 462.

Gergovia, entreprise : 491.

GERMAIN, Lucien : 964.

GERNEZ, Tharcyde : 442.

GIDE, André : 607.

Gien-sur-Cure, Nièvre : 383, 485, 510.

Gignac, Hérault : 950.

Gilles (P. Drieu la Rochelle) : 291.

GIMONDI, Felice : 619.

Gimont, Gers : 992.

GIONO, Jean : 169, 463, 607, 752.

GIRAUDOUX, Jean : 83, 239, 883.

Girondins, Les (A. de Lamartine) : 134.

GIROUD, Françoise : 150, 905, 918, 971, 1000, 1241.

GISCARD D'ESTAING, Valéry : 490, 506, 568, 784, 798, 865, 894, 969, 983, 988, 1026, 1032, 1058, 1064, 1203.

GISLEBERTUS : 484.

Gisors, Eure : 73, 120.

GIUSTINIANI, Giovanni : 62.

GLADWYN, Jebb, lord : 163.

Glux-en-Glenne, Nièvre : 97.

Gobe-Douille, Le (R. Dubillard) : 781.

GOBINEAU, Joseph Arthur, comte de : 95, 607.

GOETHE, Johann Wolgang von : 607.

GOGUEL, François : 157.

Golfe-Juan, Alpes-Maritimes : 419.

Golfs

charade : 231-232, 793.

Cypress Point : 532.

Hossegor : 46, 89, 128, 130-131, 138-139, 227, 262-263, 269, 271, 274, 278, 298-299, 347, 430, 445, 447-449, 464, 467, 491, 496, 498-499, 501, 514, 521, 526, 570, 573, 582, 605, 624, 636-638, 739, 766, 825, 829, 831-832, 848, 865, 1090.

La Boulie : 382.

Saint-Cloud : 153, 166, 172, 191, 213, 216, 229, 328, 439, 523, 590, 767, 775, 782, 785, 903, 994.

GOMBAULT, Charles : 521, 782.

GONZALES, Felipe : 1205.

GOODSPEED, Donald James : 582.

Gordes, Vaucluse : 435-437, 457, 464, 479-480, 483, 496, 499-502, 558-559, 564-565, 572, 583, 594, 619, 636, 639, 651, 662-664, 673, 683, 746, 749, 768-769, 821-822, 840, 875, 901-902, 920, 998, 1000, 1044-1045, 1056, 1076, 1092, 1140-1141, 1213.

Gosier (Le), Guadeloupe : 1066.

Gouloux, Nièvre : 383, 627, 869.

GOURDON, Alain (pseudonyme : Lucien Cheverny) : 786, 793, 875.

GOURDON, Sophie : voir MOATI, Sophie.

GOZZOLI, Benozzo : 40.

GRALL, Alex : 1000.

Gramat, Lot : 479.

GRANDURY, famille : 842, 962.

GRANGE, Dominique : 796.

GRANGE, Jolaine : 768.

GRANGE, Rosine : 768, 795, 983.

GRANT, Cary : 151.

GREEN, Valérie : 812.

Grenade : 648.

GRENIER, Roger : 768.

Grenoble, Isère : 553, 654, 850, 852, 862-863, 873.

Grimace, La (H. Böll) : 1040.

GRIVOT, Denis, abbé chanoine : 484.

GROS, Alexandre : 1214.

GROSSOUVRE, Claude de : 485, 1049.

GROSSOUVRE, François de : 370, 443, 446, 458, 476-477, 886, 907, 964, 997, 1022, 1033, 1044, 1049, 1057, 1112.

GROSSOUVRE, Isabelle de : 886, 1048-1049.

GROTIUS, Hugo : 804.

GROULT, Benoîte : 968.

GRUMBACH, Philippe : 293.

GUÉRIN : 974.

Guermantes, Seine-et-Marne : 197, 287.

GUEVARA, Che : 544, 565, 576, 620, 1067.

GUICHARD, Alain : 899.

GUILLAUME LE TACITURNE : 804.

GUILLE, Georges : 456.

GUILLEBAUD, Jean-Claude : 941-942.

GUILLEMIN, Henri : 396, 402, 577, 644.

GUILLOUX, Louis : 653, 819-820.

GUIMARD, Paul : 461-463, 522, 720, 723, 755, 760, 803, 826, 900, 905-906, 967-968, 996-997.

GUITTON, Jean : 915.

HABSBOURG : 884.

Hagetmau, Landes : 481.

Hague (La), Manche : 783.

HALIMI, Gisèle : 483, 522, 911.

HALLER, Bernard : 778.

HALLIER, Jean-Edern : 796.

HALS, Frans : 189, 805.

Hambourg : 1154.

HANNIBAL : 1169.

HARDY, Françoise : 967.

HARRIS, André : 823, 966, 976.

Hastings : 927-928, 939-940.

HAUSSEGUY, Isidore : 430.

HAUSSMANN, Georges, baron : 1204.

HAUTECŒUR, Louis : 894.

Haye (La) : 484.

HÉBERT, Nicole : 784.

Hellbrunn, château de : 857.

HÉLOÏSE D'ARGENTEUIL : 577.

Helsinki : 843.

HEMINGWAY, Ernest : 607.

HENRI IV : 325, 981.

Henrichemont, Cher : 579.

HEPBURN, Audrey : 375.

Herm, Landes : 955.

HERNU, Charles : 379, 381, 390, 394, 400, 414, 417, 419, 436, 439, 451, 487, 523, 554, 584, 600, 643, 690, 723, 760, 779, 793, 807, 814, 850, 886, 955-956, 958, 986.

HERRERA, Loïc : 901.

HERRIOT, Édouard : 834.

Héry, Nièvre : 816.

HERZOG, Maurice : 202.

HIRSCH, Robert : 375.

HISQUIN, Henri : 293.

Histoire de la flibuste (G. Blond) : 619.

Histoire des ducs de Savoie, Amédée VIII : 345.

Histoire universelle (Encyclopédie de La Pléiade) : 324.

Histoires naturelles (J. Renard) : 157-158.

HITLER, Adolf : 857.

Hollywood : 151, 528, 532, 627.

Homme à cheval, L' (P. Drieu la Rochelle) : 514.

Hooghly : 931.

Hossegor, Landes : 15, 22, 25, 27, 29, 31, 37-38, 41, 46, 86-87, 94, 126, 131, 134, 136, 139-140, 144, 169, 218-219, 222, 226, 229-230, 233-235, 237-242, 244, 255-257, 262-263, 265-266, 270-271, 276, 278, 282-288, 291-292, 294-297, 300-302, 306-309, 316-318, 329-330, 341-342, 344-345, 347, 357, 369, 381-385, 388-389, 392, 394, 396, 399-403, 407-408, 410-411, 427, 431, 438, 441-442, 446, 449, 455, 476, 488, 491-493, 501, 512-513, 543, 560, 563-564, 567-568, 571, 574, 576-578, 583, 587, 593, 612, 624, 628, 632, 634, 636, 654, 659, 666, 672, 676, 678, 684, 695, 700, 707, 720, 731, 764-766, 771, 797,

819, 827, 831, 844, 846, 855-856, 865, 932, 956, 1079-1080.

Hossegor, Landes, Ametsa : 142, 387, 391, 464.

Hossegor, Landes, Lohia : 25, 27, 48, 128, 234, 276-277, 279, 295, 298, 324, 345, 368, 379, 381-382, 387, 390-391, 406, 408, 410, 429, 491, 495, 497-499, 503, 544, 565, 569, 584, 619, 621-622, 640, 642, 652, 663, 666, 668-669, 678, 688-689, 702, 765-766, 797, 819, 823-825, 827, 829, 1047, 1123.

Houdan, Yvelines : 120, 149, 168, 170, 233.

Houdbine, Anne-Marie : 880, 894, 904, 907, 916, 953.

Houphouët-Boigny, Félix : 1157.

Hourcade : 298.

Houston : 1112, 1214.

Hovnanian, Léon : 723, 799, 930-931.

Howrah : 935, 939.

Hubans, Nièvre : 995.

Huchard, Viviane : 964.

Hude, Günther : 675, 833, 884.

Hugo, Victor : 327, 375.

Huit Journées, Les (P.-O. Lissagaray) : 773.

Huré, Françis : 1003.

Huxley, Aldous : 69.

Hyères, Var : 462.

Imbert, Claude : 787.

Indianapolis : 591.

Ingres, Jean Auguste Dominique : 479.

Isle-sur-la-Sorgue (L'), Vaucluse : 768.

Issoudun, Indre : 779, 1032.

Istanbul : 252.

Itteville, Essonne : 480.

Ivaldi, Michel : 965.

IVᵉ République, La (J. Fauvet) : 659.

Ivry-la-Bataille, Eure : 157.

Izard, Georges : 228, 918.

Jalais, Léopold : 923, 926-928, 933-935, 939-943.

Jamet : 890.

Jaquet, Gérard : 400, 419, 767, 777-778, 820, 872, 967, 979.

Jardin des Finzi Contini, Le (V. De Sica) : 953, 984, 991, 993, 995.

Jarnac, Charente : 234, 239-240, 284-285, 296, 338, 394, 427, 440, 468, 543, 581, 589, 623, 735, 967, 995, 1014.

Jarrige, Léonie, dite Nini : 342, 413, 513.

Jaurès, Jean : 171, 999.

Jeanson, André : 810.

Jéricho : 1002.

Jérusalem : 730, 1001-1002, 1011.

Jessore : 932.

Jeune Joseph, Le (T. Mann) : 1085.

Jeunesses socialistes : 862.

Jobert, Michel : 1054.

Jœuf, Moselle : 919.

Johnson, Lyndon B. : 108.

Joigny, Yonne : 991.

Jongkind, Johan Barthold : 791.

Joseph et ses frères (T. Mann) : 1055.

Joseph le nourricier (T. Mann) : 1055.

Jospin, Lionel : 1112.

Jouanneau : 850, 862.

Jouennes, Christiane de, dite Kitou : 243.

Jouennes, Régine de (Mme Jacques Bonnot) : 243.

Jouennes, Roger de : 303.

Jouy-en-Josas, Yvelines : 983.

Joxe, Pierre : 775, 787, 803, 807, 809, 853, 858, 890, 958, 973.

Jules II, pape (Giuliano della Rovere) : 40.

Jumilhac, Pierre de : 61.

Jurazinski : 811.

Jurgensen : 906.

Justes, Les (A. Camus) : 22, 53, 194, 196, 695.

Kahn, Jean-François : 946, 970.

Kaki : voir Maucout, Martine.

Kaliayev, Ivan Platonovitch : 22.

Karachi : 172, 924, 926, 928.

Karel : 1203.

Katmandou : 715.

KENNEDY, Jackie : 108.
KENNEDY, John F. : 29, 106, 108, 528, 531-532.
KENNEDY, Robert F. : 108.
KÉRATRY, Émile de : 818.
KERENSKI, Aleksandr : 1012.
KEYSERLING, Hermann von : 338.
Kiryat Gat : 1004.
KISSINGER, Henry : 1054.
KITOU : voir JOUENNES, Christiane de.
KOHL, Helmut : 1205.
Koweït City : 924.
KREISKY, Bruno : 856-857.
KRIEF, Claude : 377.
KUBITSCHEK, Juscelino : 379.
KUGELMANN, Louis : 781.

LA BROISE, Tristan de : 31.
LA GONTRIE, Pierre de : 449.
LA GORCE, Paul-Marie de : 151.
LA PALICE, Jacques de Chabannes, seigneur de : 263.
LA ROCHEFOUCAULD, François de : 191.
LABARRÈRE, André : 562.
Labenne, Landes : 398.
LABORDE, Jean : 1046.
LABORDE, père François : 927-928, 930-931, 934-944, 958.
LACLOTTE, Michel : 963.
LACORDAIRE, père : 773.
LACOSTE, Robert : 71.
LAIGNEL, André : 779.
LAMARTINE, Alphonse de : 134.
LANDRY, Colette, née MITTERRAND : 343, 581, 661, 865, 986.
LANDRY, Marie-Pierre : 817.
LANDRY, Pierre : 487, 817.
Langoiran, Gironde : 586.
Langon, Gironde : 586.
Langy, Nièvre : 219-220, 387, 459, 858, 893, 947.
LANOUX, Armand : 769.
LAPEYRONNIE : 1012-1014.
LAROCHE, Marie de : 343.
Laroche-Migennes, Yonne : 71, 196, 667, 786.
Larressingle, Gers : 690, 721, 749, 835, 844, 860, 874, 1038.

Las Vegas : 527, 529-531.
LASTIC, M. de : 931.
Latche, Landes : 299, 396, 398, 402, 416, 431, 436, 443-444, 448, 464-467, 497, 499, 503-504, 525-526, 543-544, 561-562, 571, 577, 587, 612, 618, 620, 622-625, 633, 652, 702, 731-732, 764-766, 771, 797-798, 824, 833-834, 855, 864-866, 882, 955-957, 979, 1022, 1044, 1063.
LAUDET, Fernand : 506.
LAURENS, André : 997.
LAURENT, Augustin : 456.
Lausanne : 520.
LAVAL, docteur : 497.
LAVAU, Pierre : 916.
LAZAREFF, Hélène : 293.
LE CARRÉ, John : 402.
LE CHEVALLIER : 979.
LE CLÉZIO, Jean-Marie Gustave : 528.
LE FOLL, Yves : 513.
LE LORRAIN, Claude : 343-344.
LE MOAL, Henri : 788.
LECANUET, Jean : 475, 817, 1012.
LECCIA, Bastien : 795, 917.
LECERF, Yveline : 210, 290.
LECOMTE DU NOÜY, Pierre : 390, 402.
LEFORT, Bernard : 896.
LEGATTE, Paul : 452.
Légende dorée des dieux et des héros, La (M. Meunier) : 819, 1058.
LÉGLISE, Claude, dit Coco : 227, 231, 271, 295, 347, 431, 496, 525, 587, 606, 619, 636, 638, 654, 856.
LEMAN, Éric : 830.
Leningrad : 1082, 1123.
LENOIR, famille : 840-841, 888.
Lens, Pas-de-Calais : 890.
Léon, Landes : 301.
LÉONARD DE VINCI : 162.
LERI, Pierre : 904.
LEROY, Georges : 787, 807, 917, 964.
Lessay, Manche : 783.
Lettres à Kugelmann (K. Marx) : 781.
LEVAÏ, Yvan : 917.
Levallois-Perret, Hauts-de-Seine : 590.
LEVY, Claude : 841.

Liaisons dangereuses, Les (P. Choderlos de Laclos) : 61.

Liaisons dangereuses, Les (R. Vadim) : 48, 64, 67, 96.

Libourne, Gironde : 262.

Ligue des droits de l'homme : 420, 822.

Lille, Nord : 616, 809, 886, 888.

Limoges, Haute-Vienne : 254-255, 262, 343, 547, 700, 828, 830.

Linards, Haute-Vienne : 830.

LIPATTI, Dinu : 690, 692.

Lisbonne : 1067.

LISSAGARAY, Prosper-Olivier : 773.

Livarot, Calvados : 897.

Lodève, Hérault : 728.

Loin du paradis (J. Freustié) : 1090.

Lommoye, Yvelines : 897.

Londres : 161-162, 164, 172, 437-438, 784, 1012, 1014, 1069, 1213.

Lons-le-Saunier, Jura : 509.

Loriol-sur-Drôme, Drôme : 920.

Lormes, Nièvre : 71, 175, 252, 475, 567, 816, 869, 973.

LORRAIN, Eugénie (grand-mère de François Mitterrand) : 623, 661, 828, 1040, 1078.

LORRAIN, Jules : 344, 1012, 1014.

LORRAIN, Paul : 344.

LORRAIN, Yvonne : voir MITTERRAND, Yvonne.

Los Angeles : 527-529, 531-532, 534.

LOSEY, Joseph : 817.

Loubière (La), Corrèze : 715, 719, 749, 793, 860, 936, 1105.

Louhans, Saône-et-Loire : 991.

Louis Napoléon à la conquête du pouvoir (A. Dansette) : 1048.

LOUIS XIV : 436.

LOUIS XVI : 78, 851, 992.

LOUIS-PHILIPPE : 344.

LOUIS, Roger : 817.

Lourdes, Hautes-Pyrénées : 237, 379, 381-383, 386, 388-389, 435, 437-438, 559, 562, 564, 634.

Louveciennes, Yvelines : 178.

Louvet-le-Sec, Puy-de-Dôme : 209, 214, 217, 220, 226, 229, 413, 415, 419, 425, 434-435, 438, 440-441, 443-447, 450, 457, 460, 480, 482, 485, 487-489, 496, 498, 506-507, 512-516, 520, 522-523, 557, 570-576, 579-580, 598, 600, 619, 630, 640, 642-643, 646, 676, 684, 688, 690, 693, 766, 791, 820, 844, 846, 856, 858, 868, 956, 974, 1026-1027, 1125, 1160, 1215.

Love Story (A. Hiller) : 732.

LUCHAIRE, François : 958.

LUCHAIRE, Yves : 994.

Lucien Leuwen (Stendhal) : 28.

Luçon, Vendée : 395.

Lucques : 296.

LUMUMBA, Patrice : 203.

Lure, Haute-Saône : 505, 509.

Luxeuil-les-Bains, Haute-Saône : 218, 221-222, 505, 509.

Luzy, Nièvre : 398, 976, 978.

Lyon, Rhône : 23, 38, 328, 418, 499, 509, 545, 634, 642, 768, 848, 871, 889, 901, 903, 907, 917, 920, 980.

Ma part de vérité : 613, 615, 617, 710.

Ma sœur, mon épouse (L. Andreas-Salomé) : 1085-1086.

MAC GOVERN, George : 863.

MAC LAINE, Shirley : 532.

Macbeth (W. Shakespeare) : 75.

MACHIAVEL, Nicolas : 596.

Mâcon, Saône-et-Loire : 850.

MACPHERSON, James : 169.

Madrid : 912, 915, 1067, 1115.

Magescq, Landes : 357, 396.

MAGNELLI, Alberto : 780.

MAGNIEZ, Charles : 216-217.

MAGNUS, André : 948.

Magny-Cours, Nièvre : 175, 212, 428, 580, 772, 820, 892, 954, 956, 995.

MAHLER, Gustav : 675, 917.

MAIRE, Edmond : 916, 986.

Maison-Dieu (La), Nièvre : 985.

Maître et Marguerite, Le (M. Boulgakov) : 1075.

Malaucène, Vaucluse : 795.

Malevil (R. Merle) : 1012.

MALLE, Louis : 934.

MANCERON, Claude : 950, 1044.

MANN, Thomas : 1055, 1085.

Mantes, Yvelines : 985.

Mantry, Jura : 509.

Marans, Charente-Maritime : 395.

MARCELLIN, Raymond : 807.

MARCHAIS, Georges : 727, 815, 870, 874, 888, 892, 997, 1014, 1075, 1087.

MARDORE, Michel : 873.

Marie Stuart (P. Erlanger) : 490.

MARIE-YVONNE, mère : 814.

MARIN, Jean : 293, 363, 584, 760, 788.

MARINGE, André : 323, 387, 438, 858, 893, 948.

MARINGE, Annie : 324, 387, 438, 858, 893, 948.

Marly-la-Ville, Val-d'Oise : 323.

Marly-le-Roi, Yvelines : 47, 1203.

Marnes-la-Coquette, Hauts-de-Seine : 152, 734, 877.

MAROSELLI, André : 222, 400, 452, 509.

MAROT, Jacques : 618.

Marseille, Bouches-du-Rhône : 175, 206, 435-437, 660, 811, 1074, 1077.

Martel, Lot : 265.

MARTIN : voir MAUCOUT, Martine.

MARTIN, Jean-Paul : 648, 962.

MARTINET, Gilles : 518, 891, 970.

MARTINET, Laurence : voir CARVALLO, Laurence.

Marvejols, Lozère : 608.

MARX, Jenny : 781.

MARX, Karl : 781.

Mas Théotime (H. Bosco) : 734-735.

MASSÉ, Pierre : 331.

Massevaques, Lozère : 635-636, 849, 894, 1020, 1034, 1047, 1140.

MATISSE, Henri : 301.

MATZNEFF, Gabriel : 518.

MAUCOUT, Bertrand : 597, 616, 653, 673, 675, 769, 824, 827.

MAUCOUT, Denis : 825.

MAUCOUT, Hervé : 497, 499, 543, 573, 675, 688, 740, 769, 827, 1074-1075.

MAUCOUT, Martine, née PINGEOT : 24, 59, 73, 118, 168, 173, 176-177, 190-191,

234, 243, 267, 296, 342, 364, 406, 444, 450-452, 477, 479, 486, 494, 497, 499, 503, 543-544, 572-573, 579, 616, 653, 673, 675, 738, 769, 781, 811, 827, 992, 1022, 1074-1075, 1123, 1214.

MAUDUIT, Antoine : 870.

Maulette, Yvelines : 233.

Mauriac, Cantal : 284.

MAURIAC, Claude : 637.

MAURIAC, François : 725.

MAURISSET : 587.

MAUROY, Pierre : 778, 800, 954, 967, 979.

MAURRAS, Charles : 607.

MAYER, Daniel : 408.

MAYER, Mme Daniel : 952.

MAYER, René : 418.

MAYMON : 430.

Meaux, Seine-et-Marne : 126, 197.

MÉDICIS, Cosme de : 40.

MÉDICIS, Laurent de : 49, 62, 89, 232, 264, 270, 338, 345, 371.

MÉDICIS, Pierre de : 40.

Megève, Haute-Savoie : 485.

Mehun-sur-Yèvre, Cher : 954.

Meillard, Allier : 443, 446, 480, 567, 574, 886.

MEIR, Golda : 1001.

Mémoires (C. de Gaulle) : 117.

Mémoires d'outre-tombe (R. de Chateaubriand) : 24, 398.

Mémoires d'une jeune fille rangée (S. de Beauvoir) : 731.

Mende, Lozère : 575-576, 579, 672, 691, 820.

MENDÈS FRANCE, Pierre : 135, 150-151, 304, 334, 384, 412, 448, 476, 862.

MENGNI : 824.

MERCKX, Eddy : 619, 623.

Mérignac, Gironde : 772.

Mérindol-les-Oliviers, Drôme : 544.

MERLE, Robert : 1012.

MERLI, Pierre : 795, 810, 989.

MERMAZ, Louis : 498, 776, 871, 901, 981, 1000, 1062, 1088, 1090.

Messager, Le (J. Losey) : 817.

Messanges, Landes : 1040.

MÉTAYER, Pierre : 150.

METSYS, Quentin : 354.

Metz-le-Comte, Nièvre : 493, 985.

Metz, Moselle : 95, 505, 508, 887, 919.

Meudon, Hauts-de-Seine : 962.

MEUNIER, Mario : 1058.

Meurtre de Roger Ackroyd, *Le* (A. Christie) : 1016.

Mexico : 1112.

Meyrueis, Lozère : 849.

Mézidon, Calvados : 782.

Michaugues, Nièvre : 816.

MICHAUX, Henri : 763.

MICHEL-ANGE : 167, 173, 179, 191, 291.

Michelin : 556.

MICHELIN, François : 949.

Milan : 296.

Milet : 607.

Millau, Aveyron : 522-523.

MILLE, Hervé : 148.

Milly-la-Forêt, Essonne : 134, 887.

Mimizan, Landes : 448.

Minerve, Hérault : 673, 869, 1011.

MINVIELLE, Gérard : 949.

Mirande, Gers : 511.

Mirmande, Drôme : 920.

MIRZA : voir MAUCOUT, Martine.

MISTRAL, Gabriela : 911.

MITTERRAND, Antoinette : voir SIGNARD, Antoinette.

MITTERRAND, Arlette : 463, 908.

MITTERRAND, Christophe : 667, 671, 773, 798, 866-867, 920.

MITTERRAND, Colette : voir LANDRY, Colette.

MITTERRAND, Edwige : 343.

MITTERRAND, Geneviève : voir DELACHE-NAL, Geneviève.

MITTERRAND, Gilbert : 439, 525, 560, 674, 692, 720, 736, 764-766, 771, 827, 840, 852, 855, 864-866, 883, 885, 892, 897, 908, 956-957, 962, 965, 973, 977, 979, 998, 1036, 1062, 1087.

MITTERRAND, Gisèle : 343.

MITTERRAND, Jacques, général : 342-344, 384, 791, 864.

MITTERRAND, Joseph (père de François Mitterrand) : 343-344, 779, 1123.

MITTERRAND, Marie-Josèphe : 343, 965.

MITTERRAND, Maxime : 463, 865, 973.

MITTERRAND, Olivier : 230.

MITTERRAND, Philippe : 125, 735, 864.

MITTERRAND, Robert : 379, 463, 536, 584, 696, 738-740, 823, 865-866, 871, 900, 903, 908-909, 973, 983.

MITTERRAND, Véronique : 343.

MITTERRAND, Yvonne (mère de François Mitterrand) : 343, 967, 1014.

MOATI, Serge : 1093.

MOATI, Sophie : 786.

MODIGLIANI, Amedeo : 1000.

Moissy-Moulinot, Nièvre : 976.

Moliets-et-Maa, Landes : 172, 284, 447, 450, 494, 526, 543, 578, 620, 622, 624, 637, 654, 675, 738, 764, 824-825, 840, 852, 913, 955, 962, 979, 988, 1057.

MOLLET, Guy : 384, 388, 400-401, 406, 408-410, 412, 414, 419-420, 456, 476, 483, 487, 579-580, 775, 792, 802, 805, 822.

Mon nouveau testament (Madame Simone) : 715.

Monaco : 1173.

Monceau, château de, Saône-et-Loire : 134.

Monceaux-le-Comte, Nièvre : 212.

MONK, Thelonious : 96.

Monoblet, Gard : 1044.

Monreale : 684.

Monsieur (J.-P. Le Chanois) : 217.

Mont Analogue, *Le* (R. Daumal) : 560-561, 563-564.

Montagnac, Hérault : 728, 950.

MONTAIGNE, Michel Eyquem de : 790, 801, 806, 833, 840.

MONTAIGU, famille : 388.

Montapas, Nièvre : 176, 789.

Montargis, Loiret : 105, 122, 218, 380, 609, 662, 688, 731, 790-791, 816, 858, 868, 892, 902.

Montaron, Nièvre : 506.

Montauban, Tarn-et-Garonne : 479.

Montboucher-sur-Jabron, Drôme : 920.

Mont-de-Marsan, Landes : 890.

Mont-Dore, Puy-de-Dôme : 438.

Montélimar, Drôme : 920.

Monterey : 531-532.

MONTESQUIEU : 118, 135, 291.
Montfort-l'Amaury, Yvelines : 31.
MONTHERLANT, Henry de : 232, 271, 607.
Montluçon, Allier : 547.
Montmaur, Hautes-Alpes : 870.
Montmorency, Val-d'Oise : 800.
Montmorillon, Vienne : 125.
Montpellier, Hérault : 571, 951.
Mont-Saint-Michel (Le), Manche : 983-985.
Montsauche, Nièvre : 66, 338, 401, 454, 493, 516, 574, 786, 858, 956.
Mont-Valérien, Hauts-de-Seine : 977.
MONZÓN, Telesforo : 824.
Moraches, Nièvre : 816.
MORALE, la : voir MAUCOUT, Martine.
MORAND, Paul : 370.
Morcenx, Landes : 765.
MORE, Thomas : 576.
Moret-sur-Loing, Seine-et-Marne : 77.
MORGAN, Mary : 135.
Morienval, Oise : 212, 232, 258, 283, 330, 416, 607, 662.
MORNY, Charles : 1240, 1242.
MOROT-SIR, Édouard : 487.
MORRA, comte : 853.
Mort à Venise (L. Visconti) : 812, 817.
Mort de L.-F. Céline, La (D. de Roux) : 465.
MORY, François, docteur : 545.
Moscou : 964.
MOSSÉ : 862.
MOTCHANE, Didier : 982, 986, 1026, 1046.
MOTRIVO : 802.
Mots, Les (J.-P. Sartre) : 61.
Mouchan, Gers : 690, 721, 731, 749, 820, 1038.
MOUGEOTTE, Étienne : 896.
Mouilleron-en-Pareds, Vendée : 405, 577.
Moulins-Engilbert, Nièvre : 484.
Moulins-sur-Allier, Allier : 84-85, 88, 90, 94, 98, 111, 208, 210-211, 214, 216, 219, 222, 226, 237, 257, 263, 386, 411-413, 415-416, 419-420, 454, 505, 515-516, 522, 543, 581, 606, 703, 792, 808-809, 972, 1026.
MOUROUSI, Yves : 840.

MOUSKOURI, Nana : 600, 654.
Moux, Nièvre : 362, 506-507, 510, 773.
Mozac, Puy-de-Dôme : 205.
MOZART, Wolfgang Amadeus : 290, 375.
Munich : 856-857.
MUNIER, Françoise : 823.
MUNIER, Jean : 740, 1063.
Murs, Vaucluse : 901.
MUSARD, Jean : 909.
Mussidan, Dordogne : 496.
MUSSOLINI, Benito : 314.
MYRDAL, Mme : 975.

Nabinaud, Charente : 276, 284, 431, 607, 672, 684, 730, 734, 765, 1011.
NADAR : 637.
Nafplion : 464.
Naïm : 1007.
Nançay, Cher : 954.
NANO : voir PINGEOT, Agnès.
Nantes, Loire-Atlantique : 740.
NAPOLÉON Ier : 644.
NAPOLÉON III : 402, 1086-1087, 1125.
Napoléon le Petit (V. Hugo) : 327.
Napoléon tel quel (H. Guillemin) : 644.
Nathalie (D. Bertrand) : 1091.
NATHAN, Ben : 899.
NAVET, Éric : 1215.
Nazareth : 1007.
NÉFERTITI : 435.
Nemours, Seine-et-Marne : 816.
NERUDA, Pablo : 824, 830, 835, 911, 970, 1047.
NERVAL, Gérard de : 206.
NEUBRUN, Lazlo : 232, 345, 347, 467, 523, 544.
Neuilly, Nièvre : 779.
Neuilly-sur-Seine, Hauts-de-Seine : 803, 871.
Neuvy-sur-Loire, Nièvre : 211.
Nevers, Nièvre : 48-51, 66, 82, 85, 110, 121, 174-175, 208, 212, 214, 216, 220, 247-248, 251, 253, 263, 299, 303, 317, 361-362, 370, 380, 382-383, 385-389, 406, 414-417, 426-428, 435, 438, 452, 456, 474, 485-487, 490, 505, 516-517, 522, 529, 589, 619, 670, 731, 760, 776,

789, 821, 826, 830, 853, 856, 858-859, 873, 891, 898-899, 947, 956, 990, 994-995, 1047, 1079, 1148.

New Delhi : 942.

New York : 487, 527, 534, 537, 540, 542, 591-592, 662, 666.

Nez de Jobourg : 783, 793, 828.

Ni Marx ni Jésus (F. Revel) : 732.

Nice, Alpes-Maritimes : 256, 263, 419-421, 577, 581, 631, 634, 1008.

Nicolaÿ, Pierre : 154, 645.

Nièvre, conseil général de la : 48, 50-51, 71, 118, 121, 123, 177, 415-416, 484, 513, 516, 776-777, 790, 873, 891, 966-967, 994, 996, 998.

Nîmes, Gard : 475, 479, 481-483, 499, 688, 770, 795, 1032-1033, 1073, 1077.

Nimier, Roger : 647.

Nini : voir Jarrige, Léonie.

Nixon, Richard : 819, 990.

Nocle-Maulaix (La), Nièvre : 323.

Nogaro, Gers : 635, 824, 851, 993.

Nogent-sur-Vernisson, Loiret : 123.

Noirmoutier, île de, Vendée : 404.

Nora, Léone : 462.

Nora, Simon : 203.

Nyons, Drôme : 920.

Ô Jérusalem (D. Lapierre et L. Collins) : 1001.

Œuvre au noir, L' (M. Yourcenar) : 588.

Offredo : 964.

Oïstrakh, David : 292.

Oldenbourg, Zoé : 390.

Oliver, Michel : 732.

Ollivier, Émile : 506.

Ollivier, Éric : 293.

Oloron-Sainte-Marie, Pyrénées-Atlantiques : 562.

Ontario : 280, 290-291, 532, 534.

Oraison, Marc, abbé : 824.

Orcival, Puy-de-Dôme : 295, 308, 358, 364, 373, 402, 404, 489, 607.

Ordre de Malte : 172.

Orieux, Jean : 865, 868-869, 871, 912.

Orléans, Loiret : 64, 125, 324, 779, 786, 899, 954, 1024.

Ortega y Gasset, José : 338.

Oslo : 1175.

Ossian : voir Macpherson, James.

Otzenberger, Claude : 496.

Oui, l'espoir (Y. Baby) : 528.

Ouroux-en-Morvan, Nièvre : 670, 858, 976.

Overney, Pierre : 992, 996.

Pacy-sur-Eure, Eure : 897, 983-985.

Pado, Dominique : 967, 974.

Padovani, Marcelle : 787, 817, 837-838, 874-875, 978, 1036, 1038.

Paille et le Grain, La : 1064, 1068, 1089.

Paillet, Marc : 690, 998.

Palerme : 478, 607.

Palissy, Bernard : 878.

Palm Springs : 531.

Palme, Olof : 856-857, 975, 1177.

Panorama de l'histoire universelle (J. Pirenne) : 288, 291.

Papegay, Marie-Claire : 962, 1054.

Papini, famille : 797-799.

Parapluies de Cherbourg, Les (J. Demy) : 323.

Paris

104, rue de Vaugirard (foyer catholique d'étudiants, dit « Le 104 ») : 802, 821, 1158.

Archives nationales : 833, 840.

Assemblée nationale, Palais-Bourbon : 30, 67, 144-145, 147-148, 150-152, 183, 185, 189, 191-192, 202, 209, 213, 217, 228, 237, 251, 310, 325, 328-329, 384, 416-417, 460, 476, 516, 523, 567-568, 616-617, 642, 644, 650, 667, 765, 767, 773-774, 781, 784, 796, 798, 801, 807-808, 891, 894, 896, 900, 902, 904, 945-946, 1132, 1135.

Coiffeur Alexandre : 585.

Collège des Bernardins : 780.

Conseil constitutionnel : 152, 158.

Conseil d'État : 512.

École du Louvre : 253, 306, 364, 729, 773, 874, 876, 914-915, 946, 952-953, 958, 962, 964, 970, 973-974, 982, 984-985, 1012-1013, 1018, 1056, 1087, 1104.

École nationale d'administration, ENA : 953, 983.

École nationale des métiers d'art : 49, 106, 150, 189, 206, 210, 1160, 1190.

École polytechnique : 74, 909.

Faculté de droit : 303, 305-306, 330.

Galerie Raspail : 761.

Grand Palais : 917.

Institut d'art, rue Michelet : 971, 987, 998.

Institut néerlandais : 987.

La Villette : 116.

Librairies
Aux Argonautes : 780.
Caplain-Dol : 755.
Clavreuil : 506, 992.
du Divan : 22, 48.
Gallimard : 821, 894, 898.
Hachette : 214.
Julliard : 821, 894.
La Hune : 23, 25, 287.
Loliée : 677, 778, 789, 808, 948.
Stock : 987.

Musées
de Cluny : 326, 650, 785, 790, 801, 814, 892, 1025-1026.
d'Orsay : 1174.
du Louvre : 365, 529, 650, 666, 673, 700, 717, 788, 895, 903, 926, 1125.
Rodin : 817, 855-856, 895, 899-900, 902-903.

Mutualité : 523, 921-922, 996, 1026.

Opéra : 112.

Orangerie du Luxembourg : 141, 150, 156, 158, 536, 539, 558, 611, 643, 681, 756, 762, 773, 775, 777-778, 780-781, 784, 787-788, 791, 796, 801-802, 808, 812, 822, 861, 876, 885, 890, 947, 949, 963-964, 982, 987, 989, 994, 998, 1027.

Palais-Bourbon : voir Assemblée nationale.

Palais de Chaillot : 977.

Palais de l'Élysée : 562.

Palais du Luxembourg : voir Sénat.

Palais-Royal : 53, 774, 795, 814, 823, 987, 997.

Petit Palais : 884.

Sciences politiques : 31, 150.

Sénat : 415, 949, 987.

Parme : 222, 493.

Parthenay, Deux-Sèvres : 405.

Partis
Centre des démocrates : 890.
CERES : 762, 774, 800, 973, 982, 986, 1025, 1046.
Communiste : 815, 888, 925, 990, 1088.
des Indépendants : 297.
du Cameroun (UPC) : 872.
du Rassemblement démocratique : 230, 297, 301, 355, 384, 416.
Gauche européenne : 977.
MRP : 151, 153, 228, 297.
PSU : 408, 579, 907.
Radical : 384, 885, 989.
SFIO : 172, 340, 394, 456, 513.
Socialiste : 118, 409, 523, 554, 638, 645, 740, 759, 761-762, 777-778, 786, 789, 799, 813-816, 822, 862-863, 865-866, 868, 871-872, 887, 891-892, 894, 908, 915, 947, 950, 964-966, 968, 970, 977-980, 982-983, 987, 991, 993, 995, 997, 1088.
UNR (ensuite UDR) : 172, 183, 326, 569.

PASCAL, Blaise : 296, 375, 398, 402, 465, 539, 556, 565, 607, 669, 1013, 1240, 1242-1244, 1246.

Passé composé, Le (F.-M. Banier) : 788.

PASSERON, René : 659.

Pau, Pyrénées-Atlantiques : 562.

PAUL VI, pape (Giovanni Battista Montini) : 788.

PAVOT, Narcisse : 442.

Péchiney : 1073.

PÉGUY, Charles : 506, 804.

PELAT, Patrice : 237, 408, 534, 568, 822, 867.

PENAUD, Simone : 769.

Pensées (B. Pascal) : 1242-1243, 1246.

Périgueux, Dordogne : 265, 479, 569, 828.

PERKINS, Anthony : 933.

PÉRONNIE, Gabriel : 497.

Perpignan, Pyrénées-Orientales : 494.
Petit-Bersac, Dordogne : 871.
Pey, Landes : 466.
PEYNET, Raymond : 52, 796.
PEYREFITTE, Alain : 191, 759, 775.
Pézenas, Hérault : 795, 950.
PFIMLIN, Pierre : 329.
PFISTER, Thierry : 997.
Phalempin, Nord : 809.
PHILIPPE IV D'ESPAGNE : 1115.
PHILIPPE, Michèle : 897.
PICASSO, Pablo : 824.
PIE XII, pape (Eugenio PACELLI) : 40.
PIETTE, Jacques : 462, 822.
Pilkhana, slum : 934-935, 938.
PINAY, Antoine : 420.
PINEAU, Christian : 150.
PINGEOT, Agnès, dite NANO : 234, 346, 449, 503, 766, 827, 955, 1133.
PINGEOT, famille : 343, 397-398, 440, 443.
PINGEOT, François, dit BIBICHE : 342, 496-497, 499-501, 503, 538, 677, 682, 696, 758, 762, 785, 792, 794, 807, 885, 900, 904, 906, 914, 970, 989, 998.
PINGEOT, Gérard : 466, 543-544, 766.
PINGEOT, Henri (grand-père d'Anne Pingeot) : 224.
PINGEOT, Martine : voir MAUCOUT, Martine.
PINGEOT, Mazarine : 1062, 1069, 1074-1077, 1080, 1084-1092, 1095-1096, 1103, 1105, 1111-1113, 1115, 1123-1127, 1131-1134, 1140-1143, 1155-1156, 1158, 1174, 1176-1177, 1184, 1201-1204, 1209, 1214-1215, 1226, 1240-1245.
PINGEOT, Pierre (père d'Anne Pingeot) : 231-232, 234, 263, 270-271, 282, 298, 369, 400, 410, 427, 438, 441, 447-450, 464, 491-492, 498-499, 503, 517, 532, 538, 570, 576, 582, 621, 636-638, 640, 674, 692, 762, 767, 771, 785, 793, 807, 819, 825, 827, 945, 955, 974, 998.
PINGEOT, Thérèse (mère d'Anne Pingeot) : 189, 191, 231, 234-236, 263-264, 267-268, 270, 281-282, 286, 295, 298, 302-303, 329-330, 340, 343, 345-348, 364, 368, 413, 427, 430, 438, 443-444, 449-450, 487, 494, 497, 503-505, 507,

510, 513, 522, 543, 562, 565, 570, 576, 579, 611, 619, 621, 641, 669, 672, 675, 695, 735, 765-766, 771-772, 792, 794, 796, 810-812, 819, 824, 827, 842, 956, 989-990, 1058, 1123-1124.
PINGET, Robert : 894.
PINTER, Harold : 900.
PIRANDELLO, Luigi : 607.
PIRENNE, Jacques : 288, 291.
PISANI, Edgar : 777.
Plaimpied-Givaudins, Cher : 779.
Plain-Chant (J. Cocteau) : 24.
Planchez, Nièvre : 438, 510, 773.
PLATON : 1090.
Pleaux, Cantal : 244.
Podensac, Gironde : 593, 766.
Poigny-la-Forêt, Yvelines : 480.
Pointe-à-Pitre, Guadeloupe : 1066-1068.
POIRIER, Michel : 813, 964.
Poitiers, Vienne : 393-394, 468, 957.
POLANSKI, Roman : 627.
Poliet et Chausson : 654.
Poligny, Jura : 395-396, 509.
POLITIEN, Ange : 62.
Polka des canons, La (A. Lanoux) : 769.
POLNAREFF, Michel : 834, 841.
POMMIER, Jean : 723.
POMPIDOU, Georges : 144, 149, 320, 490, 498, 501, 1003, 1032, 1047.
POMPON, François : 834.
Poneys sauvages, Les (M. Déon) : 1036, 1038, 1040.
Pons, Charente-Maritime : 402.
Pontaubault, Manche : 984.
Pontchartrain, Yvelines : 67.
Pontigny, abbaye de, Yonne : 761.
PONTILLON, Robert : 777, 856.
Pontoise, Val-d'Oise : 951.
Pontonx-sur-l'Adour, Landes : 1012-1013.
Pont-Saint-Esprit, Gard : 850.
POPEREN, Jean : 881, 884, 1088.
PORTMANN, Alain : 909, 1123.
PORTMANN, Christiane : 272, 298, 387, 1123.
PORTMANN, René : 270, 298, 544.
Port-Navalo, Morbihan : 395-396.
Porto : 1116.

Port-Royal-des-Champs : 30-31, 59, 63, 145, 258.
Pougues-les-Eaux, Nièvre : 791, 813.
POUILLON, Fernand : 974.
POULIDOR, Raymond : 1014.
Prague : 867, 971.
PRÉVERT, Jacques : 1176.
PRIOURET, Roger : 918, 977, 990.
Proies, Les (D. Siegel) : 853.
Promenades dans Rome (Stendhal) : 58.
PROUST, Marcel : 158.
Provins, Seine-et-Marne : 47, 203, 221-222.
Psyché (J. Romains) : 1184.
Punition, La (Xavière) : 1036.
Puy-en-Velay (Le), Haute-Loire : 319, 447, 450, 639, 1045.
Puygiron, Drôme : 920.
Pyla-sur-Mer, Gironde : 304, 448, 716.

Quesnoy (Le), Nord : 440-441, 809-810.
QUESTIAUX, Nicole : 803, 880.
QUEUILLE, Henri : 909.
Quimper, Finistère : 453.

Rambouillet, Yvelines : 229, 283, 314, 480, 1010.
Randan, Puy-de-Dôme : 354, 398, 741.
Ravenne : 46, 215, 273, 296.
Ré, île de, Charente-Maritime : 100.
REBATET, Lucien : 621-622, 624-625.
Redon, Puy-de-Dôme : 487.
REGGIANI, Serge : 880.
REINE MARGOT (MARGUERITE DE VALOIS) : 903.
REMBRANDT : 189, 191, 619, 805.
Renaissance italienne et la philosophie de l'histoire, La (É. Gebhart) : 386.
RENARD, Jules : 83, 157-158, 991-992, 996.
Renault : 997.
Rendez-vous à Bray (A. Delvaux) : 971.
René Leys (V. Segalen) : 925, 948, 967.
Rennes, Ille-et-Vilaine : 788.
République de Venise, La (C. Diehl) : 545.
Rêve et la Vie, Le (G. de Nerval) : 206.
REVEL, Jean-François : 732.
Rêveries du promeneur solitaire (J.-J. Rousseau) : 1215.

REY, Henri-François : 774.
REZVANI, Serge : 990.
RIBADEAU-DUMAS, Roger : 191.
Ribérac, Dordogne : 672, 828.
RIBOUD, Jean : 808, 850, 950.
RICHELIEU, Armand Jean du Plessis de : 296.
RICO : voir SAINSILY, Henri.
Rieutort-de-Randon, Lozère : 382, 491, 496, 500, 517, 564, 570, 572, 578-579, 592, 599, 684, 843.
RIGAUX, Jean : 834.
RILKE, Rainer Maria : 62, 1086.
RIMBAUD, Arthur : 607.
RINIERI, Antoine : 167, 171, 301.
Rio de Janeiro : 529, 908, 912, 914.
RIOBÉ, Guy-Marie, Mgr : 899.
Riom, Puy-de-Dôme : 170, 386.
Rivière Espérance, série télévisée : 1243, 1245.
Roanne, Loire : 483, 522, 997.
ROBERT, Hubert : 1216.
ROBERTET, Florimond : 343.
Rocamadour, Lot : 265, 267, 283, 287.
ROCARD, Michel : 579, 907, 974.
Rochefort-Montagne, Puy-de-Dôme : 488.
Roche-Gageac (La), Dordogne : 267.
Roche-sur-Yon (La), Vendée : 393, 395.
ROCHET, Waldeck : 434, 451, 483.
ROCKEFELLER, Nelson : 540.
ROCLORE, Marcel, docteur : 438, 833-834.
ROCLORE, Mireille : 795.
Rodez, Aveyron : 523, 918.
RODINSON, Maxime : 483.
ROGÉ, Catherine : 430.
ROHMER, Éric : 740.
ROLLAND : 890.
ROLLAND, Romain : 76, 83.
ROMAINS, Jules : 277, 311, 607, 885, 1184.
Rome : 27-28, 58, 74, 313-315, 483, 853, 922, 924-925, 944, 1216.
Rome, villa Médicis : 317, 1216.
Romorantin, Loir-et-Cher : 779.
ROPAGNOL : 580, 952.
Rose au poing, La : 1017, 1027.
ROSENBERG, Pierre : 968.

Rossi, André : 553.
Rostand, Jean : 80.
Rothenburg : 1001.
Rothschild, maison : 192, 787.
Rotterdam : 804.
Rousseau, Jean-Jacques : 47, 1215.
Rousselet, André : 139, 143, 191, 193, 217, 287, 419, 430, 480, 489, 496-497, 511, 513, 515, 523, 560, 568, 579, 590, 618, 903, 973.
Roussillon, Vaucluse : 464, 769.
Rouvray, Yonne : 834.
Roux, Ambroise : 812.
Roy, Claude : 637.
Roy, Jules : 618.
Royan, Charente-Maritime : 28.
Rugles, Eure : 984.

Saincaize-Meauce, Nièvre : 324.
Sainsily, Henri, dit Rico : 1241.
Saints
    Saint Augustin : 1013.
    Saint Denys l'Aréopagite : 40.
    Saint François d'Assise : 25.
    Saint Paul : 616, 669.
Saint-Agnan, Nièvre : 398, 400-401, 841.
Saint-Amand-en-Puisaye, Nièvre : 212, 362, 370.
Saint-Amand-Montrond, Cher : 239.
Saint-André-de-Valborgne, Gard : 849.
Saint-Barthélemy, Landes : 956.
Saint-Benoît de La Réunion : 1202.
Saint-Benoît-sur-Loire, Loiret : 208, 226, 232, 251, 258, 308, 389, 462-463, 473, 494, 496-497, 519, 527, 538, 556, 558, 560, 563, 567, 577, 586, 589, 595, 598, 607, 625, 628, 635, 651, 655, 661-662, 667, 670, 673, 682-684, 691, 704, 708, 715, 748, 750-751, 755, 761, 786, 821, 844, 847, 860, 874, 881, 909, 924, 1011, 1013, 1015, 1021, 1033, 1069, 1086-1087, 1135, 1142, 1167, 1175, 1191, 1209, 1214.
Saint-Brieuc, Côtes-d'Armor : 513.
Saint-Brisson, Nièvre : 510, 834.
Saint-Bruno, mère : 330.
Saint-Céré, Lot : 284.
Saint-Cernin, Cantal : 244-245, 255, 284, 632.

Saint-Christol, Vaucluse : 769.
Saint-Christophe-les-Gorges, Cantal : 276.
Saint-Cloud, Hauts-de-Seine : 47, 153, 171, 179, 201, 216-217, 229, 318, 723, 753, 756, 918, 969, 998.
Saint-Cyr-au-Mont-d'Or, Rhône : 370.
Saint-Denis de La Réunion : 1202.
Sainte-Marguerite-de-Ligure : 296.
Saint-Émilion, Gironde : 274, 283.
Saintes, Charente-Maritime : 296, 395.
Saint-Florentin, Yonne : 645.
Saint-Fons, Rhône : 980.
Saint-Germain-des-Fossés, Allier : 208, 219, 257, 345, 347, 389, 398, 454, 693, 695.
Saint-Germain-en-Laye, Yvelines : 76, 178.
Saint-Germain-Lembron, Puy-de-Dôme : 232, 490, 507, 523-524.
Saint-Gilles, Gard : 451-453.
Saint-Girons plage, Landes : 832, 837-838.
Saint-Gobain : 808.
Saint-Gratien, Val-d'Oise : 380-381, 513, 799.
Saint-Honoré-les-Bains, Nièvre : 482, 485.
Saint-Illide, Cantal : 234, 239, 241-242, 244-245, 249-250, 253, 255-256, 258, 260, 263-264, 266, 268, 270-271, 273-274, 281-282, 284, 286, 291, 293, 296, 346, 479, 490, 581, 607, 632, 640, 662, 671, 684, 695, 734, 772, 875, 952, 1041.
Saint-Jean, château, Côte-d'Or : 452, 810, 1057.
Saint-Jean-Cap-Ferrat, Alpes-Maritimes : 252.
Saint-Jean-d'Angély, Charente-Maritime : 395.
Saint-Jean-de-Luz, Pyrénées-Atlantiques : 128.
Saint-Jean-de-Monts, Vendée : 388, 397, 399, 405, 407, 832.
Saint-John-Perse : 835, 948, 969.
Saint-Julien-du-Sault, Yonne : 761, 850.
Saint-Laurent-de-Mure, Rhône : 901.
Saint-Léger-en-Yvelines, Yvelines : 480.

SAINT-LOUIS : 816.

Saint-Michel d'Aiguilhe, Haute-Loire : 296.

Saint-Moritz : 485.

Saint-Nectaire, Puy-de-Dôme : 597.

Saint-Paul de La Réunion : 1202.

Saint-Père-sous-Vézelay, Yonne : 816.

SAINT-PÉRIER, Guy de : 125, 128, 130, 342, 344-345, 347-348, 429-430, 462-464, 498, 500, 503, 525-526, 544-546, 720, 733, 771, 826-827, 829, 832, 837-838, 848, 852, 856, 859, 913, 948, 957, 962, 973, 981, 986, 992.

SAINT PHALLE, Thérèse de : 644, 903, 970.

Saint-Pierre de La Réunion : 1202.

Saint-Pierre-des-Corps, Indre-et-Loire : 406.

Saint-Pierre-le-Moûtier, Nièvre : 66, 208, 567, 954.

Saint-Pierre-sur-Dives, Calvados : 897.

Saint-Point, château de, Saône-et-Loire : 134.

Saint-Privat, Hérault : 950, 1044.

Saint-Quentin, Aisne : 529.

Saint-Révérien, Nièvre : 820.

Saint-Saturnin, Puy-de-Dôme : 597, 769.

Saint-Saturnin, Vaucluse : 1243.

Saint-Saulge, Nièvre : 789, 797.

Saint-Savin-sur-Gartempe, Vienne : 405.

SAINT-SIMON : 277.

Saint-Simon, Charente : 543, 864.

Saint-Vaast-la-Hougue, Manche : 782.

Saint-Vincent-de-Tyrosse, Landes : 593.

SAKHAROV, Andrei : 1176.

Salamandre, La (A. Tanner) : 904.

Salers, Cantal : 256, 302, 608.

Salindres, Gard : 1075.

SALINGER, Pierre : 528, 531-532.

SALLEBERT, Jacques : 1077.

SALLUSTE : 130.

Salsomaggiore : 222.

Salt Lake City : 529, 672, 693, 913, 931.

Salzbourg : 251, 856-857.

SALZMANN, Charles : 842, 849, 885, 894, 971, 987, 1041.

SALZMANN, Monique : 849, 885, 904, 971, 987, 1041.

Samarcande : 1082.

San Diego : 527-528.

San Francisco : 527-532, 534-535, 537, 590-591, 599, 608.

Sancerre, Cher : 355.

SAND, George : 50.

Sang noir, Le (L. Guilloux) : 653, 820.

SANTA-CRUZ : 910.

Santiago du Chili : 908, 910-912, 1058.

SARRAZIN, Catherine : 775.

SARRAZIN, Marguerite : 509.

SARRAZIN, Marie-Claire : 509, 545, 814, 978.

SARRAZIN, Pierre : 618.

SARRE, Georges : 917, 973-974, 982, 986, 996, 1026, 1046.

SARTRE, Jean-Paul : 61, 483.

Saulieu, Côte-d'Or : 400, 510, 625, 636, 834-835, 1011.

SAURY, Paule : 813, 820, 869, 893, 947, 976, 991.

SAURY, Pierre : 513, 670-671, 758, 789, 813, 820, 869, 893, 907, 947, 964, 972, 976, 985, 991.

Sauveterre-de-Guyenne, Gironde : 267.

Sauveur, Le (M. Mardore) : 873.

SAUVONAT, docteur : 957.

SAVARY, Alain : 400, 644, 769, 775, 777, 792, 800, 802, 971, 982.

Schiphol : 189.

SCHLESINGER, John : 885.

Schlumberger : 950.

SCHMITT, Helmut : 857.

SCHNEIDER, Mme : 484.

SCHOELLER : 554.

SCHUBERT, Franz : 1095.

Schulmeister : 962.

SCHUMANN, Maurice : 798.

SCHUMANN, Robert : 375.

SCHWEITZER, Pierre-Paul : 1075.

Secret de l'île de Pâques, Le (T. Heyer-dahl) : 489.

SÉDOUY, Alain de : 966, 976.

Sées, Orne : 984.

SEGALEN, Victor : 925-926, 928, 948, 967.

SÉGUY, Georges : 874, 898.

Seignelay, Yonne : 761.

Seignosse, Landes : 407, 500, 586, 608, 641, 693, 827, 1041.

SELIGMANN, Françoise : 1085.

SELIGMANN, François-Gérard : 1085.

Sélinonte (M. Santangelo) : 738.

Sénanque, abbaye de, Vaucluse : 437, 483, 901.

SENGHOR, Léopold Sédar : 1093.

Senlis, Oise : 441.

Sens, Yonne : 76, 93, 121.

Septième Symphonie, La (L. van Beethoven) : 38.

SERVAN-SCHREIBER, Émile et Denise : 314.

SERVAN-SCHREIBER, Jean-Jacques : 108, 121, 148, 314, 406, 453, 489, 493, 497, 617, 709-710, 716, 720, 723, 727, 872, 894, 900, 918, 964, 989, 1014.

SERVAN-SCHREIBER, Sabine : 121.

Sète, Hérault : 451-453, 728, 950, 992.

SÉVENO, Maurice : 895, 952, 990.

Sèvres, Hauts-de-Seine : 157, 969.

SHAKESPEARE, William : 75, 296, 375, 607.

SHIMKUS, Joanna : 584.

SHIRER, William : 735.

SIEGEL, Donald : 853.

SIGNARD, Antoinette (sœur aînée de François Mitterrand) : 342, 344, 842, 849, 864, 965.

SIGNÉ, René-Pierre, docteur : 972.

SIMONE, Mme (Pauline Benda) : 715.

SIMONNET, Paul René : 811.

Sirolo : 299, 389, 455, 501-502, 632, 751.

Six coups d'État (D. J. Goodspeed) : 582.

SMORSKY : 867.

Smyrne : 662.

SNIAS : 993.

SOAMES, Christopher : 823.

Socialisme français face au marxisme, Le (R. Aron) : 967.

SOCRATE : 15-17.

SOISSON, Jean-Pierre : 969.

Solal (A. Cohen) : 652, 654.

SOLLEVILLE, Francesca : 483.

Solutré, Saône-et-Loire : 793.

Soorts, Landes : 446-447.

Sore, Landes : 586, 828-829.

SOUBIÉ, Luc : 957.

SOUDET, Berthe : 993.

SOUDET, Laurence : voir CARVALLO, Laurence.

SOUDET, Pierre : 340, 451, 476, 493, 499, 544, 574, 616, 636, 639, 643, 663, 718, 767, 769, 840-842, 844, 880, 894, 897, 921-922, 924, 947, 953, 986, 993, 1000.

Souillac, Lot : 265-267.

SOULIER, André : 645, 889, 901.

Sous de nouveaux soleils (Madame Simone) : 715.

Sousceyrac, Lot : 278, 283, 287, 952-953, 993.

Soustons, Landes : 272, 466, 504, 660, 678, 688, 692, 694, 720, 731, 789, 834, 840, 852, 955-956, 1021, 1027, 1046, 1062, 1089, 1091.

Souvenirs (H. Wilson) : 856.

Souzy-la-Briche, Essonne : 1210, 1214.

Spectacle intérieur, Le (J. Anchois) : 723.

Spezia (La) : 296.

STAËL, Germaine de : 581.

STALINE, Joseph : 1242.

STENDHAL : 28, 46, 58, 74, 209, 250, 375, 607, 654.

Stockholm : 974-975, 1177.

Strasbourg, Bas-Rhin : 518, 552-553, 555-556, 651.

STROYBERG, Annette : 64.

Suez, canal de : 1004.

SUFFERT, Georges : 370, 498.

Suresnes, Hauts-de-Seine : 967-969, 999-1000.

Surgères, Charente-Maritime : 395.

Sydney : 912.

Sylvia (E. Berl) : 653.

Syndicats
CFDT : 806, 810, 817, 887, 916, 986.
CGT : 668, 822, 898.
des Instituteurs : 952, 971.
FO : 822, 979, 1026.
MODEF (agriculteurs communistes) : 885.

TACITE : 303.

Taconnay, Nièvre : 820.

Tahiti : 485, 740.

Tais-toi (P. Morand) : 370.

Taix : 710, 725.

Taizé, Saône-et-Loire : 132-133, 136, 138, 431, 794.

Taking off (M. Forman) : 790.

Talleyrand (J. Orieux) : 865, 868-869, 871, 912.

Talleyrand-Périgord, Charles Maurice de : 23.

Tannay, Nièvre : 71, 175, 972, 977.

Tapié, Victor-Lucien : 506.

Tarare, Rhône : 625.

Tartas, Landes : 647.

Tate, Sharon : 627.

Technocratie et Démocratie (R. Boisdé) : 166.

Téhéran : 943-944, 1112.

Teilhard de Chardin, Pierre : 224.

Teitelboim, Volodia : 911.

Tel-Aviv : 944, 1001, 1003-1004, 1007-1008.

Temuco : 910.

Tenoudji, Edmond : 899.

Terra Amata (J.M.G. Le Clézio) : 528.

Tetreau, Dominique : 807.

Thatcher, Margaret : 1205.

Theodorakis, Mikis : 891, 895, 905, 1026, 1032.

Thévenet, Jacques : 990.

Thiès : 1094.

Thieullent : 618.

Thionville, Moselle : 505.

Thiviers, Dordogne : 828.

Thomas, Laurence : voir Carvallo, Laurence.

Thome-Patenôtre, Jacqueline : 314.

Thorez, Maurice : 237.

Tillon, Charles : 925-926.

Titien : 579.

Tokyo : 924, 1125.

Tolède : 329, 716, 1107.

Tolstoï, Léon : 40, 375, 607, 1086.

Torcello : 527, 538, 558, 572, 577, 586, 594, 598, 607, 662.

Tortue indigo, La (T. Derène) : 648.

Tosse, Landes : 819.

Toulouse, Haute-Garonne : 418, 451, 511, 513, 515, 571, 647, 855, 918-919, 957, 965, 992-993.

Touré, Sékou : 977.

Tournoux, Raymond : 406, 458, 506, 523, 983.

Tournus, Saône-et-Loire : 810.

Tours, Indre-et-Loire : 285, 493.

Touvent, Charente : 171, 216, 220, 240, 265, 267, 274, 276, 278, 283, 291, 379, 427, 436, 608, 632, 808, 825, 828, 866, 871, 937, 940, 955, 1040, 1092.

Trinquier, Roger : 659.

Triolet, Elsa : 340.

Trocmé : 554.

Trois-Îlets (Les), Martinique : 1068.

Tron, Ludovic : 314.

Tronçais, Allier : 210, 239, 340, 346, 389.

Trouillé, Pierre : 606.

Truc, Gonzague : 577.

Truite, La (F. Schubert) : 1095.

Tucson : 527.

Tulle, Corrèze : 254-255, 496.

Tunis : 483, 528.

Turin : 296, 299, 302-303, 306, 797, 799.

Ullmann, Marc : 419, 872.

Un « procès de Moscou » à Paris (C. Tillon) : 925.

Un dimanche comme les autres (J. Schlesinger) : 885.

Un homme pour l'éternité (F. Zinnemann) : 576.

Un roi sans divertissement (F. Leterrier) : 128, 169, 1242.

Uri, Pierre : 952, 964.

Ustaritz, Pyrénées-Atlantiques : 932.

Utrecht : 803-805.

Utrillo, Maurice : 196.

Uzzano, Niccolò da : 300.

Vadim, Roger : 48, 64, 96.

Vaillant, Roger : 64.

Valence, Drôme : 483, 664, 768, 902.

Valenciennes, Nord : 616.

Valéry, Paul : 607, 669, 950.

Valette, Robert : 826.

Valeureux, Les (A. Cohen) : 659.
VALLERY, général : 334.
VALLON, Louis : 331, 810.
Valparaíso : 909.
VAN GOGH, Vincent : 47, 98, 200, 233, 777, 987, 1189.
VAN LIZUT, Joop : 806.
VARAUT, Jean-Marc : 600.
VARILLON, père François : 329-330, 358, 611.
Varzy, Nièvre : 294.
VASARI, Giorgio : 158.
VAUBAN, Sébastien Le Prestre de : 441, 484, 810, 985.
Vauclaix, Nièvre : 916.
Vaux-le-Vicomte, Puy-de-Dôme : 47.
Vayrac, Lot : 265.
VÉLASQUEZ : 814.
Venise : 61, 245, 525, 534, 538, 545, 584, 684, 789, 869, 1064, 1177, 1196, 1203.
Ventadour, Corrèze : 693.
VERCINGÉTORIX : 50-51, 76.
VERDIER, Claude : 778.
VERDIER, Mme : 958.
Vereaux, Cher : 779.
VERLAINE, Paul : 375.
VERMEER, Johannes : 189, 804-805.
Vernon, Ardèche : 849, 965, 1045.
Versailles, château : 906, 918, 945, 970, 1000.
Versailles, parc : 177, 723, 851.
Versailles, Trianon : 733, 1157.
Versailles, Yvelines : 75, 136, 823, 951.
Vert-en-Drouais, Eure-et-Loir : 198.
VESPUCCI, Simonetta : 26-27.
Vevey : 581.
Vézelay, Yonne : 76, 88, 543, 607, 662, 683, 689, 704, 715, 719-720, 844, 1011.
VIALA, Mme : 581.
VIALA, Pierre : 587, 1046.
VIANSSON-PONTÉ, Pierre : 204, 487, 506, 852, 854-855.
VICANCOS, Sara : 446-447.
Vicence : 648.
Vichy, Allier : 345-346, 398, 483, 522, 564, 601, 699.

Vic-le-Comte, Puy-de-Dôme : 340, 346, 544, 593, 652, 737-738.
Vie amoureuse de Karl Marx, La (P. Durand) : 851.
Vie des douze Césars (Suétone) : 295.
Vienne : 840, 885, 913.
Vienne, Isère : 776.
Vierzon, Cher : 324.
Vieux-Boucau, Landes : 1046, 1055.
Vigéraud, moulin de, Charente : 829.
VIGNAUX, Paul : 513.
VILA, Hélène : 1012.
VILAR, Jean : 950.
VILLALONGA, José Luis de : 824.
Ville-d'Avray, Hauts-de-Seine : 556.
Villefort, Lozère : 323, 572.
Villefranche-de-Rouergue, Aveyron : 272, 301.
Ville-Langy, Nièvre : 239.
Villeneuve-de-Berg, Ardèche : 848.
Villeneuve-la-Guyard, Yonne : 175.
Villesalem, Vienne : 126.
Viña del Mar : 909.
Vincennes, Val-de-Marne : 536.
VINCENT, Frédérique : 597, 617, 770, 840.
VINCENT, Gérard : 597, 617, 770.
VINSON, Georges : 625, 855, 901.
Viroflay, Yvelines : 888-889, 921, 1000.
VISCONTI, Luchino : 812.
Vitry-Laché, Nièvre : 779.
VIVIER, Émile : 986.
VOGUË, M. de : 167.
Voisinage des Cavernes, Le (J. Cassou) : 768.
Voyageurs de l'impériale, Les (L. Aragon) : 786.
VROJET, Mme : 871.
VUSKOVIC, Pedro : 909.

WAROT, Mme : 709.
WEHNER, Herbert : 811.
WEIL, Simone : 330.
WEILL, Pierre : 970, 994.
WESTPHALEN, Jenny von : voir MARX, Jenny.
WHITE, Ted : 108.
WHITMAN, Walt : 1078.
WIEHN : 814.

WILDENSTEIN, Daniel : 814, 987.
WILSON, Harold : 856-857, 873.
WURTEMBERG, rois de : 1168.

YAHYA, khan : 943.
Yamoussoukro : 1157.
YESCHUA : 1001.
Yeu, île d', Vendée : 404.
Yons, Landes : 299, 301, 304, 358, 364, 407,
    501, 565, 608, 648, 663, 839, 861, 1015.
YOURCENAR, Marguerite : 588.

ZADKINE, Ossip : 804.
Zagreb : 866.
Zapallar : 909.
ZAZA : 732, 1140.
ZELLER, Fred : 778.
ZOLA, Émile : 607.
ZRIKEM, Younès : 1243.
ZURBARÀN, Francisco de : 375.
Zurich : 929, 943-944.

Composition Nord Compo
Achevé d'imprimer
sur Timson
par Normandie Roto Impression s.a.s.
61250 Lonrai, en novembre 2016
Dépôt légal : novembre 2016
Premier dépôt légal : septembre 2016
Numéro d'imprimeur : 1604939

ISBN 978-2-07-019724-8 / Imprimé en France

314854